ORHAN PAMUK • **Masumiyet Müzesi**

İletişim Yayınları 1329 • Çağdaş Türkçe Edebiyat 181
ISBN-13: 978-975-05-0626-0
© 2008 İletişim Yayıncılık A. Ş.
1. BASKI İstanbul, Eylül 2008 (100.000)
2. BASKI İstanbul, Eylül 2008 (100.001-150.000)
3. BASKI İstanbul, Aralık 2008 (150.001-153.000) / özel ciltli baskı
4. BASKI İstanbul, Eylül 2010 (153.001-156.000)
5. BASKI İstanbul, Aralık 2010 (156.001-159.000)
6. BASKI İstanbul, Haziran 2011 (159.001-162.000)
7. BASKI İstanbul, Aralık 2011 (162.001-165.000)
8. BASKI İstanbul, Nisan 2012 (165.001-168.000)
9. BASKI İstanbul, Temmuz 2012 (168.001-171.000)
10. BASKI İstanbul, Eylül 2012 (171.001-174.000)
11. BASKI İstanbul, Kasım 2012 (174.001-180.000)

EDITÖR Bahar Siber - Asuman Oktay - Emre Ayvaz
KAPAK TASARIMI Hakkı Mısırlıoğlu
ÖN KAPAK FOTOĞRAFI Ahmet Işıkçı
    (Orhan Pamuk'un fotoğraf koleksiyonundan)
KAPAK Suat Aysu
ARKA KAPAK FOTOĞRAFI Rüya Pamuk
DİZGİ ve UYGULAMA Hüsnü Abbas
DÜZELTİ Ceren Kınık - Belce Öztuna
DİZİN Özgür Yıldız
BASKI ve CİLT Sena Ofset · SERTİFİKA NO. 12064
Litros Yolu 2. Matbaacılar Sitesi B Blok 6. Kat No. 4NB 7-9-11
Topkapı 34010 İstanbul Tel: 212.613 03 21

İletişim Yayınları · SERTİFİKA NO. 10721
Binbirdirek Meydanı Sokak İletişim Han No. 7 Cağaloğlu 34122 İstanbul
Tel: 212.516 22 60-61-62 • Faks: 212.516 12 58
e-mail: iletisim@iletisim.com.tr • web: www.iletisim.com.tr

ORHAN PAMUK

Masumiyet Müzesi

iletişim

ORHAN PAMUK 1952'de İstanbul'da doğdu. *Cevdet Bey ve Oğulları* ve *Kara Kitap* romanlarında anlattığına benzer kalabalık bir ailede, Nişantaşı'nda büyüdü. Otobiyografik kitabı *İstanbul*'da anlattığı gibi çocukluğundan yirmi iki yaşına kadar yoğun bir şekilde resim yaparak ve ileride ressam olacağını düşleyerek yaşadı. Liseyi İstanbul'daki Amerikan lisesi Robert Kolej'de okudu. İstanbul Teknik Üniversitesi'nde üç yıl mimarlık okuduktan sonra, mimar ve ressam olmayacağına karar verip okulu bıraktı ve İstanbul Üniversitesi'nde gazetecilik okudu. Pamuk, yirmi üç yaşından sonra romancı olmaya karar vererek başka her şeyi bıraktı ve kendini evine kapatıp yazmaya başladı. İlk romanı *Cevdet Bey ve Oğulları* 1982'de yayınlandı ve Orhan Kemal ve Milliyet Roman Ödülleri'ni aldı. Pamuk ertesi yıl *Sessiz Ev* adlı romanını yayınladı ve bu kitabın Fransızca çevirisiyle 1991'de Prix de la Découverte Européene'i kazandı. Venedikli bir köle ile bir Osmanlı âlimi arasındaki gerilimi ve dostluğu anlatan romanı *Beyaz Kale* (1985), pek çok dile çevrilerek Pamuk'a uluslararası ününü sağlayan ilk romanı oldu. Aynı yıl karısıyla Amerika'ya gitti ve 1985-88 arasında New York'ta Columbia Üniversitesi'nde "misafir âlim" olarak bulundu. İstanbul'un sokaklarını, geçmişini, kimyasını ve dokusunu, kayıp karısını arayan bir avukat aracılığıyla anlatan *Kara Kitap*'ı 1990'da Türkiye'de yayınladı. Fransızca çevirisiyle Prix France Culture Ödülü'nü kazanan bu roman, geçmişten ve bugünden aynı heyecanla söz edebilen bir yazar olarak Pamuk'un ününü hem Türkiye'de hem de yurtdışında genişletti. 1991'de, Pamuk'un Rüya adını verdiği bir kızı oldu. 1994'te, esrarengiz bir kitaptan etkilenen üniversiteli bir genci hikâye ettiği *Yeni Hayat* adlı şiirsel romanı yayınlandı. Osmanlı ve İran nakkaşlarını, Batı dışındaki dünyanın görme ve resmetme biçimlerini bir aşk ve aile romanının entrikasıyla hikâye ettiği *Benim Adım Kırmızı* adlı romanı 1998'de yayınlandı. Bu kitapla Fransa'da Prix du Meilleur Livre étranger, İtalya'da Grinzane Cavour (2002) ve İrlanda'da International Impac-Dublin (2003) ödüllerini kazandı. 1990'ların ortasından itibaren Pamuk, insan hakları ve düşünce özgürlüğü konularında yazdığı makalelerle Türkiye devletine karşı eleştirel bir tavır takındı. Yurtiçinde ve yurtdışında çeşitli gazete ve dergilere yazdığı edebi, kültürel makalelerden oluşturduğu geniş bir seçmeyi 1999 yılında *Öteki Renkler* adıyla yayınladı. "İlk ve son siyasi romanım" dediği *Kar* adlı kitabını 2002'de yayınladı. Kars şehrinde, siyasal İslamcılar, askerler, laikler, Kürt ve Türk milliyetçileri arasındaki şiddeti ve gerilimi hikâye eden bu kitap, *New York Times Book Review* tarafından 2004 yılının en iyi 10 kitabından biri seçildi. Pamuk'un 2003 yılında yayınladığı *İstanbul*, yazarın hem yirmi iki yaşına kadar olan hatıralarını aktardığı bir hatıra kitabı, hem de kendi kişisel albümüyle, Batılı ressamların ve yerli fotoğrafçıların eserleriyle zenginleştirilmiş, İstanbul üzerine bir denemedir. Kitapları 59 dile çevrilmiş olan, bütün dünyada on milyondan fazla satmış olan Pamuk, pek çok üniversiteden şeref doktorası aldı. Alman Kitapçılar Birliği tarafından 1950 yılından beri verilmekte olan, Almanya'nın kültür alanındaki en seçkin ödülü olarak kabul edilen Barış Ödülü, 2005'te Orhan Pamuk'a verildi. Ayrıca *Kar* Fransa'da her yıl en iyi yabancı romana verilen Le Prix Médicis étranger ödülünü aldı. Aynı yıl *Prospect* dergisi tarafından dünyanın 100 entelektüeli arasında gösterildi ve 2006 yılında *Time* dergisi tarafından dünyanın en etkili 100 kişisinden biri seçildi. American Academy of Arts and Letters'ın ve Çin Sosyal Bilimler Akademisi'nin şeref üyesi olan Pamuk, senede bir dönem Columbia Üniversitesi'nde ders veriyor. Orhan Pamuk 2006 yılında Nobel Edebiyat Ödülü'nü alarak bu ödülü kazanan ilk Türk oldu. Pamuk 2008'de aşk, evlilik, dostluk, mutluluk gibi konuları bireysel ve toplumsal boyutlarıyla işlediği *Masumiyet Müzesi* adlı romanını; 2010 yılında ise çocukluğundan başlayarak hayatını ve edebiyatla ilişkisini eksen alan yazı ve röportajlarından oluşan *Manzaradan Parçalar*'ı yayınladı. Pamuk, 2009'da Harvard Üniversitesi'nde verdiği Norton derslerini 2011 yılında *Saf ve Düşünceli Romancı* adıyla kitaplaştırdı. Son olarak 2012'de İstanbul'da Masumiyet Müzesi'ni açtı ve müzenin kataloğu *Şeylerin Masumiyeti*'ni yayınladı.

Rüya'ya

Onlar yoksulluğun, para kazanmakla unutulacak bir suç olduğunu sanacak kadar masum insanlardı.

Celâl Salik, Defterlerden

Bir adam rüyasında Cennet'e gitse ve ruhunun gerçekten Cennet'e gittiğinin işareti olsun diye ona bir çiçek verseler ve sonra adam uyandığında bir de baksa ki çiçek elinde – Ee? Peki ya sonra?

Samuel Taylor Coleridge, Defterlerden

Evvelâ masa üzerindeki küçük süslerini, kullandığı losyonları, tuvalet eşyasını seyrettim. Aldım, baktım. Küçük saatini elimde evirdim, çevirdim. Sonra elbise dolabına baktım. Bütün o kat kat elbiseler, süsler. Her kadını tamamlayan şeyler bana korkunç bir yalnızlık, acıma ve onun olma his ve arzusunu verdiler.

Ahmet Hamdi Tanpınar, Defterlerden

İçindekiler

1. HAYATIMIN EN MUTLU ANI

Hayatımın en mutlu anıymış, bilmiyordum. Bilseydim, bu mutluluğu koruyabilir, her şey de bambaşka gelişebilir miydi? Evet, bunun hayatımın en mutlu anı olduğunu anlayabilseydim, asla kaçırmazdım o mutluluğu. Derin bir huzurla her yerimi saran o harika altın an belki birkaç saniye sürmüştü, ama mutluluk bana saatlerce, yıllarca gibi gelmişti. 26 Mayıs 1975 Pazartesi günü, saat üçe çeyrek kala civarında bir an, sanki bizim suçtan, günahtan, cezadan ve pişmanlıktan kurtulduğumuz gibi, dünya da yerçekimi ve zamanın kurallarından kurtulmuş gibiydi. Füsun'un sıcaktan ve sevişmekten ter içinde kalmış omzunu öpmüş, onu arkadan yavaşça sarmış, içine girmiş ve sol kulağını hafifçe ısırmıştım ki, kulağına takılı küpe uzunca bir an sanki havada durdu ve sonra da kendiliğinden düştü. O kadar mutluyduk ki, o gün şekline hiç dikkat etmediğim bu küpeyi sanki hiç fark etmedik ve öpüşmeye devam ettik.

Dışarıda, İstanbul'da bahar günlerine özgü o pırıl pırıl gök vardı. Sıcak, kış alışkanlıklarından kurtulamamış İstanbullula-

11

rı sokaklarda terletiyordu, ama binaların içleri, dükkânlar, ıhlamur ve kestane ağaçlarının altları hâlâ serindi. Benzer bir serinliğin, üzerinde mutlu çocuklar gibi her şeyi unutarak seviştiğimiz küf kokulu şiltenin içinden de geldiğini hissediyorduk. Açık balkon penceresinden deniz ve ıhlamur kokan bir bahar rüzgârı esti, tül perdeleri kaldırıp ağır çekimle sırtlarımıza bıraktı ve çıplak vücutlarımızı ürpertti. İkinci kattaki dairenin arka odasından, yattığımız yataktan arka bahçede Mayıs sıcağında hırsla küfürleşerek futbol oynayan çocukları gördük ve birbirlerine söyledikleri edepsiz şeyleri, bizim kelimesi kelimesine yapmakta olduğumuzu fark edip sevişmemizin ortasında bir an durarak, birbirimizin gözlerinin içine bakıp gülümsedik. Ama mutluluğumuz o kadar derin ve büyüktü ki, hayatın arka bahçeden bize sunduğu şakayı, bu küpeyi unuttuğumuz gibi unuttuk hemen.

Ertesi günkü buluşmamızda, Füsun bana küpesinin tekinin kayıp olduğunu söyledi. Aslında, o gittikten sonra ucunda adının baş harfi olan küpeyi mavi çarşafların arasında görmüş, kenara kaldıracağıma, tuhaf bir içgüdüyle, kaybolmasın diye ceketimin cebine koymuştum. "Burada canım," dedim. Sandalyenin arkalığına asılı ceketimin sağ cebine elimi attım. "Aaa, yok," dedim. Bir an bir felaketin, bir uğursuzluğun belirtisini hisseder gibi oldum, ama sabah sıcağı fark edince, başka bir ceket giydiğimi hemen hatırladım. "Öteki ceketimin cebinde kalmış."

"Lütfen yarın getir, unutma," dedi Füsun gözlerini kocaman açarak. "Benim için çok önemi var."

"Peki."

Füsun, bir ay önceye kadar varlığını bile neredeyse unuttuğum on sekiz yaşındaki uzak ve yoksul akrabamdı. Ben ise otuz yaşındaydım ve bana herkesin çok yakıştırdığı Sibel ile nişanlanıp evlenmek üzereydim.

2. ŞANZELİZE BUTİK

Bütün hayatımı değiştirecek olaylar ve rastlantılar, bir ay önce, yani 27 Nisan 1975'te ünlü Jenny Colon marka bir çantayı Sibel ile bir vitrinde görmemizle başladı. Yakında nişanlanacağım Sibel ile Valikonağı Caddesi'nde serin bahar akşamının tadını çıkararak yürürken, hafifçe sarhoştuk ve çok mutluyduk. Nişantaşı'nda yeni açılan şık lokanta Fuaye'de yediğimiz akşam yemeğinde, annem ve babama nişan törenimizin hazırlıklarından uzun uzun bahsetmiştik: Sibel'in Dame de Sion Lisesi'nden ve Paris yıllarından arkadaşı Nurcihan törene Paris'ten gelebilsin diye nişan Haziran'ın ortasında yapılacaktı. Sibel, o günlerde İstanbul'un en gözde ve pahalı terzisi olan İpek İsmet'e nişan elbisesini uzun zaman önce sipariş etmişti. Annemin elbiseye vereceği incilerin nasıl işleneceğini, Sibel ile ilk defa o akşam tartışmışlardı. Müstakbel kayınpederim, tek çocuğu olan kızı için nikâh kadar şatafatlı bir nişan yaptırmak istiyor, bu da annemin hoşuna gidiyordu. Sorbonne'da okumuş —o zamanlar İstanbul burjuvaları Paris'te birşeyler okuyan bütün kızlara "Sorbonne'da okudu," derlerdi— Sibel gibi bir gelini olacağı için babam da mutluydu.

Yemekten sonra Sibel'i evine götürürken, elimi onun sağlam omzuna aşkla atıp sarılmış, ne kadar mutlu ve talihli olduğumu gururla düşünmüştüm ki, "A, o ne güzel çanta öyle!" demişti Sibel. Şarapla başım iyice dumanlı olmasına rağmen vitrindeki çantayı ve dükkânı hemen mimlemiş, ertesi öğle hemen çantayı almaya gitmiştim. Aslında kadınlara sürekli hediyeler alan, çiçek yollamak için uygun bahaneler bulan, doğuştan ince, nazik, çapkın erkeklerden değildim; belki öyle birisi olmak istiyordum. O zamanlar Şişli, Nişantaşı, Bebek gibi semtlerdeki evlerinde canları sıkılan Batılılaşmış İstanbullu zengin ev kadınları "sanat galerisi" değil, "butik" açar, *Elle*, *Vogue* gibi ithal dergilerden kopya edip diktirdikleri "moda" elbiselerle, Paris ve Milano'dan bavullar içinde getirdikleri kıyafetleri, kaçak ıvır zıvır ve takıları, kendileri gibi canı sıkılan diğer zengin ev kadınlarına saçma denilecek kadar yüksek fiyatlarla satmaya çalışırlardı. Şanzelize Butik'in sahibi Şenay Hanım, yıllar sonra onu bulduğum zaman, kendisinin de tıpkı Füsun gibi, anne tarafından çok uzak bir hısmımız olduğunu hatırlattı bana. Yıllar sonra Şenay Hanım'ın, kapının üzerine asılı levha dahil Şanzelize Butik ve Füsun ile ilgili her türlü eski eşyaya gösterdiğim aşırı ilginin nedenlerini hiç sormadan bana elindekileri vermesi, yaşadığımız hikâyenin bazı tuhaf anlarının bile yalnız onun tarafından değil, sandığımdan da geniş bir kalabalık tarafından bilindiğini hissettirmişti bana.

Ertesi gün saat yarıma doğru kapıya bağlı içi çift tokmaklı, küçük bronz deve çan, ben Şanzelize Butik'e girince, şimdi hâlâ kalbimi hızlandıran bir sesle çınladı. Bahar vakti, öğle sıcağında dükkânın içi loş ve serindi. İlk anda içeride kimse yok sandım. Füsun'u sonra gördüm. Öğle güneşinden sonra gözlerim hâlâ dükkânın karanlığına alışmaya çalışıyordu; ama yüreğim, nedense, sahile vurmak üzere olan koskocaman bir dalga gibi ağzımın içinde kabarmıştı.

"Vitrindeki mankenin üzerindeki çantayı almak istiyorum," dedim.

Çok güzel, diye düşündüm, çok çekici.

"Krem rengi, Jenny Colon çanta mı?"

Göz göze gelince, onun kim olduğunu hatırladım hemen.

"Vitrindeki mankenin üzerinde," diye fısıldadım bir rüyadaki gibi.

"Anladım," dedi, vitrine yürüdü. Bir hamlede sol ayağındaki yüksek topuklu sarı ayakkabıyı çıkardı ve tırnakları özenle kırmızıya boyanmış çıplak ayağıyla, vitrinin zeminine basıp mankene doğru uzandı. Önce boş ayakkabıya baktım, sonra uzun, çok güzel bacaklarına. Mayıs gelmeden, şimdiden güneşten yanmışlardı.

Dantelli ve çiçekli sarı eteği, bacaklarının uzunluğu yüzünden daha da kısa duruyordu. Çantayı aldı, tezgâhın arkasına geçti ve çantanın fermuarlı gözünü (içinden krem rengi pelür kâğıt topakları çıktı), iki küçük bölmesini (boştu bunlar) ve içinden üzerinde Jenny Colon yazan bir kâğıt ve bakım kılavuzu çıkan gizli bölmeyi becerikli ve uzun parmaklarıyla açıp bana çok mahrem bir şey gösteriyormuş gibi esrarlı ve aşırı ciddi bir havayla gösterdi. Bir an göz göze geldik.

"Merhaba Füsun. Ne kadar büyümüşsün. Beni tanımadın galiba."

"Yok Kemal Ağabey, hemen tanıdım ama siz tanımayınca, ben de rahatsız etmeyeyim dedim."

Bir sessizlik oldu. Az önce çantada işaret ettiği yere baktım. Güzelliği, o zamana göre aşırı kısa eteği ya da başka bir şey huzursuz etmişti beni, tabii davranamıyordum.

"Ee, neler yapıyorsun?"

"Üniversite sınavına hazırlanıyorum. Buraya da her gün geliyorum. Yeni insanlar tanıyorum dükkânda."

"Çok güzel. Ne kadar şimdi bu çanta?"

Kaşlarını çatarak "Bin beş yüz lira," diye çantanın altındaki üzeri elle yazılmış küçük etiketi okudu. (Bu para, o zamanlar genç bir memurun altı aylık maaşına denkti.) "Ama Şenay Hanım eminim sizin için bir şey yapar. Öğle yemeği için eve gitti. Uyuyordur, telefon edip soramam. Ama akşamüstü bir uğrarsanız..."

"Önemli değil," dedim ve daha sonra gizli buluşma yerimizde Füsun'un pek çok kereler abartılı bir şekilde taklidini yapacağı bir hareketle, arka cebimden cüzdanımı çıkarıp nemli kâğıt paraları saydım. Füsun çantayı bir kâğıda dikkatle ama acemice sardı, bir plastik torbaya koydu. Bütün bu sessizlikte bal renkli uzun kollarını, çabuk ve zarif hareketlerini seyrettiğimi biliyordu. Çantayı kibarca bana uzatınca teşekkür ettim. "Nesibe Hala'ya, babana (Tarık Bey'in adı bir an aklıma gelmemişti) hürmetler," dedim. Bir an durakladım: İçimden hayaletim çıkmış, bir cennet köşede Füsun'u kucaklamış öpüyordu. Hızla kapıya yürüdüm. Bu saçma bir hayaldi, üstelik Füsun aslında öyle çok güzel de değildi. Kapının çanı şıngırdadı, bir kanaryanın şakımaya başladığını işittim. Sokağa çıktım, sıcak hoşuma gitti. Hediyemden memnundum, Sibel'i çok seviyordum. Dükkânı, Füsun'u unutmaya karar verdim.

3. UZAK AKRABALAR

Gene de, akşam yemeğinde anneme konuyu açtım ve Sibel'e bir çanta alırken, uzak akrabamız Füsun ile karşılaştığımı söyleyiverdim.

"Aa evet, şurada Şenay'ın dükkânında çalışıyor Nesibe'nin kızı, yazık!" dedi annem. "Artık bayramlarda da uğramıyorlar. O güzellik yarışması kötü oldu. Dükkânın önünden her gün geçiyorum da, zavallı kıza bir merhaba demek ne içimden geliyor ne aklıma geliyor. Halbuki çocukken ben o kızı çok severdim. Nesibe dikişe geldiğinde bazan o da gelirdi. Dolaptan oyuncaklarınızı çıkarır verirdim, annesi dikiş dikerken o sessizce oynardı. Nesibe'nin annesi rahmetli Mihriver Halanız da hoş bir insandı."

"Tam nemiz oluyorlardı?"

Televizyon seyreden babam bizi dinlemediği için annem Atatürk'le aynı yıl doğan ve yıllar sonra bulduğum buradaki fotoğrafların ilkinde görüldüğü gibi Cumhuriyet'in kurucusuyla aynı ilkokula, Şemsi Efendi Mektebi'ne giden babasının (yani dedem Ethem Kemal'in) anneannemle evlenmeden yıllar önce, daha yirmi üç yaşına bile varmadan, alelacele evlendiği bir ilk karısı olduğunu ballandırarak anlattı. Boşnak kökenli bu zavallı kızcağızın (yani Füsun'un anneannesinin annesinin) Balkan Harbi sırasında, Edirne boşaltılırken öldüğünü söyledi. Bu zavallı kadın, dedem Ethem Kemal'den çocuk doğurmamıştı; ama ondan önce, annemin deyişiyle "çocuk yaşta" evlendiği fakir bir şeyhten Mihriver adlı bir kızı olmuştu. Birtakım tuhaf insanların yetiştirdiği Mihriver Hala'nın (Füsun'un anneannesi) ve onun kızı Nesibe'nin (Füsun'un annesi) akraba değil, hısım sayılması gerektiğini eskiden beri söylerdi annem ve ailenin bu çok uzak kanadının kadınlarına nedense "hala" dememizi isterdi. Annem (adı Vecihe'dir) son yıllardaki bayram ziyaretlerinde, Teşvikiye'de bir arka sokakta oturan bu fakir düşmüş "hısımlara" aşırı mesafeli ve soğuk davranarak onları kırmıştı. Çünkü Nesibe Hala'nın iki sene önce, Füsun'un on altı yaşındayken ve Nişantaşı Kız Lisesi'nde okurken bir güzellik yarışmasına katılmasına ses çıkarmamasına, hatta sonradan öğrendiğimize göre kızını bu işe teşvik etmesine çok kızmış; daha sonra duyduğu dedikodulardan, bir zamanlar sevip koruduğu Nesibe Hala'nın utanç duyulacak bu işten gururlandığı sonucunu çıkararak onlara sırt çevirmişti.

Oysa Nesibe Hala da kendisinden yirmi yaş büyük olan annemi çok sever ve sayardı. Bunda, Nesibe Hala'nın gençliğinde, kibar semtlerinde ev ev dolaşarak dikiş dikerken annemin onu çok desteklemesinin de payı vardı şüphesiz.

"Çok, çok yoksullardı," dedi annem. Abartmış olmaktan korkarak ekledi: "Ama yalnız onlar mı oğlum, bütün Türkiye fakirdi o zamanlar." Annem o zamanlar Nesibe Hala'nın "çok iyi bir insan, çok iyi bir terzi" olduğunu söyleyerek onu arkadaşlarına tavsiye eder, yılda bir kere de (bazan iki de olurdu) onu bizim eve bir davet, bir düğün için elbise dikmeye çağırırdı.

Çoğunlukla okulda olduğum için, dikişe geldiğinde onu görmezdim. 1956 yazı sonunda bir düğün için acele elbise gerektiğinde, annem Nesibe'yi Suadiye'deki yazlığa çağırmıştı. Palmiye ağacının yaprakları arasından sandallara, motorlara, iskeleden denize atlayıp eğlenen çocuklara bakan ikinci kattaki küçük arka odada, ikisi, Nesibe'nin İstanbul manzaralı dikiş kutusundan çıkan makaslar, toplu iğneler, mezuralar, yüksükler, kesilmiş kumaş parçaları ve danteller arasında, hem sıcaktan, sivrisineklerden ve dikiş yetiştirmekten şikâyet ederek hem de birbirlerini çok seven abla kardeş gibi şakalaşıp gülüşerek gece yarılarına kadar annemin Singer makinesiyle dikiş dikmişlerdi. Sıcak ve kadife kokan o küçük odaya ahçı Bekri'nin bardak bardak limonata taşıdığını, çünkü gebe olan yirmi yaşındaki Nesibe'nin sürekli aşerdiğini, annemin hep birlikte öğle yemeği yerken, yarı şaka yarı ciddi, ahçıya "Hamile kadına canı neyi yemek istiyorsa hemen vereceksiniz, yoksa çocuk çirkin olur!" dediğini, benim de Nesibe Hala'nın hafif şiş karnına ilgiyle baktığımı hatırlıyorum. Sanırım bu, Füsun'un varlığının farkına ilk varışımdı, ama kız mı erkek mi olacağını bile kimse bilmiyordu daha.

"Nesibe, kocasına da haber vermeden kızın yaşını büyük gösterip bu yarışmaya sokmuş," dedi annem olayı hatırladıkça daha da öfkelenerek. "Allahtan kazanamadı da rezil olmaktan kurtuldular. Fark etselerdi kızı liseden atarlardı... Şimdi liseyi bitirmiştir, ama sanmam ki doğru dürüst bir şey okusun. Artık bayram ziyaretlerine de gelmiyorlar ki ne yaptıklarını bilelim... Bu ülkede güzellik yarışmalarına katılanlar, nasıl kızlardır, nasıl kadınlardır herkes bilir. Sana nasıl davrandı?"

Annem, Füsun'un erkeklerle yatmaya başladığını ima ediyordu. Benzer bir dedikoduyu, Füsun'un ön elemeyi kazananlarla birlikte fotoğrafı *Milliyet*'te yayımlanınca, Nişantaşlı çapkın arkadaşlarımdan da işitmiş, utanç verici konuyla ilgilenir gözükmek hiç istememiştim. Aramızda bir sessizlik olunca "Dikkat et!" dedi annem esrarengiz bir havayla parmağını sallayarak. "Çok özel, çok hoş, çok güzel bir kızla nişanlanmak üzeresin! Bana ona aldığın çantayı göstersene. Mümtaz! (babamın adı). Bak, Kemal, Sibel'e çanta almış!"

"Sahi mi?" dedi babam. Yüzünde çantayı görmüş, çok beğenmiş ve oğlunun ve sevgilisinin mutluluğuyla mutlu olmuş gibi içten bir sevinç ifadesi belirdi, ama gözünü televizyondan ayırmamıştı bile.

4. YAZIHANEDE SEVİŞMEK

Babamın baktığı ekranda, arkadaşım Zaim'in bütün Türkiye'de piyasaya çıkardığı "ilk Türk meyveli gazozu Meltem"in iddialı reklamı vardı. Bir an dikkatle baktım ve reklamı sevdim. Fabrikatör babası son on yılda benimki gibi çok kazanınca, Zaim babasının sermayesiyle yeni, cesur işlere girişmişti. Arkadaşımın, akıl da verdiğim bu işlerde başarılı olmasını istiyordum.

Amerika'da iş idaresi okuyup dönmüş, askerliğimi bitirmiştim; babam gittikçe büyüyen fabrikanın, kurulan yeni şirketlerin yönetiminde, ağabeyim gibi benim de etkili olmamı istemiş, bu yüzden genç yaşta beni Harbiye'deki dağıtım ve ihracat şirketi Satsat'ın genel müdürü yapmıştı. Satsat büyük bütçeliydi, çok kâr ediyordu, ama bu benim sayemde değil, fabrikaların ve öteki şirketlerin kârları muhasebe oyunlarıyla Satsat'a aktarıldığı için oluyordu. Günlerim, patronun oğlu olduğum için başlarına müdür kesildiğim benden yirmi-otuz yaş büyük emektar memurlara, annemle yaşıt iri göğüslü ve tecrübeli memure teyzelere alçakgönüllülük etmeye çalışarak ve onlardan işin inceliklerini öğrenerek geçerdi.

Yaşlı memurlar gibi yorgun ve yıpranmış belediye otobüsleri ve troleybüsleri önünden her geçtiğinde –çok geçerlerdi– zangır zangır titreyen Harbiye'deki eski Satsat binasında, herkes gittikten sonra, akşamüstleri beni ziyarete gelen, kısa zaman sonra nişanlanmayı planladığımız Sibel ile genel müdür odasında sevişirdik. Bütün modernlik ve Avrupa'dan öğrenilmiş kadın hakları ve feministlik sözlerine rağmen sekreterler hakkındaki fikri aslında anneminkinden farklı olmayan Sibel, "Burada sevişmeyelim, kendimi sekreter gibi hissediyorum!" derdi bazan. Ama yazıhanedeki deri divanın üzerinde sevişirken onda hissettiğim tutukluğun asıl nedeni, tabii ki o yıllarda Türk kızlarının evlenmeden önce cinsel hayata başlama korkularıydı.

Batılılaşmış zengin ailelerin, Avrupa görmüş seçkin kızları o yıllarda ilk defa tek tük bu "bekâret" tabusunu kırmaya, evlenmeden önce sevgilileriyle yatmaya başlamışlardı. Sibel de bazan bu "cesur" kızlardan biri olmakla övünürdü, benimle on bir ay önce yatmıştı. (Uzun bir süreydi bu, artık evlenmeliydik!)

Ama yıllar sonra hikâyemi bütün içtenliğimle şimdi anlatmaya çalışırken, sevgilimin cesaretini abartmak ve kadınlar üzerindeki cinsel baskıyı hafife almak da istemiyorum. Çünkü Sibel bana kendini ancak benim "niyetimin ciddi" olduğunu görünce; yani benim "güvenilir biri" olduğuma inanınca, yani benim sonunda onunla evleneceğimi kesinlikle anlayınca vermişti. Ben de sorumlu, doğru dürüst biri olduğum için, Sibel'le elbette evlenecektim, bunu zaten çok istiyordum; ama istemesem de "bekâretini bana verdiği" için artık onu bırakmama imkân yoktu. Bu sorumluluk duygusu, bizi birbirimize gururla bağlayan başka bir duyguya, evlenmeden önce seviştiğimiz için hissettiğimiz "özgür ve modern" (elbette bu kelimeleri kendimiz için kullanamazdık) olduğumuz yanılsamasına gölge düşürüyordu, ama bizi yakınlaştırıyordu da.

Benzer bir gölgeyi, Sibel'in artık bir an önce evlenmemiz gerektiği konusundaki telaşlı imalarını fark edince de hissederdim. Ama Sibel ile yazıhanede sevişirken çok mutlu olduğumuz zamanlar da vardı. Dışarıdan Halaskârgazi Caddesi'nin otobüs ve trafik gürültüsü gelirken, içeride, karanlıkta ona sarılıp hayatımın sonuna kadar mutlu olacağımı, çok talihli olduğumu düşündüğümü hatırlıyorum. Bir keresinde, seviştikten sonra ben sigaramın külünü üzerinde Satsat yazan bu küllüğe silkelerken; Sibel sekreterim Zeynep Hanım'ın koltuğuna yarı çıplak oturmuş, daktiloyu tıngırdatırken, o zamanın mizah dergilerinin, karikatürlerinin, şakalarının vazgeçilmez konusu olan "budala ve sarışın sekreter" taklidi yapmıştı kıkırdayarak.

5. FUAYE LOKANTASI

Yıllar sonra resimli yemek listesini, bir ilanını, özel kibritini ve peçetesini arayıp bulduğum ve burada sergilediğim Fuaye, kısa zamanda Beyoğlu, Şişli, Nişantaşı gibi semtlerde yaşayan sınırlı sayıda zenginin (gazetelerin dedikodu sütunlarının alaycı diliyle söylersek "sosyetenin") en çok sevdiği Avrupa tarzı (Fransız taklidi) lokantalarından biri oldu. Müşterilerine bir Avrupa şehrinde oldukları izlenimini altını çok çizmeden vermek isteyen bu lokantalara Ambassador, Majestik, Royal gibi Batılı ve iddialı adlar yerine, Batı'nın kenarında, İstanbul'da olduğumuzu hatırlatan Kulis, Merdiven ve Fuaye gibi adlar verilirdi. Daha sonraki kuşak yeni zenginlerin gösterişli mekânlarda anneannelerinin pişirdiği yemekleri tercih etmeleriyle, gelenek ve gösterişi birleştiren Hanedan, Sultan, Hünkâr, Paşa ve Vezir gibi pek çok yer açıldı ve Fuaye unutulup gitti.

Çantayı aldığım günün gecesi Fuaye'de akşam yemeği yerken, "Annemin Merhamet Apartmanı'ndaki dairesinde buluşsak artık, daha iyi olmaz mı?" dedim Sibel'e. "Güzel bir arka bahçeye bakar orası."

"Nişandan sonra evlenip kendi evimize taşınmamız gecikir diye mi düşünüyorsun?" dedi Sibel.

"Hayır canım, öyle bir şey yok."

"Seninle metresler gibi, gizli saklı dairelerde, suçlu gibi buluşmak istemiyorum artık."

"Haklısın."

"Nereden geldi şimdi aklına o dairede buluşmak?"

"Boş ver," dedim. Fuaye'nin mutlu kalabalığına bir göz attım ve plastik torba içinde sakladığım çantayı çıkardım.

"Bu ne?" dedi Sibel bir hediye aldığını hissederek.

"Sürpriz! Aç, bak."

"Sahi mi?" Plastik torbayı açarken yüzünde beliren çocuksu

21

neşe, çantayı çıkarınca yerini soru soran bir ifadeye, sonra da gizlemeye çalıştığı bir hayal kırıklığına bıraktı.

"Hatırladın mı," diye yetiştim, "önceki gün akşam seni evine bırakırken vitrinde görüp beğenmiştin."

"Evet. Çok incesin."

"Sevdiğine sevindim. Nişanda da bu çanta sana çok yakışacak."

"Maalesef nişanda hangi çantayı takacağım çoktan belli," dedi Sibel. "Aaa, mahzun olma! Çok güzel bir hediyeyi büyük bir incelikle almışsın bana... Peki, o zaman, kederlenme diye söyleyeceğim. Zaten bu çantayı nişanda koluma takamam, çünkü bu çanta sahte!"

"Nasıl?"

"Gerçek Jenny Colon çanta değil bu Kemalciğim. Bu taklit."

"Nereden anladın?"

"Her şeyinden, canım. Bak markayı deriye bağlayan bu dikişlere. Bir de benim Paris'ten aldığım bu hakiki Jenny Colon'a bak bakalım, markanın dikişleri nasıl? Jenny Colon boşuna Fransa'nın, dünyanın en pahalı markası değil. Bu ucuz ipliği asla kullanmaz..."

Hakiki çantanın dikişlerine bakarken, müstakbel nişanlımda hissettiğim zafer duygusunun nedenini bir an sordum kendime. Paşa dedesinden kalan son arsaları satmış ve sıfırı tüketmiş emekli bir elçinin kızı, bir anlamda bir "memur kızı" olması, Sibel'e zaman zaman huzursuzluk ve güvensizlik verirdi. Bu huzursuzluğa kapıldığı zamanlarda babaannesinin piyano çalışını ya da Kurtuluş Savaşı'na hizmetleri geçmiş dedesini ya da anne tarafından dedesinin Abdülhamit'e olan yakınlığını anlatır, ben de Sibel'in bu konudaki mahcubiyetinden etkilenir, onu daha da çok severdim. 1970'li yılların başındaki tekstil ve ihracat büyümesiyle İstanbul'un nüfusunun üç misli artması sayesinde şehirde, özellikle bizim semtlerde arsa fiyatları da katlanmış, son on yılda babamın şirketleri çok büyümüş, aile serveti beş kat artmıştı, ama aslında Basmacı soyadından anlaşılacağı gibi üç kuşaktan beri tekstil işinden zengindi bizimkiler. Ama bu üç kuşağın gayretlerine rağmen, Avrupa malı çantanın "sahte" çıkması beni huzursuz ediyordu.

Keyfimin kaçtığını görünce Sibel elimi okşadı. "Ne kadar verdin çantaya?" diye sordu.

"Bin beş yüz lira," dedim. "İstemiyorsan yarın değiştiririm."

"Değiştirme canım, paranı geri iste. Çünkü seni fena kazıklamışlar."

"Dükkân sahibi Şenay Hanım, bizim uzak hısmımız oluyor!" dedim çok hayret etmiş gibi kaşlarımı iyice havaya kaldırarak.

Sibel, içindekileri dalgın dalgın karıştırmakta olduğum çantasını geri aldı. "Canım bu kadar bilgili, akıllı ve kültürlüsün, ama kadınların seni nasıl kandırabileceklerini hiç mi hiç anlamıyorsun," dedi şefkatle gülümseyerek.

6. FÜSUN'UN GÖZYAŞLARI

Ertesi öğle, elimde aynı plastik torba, içinde çanta Şanzelize Butik'e gittim. Çan çaldıktan sonra bana yine aşırı loş ve serin gelen dükkânda kimse yok sandım önce. Yarı karanlık dükkân sihirli bir sessizlik içindeydi ki, kanarya cik civ cik dedi. Bir paravanın ve iri bir tavşan kulağı saksısının yaprakları arasından Füsun'un gölgesini gördüm. Soyunma kabininde kıyafet deneyen şişman bir kadın müşterinin yanındaydı. Üzerinde; sümbüller, kırçiçekleri ve yapraklarla kaplı, ona çok yakışan cici bir gömlek vardı bu sefer. Beni görünce tatlılıkla gülümsedi...

"Meşgulsün galiba," dedim gözümle soyunma kabinini işaret ederek.

"Şimdi biter işimiz," dedi çok eski bir müşteriyle dükkânın mahremiyetini paylaşır gibi.

Kanarya kafesinde bir aşağı bir yukarı yer değiştiriyordu, gözüme Avrupa'dan ithal bazı ıvır-zıvır eşya ile bir köşedeki moda dergileri takıldı, ama aklım hiçbir şeye yeterince yoğunlaşabilecek gibi değildi. Unutmak, olağan karşılamak istediğim çarpıcı gerçek gene içime işlemişti. Ona bakarken, çok tanıdık birini görüyormuşum, onu biliyormuşum duygusuydu bu. Bana benziyordu. Benim saçlarım da çocukluğumda dalgalıydı ve onun çocukluğunda olduğu gibi esmerdi, yaşım ilerleyince Füsun'unki gibi düzleşmişti. Sanki kendimi onun yerine çok kolay koyabilir, sanki onu derinden anlayabilirdim. Üzerindeki basma gömlek, teninin doğallığını, saçlarının şimdiki boya sarısını daha da ortaya çıkartmıştı. Arkadaşlarımın "*Playboy*'dan çıkma" diyerek ondan söz edişlerini acıyla hatırladım. Onlarla yatmış olabilir miydi? "Çantayı geri ver, paranı al, git. Harika bir kızla nişanlanmak üzeresin," dedim kendime. Dışarıya, Nişantaşı Meydanı'na doğru bakıyordum, ama az sonra Füsun'un rüya gibi görüntüsü dumanlı vitrinde hayalet gibi yansıdı.

Elbise deneyen kadın hiçbir şey almadan oflaya puflaya çıkınca, Füsun etekleri katlayıp yerleştirmeye başladı. "Dün akşam sizi kaldırımda gördüm," dedi çekici ağzını bütün yüzüne yayarak. Tatlılıkla gülümseyince, dudaklarını hafif pembe bir rujla boyadığını fark ettim. Misslyn marka, basit, yerli malı ruj o zamanlar çok popülerdi, ama onda tuhaf bir etki yapmıştı.

"Bizi ne zaman gördün?" diye sordum.

"Akşamüstü. Siz Sibel Hanım'laydınız. Ben karşı kaldırımdaydım. Yemeğe mi gidiyordunuz?"

"Evet."

"Birbirinize çok yakışıyorsunuz!" dedi gençlerin mutluluğunu görmekten zevk alan kimi mutlu ihtiyarlar gibi.

Sibel'i nereden tanıdığını sormadım. "Bizim sizden küçük bir ricamız var," dedim. Çantayı çıkarınca bir utanç ve telaş duydum. "Bunu geri vermek istiyorum."

"Tabii, değiştirelim. Size bu şık eldiveni vereyim ya da Paris'ten yeni gelmiş bu şapkayı. Sibel Hanım çantayı beğenmedi mi?"

"Değiştirmeyelim," dedim utançla. "Parayı geri almak istiyoruz."

Yüzünde bir şaşkınlık gördüm, neredeyse bir korku. "Neden?" diye sordu.

"Bu çanta gerçek bir Jenny Colon değilmiş, sahteymiş," diye fısıldadım.

"Nasıl!"

"Ben anlamam böyle şeylerden," dedim çaresizlikle.

"Burada böyle bir şey olmaz!" dedi sertçe. "Paranızı hemen mi istiyorsunuz?"

"Evet!"

Yüzünde yoğun bir acı ifadesi belirdi. Allahım, diye düşündüm, niye şu çantayı çöpe atıp Sibel'e parasını geri aldığımı söylemeyi akıl edemedim! "Bakın bunun sizinle ya da Şenay Hanım'la hiç ilgisi yok. Avrupa'da moda olan her şeyin sahtesini, taklidini biz Türkler maşallah hemen yapıveriyoruz," deyip gülümsemeye çalıştım. "Benim için –bizler için mi demeliydim– bir çantanın insanın işini görmesi, bir kadının eline yakışması yeterlidir. Markası, kimin yaptığı, orijinal olması filan değil." Ama o da benim gibi sözlerime inanmıyordu.

"Hayır, size parasını iade edeceğim," dedi sertçe. Kaderime razı, kabalığımdan utanır bir havayla önüme bakıp sustum.

Gene de bu utanç anının yoğunluğuna rağmen Füsun'un yapması gereken şeyi yapamadığını, bir tuhaflık olduğunu hissettim. Füsun, kasaya içinde cinler olan büyülü bir eşyaymış gibi bakıyor, yaklaşamıyordu bir türlü. Kıpkırmızı olan yüzünün buruştuğunu, gözlerinde yaşlar biriktiğini görünce telaşa kapıldım, ona doğru iki adım attım.

Hafif hafif ağlamaya başlamıştı. Nasıl oldu hiçbir zaman tam hatırlayamadım, ona sarıldım. O da başını göğsüme yaslayıp ağladı. "Affedersin Füsun," diye fısıldadım. Yumuşak saçlarını, alnını okşadım. "Unut lütfen bunu. Sahte çıkmış bir çanta sonunda."

Bir çocuk gibi iç çekti, bir-iki hıçkırdı, gene ağladı. Uzun güzel kollarına, gövdesine dokunmak, göğüslerini hissetmek, onu öylece bir an tutmak başımı döndürmüştü: Belki de ona her dokunuşumda içimde yükselen isteği kendimden gizlemek için, onu yıllardan beri tanıyormuşum, birbirimize aslında çok yakınmışız yanılsaması uyanıverdi içimde. Gönlü alınması zor, tatlı, kederli ve güzel kızkardeşimdi o benim! Bir an, belki de uzaktan akraba olduğumuzu bildiğim için kolunun bacağının uzunluğu, ince kemik yapısı ve omuzlarının kırılganlığı yüzünden gövdesinin benimkine benzediğini hissettim. Kız olsaydım, on iki yaş küçük olsaydım, benim vücudum da böyle bir şey olurdu işte. "Üzülecek hiçbir şey yok," dedim uzun sarı saçlarını okşarken.

"Kasayı açıp size paranızı geri veremem," diye açıkladı. "Çünkü Şenay Hanım öğle tatilinde evine giderken, kasayı kilitleyip anahtarı da yanına alıyor. Bu gücüme gidiyor." Başını göğsüme dayayarak yeniden ağladı. Güzelim saçlarını özenle, şefkatle okşuyordum. "Ben burada insan tanımak, vakit geçirmek için çalışıyorum, para için değil," dedi hıçkırıklar arasında.

"Para için de çalışabilir insan," dedim aptalca, duygusuzca.

"Evet," dedi mahzun bir çocuk gibi. "Babam emekli öğretmen... İki hafta önce on sekiz yaşımı bitirdim, onlara yük olmak da istemedim."

İçimde kıvranarak başkaldıran cinsel hayvandan korktum ve elimi saçlarından çektim. Hemen o da anladı bunu, toparlandı, birbirimizden uzaklaştık.

"Lütfen ağladığımı kimseye söylemeyin," dedi gözlerini ovuşturduktan sonra.

"Söz," dedim. "Yemin ediyorum, biz sırdaşız Füsun..."

Gülümsediğini gördüm. "Çantayı bırakayım şimdi," dedim. "Parasını almaya sonra gelirim."

"Çanta kalsın isterseniz, ama parası için siz gelmeyin," dedi. "Şenay Hanım, 'bu taklit değil' diye tutturur, üzer sizi."

"O zaman başka bir şeyle değiştirelim."

"Ona da artık ben razı olamam," dedi gururlu ve alıngan bir kız havasıyla.

"Hayır, hiç önemli değil," diye araya girdim.

"Ama benim için önemli," dedi kararlılıkla. "Dükkâna geldiğinde, ben Şenay Hanım'dan çantanın parasını alırım."

"O kadının seni daha fazla üzmesini hiç istemem," diye cevap verdim.

"Hayır, ben şimdiden bir yolunu buldum," dedi belli belirsiz gülümseyerek. "Ona çantanın aynısının Sibel Hanım'da olduğunu, bu yüzden iade ettiğinizi söyleyeceğim. Olur mu?"

"İyi fikir," dedim. "Ben de Şenay Hanım'a böyle derim."

"Hayır, siz hiçbir şey söylemeyin ona," dedi Füsun kararlılıkla. "Çünkü hemen ağzınızdan laf almaya girişir. Dükkâna da gelmeyin artık. Ben parayı Vecihe Teyze'ye bırakırım."

"Aman annemi hiç karıştırmayalım bu işlere, pek meraklıdır."

"Paranızı nereye bırakayım o zaman?" dedi Füsun kaşlarını kaldırarak.

"Teşvikiye Caddesi 131 numarada Merhamet Apartmanı'nda annemin bir dairesi vardır," dedim. "Amerika'ya gitmeden önce orada kapanıp ders çalışır, müzik dinlerdim. Arka bahçeye bakan çok güzel bir yer... Şimdi de her öğleden sonra işten çıkıp iki ile dört arasında orada kapanıp kendi kendime çalışıyorum."

"Tabii. Oraya getireyim paranızı. İçeride kaç numara?"

"Dört," dedim fısıldar gibi. Giderek solan üç kelime daha ağzımdan zorlukla çıktı. "İkinci kat. Allahaısmarladık."

Çünkü kalbim durumu hemen kavramış, deli gibi hareketlenmişti. Kendimi dışarı atmadan önce bütün gücümü toplayıp her şey olağanmış gibi son bir bakış attım ona. Sokağa çıkar çıkmaz içimi saran utanç ve pişmanlık duygusu mutluluk hayalleriyle karışınca, öğle vakti aşırı bahar sıcağında Nişantaşı'nın kaldırımları bana sihirli bir şekilde sapsarı gözükmeye başladı. Ayaklarım beni gölgelerden, vitrinleri korumak için açılmış mavili beyazlı kalın şeritli tentelerin ve saçakların altından yürütüyordu ki, bir vitrinde sapsarı bir sürahi gördüm ve bir içgüdüyle içeri girip satın aldım. Gelişigüzel satın alınmış eşyaların başına gelenin tersine, sarı sürahi önce annemle babamın, sonra annemle benim soframızda, yirmiye yakın yıl hakkında hiç konuşulmadan durdu. Akşam yemeklerinde hayatın beni içine ittiği ve annemin sessizlikle yarı azarlayıcı yarı kederli bakışlarıyla yüzüme vurduğu mutsuzluğumun başlangıç günlerini, sarı sürahinin kulpunu her tutuşumda hatırlardım.

Öğleüstü beni karşısında görünce hem sevinen hem de "hayrola?" der gibi bakan annemi öptüm. Sürahiyi aklıma esiverdiği için aldığımı söyledim ve "Bana Merhamet Apartmanı'ndaki dairenin anahtarını versene," diye ekledim. "Bazan yazıhane o kadar kalabalık oluyor ki, çalışamıyorum. Bir bakayım orası uygun mu? Gençliğimde orada kapanıp iyi çalışırdım."

Annem "Toz içindedir orası," dedi, ama kırmızı kurdeleyle bağlanmış sokak kapısı anahtarıyla, daire anahtarını odasından hemen getirdi. "Kırmızı çiçekli Kütahya vazoyu hatırlıyor musun?" dedi anahtarı verirken. "Evde bulamıyorum, bak bakalım oraya mı götürmüşüm? O kadar da çok çalışma... Babanız bütün hayatınca çalıştı, siz çocuklar keyfinize bakın, mutlu olun diye. Sibel'le gez, baharın tadını çıkarın, eğlenin." Anahtarı elime koyarken "Dikkat et," dedi esrarengiz bir bakışla. Çocukluğumuzda da, annem bu bakışla baktığında, hayatın içinden gelecek ve anahtar emanet etmekten daha derin ve belirsiz bir tehlikeyi ima ederdi.

7. MERHAMET APARTMANI

Annem Merhamet Apartmanı'ndaki daireyi bundan yirmi yıl önce, biraz yatırım yapmak, biraz da arada bir gidip kafasını dinleyip oyalanacağı bir yer olsun diye almış; ama kısa sürede, burasını modasının geçtiğine karar verdiği eski eşyaları ve yeni satın alıp hemen bıktığı şeyleri attığı bir yer olarak kullanmaya başlamıştı. Çocukluğumda, iri servi ve kestane ağaçlarının gölgelediği, çocukların futbol oynadığı arka bahçesini sevdiğim apartmanın adını eğlenceli bulur, bu adın annemin anlatmaktan hoşlandığı hikâyesini severdim.

1934'te Atatürk'ün bütün Türk milletine soyadı almasını şart koşmasından sonra, İstanbul'da yeni yapılan pek çok binaya aile adları verilmeye başlanmıştı. O zamanlar İstanbul'da sokak adları ve numaraları tutarlı olmadığı ve tıpkı Osmanlı döneminde olduğu gibi, büyük ve zengin aileler, içinde hep birlikte oturdukları büyük konaklarla, binalarla özdeşleştirildikleri için bu yerindeydi. (Hikâyemde sözünü edeceğim pek çok zengin ailenin kendi adını taşıyan bir apartmanı vardır.) Aynı yılların bir başka eğilimi, binalara yüce ilkelerin, değerlerin adlarını vermekti; ama annem yaptırdıkları apartmana "Hürriyet", "İnayet", "Fazilet" gibi adlar verenlerin, aslında bütün hayatlarını bu değerleri çiğneyerek geçirmiş kişiler arasından çıktığını söylerdi. Merhamet Apartmanı'nı, Birinci Dünya Savaşı sırasında şeker ticareti yapan karaborsacı yaşlı bir zengin, vicdan azabıyla yaptırmaya başlamıştı. Adamın apartmanını vakfedip gelirini fakirlere dağıtacağını anlayan iki oğlu (birinin kızı ilkokulda sınıf arkadaşımdı), babalarının bunadığını doktor raporuyla kanıtlayıp onu düşkünler evine atmışlar, binaya el koymuşlar, ama çocukluğumda benim tuhaf bulduğum adını değiştirmemişlerdi.

Ertesi gün, 30 Nisan 1975 Çarşamba saat iki ile dört arasında Merhamet Apartmanı'ndaki dairede Füsun'u bekledim, ama gelmedi. Kalbim hafifçe kırılmış, kafam karışmıştı; yazıhaneye dönerken derin bir huzursuzluk hissediyordum. Ertesi gün daireye sanki huzursuzluğumu yatıştırmak için yeniden gittim. Ama Füsun gene gelmedi. Havasız odalarda annemin oraya bırakıp unuttuğu eski vazolar, elbiseler, tozlar içindeki eski eşyalar arasında çocukluğumun ve gençliğimin unuttuğumu bile bilmediğim pek çok hatırasını babamın acemice çektiği eski fotoğrafları tek tek görüp hatırlıyor, eşyaların bu gücü sanki huzursuzluğumu yatıştırıyordu.

Ertesi gün Satsat'ın Kayseri bayii (ve askerlik arkadaşım) Abdülkerim ile Beyoğlu'ndaki Hacı Arif'in lokantasında öğle yemeği yerken, iki gün üst üste boş daireye gidip Füsun'u beklememi utanç içinde hatırladım. Füsun'u, sahte çantayı, her şeyi utançla unutmaya karar verdim. Ama yirmi dakika sonra saatime bir daha baktım, Füsun'un belki de o anda çantanın parasını iade etmek için Merhamet Apartmanı'na doğru yürüdüğünü hayal ettim ve Abdülkerim'e bir yalan atıp yemeği hızla bitirerek Merhamet Apartmanı'na koştum.

Apartmana girdikten yirmi dakika sonra, Füsun kapıyı çaldı. Yani kapıyı çalan Füsun olmalıydı. Kapıya yürürken, dün gece rüyamda ona kapıyı açtığımı gördüğümü hatırladım.

Elinde bir şemsiye vardı. Saçları ıslaktı. Üzerinde sarı puantiyeli bir elbise.

"Aa, artık beni unuttun zannediyordum. Gir içeri."

"Rahatsız etmeyeyim," dedi. "Parayı vereyim, gideyim." Üzerinde Üstün Başarı Dersanesi yazan, kullanılmış bir zarf vardı elinde, ama almadım. Omzundan tutup onu içeri çektim ve kapıyı kapadım.

"Çok yağıyor," diye attım kafadan, aslında yağmuru fark etmemiştim. "Otur biraz, boşuna ıslanma. Çay yapıyorum, ısınırsın." Mutfağa gittim.

Geri döndüğümde, Füsun annemin eski eşyalarına, antikalara, biblolara, toz içindeki saatlere, şapka kutularına, ıvır zıvıra bakıyordu. Onu rahatlatmak için, araya şakalar sıkıştırarak annemin bu eşyaları Nişantaşı'nın, Beyoğlu'nun son moda dükkânlarından, dağılan paşa konaklarından, yarısı yanmış yalılardan, antikacılardan, hatta boşaltılmış tekkelerden ve Avrupa seyahatlerinde gittiği çeşit çeşit dükkândan bir hevesle alıp biraz kullandıktan sonra, buraya yollayıp tamamen unuttuğunu anlattım. Bir yandan da naftalin ve toz kokan dolapları açıp içindeki top top kumaşları, çocukluğumuzda ikimizin de bindiği üç tekerlekli bir bisikleti, (bizim eskilerimizi annem yoksul akrabalara dağıtırdı) bir lazımlığı, annemin "Bak bakayım, orada mıymış?" dediği kırmızı çiçekli Kütahya vazoyu, sonra onun kutu kutu şapkalarını gösteriyordum.

Kristal bir şekerlik, bize eski bayram yemeklerini hatırlattı. Çocukluğunda bayram sabahları Füsun anne-babasıyla bize ziyarete geldiğinde akide, badem şekeri, badem ezmesi, hindistancevizli aslan şekeri ve lokumdan bir karışım bu şekerlik içinde ikram edilirdi.

"Bir kurban bayramında sizinle sokağa çıkmış, sonra arabayla gezmiştik," dedi Füsun gözleri parlayarak.

Gezimizi hatırladım: "O zamanlar çocuktun," dedim. "Şimdi çok güzel, çok çekici bir genç kız olmuşsun."

"Teşekkür ederim. Artık gideyim."

"Daha çayını içmedin. Yağmur da dinmedi." Onu balkon kapısının önüne çektim, tülü hafifçe araladım.

Yeni bir mekâna, bir eve ilk defa gelmiş çocukların, hayatın sillesini daha yemediği için hâlâ her şeye karşı meraklı ve açık kalabilen genç insanların yapabildiği gibi pencereden dışarıya ilgiyle baktı. Ensesine, boynuna, yanaklarını o kadar çekici yapan tenine, teninin üzerindeki uzaktan fark edilmeyen sayısız küçük bene (anneannemin de tam burasında kocaman bir et beni yok muydu?) bir an istekle baktım. Elim sanki bir başkasının eliymiş gibi kendiliğinden uzanıp saçlarına takılı tokayı tuttu. Dört tane mine çiçeği vardı tokanın üzerinde.

"Saçların çok ıslanmış."

"Dükkânda ağladığımı kimseye söylediniz mi?"

"Hayır. Ama neden ağladığını da çok merak ettim."

"Niye?"

"Seni çok düşündüm," dedim. "Çok güzelsin, çok başkasın.

Küçük, şeker, esmer bir kız çocuğu olarak seni çok iyi hatırlıyorum. Ama bu kadar güzelleşeceğin benim de aklıma gelmezdi." İltifata alışmış güzel ve terbiyeli kızların yaptığı gibi ölçülü bir şekilde gülümserken, kaşlarını da kuşkuyla kaldırdı. Bir sessizlik oldu. Benden bir adım uzaklaştı. "Şenay Hanım ne dedi?" diyerek konuyu değiştirdim. "Çantanın sahte olduğunu kabul etti mi?"

"Sinirlendi. Ama çantayı bıraktığınızı, parayı istediğinizi anlayınca, işi büyütmek istemedi. Benim de konuyu unutmamı istedi. Çantanın sahte olduğunu biliyordu sanırım. Buraya geldiğimi bilmiyor. Öğle vakti gelip paranızı aldığınızı söyledim ona. Şimdi gitmeliyim."

"Çay içmeden olmaz!"

Mutfaktan çayını getirdim. Çayı hafifçe üfleyerek soğutuşunu, sonra yudum yudum dikkatle ve aceleyle içişini seyrettim. Hayranlık ile utanç, şefkat ile sevinç arasında bir duyguyla... Elim kendiliğinden uzandı ve saçlarını okşadı. Başımı yüzüne yaklaştırdım, gerilemediğini görünce dudağının kenarından bir an öptüm. Kıpkırmızı oldu. İki eli sıcak çay fincanıyla meşgul olduğu için kendini benden koruyamamıştı. Bana hem kızmıştı hem de aklı karışmıştı, bunu da hissettim.

"Öpüşmeyi çok severim," dedi gururla. "Ama şimdi, sizinle tabii hiç olmaz."

"Çok öpüştün mü?" dedim beceriksizce çocuksu olmaya çalışarak.

"Öpüştüm tabii. Ama o kadar."

Erkeklerin aslında ne yazık ki hep aynı olduğunu bana hissettiren bir bakışla odaya, eşyalara, kötü niyetle yarım yapılmış gözükmesini istediğim kenardaki mavi çarşaflı yatağa son bir bakış attı. Kafasında durumu özetlediğini gördüm; ama aklıma, belki de utançtan, oyunu sürdürecek hiçbir şey gelmedi.

Bir dolapta gözüme çarpan turistler için üretilmiş bu fesi şirinlik olsun diye sehpanın üzerine koymuştum. Para dolu zarfı ona yasladığını odada gözlerimi gezdirirken fark ettiğimi gördü, ama gene de "Zarfı oraya bıraktım," dedi.

"Çayını içmeden gidemezsin."

"Geç kalıyorum," dedi, ama gitmedi.

Çayımızı içerken, akrabalardan, çocukluğumuzdan, ortak hatıralarımızdan kimseyi iğnelemeden, kötülemeden söz ettik. Annesinin çok saygısı olduğunu söylediği annemden hep korkarlardı, ama çocukluğunda ona en çok da annem ilgi göstermiş, dikişe geldiklerinde oynasın diye bizim oyuncaklarımızı, Füsun'un sevdiği ve bozmaktan korktuğu kurmalı köpekle tavuğu vermiş, güzellik yarışmasına kadar her yıl doğum günlerinde şoför Çetin Efendi'yle ona hediyeler yollamıştı: Bir kaleydeskop vardı mesela hâlâ sakladığı... Annem ona bir elbise yollarsa hemen küçülmesin diye birkaç beden büyüğünü alırdı. Bu yüzden ancak bir yıl sonra giyebildiği iri çengelli iğneli bir İskoç eteği vardı; onu o kadar sevmişti ki, daha sonra moda olmadığı halde mini etek olarak giymişti. O etekle onu bir keresinde Nişantaşı'nda gördüğümü söyledim. İnce beline, güzel bacaklarına gelen konuyu hemen değiştirdik. Kafadan çatlak bir Süreyya Dayı vardı. Almanya'dan her gelişinde artık birbirinden kopmakta olan ailenin bütün kanatlarını tek tek törenle ziyaret eder, herkes onun sayesinde birbirinden haberdar olurdu.

"Birlikte araba gezintisine çıktığımız o kurban bayramı sabahında, evde Süreyya Dayı da vardı," dedi Füsun heyecana kapılarak. Hızla yağmurluğunu giydi. Şemsiyesini aramaya başladı. Bulamıyordu, çünkü mutfağa gidiş gelişlerimde, kaşla göz arasında şemsiyeyi girişteki aynalı dolabın arkasına atmıştım.

"Nereye koyduğunu hatırlamıyor musun?" dedim onunla birlikte ve daha sıkı bir şekilde şemsiyeyi ararken.

"Buraya bırakmıştım," dedi masumca, aynalı dolabı gösterdi.

Birlikte bütün daireyi ararken, saçma denecek yerlere bile bakarken, ona magazin basınının gözde deyimiyle "boş vakitlerinde" ne yaptığını sordum. Geçen sene puanı istediği bölümü tutmadığı için üniversiteye girememişti. Şimdi Şanzelize Butik'ten geri kalan vakitlerinde, üniversite sınavına hazırlanmak için Üstün Başarı Dersanesi'ne gidiyordu. Üniversite sınavına bir buçuk ay kaldığı için çok çalışıyordu.

"Hangi bölümü istiyorsun?"

"Bilmiyorum," dedi biraz utanarak. "Aslında konservatuvara girip oyuncu olmak isterdim."

"O dersanelerde boşu boşuna geçer vakit, hepsi birer ticarethane," dedim. "Zorlandığın konular varsa, özellikle matematik, buraya gel, ben her öğleden sonra burada kapanıp bir süre çalışıyorum. Sana çabucak gösteririm."

"Başka kızlara da matematik gösteriyor musun?" dedi. Aynı alaycı ifadeyle kaşları yukarı kalktı.

"Başka kızlar yok."

"Sibel Hanım bizim dükkâna geliyor. Çok güzel, çok hoş bir kadın. Ne zaman evleneceksiniz?"

"Bir buçuk ay sonra nişanlanıyoruz. Bu şemsiye olur mu peki?"

Annemin Nice'ten aldığı yazlık şemsiyeyi gösterdim. Elinde o şemsiyeyle dükkâna tabii ki dönemeyeceğini söyledi. Üstelik artık buradan çıkmak istiyordu ve şemsiyesini bulup bulmamak da o kadar önemli değildi. "Yağmur dinmiş," dedi sevinçle. Kapıdayken onu bir daha hiç göremeyeceğimi telaşla hissettim.

"Lütfen, bir daha gel ve yalnızca çay içelim," dedim.

"Kızmayın Kemal Ağabey, ama bir daha gelmek istemiyorum. Gelmeyeceğimi de biliyorsunuz. Merak etmeyin, beni öptüğünüzü kimseye söylemem."

"Şemsiye ne olacak?"

"Şemsiye Şenay Hanım'ın ama kalsın," dedi ve duygusallığı eksik olmayan, acele bir hareketle beni yanağımdan öpüp gitti.

8. İLK TÜRK MEYVELİ GAZOZU

O günlerin mutlu, neşeli ve rahat havasını ve iyimserliğimizi hatırlatan ilk Türk meyveli gazozu Meltem'in gazete ilanlarını, reklam filmlerini ve çilekli, şeftalili, portakallı ve vişneli ürünlerini sergiliyorum burada. Zaim o akşam Ayaspaşa'daki manzaralı dairesinde, Meltem gazozunun çıkışını kutlamak için büyük bir davet veriyordu. Bütün bir arkadaş grubu gene buluşacaktık. Sibel benim genç zengin arkadaşlarımın arasına girmekten memnundu, Boğaz'da kotra gezintilerinden, sürpriz doğum günü partilerinden, kulüplerdeki eğlencelerden gece yarısı hep birlikte arabalara binip sokak sokak İstanbul'u gezmelerimizden çok mutluydu, arkadaşlarımın çoğunu seviyordu, ama Zaim'den hoşlanmıyordu. Zaim'in fazla gösteriş meraklısı, fazla çapkın ve "bayağı" olduğunu söylüyor, verdiği davetlerin sonunda "sürpriz" diye dansöz çağırıp göbek attırmasını, Playboy amblemli çakmağıyla kızların sigaralarını yakmasını çok "banal" buluyordu. Sibel, Zaim'in asla evlenmeyeceği küçük artistlerle, mankenlerle (Türkiye'de o günlerde yeni ortaya çıkan şüpheli bir meslek) sırf evlenmeden yattıkları için maceralar yaşamasından da hiç hoşlanmıyor, doğru düzgün kızlarla hiç sonuçlanmayacak ilişkiler kurmasını da sorumsuzca buluyordu. Bu yüzden telefonda akşam davete gidemeyeceğimi, kırıklığım olduğunu, çıkamayacağımı söyleyince, Sibel'in hayal kırıklığına uğramasına şaştım.

"Meltem gazozu reklamında oynayan, gazetelere çıkan Alman manken de gelecekmiş!" dedi Sibel.

"Hep Zaim'in bana kötü örnek olacağını söylersin..."

"Zaim'in davetine gitmiyorsan, gerçekten hasta olmalısın, merak ettim şimdi. Gelip seni göreyim mi?"

"Boş ver. Annemle Fatma Hanım bakıyorlar. Yarına geçer."

Elbiselerimle uzandığım yatakta Füsun'u düşündüm ve onu unutmaya, hayatımın sonuna kadar bir daha hiç görmemeye karar verdim.

9. F

Ertesi gün, 3 Mayıs 1975 günü saat iki buçukta, Füsun Merhamet Apartmanı'na geldi ve hayatında ilk defa "sonuna kadar giderek" benimle sevişti. Ben o gün daireye onunla buluşma hayaliyle gitmemiştim. Yıllar sonra başımdan geçenleri hikâye ederken, bu son sözümün doğru olamayacağını ben de düşünüyorum, ama o gün gerçekten Füsun'un geleceği aklımda hiç yoktu... Aklımda Füsun'un önceki günkü sözleri, çocukluk eşyaları, annemin antikaları, eski saatler, üç tekerlekli bisiklet, loş dairenin tuhaf ışığı, toz ve eskimişlik kokusu, yalnız kalma ve arka bahçeye bakma isteği vardı... Bunlar beni yeniden oraya çekmiş olmalı. Önceki günkü buluşmamızı bir daha düşünmek, yeniden yaşamak, Füsun'un kullandığı çay bardaklarını temizleyip kaldırmak, annemin eşyalarını toplayıp ayıbımı unutmak da vardı aklımda... Eşyaları toplarken, babamın çektiği ve arka odanın içinden yatağı, pencereyi ve bahçeyi gösteren bir fotoğraf buldum, odanın yıllardır hiç değişmediğini hatırladım... Kapı çalınca "annem" diye düşündüğümü hatırlıyorum.

"Şemsiyeyi almaya geldim," dedi Füsun.

İçeri girmiyordu. "Girsene," dedim. Bir an durdu. Kapıda dikilmenin nezaketsiz olacağını hissederek içeri girdi. Arkasından kapıyı kapadım. Belini daha da ince gösteren kalın tokalı bu beyaz kemeri takmış ve ona çok yakışan koyu pembe ve beyaz düğmeli bu elbiseyi giymişti. İlk gençlik yıllarımda güzel ve esrarlı bulduğum kızların yanında, ancak samimi olursam huzur bulabilmek gibi bir zayıflığım vardı. Otuz yaşımda bu içtenlik ve saflıktan kurtuldum zannediyordum, yanılıyormuşum:

"Şemsiyen burada," deyiverdim. Ve aynalı dolabın arkasına uzanıp, oradan şemsiyeyi çıkardım. Daha önce onu oradan neden almadığımı kendime sormadım bile.

"Buraya nasıl düşmüş?"

"Düşmedi aslında. Sen hemen gitme diye dün saklamıştım."

Bir an gülümsemekle kaşlarını çatmak arasında kararsız kaldı. Elinden tutup çay yapma bahanesiyle onu mutfağa çektim. Mutfak toz ve nem kokuyordu, loştu. Orada, her şey hızla ilerledi ve kendimizi tutamayıp öpüşmeye başladık. Az sonra ise, uzun uzun ve hırsla öpüşüyorduk. Öpüşmeye kendini o kadar vermiş, kollarını boynuma öyle bir sarıp gözlerini öylesine sıkı kapamıştı ki, "sonuna kadar" sevişebileceğimizi hissettim. Ama bakire olduğuna göre bu imkânsızdı. Öpüşürken, bir ara Füsun'un hayatının bu önemli kararını verdiğini, benimle buraya "sonuna kadar gitmek" için geldiğini hissettim. Ama bu yalnız yabancı filmlerde olurdu. Burada bir kızın durup dururken bunu yapması tuhaf geliyordu bana. Belki de zaten bakire değildi...

Öpüşe öpüşe mutfaktan çıktık, yatağın kenarına oturduk ve çok fazla nazlanmadan, ama hiç göz göze de gelmeden elbiselerimizin çoğunu çıkarıp battaniyenin içine girdik. Battaniye fazla kalındı, üstelik çocukluğumdaki gibi tenime batıyordu, bir süre sonra onu attım ve yarı çıplak halimiz ortaya çıktı. İkimiz de ter içindeydik, ama bu nedense bizi rahatlatmıştı. Çekili perdelerin arasından içeriye sarımsı, turuncumsu bir güneş ışığı vuruyor, terli gövdesini daha da bronz rengi gösteriyordu. Benim ona baktığım gibi, şimdi Füsun'un da benim gövdeme bakabilmesi, vücudumun irileşip iyice belirginleşmiş olan edepsiz kısmına gözlerini yakından dikip telaşa kapılmadan, fazla garipsemeden ve hatta istek kadar belli belirsiz bir şefkat de duyarak sükunetle seyretmesi, daha önce başka erkekleri de başka yataklarda, divanlarda, araba koltuklarında çıplak gördüğü kanısını bende kıskançlıkla uyandırdı.

İkimiz de, her makul aşk hikâyesinde bence yaşanması gereken bu zevk ve istek oyununun kendiliğinden gelişen müziğine kendimizi bıraktık. Ama bir süre sonra birbirimizin gözlerinin içine dikilen endişeli bakışlarımızdan, önümüzde yapmamız gereken zor bir iş olduğunu düşündüğümüz ortaya çıktı. Füsun müzemizin ilk eşyası olarak tekini sergilediğim küpelerini çıkarıp kenardaki sehpaya dikkatle koydu. Bunu tıpkı denize girmeden önce gözlüklerini çıkaran aşırı miyop bir kızın görev duygusuyla yapması, gerçekten ilk defa sonuna kadar gidebileceğimizi düşündürdü bana. O yıllarda gençler üzerlerinde adlarının baş harfleri olan künyeler, kolyeler, bilezikler takarlardı; küpelere hiç dikkat etmedim. Füsun'un tek tek elbiselerinden sonra, aynı kararlılıkla küçük külodunu çıkarması da bana aynı şeyi, benimle sonuna kadar sevişeceğini düşündürdü. O yıllarda sonuna kadar gitmek istemeyen kızlar, külotlarını mayonun altı gibi üzerlerinde bırakırlardı, hatırlıyorum.

Badem kokulu omuzlarını öptüm, kadife kıvamındaki terli boynuna dilimle dokundum ve göğüslerinin, daha güneşlenme mevsimi başlamamasına rağmen, sağlıklı Akdeniz teninden bir derece daha açık renk olduğunu görünce ürperdim. Romanımızın bu kısmını okutan lise öğretmenleri endişeye kapıldıysa, öğrencilerine şu bir sayfayı atlamalarını önerebilirler. Müze gezen meraklı ise, eşyaları seyretsin lütfen ve benim yapmam gereken şeyi, öncelikle hüzünlü ve korkulu gözleriyle bana bakan Füsun için; sonra ikimiz için; çok az da kendi zevkim için yaptığımı düşünsün yeter. Sanki ikimiz birlikte hayatın bizi mecbur kıldığı bir zorluğu iyimserlikle aşmaya çalışıyorduk. Bu yüzden ona yüklenirken, onu zorlarken söylediğim tatlı sözler arasında, "Canın yanıyor mu canım?" diye sordukça, gözlerini gözlerime dikmiş olduğu halde bana hiç cevap vermemesini yadırgamadım ve sustum. Çünkü çok derinlerden bütün gövdesinin ince ince ve kırılganlıkla titrediğini (ayçiçeklerinin belli belirsiz bir rüzgârda hafifçe titrediğini düşünün), ona en çok yaklaştığım noktadan kendi acım gibi hissediyordum.

Benden kaçırdığı ve kimi zaman bir doktor dikkatiyle gövdesinin alt taraflarına yönelttiği gözlerinden kendini dinlediğini ve hayatta ilk defa yaşamakta olduğu ve bir kere yaşayacağı şeyi de tek başına yaşamak istediğini anlamıştım. Benim de yapmakta olduğum şeyi bitirmem, bu zor yolculuktan rahatlamış olarak çıkabilmem için bencilce kendi zevkimi düşünmem gerekiyordu. Böylece bizi birbirimize bağlayacak zevkleri daha derinden hissetmek için onları kendi kendimize yaşamamız gerektiğini ikimiz de içgüdülerimizle keşfettik; bir yandan birbirimize güçle, acımasızca, hatta hırsla sarılırken, diğer yandan da birbirimizi sırf kendi zevkimiz için kullanmaya başladık. Füsun'un sırtıma geçen parmaklarında, denize giren o miyop ve masum kızın yüzme öğrenirken bir anda boğulacağını sandığı zaman yardıma yetişen babasına bütün gücüyle sarılırken hissettiği ölüm korkusuna benzer birşeyler vardı. On gün sonra gözlerini kapayıp bana sarılırken, aklının ona hangi filmi gösterdiğini sorduğumda, "Ayçiçekleriyle kaplı bir tarla görüyordum," dedi bana.

Sonraki günlerde, sevişmelerimize neşeli cıvıltıları, bağrışmaları ve küfürleşmeleriyle hep eşlik edecek futbol oynayan çocuklar, o gün, ilk defa seviştiğimiz saatlerde Hayrettin Paşa'nın yıkıntı konağının eski bahçesinde gene bağırıp küfürleşerek top oynuyorlardı. Çocukların bağrışmaları bir ara kesilince Füsun'un birkaç utangaç çığlığı, benim de kendimi koyuverme isteğiyle çıkardığım bir-iki mutlu inlemem dışında, oda olağanüstü bir sessizliğe büründü. Uzaktan Nişantaşı Meydanı'ndaki trafik polisinin düdüğü, araba kornaları, çiviye vuran bir çekicin sesi duyuluyordu: Bir çocuk bir konserve kutusuna tekme attı, bir martı çığlık attı, bir fincan kırıldı, çınar ağaçlarının yaprakları belli belirsiz bir rüzgârla hışırdadı.

İşte bu sessizlik içinde birbirimize sarılmış yatıyorduk ve ikimiz de kanlanmış çarşaf, çıkarılmış elbiseler, çıplak gövdelerimize alışmak gibi ilkel toplum ritüellerini, antropologların anlayıp sınıflamak istedikleri utanç verici ayrıntıları aklımızdan çıkarmak istiyorduk. Füsun bir süre sessizce ağlamıştı. Benim teselli sözlerime pek kulak vermemişti. Bunu hayatının sonuna kadar hiç unutamayacağını söylemiş, gene biraz ağlamış, sonra susmuştu.

Yıllar sonra hayat beni kendi yaşadıklarımın antropoloğu durumuna düşüreceği için, uzak ülkelerden getirdikleri kap kacağı, eşya ve aletleri sergileyerek hayatlarına ve hayatlarımıza bir anlam vermeye çalışan bu tutkulu kişileri küçümsemek istemem hiç. Ama "ilk sevişme"nin izlerine ve eşyalarına gösterilecek aşırı bir dikkat, Füsun ile benim aramda gelişen yoğun şefkat ve şükran duygularını anlamaya engel olabilir. Bu yüzden yatakta birbirimize sessizce sarılmış yatarken, on sekiz yaşındaki sevgilimin benim otuz yaşındaki tenimi aşkla okşayışındaki özeni göstermek için, Füsun'un o gün çantasından hiç çıkmayan, ama özenle katlanmış çiçek desenli bu pamuklu mendili sergiliyorum burada. Daha sonra Füsun'un sigara içerken masanın üzerinde bulup oynadığı annemin bu kristal hokka ve yazı takımı, aramızdaki şefkatin incelik ve kırılganlığına işaret olsun. Giyinirken iri kalın tokasını tutup erkekçe bir gurura kapıldığım için bir suçluluk duymama yol açan o zamanların modası kalın erkek kemeri de, cennetten çıkma o çıplak halimizden sıyrılıp giyinmenin, kirli ve eski dünyada göz gezdirmenin bile ikimize de çok zor geldiğini anlatsın!

Çıkmadan önce, Füsun'a üniversiteye girmek istiyorsa, şu son bir buçuk ayda çok çalışması gerektiğini söyledim.

"Hayatım boyunca tezgâhtar kalırım diye mi korkuyorsun?" diye sordu gülümseyerek.

"Tabii ki hayır... Ama seni imtihanından önce çalıştırmak isterim. Burada çalışırız. Hangi kitapları okuyorsunuz? Klasik mi, modern matematik mi?"

"Lisede klasik okuduk. Ama dersanede ikisini de okutuyorlar. Çünkü cevap anahtarında ikisinin yeri aynı. Hepsi de kafamı karıştırıyor."

Füsun ile ertesi gün aynı yerde matematik çalışmak için anlaştık. O gider gitmez Nişantaşı'ndaki bir kitapçıdan lisede ve dersanede okuduğu matematik kitaplarını bulup aldım ve yazıhanede sigara içerek biraz karıştırınca, ona gerçekten yardım edebileceğimi anladım. Füsun'a matematik öğretebileceğimi hayal etmek, o gün hissettiğim manevi yükü hemen hafifletti ve geriye aşırı bir mutluluk ve tuhaf bir gurur kaldı. Mutluluğu boynumda, burnumda, tenimde bir sızı gibi hissediyor, kendimden saklayamadığım gururu bir çeşit sevinç gibi yaşıyordum. Aklımın bir yanıyla, Füsun ile Merhamet Apartmanı'nda daha pek çok kereler buluşup sevişeceğimizi sürekli düşünüyordum. Bunu ancak hayatımda olağanüstü bir şey yokmuş gibi yaparsam başarabileceğimi anlamıştım.

10. ŞEHİR IŞIKLARI VE MUTLULUK

Akşam Sibel'in lise arkadaşı Yeşim, Pera Palas'ta nişanlanıyordu; herkes orada olacaktı, gittim. Sibel çok mutluydu, gümüş rengi parlak bir elbise ile üzerine örgü bir etol giymişti, bu nişanın bizimkine örnek olacağını düşündüğü için her şeyle ilgileniyor, herkese sokuluyor, sürekli gülümsüyordu.

Süreyya Dayı'nın adını hep unuttuğum oğlu, beni Meltem gazozu reklamlarında oynayan Alman manken Inge ile tanıştırdığında, iki kadeh rakı içmiş, rahatlamıştım.

"Nasıl buldunuz Türkiye'yi?" diye sordum İngilizce.

"İstanbul'u gördüm yalnızca," dedi Inge. "Çok şaşırdım, böyle bir şey hayal etmiyordum."

"Nasıl bir şey hayal ediyordunuz?"

Bir süre sessizce bakıştık. Akıllı kadındı. Yanlış bir şey söyleyip Türklerin kalbini kolayca kırabileceğini hemen öğrenmişti, gülümseyiverdi. "Siz her şeye layıksınız!" dedi kötü bir Türkçe'yle.

"Bütün Türkiye bir haftada tanıdı sizi, bu nasıl bir duygu?"

"Polisler, taksi şoförleri, sokaktaki herkes tanıyor," dedi çocuk gibi sevinçle. "Baloncu bile durdurup bir balon hediye etti ve 'Siz her şeye layıksınız,' dedi. Ülkede tek bir televizyon kanalı olunca tanınmak kolay."

Alçakgönüllülük etmek isterken küçümseyici olduğunun farkında mıydı acaba? "Almanya'da kaç kanal var?" diye sordum. Yanlış bir şey söylediğini anladı, utandı. Benim sözüm de gereksizdi. "Her gün işe giderken, bir duvarda apartman boyutunda resminizi görüyorum, çok hoş," dedim.

"Aaa, evet, siz Türkler reklamcılıkta Avrupa'dan çok daha ilerisiniz."

Bir an bu sözden o kadar mutlu oldum ki, nezaketen söylendiğini unuttum. İleride, cıvıltılı, mutlu kalabalığın içerisinde bakışlarımla Zaim'i aradım. Oradaydı, Sibel ile konuşuyorlardı. Onların arkadaş olabileceğini hayal etmek hoşuma gitti. Yoğun bir mutluluk duyduğumu şimdi yıllar sonra bile hatırlıyorum: Sibel aramızda Zaim'e bir ad takmış, ona "Siz her şeye layıksınız Zaim" diyor; Meltem gazozlarının reklam kampanyasındaki bu sloganı çok duyarsız ve bencil buluyordu. Pek çok gencin solculuk, sağcılık diye birbirini öldürdüğü Türkiye gibi fakir ve dertli bir ülkede, bu laf Sibel'e göre çirkindi.

Büyük balkon kapılarından içeriye ıhlamur kokulu hoş bir bahar havası geliyordu. Aşağıda şehrin ışıkları Haliç'in üzerinde yansıyor; Kasımpaşa, gecekondular, yoksul mahalleleri bile güzel gözüküyordu. Çok mutlu bir hayatım olduğunu, üstelik bunun ileride yaşayacağım daha büyük bir mutluluğa hazırlık olduğunu içimde hissediyordum. Bugün Füsun ile yaşadığım şeyin ağırlığı aklımı karıştırıyordu, ama herkesin sırları, huzursuzlukları, korkuları var, diye düşündüm. Şu şık davetliler arasında kim bilir kaç kişinin tuhaf huzursuzlukları, ruhsal yaraları vardı, ama kalabalıkta, dostlar arasında iki kadeh içince, dert ettiğimiz şeylerin aslında ne kadar önemsiz ve geçici oldukları da ortaya çıkıyordu.

"Şu baktığın asabi adam var ya," dedi Sibel. "Meşhur Soğuk Suphi'dir o. Gördüğü bütün kibrit kutularını alır, biriktirir. Odalar dolusu kibrit kutusu varmış. Karısı onu bırakınca böyle olmuş diyorlar. Bizim nişanda garsonlar böyle tuhaf kıyafetler giymesinler değil mi? Niye o kadar çok içiyorsun bu akşam? Bak sana ne anlatacağım."

"Ne?"

"Mehmet, Alman manken kızı çok beğendi, yanından ayrılamıyor, Zaim de onu kıskanıyor. Aaa, şu adam var ya, senin Süreyya Dayı'nın oğluymuş... Yeşim'in de bir akrabası oluyor... Keyfini kaçıran, benim bilmediğim bir şey mi var?"

"Hayır, hiçbir şey yok. Hatta çok mutluyum."

Sibel'in tatlı sözler söylediğini, bugün yıllar sonra bile hatırlıyorum. Sibel eğlenceli, akıllı ve şefkatliydi ve onun yanında yalnız o günlerde değil, hayatım boyunca kendimi çok iyi hissedeceğimi biliyordum. Onu geç saatte evine bıraktıktan sonra, boş ve karanlık sokaklarda Füsun'u düşünerek uzun uzun yürüdüm. Aklımdan hiç çıkaramadığım, beni aşırı derecede huzursuz eden şey, Füsun'un ilk defa benimle yatması kadar, kararlılığıydı. Hiç naz yapmamıştı, elbiselerini çıkarırken bile kararsızlık geçirmemişti...

Bizim evde salon boştu, bazı geceler babamı uykusu kaçmış, pijamalarla salonda otururken görür, uyumadan önce onunla sohbet etmekten hoşlanırdım; ama şimdi annem de, o da uyuyordu, yatak odasından annemin horultusu, babamın iç çekmeleri geliyordu. Yatmadan önce bir kadeh daha rakı yuvarladım, bir sigara daha içtim. Ama yatınca da hemen uyuyamadım. Füsun ile sevişmemizin görüntüleri gözümün önünden geçiyor, bu görüntülere nişan töreninin ayrıntıları karışıyordu...

11. KURBAN BAYRAMI

Uykuyla uyanıklık arasında, uzak akraba Süreyya Dayı'yı ve Yeşim'in nişanında gördüğüm ve adını hep unuttuğum oğlunu düşündüm. Füsun ile eski bayram ziyaretlerinin birinde, birlikte araba gezintisine çıktığımız gün, Süreyya Dayı da bizim evdeydi.

O soğuk ve kurşuni kurban bayramı sabahının bazı görüntüleri, yatağımda uyumaya çalışırken, zaman zaman görülen rüyalarda olduğu gibi, hem çok tanıdık hem de tuhaf bir hatıra gibi gözümün önünden geçti: Üç tekerlekli bisikleti, Füsun ile birlikte sokağa çıktığımızı, kesilen bir kurbana sessizce baktığımızı, sonra bir araba gezintisine çıktığımızı hatırladım. Bunları ertesi gün, Merhamet Apartmanı'nda buluştuğumuzda ona sordum.

"Bisikleti annemle biz evden geri getirmiştik," dedi her şeyi benden çok daha iyi hatırlayan Füsun. "Ağabeyin ve sen kullandıktan sonra, annen bisikleti yıllar önce bana vermişti. Artık ben de binmiyordum, büyümüştüm. Benim annem, o bayram günü bisikleti geri getirdi işte."

"Sonra annem de buraya getirmiş olmalı," dedim ben. "Süreyya Dayı'nın o gün orada olduğunu ben de hatırladım şimdi..."

"Çünkü likörü o istemişti," dedi Füsun.

Beklenmedik bir anda çıktığımız o araba gezintisini, Füsun benden çok daha iyi hatırlıyordu. Ondan dinleyip hatırladığım bu gezintiyi, burada anlatma isteği duyuyorum. Füsun on iki, ben yirmi dört yaşındaydım. 27 Şubat 1969, Kurban Bayramı'nın ilk günüydü. Bizim Nişantaşı'ndaki evde bayram sabahlarında hep olduğu gibi, yakın ve uzak akrabalardan şık giyimli, kravatlı, ceketli, neşeli bir kalabalık öğle yemeğini bekliyordu. Kapı sık sık çalıyor, yeni misafirler, mesela küçük teyzemle kabak kafalı eniştem, şık ve meraklı çocuklarıyla geliyor, herkes ayağa kalkıyor, yeni gelenlerle herkes tek tek el sıkışıp öpüşüyor, sandalyeler çekiliyor, Fatma Hanım ile ben de misafirlere şeker tutuyorduk ki, babam bir ara beni ve ağabeyimi bir kenara çekti.

"Süreyya Dayınız gene 'Niye likör yok?' diye tutturdu çocuklar," dedi. "Biriniz Alaaddin'in dükkânından nane ve çilek likörü alsın."

O yıllarda bile, babam bazan içkiyi fazla kaçırdığı için, annem bayramlarda kristal bardaklar ve gümüş tepside nane ve çilek likörü sunma âdetini yasaklamıştı. Bu kararı babamın sağlığı için almıştı. Ama iki yıl önce gene böyle bir bayram sabahı, Süreyya Dayı likör diye tutturunca, annem konuyu kestirip atmak için "Dinî günde alkol mü olurmuş!" demiş, bu da bitip tükenmez din, medeniyet, Avrupa, Cumhuriyet tartışmasının, aşırı Atatürkçü laik dayımız ile annem arasında da başlamasına yol açmıştı.

"Hanginiz gidiyor?" dedi babam. Her bayramda elini öpen çocuklara, kapıcılara, bekçilere vermek için bankadan özel getirdiği on liralıklar destesinden gıcır gıcır bir tane çıkarıp bize gösterdi.

"Kemal gitsin!" dedi ağabeyim.

"Osman gitsin!" dedim ben.

"Hadi sen git canım," dedi babam bana. "Annene de söyleme şimdi nereye gittiğini..."

Kapıdan çıkarken Füsun'u gördüm.

"Gel hadi, bakkala gidelim seninle."

On iki yaşında, çöp bacaklı, zayıf, uzak bir akraba kızıydı işte. Örgülü, parlak siyah saçlarına bağladığı bembeyaz fiyongun kelebek biçimi ve temiz kıyafeti dışında, dikkat çeken bir yanı da yoktu. O küçük kıza asansörde sorduğum sıradan şeyleri, yıllar sonra bana Füsun hatırlattı: Kaçıncı sınıftasın? (orta bir), hangi okula gidiyorsun? (Nişantaşı Kız Lisesi), ileride ne olacaksın? (sessizlik!).

Kapıdan çıkmış, soğukta birkaç adım atmıştık ki, yandaki boş ve çamurlu arsada, ileriideki küçük ıhlamur ağacının altında bir kalabalığın toplandığını, kurbanlık bir koyunun kesilmek üzere olduğunu gördüm. Şimdiki anlayışımda olsaydım, koyun kesilecek, küçük kız kötü etkilenir diye düşünür, Füsun'u oraya hiç yaklaştırmazdım.

Ama merakla ve düşüncesizlikle yürüdüm. Bizim ahçı Bekri Efendi ile kapıcımız Saim Efendi kolları sıvamış ve ayakları bağlı kınalı bir koyunu yere yıkmışlardı. Koyunun yanında

45

elinde iri bir kasap bıçağıyla önlüklü bir adam vardı, ama hayvan sürekli çırpındığı için işini göremiyordu. Uğraştıkça ağızlarından buhar çıkan ahçıyla kapıcı, hayvanı hareketsiz hale getirmeyi başardılar. Kasap koyunun sevimli burnundan ve ağzından tutup başını hoyratça çevirdi ve uzun bıçağı gırtlağına dayadı. Bir sessizlik oldu. "Allahüekber, allahüekber," dedi kasap. Bıçağı ileri geri oynatarak koyunun beyaz gırtlağına hızla daldırdı. Kasap bıçağı çekince gırtlaktan kalın, kıpkırmızı bir kan fışkırdı. Koyun çırpınıyordu, can verdiğini anlıyordu insan. Hiçbir hareket yoktu. Birden bir rüzgâr ıhlamur ağacının çıplak dallarında uğuldadı. Kasap koyunun başını kenara çekip, fışkıran kanı önceden kazılmış bir çukura boşalttı.

Kenarda yüzlerini ekşiten meraklı çocukları, şoför Çetin Efendi'yi, dua eden bir ihtiyarı gördüm. Füsun ceketimin kolunu sessizce tutmuştu. Koyun arada bir hâlâ kıpırdıyordu, ama bunlar son çırpınışlardı. Bıçağını önlüğüne silip temizleyen kasap, karakolun yanında dükkânı olan Kazım'mış, ilk anda tanıyamamıştım. Ahçı Bekri ile göz göze gelince de, bunun o günlerde bayram için alınan ve bir haftadır arka bahçede bağlı duran bizim koyun olduğunu anladım.

"Hadi gidelim," dedim Füsun'a.

Hiç konuşmadan yürüdük, sokağa çıktık. Küçük kızın böyle bir şeye tanık olmasına seyirci kaldığım için mi huzursuzdum? Bir suçluluk duyuyordum, ama nedenini tam olarak bilemiyordum.

Ne annem ne de babam dindardı. İkisinin de namaz kılıp oruç tuttuklarını hiç görmemiştim. Cumhuriyetin ilk yıllarında yetişmiş pek çok evli çift gibi, dine saygısız değil ilgisizdiler yalnızca ve bu ilgisizliği de pek çok tanıdıkları, dostları gibi Atatürk sevgisi ve laik bir cumhuriyetçilikle açıklarlardı. Buna rağmen Nişantaşlı, laik pek çok burjuva aile gibi bizimkiler de, her kurban bayramında bir koyun kestirir ve kurban etini gereği gibi yoksullara dağıtırlardı. Ama ne babam ne de aileden herhangi biri koyunla, kurbanın kesilişiyle haşır neşir olmaz, etinin ve derisinin yoksullara dağıtılmasını da ahçı ile kapıcıya bırakırlardı. Onlar gibi ben de bayram sabahları yandaki boş arsada yıllardır yapılan bu kesim töreninden uzak durmuştum.

Füsun ile konuşmadan Alaaddin'in dükkânına doğru yürürken, Teşvikiye Camii'nin önünden serin bir rüzgâr esti, huzursuzluğum sanki beni ürpertti.

"Demin korktun mu?" diye sordum. "Keşke bakmasaydık..."

"Zavallı koyun..." dedi.

"Kurbanın neden kesildiğini biliyorsun, değil mi?"

"Bir gün biz cennete giderken o koyun, sırat köprüsünden bizi geçirecek..."

Bu, çocukların ve okumamışların kurban yorumuydu.

"Hikâyenin bir de başı var..." dedim bir öğretmen havasıyla. "Onu biliyor musun?"

"Hayır."

"Hazreti İbrahim'in çocuğu olmuyormuş. 'Allahım, bir çocuğum olsun, her istediğini yapayım,' diye çok dua etmiş. Sonunda duaları kabul olmuş, bir gün oğlu İsmail doğmuş. Dünyalar Hazreti İbrahim'in olmuş. Oğlunu çok seviyor, onu her gün öpüp okşuyor, sevinçten uçuyor, her gün de Allah'a şükrediyormuş. Bir gece rüyasında Allah ona görünmüş ve demiş ki, 'Oğlunu şimdi benim için boğazla, kurban et onu,' demiş."

"Niye demiş?"

"Dinle şimdi... Hazreti İbrahim de, Allah'ın sözüne uymuş. Bıçağını çıkarmış, tam oğlunu kesecek... Derken orada bir koyun belirmiş."

"Niye?"

"Allah Hazreti İbrahim'e acımış, çok sevdiği oğlu yerine kessin diye koyunu yollamış ona. Çünkü Allah, Hazreti İbrahim'in kendisine itaat ettiğini görmüş."

"Allah koyunu yollamasaymış, Hazreti İbrahim gerçekten de oğlunu kesecek miymiş?" dedi Füsun.

"Kesecekmiş," dedim huzursuzlukla. "Keseceğinden emin olduğu için Allah onu çok sevmiş ve üzülmesin diye koyunu yollamış."

Ama çok sevdiği oğlunu kesip öldürmeye çalışan bir babayı, on iki yaşındaki bir kıza anlatamadığımı görüyordum. İçimdeki endişe, şimdi küçük kıza kurbanı anlatamama sıkıntısına dönüşüyordu.

"Aa, Alaaddin'in dükkânı kapalı!" dedim. "Meydandaki dükkâna bakalım."

Nişantaşı Meydanı'na kadar yürüdük. Dört yol ağzındaki tütüncü, gazeteci Nurettin'in Yeri de kapalıydı. Geri döndük. Sessizce sokaklarda yürürken, Füsun'un sevebileceği bir Hazreti İbrahim yorumu düşündüm:

"Hazreti İbrahim, koyunun oğlunun yerini alacağını başta tabii bilmiyor," dedim. "Ama Allah'a o kadar inanıyor ve onu o kadar çok seviyor ki, sonunda kendisine Allah'tan hiçbir kötülük gelmeyeceğini hissediyor... Birisini çok çok seversek, onun için en kıymetli şeyimizi verirsek, ondan bize bir kötülük gelmeyeceğini biliriz. Kurban budur. Sen hayatta en çok kimi seviyorsun?"

"Annemi, babamı..."

Kaldırımda şoför Çetin ile karşılaştık.

"Çetin Efendi, babam likör istedi," dedim. "Nişantaşı'nda dükkânlar kapalı, sen bizi bir Taksim'e götürsene. Belki sonra biraz da gezeriz."

"Ben de geliyorum, değil mi?" dedi Füsun.

Babamın vişne çürüğü rengi 56 Chevrolet'sinin arka koltuğuna Füsun ile oturduk. Çetin Efendi arabayı parke taşı kaplı çukur çukur sokaklarda sürdü. Füsun pencereden dışarı bakıyordu. Maçka'dan geçerek Dolmabahçe'ye indik. Sokaklar bayramlıklarını giymiş üç-beş kişi dışında boştu. Ama Dolmabahçe Stadı'nı geçince, kenarda küçük bir kalabalığın kurban kestiğini gördük.

"Çetin Efendi, Allahaşkına çocuğa anlatsana niye kurban kesiyoruz. Ben iyi anlatamadım."

"Aman estağfurullah Kemal Bey," dedi şoför. Ama dinine bizlerden daha çok sahip çıktığını göstermenin zevkinden de vazgeçemedi. "Allah'a, bizler de çok şükür Hazreti İbrahim kadar bağlıyız demek için kurban kesiyoruz... Kurban, Allah için en kıymetli şeyimizi bile feda ederiz, demektir. Allah'ı o kadar seviyoruz ki, küçük hanım, onun için en sevdiğimiz şeyi bile veriyoruz. Hem de hiçbir karşılık beklemeden."

"Sonunda cennete gitmek yok mu?" dedim kurnazca.

"Allah yazdıysa... O kıyamet günü belli olacak. Ama biz bu kurbanı, cennete gitmek için kesmiyoruz. Bir karşılık beklemeden, Allah'ı sevdiğimiz için kesiyoruz."

"Sen dinî konulara çok meraklıymışsın be Çetin Efendi."

"Estağfurullah Kemal Bey, siz o kadar okumuşsunuz, daha iyi bilirsiniz. Hem zaten bunları bilmek için dine de, camiye de gerek yok. Çok değer verdiğimiz, üzerine titrediğimiz en kıymetli bir şeyi, birisine sırf onu çok sevdiğimiz için karşılıksız olarak veririz."

"Ama o zaman da bu fedakârlığı yaptığımız kişi huzursuz olur," dedim, "bir şey istediğimizi sanır."

"Allah büyüktür," dedi Çetin Efendi. "Allah her şeyi görür ve bilir... Bizim de onu karşılıksız sevdiğimizi anlar. Kimse Allah'ı kandıramaz."

"Şurada açık bir dükkân var," dedim. "Çetin Efendi dursana, biliyorum, bu büfede likör satıyorlar."

Füsun ile, bir dakikada Tekel'in ünlü nane ve çilek likörlerinden birer şişe alıp arabaya döndük.

"Çetin Efendi, vakit var, sen bizi biraz gezdir," dedim.

Uzun süren araba gezintimiz sırasında konuştuğumuz şeylerin çoğunu, yıllar sonra Füsun hatırlattı bana. Benim ise, o soğuk ve kurşuni bayram sabahından aklımda kalan çok belirgin bir şey vardı: Bayram sabahı İstanbul'un hali bir salhaneye benziyordu. Yalnız şehrin kenar mahallelerindeki, dar ara sokaklarındaki boş arsalarda ve yangın yerlerinde, yıkıntılar arasında değil, ana caddelerde en zengin semtlerde de, sabahın erken saatlerinden başlayarak on binlerce kurban kesilmişti. Bazı yerlerde kaldırım kenarları, parke taşları kan içindeydi. Arabamız yokuşları iner, köprülerden geçer, kıvrım kıvrım ara sokaklarda ilerlerken, derileri yüzülen, kimisi daha yeni kesilen, kimisi parçalanan kurbanlık koyunları görüyorduk. Atatürk Köprüsü'nden Haliç'i geçtik. Şehir bayrama, bayraklara, şık giyinmiş kalabalıklara rağmen yorgun ve kederliydi. Bozdoğan Kemeri'nden Fatih'e doğru kıvrıldık. Orada boş bir arsada, kurbanlık kınalı koyunlar satılıyordu.

"Bunlar da kesilecek mi?" diye sordu Füsun.

"Belki de hepsi kesilmez, küçük hanım," dedi Çetin Efendi. "Vakit öğleye geliyor, bunlara hâlâ alıcı çıkmamış... Belki bayram sonuna kadar alıcı çıkmaz, bu hayvancağızlar da kurtulur... Ama o zaman da celepler onları kasaplara satar küçük hanım."

"Kasaplardan önce biz gider onları satın alır, kurtarırız," dedi Füsun. Şık, kırmızı bir palto vardı Füsun'un üzerinde. Bana gülümseyip cesaretle göz kırptı. "Çocuğunu kesmek isteyen adamdan koyunları kaçırırız değil mi?"

"Kaçırırız," dedim ben.

"Küçük hanım çok akıllısınız," dedi Çetin Efendi. "Aslında Hazreti İbrahim oğlunu kesmeyi hiç istemiyordu. Ama emir, Allah'ın emriydi. Allah'ın her dediğine itaat etmezsek dünya altüst olur, kıyamet kopar... Dünyanın temeli sevgidir. Sevginin temeli de Allah sevgisidir."

"Ama bunu babasının kesmek istediği çocuk nasıl anlasın?" dedim ben.

Çetin Efendi'yle gözlerimiz bir an dikiz aynasında buluştu.

"Kemal Bey, biliyorum siz de babanız gibi bana takılmak, şakalaşmak için söylüyorsunuz bunları," dedi. "Babanız bizi çok sever. Biz de ona çok hürmet ederiz, şakalarına hiç kırılmayız.

Sizinkilere de kırılmam. Cevabımı bir misal ile vereceğim. *Hazreti İbrahim* adlı filmi gördünüz mü?"

"Hayır."

"Siz tabii öyle filmlere gitmezsiniz. Ama küçük hanımı da alın, bu filmi mutlaka görün. Hiç sıkılmayacaksınız... Ekrem Güçlü, Hazreti İbrahim'i oynuyor. Biz hanım, kayınvalide, çoluk çocuk, ailecek gittik, hep birlikte doya doya ağladık. Hazreti İbrahim eline bıçağı alıp da oğluna baktığı vakit de ağladık... Oğlu İsmail *Kuran-ı Kerim*'de yazdığı gibi 'Babacığım, Allah'ın emri ne ise yap!' dediği zaman da ağladık... Oğul yerine kesilecek kurbanlık koyun gelince ise, hep birlikte bütün sinemayla birlikte sevinçten ağladık. Çok sevdiğimiz bir varlığa, hiçbir karşılık beklemeden en değerli şeyimizi verirsek, işte dünya o zaman güzel olur, onun için ağlıyorduk küçük hanım."

Fatih'ten Edirnekapı'ya, oradan sağa sapıp surlar boyunca aşağıya Haliç'e inişimizi çok iyi hatırlıyorum. Kenar mahallelerden geçerken, yıkıntılar halindeki şehir surları boyunca ilerlerken, arabaya yerleşen sessizlik uzun bir süre bozulmadı. Sur aralarındaki bostanlarda, imalathaneler ve derme çatma atölyelerin çöpleri, boş variller ve atıklar içindeki arsalarda, tek tük kesilmiş kurbanları, bir kenarda yüzülmüş kurban derilerini, iç organları, boynuzları görüyorduk, ama yoksul mahallelerde, boyası dökülmüş ahşap evler arasında bayramın kurbanı değil, neşesi nedense daha çok hissediliyordu. Füsun ile birlikte atlıkarıncalı, salıncaklı bir bayram yerine, bayram paralarıyla macun alan çocuklara ve otobüslerin alınlarına boynuz gibi takılmış küçük Türk bayraklarına, yıllar sonra kartpostallarını, fotoğraflarını tutkuyla biriktireceğim bütün bu manzaralara iyimserlikle baktığımızı hatırlıyorum.

Şişhane Yokuşu'nu çıkarken, yolun ortasında bir kalabalık gördük; trafik tıkanmıştı. Bir an başka bir bayram eğlencesi sanmıştım ki, arabamız açılan kalabalığın içinden geçti ve kendimizi az önce çarpışmış araçların, trafik kazasının can çekişen kurbanlarının hemen yanında bulduk. Yokuşta freni patlayan bir kamyon şerit değiştirmiş ve bir-iki dakika önce, özel bir arabayı acımasızca altına almıştı.

"Allahım sen büyüksün!" dedi Çetin Efendi. "Küçük hanım sakın bakmayın siz."

Ön kısmı tamamen ezilmiş arabanın içinde can çekişirken başını hafifçe oynatan birilerini hayal meyal gördük. Arabamızın üstünden geçtiği cam kırıklarının şıkırtısını ve sonraki sessizliğimizi hiç unutmadım. Yokuşu çıkıp boş sokaklardan geçerek, Taksim'den Nişantaşı'na ölümden kaçar gibi alelacele vardık.

"Nerede kaldınız yahu?" dedi babam. "Merak ettik. Buldunuz mu likör?"

"Mutfakta!" dedim. Salon parfüm, kolonya ve halı kokuyordu. Akraba kalabalığına karışıp küçük Füsun'u unuttum.

12. DUDAKTAN ÖPÜŞMEK

Altı yıl önceki bu bayram gezintisini, ertesi gün öğleden sonra Füsun ile yeniden buluştuğumuzda bir kere daha hatırladık. Sonra her şeyi unutup uzun uzun öpüştük ve seviştik. Tüllerin ve perdelerin arasından esen ıhlamur kokulu bahar rüzgârı bal rengi tenini ürpertirken, gözlerini kapayışı ve bana denizde bütün gücüyle can yeleğine sarılan biri gibi sarılışı beni serseme çeviriyor, yaşadığım şeyin daha derin anlamını görüp düşünemiyordum. Suçluluk duygularına, şüpheye, bir aşkı besleyip büyütecek o tehlikeli bölgelere daha fazla batmamak için erkeklerin arasına girmem gerektiğini anladım.

Füsun ile üç kere daha buluştuktan sonra, Cumartesi sabahı ağabeyim telefon edip, büyük ihtimalle Fenerbahçe'nin öğleden sonra şampiyonluğunu ilan edeceğini söylediği Giresunspor maçına beni çağırınca gittim. Çocukluğumun Dolmabahçe Stadyumu'nda yirmi yılda adının İnönü'ye çevrilmesinden başka pek bir değişiklik olmadığını görmek hoşuma gitti. Diğer tek değişiklik, Avrupa'daki gibi oyun alanını çimlendirmeyi denemeleriydi. Ama çim ancak köşelerde tuttuğu için futbol sahası, şakaklarında ve ensesinde azıcık saç kalmış olan kel bir adama benzemişti. Numaralı tribünün paralı seyircileri, yirmi yıl önce 1950'lerin ortasında yaptıkları gibi, kan ter içindeki futbolcular, özellikle ünsüz savunma oyuncuları kenar çizgilerine yaklaştığı zaman, onları gladyatörleri tribünlerden azarlayan Romalı efendiler gibi aşağılayıp küfür ediyor (Koşun lan kansız ibneler), açık tribünlerin işsizler, yoksullar ve öğrencilerden oluşan azgın seyircileri ise, benzer küfürleri öfkelerini ve seslerini duyurabilmenin zevki ve umuduyla hep birlikte ve makamla söylüyorlardı. Ertesi günkü gazetelerin spor sayfalarından da anlaşılacağı gibi, maç kolay bir maçtı ve Fenerbahçe gol attıkça ben de herkesle birlikte ayağa kalkıp bağırırken buluyordum kendimi. Bu bayram ve birlik beraberlik havasında, hem sahada hem de tribünlerde durmadan birbirlerini öperek tebrik eden erkek kalabalığında, içimdeki suçluluk duygusunu gizleyen, korkularımı gurura çeviren bir şey vardı. Ama oyunun sessizlik anlarında, futbolcuların topa vuruşunu otuz bin kişi aynı anda işitirken, ben başımı eski açık tribünlerin arkasından gözüken Boğaz'a, Dolmabahçe Sarayı'nın önünden geçen bir Sovyet gemisine çeviriyor ve Füsun'u düşünüyordum. Öyle çok fazla tanımadığı halde beni seçip, bana kendini kararlılıkla vermesi içime işlemişti. Boyunun uzunluğu, göbeğinin kendine özgü çukuru, gözlerinde kimi zaman aynı anda beliren şüphe ve içtenlik, yatakta yatarken bana bakışındaki hüzünlü dürüstlük ve öpüşmelerimiz gözümün önünden gitmiyordu hiç.

"Nişanlanmak seni düşündürüyor galiba," dedi ağabeyim.

"Evet."

"Çok âşık mısın ona?"

"Tabii."

Yarı şefkatli, yarı çokbilmiş bir gülümsemeyle, ağabeyim bakışlarını orta sahada dönüp duran topa çevirdi. İki yıl önce içmeyi alışkanlık edindiği ve orijinallik sandığı Marmara marka yerli purolardan biri vardı elinde ve maç boyunca Kızkulesi tarafından esen ve takımların iri bayraklarıyla kırmızı korner bayrakçıklarını tatlı tatlı dalgalandıran hafif bir rüzgâr, puronun dumanını, tıpkı bir zamanlar babamın sigarasına yaptığı gibi gözlerimin içine öyle bir ısrarla sokuyordu ki, çocukluğumdaki gibi acıdan gözlerim yaşarıyordu.

"Evlilik sana iyi gelecek," dedi ağabeyim gözlerini toptan ayırmadan. "Hemen çocuk yaparsınız. Arayı açma, bizimkilerle arkadaş olurlar. Sibel esaslı kadın, ayağı yere basıyor. Senin aklı bir karış havada, uçarı yanını dengeler. Umarım Sibel'i de öbür kızlar gibi bezdirmezsin. Ulan hakem, bu faul be!"

Fenerbahçe ikinci golü de atınca, hep birlikte ayağa kalkıp "Gool," diye bağırdık ve birbirimize sarılıp öpüştük. Maç bittikten sonra, babamın askerlik arkadaşı Kova Kadri ve birkaç futbol meraklısı işadamı, avukat da bize katıldı. Bağıra çağıra yokuşu çıkan futbol kalabalığıyla yürüyerek Divan Oteli'ne gittik ve futboldan, siyasetten konuşarak rakı içtik. Ben, Füsun'u düşünüyordum.

"Daldın gittin Kemal," dedi Kadri Bey bana. "Sen ağabeyin gibi futbolu sevmiyorsun galiba."

"Seviyorum aslında, ama son yıllarda..."

"Kemal futbolu çok sever Kadri Bey, ama iyi pas atmazlar," dedi ağabeyim alaycılıkla.

"Aslında 1959'un Fenerbahçe kadrosunu ezbere sayabilirim," dedim. "Özcan, Nedim, Basri, Akgün, Naci, Avni, Mikro Mustafa, Can, Yüksel, Lefter, Ergun."

"Seracettin de oynardı o takımda..." dedi Kova Kadri. "Onu unuttun."

"Hayır, o takımda oynamazdı."

Konu uzadı ve böyle durumlarda hep olduğu gibi iddiaya

bindi. Seracettin 1959'un Fenerbahçe kadrosunda var mıydı yok muydu diye, Kova Kadri ile iddiaya girdik. Kaybeden Divan'da rakı içen kalabalığa yemek ısmarlayacaktı.

Dönüşte Nişantaşı'nda yürürken, diğer erkeklerden ayrıldım. Merhamet Apartmanı'ndaki dairede, bir zamanlar çikletlerden çıkan futbolcu resimlerini biriktirip sakladığım bir kutu vardı. Annem, eski oyuncaklarımızla birlikte her şeyi oraya yollardı. O kutuyu, çocukluğumda ağabeyimle biriktirdiğimiz futbolcu ve artist resimlerini bulursam, iddiayı kazanacağımı biliyordum.

Ama daireye girer girmez, aslında oraya Füsun ile geçirdiğim saatleri hatırlamak için geldiğimi anladım. Füsun ile seviştiğimiz dağınık yatağa, yatağın başucundaki dolu küllüğe, çay bardaklarına bir an baktım. Annemin odaya yığdığı eski eşyalar, kutular, durmuş saatler, kap kacak, yeri kaplayan muşamba, toz pas kokusu, odadaki gölgelerle hayalimde şimdiden birleşmiş, ruhumun bir yerinde cennetten çıkma mutlu bir köşe yapmıştı. Hava artık iyice kararıyordu, ama hâlâ dışarıdan futbol oynayan çocukların bağırışıp küfürleşmeleri geliyordu.

Zambo çikletlerinden çıkan artist resimlerini sakladığım teneke kutuyu, o gün 1975'in Mayıs ayının onuncu günü Merhamet Apartmanı'ndaki dairede bulmuştum, ama boştu. Müzegezerin göreceği artist resimlerini yıllar sonra, İstanbul'un tıkış tıkış odalarda üşüyen mutsuz koleksiyoncularıyla ahbaplık ettiğim günlerde, Hıfzı Bey'den aldım. Dahası, yıllar sonra, koleksiyona bir bakınca, dizideki Ekrem Güçlü (Hazreti İbrahim'i oynayan) gibi bazı erkek oyuncularla sonraki yıllarda sinemacıların gittiği barlarda arkadaşlık ettiğimizi de çıkardım. Hikâyem, tıpkı sergilediğim bu eşyalar gibi bütün bu noktalardan geçecek. Daha o günden ben, eski eşyaların ve Füsun ile öpüşmelerimizin mutluluğuyla kıpır kıpır varlığını hissettiğim o sihirli odanın, hayatımda çok önemli bir yer tutacağını anlamıştım.

Hikâyemin geçtiği yıllarda, dünyanın çoğunluğu gibi ben de, dudaktan öpüşen iki kişiyi hayatımda ilk defa sinemada görmüş ve sarsılmıştım. Bu, bütün hayatım boyunca güzel bir kızla hep yapmak isteyeceğim ve çok da merak ettiğim bir şeydi. Amerika'daki bir-iki rastlantı dışında, aslında otuz yıllık hayatımda dudaktan öpüşen bir çifti sinemadan başka bir yerde de hiç görmemiştim. Sinemalar yalnız çocukluğumda değil, o yıllarda bile bana öpüşen başkalarını seyretmek için gittiğimiz yerlermiş gibi gelirdi. Hikâye, öpüşmek için bahaneydi. Füsun'un da, benimle öpüşürken filmlerde gördüğü öpüşmeleri taklit ettiğini hissederdim.

Şimdi Füsun ile öpüşmelerimiz hakkında birşeyler söylemek istiyorum. Hem hikâyemin cinsellik ve arzu ile ilgili ciddi yanını olduğu gibi hissettirmek, hem de onu hafiflik ve bayağılıktan korumak gibi bir endişem var: Füsun'un ağzının pudra şekeri tadının, çiğnediği Zambo marka çikletten geldiğini zannediyordum. Artık Füsun ile öpüşmek, ilk buluşmalarımızdaki gibi yalnızca birbirimizi sınamak, karşılıklı duyduğumuz çekimi ifade etmek için yaptığımız kışkırtıcı bir hareket değil, kendi zevkimiz için yaptığımız ve yaptıkça da, ne olduğunu ikimizin de hayretle keşfettiği bir şeydi. Islak ağızlarımız, birbirini cesaretlendiren dillerimiz kadar her uzun öpüşte hatıraların da işe karıştığını, tadını çıkara çıkara uzun uzun öpüştükçe, ikimiz de ilk defa fark ediyorduk. Böylece öpüşürken önce onu öpüyordum, sonra hatıralarımdaki onu öpüyordum, sonra bir an gözümü açıyor ve gözümü kapayıp az önce gördüğüm onu ve hatıralarımdaki onu öpüyordum, ama bir süre sonra bu hatıralara ona benzeyen birileri de karışıyor ve onları da öpüyordum ve sonra da bütün bu kalabalıkla aynı anda öpüştüğüm için kendimi daha erkek buluyordum ve bu sefer onu öperken başka biri olarak öpüyordum ve çocuksu ağzının, geniş dudaklarının ve istekli, oyuncu dilinin ağzımın içindeki hareketlerinden aldığım haz, akıl karışıklığı ve pek çok yeni fikir ("Bu bir çocuk," dedi bir fikir, "Evet çok kadın bir çocuk," dedi başka bir fikir), onu öperken olduğum bütün kişilerle ve o beni öperken hatıralarımda canlanan bütün Füsunlarla karışarak gitgide büyüyordu. Bu ilk ve uzun öpüşmelerden, aramızda yavaş yavaş gelişecek olan sevişme tören ve ayrıntılarından, yeni bir bilginin ve benim için de yeni olan bir mutluluk çeşidinin ilk ipuçlarını ve bu dünyada pek seyrek kavuşulan bir cennetin kapısının aralanışını seziyordum. Öpüşmemizle birlikte, sanki önümüzde yalnızca tensel bir zevkin ve gittikçe artan cinsel bir arzunun kapıları değil, bizi yaşamakta olduğumuz bahar öğleden sonrasının dışına çeken büyük, geniş, kocaman bir Zaman da açılıyordu.

Ona âşık olabilir miydim? Derin bir mutluluk hissediyor ve endişeleniyordum. Bu mutluluğu ciddiye almanın tehlikeleriyle hafife almanın bayağılığı arasında ruhumun sıkışabileceğini, kafamın karışıklığından çıkarıyordum. O akşam, Osman, karısı Berrin ve çocukları, annemle babamı görmeye, bize akşam yemeğine geldi. Yemekte Füsun'u, öpüşmelerimizi aklımdan geçirdiğimi hatırlıyorum.

Ertesi gün, öğle vakti tek başıma sinemaya gittim. Aklımda film seyretmek hiç yoktu, ama öğle tatilinde her zamanki gibi Satsat'ın yaşlı muhasebecileri ve çocukluğumda ne şeker olduğumu bana hatırlatmaktan hoşlanan şefkatli ve şişman sekreterleriyle birlikte Pangaltı'daki esnaf lokantasında yemek yiyemeyeceğimi hissediyor, yalnız kalmak istiyordum. Aralarında hem arkadaş hem de "alçakgönüllü müdür" rolünü oynamaya çalıştığım memurlarımla gürültüyle şakalaşarak yemek yerken, Füsun'u, öpüşmelerimizi düşünmek, saatin bir an önce iki olmasını beklemek bana ağır gelecekti.

Osmanbey'de Cumhuriyet Caddesi'nde vitrinlere bakarak dalgın dalgın yürürken Hitchcock haftası ilanına kanıp girdiğim filmde de, Grace Kelly'nin bir öpüşme sahnesi vardı. Beş dakika arada içtiğim sigara, öğle matinesine gelen ev kadınlarıyla okulu asan tembel öğrencileri hatırlatsın diye yıllar sonra bulup müzeme koyduğum buzlu "Alaska Frigo", yer göstericinin el feneri, bütün bunlar ergenlik yıllarımdaki yalnızlık ihtiyacımı ve öpüşme isteğini sinemada hatırladığıma işaret olsun. Bahar sıcağında sinemanın serinliğinden, küf kokan ağır havasından, hevesli bir-iki sinemaseverin fısıltısından, kalın kadife perdelerin kenarlarındaki gölgelere ve karanlık köşelere bakıp hayallere dalmaktan hoşlanıyor, az sonra Füsun'u göreceğimin bilinci, kafamın bir köşesinden bütün ruhuma bir mutluluk olarak yayılıyordu. Sinemadan çıktıktan sonra Osmanbey'in çarpık çurpuk ara sokaklarından, manifaturacılar, kahvehaneler, nalburlar, gömlek ütüleyen kolacılar arasından Teşvikiye Caddesi'ne, buluşma yerimize doğru yürürken, bunun son buluşmamız olması gerektiğini düşündüğümü hatırlıyorum.

Önce ona ciddiyetle matematik öğretmeye çalışıyordum. Saçlarının kâğıda dökülüşü, elinin masanın üzerinde kıpır kıpır gezinişi, uzun uzun dişlediği kurşun kaleminin ucundaki silginin bir meme ucu gibi dudaklarının pembesi arasına girişi, arada bir çıplak kolunun benim çıplak koluma değişi aklımı başımdan alıyor, ama kendimi tutuyordum. Bir denklemi çözmeye başlayınca, Füsun'un yüzüne mağrur bir ifade geliyor; aceleyle ağzındaki dumanı dümdüz önüne doğru (bazan benim yüzüme) üflüyor ve zaferi ne kadar çabuk elde ettiğinin farkında mıyım diye bana göz ucuyla bakışlar atarken, bir toplama hatası yapıp bir çuval inciri berbat ediyordu. Bulduğu cevabın a, b, c, d ve e şıklarından hiçbirine uymadığını görünce önce kederleniyor, sonra telaşlanıyor, "Akılsızlıktan değil, dikkatsizlikten!" diyerek mazeretler buluyordu. Bir daha yapmasın diye, dikkatin de zekânın bir parçası olduğunu ona ukalaca söylüyor; yeni bir problemin üzerinden aç bir serçenin aceleci gagası gibi sıçraya sıçraya ilerleyen kurşun kaleminin akıllı ucunu seyrediyor; bir eşitliği, saçlarını çekiştirerek sessizce ve hünerle basitleştirmesinden etkileniyor; içimde aynı sabırsızlığın ve huzursuzluğun yükselişini endişeyle izliyordum. Derken öpüşmeye başlıyor, uzun uzun öpüşüyor, sonra da sevişiyorduk. Sevişirken bekâret, utanç, suçluluk gibi şeylerin ağırlığını hissediyor, bunu birbirimizin hareketlerinde fark ediyorduk. Ama, Füsun'un cinsellikten zevk aldığını ve yıllardır merak ettiği zevkleri sonunda keşfetmenin heyecanıyla büyülendiğini de gözlerinde görüyordum. Yıllardır efsanelerini dinleyip düşlerini kurduğu bir uzak kıtaya, dalgalı okyanusları aşarak, acılar çekip kan kaybederek en sonunda ulaşan maceraperest bir yolcu, bu yeni âleme varır varmaz nasıl her ağacı, her taşı, her pınarı bir hayranlık ve büyülenmeyle karşılar, her çiçeği, her meyveyi ilk heyecanla ama gene de dikkatle tutup nasıl ağzına alıp tadarsa, Füsun da her şeyi aynı merak ve başdönmesiyle ağır ağır keşfediyordu.

Bir erkeğin en belirgin cinsel haz aletini bir yana bırakırsak, Füsun'un aslında en çok ilgi duyduğu şey, ne benim gövdem ne de genel olarak "erkek vücudu"ydu. Asıl merak ve heyecanı kendisine, kendi gövdesine ve hazlarına yönelikti. Benim gövdem, kollarım, parmaklarım, ağzım, onun kadife teninin üzerindeki ve içindeki zevk noktalarını ve imkânlarını ortaya çıkarmak için gerekliydi. Kimisini hiç tanımadığı için zaman zaman benim yol göstermem gereken bu yeni tadın imkânları gövdesinin içinde ortaya çıktıkça, Füsun bir şaşkınlık geçiriyor; gözleri hoş bir dalgınlıkla içe dönerken; kendi içinden çıkan yeni hazzın dalgalanışını, zevkin damarlarında, ensesinde, kafasının içinde gittikçe büyüyen bir ürperme gibi kendi kendine ilerleyişini hayretle ve bazan da bir çığlık atarak mutlulukla izliyor, sonra benden yeniden yardım bekliyordu. "Bunu bir daha yap lütfen, bir daha öyle yap!" diye fısıldadı birkaç kere.

Çok mutluydum. Ama bu, aklımın ölçerek anladığı bir mutluluk değil, tenimin yaşayarak tanıdığı ve daha sonra sıradan hayatın içinde, bir telefon açarken ensemde, acele acele merdivenleri çıkarken kuyruk sokumumda ya da dört hafta sonra nişanlanmayı kurduğum Sibel ile Taksim'de bir lokantada yemek seçerken göğsümün ucunda hissederek hatırladığım bir şeydi.

Bütün gün tenimde bir koku gibi taşıdığım bu duyguyu, bana
Füsun'un verdiğini de bazan unutur; –birkaç kere olduğu gibi–
yazıhanede kimseciklerin olmadığı bir saatte, Sibel'le alelacele
sevişirken de, sanki aynı büyük, tek, yekpare mutluluğu yaşı-
yor gibi hissederdim kendimi.

13. AŞK, CESARET, MODERNLİK

Fuaye'ye gittiğimiz bir akşam, Sibel Paris'ten aldığı ve burada
sergilediğim Spleen marka bu kokuyu bana hediye etti. Aslında
koku sürmeyi hiç sevmememe rağmen, sırf meraktan bir sabah
boynuma sürdüğüm kokuyu, Füsun seviştikten sonra fark etti.

"Sibel Hanım mı aldı bu kokuyu sana?"

"Hayır. Ben kendim aldım."

"Sibel Hanım'ın hoşuna gider diye mi?"

"Hayır canım, senin hoşuna gider diye."

"Sibel Hanım'la da tabii sevişiyorsunuz, değil mi?"

"Hayır."

"Lütfen yalan söyleme," dedi Füsun. Ter içindeki yüzünde
kaygılı bir ifade belirdi. "Bunu normal karşılayacağım. Onun-
la da tabii ki sevişiyorsun?" Yalan söyleyen bir çocuğa, doğruyu
şefkatle söyleten bir anne gibi gözlerini gözlerimin içine dikti.

"Hayır."

"İnan, kalbim yalana daha çok kırılır. Lütfen doğru söyle. Ni-
ye sevişmiyorsunuz peki?"

"Sibel ile önceki yaz Suadiye'de tanıştık," diye anlattım Fü-
sun'a sarılırken. "Yazın kışlık ev boş olduğu için Nişantaşı'na
geliyorduk. Sonbaharda o zaten Paris'e gitti. Kışın ben onu gör-
meye gittim birkaç kere."

"Uçakla mı?"

"Evet. Bu Aralık ayında Sibel üniversiteyi bitirip benimle ev-
lenmek için Fransa'dan dönünce, bu sefer kışın Suadiye'deki

yazlık evde buluşmaya başladık. Ama Suadiye'deki ev o kadar soğuk oluyordu ki, sevişmenin zevki bir süre sonra kaçtı," diye devam ettim.

"Sıcak bir ev bulana kadar sevişmeye ara mı verdiniz?"

"Mart başında, iki ay önce gene bir gece Suadiye'deki eve gittik. Çok soğuktu. Şömineyi yakarken bir anda ev duman içinde kaldı, bir de kavga ettik. Sonra Sibel ağır bir grip geçirdi. Ateşi çıktı, bir hafta yattı. Bir daha oraya gidip sevişmek de istemedik."

"Hanginiz istemedi?" dedi Füsun. "O mu, sen mi?" Meraktan acı çeker gibi gözüken yüzündeki "lütfen doğru söyle" diyen şefkatli ifadenin yerinde, "lütfen yalan söyle ve beni üzme!" diye yalvaran bir bakış belirdi.

"Sanırım evlenmeden önce benimle daha az sevişirse, ben nişana, evliliğe, hatta ona daha çok değer veririm, diye düşünüyor Sibel," dedim.

"Ama daha önceden seviştiğinizi söylüyorsun."

"Anlamıyorsun. Mesele ilk sevişme değil."

"Değil, evet," dedi Füsun sesini alçaltarak.

"Sibel beni ne kadar sevdiğini ve bana ne kadar güvendiğini gösterdi," dedim. "Ama evlenmeden önce sevişmek fikri, hâlâ onu huzursuz ediyor... Bunu anlıyorum. Avrupa'da o kadar okumuş, ama senin kadar cesur ve modern değil..."

Çok uzun bir sessizlik oldu. Yıllarca bu sessizliğin anlamını düşündüğüm için, konuyu şimdi dengeli bir şekilde özetleyebilirim sanırım: Füsun'a söylediğim son cümlenin bir anlamı daha vardı. Sibel'in evlenmeden önce benimle yatmasını aşk ve güven ile, Füsun'un aynı şeyi yapmasını ise cesaret ve modernlik ile açıklamış oluyordum. Bundan da, ağzımdan çıktığı için yıllarca pişmanlık duyacağım "cesur ve modern" iltifatı yüzünden benimle yattığı için Füsun'a özel bir sorumluluk ve bağlılık duymayacağım sonucu çıkıyordu. Çünkü "modern" olduğuna göre, evlenmeden önce bir erkekle yatmak ya da evlendiği gece bakire olmamak onun için yük olamazdı... Tıpkı hayallerdeki Avrupalı kadınlar ya da İstanbul sokaklarında dolaştığı söylenen kimi efsane kadınlar gibi... Oysa ben, o sözleri Füsun'un hoşuna gideceğini sanarak söylemiştim.

Bütün bunları o sessizlikte bu açıklıkta olmasa da, aklımdan geçirirken, gözüm arka bahçedeki ağaçların rüzgârda ağır ağır dalgalanışına takılmıştı. Seviştikten sonra yatakta yatar, konuşurken, pencereden dışarı, arka bahçedeki ağaçlara, ağaçların arkasındaki apartmanlara, onların arasında gelişigüzel uçan kargalara bakardık.

"Ben aslında cesur ve modern değilim!" dedi Füsun çok sonra.

Bu sözünü, ağır konunun ona o sırada verdiği huzursuzlukla, hatta alçakgönüllülük ile açıkladım ve üzerinde durmadım.

"Bir kadın bir erkeği deli gibi aşkla yıllarca sevebilir, ama onunla hiç sevişmeyebilir de..." diye ekledi sonra Füsun dikkatle.

"Tabii," dedim. Bir sessizlik daha oldu.

"Yani şu ara artık hiç sevişmiyor musunuz? Buraya niye Sibel Hanım'ı getirmiyordun?"

"Aklımıza hiç gelmemişti," dedim kendim de neden çok daha önceden aklımıza gelmediğine hayret ederek. "Eskiden kapanıp ders çalıştığım, arkadaşlarla müzik dinlediğim bu yer, nedense senin yüzünden aklıma geldi."

"Aklına gelmediğine gerçekten inandım," dedi Füsun cingöz dikkatiyle. "Ama öteki söylediklerinde bir yalan var. Var mı? Bana hiçbir yalan söylememeni istiyorum. Hâlâ onunla şu ara sevişmediğine inanamıyorum. Yemin et lütfen."

"Onunla şu ara sevişmediğime yemin ederim," diyerek Füsun'a sarıldım.

"Yeniden sevişmeye ne zaman başlayacaktınız peki? Yazın annenler Suadiye'ye gidince mi? Ne zaman gidecekler? Buna doğru cevap ver, başka soru sormayacağım."

"Nişandan sonra Suadiye'ye taşınacaklar," diye mırıldandım utançla.

"Bana şimdi hiç yalan söyledin mi?"

"Hayır."

"İstersen biraz düşün."

Düşünüyor gibi yaparak biraz düşündüm. O sırada Füsun, ceketimin cebimden ehliyetimi almış oynuyordu.

"Ethem Bey, benim de bir göbek adım var," dedi. "Neyse. Düşündün mü?"

"Evet, düşündüm," dedim. "Ben sana hiç yalan söylemedim."

"Şimdi mi, yoksa bugünlerde mi?"

"Hiçbir zaman..." dedim. "Birbirimize yalan söylemeyi hiç gerektirmeyecek bir yerdeyiz biz."

"Nasıl?"

Bizim aramızda bir çıkar ya da iş ilişkisi olmadığını, herkesten gizli de olsa insanoğlunun en saf, en temel duygularını yalan dolana gerek bırakmayan bir içtenlik ile yaşadığımızı anlattım.

"Bana yalan söylediğinden eminim," dedi Füsun.

"Bana olan saygın çabuk tükendi."

"Bana yalan söylemeni isterdim aslında... Çünkü insan ancak kaybetmekten çok korktuğu bir şey için yalan söyler."

"Senin için yalan söylüyorum elbette... Ama sana yalan söylemiyorum. Ama istiyorsan, bundan sonra onu da yaparım. Yarın gene buluşalım. Olur mu?"

"Tamam!" dedi Füsun.

Bütün gücümle ona sarıldım ve boynunun kokusunu içime çektim. Yosunlu deniz, yanık karamela ve çocuk bisküvisi karışımı bu kokuyu her koklayışımda içime bir iyimserlik ve mutluluk yayılıyordu, ama Füsun ile geçirdiğim saatler hayatımın akmakta olduğu yolu hiç değiştirmiyordu. İçimdeki bu mutluluk ve neşe, bana doğal geldiği içindi belki bu. Ama tüm Türk erkekleri gibi kendimi sürekli haklı gördüğüm, hatta kendimi sürekli haksızlığa uğramış biri olarak hayal ettiğim için de değildi. Yaşadığım şeyin sanki daha tam farkında değildim.

Gene de, kimi erkekleri hayatlarının sonuna kadar umarsız, derin ve kapkara bir yalnızlık içinde bırakan birtakım çatlakların, yaraların ruhumda yavaş yavaş açılmaya başladığını o günlerde sezmeye başlamıştım. Her akşam uyumadan önce buzdolabından şişeyi çıkarıp bir kadeh rakı alıp pencereden dışarı bakarak, kendi kendime sessizce içiyordum artık. Teşvikiye'de caminin karşısındaki yüksek bir binanın tepesindeki bizim dairenin yatak odası pencereleri, bizimkine benzeyen pek çok ailenin yatak odası pencerelerine bakardı ve çocukluğumdan beri karanlıkta odama girip başka dairelerin içlerini seyredince bir iç huzuru duyardım.

Güzel ve mutlu hayatıma bütün alışkanlıklarımla devam edebilmek için Füsun'a âşık olmamam gerektiğini, o gecelerde Nişantaşı'nın ışıklarını seyrederken arada bir aklımdan geçiriyordum. Bunun için Füsun ile arkadaşlığa, onun dertlerine, şakalarına ve insanlığına kapılmamam gerektiğini seziyordum. Matematik derslerinden ve sevişmekten geriye zaten çok az vakit kaldığı için bu çok zor değildi. Mutlu sevişme saatlerinden sonra, alelacele giyinip daireden çıkarken, bazan Füsun'un da bana "kapılmamak" için aynı dikkati gösterdiğini düşünmeye başlamıştım. Bu aşırı mutlu, olağanüstü tatlı dakikalarda aldığımız zevklerin, yaşadığımız mutluluğun bilinmesinin, hikâyemin anlaşılması için şart olduğunu düşünüyorum.

O sevişme anlarını yeniden yeniden yaşama isteği ve o zevklere bağlılık, hikâyemi sürükleyen temel ateştir elbette. Yıllar boyu ona duyduğum bağlılığı anlamak için o eşsiz sevişme anlarını her hatırlayışımda, mantıklı düşünceler yerine, gözümün önünde sevişme saatlerimizden güzel görüntüler canlandı: Mesela kucağıma oturmuş olan güzel Füsun'un büyük sol göğsünü ağzımın içine almışım... Ya da alnımdan, çenemin ucundan ter damlaları Füsun'un güzel boynuna damlarken, onun güzel sırtını ve arkasını hayranlıkla seyredişim... Ya da bir zevk çığlığı attıktan sonra bir an gözlerini açışı... Ya da sevişmemizin en zevkli yerinde, Füsun'un yüzünde beliren ifade...

Ama daha sonra fark ettiğim gibi bu görüntüler, aldığım hazzın ve mutluluğun nedeni değil, kışkırtıcı birer resmiydi yalnızca... Yıllar sonra, ona neden bu kadar çok âşık olduğumu anlamaya çalışırken, yalnız sevişmelerimizi değil, seviştiğimiz odayı, çevreyi, sıradan şeyleri de hatırlamaya çalışırdım. Bazan arka bahçedeki iri kargalardan biri balkonun demirlerine konar, sessizce bizi seyrederdi. Çocukluğumda bizim evin balkonuna da konan kargaların aynısıydı. Çocukluğumda annem "Hadi uyu, bak karga seni seyrediyor," der, bu da beni korkuturdu. Füsun'un da böyle korktuğu bir karga varmış.

Bazı günlerde odanın soğukluğu ve tozu, bazı günlerde çarşafların ve gövdelerimizin solgun hali, kiri, gölgeleri, dışarıdaki hayattan, trafikten, bitip tükenmez inşaat gürültüsünden ve satıcı çığlıklarından gelip aramıza giren pek çok şey, sevişmemizin rüya âleminin değil, gerçek dünyanın bir parçası olduğunu hissettirirdi bize. Bazan ta Dolmabahçe, Beşiktaş tarafından bir geminin düdüğünü işitir, beraber bunun nasıl bir gemi olduğunu düşünürdük. Her buluşmamızda daha da içten ve özgür bir şekilde seviştikçe, yalnız bu gerçek dünyayı ve aşırı derecede çekici cinsel ayrıntıları değil, Füsun'un gövdesindeki yadırgatıcı uzantıları, çıbanları, sivilceleri, tüyleri, karanlık ve ürkütücü lekeleri de bir mutluluk kaynağı olarak gördüğümü anlıyordum.

Sınırsız ve çocuksu sevişme zevkimizin dışında, beni ona bağlayan şey neydi? Ya da niye onunla bu kadar içten bir şekilde sevişebiliyordum? Aşkı doğuran şey, sevişme zevkimiz ve sürekli tekrarlanan bu istek miydi, yoksa bu isteği karşılıklı doğuran ve besleyen başka şeyler mi? Füsun ile her gün gizlice buluşup seviştiğimiz o mutlu günlerde bu soruları kendime hiç sormaz, şekerci dükkânına girmiş mutlu bir çocuk gibi şekerleri hiç durmadan ve hırsla atıştırırdım yalnızca.

14. İSTANBUL'UN SOKAKLARI, KÖPRÜLERİ, YOKUŞLARI, MEYDANLARI

Sohbetlerimiz sırasında Füsun beğendiği bir lise öğretmeni için "Öteki erkekler gibi değildi!" dediği için, ona bu söz ile ne kastettiğini sormuş, cevap alamamıştım. İki gün sonra, ona "öteki erkekler gibi olmak" ile neyi kastettiğini bir kere daha sordum. "Bunu ciddi sorduğunu biliyorum," dedi Füsun. "Sana ciddi bir cevap vermek de istiyorum. Vereyim mi?"

"Tabii... Niye kalkıyorsun?"

"Çünkü anlatacaklarımı anlatırken, çıplak olmak istemiyorum."

"Ben de giyineyim mi?" dedim, cevap vermeyince ben de giyindim.

Bu sigara paketlerini, içeriden bir dolaptan alıp yatak odasına getirdiğim Kütahya işi küllüğü, çay fincanıyla (Füsun'unki) cam bardağı ve Füsun'un hikâyelerini tek tek anlatırken ikide bir eline alıp sinirli sinirli oynadığı deniz kabuğunu, o sırada odadaki ağır, yorucu ve ezici havayı yansıtır diye ve Füsun'un çocuksu saç tokalarını da bu hikâyelerin bir çocuğun başından geçtiği unutulmasın diye sergiliyorum.

Füsun, Kuyulu Bostan Sokak'taki tütüncü-oyuncakçı-kırtasiyeci arası küçük bir dükkânın sahibinden başladı anlatmaya. Bu Sefil Amca babasının arkadaşıydı; arada bir birlikte tavla oynarlardı. Sekiz ile on iki yaş arasında özellikle yazları gazoz, sigara veya bira aldırmak için babası Füsun'u dükkâna her yollayışında, Sefil Amca "Bozuk çıkmadı, dur biraz, sana bir gazoz vereyim," gibi bahanelerle onu dükkânda tutar, kimseciklerin olmadığı bir sırada bir bahane bulup ("Sen terlemişsin, dur") ellerdi.

On-on iki yaşlarındayken, haftada bir-iki kere şişko karısıyla akşam oturmaya gelen Bıyıklı Bok Komşu vardı sonra. Babasının çok sevdiği bu uzun adam, hep birlikte radyo dinlenir, sohbet edilir, çay içilir, kurabiye yenilirken, hiç kimsenin fark etmeyeceği ve Füsun'un da tam ne olduğunu anlayamayacağı bir şekilde elini Füsun'un beline ya da omzuna ya da kalçasının kenarına ya da bacağının üst kısmına atar ve orada unutmuş gibi bırakırdı. Bazan da adamın eli ağaçtan sepete ustaca düşen bir meyve gibi pat diye Füsun'un kucağının tam kenarına "yanlışlıkla" düşüverir, orada hafif titreyerek, nemlenip ısınarak yolunu arayıp kıpırdanırken, Füsun bacaklarıyla kalçası arasında bir yengeç varmış gibi kıpırtısız kalır, adam da o sırada öbür eliyle çay içip odadaki sohbete katılırdı.

On yaşındaki Füsun arkadaşlarıyla kâğıt oynayan babasının kucağına oturmak isteyip reddedildiğinde (Dur kızım, görüyorsun meşgulüm işte), babasının oyun arkadaşı Sakil Bey "Gel sen bana şans getir," deyip onu kucağına alır, daha sonra pek de masum olmadığını anlayacağı bir şekilde onu okşayıp severdi.

İstanbul'un sokakları, köprüleri, yokuşları, sinemaları, otobüsleri, kalabalık meydanları ve tenha köşeleri, hayalinde karanlık hayaletler gibi canlanan, ama hiçbirinden özel olarak nefret edemediği ("Belki de hiçbiri beni gerçekten sarsamadığı için") bu Sefil Amcalar, Sakil Beyler ve Bıyıklı Bok Komşuların karanlık gölgeleriyle doluydu. Füsun'un şaştığı bir şey, babasının, eve gelen her iki misafirden birinin kısa zamanda Sefil Amca'ya ya da Bıyıklı Bok Komşu'ya dönüşüp, koridorda, mutfakta onu sıkıştırdığını, ellediğini hiç fark etmemesiydi. On üç yaşlarındayken iyi bir kız olmanın, bu sinsi, sefil ve sakiller kalabalığının ellemelerinden şikâyet etmemekle mümkün olacağını düşünmeye başlamıştı. O yıllarda, kendisine âşık (Füsun'un şikâyetçi olmadığı bir aşktı bu) liseli "çocuk", tam pencerelerinin önünde sokağa "Seni seviyorum" diye yazınca, babası kulağından çeke çeke Füsun'u pencereye götürmüş, ona yazıyı gösterip bir tokat atmıştı. Çeşitli Rezil Amcalar özellikle parklarda, boş arsalarda, arka sokaklarda birden ona çüklerini gösterdikleri için öyle yerlerden geçmemeyi, kendisi gibi eli yüzü düzgün her İstanbullu kız gibi öğrenmişti.

Bu tacizlerin hayat konusundaki iyimserliğini lekeleyememiş olmasının bir nedeni de, erkeklerin aynı karanlık müziğin gizli kurallarınca ona kırılganlıklarını da hevesle teşhir etmeleriydi. Sokakta görüp; okul kapısında, sinema girişinde, otobüste rastlayıp peşine takılanlardan bir ordu vardı; bazıları bazan aylarca peşinden ayrılmaz, o da onları fark etmemiş gibi yapar, ama onların hiçbirine asla acımazdı (acıma sorusunu ben sormuştum). Peşine takılanların bazıları o kadar sabırlı, âşık ya da kibar da değildi: Bir süre sonra laf atmaya (Çok güzelsiniz, birlikte yürüyebilir miyiz, bir şey sormak istiyorum, affedersiniz sağır mısınız? vs.), daha sonra da öfkelenmeye, edepsiz laflar ve küfürler etmeye başlarlardı. Bazıları çift gezer, bazıları günlerdir takip ettiği kızı göstermek, fikir almak için yeni arkadaşlar getirir, bazıları takip ederken aralarında pis pis gülüşür, bazıları mektuplar, hediyeler vermeye çalışır, bazıları da ağlardı. Takipçilerinden bir tanesi onu itip kakıp zorla öpmeye kalktığından beri, bir dönem yaptığı gibi onların üzerine de yürümüyordu artık. "Öteki erkeklerin" bütün hile ve niyetlerini anladığı on dört yaşından beri farkında olmadan ellenmiyor, tuzağa da kolay düşmüyordu belki, ama şehrin sokakları her gün yaratıcılıkla yeni bir elleme, mıncıklama, sıkıştırma, arkadan dayanma vs. yolu bulanlarla doluydu. Arabanın penceresinden kolunu uzatıp kaldırımda yürüyeni elleyenlere, merdivenlerde ayağı takılmış gibi yapıp dayananlara, asansörde zorla öpmeye başlayanlara ya da paranın üstünü verirken parmağına bilerek dokunup okşamaya çalışanlara şaşmıyordu artık.

Güzel bir kadınla gizli bir ilişkisi olan her erkek, sevgilisine tutulan, asılan, yakınlaşmaya çalışan çeşit çeşit adamın, çeşit çeşit hikâyesini bazan kıskançlıkla, çoğu zaman da gülümseyerek, sık sık da acıyıp küçümseyerek dinlemek zorunda kalır: Üstün Başarı Dersanesi'nde kendi yaşında, tatlı, yumuşak ve yakışıklı bir çocuk vardı. Sürekli ona birlikte sinemaya gitmeyi, köşedeki çay bahçesinde oturmayı teklif ediyor, Füsun'u görünce heyecana kapıldığı ilk dakikalarda tutuklaşıp sessizleşiyordu. Yanında kalemi olmadığını gördüğü bir gün ona bir tükenmez kalem hediye etmiş, Füsun'un derslerde onunla not aldığını görünce de mutlu olmuştu.

Aynı dersanede otuz yaşlarında, saçları sürekli biryantinli, sessiz, sinirli ve sinir bir "yönetici" vardı. "Kimlik belgelerin eksik", "senin cevap kâğıtlarından biri kayıp" gibi bahanelerle Füsun'u odasına çağırır, hayatın anlamı, İstanbul'un güzelliği, yayımlanmış şiirleri gibi konulardan söz açar, Füsun'dan cesaretlendirici herhangi bir tepki alamayınca da, ona sırtını dönüp pencereden dışarı bakarak kısık bir sesle, küfreder gibi "Çıkabilirsin," diye tıslardı.

Şanzelize Butik'e alışverişe gelip onu görür görmez abayı yakan ve Şenay Hanım'ın bol bol elbise, takı, hediyelik eşya sattığı kalabalıktan ise –aralarında bir kadın da vardı– bahsetmek istemiyordu. Peki benim ısrarım üzerine, aralarında en "komik" olanını anlatacaktı: Elli yaşlarında, kısa boylu, küp gibi şişko, fırça bıyıklı, şık ve zengin bir adamdı bu. Küçücük ağzıyla, Şenay Hanım'la, araya uzun Fransızca cümleler sıkıştırarak konuşur, dükkânda bıraktığı parfümün kokusu ise Füsun'un kanaryası Limon'u huzursuz ederdi!

Annesinin sözümona Füsun'a çaktırmadan onu görücüye çıkardığı pek çok damat adayı arasında birkaç kere buluştuğu ve aklı evlilikten çok onunla meşgul olan değişik bir adamdan hoşlanmış ve onunla öpüşmüştü. Geçen sene liselerarası müzik yarışmasını Spor Sergi Salonu'nda izlerken tanıştığı Robert Kolejli bir çocuk ona fena âşık olmuştu. Okulun kapısına gelir, her gün birlikte çıkarlardı, iki-üç kere de öpüşmüşlerdi. Evet, Piç Hilmi'yle bir ara çıkmıştı, ama onunla öpüşmemişti bile. Çünkü onun aklında kızları hemen yatağa atmaktan başka bir şey yoktu. Güzellik yarışmasının sunucusu şarkıcı Hakan Serinkan'a meşhur olduğu için değil, içeride kuliste herkes entrikalar çevirir, kendi hakkı göz göre göre yenirken, kendisine yakınlık ve şefkat gösterdiği, hatta sahnede soracağı ve diğer kızları tir tir titreten kültür ve zekâ sorularını (ve cevaplarını) ona kuliste önceden fısıldadığı için yakınlık hissetmiş, daha sonra bu eski tarz şarkıcının ısrarlı telefonlarına –zaten annesi de istemiyordu– karşılık vermemişti. Yüzümdeki ifadeyi haklı olarak kıskançlığa yorduğu ve hâlâ şaştığım bir mantıkla bu kıskançlığın nedeninin yalnızca ünlü sunucu olduğunu sandığı için, şefkatle ama keyfinden de bir şey kaybetmeden on altı yaşından sonra kimseye âşık olmadığını açıkladı. Dergilerde, televizyonda, şarkılarda durmadan aşktan söz edilmesinden hoşlanmasına rağmen bu duygudan her an bahsedilmesini dürüst bulmuyor, âşık olmayan pek çok insanın ilgi çekmek için duygularını abarttığını düşünüyordu. Onun için aşk, bir insanın uğruna bütün hayatını verebileceği, her şeyi göze alabileceği bir şeydi, evet. Ama hayatta da bir kere olurdu ancak.

"Bu duyguya yakın bir şeyi hiç hissettin mi?" diye sordum yatakta yanında uzanırken.

"Çok değil," dedikten sonra gene de biraz düşündü ve dürüst olmaya çalışan birinin ihtiyatıyla bir kişiden söz etti.

Saplantıya yakın bir tutkuyla kendisine âşık olduğu için Füsun'un da sevebileceğini hissettiği bu adam, yakışıklı, zengin ve "tabii evli" bir işadamıydı. Akşamüstleri butikten çıktıktan sonra Füsun'u Akkavak Sokak'ın köşesinden Mustang'ıyla alırdı. Dolmabahçe'de Saat Kulesi'nin yanında arabalarda çay içilip Boğaz'ın seyredildiği park yerinde ya da Spor Sergi Sarayı'nın önündeki boş alanda arabanın içinde, karanlıkta, bazan yağmur altında uzun uzun öpüşürler, otuz beş yaşındaki tutkulu adam da evli olduğunu unutup Füsun'a evlilik teklif ederdi. Bu adamın haline Füsun'un istediği gibi anlayışla gülümseyecek, içimdeki kıskançlığı da bastırabilecektim belki, ama arabasının markasından, yaptığı işten, iri yeşil gözlerinden sonra, Füsun adını da söyleyiverince, bir an beni sersemleten bir kıskançlık her yerimi sardı. Füsun'un Turgay dediği kişi, hem babam hem de ağabeyimle benim sık sık görüştüğümüz "iş ve aile dostu" bir tekstil zenginiydi. Bu uzun boylu, yakışıklı, aşırı sağlıklı adamı, Nişantaşı sokaklarında karısı ve çocuklarıyla birlikte aile mutluluğu içerisinde çok görmüştüm. Turgay Bey'in ailesine olan bağlılığına, çalışkanlığına, doğru dürüst biri olmasına saygı duyduğum için mi böyle güçlü bir kıskançlığa kapılmıştım? Bu adamın onu ilk başlarda "elde etmek" için Şanzelize Butik'e aylarca neredeyse her gün geldiğini ve durumun farkına varan Şenay Hanım'a rüşvet olarak bol bol alışveriş ettiğini anlattı Füsun.

Şenay Hanım "Kibar müşterimi kırma," diye onu zorladığı için hediyeleri kabul etmiş, daha sonra adamın aşkından emin olunca "meraktan" onunla buluşmaya başlamış, hatta ona "tuhaf bir yakınlık" da hissetmişti. Karlı bir gün gene Şenay Hanım'ın ısrarlı zorlamasıyla kadının bir arkadaşının Bebek'te açtığı bir butiğe "yardım etmek için" adamın arabasıyla birlikte gitmişler, dönüşte Ortaköy'de yemek yedikten sonra, rakıyı biraz fazla kaçıran "çapkın fabrikatör Turgay Bey", "Kahve içeriz," diye onu Şişli'nin bir arka sokağındaki garsoniyerine ısrarla davet etmiş, Füsun onu reddedince de, "o duygusal, ince adam" ölçüyü kaçırıp "Sana her şeyi alırım," demeye başlamış, Mustang'ı boş arsalara, kenar mahallelere sürüp onunla her zamanki gibi öpüşmeye, Füsun karşı çıkınca ona zorla "sahip olmaya" çalışmıştı. "Bir yandan da bana para vereceğini söylüyordu," dedi Füsun. "Ertesi akşam dükkân kapanınca buluşmadım onunla. Ondan sonraki gün bu sefer o dükkâna geldi, yaptıklarını ya unutmuştu ya da hatırlamak istemiyordu. Çok yalvardı, güzel günlerimizi hatırlatmak için bana bir de oyuncak Mustang alıp Şenay Hanım'a bırakmış. Ama bir daha Mustang'ına binmedim. Aslında 'Bir daha gelme,' demeliydim. Ama çocuk gibi her şeyi unutacak kadar bana âşık olmasından etkilendiğim için diyemedim. Belki de ona acıdığım için, bilmiyorum. Her gün geliyor, Şenay Hanım'ı çok memnun eden büyük alışverişler yapıyor, karısı için birşeyler sipariş ediyor, bir an beni bir köşede yakalarsa

yeşil gözleri buğulu 'Eskisi gibi olalım, gene her akşam seni ala-
yım, arabayla gezelim, başka bir şey istemiyorum,' diye yalvarı-
yordu. Seni tanıdıktan sonra, dükkâna o gelince içeri odaya kaç-
maya başladım. Artık daha seyrek geliyor."

"Kışın arabasında onunla öpüştüğün günlerde niye sonuna
kadar gitmedin?"

"On sekiz yaşıma daha basmamıştım o zaman," dedi Füsun
kaşlarını ciddiyetle çatarak. "On sekiz yaşıma seninle dükkân-
da karşılaşmamdan iki hafta önce 12 Nisan'da bastım."

İnsanın aklının sevgili ya da sevgili adayıyla sürekli meşgul
olması aşkın en önemli belirtisiyse, Füsun'a âşık olmak üze-
reydim. Ama içimdeki akılcı, soğukkanlı adam, kafamın sürek-
li Füsun'la uğraşmasının, öteki erkeklerden kaynaklandığını
söylüyordu. Kıskançlığın da çok önemli bir aşk belirtisi oldu-
ğu yolundaki itiraza ise, mantığımın telaşlı cevabı, bunun geçi-
ci bir kıskançlık olduğu yolundaydı: Füsun'un öpüştüğü "öteki
erkekler"in listesine bir-iki günde alışır, öpüşmeden öteye ge-
çemeyen bu adamları küçümserdim belki. Ama o gün onunla
sevişirken her zamanki oyunculuk, merak ve taşkınlık karışı-
mı çocuksu cinsel mutluluktan çok, gazeteci deyişiyle ona "sa-
hip olmak" dürtüsüyle hareket ettiğimi, isteklerimi sert hare-
ketlerle ve buyurgan bir şekilde ona hissettirdiğimi görmek şa-
şırttı beni.

15. BAZI NAHOŞ ANTROPOLOJİK GERÇEKLER

"Sahip olmak" ifadesinden söz ettiğime göre, hikâyeme bir alt
zemin oluşturan ve bazı okurlarımız ve bazı ziyaretçilerimiz ta-
rafından da zaten çok iyi bilinen bir konuya yeniden döneyim.
Özellikle çok sonraki kuşakların, mesela 2100 yılından sonra
müzemize gelen misafirlerin bu konuyu anlamakta güçlük çe-
kebileceğini tahmin ederek "antropolojik" denen türden bazı

tatsız –eskiler nahoş derdi– bilgileri, tekrardan korkmadan şimdi vermem gerekiyor.

İsa'dan 1975 güneş yılı sonra, İstanbul'un merkezi olduğu Balkanlar, Ortadoğu ve Güney ve Batı Akdeniz topraklarında, genç kızların "bekâreti", evliliğe kadar korunması gereken kıymetli bir hazine olmaya devam ediyordu. Batılılaşma, modernleşme denen süreçler ve daha çok da şehirleşme sonucu genç kızların gittikçe daha ileri yaşta evleniyor olmaları, bu hazinenin pratik değerini İstanbul'un bazı semtlerinde hafifçe düşürmeye başlamıştı. Batılılaşma yanlıları, uygarlaşma ile eş tuttukları modernleşme sonucunda, bu ahlakın ve hatta konunun unutulacağına iyimserlikle inanıyorlardı. Ama o yıllarda İstanbul'un en Batılılaşmış ve zengin çevrelerinde bile, bir genç kızın evlenmeden önce bir başka erkekle "sonuna kadar" giderek sevişmesinin bazı ciddi anlam ve sonuçları vardı:

a) Çıkarılabilecek en hafif sonuç, hikâye ettiğim gibi, gençlerin zaten evlenmeye karar vermiş olmalarıydı. Batılılaşmış, zengince çevrelerde nişanlanmış ya da "evliliğe varacak bir birlikteliği" çevrelerine toplumsal olarak kabul ettirmiş "ciddi" gençlerin evlenmeden sevişmeleri, Sibel ile benim durumumuzda olduğu gibi tek tük de olsa hoşgörüyle karşılanıyordu. Gelecekteki koca adaylarıyla evlenmeden önce yatan, üst sınıfa mensup, iyi eğitimli genç kadınlar, bu hareketlerini onlara duydukları güvenden çok, töreye aldırış etmeyecek kadar modernleşmiş ve özgür olmakla açıklamaktan hoşlanırlardı.

b) Bu güvenin kurulmadığı ve "birlikteliğin" henüz toplumsal kabul görmediği durumlarda erkeğin zorlamaları, aşkın şiddeti, alkol, aptallık ve aşırı cesaret gibi yaygın nedenlerle bir genç kız kendisini "tutamayıp" bekâretini verirse, onur kavramına geleneksel anlamıyla bağlı olması gereken erkeğin kızın şerefini korumak için onunla evlenmesi gerekirdi. Gençlik arkadaşım Mehmet'in kardeşi Ahmet, şimdi çok mutlu olduğu karısı Sevda ile böyle bir kaza sonucu ve pişmanlık korkularıyla evlenmişti.

73

c) Erkek yan çizip kızla evlenmezse ve kız on sekiz yaşından küçük ise, öfkeli babası bazan kızını çapkın erkekle evlendirebilmek için mahkemeye gidip dava açardı. Bazan bu davalar basın tarafından izlenir, o zaman gazetelerin "iğfal edilmiş" dediği genç kızın yayımlanan fotoğraflarında gözleri –bu şerefsiz durumda tanınmasın diye– kalın siyah çizgilerle kapatılırdı. Aynı kara bantlar polis baskınında yakalanan fahişelerin, zina yapan ya da ırzına geçilen kadınların gazetelere çıkan fotoğraflarında da kullanıldığı için, o yıllarda Türkiye'de gazete okumak gözlerinin üstü bantlarla kapatılmış kadın fotoğraflarından yapılmış bir maskeli baloda gezinmeye benzerdi. Zaten "hafif" kabul edilen şarkıcı, artist ve güzellik yarışması katılımcıları dışında, gazetelerde gözleri bantlanmamış Türk kadını resmi çok seyrek yayımlanır, reklamlarda da Müslüman olmayan yabancı kadınlar ve yüzler tercih edilirdi.

d) Aklı başında ve bakire genç bir kızın böyle durumlara düşmesi, kendisiyle evlenme niyetinde olmayan bir erkeğe kendini "teslim etmesi" düşünülemediği için, böyle bir şeyi yapan, yani evlenme sözü ve umudu olmadan bir erkekle yatan kızın aklının başında olmadığı inancı da çok yaygındı. O yıllarda çok sevilen Türk filmlerinde "masum" bir dans partisi sırasında içtiği limonataya uyku ilacı atılarak önce aklı uyuşturulan, sonra da "kirletilip" "en kıymetli hazinesi" elinden alınan genç kızların acıklı hikâyeleri melodramatik bir havayla ibret olsun diye sık sık işlenir ve bu filmlerde iyi kalpliler sonunda ölür, kötüler de hep orospu olurdu.

e) Kızın aklını başından alan şeyin cinsel istek olabileceği de kabul edilirdi şüphesiz. Ama cinsel zevklerine, insanların uğruna birbirini öldürdüğü töreleri bir kenara atabilecek kadar içtenlikle, çocukça ve tutkuyla bağlı bir kız, hem gerçekdışı bir yaratık olduğu hem de sırf zevki için ileride kocasını da aldatabileceği için koca adaylarını korkuturdu. Aşırı muhafazakâr bir askerlik arkadaşım, bir keresinde bana, sevgilisinden "evlenmeden önce çok seviştikleri için" (yalnızca birbirleriyle) ayrıldığını biraz utanarak ve daha çok da pişmanlıkla anlatmıştı.

f) Bütün bu katı kurallara, onları çiğneyen kızlara verilen ve toplum dışına itilmekten öldürülmeye kadar varan cezalara rağmen, şehrin genç erkekleri arasında evlenmeden önce erkeklerle keyfi için yatan sayısız genç kadın olduğu inancı da şaşılacak kadar yaygındı. Sosyal bilimcilerin "şehir efsanesi" diyeceği bu inanç, özellikle taşradan İstanbul'a göçmüşler, yoksullar ve küçük burjuvalar arasında –tıpkı Batılı çocukların Noel Baba'ya inanması gibi– o kadar yaygındı ve tartışılmadan o kadar kabul görmüştü ki, Taksim, Beyoğlu, Şişli, Nişantaşı, Bebek gibi görece zengin semtlerde yaşayan Batılılaşmış modern genç erkekler de, özellikle cinsel açlık buhranları çekerken, bu şehir efsanesine kendilerini kaptırırlardı. Evlenmeden önce, "tıpkı Avrupa'daki kadınlar gibi" sırf zevki için erkeklerle sevişebilen bu kadınların hikâyemizin geçtiği Nişantaşı gibi yerlerde yaşadıkları, başlarını örtmeyip mini etek giydikleri de herkes tarafından kabul edilmiş gözüken bir efsaneydi. Piç Hilmi gibi fabrikatör çocuğu olan arkadaşlarım ise, bu efsane kızları, kendileri gibi zengin çocuklarına yaklaşabilmek, onların Mercedeslerine binebilmek için her şeyi yapabilecek hırslı yaratıklar olarak hayal eder; Cumartesi akşamları biraz bira içip kafayı bulup iyice kızıştıkları zamanlarda, arabalarıyla bu kızlardan birine rastlayabilmek için sokak sokak, cadde cadde, kaldırım kaldırım, bütün İstanbul'u hırsla tararlardı. On yıl önce yirmi yaşımdayken, bir kış akşamını Piç Hilmi'nin babasının Mercedes'iyle İstanbul sokaklarında saatlerce böyle bir kızı arayarak geçirmiş, kısa ya da uzun etekli hiçbir kadına rastlayamamış, sonra Bebek'te lüks bir otelde turistlere ve kalantorlara göbek dansı yapan iki eğlenceli kızla, pezevenklerine çok büyük paralar verip yukarıdaki odaların birinde yatmıştık. Gelecek mutlu yüzyılların okurunun beni ayıplamasına aldırmıyorum şimdi. Ama arkadaşım Hilmi'yi savunmak isterim: Bütün kaba erkekliğine rağmen, Hilmi her mini etekli kızı, keyfi için yatan bu efsane kızlardan biri sanmaz, tam tersine mini etekli, saçları sarıya boyalı, makyajlı diye sokaklarda takip edilen kızları tacizcilerden korur, yoksul, hırpani, işsiz güçsüz ve bıyıklı gençlerle gerektiğinde "kadınlara nasıl davranılır, medeniyet nedir öğretmek için" tekme tokat kavgalara girişirdi.

Bu antropolojik bilgiyi buraya, Füsun'un aşk hikâyelerinin içimde uyandırdığı kıskançlıkla aramda bir uzaklık olsun diye koyduğumu dikkatli okurlar hissetmişlerdir. En çok Turgay Bey'i kıskanmıştım. O da benim gibi Nişantaşı'nda yaşayan tanıdık bir fabrikatör olduğu için, diye düşünüyor, kıskançlığımı doğal karşılıyor, geçici olduğuna inanıyordum.

16. KISKANÇLIK

Füsun'un Turgay Bey'in tutkusundan ballandırarak söz ettiği akşam, Sibel'in anne ve babasıyla yazları oturduğu Anadoluhisarı'ndaki eski yalıda, akşam yemeğinden sonra bir ara Sibel'in yanına oturdum.

"Canım çok fazla içtin bu akşam," dedi Sibel. "Hazırlıklarda hoşuna gitmeyen bir yan mı var?"

"Nişan Hilton'da yapılacağı için aslında çok memnunum," dedim. "Bu kadar kalabalık bir nişan olmasını da en çok annem istiyordu, biliyorsun. O da memnun..."

"Nedir derdin o zaman?"

"Hiç... Şu davetliler listesini versene..."

"Annen, anneme verdi," dedi Sibel.

Yerimden kalktım, her adımda, her tahtası başka bir gıcırtıyla inleyen köhne binayı titreten üç adım atıp, müstakbel kayınvalidemin yanına oturdum. "Efendim, şu davetliler listesine lütfen bir de ben bakabilir miyim?"

"Tabii çocuğum..."

Rakıdan şeşi beş görmeme rağmen, Turgay Bey'in adını hemen bulup annemin bıraktığı tükenmez kalemle üzerini çizip karaladım ve aynı anda içimden gelen tatlı bir dürtüye uyarak, yerine Füsun ile anne-babasının adlarını ve Kuyulu Bostan Sokak'taki adreslerini yazıp listeyi geri verdim ve alçak sesle dedim ki:

"Efendim, annem bunu bilmez, adını çizdiğim beyefendi değer verdiğimiz bir aile dostumuz olmasına rağmen, çok kısa bir süre önce ne yazık ki büyük bir iplik işinde hırsa kapıldı, bile bile bizlere çok büyük bir kötülük etti."

"Artık o eski dostluklar, o eski insanlık kalmadı Kemal Bey," dedi müstakbel kayınvalidem gözlerini bilgece kırpıştırarak. "Umarım yerine yazdığınız insanlar da onlar gibi üzmezler sizi. Kaç kişiler?"

"Anne tarafından uzak akraba bir tarih öğretmeni, yıllarca terzilik yapmış hanımı ve on sekiz yaşındaki güzel kızları."

"Aman iyi," dedi müstakbel kayınvalidem. "Davetliler arasında o kadar genç erkek var ki, onlarla dans edecek güzel genç kızlar yok diye dertleniyorduk biz de."

Dönüşte, Çetin Efendi'nin kullandığı babamın 56 model Chevrolet'sinde uyuklarken, şehrin geceleri her zaman karanlık ana caddelerinin karışıklığına, siyasal sloganlar, çatlaklar, küf ve yosun kaplı eski duvarların güzelliğine ve Şehir Hatları vapurlarının projektörlerinin iskelelere, sokak aralarına, yüz yıllık çınarların yüksek dallarına ve arabanın dikiz aynasına vuran ışıklarına dikkat ediyor, bir yandan da arka koltukta parke taşlarının sarsıntısıyla uyuyakalan babamın hafif bir horultuyla soluk alıp verişini dinliyordum.

Annem ise istediklerinin olmasından memnundu. Hep birlikte gittiğimiz bir misafirlikten sonra, arabaya geri dönerken hep yaptığı gibi, o ziyaretin anlamını ve gördüğümüz insanlar hakkındaki fikrini özetledi hemen.

"Evet, çok iyi, çok düzgün insanlar, çok doğru dürüstler, alçakgönüllülüklerine, kibarlıklarına da diyecek yok. Ama nedir o güzelim yalının içler acısı hali! Yazık. Hiç mi imkânları yok, inanmıyorum. Aman yanlış anlama oğlum, İstanbul'da Sibel'den daha hoş, daha zarif ve aklıbaşında bir kız bulabileceğine de inanmıyorum."

Annemle babamı apartmanın önünde bıraktıktan sonra biraz yürümek istedim. Çocukluğumda ağabeyim ve annemle ucuz yerli oyuncaklar, çikolatalar, toplar, tabancalar, bilyalar, oyun kâğıtları, içinden resim çıkan çikletler, resimli romanlar ve başka pek çok şey aldığımız Alaaddin'in dükkânının önünden geçeyim dedim. Dükkân açıktı. Alaaddin hemen önündeki kestane ağacının gövdesine dolayarak sergilediği gazeteleri indirmiş, iç ışıklarını söndürüyordu ki, beklemediğim bir hoşgörüyle beni içeri buyur etti ve sabah beşte yenileri gelince iade edilecek gazete paketleri arasında eşelenip bu ucuz oyuncak bebeği almama müsaade edecek kadar vakit tanıdı bana. Bu hediyeyi Füsun'a vereceğim ve ona sarılıp bütün kıskançlığımı unutacağım zamana daha on beş saat olduğunu hesaplayıp, ona telefon edemediğim için ilk defa bir acı hissettim.

Hissettiğim, tıpkı pişmanlık gibi içeriden gelen yakıcı bir şeydi. Şu anda ne yapıyordu acaba? Ayaklarım beni eve değil, tam aksi yöne götürüyordu. Kuyulu Bostan Sokak'a girince, bir zamanlar gençlik arkadaşlarımın radyo dinleyip kâğıt oynadıkları kahvenin önünden, futbol oynadığımız okul bahçesinin hemen yanından yürüdüm. İçimdeki mantıklı kişi, bütün sarhoşluğuma rağmen ölmemişti, kapıyı Füsun'un babasının açacağını ve bir rezalet çıkacağını söylüyordu. Uzaktan evlerini ve aydınlık pencerelerini görene kadar yürüdüm. İkinci katın kestane ağacına yakın pencerelerine baktıkça yüreğim hızlanıyordu.

Yıllar sonra müzemizin bu noktasında sergilensin diye sanatçıya bütün ayrıntılarıyla sipariş ettiğim bu resim, Füsunların evinde içeride yanan lambalardan turuncumsu bir renk almış pencereleri, arkadaki ayın ışığıyla dalları parıldayan kestane ağacını, bacalarla ve damlarla çizilmiş Nişantaşı göğünün arkasındaki lacivert gecenin derinliğini bir hayli iyi yansıtıyor da, benim o manzaraya bakarken hissettiğim kıskançlığı bilmem müze ziyaretçisine verebiliyor mu?

Bu manzaraya bakarken, buraya aslında Füsun'u bu mehtaplı gecede bir kere görebilmek, öpebilmek, onunla konuşabilmek kadar bu akşam bir başkasıyla beraber olmadığından emin olmak için de geldiğimi, sarhoş aklım şimdi bana dürüstçe söylüyordu. Çünkü artık bir kere "sonuna kadar" gittiğine göre, o gün bana tek tek saydığı hayranlarından biriyle sevişmenin nasıl olacağını da merak edebilirdi. Füsun'un, sevişmenin zevklerine, yeni ve harikulade bir oyuncak edinmiş bir çocuk gibi içten bir heyecanla bağlı olması, sevişirken pek az kadında rastladığım, kendini yaptığı şeye bütünüyle verebilme yeteneği, içimde gittikçe büyüyen bir kıskançlık nedeni olmuştu. Pencerelerine ne kadar baktım hatırlamıyorum. Çok sonra elimde hediye bebek eve dönüp yattım.

Gece yaptıklarımı, yüreğimden atamadığım kıskançlığın boyutlarını, sabah işe giderken tek tek düşündüm. Yoğun bir aşka kapılmam, o sıralar korkunç olurdu. Meltem gazozu içen manken Inge, bir apartmanın yan cephesinden bana çapkınca bakıp dikkat etmemi söyledi. Tutkum ciddi boyutlara varmasın diye sırrımı Zaim, Mehmet, Hilmi gibi arkadaşlara alaycılıkla açmayı düşündüm. Ama zaten Sibel'i çok beğendiklerini, benim çok talihli olduğumu düşündüklerini hissettiğim bu en yakın arkadaşlarımın, bir de çekici bulduklarını bildiğim Füsun'la yaşadıklarımı kıskanmadan dinleyip bana yardım edebileceklerini hiç sanmıyordum. Üstelik konuyu açar açmaz duyduklarımın şiddetini gizleyemeyeceğimi seziyordum. Bir süre sonra alaycılığı bırakıp Füsun'un içtenlik ve sahiciliğine yakışır bir dürüstlükle konuşmak isteyecek, arkadaşlarım da Füsun'a fena halde abayı yakmış olduğumu anlayacaklardı. Böylece, küçüklüğümde annem ve ağabeyimle Tünel'den eve dönerken bindiği-

miz tangır tungur Maçka ve Levent otobüsleri yazıhane pencere-
mimin önünden geçerken, ben Füsun'a duyduğum heyecanın,
yapmak istediğim mutlu evliliği zedelememesi için şu anda ya-
pabilecek çok fazla bir şeyim olmadığını anladım. Her şeyi ken-
di haline bırakmanın, hayatın bana cömertçe sunduğu zevk ve
mutlulukların tadını telaşlanmadan çıkarmanın en iyi şey oldu-
ğu sonucuna vardım.

17. ARTIK BÜTÜN HAYATIM SENİNKİNE BAĞLI

Ama Füsun Merhamet Apartmanı'ndaki randevuya on daki-
ka gecikince, çıkardığım bu sonuçları unutuverdim hemen. Si-
bel'in hediyesi saatime ve Füsun'un sallayıp çınlatmaktan hoş-
landığı Nacar marka çalar saate sürekli göz atarken, perdeler
arasından dışarıya, Teşvikiye Caddesi'ne bakmaya, parkeleri
gıcırdata gıcırdata aşağı yukarı yürümeye, Turgay Bey'e kafa-
yı takmaya başladım. Az sonra kendimi daireden dışarı attım.

Bana doğru geliyorsa Füsun'u kaçırmayayım diye her iki kal-
dırımı dikkatle gözden geçirerek Teşvikiye Caddesi'nden Şan-
zelize Butik'e yürüdüm. Ama Füsun dükkânda da yoktu.

"Kemal Bey, buyrun," dedi Şenay Hanım.

"Sonunda Sibel Hanım'la şu Jenny Colon çantayı alalım de-
dik," dedim.

"Kararınızı değiştirdiniz demek," dedi Şenay Hanım. Duda-
ğının kenarında alaycı bir gülümseme vardı, ama fazla sürme-
di. Benim Füsun yüzünden bir mahcubiyetim varsa, onun da bi-
le bile sahte mal satmak gibi bir utancı vardı çünkü. İkimiz de
sustuk. Bana eziyet gibi gelen bir yavaşlıkla vitrindeki mankenin
üzerinden sahte çantayı indirdi, vitrindeki malı üfleyip temiz-
lemeden satmayan tecrübeli dükkâncıların keyfiyle tozunu al-
dı. Neşesiz bir gününde olan kanarya Limon ile ilgileniyordum.

Parayı verip paketi almış çıkarken, "Madem artık bize güveniyorsunuz, bundan sonra daha sık şereflendirirsiniz dükkânımızı," dedi Şenay Hanım çift anlamlı konuşmanın zevkiyle.

"Tabii."

Yeterince alışveriş yapmazsam dükkâna arada bir uğrayan Sibel'e birşeyler sezdirir miydi? Yavaş yavaş bu kadının ağına düşmek değil, bu küçük hesapları yapmak üzüyordu beni. Dükkândayken Füsun'un Merhamet Apartmanı'na gelip beni bulamayınca gittiğini hayal ettim. Pırıl pırıl bahar gününde kaldırımlar, alışveriş eden ev hanımları, kısa eteklerini ve yeni moda yüksek tabanlı, "apartman topuk"lu ayakkabılarını acemice giyen genç kızlar ve okullarının son günlerinde sokaklara çıkan öğrencilerle kaynıyordu. Gözlerimle Füsun'u arayarak çiçekçi Çingene kadınlara, kaçak Amerikan sigarası satan ve sivil polis olduğu söylenen adama, bildik Nişantaşı kalabalığına bakıyordum.

Derken üzerinde "Hayat-Temiz Su" yazan bir su tankeri hızla geçti ve arkasından Füsun belirdi.

"Neredesin?" dedik aynı anda ve birbirimize mutlulukla gülümsedik.

"Cadı öğle tatilinde dükkânda kaldı, beni de bir arkadaşının dükkânına yolladı. Geç geldim, sen yoktun."

"Meraklandım, dükkâna gittim, çantayı aldım hatıra olsun diye."

Füsun müzemizin girişinde tekini sergilediğim küpeleri takmıştı. Birlikte yürüdük. Valikonağı Caddesi'nden daha tenha olan Emlak Caddesi'ne saptık. Çocukluğumda annemin beni getirdiği bir diş hekimiyle, ağzıma kabaca soktuğu soğuk kaşığın sertliğini hiç unutamadığım bir çocuk doktorunun muayenehanelerinin bulunduğu apartmanların önünden tam geçmiştik ki, yokuşun aşağılarında bir kalabalık biriktiğini, birtakım insanların oraya doğru koşuşturduklarını, bazılarının da gördükleri şeylerden etkilenmiş, yüzleri allak bullak, bize doğru geldiklerini gördük.

Bir kaza olmuş, yol kapanmıştı. Az önce geçen Hayat-Temiz Su tankerinin, yokuşu inerken sol şeride girip bir dolmuşu ezdiğini gördüm. Freni patlayan su kamyonunun şoförü bir kenarda elleri titreyerek sigara içiyordu. 1940'lardan kalma uzun burunlu Plymouth marka Teşvikiye-Taksim dolmuşunun önü, kamyonun ağırlığıyla yok olmuştu. Bir tek taksimetre sağlamdı. Gittikçe artan meraklılar arasından ön koltukta kırık cam ve ezilmiş araba parçaları içerisinde kanlı bir kadın gövdesinin sıkıştığını, bunun az önce Şanzelize Butik'ten çıkarken gördüğüm esmer kadın olduğunu anladım. Yerler cam kırıklarıyla kaplıydı. Füsun'un kolundan tuttum, "Gidelim," dedim. Ama aldırmadı. Arabanın içinde sıkışıp ezilen kadına gözlerini doyurana kadar sessizce baktı.

Kalabalık iyice artınca, sıkışıp ölen kadından (evet ölmüş olmalıydı artık) çok bir tanıdığa rastlama ihtimali beni huzursuz ettiği için –bir polis aracı en sonunda geliyordu– kaza yerinden uzaklaştık. Hiç konuşmadan karakolun sokağından yukarı Merhamet Apartmanı'na doğru yürürken, kitabımın başında "hayatımın en mutlu anı" diye sözünü ettiğim şeye hızla yaklaşıyorduk.

Merhamet Apartmanı'nın merdivenlerinin serinliğinde, Füsun'a sarılarak onu dudaklarından öptüm. Daireye girince de öptüm, ama oyuncu dudaklarında çekingenlik, halinde tutukluk vardı.

"Sana bir şey söyleyeceğim," dedi.

"Söyle."

"Söylediğim şeyi yeterince ciddiye almazsın ya da tamamen yanlış davranırsın diye korkuyorum."

"Bana güven."

"İşte ondan emin değilim, ama gene de söyleyeceğim," dedi. Artık okun yaydan çıktığını, içindeki şeyi bundan sonra saklayamayacağını bilen birinin kararlılığı geldi yüzüne. "Bana yanlış davranırsan ölürüm," dedi.

"Kazayı unut canım ve lütfen söyle artık."

Tıpkı Şanzelize Butik'te çantanın parasını bana geri vereme-
diği öğle vakti yaptığı gibi sessizce ağlamaya başladı. Hıçkırık-
ları uğradığı haksızlığa öfkelenen bir çocuğun hırçın sesine dö-
nüştü.

"Sana âşık oldum. Sana çok fena âşık oldum!"

Sesi hem suçlayıcıydı, hem de beklenmedik ölçüde şefkat-
li. "Bütün gün seni düşünüyorum. Sabahtan akşama kadar se-
ni düşünüyorum."

Ellerini yüzüne kapayıp ağladı.

İçimden gelen ilk tepkinin salakça gülümsemek olduğunu
itiraf edeyim. Ama bunu yapmadım. Hatta aşırı sevincimi giz-
leyip, duygulu bir ifade takınarak kaşlarımı çattım. Hayatımın
en içten ve yoğun anlarından biriydi, ama halime bir yapmacık-
lık sinmişti.

"Ben de seni çok seviyorum."

Ama bütün içtenliğime rağmen, benim sözlerim onunkiler
kadar güçlü ve sahici değildi. İlk o söylemişti. Füsun'dan son-
ra söylediğim için benim hakiki aşk sözlerime bir teselli, neza-
ket ve taklit tınısı sinmişti. Dahası, o anda ben gerçekten ona,
onun bana âşık olduğundan daha da çok âşık olsaydım bile (bir
ihtimal bu doğruydu da), aşkının aldığı korkutucu boyutu ilk
Füsun itiraf ettiği için, oyunu o kaybetmişti. Nereden, hangi re-
zil tecrübelerden edinmiş olduğumu bilmek bile istemediğim
içimdeki "aşk bilgisi", tecrübesiz Füsun'un, benden daha içten
davrandığı için "oyunu" kaybettiğini sinsice müjdeliyordu ba-
na. Bundan, artık kıskançlık derdimin ve takıntılarımın sona
ereceği sonucunu çıkarabilirdim.

Yeniden ağlamaya başlayınca, cebinden buruş buruş ve ço-
cuksu bir mendil çıkardı. Ona sokuldum, boynunun, omuz-
larının inanılmayacak kadar güzel, kadifemsi tenini okşarken,
onun gibi herkesin âşık olduğu güzel bir kızın âşık oldum diye
ağlaması kadar saçma bir şey olamayacağını söyledim.

Gözyaşları içerisinde "Yani güzel kızlar hiç âşık olmaz mı?" dedi. "Madem her şeyi o kadar iyi biliyorsun, o zaman şunu söyle..."

"Neyi?"

"Bundan sonra ne olacak?"

Asıl konunun bu olduğunu, benim aşk ve güzellik laflarımın kendisini oyalamayacağını, şimdi vereceğim cevabın çok önemli olduğunu gösteren bir bakışla bakıyordu.

Verecek bir cevabım yoktu. Ama bunu şimdi, yıllar sonra o anı hatırlarken düşünüyorum. O sırada bu tür soruların aramıza gireceğini hissederek bir huzursuzluğa kapıldım, için için bundan dolayı Füsun'u suçladım ve onu öpmeye başladım.

Öpüşüme istekle ve çaresizlikle katıldı. Sorusunun cevabının bu mu olduğunu sordu. "Evet, öyle," dedim. "Önce matematik çalışmayacak mıydık?" diye sordu. Cevap olarak onu öptükçe, o da beni öpüyordu. İçine düştüğümüz durumun açmazına kıyasla sarılmak, öpüşmek çok daha hakikiydi ve "şimdi"nin dayanılmaz gücüyle dopdoluydu. Elbisesini ve diğer şeylerini çıkardıkça, Füsun'un içinden âşık olduğu için dertlenen karamsar bir kız değil, aşk ve cinsel mutluluk içinde erimeye hazır, sağlıklı, hayat dolu bir kadın çıkıyordu. Böylece hayatımın en mutlu anı dediğim şeyi yaşamaya başladık.

Aslında kimse, onu yaşarken hayatının en mutlu anını yaşadığını bilmez. Bazı insanlar kimi coşkulu anlarında hayatlarının o altın anını "şimdi" yaşadıklarını içtenlikle (ve sık sık) düşünebilir ya da söyleyebilirler belki, ama gene de ruhlarının bir yanıyla bu andan da güzelini, daha da mutlu olanını ileride yaşayacaklarına inanırlar. Çünkü özellikle gençliğinde, hiç kimse bundan sonra her şeyin daha kötü olacağını düşünerek hayatını sürdüremeyeceği gibi, insan eğer hayatının en mutlu anını yaşadığını hayal edebilecek kadar mutluysa, geleceğin de güzel olacağını düşünecek kadar iyimser olur.

Ama hayatımızın, tıpkı bir roman gibi artık son şeklini aldığını hissettiğimiz günlerde, en mutlu anımızın hangisi olduğunu benim şimdi yaptığım gibi hissedip seçebiliriz. Yaşadığımız bütün anlar içerisinde neden bu anı seçtiğimizi açıklamak da, kendi hikâyemizi bir roman gibi yeniden anlatmayı gerektirir elbette. Ama en mutlu anı işaret ettiğimizde, onun çoktan geçmişte kaldığını, bir daha gelmeyeceğini, bu yüzden bize acı verdiğini de biliriz. Bu acıyı dayanılabilir kılan tek şey, o altın andan kalma bir eşyaya sahip olmaktır. Mutlu anlardan geriye kalan eşyalar, o anların hatıralarını, renklerini, dokunma ve görme zevklerini bize o mutluluğu yaşatan kişilerden çok daha sadakatle saklarlar.

Uzun sevişmemizin ortalarında bir yerde, ikimiz de kendimizden geçmiş soluk soluğayken, ter içindeki omuzlarını öpüp onu arkadan hafifçe sarıp içine girdikten sonra boynunu ve sol kulağını ısırdığım sırada, yani hayatımın en mutlu anında şekline hiç dikkat etmediğim küpe, Füsun'un güzel kulağından mavi çarşafa düştü.

Medeniyetler ve müzeler konusundan biraz haberdar olan herkes, dünyaya hükmeden Batı Medeniyeti'nin bütün bilgisinin arkasında müzelerin yattığını ve bu müzeleri yapan hakiki koleksiyoncuların ilk parçalarını toplarken, çoğu zaman yaptıkları şeyin nereye varacağını hiç düşünmediklerini bilir. Bu hakiki ilk koleksiyoncular daha sonra sergilenip, sınıflanıp katalogları yapılacak (ilk kataloglar, ilk ansiklopedilerdir) büyük koleksiyonlarının ilk parçaları ellerine geçtiği zaman onları çoğunlukla hiç fark etmemişlerdir bile.

Hayatımın en mutlu anı dediğim şey bitip ayrılma vakti geldiğinde, küpenin teki ikimizin arasında, çarşafın kıvrımları içerisinde gizlenirken, Füsun gözlerini gözlerimin içine dikti.

"Artık bütün hayatım seninkine bağlı," dedi alçak sesle.

Bu hem hoşuma gitti, hem de beni korkuttu.

Ertesi gün gene hava çok ısınmıştı. Merhamet Apartmanı'nda buluştuğumuzda, Füsun'un gözlerinde umut kadar korku da gördüm.

"Dün taktığım küpenin teki kayıp," dedi beni öptükten sonra. "Burada canım," dedim. Sandalyenin arkalığına asılı ceketimin sağ cebine elimi attım. "Aaa, yok," dedim. Bir an bir felaketin, bir uğursuzluğun belirtisini hisseder gibi oldum, ama sabah sıcağı fark edince, başka bir ceket giydiğimi hemen hatırladım. "Öteki ceketimin cebinde kalmış."

"Lütfen yarın getir, unutma," dedi Füsun gözlerini kocaman açarak. "Benim için çok önemli."

18. BELKIS'IN HİKÂYESİ

Gazetelerin hepsinde kaza önemli bir yer tutuyordu. Füsun onları okumamıştı, ama Şenay Hanım bütün sabah ölen kadından o kadar çok söz etmişti ki, bazı Nişantaşı kadınları sırf ölen kadından söz edebilmek için dükkâna uğruyorlarmış gibi gelmişti ona... "Şenay Hanım yarın benim de cenazeye gelebilmem için öğleyin dükkânı kapayacak," dedi Füsun. "Hepimiz o kadını severmişiz gibi davranıyor. Ama öyle değildi..."

"Nasıldı?"

"Evet, kadın butiğe çok gelirdi. Ama İtalya'dan, Paris'ten yeni gelmiş en pahalı elbiseleri 'Bir deneyeyim bakayım,' deyip alır, büyük bir davette giydikten sonra 'olmuyor' diye geri getirirdi. Herkesin o davette onun üzerinde gördüğü elbise artık kolay satılamayacağı için de Şenay Hanım ona kızardı. Ayrıca hepimize kötü davranıyor ve çok da pazarlık ediyor diye onu sevmez, arkasından çekiştirirdi. Ama çok çevresi var diye tersleyemezdi de. Sen onu tanıyor muydun?"

"Hayır. Ama bir zamanlar bir arkadaşımın sevgilisiydi," dedim ve bu ölümün arkasında yatan hikâyeden söz etme zevkini –bu zevki onunla daha çok çıkaracağımı düşünüyordum– Sibel'e sakladığım için ikiyüzlü hissettim kendimi. Oysa bir hafta önceye kadar değil Füsun'dan bir konuyu saklamak, ona

yalan söylemek bile beni çok üzmez; yalan, bu çeşit çapkın-
lığın eğlenceli ve kaçınılmaz bir yan sonucuymuş gibi gelirdi
bana. Hikâyeyi şurasını burasını kısaltıp değiştirerek Füsun'a
anlatabilir miyim diye düşününce, bunun imkânsız olduğu-
nu bir kere daha anladım. Bir şey sakladığımı sezdiği için şöy-
le dedim:

"Çok üzücü bir hikâyedir o. Pek çok erkekle yattığı için o za-
vallı kadın çok aşağılanmıştır."

Gerçek düşüncem bile değildi bu. Öyle sorumsuzca söyleyi-
vermiştim. Bir sessizlik oldu.

"Merak etme," dedi Füsun fısıldar gibi. "Hayatımın sonuna
kadar senden başka kimseyle yatmayacağım."

Satsat'a dönünce içimde bir huzur hissettim ve istekle, inanç-
la uzun zamandır ilk defa para kazanma zevkiyle hiç durma-
dan çalıştım. Benden biraz genç ve iddialı yeni memur Kenan
ile arada bir gülüşüp şakalaşarak borçlular listesindeki yüze ya-
kın adın üzerinden tek tek geçtik.

"Cömert Eliaçık'ı ne yapacağız Kemal Bey?" diye kaşlarını
neşeyle kaldırıp gülümseyerek soruyordu Kenan.

"Elini daha da açacağız. Ne yapalım, adından kaybediyor."

Akşamüstü, eve dönüş yolunda hâlâ yanmamış eski paşa ko-
naklarının bahçelerinden gelen ıhlamur kokusunu içime çeke-
rek Nişantaşı'nın iyice yeşillenen çınar ağaçlarının gölgelerinin
altından yürüdüm. Tıkanmış trafikte arabalarının kornalarına
öfkeli öfkeli basan erkeklere bakarak hayatımdan memnun ol-
duğumu, önceki günkü aşk ve kıskançlık buhranımın sona er-
diğini, her şeyin yoluna girdiğini hissettim. Evde duş aldım.
Dolaptan ütülü ve tertemiz bir gömlek çıkarırken aklıma ge-
len küpeyi dün bıraktığımı sandığım ceketin cebinde bulama-
yınca çekmeceleri, dolapları karıştırdım, Fatma Hanım'ın kop-
muş düğmeleri, yakadan çıkmış balinaları, cebimden düşmüş
bozuk paraları, çakmakları bulunca içine koyduğu çanağa bak-
tım, yoktu.

"Fatma Hanım," diye seslendim alçak sesle. "Bir küpe teki gördün mü buralarda?"

Evlenene kadar ağabeyimin odası olan aydınlık ve geniş yan oda, mis gibi ütü buharı ve lavanta kokuyordu. Fatma Hanım öğleden sonra ütülediği benim ve babamın temiz mendillerimizi, gömlekleri, havluları tek tek dolaplara yerleştirirken, "küpe müpe" görmediğini söyledi. Sepetteki eşleştirilmemiş çorap yığınlarının içinden suçlu bir kedi yavrusunu çıkarır gibi bir çorap teki çıkarıp gösterdi.

"Bana bak, Kazmatırnak!" dedi küçükken bana taktığı adlardan biriyle, "tırnaklarını kesmezsen burnu delinmemiş çorabın kalmayacak. Artık çoraplarını ben dikmeyeceğim, ona göre."

"Peki."

Salonun Teşvikiye Camii'ne bakan köşesinde babam üzerinde aşırı beyaz bir önlük, sandalyeye oturmuş, berber Basri'ye saçlarını kestiriyor, annem de her zamanki gibi çaprazına oturmuş birşeyler anlatıyordu.

"Gel bak, son dedikoduları anlatıyorum," dedi beni görünce.

Annemin şimdiye kadar anlattıklarını hiç işitmiyormuş gibi suratını asan Basri, "dedikodu" sözü üzerine bir an makasını durdurdu ve kocaman dişlerini göstererek dinlediği bütün hikâyeler için uzun uzun sırıttı.

"Konu ne?"

"Lerzanların küçük oğlu rallici olmak istiyormuş, babası izin vermediği için de..."

"Biliyorum. Babasının Mercedes'ini paramparça etmiş. Sonra araba çalındı diye polisi aramış."

"Peki Şaziment'in kızını Karahanların oğluyla evlendirebilmek için ne yaptığını duydun mu? Dur nereye?"

"Yemeğe yokum, Sibel'i alacağım, bir davete gideceğiz."

"Git Bekri'ye söyle de, o zaman barbunyaları boşuna bu akşam kızartmasın. Senin için ta Beyoğlu Balıkpazarı'na gitti bugün. Yarın öğlen yemeye söz ver bari."

"Söz!"

Kirlenmesin diye kenarı kıvrılan halının altındaki parkeye babamın beyaz ve zayıf saçları tel tel dökülüyordu.

Garajdan arabayı aldım, parke yollarda ilerlerken radyoyu açtım ve çalan şarkılara direksiyonun kenarında, parmaklarımla tempo tutarak bir saatte Boğaz Köprüsü'nden geçip Anadoluhisarı'na vardım. Sibel, arabanın kornasını işitince yalıdan koşup geldi. Yolda önceki gün Emlak Caddesi'ndeki kazada ölen kadının Zaim'in eski sevgilisi olduğunu söyleyerek ("Siz Her Şeye Layıksınız Zaim mi?" dedi Sibel gülümseyerek) hikâyeyi anlatmaya başladım.

"Kadının adı Belkıs'tı, benden birkaç yaş büyük, otuz iki-otuz üç yaşlarında olmalıydı," diye devam ettim. "Yoksul bir ailedendi. Sosyeteye girdikten sonra annesinin başörtüsü taktığı, düşmanlarınca onu aşağılamak için anlatılırdı. Bu kız 1950'lerin sonunda, lisedeyken 19 Mayıs törenlerinde yaşıtı bir gençle tanışmış ve birbirlerine âşık olmuşlar. Çocuk o zamanlar İstanbul'un en zengin ailelerinden armatör Kaptanoğulları'nın en küçük oğlu Faris. Türk filmlerinden çıkma bu fakir kızla zengin oğlan aşkı yıllar sürmüş. Aşkları o kadar şiddetliymiş ya da o kadar kafasızlarmış ki, bu liseli çift evlenmeden önce hem sevişmişler, hem de çevrelerine bunu belli etmişler. Uygunu evlenmeleriymiş elbette, ama çocuğun ailesi, fakir kızın oğullarını elde etmek için 'sonuna kadar gittiğine', bunun da herkes tarafından bilindiğine kafayı takıp karşı çıkmış. Çocuğun da ailesine meydan okuyup kızı koluna takıp evlenecek gücü, kafası ve şahsi parası yokmuş anlaşılan. Böylece, bir çözüm olarak kızla oğlanı evlendirmeden, ailenin parasıyla Avrupa'ya yollamışlar. Üç yıl sonra Paris'te çocuk, uyuşturucudan mı, umutsuzluktan mı, bir şekilde ölmüş. Belkıs, böyle durumlarda olduğu gibi bir Fransız ile kaçıp Türkiye'yi unutacağına, İstanbul'a dönmüş ve zengin diğer erkeklerle ilişkiler kurarak sosyetede bütün kadınları imrendiren çok zengin bir aşk hayatı yaşamaya başlamış. İkinci sevgilisi Ayı Sabih'ti... Ondan ayrılıp, Demirbağların bir aşk acısıyla yaralı en büyük oğullarıyla bir macera yaşadı. Ondan sonraki sevgilisi Rıfkı da başka bir aşk yarasıyla acılar içinde yanan biri olduğu için, bir dönem sosyetede erkekler ona gülümseyerek 'Teselli Meleği' derler ve hepsi onunla bir macera yaşamayı hayal ederlerdi. Hayatlarında kocalarından başka bir erkekle yatmamış, en fazlası gizlilik ve utanç içinde geçici bir ikinci sevgili bulabilmiş ve korkudan onun da tadına varamamış bütün o evli ve zengin kadınlar ise, bir dönemin bütün gözde bekârlarıyla herkesin önünde aşk yaşamış ve sanırım pek çok evli ve gizli sevgilisi de olmuş bu Belkıs'ı, kıskançlıktan bir kaşık suda boğmak isterlerdi. Kadının güzelliği artık solduğu, yokluktan üstüne başına yeterince para harcayamadığı için o gün de yaklaşıyordu denebilir. Trafik kazası bu kadın için kurtuluş oldu."

"Onca erkekten birinin bile onunla evlenmemesine şaşıyorum," dedi Sibel. "Demek ki hiç kimse, koluna takıp evlenecek kadar da âşık olmamış bu kadına."

"Aslında erkekler onun gibi kadınlara çok fena âşık olurlar. Ama evlenmek başka bir şey. Kaptanoğulları'nın oğlu Faris'le hiç yatmadan hemen evlenebilseydi, ailesinin yoksulluğu çabuk unutulurdu. Ya da Belkıs çok zengin bir aileden olsaydı, evlendiğinde bakire olmaması mesele edilmeden unutulurdu. Herkesin becerdiği bu şeyleri yapamadığı ve çok zengin bir aşk hayatı yaşadığı için, bütün o sosyete kadınları ona yıllarca 'Teselli Orospusu' dediler. Gençliğinde karşısına çıkan ilk aşka balıklama daldığı, sakınmadan sevgilisine kendini teslim ettiği için Belkıs'a belki de saygı duymalıyız."

"Sen duyuyor musun?" dedi Sibel.

"Hayır, rahmetliyi itici bulurdum."

Hangi bahaneyle verildiğini şimdi unuttuğum davet, Suadiye'de deniz kenarındaki bir evin uzun beton rıhtımındaydı. Orada altmış yetmiş kişi, ellerinde içki bardakları fısıldar gibi konuşuyor, kim geldi, kim var diye birbirlerini süzüyorlardı. Kadınların çoğunun giydikleri eteğin boyundan memnun olmadığını, kısa etek giyen kadınların büyük kısmının bacaklarının alt kısmı kısa ya da kalın olduğu için huzursuz olduklarını hissettim. Bu yüzden ilk bakışta hepsi sinirli ve acemi konsomatrislere benziyorlardı. Rıhtımın hemen yanındaki sandal çekme yerinin oradan yoğun bir lağım denize akıyor, kokusu aralarında beyaz eldivenli garsonların dolaştığı kalabalık içinde daha yoğun hissediliyordu.

Kalabalığa karıştıktan sonra tanışır tanışmaz bana yeni bastırdığı kartvizitini veren Amerika'dan yeni dönmüş ve muayenehanesini yeni açmış bir "ruh doktoru", orta yaşlı ama fıkır fıkır bir kadının ısrarlı soruları üzerine, çevresinde toplanan kalabalığa aşkın tarifini yaptı: Bir insanın, başka fırsatları olmasına rağmen onları reddedip sürekli aynı kişiyle sevişmek istemesine, bu mutluluk verici duyguya "aşk" denirdi. Aşk sohbetinden sonra on sekiz yaşındaki güzel kızını bana tanıştıran bir anneyle, kızını sürekli siyaset yüzünden "boykot" yapılan Türk üniversiteleri yerine nerede okutabileceğini konuştuk. Konu, üniversitelere giriş için yapılan merkezî imtihanın soru kitapçığı çalınmasın diye, onu basacak matbaa işçilerinin uzun sürecek bir hapis hayatına başlamalarının bugünkü gazetelerde yazılmasıyla açılmıştı.

Çok sonra uzun boylu, uzun çeneli, güzel gözlü, yakışıklı Zaim ile en az onun kadar uzun ve ince Alman manken Inge rıhtımda belirdiler. Kalplere bir mutsuzluk sızısı veren şey, çiftin güzelliğine duyulan hasetten çok, mavi gözlü, uzun ince bacaklı, bembeyaz tenli, hakiki sarışın Inge'nin, kendilerini olduklarından daha Avrupalı hissetmek için çırpınarak saçlarını sarıya boyayan, kaşlarını yolan ve butik butik gezip kıyafet seçen İstanbullu sosyete kadınlarına, ten renginin ve ırk yapısının da ne yazık ki kolay telafi edilemeyecek önemli bir eksik olduğunu görünüşüyle acımasızca hatırlatmasıydı. Bense kendimi kadının kuzeyliliğinden çok, eski bir dost gibi yüzüne, gülüşüne ve dudaklarına aşina hissettim. Her sabah gazetedeki reklamda, sonra işe yürürken, Harbiye'de bir apartmanın yan cephesinde Inge'yle karşılaşmayı seviyordum. Inge'nin çevresinde gene kısa sürede bir kalabalık oluştu.

Dönüş yolunda arabadaki sessizlikte Sibel "Siz Her Şeye Layıksınız Zaim evet, iyi bir insan besbelli," dedi. "Ama arkadaşın Arap şeyhleriyle yatacak düzeydeki o dördüncü sınıf Alman mankenini reklamlarda kullandığı yetmiyormuş gibi, sevgilisi olduğunu herkese göstererek iyi bir şey mi yapıyor sence?"

"Büyük ihtimal manken kadın da aynı dostane duygularla, bizlerin Arap şeyhlerinden farksız olduğumuzu düşünüyordur. Gazozun satışları şimdilik iyiymiş. Zaim bir ara Türklerin modern bir Türk ürününden, eğer Batılıların da o üründen hoşlandığını öğrenirlerse, daha büyük bir mutluluk ve tat aldıklarını söyledi."

"Berberde gördüm, kadının Zaim'le *Haftasonu*'nun hem ortadaki fotoğraflı sayfasında resmi vardı, hem de röportaj sayfasında röportaj yapmışlar, çok bayağı, yarı çıplak bir de resmini basmışlar."

Uzun bir süre sustuk. Çok sonra gülümseyerek şöyle dedim: "Çat pat Almanca paralayarak kadına reklamlarda çok zarif gözüktüğünü anlatırken, açık göğüslerine gözü takılmasın diye sürekli saçlarına bakan iri yarı mahcup bir adam vardı ya hani... Ölen Belkıs'ın ikinci sevgilisi Ayı Sabih işte oydu."

Ama Sibel, araba pus içindeki Boğaz Köprüsü'nün altından hızla geçerken uyuyordu.

19. CENAZEDE

Ertesi gün söz verdiğim gibi öğle vakti Satsat'tan çıkıp yürüyerek eve gittim ve annemle barbunya tava yedim. Annemle bir yandan tabaklarımızdaki balıkların pembemsi bir zar inceliğindeki nefis derilerini ve yarı saydam ve narin kılçıklarını çalışkan bir cerrah dikkatiyle ayıklıyor, bir yandan da nişan hazırlıklarını ve "en son havadisleri" (onun deyişi) gözden geçiriyorduk. Nişana kendilerini davet ettirmek için imalarda bulunan ve "kalpleri asla kırılamayacak" bazı hevesli tanıdıklarla birlikte, davetliler listesi şimdiden 230 kişiye çıkmış; bu yüzden Hilton'un metrdoteli, o gün "yabancı içkilerde" (fetiş bir kavram) zor durumda kalmayalım diye, başka büyük otellerdeki meslektaşları ve tanıdık içki ithalatçılarıyla görüşmeye başlamıştı. İpek İsmet, Şaziye, Solak Şermin ve Madam Mualla gibi bir zamanlar Füsun'un annesinin arkadaşı ve rakibesi olan ünlü sosyete terzileri, nişan için ısmarlanan iddialı elbiseler yüzünden şimdiden tamamen dolmuşlardı ve çıraklar sabahlara kadar çalışıyorlardı. Annem, içeri odada halsizlikten uyuklayan babamın şu sıralardaki derdinin sağlık değil, keyifsizlik olduğunu düşünüyordu, ama tam oğlunun nişanlanmak üzere olduğu günlerde babamın keyfini bu kadar kaçıran şeyin ne olduğunu bilmiyor ve galiba ben biliyor muyum diye de ağzımı arıyordu. Ahçı Bekri çocukluğumuzdan beri balığın üstüne, bastırır diye yenmesi gereken şehriyeli pilavı –hiç değişmeyen bir kuraldı bu– sofraya getirince, neşesinin nedeni balıkmış gibi, annem birden yaslı bir havaya büründü.

"Çok üzüldüm o kadıncağıza," dedi içten bir kederle. "Çok çekti. Çok yaşadı, çok da kıskandılar. Aslında çok iyi bir insandı, çok."

Annem kimden söz ettiğini bile açıklamadan, yıllar önce "o" ve o zamanki sevgilisi Demirbağların büyük oğlu Demir'in bir ara Uludağ'da ahbaplık ettiklerini, babamla ölen Belkıs'ın sevgilisi Demir kumar oynarken, Belkıs ile kendisinin gece yarılarından çok sonraya kadar "otelin rustik barında" çay içip örgü örerek ahbaplık ettiklerini anlattı.

"Çok çekmiş zavallı kadın, önce yoksulluktan, sonra erkeklerden, çok, çok," dedi annem. Fatma Hanım'a döndü ve "Kahvemi balkona getirin," dedi. "Cenazeyi seyredeceğiz."

Amerika yıllarımın dışında, içinde bütün hayatımı geçirdiğim büyük apartman dairesinin salonu ve geniş balkonu her gün bir-iki cenazenin kalktığı Teşvikiye Camii'nin avlusuna baktığı için, çocukluğumda cenaze seyretmek, ölümün korkutucu esrarıyla tanıştığımız tatlı ve vazgeçilmez bir eğlenceydi. Cami yalnız İstanbul'un zengin ailelerinin değil, ünlü siyasetçilerin, paşaların, gazetecilerin, şarkıcı ve sanatçıların da cenaze namazlarının kılındığı ve ölünün mertebesine göre askerî bando ya da belediye bandosunun çaldığı Mozart'ın cenaze marşı eşliğinde, tabutlarının cemaatin omuzlarında Nişantaşı Meydanı'na kadar ağır ağır taşındığı "son yolculuklarının" itibarlı bir başlangıç noktasıydı. Ağabeyimle ben çocukluğumuzda omuzlarımıza uzun ve ağır bir yastık alır, ahçı Bekri Efendi'yi, Fatma Hanım'ı, şoför Çetin'i ve başkalarını da peşimize takar, cenaze marşını söyleyerek ve tıpkı cemaat gibi hafifçe sallanarak koridorlardan yürürdük. Ölümleri bütün ülkeyi meşgul eden başbakanların, ünlü zenginlerin ve şarkıcıların cenazelerinden hemen önce, kapıyı çalıp "Geçiyordum, bir uğradım," diyen davetsiz misafirlere annem hiç nezaketsizlik etmez, ama arkalarından "Bizi görmeye değil, cenaze seyretmeye gelmiş," diyerek, törenin ölümden ibret alınsın ya da ölen kişiye son bir saygı gösterilsin diye değil, seyir zevki ve merasim keyfi için yapıldığını bize hissettirirdi.

Balkondaki küçük masanın iki yanına oturur oturmaz annem "İstiyorsan buraya geç, daha iyi görürsün!" dedi bana. Ama benim yüzümün bir anda solduğunu ve cenaze kalabalığını seyretmenin keyfine tamamen aykırı bir ifadeye büründüğünü görünce, bunu yanlış yorumladı: "O kadar acıdığım bu kadının cenazesine baban içeride yatıyor diye gitmiyor değilim canım, biliyorsun. Ama orada şimdi Rıfkı gibi, Samim gibi heriflerin gözlerinin nemlendiğini değil, hiç nemlenmediğini gizlemek için kara gözlükler takıp poz kesmelerine tahammül edemem diye düşündüm. Hem buradan daha iyi gözüküyor. Senin nen var?"

"Hiç. İyiyim."

Caminin Teşvikiye Caddesi'ne açılan büyük avlu kapısından aşağıya, tabuta doğru inen basamaklarda, cenazelerde kadınların kendiliğinden toplandığı gölgeli yerde, başörtülü kadınlarla, başlarına şık ve moda rengârenk eşarplar takmış sosyete kadınları arasında Füsun'u görür görmez, kalbim saçma bir hızla atmaya başlamıştı. Turuncumsu bir eşarp takmıştı. Kuş uçuşuyla aramızda yetmiş-seksen metre vardı herhalde. Ama onun soluk alıp verişini, kaşlarını çatışını, öğle sıcağında yumuşak teninin hafif hafif terleyişini, kalabalıkta başörtülü kadınlar arasında sıkıştıkça, canı sıkıldıkça alt dudağının sol yanını ön dişleriyle hafifçe ısırışını ve incecik gövdesinin yükünü bir bacağından ötekine verişini olduğum yerden yalnızca görmüyor, içimde hissediyordum da. Tıpkı bir rüyadaki gibi çaresizlikle balkondan aşağı bağırıp ona el sallamak geliyordu içimden, ama ağzımdan bir ses çıkmıyor, kalbim bütün gücüyle atmaya devam ediyordu.

"Anne, ben kalkıyorum."

"Aa ne oldu sana? Yüzün bembeyaz."

Aşağı inip uzaktan Füsun'u seyrettim. Şenay Hanım'ın yanındaydı. Bir yandan onun şık ama bodur bir hanımla ettiği sohbeti dinliyor, bir yandan da çenesinin altında acemice bağladığı eşarbının aşağı sarkan bir ucunu dalgın dalgın parmağına doluyordu. Başörtüsü ona mağrur ve kutsal bir güzellik vermişti. Hoparlörle dışarıya avluya da verilen cuma vaazı, ses düzeninin kötülüğü yüzünden vaizin ölümün son durak olduğuna ilişkin birkaç sözü ve herkesi korkutmak ister gibi sık sık ve şiirsiz bir vurguyla Allah deyişi dışında hiç anlaşılmıyordu. Arada bir kalabalığın içine bir davete geç kalmış gibi telaşla birileri giriyor, bütün başlar hemen onlara dönerken, bu kişilerin yakalarına da hemen ölmüş Belkıs'ın küçük siyah-beyaz bir resmi iğneleniyordu. Füsun bütün bu selamlaşmaları, el sallamaları, öpüşmeleri, teselli kucaklamalarını ve hal hatır sormaları dikkatle izliyordu.

Herkes gibi Füsun'un da yakasında, ölen Belkıs'ın iğnelenmiş bir resmi vardı. Cemaatin yakasına ölünün resmini iğnelemek o günlerde sık sık işlenen siyasi cinayetlerden sonraki cenazelerde gelişen bir alışkanlıktı, ama kısa zamanda İstanbul burjuvazisi tarafından da benimsenmişti. Kara gözlüklü, acılı ve aslında mutlu sosyete kalabalığının tıpkı sağcı ve solcu militanlar gibi yakalarına taktıkları (ve burada yıllar sonra bulduğum bir küçük koleksiyonunu sergilediğim) bu resimler, eğlenceli bir davet havasındaki sıradan bir sosyete cenazesine, uğruna ölünecek yüksek bir amacın, bir idealin havasını ve itibarını verirdi. Batı taklidi matem rengi ve kalın bir siyah çerçeveyle kuşatılan fotoğrafı, Belkıs'ın gazetelerdeki ölüm ilanlarına da bir siyasi cinayet duyurusunun vakarını vermişti.

Kimseyle göz göze gelmeden oradan ayrıldım ve Merhamet Apartmanı'na gidip Füsun'u sabırsızlıkla beklemeye başladım. Arada bir saatime bakıyordum. Çok sonra bir ara Teşvikiye Caddesi'ne bakan pencerenin her zaman kapalı duran tozlu perdelerini hiçbir şey düşünmeden bir içgüdüyle hafifçe aralayınca, ölen Belkıs'ın tabutu, cenaze arabasının içinde, yavaşça önümden geçip gitti.

Bazı insanların yoksulluk, kafasızlık ve aşağılanma gibi talihsizlikler yüzünden bütün hayatlarını acılar çekerek yaşadıkları düşüncesi, tıpkı cenaze arabası gibi aklımın içinden ağır ağır geçerek kaybolup gitti. Yirmi yaşımdan beri üzerimde beni her türlü beladan ve mutsuzluktan koruyan görünmez bir zırh olduğu duygusu vardı içimde. Bu duygunun bir yanı, bana başkalarının mutsuzluğuyla fazla meşgul olmanın beni de mutsuz edebileceğini ve zırhımın delinmesine yol açabileceğini sezdirirdi.

20. FÜSUN'UN İKİ ŞARTI

Füsun geç geldi. Bu beni huzursuz etmişti, ama o çok daha huzursuzdu. Özür diler gibi değil, suçlar gibi arkadaşı Ceyda'ya rastladığını söyledi. Üzerine onun parfümü sinmişti. Ceyda ile güzellik yarışmasında tanışmışlardı. Onun da hakkı yenmiş, üçüncü olmuştu. Ama şimdi Ceyda çok mutluydu, çünkü Sedircilerin oğluyla çıkıyordu ve çocuk ciddiydi, evlenmeyi düşünüyorlardı. "Ne güzel değil mi?" dedi Füsun, gözlerimin içine sarsıcı bir içtenlikle bakarak.

Başımla onaylıyordum ki, bir sorun olduğunu söyledi. Sedircilerin oğlu, çok "ciddi" olduğu için Ceyda'nın modellik yapmasını istemiyordu.

"Mesela, şimdi yaz için salıncak reklamları yapılıyor. Sevgilisi çok sert ve muhafazakâr. Tenteli iki kişilik yazlık salıncakların reklamına değil mini etekle, kapalı elbiselerle bile çıkmasına izin vermiyor. Oysa Ceyda mankenlik kursuna gitti. Gazetelerde fotoğrafları da çıkıyor. Tente şirketi Türk mankene razı, ama çocuk istemiyor."

"Söyle ona, bu herif yakında onu iyice kapatır."

"Ceyda evlenip evinin kadını olmaya çoktan hazır," dedi Füsun, konuyu hiç anlamayışıma şaşıp sinirlenerek. "Adam ya ciddi değilse diye huzursuz oluyor. Buluşup bunları konuşacağız. Bir erkeğin ciddi olduğu sence nereden anlaşılır?"

"Bilmiyorum."

"Sen böyle erkeklerin nasıl olduğunu bilirsin..."

"Ben taşralı muhafazakâr zenginleri tanımam," dedim. "Hadi ödevine bakalım."

"Ödevlerin hiçbirini yapmadım, tamam mı?" dedi. "Sen benim küpemi buldun mu?"

İlk tepkim, ehliyeti olmadığını çok iyi bildiği halde, polis çevirmesinde ceplerini, torpido gözünü, çantasını aramaya başlayan kurnaz sarhoşlarınki gibi olacaktı az daha. Ama kendimi toparladım.

"Hayır canım, küpeni bulamadım evde," dedim. "Ama çıkar bir yerden, merak etme."

"Yeter, ben gidiyorum ve bir daha gelmiyorum!"

Çantasını, eşyalarını ararken yüzünde beliren kederden, elini kolunu nereye koyacağını bilememesinden kararlı olduğunu anladım. Kapının önünde dikildim ve gitmemesi için yalvardım. Bir bar fedaisi gibi kapıyı tutmuş, durmadan konuşuyor ve ona ne kadar âşık olduğumu anlatan (ve hepsi doğru olan) sözlerimin onu yavaş yavaş yumuşattığını, dudağının kenarındaki memnuniyet gülümsemesinin derinleşmesinden ve saklamaya çalıştığı bir şefkatle kaşlarını hafifçe yukarıya kaldırmasından anlıyordum.

"Peki, gitmem," dedi. "Ama iki şartım var. Önce bana hayatta en çok sevdiğin kişi kim, onu söyle..."

Bir an kafamın karıştığını, ne Sibel ne de Füsun diyebileceğimi hemen anladı. "Bir erkek söyle..." dedi.

"Babam."

"Güzel. Birinci şartım şu. Bir daha bana asla yalan söylemeyeceğine babanın başı üzerine yemin et."

"Ediyorum."

"Öyle değil. Cümleyi tam söyle."

"Bir daha sana yalan söylemeyeceğim, babamın başı üzerine yemin ederim."

"Gözünü bile kırpmadan söyledin."

"İkinci şartın ne?"

Ama bu şartı söylemeden önce öpüştük ve mutlulukla sevişmeye başladık. Bütün gücümüzle sevişirken, aşk sarhoşluğuyla sanki hayalî bir ülkeye vardığımızı ikimiz de karşılıklı hissediyorduk. Bize sanki yeni bir gezegene vardığımız duygusu veren bu yerin benim hayalimdeki görünüşü, tuhaf gezegen yüzeylerine, kayalık, ıssız, romantik ada manzaralarına, Ay'ın yüzeyinden çekilmiş fotoğraflara benziyordu. Tuhaf ve başka bir ülkeye gitmiş gibi hissettiğimizi bir kere daha konuşurken, Füsun, gözlerinin önünde ağaçları sık, yarı karanlık bir bahçenin, o bahçeye ve arkadaki denize bakan bir pencerenin ve rüzgârda ayçiçeklerinin dalgalandığı sapsarı bir yamacın canlandığını söyledi. Bu manzaralar, sevişme sırasında (yani tam o sırada yaptığımız gibi) birbirimize en yakın olduğumuz anlarda, mesela Füsun'un göğsünün büyük bir kısmı ve dipdiri ucu ağzımın içini doldururken ya da Füsun burnunu boynumla omzumun birleştiği yere gömüp bütün gücüyle bana sarılırken, gözlerimizin önünde canlanıyordu. Aramızdaki sarsıcı yakınlığın bize şimdiye kadar hiç tanımadığımız bir şey hissettirdiğini, birbirimizin gözlerinin içinden de okuyorduk.

"Peki şimdi ikinci şartımı söylüyorum," dedi Füsun mutlu sevişmeden sonra neşeyle. "Küpeyle birlikte, bir gün bu çocukluk bisikletimi alıp annemle babama, bize akşam yemeğine geleceksin."

"Tabii gelirim," deyiverdim ben de sevişme sonrası hafifliğiyle. "Yalnız onlara ne diyeceğiz?"

"Sokakta bir akrabanla karşılaşıp annesini babasını sormuş olamaz mısın? O da seni davet etmiş olamaz mı? Ya da bir gün dükkâna gelip beni görünce, annemi ve babamı da görmek istemiş olamaz mısın? Üniversite giriş sınavından önce bir akrabana her gün biraz matematik çalıştırıyor olamaz mısın?"

"Bir akşam küpeyle mutlaka geleceğim yemeğe. Söz veriyorum. Ama bu matematik derslerinden kimseye söz etmeyelim hiç."

"Niye?"

"Çok güzelsin. Sevgili olduğumuzu anlarlar hemen."

"Yani bir erkekle bir kız, kapalı bir odada Avrupalılar gibi uzun bir süre sevişmeden duramazlar mı?"

"Durabilirler tabii... Ama burası Türkiye olduğu için herkes onların matematik değil, başka bir şey becerdiklerini düşünür. Herkesin böyle düşündüğünü bildikleri için, onlar da o işi düşünmeye başlarlar. Kız namusu lekelenmesin diye 'Kapıyı açık bırakalım,' filan demeye başlar. Erkek kendisiyle uzun bir süre aynı odada kalmaya razı olan kızın pas verdiğini düşünür ve ona hâlâ bir şey yapmamışsa, erkekliğine laf geleceği için kıza asılır. Bir süre sonra kafalarının içi herkesin yaptıklarını düşündüğü şeylerle kirlenir ve o şeyi yapmak gelir içlerinden. Sevişmeseler bile suçluluk duymaya başlarlar ve odada sevişmeden fazla kalamayacaklarını hissederler."

Bir sessizlik oldu. Başlarımız yastıktaydı ve gözlerimiz, kalorifer borusu, soba borusu için açılmış delik ve kapağı, perde kornişi, perde, duvarların ve tavanın köşe çizgisi, çatlak, boya döküntüsü ve tozdan oluşan manzaraya takılmıştı. Yıllar sonra o sessizliği müzesever de hissetsin diye bu görüntüyü bütün gerçek ayrıntılarıyla müzem için yeniden kurduk.

21. BABAMIN HİKÂYESİ: İNCİ KÜPELER

Haziran başında, nişana dokuz gün kala, güneşli bir Perşembe günü babamla Emirgân'daki Abdullah Efendi Lokantası'nda bir daha hiç unutmayacağımı daha o gün anladığım uzun bir öğle yemeği yedik. O günlerde keyifsizliği yüzünden annemi dertlendiren babam, "Nişandan önce seninle baş başa bir yemek yiyelim de, sana biraz nasihat edeyim," demişti. Çocukluğumdan beri babamın şoförlüğünü yapan Çetin Efendi'nin sürdüğü 56 Chevrolet arabada babamın bana hayat hakkında ettiği nasihatları (iş arkadaşlarımı, hayattaki arkadaşım sanmamalıydım, vs.) iyi niyetle ve nişana bir çeşit hazırlık töreni olarak dinlerken, aklımın bir yanı da, arabanın pencerelerinden akan Boğaz manzaralarına, akıntıyla yan yan sürüklenen eski Şehir Hatları gemilerinin güzelliğine ve öğle vakti bile yarı karanlık gözüken yalı korularının gölgelerine açıktı. Üstelik babam, çocukluğumda yaptığı gibi, tembelliğe, uçarılığa, hayalperestliğe karşı beni uyarıp görev ve sorumluluklarımı hatırlatmak yerine, şimdi arabanın açık pencerelerinden içeriye deniz ve çam kokusu gelirken, bana hayatın tadı çıkarılması gereken, Allah'ın lütfu, kısacık bir zaman parçası olduğunu hatırlatıyordu. Burada, on yıl önce, birdenbire tekstil ihracatıyla çok zenginleştiğimiz yıllarda, babamın, bir arkadaşının etkisiyle davet edip karşısında poz verdiği Akademi'de hoca olan heykeltraş Somtaş Yontunç'un (soyadını Atatürk vermişti) yaptığı alçı büstünü sergiliyorum. Babamı olduğundan daha Batılı göstermek için bıyığını ufaltan akademik heykeltraşımıza duyduğum öfkeyle, büste bu plastik bıyıkları ben ekledim. Küçükken dalgacılığım yüzünden beni azarlarken, babamın konuştukça titreyen bıyıklarını seyrederdim. Babamın bana hayatın güzelliklerini aşırı çalışkanlığımla kaçırma ihtimalimden söz etmesini, Satsat'ta ve diğer şirketlerde yaptığım yeniliklerden memnun olmasına yoruyordum. Babam, ağabeyimin de yıllardır göz diktiği bazı işlerle asıl benim ilgilenmem gerektiğini söyleyince, ben de ona artık bütün bu işlere hevesli olduğumu, ağabeyimin pek çok konuda çekingen ve muhafazakâr davranarak hepimizi pek çok zarara uğrattığını söyledim ve yalnız babamın değil, şoför Çetin'in de memnuniyetle gülümsediğini gördüm.

Abdullah Efendi'nin lokantası, eskiden Beyoğlu'nda, ana cadde üzerinde Ağa Camii'nin yanındaydı. Bir zamanlar Beyoğlu'na çıkan, sinemaya giden bütün ünlülerin ve zenginlerin öğle yemeği için gittiği lokanta, birkaç yıl önce müşterilerinin çoğunun birer araba edindiği günlerde, Emirgân sırtlarında uzaktan Boğaz'a bakan küçük bir çiftliğe taşınmıştı. Babam lokantaya girer girmez neşeli bir ifade takındı ve diğer lokantalardan ya da eski Abdullah'tan yıllardır tanıdığı garsonlarla tek tek selamlaştı. Büyük salonda oturan müşterileri arasında bir tanıdık var mı diye de baktı. Başgarson bizi masamıza götürürken, babam diğer masaların birine uğradı, bir diğerine uzaktan selam verdi ve üçüncü bir masada güzel kızıyla oturan ve benim ne kadar çabuk büyüdüğümü, ne kadar çok babama benzediğimi ve ne yakışıklı olduğumu söyleyen yaşlıca bir hanımefendiyle hafifçe kırıştırdı. Bütün çocukluğum boyunca bana "Küçük Bey" dedikten sonra, hiç belli etmeden "Kemal Bey'e" geçen başgarsondan, babam suböreği, lakerda gibi mezelerle ikimiz için de hemen rakı istedi.

"Sen de istiyorsun değil mi?" diye sordu bana. "Sigara da iç, istiyorsan," diye ekledi. Sanki yanında sigara içmem konusu, ben Amerika'dan döndüğümde ikimizi de rahatlatarak çözülmemiş gibi.

"Kemal Bey'e de küllük getirin," dedi garsonlardan birine.

Lokantanın kendi serasında yetiştirilen küçük domatesleri eline alıp koklayarak rakısından hızlı hızlı içerken, aklında bir konu olduğunu ama nasıl açması gerektiğine karar veremediğini hissettim. Bir an ikimiz de pencereden dışarı baktık ve Çetin Efendi'yi, uzakta kapıda beklemekte olan diğer arabaların şoförleriyle sohbet ederken gördük.

"Çetin'in de kıymetini bil," dedi babam vasiyet eder bir havayla.

"Biliyorum."

"Bilmiyorum biliyor musun... İkide bir anlattığı dinî hikâyelere de gülme hiç. Çok doğru düzgün bir adamdır Çetin; efendidir, insandır. Yirmi yıldır öyle. Bir gün bana bir şey olursa, sakın onu uzaklaştırma. Sonradan görme zenginler gibi ikide bir araba değiştirme. Chevrolet de iyidir... Burası Türkiye, devlet yeni yabancı araba getirmeyi yasaklayınca, bütün İstanbul, on yıl önce eski Amerikan arabası müzesine dönüştü, ama boş ver, bak en iyi tamirciler de bizde."

"O arabanın içinde büyüdüm babacığım, sen hiç merak etme," dedim.

"Aferin," dedi babam. Vasiyet eder bir havaya girdiği için şimdi asıl konuyu açabilirdi. "Sibel çok özel, çok hoş bir kız," dedi. Ama hayır, bu da asıl konu değildi. "Onun kolay bulunmayacak bir insan olduğunun farkındasın değil mi? Bir kadını, hele onun gibi nadir bir çiçeği hiçbir zaman kırmaman, her zaman el üstünde tutman lazım." Birden yüzüne tuhaf ve utangaç bir ifade geldi. Bir şeye sinirlenir gibi sabırsızlıkla konuştu: "O güzel kızı hatırlıyor musun?.. Hani bizi birlikte Beşiktaş'ta bir kere görmüştün... Onu görünce ilk ne düşündün?"

"Hangi kızı?"

Babam sinirlendi. "Canım, hani on yıl önce bir gün Beşiktaş'ta Barbaros Parkı'nda beni çok güzel genç bir kızla otururken görmüştün ya."

"Hayır, hatırlamıyorum babacığım."

"Nasıl hatırlamazsın oğlum. Göz göze geldik ya. Benim yanımda çok güzel bir kız vardı."

"Sonra ne oldu?"

"Sonra sen babanı utandırmamak için kibarca bakışlarını kaçırdın. Hatırladın mı?"

"Hatırlamıyorum."

"Hayır, bizi gördün!"

Böyle bir rastlaşma hatırlamıyor, bunu da babama kanıtlamakta zorlanıyordum. Beni huzursuz eden uzun bir tartışmadan sonra, belki de benim onları görüp unutmak istediğimi ve bunu başardığımı düşündük. Belki de onlar telaşla benim onları gördüğümü sanmışlardı. Asıl konuya böyle girdik.

"On bir yıl benim sevgilim oldu o kız, çok güzeldi," dedi babam, konunun en önemli iki unsurunu gururla tek cümlede toplayarak.

Bana sözünü etmeyi uzun zamandır düşlediğini anladığım bu kadının güzelliğine benim kendi gözlerimle tanık olmamam ya da daha kötüsü, tanık olduğum güzelliği unutmuş olmam babamın keyfini biraz kaçırmıştı. Bir hamlede cebinden küçük, siyah-beyaz bir fotoğraf çıkardı. Karaköy'de bir Şehir Hatları vapurunun arka güvertesinde çekilmiş hüzünlü, esmer çok genç bir kadının resmiydi bu.

"Bu o," dedi. "Biz tanıştığımız yıl çekilmiş. Yazık ki çok kederli, güzelliği belli olmuyor. Şimdi hatırladın mı?"

Sustum. Babamın istediği kadar "eski" olsun, herhangi bir sevgilisinden bana söz etmesi de sinirime dokunuyordu. Ama bunun neresinin sinir bozucu olduğunu o anda bir türlü çıkaramıyordum.

"Bana bak, bu anlatacaklarımı sakın ağabeyine söyleme," dedi babam fotoğrafı cebine sokarken. "O katıdır, anlamaz. Sen Amerika görmüşsün, seni huzursuz edecek bir şey de anlatmıyorum. Anlaşıldı mı?"

"Tabii babacığım."

"Dinle o zaman," dedi babam ve rakısından küçük yudumlar alarak anlattı.

O güzel kızı ilk olarak bundan "on yedi buçuk yıl önce 1958 Ocağı'nda, karlı bir gün" tanımıştı ve saf ve masum güzelliğinden çok etkilenmişti. Kız, babamın yeni kurduğu Satsat'ta çalışıyordu. Önce iş arkadaşlığı etmişler, ama aralarındaki yirmi yedi yıllık yaş farkına rağmen, ilişkileri daha "ciddi ve duygusal" bir şeye dönüşmüştü. Kız yakışıklı patronla (babamın o sırada kırk yedi yaşında olduğunu hemen hesapladım) ilişki kurduktan bir yıl sonra, babamın zorlamasıyla işi bırakmış, Satsat'tan ayrılmıştı. Gene babamın zorlamasıyla başka bir yerde iş aramamış ve babamın kendisine Beşiktaş'ta aldığı bir apartman dairesinde, "bir gün evleneceğiz" hayaliyle sessizce yaşamaya başlamıştı.

"Çok iyi kalpli, çok şefkatli, çok zeki, çok özel bir insandı," dedi babam. "Başka kadınlara hiç benzemezdi. Benim birkaç kaçamağım olmuştur, ama onun gibi kimseye âşık olmadım. Onunla evlenmeyi de çok düşündüm, oğlum... Ama annen ne olacaktı, sizler ne olacaktınız..."

Biraz sustuk.

"Yanlış anlama evladım, siz mutlu olun diye ben kendimi feda ettim filan demiyorum. Aslında tabii ki, benden çok evlenmeyi isteyen oydu. Ben onu yıllarca oyaladım. Ondan ayrı bir hayat düşünemiyor, onu görmeyince çok acı çekiyordum. Bu acıları sana, kimseye anlatamadım. Sonra bir gün bana 'Tercihini yap!' dedi. Ya annenden ayrılıp onunla evlenecekmişim ya da beni terk edecekmiş. Kendine rakı al."

"Sonra ne oldu?"

Bir sessizlikten sonra, "Annenden, sizlerden ayrılmayınca beni terk etti," dedi babam. Bunu söylemek onu yormuş, ama rahatlatmıştı. Yüzüme bakıp konuya devam edebileceğini anlayınca, daha da rahatladı.

"Çok, çok acı çekiyordum. Ağabeyin evlenmişti, sen Amerika'daydın. Ama tabii acımı annenden saklamaya çalışıyordum. Hırsız gibi bir köşede gizli gizli acı çekmek de bir başka acıydı. Tabii, annen öteki metresler gibi bunu da hissetmiş, ciddi bir şey olduğunu anlamış, sesini çıkarmıyordu. Evde annen, Bekri ve Fatma ile birlikte, bir otelde aile taklidi yapar gibi yaşıyorduk. Acımın hiç dinmek bilmediğini, böyle giderse delireceğimi görüyor, ama yapmam gereken şeyi bir türlü yapamıyordum. Aynı günlerde, o da (babam kadının adını benden saklıyordu) çok kederliydi; bana, kendisine evlilik teklif eden bir mühendis olduğunu, ben kararımı vermezsem bir başkasıyla evleneceğini söyledi. Ama ciddiye almadım... Hayatta ilk defa benimle birlikte olmuştu. Başkasını istemez, 'blöf yapıyor' diye düşündüm. Başka türlü düşünüp telaşa kapılınca da, bir şey yapamıyordum zaten. Bu yüzden bu konuyu artık hiç düşünmemeye çalışıyordum. Hep birlikte bir yaz, İzmir'e, Fuar'a gittik ya, arabayı Çetin kullanmıştı... Dönüşte, bir başkasıyla evlendiğini işittim, inanamadım. Beni etkilemek, bana acı vermek için bu haberi çıkardığını düşündüm. Bütün buluşma, konuşma tekliflerimi reddediyor, telefonlara çıkmıyordu. Benim ona aldığım evi de sattı, hiç bilmediğim bir yere taşındı. Gerçekten evlendi mi, kocası mühendis kim, çocukları oldu mu, ne yapıyor, dört yıl bunları kimseye soramadım. Öğrenirsem acımın artmasından korkuyordum, ama hiçbir şey öğrenememek de korkunçtu. Onun İstanbul'da bir yerde yaşadığını, gazeteleri açıp benim okuduğum haberleri okuyup benim seyrettiğim televizyon programını seyrettiğini hayal edip onu hiç görememek beni çok üzüyordu. Bütün hayatın nafile olduğu duygusu üzerime geliyordu. Sakın yanlış anlama oğlum, elbette sizlerle, fabrikalarla, annenle gurur duyuyorum. Ama bu başka bir acıydı."

Di'li geçmiş zamanla anlattığı için hikâyenin bir şekilde sonuçlandığını, babamın da rahatlamış olduğunu hissediyordum, ama nedense hoşuma gitmiyordu bu. "En sonunda bir öğleüstü gene meraka kapıldım ve annesine telefon ettim. Annesi benim kim olduğumu elbette biliyordu, ama sesimi tanımıyordu. Onun liseden bir sınıf arkadaşının kocası olduğum yalanını attım. 'Hasta karım onu hastaneye çağırıyor,' diye kızını telefona isteyecektim. Annesi 'Kızım öldü,' deyip ağlamaya başladı. Kanserden ölmüş! Ağlamayayım diye ben de hemen telefonu kapadım. Hiç beklemiyordum bunu, ama hemen anladım doğru olduğunu. Bir mühendisle filan da evlenmemiş... Hayat ne korkunç, her şey ne kadar boş!"

Babamın gözlerinden akan yaşları görünce, bir an çok çaresiz hissettim kendimi. Onu hem anlıyor hem de ona öfke duyuyordum ve bana anlattığı hikâyeyi düşünmeye çalıştıkça, tıpkı eski antropologların anlattığı "tabuları düşünemeyen ilkeller" gibi kafam karışıyor, acı çekiyordum.

"Neyse," dedi babam, kısa bir sessizlikten sonra toparlandı. "Seni bugün acılarımı anlatıp üzmek için çağırmadım oğlum. Nişanlanıp evlenmek üzeresin, bu acı hikâyeyi bilmeni, babanı da daha iyi tanımanı istedim elbette, ama başka bir şeyi de anlatmak istedim. Anladın mı?"

"Nedir o?"

"Şimdi çok pişmanım," dedi babam. "Ona yeterince iltifat etmediğim, ne kadar tatlı, ne kadar hoş ve değerli biri olduğunu binlerce kere söylemediğim için çok pişmanım. Altın kalpli, alçakgönüllü, zeki ve çok da güzel bir kızdı... Bizdeki güzel kadınların hepsinde gördüğüm, güzelliğini sanki kendi yaptığı bir şeymiş gibi mağrurca ileri sürmek de hiç yoktu onda, şımartılma, sürekli övülme isteği de... Bugün onu kaybettiğim için olduğu kadar, ona hak ettiği kadar iyi davranamadığım için de, bak yıllar sonra hâlâ acı çekiyorum. Oğlum, bir kadına, zamanında, iş işten geçmeden iyi davranmayı bilmek lazım."

Son sözlerini bir merasim havasıyla söylerken, babam cebinden, kadife kaplı eskimiş bir mücevher kutusunu çıkardı. "Bunu hep birlikte, arabayla İzmir Fuarı'na gittiğimiz günlerde, dönüşte bana kızmasın, beni affetsin diye ona almıştım, ama vermek kısmet olmadı." Babam kutuyu açtı. "Küpe ona çok yakışırdı. Bu inci küpeler çok kıymetlidir. Yıllarca gizli bir köşede sakladım. Benden sonra annenin sakladığım yerde bulmasını da istemem. Al şunları. Ben çok düşündüm, bu küpeler Sibel'e çok yakışır."

"Babacığım, Sibel benim gizli sevgilim değil, karım olacak," dedim, ama bana uzattığı kutunun içine de baktım.

"Bırak bu lafları," dedi babam. "Sibel'e küpelerin hikâyesini söylemezsin, olur biter. Taktığını gördükçe de beni hatırlarsın. Bugün sana verdiğim öğütleri unutmazsın. O güzel kıza çok iyi davranırsın... Bazı erkekler kadınlara hep kötü davranır, sonra da zeytinyağı gibi üste çıkarlar. Sakın onlar gibi olma. Bu sözler de kulağına küpe olsun."

Kutuyu kapattı ve Osmanlı paşalarından kalma bir hareketle avcumun içine koyup, elimin içine bahşiş verir gibi sıkıştırdı. Sonra "Oğlum, bize biraz daha rakı ve buz getir bakalım," dedi garsona. Bana döndü. "Ne kadar güzel bir gün değil mi? Ne kadar da güzel bir bahçe burası. Bahar ve ıhlamur kokuyor."

Ondan sonraki bir saati, babama iptal edemeyeceğim bir randevum olduğunu ve babamın da Satsat'a telefon edip büyük patron olarak benim randevumu iptal etmesinin çok yanlış olacağını anlatmakla geçirdim.

"Demek Amerika'da bunları öğrendin," diyordu. "Aferin."

Bir yandan babamın ricasını kıramayıp bir kadeh daha içiyor, diğer yandan da saatime bakıyor ve Füsun ile randevuma geç kalmak —hele o gün— istemiyordum.

"Dur oğlum, biraz daha oturalım, bak ne güzel baba-oğul samimiyetle konuşuyoruz. Şimdi evlenip gideceksin, bizi unutacaksın!" dedi babam.

"Babacığım," dedim, "çektiklerini de anlıyorum, bana verdiğin çok değerli öğütleri de hiç unutmayacağım," dedim kalkarken.

Yaşı ilerledikçe, aşırı duygusal anlarında, babamın dudaklarının kenarında titremeler beliriyordu. Uzanıp elimi tuttu ve bütün gücüyle sıktı. Ben de onun elini aynı kuvvetle sıkınca, sanki yanaklarının altına gizlenmiş bir süngeri sıkmışım gibi, bir anda gözlerinden yaşlar fışkırdı.

Ama hemen sonra da toparlandı babam, bağırarak hesabı istedi ve dönüş yolunda Çetin'in hiç sarsmadan dikkatle sürdüğü arabada uyuyakaldı.

Merhamet Apartmanı'nda çok fazla bir kararsızlık geçirmedim. Füsun geldikten, onunla uzun uzun öpüştükten, babamla öğle yemeği yediğim için ağzımın içki koktuğunu anlattıktan sonra, cebimden kadife kutuyu çıkardım.

"Aç bak."

Füsun dikkatle kutuyu açtı.

"Bu benim küpem değil," dedi. "İnci bu, pahalı bir şey."

"Beğendin mi?"

"Benim küpe nerede?"

"Senin küpe önce sırra kadem bastı, sonra bir sabah bir baktım, başucuma gelmiş, bir de yanında öteki tekini getirmiş. Onları bu kadife kutuya koydum, asıl sahibine getirdim."

"Ben çocuk değilim," dedi Füsun. "Bu benim küpem değil."

"Ruh olarak, bence senin küpen canım."

"Ben kendi küpemi istiyorum."

"Sana bir hediye bu..." dedim.

"Bunu takamam bile... Herkes nereden geldiğini sorar..."

"Takma o zaman. Ama hediyemi geri çevirme."

"Ama bu benim küpemin yerine verdiğin bir şey... Öteki küpemi kaybetmeseydin, bunu getirmezdin. Gerçekten kaybettin mi, ne yaptın, onu da çok merak ediyorum."

"Bir gün evde bir dolaptan çıkacak mutlaka."

"Bir gün..." dedi Füsun. "Bunu ne kadar rahat söyleyebiliyorsun... Ne sorumsuzsun. Ne zaman? Ne kadar bekleyeceğim?"

"Çok değil," dedim anı kurtarma telaşıyla. "O gün bu bisikleti de alacağım ve akşam anneni babanı ziyarete geleceğim."

"Bekliyorum," dedi Füsun. Sonra öpüştük. "Ağzın çok fena içki kokuyor."

Ama onu öpmeye devam ettim ve sevişmeye başlayınca bütün bu dertler unutuldu gitti. Babamın sevgilisine aldığı küpeleri orada bıraktım.

22. RAHMİ EFENDİ'NİN ELİ

Nişan günü yaklaştıkça halledilmesi gereken pek çok iş beni oyalıyor, aşk derdiyle endişelenmeye vakit bile bırakmıyordu. Kulüpte, babaları babamın arkadaşı olan çocukluk arkadaşlarıma, Hilton'daki davette verilecek şampanyayı ve diğer "Avrupa" içkilerini nasıl bulabileceğimiz konusunda akıl danıştığımı, uzun uzun konuştuğumuzu hatırlıyorum. Müzemi yıllar sonra gezenlere, o yıllarda yabancı içki ithalatının devletin sıkı ve kıskanç denetiminde olduğunu ve devletin ithalatçıya zaten "tahsis" edeceği dövizi olmadığı için, ülkeye yasal yolla çok az şampanya, viski ve yabancı içki girdiğini hatırlatmalıyım. Ama zengin mahallelerindeki mezecilerde, kaçak eşya satan dükkânlarda, lüks otellerin barlarında ve şehrin kaldırımlarında, ellerinde fiş dolu torbalarıyla gezinen binlerce tombalacıda, şampanya, viski ve kaçak Amerikan sigarası hiç eksik olmazdı. Benimki gibi biraz iddialı bir davet veren herkes, konuklara sunmak zorunda olduğu "Avrupa" içkiyi kendi bulup otele teslim etmek zorundaydı. Otellerin çoğu birbirleriyle arkadaş olan başbarmenleri de böyle durumlarda yardımlaşır, birbirlerine şişeler yollayarak olağanüstü büyük davetlerin sıkıntısız geçmesini sağlarlardı. Davetten sonra, gazetelerin magazin-sosyete yazarları bu konuyu da işler, içkilerin ne kadarı "hakiki yabancı", ne kadarı yerli Ankara viskisi yazarlardı, dikkat etmeliydim.

Bu işlerden yorulduğum zamanlarda ise, Sibel'in bir telefonuyla Bebek'e ya da Arnavutköy sırtlarına ya da o zamanlar yeni yeni gelişmeye başlayan Etiler'de bir yerde, yeni yapılmakta olan manzaralı evlerden birine bakmaya giderdik. Daha inşaatları bitmemiş olan bu kireç ve çimento kokulu dairelerin içinde nasıl yaşayacağımızı, neresinin yatak odası, neresinin yemek odası olacağını hayal etmekten, Nişantaşı'nda bir mobilyacıda gördüğümüz uzun divanı nereye koyarsak Boğaz manzarasını en iyi göreceğimiz gibi konularda akıl yürütmekten, ben de Sibel gibi hoşlanmaya başlamıştım. Akşamları gittiğimiz davetlerde, Sibel bu evleri gördüğümüz yeni köşeleri ve manzaraları, iyi ve kötü yanlarıyla arkadaşlarımıza anlatıp hayat planlarımızı başkalarıyla tartışmaktan çok hoşlanır, bense tuhaf bir utanç ile konuyu değiştirir, Zaim ile Meltem gazozunun başarısından, futbol maçlarından, yaz için yeni açılan yerlerden söz ederdim. Füsun ile yaşadığım gizli mutluluk beni arkadaş toplantılarında daha sessiz yapmıştı, kenardan olup bitenleri seyretmekten gitgide daha çok hoşlanır olmuştum. İçime yavaş yavaş bir keder çöküyordu, ama o günlerde açık seçik hissetmiyordum bunu, hikâyemin üzerinden yıllar geçtikten sonra, şimdi görebiliyorum. O günlerde en fazla "sessizleştiğimi" fark etmiştim.

"Az konuşuyorsun son günlerde," demişti bir gece yarısı Sibel, arabayla onu evine götürürken.

"Öyle mi?"

"Yarım saattir susuyoruz."

"Babamla geçenlerde öğle yemeği yemiştim ya... İçime oturdu. Artık her şeyden ölüme hazırlanan biri gibi söz ediyor."

6 Haziran Cuma günü, yani nişandan sekiz, üniversite giriş sınavından dokuz gün önce, babam, ağabeyim, ben, Çetin'in kullandığı Chevrolet ile Beyoğlu ile Tophane arasında bir yere, Çukurcuma Hamamı'ndan biraz daha aşağıda bir eve başsağlığı zi-

yaretine gittik. Ölen, babamın iş hayatının ta ilk yıllarından beri yanında çalışan, Malatyalı yaşlı bir işçiydi. Şirket tarihinin bir parçası olan bu iriyarı sevimli adamı, babamın yazıhanesinde ayak işlerine baktığı yıllardan hatırlıyordum. Bir eli fabrikada bir makineye sıkışıp parçalandığı için takmaydı. Babam çok sevdiği bu çalışkan işçiyi, kazadan sonra fabrikadan yazıhaneye aldığı için tanımıştık onu. İlk yıllarda ağabeyimle beni çok korkutan takma elini, Rahmi Efendi çok güleryüzlü ve sevimli olduğu için, daha sonraki yıllarda biz çocuklar için oyuncak etmişti. Çocukluğumuzda bir dönem, babamın yazıhanesine her gidişimizde onun takma eline bir kere bakıp oynardık. Bir kere yazıhanenin boş bir odasında, Rahmi Efendi'nin seccadesini yayıp, takma elini bir kenara koyarak namaz kılışını ağabeyimle seyretmiştik.

Rahmi Efendi'nin kendi gibi sevimli, iri yarı iki oğlu vardı. İkisi de babamın elini öptüler. Pembe derili, balık etinde, yorgun ve yıpranmış karısı, babamı görür görmez gözyaşlarını başörtüsünün kenarıyla silerek ağlamaya başlamıştı. Babam, ne benim ne ağabeyimin gösterebileceği bir içtenlikle kadını teselli etti, çocuklara sarılıp ikisini de öptü ve evdeki diğer konuklarla, beklenmedik bir hızla bir ruh ve kalp birliği kurdu. Biz ise ağabeyimle kendi çapımızda bir suçluluk buhranına kaptırdık kendimizi. Ağabeyim, ders verir havada birşeyler söylerken, ben de hatıralardan söz açtım.

Böyle durumlarda sözler değil, tavırlar, acımızın hakikiliği hatta gücü değil, çevredeki havaya uyum yeteneğimiz önemlidir. Sigaranın o kadar sevilmesi, nikotinin gücünden değil, bu boş ve anlamsız âlemde, insana anlamlı bir şey yaptığı duygusunu kolaylıkla vermesindendir, diye düşünürüm bazan. Babam, ağabeyim ve ben, rahmetlinin büyük oğlunun tuttuğu Maltepe paketinden birer tane alıp aynı delikanlının beceriyle tuttuğu kibrit aleviyle yaktık ve dünyanın en önemli işini yapar gibi, tuhaf bir şekilde üçümüz de aynı anda bacak bacak üstüne atarak içmeye başladık.

Duvara, Avrupalıların duvara resim asması gibi bir kilim "asılmıştı". Maltepe'nin değişik tadından olsa gerek, hayat hakkında "derin" birşeyler düşündüğüm yanılsamasına –sanırım– kapıldım. Hayatta, esas mesele mutluluktur. Bazıları mutludur, bazıları mutlu olamaz. Tabii çoğunluk ikisi arasında bir yerdedir. Çok mutluydum o günlerde, ama fark etmek istemiyordum. Şimdi yıllar sonra, fark etmemenin belki de mutluluğu korumanın en iyi yolu olduğunu düşünüyorum. Ama ben mutluluğumu, onu korumak için değil, derinden derine yaklaşmakta olan bir mutsuzluktan, Füsun'u kaybetmekten korktuğum için fark etmiyordum. Beni o günlerde hem sessizleştiren hem de hassaslaştıran bu muydu?

Küçük, yoksul ama tertemiz odadaki eşyalara bakarken (1950'lerin moda ev eşyalarından güzel bir barometre ve "Bismillah" levhası vardı duvarda) bir an Rahmi Efendi'nin karısıyla birlikte ben de ağlayacağım sandım. Televizyonun üzerinde elişi bir örtü, örtünün üzerinde de uyumakta olan bir köpek biblosu vardı. Köpek de ağlayacaktı sanki. Nedense o köpeğe bakarken kendimi iyi hissettiğimi, önce bunu sonra Füsun'u düşündüğümü hatırlıyorum.

23. SESSİZLİK

Nişan günü yaklaştıkça Füsun ile aramızdaki sessizlikler uzuyor, büyüyor, her gün en azından iki saat süren buluşmalarımız ve şiddeti her gün artan sevişmelerimiz bu sessizlikle zehirleniyordu.

"Nişan için davetiye gelmiş anneme," dedi bir keresinde. "Annem çok sevindi, babam da gitmemiz gerektiğini söylüyor, benim de gelmemi istiyorlar. Allahtan ertesi gün üniversite sınavı var da, evde hasta numarası yapmak zorunda kalmayacağım."

"Annem yolladı davetiyeyi," dedim. "Sakın gelme. Ben de hiç gitmek istemiyorum aslında."

Füsun'un bu sözüme ters bir cevap vermesini, "Gitme o zaman," demesini istedim, ama hiçbir şey söylemedi. Nişan günü yaklaştıkça, daha çok terleyerek sevişiyor, yıllardır birlikte yaşayan âşıklar gibi alıştığımız el-kol-vücut hareketleriyle birbirimize sarılıyor, bazan hiç kıpırdamadan ve başka hiçbir şey de konuşmadan, açık kapıdan esen rüzgârla hafif hafif kıpırdanan tül perdeye bakıyorduk.

Nişana kadar her gün aynı saatte, Merhamet Apartmanı'nda buluştuk ve yoğun bir şekilde seviştik. Durumumuzdan, benim nişanlanıyor olmamdan, bundan sonra ne olacağından hiç konuşmadığımız gibi, bu konuları akla getirecek şeylerden de uzak duruyorduk. Bu bizi bir sessizliğe sürüklemişti. Dışarıdan, futbol oynayan çocukların çığlıkları ve küfürleşmeleri gelirdi. İlk seviştiğimiz günlerde de durumumuzun ne olacağından söz etmemiş, ama havadan sudan, ortak akrabalarımızdan, sıradan Nişantaşı dedikodularıyla kötü erkeklerden söz edip gülüp eğlenmiştik. Şimdi, bu gülüşüp eğlenmeler hızla sona erdiği için de kederliydik. Bunun bir çeşit kayıp, bir mutsuzluk olduğunu biliyorduk. Ama bu kötü duygu bizi birbirimizden uzaklaştırmıyor, tuhaf bir şekilde birbirimize bağlıyordu.

Arada bir nişandan sonra Füsun'u görmeye devam edeceğimi hayal ederken yakalıyordum kendimi. Her şeyin olduğu gibi sürüp gittiği bu cennet, yavaş yavaş bir fantaziden (hayal mi deseydim) makul bir tahmine doğru evrildi. Bu kadar yoğunlukla ve içtenlikle sevişirken, Füsun'un beni bırakamayacağı mantığını yürütüyordum. Bu aslında bir duyguydu, mantık değil. Bunları kendimden de gizleyerek düşünüyordum. Ama aklımın bir yanıyla da, Füsun'un sözlerinden, hareketlerinden onun ne düşündüğünü çıkarmaya çalışıyordum. Füsun bunun çok iyi farkında olduğu için hiçbir ipucu vermiyor, sessizlikler daha da uzuyordu. Füsun da aynı zamanda benim hareketlerime bakıp umutsuzca bazı tahminler yapıyordu. Daha fazla bilgi elde etmek için gözlerini dört açan casuslar gibi bazan birbirimizi karşılıklı uzun uzun süzerdik. Füsun'un giydiği beyaz külodu, beyaz çocuk çoraplarını ve bu kirli beyaz lastik ayakkabıları, hiçbir yorum yapmadan o kederli, sessiz anlarımıza işaret olsun diye sergiliyorum.

Nişan günü çabuk geliverdi, bütün tahminleri de boşa çıkardı. O gün, önce viskiler ve şampanyalar konusunda çıkan bir aksiliği (bir satıcı, parası peşin ödenmedikçe şişeleri bırakmıyordu) hallettim, sonra Taksim'e çıktım, çocukluğumun büfesi Atlantik'te hamburger ile ayran içtim ve çocukluğumun berberi Geveze Cevat'a gittim. Cevat 1960'ların sonuna doğru dükkânını Nişantaşı'ndan Beyoğlu'na taşımış; babam ve bizler de Nişantaşı'nda kendimize başka bir berberi, Basri'yi bulmuştuk; ama yakın düştüğümde, şakalarıyla neşelenmek istediğimde, Ağa Cami'nin sokağındaki yerine gider, tıraş olurdum. Cevat o gün nişanlanacağımı öğrenince çok mutlu oldu, bana damatlık tıraş yaptı, aşırıya kaçmadan ithal tıraş köpüğünü ve kokusuz olduğunu söylediği bir nemlendirici sürdü, yüzümdeki kıllar ve sakallarla tek tek ilgilendi. Yürüye yürüye Nişantaşı'na, Merhamet Apartmanı'na gittim.

Füsun her zamanki vaktinde geldi. Birkaç gün önce ben yarım ağızla Cumartesi günü buluşmamamız gerektiğini, çünkü ertesi gün sınavı olduğunu söylemiştim; Füsun ise son gün, o kadar çok çalıştıktan sonra biraz kafasını dinlendirmek istediğini söylemişti. Sınav hazırlıkları bahanesiyle zaten iki gündür Şanzelize Butik'e gitmiyordu. İçeri girer girmez masaya oturup bir sigara yaktı.

"Seni düşünmekten artık kafama matematik filan girmiyor," dedi alaycılıkla. Bu hiç olmayacak bir şeymiş, filmlerden çıkma basmakalıp bir lafmış gibi bir kahkaha attı, sonra da kıpkırmızı oldu.

Bu kadar kızarıp bu kadar kederlenmeseydi, ben de işi şakaya vurmaya çalışırdım. Bugün nişanlanıyor olduğumu sanki aklımızdan bile geçirmiyor gibi yapardık. Öyle olmadı. Yoğun, güçlü, dayanılmaz bir keder hissettik ikimiz de. Şakayla geçiştirilemeyecek, konuşmakla azaltılamayacak, paylaşmakla hafifletilemeyecek bu kederden, ancak sevişerek kaçabileceğimizi anladık. Ama keder, sevişmemizi de yavaşlatıp zehirledi. Füsun bir ara gövdesini dinleyen bir hasta gibi yatağa uzanmıştı, sanki başının üzerindeki hüzün bulutlarını seyrediyordu, yanına uzandım, ben de onunla tavana baktım. Futbol oynayan çocuklar sessizdiler, yalnızca topun hareketlerini işitiyorduk. Sonra kuşlar da sustu, derin bir sessizlik başladı. Çok uzaktan bir geminin, sonra bir başkasının düdüğünü işittik.

Daha sonra, benim dedem onun da anneannesinin annesinin ikinci kocası olan Ethem Kemal'den kalma bir bardaktan bir kadeh viskiyi paylaşarak içtik ve öpüşmeye başladık. Bunları yazarken, hikâyeme ilgi gösteren meraklıları daha fazla üzmemem gerektiğini hissediyorum: Kahramanları kederli diye, bir roman da kederli olmak zorunda değildir. Odadaki eşyalarla, annemden kalan elbise, şapka ve biblolarla da her zamanki gibi oyalandık. Her zamanki gibi çok güzel de öpüşüyorduk. Çünkü artık öpüşmekte ikimiz de ilerlemiştik. Kederimizle sizleri üzeceğime, Füsun'un ağzının benim ağzımın içinde sanki eridiğini söyleyeyim. Gittikçe uzayan öpüşlerimiz sırasında, birleşen ağızlarımızın kocaman mağarasında bal gibi tatlı ılık bir sıvı birikiyordu, bazan dudaklarımızın kenarından çenemizin ucuna akıyor, gözlerimizin önünde de, ancak çocuksu bir iyimserlikle hayal edilebilecek, rüyalardan çıkma cennet bir ülke belirmeye başlıyor ve sanki kafamızın içindeki bir kaleydoskoptan gördüğümüz bu rengârenk ülkeyi, cenneti seyreder gibi seyrediyorduk. Bazan birimiz, inciri, dikkatle gagalarının arasına alan keyfine düşkün bir kuş gibi, öbürünün alt ya da üst dudağını hafifçe emerek kendi ağzının içine çekiyor, hapsettiği bu dudak parçasını kendi dişleri arasına sıkıştırıp ötekine "artık insafıma kalmışsın!" demeye getiriyor, öteki de dudağının maceralarını zevk ve sabırla hissettikten, sevgilisinin insafına kalmanın ürpertici tatlarını kenarından yaşadıktan ve aynı anda yalnız dudağını değil, bütün gövdesini sevgilisinin merhametine cesaretle teslim etmenin ne kadar çekici olabileceğini, şefkat ve teslimiyet arasındaki bu bölgenin aşkın en karanlık, en derin yeri olduğunu hayatta ilk defa sezmeye başladıktan sonra ötekine aynı şeyi yapıyor, tam bu arada ağızlarımızın içinde sabırsızlıkla kıvranan dillerimiz, dişlerimiz arasından hızla birbirini bularak sevginin şiddetle değil, yumuşaklık, kucaklama ve dokunmakla ilgili o tatlı yanını hatırlatıyordu.

Uzun sevişmemizden sonra ikimiz de uyuyakaldık. Açık balkon kapısından esen tatlı ve ıhlamur kokulu bir rüzgâr tül perdeyi bir an kaldırıp yüzümüze ipek gibi bırakınca, ikimiz de aynı anda irkilerek uyandık.

"Rüyamda bir ayçiçeği tarlasındaydım," dedi Füsun. "Ve ayçiçekleri hafif rüzgârda tuhaf bir şekilde dalgalanıyordu. Nedense çok korkutucuydu, bağırmak istedim, ama bağıramadım."

"Korkma," dedim. "Ben buradayım."

Yataktan nasıl çıktığımızı, nasıl giyinip kapıya geldiğimizi anlatmayayım. Ona sınavında sakin olmasını, sınava giriş kartını unutmamasını, her şeyin iyi gideceğini, başarılı olacağını söyledikten sonra, günlerdir söylemeyi binlerce kere aklımdan geçirdiğim şeyi de tabii olmaya çalışarak söyledim.

"Yarın gene aynı saatte buluşalım, tamam mı?"

"Tamam!" dedi Füsun gözlerini kaçırarak.

Arkasından aşkla baktım ve nişanın çok güzel geçeceğini hemen anladım.

24. NİŞAN

İstanbul Hilton Oteli'ni gösterir bu kartpostalları, hikâye etmekte olduğum günlerden yirmi küsur yıl sonra, Masumiyet Müzesi için İstanbul'un önde gelen koleksiyoncularıyla dostluk ederken ve şehrin ve Avrupa'nın bitpazarlarında (ve küçük müzelerinde) gezinirken elde ettim. Uzun süren pazarlıklardan sonra, ünlü koleksiyoncu Hasta Halit Bey, bu kartpostallardan birine dokunmama, yakından bakmama izin verince, otelin modernist ve uluslararası üsluplu tanıdık cephesi bana yalnız nişan gecesini değil, bütün çocukluğumu hatırlatıverdi. Ben on yaşımdayken, annemle babam bugün çoktan unutulmuş Amerikan yıldızı Terry Moore ile birlikte bütün İstanbul sosyetesinin katıldığı otelin açılış gecesine heyecanla gitmişler, ondan sonraki yıllarda penceremizden de görülen ve İstanbul'un eski ve yorgun siluetine iyice yabancı bu yere kısa zamanda alışıp her fırsatta uğramayı alışkanlık edinmişlerdi. Babamın mal sattığı yabancı şirketlerin oryantal dansa meraklı temsilcileri Hilton'da kalırlardı. Pazar akşamları, daha Türkiye'de başka hiçbir lokantaya ulaşmamış "hamburger" denen harika şeyden yemek için bütün aile otele geldiğimizde, pala bıyıklı kapıcının altın rengi kordonlu, cıvıl cıvıl düğmeli apoletleri, nar kırmızısı üniforması ağabeyimle beni büyülerdi. O yıllarda pek çok "Batılı" yenilik önce Hilton'da denenir, büyük gazeteler otelde bir muhabir tutarlardı. Annem çok sevdiği bir tayyörü lekelenirse, Hilton'un kuru temizlemecisine yollatır ve lobideki pastanede arkadaşları ile çay içmeyi severdi. Pek çok akrabamın, arkadaşımın düğünü de alt kattaki büyük balo salonunda yapılmıştı. Nişan için müstakbel kayınvalidemin Anadoluhisarı'ndaki yarı harap yalısının pek uygun olmayacağı anlaşıldığında, Hilton'a hep birlikte karar vermiştik. Ayrıca ta açılışından beri Hilton, hali vakti yerinde kibar beyefendilerle, cesur hanımlara evlilik cüzdanı sormadan oda veren İstanbul'daki bir avuç uygar kuruluştan biri olmuştur.

Gölgeliği uçan halıya benzeyen büyük döner kapıya Çetin Efendi bizi (annem, babam, ben) erken bıraktı.

"Daha yarım saat var," dedi, otele her girişinde neşelenen babam. "Gelin şurada oturup bir şey içelim."

117

Lobiye hâkim bir köşeye oturduk, babamın tanıyıp hatırını sorduğu yaşlı garsondan kendimize acele birer "rakı", anneme de çay ısmarladık. Otelin akşamüstü kalabalığını, vakit yaklaştıkça sıklaşarak geçen davetlileri, eski yılları da hatırlayarak seyretmek hoşumuza gidiyordu. Nişan davetlileri, tanıdıklar ve meraklı akrabalar, neşeli kafilelerle az ötemizden şık kıyafetler içinde tek tek geçerlerken, tavşankulağı saksısının geniş yapraklarının arkasında oturduğumuz için bizi görmüyorlardı.

"Aaa Rezzan'ın kızı ne kadar büyümüş, çok tatlı olmuş," diyordu annem. "Bacakları uygun olmayana mini eteği yasaklamak lazım," diyordu başka bir konuğa kaşlarını çatarak bakarken. "Pamuk ailesini biz değil, onlar arkaya oturttu, yazık!" diye babamın bir sorusuna cevap veriyor, sonra başka davetlileri işaret ediyordu: "Yazık, Fazıla Hanım ne hale gelmiş, o şahane güzellik gitmiş, geriye hiçbir şey kalmamış... Keşke evinde oturtsalardı da, zavallıyı bu halde görmeseydim... O başörtülüler de Sibel'in anne tarafından akrabaları oluyor... Gül gibi karısını, çocuklarını bırakıp şu bayağı kadınla evlendi ya, Hicabi Bey benim için bitti... Bak şimdi berber Nevzat, sanki bana inat, benim saçın aynısını Zümrüt'e de yapmış. Bunlar kim, karı-koca burunları, duruşları, hatta kıyafetleri tilkiye benzemiyor mu Allah aşkına?.. Paran var mı oğlum?"

"Ne alakası var şimdi?" dedi babam.

"Eve koşa koşa geldi, nişana değil kulübe gider gibi elbiselerini değiştirip çıktı. Cebine para aldın mı Kemalciğim?"

"Aldım."

"İyi. Dik yürü, olur mu, herkesin gözü üzerinde olacak... Hadi kalkalım artık."

Babam, garsona "tek" işareti yapıp önce kendine, sonra gözlerimin içine bakıp bana –gene eliyle ölçüyü göstererek– birer rakı daha istedi.

"Hani senin kasvetlerin, sıkıntıların geçmişti," dedi annem babama. "Ne oldu gene?"

"Oğlumun nişanında içip eğlenmeyecek miyim?" dedi babam. "Ah canım, o ne güzellik!" dedi annem Sibel'i görünce. "Elbise de şahane olmuş, inciler de yerine oturmuş. Ama kız o kadar harika bir şey ki, ne giyse şahane gözüküyor... Ne hoş, ne zarif taşıyor değil mi elbiseyi? Ne tatlı, ne hanımefendi kız! Oğlum sen de ne kadar talihlisin biliyor musun?"

Sibel az önce önümüzden geçen iki güzel arkadaşıyla kucaklaştı. Kızlar az önce yaktıkları uzun filtreli ince sigaralarını dikkatle tutarak ve birbirlerinin makyajını, saçlarını ve elbiselerini bozmamaya abartılı bir gayret göstererek rujdan kıpkırmızı ve pırıl pırıl dudaklarını hiçbir yere değdirmeden öpüştüler ve birbirlerinin kıyafetlerine bakıp gerdanlık ve bileziklerini birbirlerine göstererek gülüştüler.

"Her akıllı insan hayatın güzel bir şey olduğunu, amacının da mutlu olmak olduğunu bilir," dedi babam üç güzel kızı seyrederken. "Ama sonra yalnızca aptallar mutlu olur. Nasıl izah edeceğiz bunu?"

"Çocuğun hayatının en mutlu günlerinden biri bu; ona niye bu lafları ediyorsun Mümtaz?" dedi annem. Bana döndü. "Hadi oğlum, ne duruyorsun gitsene Sibel'in yanına... Her an yanında ol onun, her mutluluğunu paylaş!.."

Kadehimi bıraktım, saksının arkasından çıkıp kızlara doğru yürürken, Sibel'in yüzünün mutlu bir gülümsemeyle ışıldadığını gördüm. "Nerede kaldın," dedim onu öperken.

Sibel beni arkadaşlarıyla tanıştırdıktan sonra, beraber dönüp otelin büyük, döner kapısına bakmaya başladık.

"Çok güzelsin canım," diye fısıldadım kulağına. "Bir tanesin."

"Sen de çok yakışıklısın... Ama burada durmayalım."

Gene de durduk orada, ben tuttuğum için değil. Sibel ikimizin de sık sık dönüp baktığı, büyük yuvarlak kapıdan dönerek içeri giren tanıdıklar, tanımadıklar, davetliler ve lobideki bir-iki iyi giyimli turistten oluşan kalabalığın hayranlık dolu bakışları altında olmaktan çok memnun olduğu için.

O yıllarda İstanbul'un "Batılılaşmış" zenginlerinin aslında çok küçük bir çevre oluşturduğunu, herkesin birbirini tanıdığını, herkesin birbirinin dedikodusunu bildiğini, şimdi olaylardan yıllar sonra, döner kapıdan girenleri tek tek hatırlarken çıkarıyorum: Çocukluğumuzda, bizleri Maçka Parkı'na kova kürekle oynayalım diye götürdüğü zamanlarda, annemin arkadaşlık ettiği Ayvalıklı zeytinyağı ve sabun zengini Halis ailesinin tıpkı kendileri gibi olağanüstü uzun çeneli gelini (aile içi evlilik!) ve daha da uzun çeneli oğulları... Babamın askerlik, benim ise futbol maçı arkadaşım, eski kaleci ve araba ithalatçısı Kova Kadri ve küpeler, bilezikler, kolyeler ve yüzüklerle pırıl pırıl parıldayan kızları... Eski cumhurbaşkanının ticarete girerek adı yolsuzluklara karışan kalın enseli oğlu ve zarif karısı... Çocukluğumda çok moda olan ameliyatlarıyla bütün sosyetenin bademciklerini alan ve yalnız benim değil, yüzlerce çocuğun çantasını ve deve tüyü rengi paltosunu her görüşlerinde dehşete kapıldığı Doktor Barbut...

"Sibel'in bademcikleri yerinde," dedim bana şefkatle sarılan doktora.

"Artık güzel kızları korkutup yola getirmek için, tıbbın çok daha modern metotları var!" dedi doktor, başkalarına da sık sık yaptığı bir şakayı tekrarlayarak.

Siemens'in Türkiye temsilcisi yakışıklı Harun Bey geçerken, annem fark edip sinirlenmesin istedim. Annemin "ayı, rezil" gibi kelimelerle andığı bu çok sakin ve olgun görünüşlü adam, ikinci karısının kızıyla (yani üvey kızıyla) bütün sosyetenin "rezalet, skandal!" çığlıklarına aldırmadan üçüncü evliliğini yapmış; güvenli, soğukkanlı haliyle ve tatlı gülüşüyle, kısa zamanda durumunu bütün sosyeteye kabul ettirmişti. İkinci Dünya Savaşı sırasında devletin azınlıklara uyguladığı vergileri ödeyemeyerek çalışma kamplarına yollanan Yahudilerin ve Rumların fabrikalarını ve mallarını ucuza kapatarak bir anda tefecilikten sanayiciliğe geçen ve babamın ahlakçı bir öfkeden çok kıskançlıkla andığı, ama dostluğunu da çok sevdiği Cüneyt Bey ve karısı Feyzan'ın büyük oğulları Alptekin ile ben, küçük kızları Asena ile de Sibel ilkokuldan sınıf arkadaşıymışız. Bunu ilk defa o sırada fark etmek o kadar hoşumuza gitti ki, hep birlikte yakında buluşmaya karar verdik.

"İnelim mi aşağı artık?" dedim.

"Çok yakışıklısın, ama dik dur," dedi Sibel, annemin sözlerini bilmeden tekrarlayarak.

Ahçı Bekri Efendi, Fatma Hanım, kapıcı Saim Efendi, karısı, çocukları, hepsi şık kıyafetler içinde, utana sıkıla kısa aralıklarla kapıdan girip Sibel'in elini sıktılar. Fatma Hanım ile kapıcı Saim Efendi'nin karısı Macide, annemin Paris'ten alıp getirdiği şık eşarpları, kendilerine yakıştırarak başörtüsü gibi takmışlardı. Ceketli, kravatlı, sivilceli oğulları, Sibel'e gözlerinin ucuyla ama hayranlıkla baktılar. Sonra babamın mason arkadaşı Fasih Fahir ve karısı Zarife'yi gördük. Babam bu çok sevdiği arkadaşının mason olmasından hoşlanmaz, masonlar hakkında evde atıp tutar, onların iş âleminde gizli bir "torpil ve imtiyaz şirketi" olduğunu söyler, antisemitik yayınevlerinin yayımladığı Türk masonlarının listelerini dikkatle ve "Vay, vay, vay!" diyerek okur, Fasih eve gelmeden önce de "Masonların İç Yüzü", "Ben Bir Masondum" gibi adları olan bu kitapları raftan indirip saklardı.

Hemen arkasından, bütün sosyetenin tanıdığı ve aşina yüzünü görünce bir an nişanımızın davetlilerinden sandığım, İstanbul'un (belki de İslam âleminin) tek kadın pezevengi ünlü Lüks Şermin boynunda ticari sembolü mor fuları (bir bıçak yarasını sakladığı için hiç çıkarmazdı), yanında da aşırı yüksek topuklu ayakkabı giyen güzel "kızlarından" biriyle, nişan davetlisi gibi içeri girip pastaneye gitti. Annesi annemle arkadaş olduğu için çocukluğumuzun ilk yıllarında birbirimizle "doğum günü" arkadaşlığı ettiğimiz tuhaf gözlüklü Fare Faruk'u ve bir dönem dadılarımız arkadaş diye parklarda görüştüğümüz tütün zengini Maruf'un oğullarını, Sibel Büyük Kulüp'ten çok iyi tanıyordu.

Yüzüklerimizi takacak eski dışişleri bakanı yaşlı ve şişman Melikhan, müstakbel kayınpederim ile birlikte döner kapıdan girdi, çocukluğundan beri tanıdığı Sibel'i görünce sarılıp öptü. Beni şöyle bir süzüp Sibel'e döndü. "Maşallah, pek yakışıklı," dedi. "Çok memnun oldum delikanlı," deyip elimi sıktı.

Sibel'in kız arkadaşları gülümseyerek yaklaşıyorlardı. Eski bakan, çapkın süsü takınan ve bu hep hoşgörülen ihtiyarlara özgü rahatlıkla kızların elbiselerini, eteklerini, takılarını, saçlarını, yarı şaka yarı ciddi bir abartıyla övdü, hepsini teker teker yanaklarından öptü ve her zamanki kendinden memnun havasıyla aşağıya indi.

"Hiç sevmem bu pis herifi," dedi babam merdivenlerden inerken.

"Boşver allahaşkına!" dedi annem. "Basamaklara dikkat et."

"Görüyorum, kör olmadım şükür," dedi babam. Bahçenin, Dolmabahçe Sarayı'nın üzerinden Boğaz'a, Üsküdar'a, Kızkulesi'ne bakan manzarasıyla karşılaşınca ve cıvıl cıvıl kalabalığı görünce neşelendi. Babamın koluna girdim, tepsilerde renkli kanepeler sunan garsonlar arasında, davetlilerle öpüşe öpüşe, uzun uzun hal hatır sorarak selamlaşmaya başladık.

"Mümtaz Bey, maşallah oğlunuz aynen sizin gençliğiniz... Gençlik halinizi görmüş gibi oldum."

"Ben hâlâ gencim hanımefendi," dedi babam. "Ama sizi hatırlayamadım..." Sonra bana döndü. "Bırak, sakatmışım gibi koluma o kadar girme," diye fısıldadı tatlılıkla.

Yanından usulca ayrıldım. Bahçe ışıl ışıldı ve güzel kızlarla doluydu. Çoğunun burnu açık, şık ve yüksek topuklu ayakkabılar giyip ayak tırnaklarını istekle, özenle ve keyifle itfaiye kırmızısına boyadıklarını; bazılarının kollarını, omuzlarını, göğüslerinin üst kısmını iyice açıkta bırakan elbiseler ve uzun etekler giydiklerini; bacakları görülmediği için kendilerini rahat hissettiklerini görmek hoşuma gidiyordu. Tıpkı Sibel gibi, pek çok genç kadın da metal klipsli küçük, parlak el çantalarından almışlardı yanlarına.

Daha sonra Sibel elimi tuttu ve beni pek çok akrabası, çocukluk ve okul arkadaşı ve hiç bilmediğim dostlarıyla tanıştırdı.

"Kemal, seni çok seveceğin bir arkadaşımla tanıştıracağım şimdi," diyordu her seferinde ve bütün içtenliği ve coşkusuna rağmen bana resmî gelen bir havayla o kişiyi överken, yüzüne bir sevinç heyecanı yayılıyordu. Ona içten bir sevinç veren şey, hayatının tam istediği, planladığı gibi gitmesiydi elbette. Tıpkı üzerindeki elbisenin her incisinin, her kıvrımının, her fiyongunun güzel, tanıdık vücudunun her kıvrımına onca çabadan sonra kusursuz bir şekilde yerleşmesi gibi, kendisi için öngördüğü mutlu hayatın bütün ayrıntılarıyla gerçekleşeceğini, bu gecenin aylardır düşündüğü, planladığı gibi gitmesinden çıkarıyordu. Bu yüzden, Sibel gecenin her yeni anını, her yeni yüzü, sarılıp kendisini öpen herkesi, yeni bir mutluluk nedeniymiş gibi sevinçle karşılıyordu. Bazan bana iyice sokuluyor ve parmaklarını cımbız gibi yaparak omuzlarıma düşmüş, hayali bir saçı ya da toz parçacığını, koruyucu bir tavırla dikkatle kovalıyordu.

El sıkışıp öpüştüğümüz, şakalaştığımız kişilerden başımı kaldırdığımda, aralarında tepsiler içinde kanepeler sunan garsonların gezindiği davetlilerin rahatladığını, içkinin yavaş yavaş onları gevşettiğini, kahkahaların, kıkırdamaların yükselmeye başladığını görüyordum. Kadınların hepsi, aşırı boyalı ve çok şıktı. Pek çoğu bele oturan, üst kısmı iyice açık, ince elbiseler giydiği için üşüyorlarmış gibi gözüküyorlardı. Erkeklerin çoğu, bayramlıklarını giyen çocuklar gibi düğmelerini sıkı sıkıya ilikledikleri şık beyaz takımlarını giymişler, üç-dört yıl öncenin modası kalın, iri desenli rengârenk "hippi" kravatlarının hatırasıyla, Türkiye ortalamasına göre çok renkli sayılabilecek kravatlar takmışlardı. Birkaç yıl önce dünyada yaygın olan uzun favori, yüksek topuk ve uzun saç modalarının bittiğini, belli ki Türkiye'de pek çok zengin ve orta yaşlı erkek işitmemiş ya da buna inanmamıştı. "Moda" diye gereğinden fazla uzatılan, uçları iyice geniş tutulan kara favoriler ve geleneksel kara bıyıklar, uzun kara saçlarla birlikte özellikle genç erkeklerin yüzlerini oldukça kara gösteriyordu. Belki de bu yüzden, kırk yaşın üstündeki erkeklerin neredeyse hepsi, seyrek saçlarına briyantin sürmüştü. Briyantin ve çeşitli erkek parfümlerinin kokusu, kadınların sürdüğü diğer ağır kokular, herkesin hep birlikte fazla da keyif almadan tüttürdüğü sigara dumanları ve mutfaktan gelen kızarmış yağ kokusu belli belirsiz esen bahar rüzgârıyla birleşince, bana annemle babamın ben çocukken verdiği davetleri hatırlatıyor, orkestranın (Gümüş Yapraklar) geceye hazırlık olarak yarı şaka yarı ciddi çaldığı asansör müziği de, bana mutlu olduğumu fısıldıyordu.

Davetliler ayakta dikilip beklemekten sıkılmış, yaşlılar yorulmuş, acıkanlar şimdiden masalar arasında koşturup oynayan çocukların da yardımıyla ("Babaanne, bizim masayı buldum" / "Nerede? Dur koşma, düşersin!") yerlerine oturmaya başlamışlardı ki, eski dışişleri bakanı arkadan koluma girip bir diplomat-siyasetçinin hüneriyle beni bir kenara çekti ve çocukluğunu bildiği Sibel'in ne kadar ince, ne kadar zarif, ailesinin ne kadar kültürlü ve hoş olduğunu, kendi hatıralarını da katarak uzun uzun anlattı.

"Böyle görmüş geçirmiş eski aileler hiç kalmadı Kemal Bey," dedi. "Siz iş âlemindesiniz, benden daha iyi bilirsiniz, her yeri yeni para kazanmış görgüsüzler; karıları, kızları başı örtülü kasabalılar sardı. Geçende gördüm, adam Araplar gibi, kara çarşaflı iki karısını arkasına takmış Beyoğlu'na çıkarmış, dondurma yediriyor... Bu kızla evlenip, onunla hayatının sonuna kadar mutlu olmaya kesin kararlı mısın bakalım?"

"Kararlıyım efendim," dedim. Cevabımı bir şakayla süsleyememem, eski bakanda gözümden kaçmayan bir hayal kırıklığı yaratmıştı.

"Nişan hiç bozulmaz. Demek ki, bu kızın adı hayatının sonuna kadar seninle anılacak. İyi düşündün mü?"

Kalabalık, şimdiden bir daire çizerek etrafımızda toplanıyordu.

"Düşündüm."

"Sizi hemen nişanlayayım da, yemeğimizi yiyelim. Geç bakalım şöyle..."

Benden hoşlanmadığını hissetmek keyfimi kaçırmamıştı hiç. Bakan, çevremizde toplanan davetliler kalabalığına önce bir askerlik hatırasını anlattı. Bundan, Türkiye'nin ve kendisinin kırk yıl önce çok yoksul olduğu sonucu çıkıyordu, sonra aynı günlerde kendisinin rahmetli eşiyle nasıl törensiz ve gürültüsüz patırtısız nişanlandıklarını içtenlikle hikâye ediverdi. Sibel'i ve ailesini herkese övdü. Anlattıklarında fazla bir mizah yoktu; ama ellerinde tepsi, uzaktan bakan garsonlar dahil, herkes onu son derece eğlenceli bir hikâye anlatıyormuş gibi gülümseyerek, hatta mutlulukla dinliyordu. Sibel'in çok sevdiği ve kendisine aşırı derecede hayran olan on yaşındaki tavşan dişli sevimli Hülya, burada sergilediğim yüzükleri gümüş bir tepsi içinde getirince, bir an sessizlik oldu. Sibel ile ben heyecandan, bakan da şaşkınlıktan yüzük takılacak elleri ve parmakları birbirine karıştırdık ve işin içinden çıkamadık. Gülmeye zaten hazır davetlilerden bazıları "O parmak değil, öteki el," diye bağırırken bir öğrenci kalabalığının mutluluk uğultusu yükselmeye başlamıştı ki, yüzükler sonunda yerlerini buldu; bakan da onları bağlayan kurdeleyi kesti ve bir anda havalanıveren bir güvercin sürüsünün çıkaracağı gürültüye benzer bir alkış koptu. Hayatım boyunca tanıdığım onca kişinin sevinçle gülümseyerek bizleri alkışlaması, buna kendimi hazırlamış olmama rağmen beni çocukça heyecanlandırdı. Ama kalbimi hızla attıran bu değildi.

Kalabalık içinde, arkalarda bir yerde, annesiyle babasının arasında Füsun'u görmüştüm. Yoğun bir sevinç içime yayıldı. Sibel'i yanaklarından öperken, hemen iki yanımıza gelip bizi öpen annemle, babamla, ağabeyimle kucaklaşırken, coşkumun nedenini biliyor, ama onu yalnız kalabalıktan değil, kendimden de gizleyebileceğimi zannediyordum. Masamız dans pistinin hemen yanındaydı. Yemeğe oturmadan önce, Füsun'un en arkada, Satsatçıların yanındaki masada anne babasıyla oturduğunu gördüm.

"İkiniz de çok mutlusunuz," dedi ağabeyimin karısı Berrin.

"Ama çok yorulduk..." dedi Sibel. "Nişan böyleyse, kim bilir düğün nasıl yorucu olacak..."

"O gün de çok mutlu olacaksınız," dedi Berrin.

"Mutluluk nedir, sence Berrin?" diye sordum.

"Ooo, ne konular açıyorsun," dedi Berrin ve bir an kendi mutluluğunu düşünüyormuş gibi yaptı, ama o anın şakası bile kendisini huzursuz ettiği için mahcubiyetle gülümsedi. Yemeğe kavuşmuş cıvıl cıvıl kalabalığın neşeli sesleri, bağrışmaları, çatal bıçak gürültüleri ve orkestranın nağmeleri arasında, ikimiz de aynı anda ağabeyimin güçlü ve cırlak sesiyle birisine bir şey anlattığını işitmiştik.

"Aile, çocuklar, kalabalık," dedi Berrin. "Mutlu olmasan bile, hatta en kötü gününde bile (bir an ağabeyimi işaret etti gözleriyle) mutluymuş gibi yaşıyorsun. Bütün sıkıntılar bu aile havası içerisinde eriyip, dağılıp gidiyor. Siz de çocuk yapın hemen. Çok çocuk yapın, köylüler gibi."

"Nedir o?" dedi ağabeyim. "Ne dedikodu yapıyorsunuz bakalım?"

"Çocuk yapın, diyorum onlara," dedi Berrin. "Kaç tane yapsınlar?"

Kimse bakmıyordu, yarım kadeh rakıyı bir anda diktim.

Az sonra, Berrin kulağıma eğildi: "Masanın ucunda oturan o adam ile hoş kız kim?"

"Sibel'in liseden ve Fransa'dan en iyi arkadaşı Nurcihan. Sibel onu benim arkadaşım Mehmet ile mahsus yan yana oturttu. Aralarını yapmak istiyor."

"Şu ana kadar fazla bir ilerleme yok!" dedi Berrin. Sibel'in hayranlık ile şefkat arası bir duyguyla Nurcihan'a bağlı olduğunu, birlikte Paris'te okurlarken Nurcihan'ın Fransız erkekleriyle aşklar yaşadığını, bu erkeklerle cesaretle seviştiğini (Sibel'in bana imrenerek anlattığı hikâyelerdi bunlar), İstanbul'daki zengin ailesinden gizlice de olsa onlarla aynı evlere taşındığını, ama bu maceraların sonuncusunda fazla üzülüp yorulunca ve Sibel'den de etkilendiği için İstanbul'a dönmek istediğini anlattım Berrin'e. "Ama bunun için tabii değer vereceği, kendi düzeyinde, Fransa'daki geçmişini, eski sevgililerini dert etmeyecek birisiyle tanışıp ona âşık olması gerekiyor," diye ekledim.

"Vallahi henüz böyle bir aşk başlangıcı hiç gözükmüyor," diye fısıldadı Berrin gülümseyerek. "Mehmet'in ailesi ne iş yapıyor?"

"Zenginler. Babası meşhur apartman müteahhiti."

Berrin'in sol kaşı züppece bir şüpheyle yukarı kalkınca, Robert Kolej'den Mehmet'in çok güvenilir bir arkadaşım ve doğru dürüst bir insan olduğunu, evet, ailesinin çok dindar ve muhafazakâr olmasına rağmen görücü usulüyle evlenmeye, hatta başörtülü annesinin kendisine İstanbullu ve okumuş da olsa, bir kız bulmasına yıllarca karşı çıktığını ve kendi tanışıp arkadaşlık edeceği kızlardan biriyle evlenmek istediğini anlattım. "Ama şimdilik, kendi bulduğu modern kızların hiçbiriyle olmadı bir türlü."

"Olmaz tabii," dedi Berrin çok bilmiş bir havayla.

"Niye olmaz?"

"Baksana haline, tipine..." dedi Berrin. "Onun gibi Anadolu'nun bağrından gelmiş biriyle... kızlar görücü usulüyle evlenmek ister. Fazla gezer tozar, ileri giderlerse, adamın gizli gizli kendilerini 'orospu' bulmasından korkarlar."

"Mehmet o kafada biri değil."

"Ama geldiği yer, ailesi, tipi öyle. Akıllı kızlar adamın düşüncelerine değil, ailesine, haline bakarlar, öyle değil mi?"

"Evet, haklısın," dedim. "Mehmet'ten ürken, onun bütün ciddiyetine rağmen onunla yakınlaşmak istemeyen aynı akıllı kızlar, adlarını vermeyeyim şimdi, başka erkeklerle, adamın evlenme niyetinden o kadar emin olmasalar bile, çok daha rahat davranıp işleri ileri götürebiliyorlar."

"Ben demedim mi sana!" dedi Berrin gururla. "Evlenmeden önce fazla yakınlaştılar diye, yıllar sonra karılarını aşağılayan ne erkekler var bu ülkede. Sana bir şey daha söyleyeyim: Arkadaşın Mehmet, bir türlü yaklaşamadığı o kızlardan hiçbirine de âşık olmamış aslında. Olsaydı, kızlar da bunu anlar, ona başka türlü davranırlardı. Tabii yatarlardı demiyorum, ama evlenebilecek kadar yaklaşırlardı ona."

"Ama Mehmet de o kızlar kendisine yaklaşmadıkları, muhafazakâr ve korkak oldukları için onlara âşık olamıyordu bir türlü. Yumurta mı tavuktan, tavuk mu yumurtadan gibi..."

"Bu doğru değil," dedi Berrin. "Âşık olmak için yatmak, cinsellik, bunlar gerekmiyor. Aşk, Leyla ile Mecnun'dur."

"Hmmmm..." gibi bir ses çıkardım.

"Ne oluyor, bize de anlatın lütfen," dedi masanın öbür ucundan ağabeyim. "Kim kiminle yatıyormuş?"

Berrin, kocasına "çocuklar var!" anlamında bir bakış atıp kulağıma fısıldadı: "O yüzden asıl, senin bu kuzu görünüşlü Mehmet'in niye ciddi niyetlerle tanışıp yakınlaşmak istediği kızların hiçbirine âşık olamadığını anlamak lazım," dedi.

Zekâsına saygı duyduğum Berrin'e, bir an Mehmet'in iflah olmaz bir randevuevi kuşu olduğunu söylemek istedim. Mehmet'in Sıraselviler'de, Cihangir, Bebek ve Nişantaşı'ndaki dört beş özel evde, sürekli ziyaret ettiği "kızları" vardı. Bir yandan işyerinde tanıştığı, yirmi küsur yaşlarındaki lise mezunu bakire kızlarla hiçbir zaman gerçekleşmeyen yoğun duygusal ilişkiler kurmaya çalışırken, bir yandan da her gece, bu lüks evlerde, Batılı film artistlerini taklit eden kızlarla sabahlara kadar vahşi geceler geçirir, çok içtiği zamanlarda kızlara para yetiştiremediğini ya da yorgunluktan kafasını toparlayamadığını ağzından kaçırır, ama gece yarısı bir davetten çıktığımızda, eli tespihli babası, başörtülü annesi ve kızkardeşleriyle oturup Ramazan'da herkesle birlikte oruç tuttuğu evine gideceğine, bizlerden ayrılıp Cihangir'e ya da Bebek'e lüks randevuevlerinden birine giderdi.

"Çok içiyorsun bu akşam," dedi Berrin. "İçme o kadar. Çok kalabalık var, bütün gözler üzerinizde..."

"Peki," dedim ve ona gülümseyerek kadehimi kaldırdım.

"Bir Osman'ın şu sorumlu haline bak," dedi Berrin, "bir de şu senin yaramaz haline... İki kardeş nasıl da bu kadar farklı olabildiniz?"

"Hiç de öyle değil," dedim. "Çok benzeşiriz. Ayrıca bundan sonra, ben Osman'dan da daha sorumlu ve ciddi olacağım."

"Aslında ciddiyeti ben de hiç sevmem," diye başlamıştı Berrin... "Dinlemiyorsun sen beni," dedi çok sonra.

"Ne? Dinliyorum."

"Ne dedim, söyle bakalım o zaman!"

"Dedin ki, 'Aşk eski masallardaki gibi olmalı. Leyla ile Mecnun gibi,' dedin."

"Yok, dinlememişsin," dedi Berrin gülümseyerek. Ama yüzünde, halimden endişelenen bir ifade de vardı. Benim durumumu fark etti mi diye Sibel'e döndü. Ama Sibel, Mehmet ile Nurcihan'a birşeyler anlatıyordu.

Kafamın bir kısmının sürekli olarak Füsun'a takılmış olduğunu, Berrin ile konuşurken sırtım yönünde, arkalarda bir yerde Füsun'un oturduğunu içimde hep hissettiğimi, hep onu düşündüğümü, yalnız okurlardan değil, kendimden de utançla saklamaya çalıştım, ama yeter! Zaten görüyorsunuz, başaramadım. Bari bundan sonra okura dürüst olayım.

Bir bahaneyle masadan kalktım. Füsun'u şöyle bir görmek istiyordum. Bahaneyi hatırlamıyorum. Arkalara doğru bir baktım, ama Füsun'u göremedim. Çok kalabalıktı, herkes her zaman olduğu gibi, aynı anda bağıra bağıra konuşuyordu. Masalar arasında saklambaç oynayan çocuklar da çığlıklar atıyordu. Müzik, çatal-bıçak-tabak gürültüsü de bunlara eklenmiş, bir büyük uğultu olmuştu. Bu mahşerî uğultunun içinde, Füsun'u görme umuduyla arkalara doğru yürüyordum.

"Kemalciğim, çok tebrik ediyorum," dedi bir ses. "Göbek dansı da olacak, değil mi?"

Zaimlerin masasında oturan Snob Selim'di bu, çok eğlenceli bir şaka yapmış gibi güldüm.

"Çok güzel bir seçim yaptınız Kemal Bey," dedi iyimser bir teyze. "Siz beni hatırlamazsınız. Ben annenizin..."

Ama annemle nereden tanıştıklarını söyleyemeden, eli tepsili bir garson beni iterek aramıza girdi. Doğrulduğumda kadın uzakta kalmıştı.

"Bakayım nişan yüzüğüne!" dedi bir çocuk, elime sertçe sarıldı.

"Bırak, ne ayıp!" dedi çocuğun şişman annesi kolunu sertçe çekerek. Çocuğa tokat atacakmış gibi bir hamle etti, ama velet tecrübeliydi, gülümseyerek bir hamlede annesinin tokadından uzaklaştı. "Gel otur buraya!" diye bağırdı annesi. "Kusura bakmayın... Tebrik ediyoruz."

Hiç tanımadığım orta yaşlı bir kadın kıpkırmızı olmuş bir yüzle kahkahalar atarken, benimle göz göze gelince ciddileşti. Kocası kendisini tanıttı: Sibel'in akrabasıydı, ama askerliğimizi Amasya'da birlikte yapmıştık. Masalarına oturur muydum? Füsun'u görürüm diye arka masalara doğru bütün dikkatimle baktım, ama onu göremiyordum. Sırra kadem basmıştı. Bir acı hissettim. Daha önceden hiç tanımadığım bir mutsuzluk bütün gövdeme yayılıyordu.

"Birini mi arıyorsunuz?"

"Nişanlım bekliyor, ama sizinle bir kadeh içeyim..."

Çok sevindiler, hemen sandalyeler sıkıştırıldı, çekildi. Yok tabak çatal istemiyordum, biraz daha rakı.

"Kemalciğim, Erçetin Paşa ile tanışmış mıydın?"

"Aaa, evet," dedim. Aslında hatırlayamamıştım.

"Ben Sibel'in babasının teyze kızının kocasıyım, delikanlı!" dedi paşa alçakgönüllülükle. "Tebrik ederim."

"Kusura bakmayın paşam, sivil giyinmişsiniz, çıkaramadım. Sibel sizden çok saygıyla söz eder."

Aslında Sibel, yıllar önce uzak bir kuzininin, Heybeliada'da yazlığa gittiğinde, yakışıklı bir deniz subayına kapıldığını anlatmış, ben de amiralin, her zengin ailede devletle ilişkiler, askerlik tecilleri ve diğer torpil ilişkileri için gerekli olduğu için iyi davranılan önemli askerlerden biri olduğunu düşünerek, hikâyeyi dikkatle dinlememiştim. Şimdi tuhaf bir alttan alma, hoşa gitme içgüdüsüyle ona, "Paşam, ordu yönetime ne zaman el koyacak, komünistlerle irtica, iki yandan ülkeyi felakete sürüklüyor..." gibi birşeyler demek istiyordum, ama bütün sarhoşluğuma rağmen böyle dersem, beni saygısız ve sarhoş bulacaklarını hissediyordum. Bir an içgüdüyle, bir rüyadaymışım gibi ayağa kalktım ve uzakta Füsun'u gördüm.

"Efendim, ben kalkayım!" dedim masadakilere.

Çok içtiğim zamanlarda olduğu gibi, kendimi kendi hayaletim gibi hissederek yürüdüm.

Füsun arkadaki masasına geçip oturmuştu. Askılı bir elbise giymişti. Omuzları çıplak ve sağlıklıydı. Saçlarını yaptırmıştı. Çok güzeldi. Sırf onu uzaktan olsun biraz görmek bile, içimi mutluluk ve heyecanla dolduruyordu.

Beni görmemiş gibi yapıyordu. Aramızdaki yedi masanın dördüncüsüne, huzursuz Pamuk ailesi yerleşmişti. O tarafa sokuldum ve bir ara babamla da iş yapmış Aydın ve Gündüz Pamuk kardeşlerle bir-iki laf ettik. Aklım Füsun'un masasındaydı, yanlarındaki masada Satsatçıların oturduğunu, genç ve iddialı memur Kenan'ın herkes gibi gözlerini Füsun'dan alamadığını ve onunla ahbaplık ettiğini fark etmiştim hemen.

Bir zamanlar zengin olup da servetlerini beceriksizce kaybeden pek çok aile gibi Pamuklar da içlerine çekilmişlerdi, yeni zenginler karşısında huzursuzluğa kapılıyorlardı. Güzel annesi, babası, ağabeyi, amcası ve kuzenleriyle oturan, durmadan sigara içen yirmi üç yaşındaki Orhan'da, sinirli ve sabırsız olmasından ve alaycılıkla gülümsemeye çalışmasından başka kayda değer bir şey göremedim.

Pamukların sıkıcı masasından kalkıp doğrudan Füsun'a yürüdüm. Beni görmezlikten gelemeyeceğini, aşkla kendisine yaklaştığımı, pervasızlığımı fark edince yüzünde beliren mutluluğu nasıl anlatmalı? Bir anda kıpkırmızı kesildi ve koyu pembe renk tenine harika bir canlılık geldi. Nesibe Hala'nın bakışlarından Füsun'un ona her şeyi anlattığını hissettim. Önce annesinin kuru elini, sonra her şeyden habersiz gözüken babasının kızı gibi uzun parmaklı, ince bilekli güzel elini sıktım. Sıra güzelime gelince, elini tuttuktan sonra eğilip iki yanağından öptüm ve boynunun, kulaklarının altındaki duyarlı noktaların mutluluk ve haz anılarını, içimde istekle hissettim. İçimde tekrarlanan "niye geldin?" sorusu, "iyi ki geldin!" şeklini almıştı hemen. Gözlerinin çevresine çok ince bir sürme çekmiş, pembemsi bir dudak boyası sürmüştü. Bunlar da onu tıpkı sürdüğü koku gibi hoş bir şekilde yabancılaştırmış ve daha da kadınsılaştırmıştı. Gözlerinin içindeki kırmızılıktan, göz altlarındaki çocuksu şişlikten, benden ayrıldıktan sonra akşamüstü evinde ağladığı sonucunu çıkarıyordum ki, yüzüne kendine güvenen kararlı bir hanımefendi ifadesi geldi.

"Kemal Bey, Sibel Hanım'ı tanırım, çok yerinde bir karar..." dedi cesaretle. "Çok tebrik ediyorum sizi."

"Aah, teşekkür ederim."

"Kemal Bey," dedi aynı anda annesi. "Kim bilir ne kadar çok işiniz arasında her şeyi bırakıp kızıma matematik çalıştırdınız ya, Allah razı olsun sizden!"

"Sınavı yarın değil mi?" dedim. "Bu gece erkenden evine dönse daha iyi olur."

"Tabii ki artık onun üzerinde çok hakkınız var," dedi annesi. "Ama sizinle çalışırken çok üzüntüler çekti. İzin verin de bir akşam eğlensin."

Bir öğretmen şefkatiyle Füsun'a gülümsedim. Kalabalığın ve müziğin uğultusundan –bir rüyadaki gibi– sanki kimse bizi duymuyordu. Füsun'un annesine yönelik bakışlarında, bazan Merhamet Apartmanı'nda beraberken beliren öfkeyi gördüm ve yarısı gözüken güzelim göğüslerine, harika omuzlarına, çocuksu kollarına son bir bakış attım. Geri dönerken mutluluğun sahile vuran dev bir dalga gibi ağır çekimle içimde büyüdüğünü, bütün geleceğime bir zafer duygusuyla vurmak üzere olduğunu derinden hissettim.

Gümüş Yapraklar, "It's Now or Never"ın uyarlaması olan "Boğaz'da Bir Akşam"ı çalıyordu. Katıksız mutluluğun bu dünyada ancak bir başkasına sarılarak ve "şimdi" elde edileceğine kesinlikle inanmasaydım, "hayatımın en mutlu anı" olarak işte bu anı göstermek isterdim. Çünkü annesinin sözlerinden ve Füsun'un öfkeli ve kırık bakışlarından ilişkimizi bitiremeyeceği, annesinin bile, bazı beklentilerle şimdiden buna razı olduğu sonucunu çıkarmıştım. Büyük dikkat ve ihtimamla davranır ve onu ne kadar çok sevdiğimi ona hissettirebilirsem, hayatım boyunca Füsun'un benden kopamayacağını anlamıştım! Allah'ın, bazı özel kullarına, babalara, amcalara ancak elli yaşlarında ve büyük eziyetlerden sonra birazcık bağışladığı ahlak dışı erkek mutluluğunu; yani bir yandan eğitimi, kültürü uygun, aklı başında ve güzel bir kadınla mutlu bir aile hayatını bütün zevkleriyle paylaşırken, diğer yandan güzel, çekici ve vahşi bir kızla gizli ve derin bir aşk ilişkisini yaşayabilme talihini, bana daha otuz yaşındayken ve çok da bir acı çekmeden neredeyse karşılıksız olarak bağışladığı anlamına geliyordu bu. Hiç de dindar olmamama rağmen, o an Hilton'un bahçesine yerleşmiş neşeli nişan kalabalığı, renkli lambalar ve çınar ağaçları arasından gözüken Boğaz'ın ışıkları ve arkadaki lacivert gök, Allah'tan gelen bir mutluluk kartpostalı olarak hafızama hiç çıkmamacasına kazındı.

"Neredeydin?" dedi Sibel. Beni aramaya çıkmıştı. "Merak ettim. Berrin içkiyi biraz kaçırdığını söyledi, iyi misin canım?"

"Evet, biraz çok kaçtı, ama şimdi çok iyiyim canım. Tek derdim aşırı mutluluk."

"Ben de çok mutluyum, ama bir derdimiz var."

"Ne?"

"Nurcihan ile Mehmet olmuyor."

"Olmuyorsa olmuyor. Biz çok mutluyuz."

"Hayır, hayır, ikisi de istiyor bunu. Birbirlerine biraz ısınsalar, hemen evleneceklerine bile eminim. Ama tutulup kaldılar... Ve fırsat kaçacak diye korkuyorum."

Uzaktan Mehmet'e baktım. Nurcihan'a bir türlü sokulamıyor ve beceriksizliğinin farkına vardıkça kendine kızıp, kahrolup daha da tutuklaşıyordu. Bir kenarda üzeri boş tabak kuleleriyle dolu küçük bir servis masası vardı.

"Şuraya biraz oturup baş başa konuşalım," dedim. "Belki de Mehmet için artık çok geç kaldık... Belki de artık onun doğru dürüst güzel bir kızla evlenmesine imkân yok!"

"Niye?"

Masaya oturduk. Gözlerini merak ve korkuyla kocaman açan Sibel'e, Mehmet'in mutluluğu parfüm kokulu, kırmızı lambalı odalardan başka bir yerde bulamayacağını söyledim. Hemen gelen garsondan rakı istedim.

"Sen çok iyi biliyorsun o evleri!" dedi Sibel. "Beni tanımadan önce gider miydin sen de onunla?"

"Ben seni çok seviyorum," dedim, elimi elinin üzerine koyarak ve bir an bakışı nişan yüzüklü ellerimize takılan garsona aldırmadan. "Ama Mehmet, iyi herhangi bir kızla artık derin bir aşk yaşayamayacağını hissediyor olmalı. Bundan telaşlı."

"Ah çok yazık!" dedi Sibel. "Ondan korkan kızlar yüzünden..."

"O da korkutmasaydı kızları... Kızlar haklı... Yattığı adam kızla evlenmezse? Adı çıkar, ortada kalırsa kız ne yapacak?"

"İnsan bunu anlar," dedi Sibel dikkatle.

"Neyi anlar?"

"Bir erkeğe güvenilip güvenilmeyeceğini."

"O kadar kolay değildir anlamak. Pek çok kız bu konuda karar veremediği için kahroluyor. Ya da sevişiyor, ama korkudan zevk bile alamadan... Hiçbir şeyi kafaya takmayan gözüpekler var mı, bilmiyorum. Mehmet de Avrupa'daki cinsel özgürlük hikâyelerini ağzı sulanarak dinlemiş olmasaydı, modernlik, uygarlık diye evlenmeden önce kızla sevişmeyi büyük ihtimal kafasına hiç takmayacaktı. O zaman da, kendisine âşık olan doğru düzgün bir kızla çok mutlu bir evliliği olurdu herhalde. Şimdiyse bak, Nurcihan'ın yanında kıvranıp duruyor..."

"Nurcihan'ın Avrupa'da erkeklerle yattığını biliyor... Bu onu hem çekiyor hem de korkutuyor..." dedi Sibel. "Yardım edelim ona."

Gümüş Yapraklar, kendi besteleri olan "Mutluluk"u çalıyordu. Müziğin duygusallığı içime işledi. Füsun'a olan aşkımı kanımda acıyla ve mutlulukla hissettim ve Sibel'e, yüz yıl sonra Türkiye'nin de herhalde modern olacağını, o zaman bekâret endişelerinden ve ne derler korkularından kurtulup herkesin cennette vaat edildiği gibi sevişip mutlu olacağını, ama o güne kadar daha çok insanın nice aşk ve cinsellik acıları çekerek kıvranacağını, babacan bir tavırla anlattım.

"Hayır, hayır," dedi iyi yürekli, güzel nişanlım elimi tutarak. "Tıpkı bizim *bugün* mutlu olduğumuz gibi, onlar da yakında çok mutlu olacaklar. Çünkü biz Mehmet ile Nurcihan'ı mutlaka evlendireceğiz."

"Tamam da ne yapmamız gerekiyor?"

"Yeni nişanlılar şimdiden bir köşeye çekilip dedikoduya mı başladılar?" Hiç tanımadığımız şişman bir beydi bu. "Ben de oturabilir miyim Kemal Bey?" Cevabımızı beklemeden kenardan sandalyeyi kapıp yanımıza yerleşiverdi. Kırk yaşlarındaydı, yakasına beyaz bir karanfil takmış, şekerli, baygınlık verici ağır bir kadın parfümü sürmüştü. "Gelin ile damat böyle bir kenara çekilip fısıldaşırsa, bütün düğünün keyfi kaçar."

"Biz daha gelin ile damat değiliz," dedim. "Yalnızca nişanlandık."

"Ama herkes bu harika nişanın en gösterişli düğünden bile şatafatlı olduğunu söylüyor Kemal Bey. Düğün için Hilton'dan başka nereyi düşünüyorsunuz?"

"Affedersiniz, kiminle tanışıyorum?"

"Asıl siz beni affedin Kemal Bey, haklısınız. Biz yazarlar herkes bizi tanır zannederiz. Adım Süreyya Sabir. Siz beni *Akşam* gazetesine 'Beyaz Karanfil' adıyla yazdığım haberlerden tanıyor olabilirsiniz."

"Aa, sizin sosyete dedikoduları haberlerinizi bütün İstanbul okur," dedi Sibel. "Ben sizi kadın zannediyordum, modadan, kıyafetten çok iyi anlıyorsunuz."

"Kim davet etti sizi?" diye aynı anda gafletle sordum ben.

"Çok teşekkür ederim Sibel Hanım. Ama ince ruhlu erkeklerin de modadan anlayacağı Avrupa'da bilinir. Kemal Bey, Türk basın kanununa göre, bu gördüğünüz basın kartını yetkiliye gösterme şartıyla, biz gazetecilerin umuma açık toplantılara katılma hakkımız vardır. Davetiye basılan her toplantı da, yönetmeliklere göre, 'kamuya açık' addedilir. Ama buna rağmen yıllardır bir kere bile davet edilmediğim bir geceye gitmedim ben. Beni bu güzel geceye çağıran ise, anneniz hanımefendiden başkası değildir. Sosyete dedikodusu dediğiniz şeyi, yani cemiyet haberlerini, modern bir insan olarak anneniz önemser ve beni davetlerine sık sık çağırır. Aramızda öylesine bir güven vardır ki, gitme fırsatını bulamadığım bazı davetlerdeki haberleri annenizden telefonla dinler, olduğu gibi yazarım. Çünkü hanımefendi, tıpkı sizin gibi her şeye dikkat eder ve asla yanlış bilgi vermez. Benim yazdığım cemiyet haberlerinde tek bir yanlış yoktur ve olamaz Kemal Bey."

"Siz Kemal'i yanlış anladınız..." gibi birşeyler mırıldanıyordu Sibel.

"Daha demin, bazı kötü niyetli kişiler, 'İstanbul'daki bütün kaçak viskiler ve şampanyalar burada,' diyorlardı... Ülkemiz döviz sıkıntısı içinde, fabrikalarımızı çalıştıracak, mazot alacak dövizimiz yok! Bazıları, kıskançlık ve servet düşmanlığıyla 'kaçak içkiler nereden' diye bunu gazetelerine yazıp bu güzel geceye leke sürmek isteyebilirler, Kemal Bey. Onlara da bana yaptığınız gibi kötü davranırsanız, inanın daha da kötü yazarlar... Hayır, ben sizi asla üzmem. Ben bu tatsız sözünüzü hemen sonsuza kadar unutacağım. Çünkü Türk basını hürdür. Ama siz de bir soruma lütfen samimiyetle cevap vereceksiniz."

"Tabii Süreyya Bey, buyrun."

"Az önce ikiniz, iki yeni nişanlı çok tatlı, çok ciddi bir konuya öyle bir kaptırmıştınız ki kendinizi... Çok merak ettim. Ne konuşuyordunuz?"

"Konuklar acaba yemeklerden memnunlar mı diye dertleniyorduk," dedim.

"Sibel Hanım, size iyi bir haberim var," dedi Beyaz Karanfil neşeyle. "Müstakbel kocanız yalan kıvırmayı hiç beceremiyor!"

"Kemal çok iyi kalplidir," dedi Sibel. "Bahsettiğimiz konu şuydu: Şu kalabalık içerisinde kim bilir kaç kişinin, kim bilir hangi aşk ve evlilik, hatta seks derdinden mustarip olduğunu konuşuyorduk."

"Aaa, evet," dedi dedikodu yazarı. Yeni yeni yayılan ve bir fetiş niteliği edinen "seks" kelimesi kullanılmıştı, skandal sayılabilecek bir büyük itirafla karşılaşmış pozu mu takınsın, yoksa insani acıların derinliğinden anladığını mı göstersin, karar veremediği için bir an sustu. "Sizler tabii, bu acıların ötesine geçmiş modern, mutlu ve yeni insanlarsınız," dedi sonra. Bunu alaycılıkla değil, zor durumlarda, karşısındakini yağlamanın en iyi çare olduğunu tecrübeyle bilen birinin rahatlığıyla söylemişti. Geri kalan kalabalık için dertleniyormuş havasıyla, düğün kalabalığı içerisinde kimin kızının kimin oğluna umutsuzca âşık olduğunu, hangi kızın "fazla serbest" olduğu için iyi aileler tarafından dışlanırken bütün erkeklerin ağzını sulandırdığını, hangi annenin kızını hangi zenginin çapkın oğluna vermeyi umduğunu, hangi ailenin sünepe oğlunun bir başkasıyla sözlü olmasına rağmen kime âşık olduğunu anlatmaya başladı. Sibel gibi ben de eğlenerek dinliyordum, bunu gören Beyaz Karanfil de coşarak anlatıyordu. Dans başladığı sırada bütün bu "rezaletlerin" bir bir ortaya çıkacağını söylüyordu ki, annem geldi ve çok ayıp ettiğimizi, bütün misafirler bize bakarken, ayrı bir masada, baş başa dedikodu etmemizin çok yanlış olduğunu söyleyip bizi masamıza yolladı.

Masaya, Berrin'in yanına oturur oturmaz, tıpkı fişe takılmış elektrikli bir alet gibi, Füsun'un hayali içimde gene bütün gücüyle ışımaya başladı. Ama bu sefer hayalin ışınları huzursuzluk değil, mutluluk saçıyor ve yalnız geceyi değil, bütün geleceğimi de aydınlatıyordu. Mutluluklarının asıl kaynağı gizli sevgilileri olan, ama karıları ve aileleri sayesinde mutluymuşlar gibi davranan erkekler gibi yapmaya başladığımı, Sibel sayesinde çok mutluymuşum gibi davrandığımı kısa bir an açıkça hissettim.

Dedikodu yazarıyla biraz konuştuktan sonra, annem masamıza uğradı. "Aman, bu gazetecilere dikkat edin," dedi. "Her türlü yalanı yazar, kötülük ederler. Sonra da tehditle babandan daha fazla reklam isterler. Şimdi de kalkın dansı açın bakalım. Herkes sizi bekliyor." Sibel'e döndü. "Orkestra dans için başlıyor. Ah ne kadar tatlısın, ne güzelsin sen."

Gümüş Yapraklar'ın çaldığı tango eşliğinde Sibel ile dans ettik. Bütün davetlilerin tek bir göz olup sessizce bizi seyretmesi, mutluluğumuza yapay bir derinlik veriyordu. Sibel kolunu omzuma sarılır gibi koymuş, başını göğsüme sanki bir diskoteğin kuytu bir yerinde yalnızmışız gibi iyice yakınlaştırmış, arada bir gülümseyerek bana bir şey söylüyor, biraz döndükten sonra ben onun omzunun üzerinden işaret ettiği şeye, mesela elinde dolu tepsiyle durup gülümseyerek mutluluğumuzu seyreden bir garsonun bakışına, annesinin birkaç damla gözyaşı döküşüne, saçlarını kuş yuvası şeklinde yaptırmış bir kadının görünüşüne, bizim yokluğumuzda Nurcihan ile Mehmet'in birbirlerine sırtlarını iyice dönüşüne ve eski savaş zenginlerinden (Birinci Dünya Savaşı) doksanlık bir beyefendinin beraberinde getirdiği kaytan kravatlı uşağının yardımıyla yemeğini yiyişine bir göz atıyor, ama arkalara, Füsun'un oturduğu yere doğru hiç bakmıyordum. Sibel omzunun üzerinden gördüklerini, "Şuna bak, filancanın hali nasıl," diye bana neşeyle hiç durmadan anlatırken, Füsun bizi görmese daha iyi olurdu.

Derken bir alkış koptu, çok sürmedi, hiçbir şey olmamış gibi dansa devam ettik. Daha sonra başka çiftler de dansa kalkmaya başlayınca masamıza döndük.

"Çok iyiydiniz, çok yakışıyordunuz birbirinize," dedi Berrin. O sırada dans edenler arasında Füsun daha yoktu sanırım. Nurcihan ile Mehmet arasında hiçbir gelişme olmaması Sibel'i o kadar dertlendiriyordu ki, benim Mehmet ile konuşmamı istedi. "Söyle ona Nurcihan'a asılsın biraz," dedi, ama ben bir şey yapmadım. Berrin de konuya fısıldayarak karıştı ve zorla güzellik olamayacağını, oturduğu yerden dikkatle izlediğini, yalnız Mehmet'in değil, ikisinin de pek mağrur, pek çıtkırıldım gözüktüklerini, birbirlerinden hoşlanmamışlarsa ısrar edilemeyeceğini söyledi. "Hayır, düğünlerin bir sihri vardır," dedi Sibel. "Pek çok kişi evleneceği kişiyle düğünde tanışır. Yalnız kızlar değil, oğlanlar da düğünlerde havaya girer. Ama yardım etmek gerekir..." "Ne konuşuyorsunuz? Bana da söyleyin," diyen ağabeyim de tartışmaya katıldı ve görücü usulünün bittiğini, ama Avrupa'da olduğu gibi çiftlerin birbirleriyle tanışacağı ortamlar Türkiye'de yeterince olmadığı için, iyi niyetli çöpçatanlara bugün daha da çok iş düştüğünü ders verir gibi anlattı ve bir an sanki konunun onlar yüzünden açıldığını unutup Nurcihan'a döndü. "Siz görücü usulüyle evlenmezsiniz mesela, değil mi?" diye sordu ona.

"Erkek hoş ise, nasıl bulduğunuz hiç önemli değildir Osman Bey," dedi Nurcihan kıkırdayarak.

Hepimiz çok pervasız bir söz duymuş ve bu ancak şaka olabilirmiş gibi kahkahalar attık. Ama Mehmet kıpkırmızı kesildi ve gözlerini kaçırdı.

"Görüyor musun?" dedi Sibel daha sonra kulağıma. "Çocuğu ürküttü. Alay etti sanmıştır."

Ben dans edenlere hiç bakmıyordum. Ama müzemizin kuruluşu sırasında, yıllar sonra görüştüğüm Orhan Pamuk Bey, aşağı yukarı o dakikalarda Füsun'un iki kişiyle dans ettiğini söyledi bana. Füsun'un ilk dans ettiği kişiyi o tanımıyor, hatırlamıyordu; ama ben onun Satsat'tan Kenan olduğunu anladım. Füsun'u dansa kaldıran ikinci kişi ise, gururla söylediğine göre, Pamukların masasında az önce göz göze geldiğim Orhan Bey'in kendisiymiş. Kitabımızın yazarı, yirmi beş yıl sonra o danstan bana gözleri parlayarak söz etti. Orhan Bey'in, Füsun ile dans ederken hissettiği şeyleri kendi ağzından okumak isteyenler, lütfen "Mutluluk" başlıklı son bölüme baksınlar.

Orhan Bey yıllar sonra içtenlikle anlattığına emin olduğum o dansı ederken, bizim masadaki aşk, evlilik, görücü usulü ve "modern hayat" hakkındaki çift anlamlı konuşmalara ve Nurcihan'ın kıkırdamalarına dayanamayan Mehmet, kalkıp bizi terk etti. Bir anda herkesin neşesi kaçtı.

"Ayıp ettik hepimiz," dedi Sibel. "Kalbini kırdık çocuğun."

"Bana bakarak söyleme," dedi Nurcihan. "Ben sizden fazla bir şey yapmadım. Hepiniz içtiniz ve sürekli gülüşüyorsunuz. Mutlu olmayan Mehmet."

"Kemal onu masaya geri getirirse iyi davranacak mısın Nurcihan?" dedi Sibel. "Onu çok mutlu edebileceğini biliyorum. Mehmet de seni eder. Ama ona iyi davranman lazım."

Sibel'in, Mehmet ile kendisinin arasını yapmak istediğini herkesin önünde tutkuyla söylemesi, Nurcihan'ın hoşuna gitmişti. "Hemen evlenmemize gerek yok," dedi. "Beni tanıdı, bir çift hoş laf edebilirdi."

"Ediyor, ama senin gibi kişilik sahibi bir kızla zorlanıyor," dedi Sibel ve sözünün devamını Nurcihan'ın kulağına gülerek fısıldadı.

"Bizde kızlarla oğlanlar niye flört etmeyi öğrenemez, biliyor musunuz çocuklar?" dedi ağabeyim. İçtiği zamanlarda yüzüne gelen sevimli ifadeyi takındı. "Çünkü flört edecek bir yer bile yok. Flörtün kelimesi de tabii yok."

"Senin lügatında flört," dedi Berrin, "nişanlanmamızdan önce Cumartesi öğleden sonraları beni sinemaya götürmek anlamına gelir... Beş dakika arada Fener'in maçının sonucunu öğrenmek için de portatif radyo getirirdin yanında."

"Radyoyu aslında maçı dinlemek için değil, seni etkilemek için alırdım yanıma," dedi ağabeyim. "İstanbul'a ilk transistörlü portatif radyoyu getirmiş olmakla övünürüm."

Nurcihan da annesinin Türkiye'de ilk mikser kullanan kişi olmakla övündüğünü itiraf etti. Bakkallarda konserve kutularında domates suyunun satılmaya başlamasından yıllar önce, yani 1950'lerin sonunda, annesinin briç oynamaya gelen arkadaşlarına domates, kereviz, pancar, turp suları ikram ettiğini, ellerinde kristal bardaklar sebze suyu içen sosyete hanımlarını mutfağa buyur edip Türkiye'ye gelmiş ilk mikser makinesini göstermeyi alışkanlık edindiğini anlattı. Böylece o yıllardan kalma hoş bir müziğin eşliğinde, İstanbul burjuvazisinin önde gelenlerinin tıraş makinelerini, et kesme bıçaklarını, elektrikli konserve açacaklarını ve daha birçok tuhaf ve korkutucu aleti Türkiye'de ilk defa kullanma hevesiyle, nasıl ellerini yüzlerini kanlar içinde bıraktıkları hatırlandı. Avrupa'dan heyecanla getirildikten ve çoğu bir kere kullanıldıktan sonra bozulan bütün o ses alma cihazlarının, sigortaları attıran saç kurutma makinelerinin, hizmetçi kızları korkutan elektrikli kahve değirmenlerinin, Türkiye'de yedek parçaları olmayan mayonez yapma makinelerinin, bir türlü kıyılıp atılamadıkları için evlerimizin tozlu köşelerinde yıllarca unutulup saklandıklarından söz ettik. Bu arada gülüşmeler arasında, hepimiz Siz Her Şeye Layıksınız Zaim'in, Nurcihan'ın yanındaki Mehmet'in boş bıraktığı sandalyeye oturuverdiğini, vakit kaybetmeden sohbete candan bir neşeyle katıldığını, üç-beş dakika sonra da Nurcihan'ın kulağına birşeyler söyleyip onu kıkır kıkır güldürdüğünü gördük.

"Ne oldu senin Alman manken?" diye sordu Sibel Zaim'e. "Onu da mı hemen terk ettin?"

"Inge benim sevgilim değildi, Almanya'ya döndü," dedi Zaim neşesini hiç kaybetmeden. "İş arkadaşıydık yalnızca, ona İstanbul gecelerini göstereyim diye bir ara akşamları çıkarıyordum."

"Yalnızca arkadaştınız yani!" dedi Sibel. O yıllarda yeni yeni çiçeklenen magazin basınının çok tekrarlanan kalıp laflarından birini kullanarak.

"Bugün ben de sinemada gördüm kızı," dedi Berrin. "Reklamlarda çıktı, gene çok tatlı gülüp içti gazozu." Kocasına döndü. "Berberde elektrikler kesilince öğle vakti çıktım, Site'ye gittim, Sophia Loren'le Jean Gabin'i gördüm." Zaim'e döndü. "Reklamları her yerde bütün büfelerde görüyorum, gazozu da yalnız çocuklar değil, herkes içiyor artık. Tebrikler..."

"İyi zamanladık," dedi Zaim. "Talihliyiz de."

Nurcihan'ın soru soran gözlerle baktığını gördüğüm ve Zaim'in bunu benden beklediğini hissettiğim için, arkadaşımın yeni çıkan Meltem gazozlarını üreten Şektaş şirketinin sahibi olduğunu, şehrin her yerinde görülen reklamlardaki sevimli Alman kızı Inge'yi de bize onun tanıştırdığını Nurcihan'a kısaca anlattım.

"Siz bizim meyveli gazozları deneme fırsatı bulabildiniz mi?" diye sordu Zaim ona.

"Tabii. Özellikle çileklisini çok beğendim," dedi Nurcihan. "Bu kadar güzel bir şeyi yıllardır Fransızlar bile yapamıyor."

"Siz Fransa'da mı yaşıyorsunuz?" diye sordu Zaim. Daha sonra hepimizi haftasonu fabrikayı gezmeye, Boğaz gezisine ve Belgrad Ormanı'na pikniğe çağırdı. Bütün masa onunla Nurcihan'ı seyrediyordu. Kısa bir süre sonra da dansa kalktılar.

"Git Mehmet'i bul, Nurcihan'ı Zaim'in elinden kurtarsın," dedi Sibel.

"Bakalım Nurcihan kurtarılmak istiyor mu?"

"Arkadaşımın, kızları yatağa atmaktan başka bir düşüncesi olmayan bu Kazanova bozuntusuna yem olmasını istemem."

"Zaim çok iyi kalplidir, dürüsttür, kadınlara zaafı var yalnızca. Hem Nurcihan Fransa'da yaşadığı gibi burada da bir macera yaşayamaz mı? Evlenmek şart mı?"

"Fransız erkekleri evlenmeden yattı diye bir kadını aşağılamazlar," dedi Sibel. "Burada ise adı çıkar. Daha önemlisi, Mehmet'in kalbinin kırılmasını hiç istemiyorum."

"Onu ben de istemiyorum. Ama bu dertlerle nişanımıza gölge düşsün de istemiyorum."

"Çöpçatanlığın eğlenceli yanından zevk alamıyorsun," dedi Sibel, "evlenirlerse Nurcihan ile Mehmet'in yıllarca bizim en iyi arkadaşlarımız olacağını düşün."

"Mehmet'in, Nurcihan'ı bu gece Zaim'in elinden alabileceğini sanmıyorum. Partilerde, davetlerde öteki erkeklerle rekabet etmekten korkar o."

"Sen onunla bir konuş, korkmasın. Ben, söz veriyorum, Nurcihan'ı ayarlayacağım. Git onu hemen getir ama." Ayağa kalktığımı görünce, tatlılıkla gülümsedi. "Çok yakışıklısın," dedi. "Başkalarına sakın takılma, çabuk gel ve beni dansa kaldır."

Arada Füsun'u da görürüm diye düşünmüştüm. Yarı sarhoş ve tıkış tıkış kalabalığın bağırışları ve kahkahaları arasında masa masa Mehmet'i ararken, pek çok kişinin elini sıkıyordum. Annemin, çocukluğum boyunca her Çarşamba öğleden sonra bize gelen bezik arkadaşları, nasıl aralarında sözleşmiş gibi hep birlikte saçlarını aynı açık kumral rengine boyamışlarsa, üçü gene aralarında sözleşmiş gibi aynı anda kocalarıyla birlikte oturdukları masadan bana el sallayıp, bir çocuğu çağırır gibi "Ke-maal," diye seslendiler. On yıl sonra kendisinden ölçüsüz bir rüşvet isteyen gümrük bakanına, üzerinde bir Antep manzarası olan koskocaman bir baklava kutusu içinde deste deste dolar ikram eden ve aralarındaki samimi konuşmayı, koltuk altına Gazo marka sargı beziyle tutturduğu ses kayıt aracına kaydedip kamuoyuna açıklayarak, gazetelere "bakan düşüren tüccar" sıfatıyla geçen babamın ithalatçı arkadaşı, beyaz smokini, altın kol düğmeleri, manikürlü tırnakları ve sıktığı elimden hiç çıkmayan parfüm kokusu ile hemen hatıralarıma karıştı. Bazı yüzleri tıpkı annemin özenle kesip yapıştırdığı fotoğraf albümlerindeki kimi yüzler gibi, hem fazla tanıdık ve yakın buluyordum hem de kimin nesi, hangisinin kocası ya da kızkardeşi olduğunu her zamanki gibi tuhaf bir huzursuzluk duygusuyla çıkaramıyordum.

"Kemalciğim," dedi tam o sırada, orta yaşlı hoş bir kadın. "Altı yaşındayken bana evlenme teklif ettiğini hatırlıyor musun canım?" Ancak on sekiz yaşındaki harika kızını görünce kim olduğunu hatırladım. "Aa Meral Teyze kızınız aynen siz olmuş!" dedim annemin büyük teyzesinin bu en küçük kızına. Annesi, yarın güzel kızının üniversite giriş imtihanı olduğu için erken kalkacaklarını özür dileyerek söyleyince, bu hoş kadın ile benim ve benim ile güzel kızının arasındaki yaş farkının da tam on iki yıl olduğunu düşündüm ve kendiliğinden o yana doğru bir an boş bulunup baktım, ama dans pistinde ve arkadaki masalarda Füsun'u göremedim; çok kalabalıktı. O sırada benim yüzümü değil de, yalnızca elimi ve babamın gençlik arkadaşı sigortacı "Gemi Batıran Güven"i gösteren bir fotoğrafı, yıllar sonra Hilton'un düğün-davet fotoğraflarını eline geçiren ve çöp evine yığan bir koleksiyoncudan aldım. Üç saniye sonra çekilen fotoğrafta arkada gözüken bankacı beyefendinin de elini sıkacak ve onun Sibel'in babasının bir tanıdığı olduğunu öğrenirken, Londra'daki

Harrods mağazasına her gidişimde (iki kere) bu bankacı beyefendiyi düşünceler içinde kendine koyu renk takım elbise seçerken gördüğümü şaşırarak hatırlayacaktım.

Yürüdükçe masalara oturup davetlilerle hatıra fotoğrafları çektiriyor; etrafta ne kadar çok saçlarını sarıya boyamış esmer kadın, ne kadar çok iddialı ve zengin erkek, birbirine benzeyen ne kadar çok kravat, saat, topuklu ayakkabı, bilezik olduğunu, erkeklerin favorilerinin ve bıyıklarının neredeyse bir örnek olduğunu görüyor; bir yandan da bütün bu insanlarla bir tanışıklığım ve pek çok ortak hatıralarım olduğunu fark ediyor; önümdeki harika hayatı ve mimoza kokulu yaz gecesinin eşsiz güzelliğini mutlulukla hissediyordum. İki başarısız evlilikten ve kırk yaşından sonra kendini fakirlere, sakatlara, öksüz çocuklara, yardım derneklerinin baloları için bağış toplamaya veren ("Ne idealizmi canım, yüzde alıyormuş," derdi annem) ve bu yüzden iki ayda bir babamı yazıhanesinde ziyaret eden Türkiye'nin çıkardığı ilk Avrupa güzeliyle yanaktan öpüştük. Aile içi bir iş tartışmasında armatör kocası gözünden vurulup öldürüldükten sonra, aile toplantılarına hep gözü yaşlı katılan dul hanımefendiyle akşamın güzelliğinden söz ettik. O günlerde Türkiye'nin en sevilen, en tuhaf ve en cesur köşe yazarı Celâl Salik'in (burada bir köşe yazısını sergiliyorum) yumuşacık elini içten bir saygıyla sıktım. Bir masada İstanbul'un ilk Müslüman zengin tüccarlarından merhum Cevdet Bey'in oğulları, kızı ve torunlarıyla oturup fotoğraf çektirdim. Sibel'in davetlilerinin oturduğu bir başka masada, o günlerde bütün Türkiye'nin izlediği ve Çarşamba günü bitecek olan "Kaçak" dizisinin (Dr. Richard Kimble, işlemediği bir suçtan aranmakta, masumiyetini kanıtlayamadığı için hep kaçmakta, kaçmakta, kaçmaktadır!) sonucu üzerine herkesle birlikte ben de bahse girdim.

Sonunda Mehmet'i Robert Kolej'den bir başka sınıf arkadaşımız olan Tayfun ile birlikte kenardaki barın sandalyelerine keyifle tünemiş rakı içerken buldum.

"Ooo bütün damatlar burada..." dedi Tayfun benim de oturduğumu görünce. Yalnız birbirimizi görmenin sevinciyle değil, bu "damatlar" sözünün mutlu hatıraları sayesinde de üçümüzün de yüzünden özlem dolu birer gülümseme geçti. Lisenin son sınıfındayken, bir dönem öğle teneffüslerinde üçümüz, zengin babasının Tayfun'a okula gitsin diye verdiği Mercedes'iyle, Emirgân sırtlarındaki eski bir paşa konağına yerleşmiş aşırı lüks bir randevuevine gider, her seferinde aynı güzel ve tatlı kızlarla yatardık. Birkaç kere arabaya bindirip gezdirdiğimiz ve saklamak istediğimiz yoğun bir duygusallıkla bağlandığımız kızlar da, bizden akşamları yattıkları yaşlı tefecilerden ve sarhoş tüccarlardan çok daha az para isterlerdi. Randevuevinin eski ve lüks bir fahişe olan sahibesi, bize her zaman Büyükada Büyük Kulüp'teki sosyete balosunda karşılaşmışız gibi çok kibar davranırdı. Ama akşamları, mini etekli kızlarının sigara içip *Fotoroman* okuyarak müşteri beklediği sofada, bizleri öğle teneffüsünden çıkmış ceketli, kravatlı okul kıyafetlerimiz içinde karşısında her görüşünde, içten bir kahkaha atar ve "Kızlaar, mektepli damatlar geldii!" diye bağırırdı. Mehmet'i neşelendireceğini hissettiğim için, sözü bu tatlı hatıralara getirdim. Böylece, panjurlar arasından içeri vuran bahar güneşinden ısınmış odada, sevişme sonrası öğle uykusuna fazla daldığımız bir gün nasıl öğleden sonraki ilk dersi kaçırdığımızı, yarısında girdiğimiz sonraki dersin "Mazeretiniz nedir?" diye soran yaşlı ve hanımefendi coğrafya hocasına "Biyoloji çalıştık hocam," dediğimizi ve ondan sonra "biyoloji çalışmak" sözünün aramızda randevuevine gitmek anlamına geldiğini hatırlattım. Ön yüzünde "Hilal Otel-Restoran" yazan eski konaktaki kızların da Çiçek, Yaprak, Defne, Gül gibi botanik tınılı takma adları olduğunu hatırladık. Bunun nedeni üzerine tatlı ve boş bir gevezeliğe daldık. Bir keresinde köşke gece ziyaretine gitmiştik; tam kızlarla odalara çekilmişken, ünlü bir zengin ile Alman iş ortakları gelmiş, kızlar yabancı konuklara göbek dansı yapsınlar diye de kapılarımız vurularak odalardan çıkarılmış ve alelacele aşağıya indirilmiştik. Sonra da teselli olarak, lokantanın kuytu bir masasına oturup kızların göbek dansını sessizce seyretmemize izin vermişlerdi. Üzerlerinde ışıltılı, pul pul dansöz kıyafetleri, bizim kızların kalantorlardan çok bizleri büyülemek için yaptıkları göbek danslarını, hem onlara âşık olduğumuzu artık bilerek hem de yaşadığımız şeyi hayatımız boyunca hiç unutmayacağımızı hissederek ne büyük bir mutlulukla seyrettiğimizi özlemle konuştuk. Mehmet ile Tayfun, yaz tatillerinde ben Amerika'dan İstanbul'a döndüğümde, şehrin her yeni emniyet müdürüyle başka bir şekle giren bu pahalı randevuevlerinde gördükleri tuhaflıkları bana göstermek isterlerdi. Sıraselviler Caddesi'nde polis her gün baskın yapıp bir katını mühürlediği için kızların her gün aynı mobilyalar ve aynalarla dolu başka bir katta hayranlarını kabul ettiği yedi katlı eski bir Rum apartmanı vardı mesela... Nişantaşı'nın arka sokaklarından birinde, kapısındaki fedailerin yeterince zengin olmadığına karar verdikleri misafirleri ve meraklıları kovaladığı bir köşk vardı. Az önce otele girdiğini gördüğüm Lüks Şermin, on iki yıl önce 62 model kuyruklu bir Plymouth araba kullanır, akşamları Park Oteli, Taksim Meydanı ve Divan Oteli civarında biraz tur atar, biraz da park edip arabadaki çok bakımlı ve temiz iki üç kızına müşteri çıkmasını bekler, daha önce telefon edilmişse "evlere servis" bile yapardı. Arkadaşlarımın özlem dolu sözlerinden, bu yerlerde bu kızlarla, bekâret ve "namus" endişeleriyle tir tir titreyen "düzgün" kızların verebileceğinden çok daha büyük mutluluklar yaşadıkları anlaşılıyordu.

Füsun'u masasında göremedim, ama daha gitmemişlerdi, annesi-babası oturuyordu. Bir rakı daha istedim ve Mehmet'e en yeni evleri ve son yenilikleri sordum. Tayfun bana pek çok yeni ve lüks randevuevinin adresini verebileceğini aynı alaycılıkla söyleyip, ardından bir öfkeye kapılarak ahlak polisinin baskınında yakalanan ünlü milletvekillerinden, bekleme odasında kendisiyle göz göze gelmemek için birden pencereden dışarıya bakmaya başlayan evli tanıdıklardan ve lüks evin Boğaz'a bakan yatağında yirmi yaşındaki Çerkez kızın koynunda kalpten öldüğü halde, evinde karısının kolları arasında öldüğü ilan edilen yetmişlik başbakan adayı paşa siyasetçilerden oluşan eğlenceli bir liste sundu. Hatıralarla dolu tatlı ve yumuşak bir müzik çalıyordu; Mehmet'in, Tayfun'un acımasız ve öfkeli dilini kullanmak istemediğini gördüm. Ona Nurcihan'ın evlenmek için Türkiye'ye döndüğünü hatırlattım ve ayrıca kendisinden hoşlandığını da Sibel'e söylediğini ekledim.

"Gazozcu Zaim ile dans ediyor o," dedi Mehmet.

"Seni kıskandırmak için," dedim hiç o tarafa bakmadan.

Biraz nazlandıktan sonra Mehmet, aslında Nurcihan'ı çok hoş bulduğunu, o da "gerçekten ciddiyse" tabii ki yanına oturup ona tatlı sözler söyleyebileceğini ve bu iş olursa bana hayatının sonuna kadar müteşekkir kalacağını dürüstçe söyledi.

"O zaman niye kıza baştan iyi davranmadın?"

"Bilmiyorum, yapamadım işte."

"Gel dönelim masaya, senin sandalyene başkası oturmasın."

Pek çok kişiyle öpüşerek, sarılarak masaya dönerken, bir ara Nurcihan ile Zaim'in dansın hangi aşamasında olduğunu görmek için piste bir göz attım ve Füsun'un dans ettiğini gördüm... Satsat'ın genç ve yakışıklı yeni memuru Kenan ile... Vücutları birbirlerine fazla yakındı... Karnıma bir ağrı yayıldı. Masaya oturdum.

"Ne oldu," dedi Sibel, "olmadı mı? Nurcihan da olmaz artık. Çünkü Zaim'e bayıldı. Baksana nasıl dans ediyorlar. Üzülme artık."

"Yok. Hayır. Mehmet razı."

"Niye suratını asıyorsun o zaman?"

"Suratımı asmıyorum."

"Canım, keyfinin kaçtığı o kadar belli ki," dedi Sibel gülümseyerek. "Nedir? Peki, daha da içme artık."

Çalan parça bitince hemen yenisi başladı. Bu daha da yavaş ve duygulu bir parçaydı. Sofrada uzun, çok uzun bir sessizlik oldu ve acı veren kıskançlık sıvısının kanıma karışmakta olduğunu hissettim. Ama bunu hissettiğimi kabul etmek de istemiyordum. Dans edenlerin birbirlerine daha da sokulduklarını, dans pistini seyredenlerin yüzlerinde beliren o ciddi ve hafif kıskanç bakışlardan da çıkarabiliyordum. Ne ben ne de Mehmet dans edenlere bakmıyorduk hiç. Ağabeyim birşeyler söyledi, yıllar sonra hiç hatırlamıyorum dediklerini, ama çok önemli bir şeymiş gibi konuya girmeye çalıştığımı hatırlıyorum. Derken daha da ağdalı ve "romantik" bir müzik parçası başlayınca, yalnız ağabeyim değil Berrin, Sibel, herkes dans edenleri, birbirlerine sarılmalarını göz ucuyla seyretmeye başladı. Kafamın içinde hiçbir şeyi toparlayamıyordum.

"Ne diyorsun?" dedim Sibel'e.

"Efendim? Bir şey demiyordum. İyi misin sen?"

"Gümüş Yapraklar'a bir not yollayalım da biraz müziğe ara versinler mi?"

"Niye? A bırak artık, dans etsin misafirler," dedi Sibel. "En çekingenler bile göz koydukları kızları dansa kaldırmışlar bak. İnan sonunda yarısı evlenir o kızlarla."

Bakmadım. Mehmet ile göz göze de gelmedim.

"Bak geliyorlar," dedi Sibel.

Bir an Füsun ile Kenan'ın geldiğini zannettiğim için kalbim hızlanmıştı. Nurcihan ile Zaim'miş, dansı bırakmışlar masaya dönüyorlardı. Kalbim hâlâ hızla atıyordu. Yerimden fırladım ve Zaim'in koluna girdim.

"Gel, sana barda özel bir şey içireyim," deyip onu bara götürdüm. Kalabalık içerisinde ben gene pek çok kişiyle sarılıp öpüşürken, Zaim kendisine ilgi gösteren iki kızla şakalaştı. Uzun, siyah saçlı, kemerli Osmanlı burunlu ikinci kızın umutsuz bakışlarından, birkaç yaz önce Zaim'e fena âşık olduğu, hatta intihara teşebbüs ettiği yolundaki dedikoduları hatırladım.

"Bütün kızlar bayılıyor sana," dedim bara oturur oturmaz. "Nedir bunun sırrı?"

"İnan ben özel bir şey yapmıyorum."

"Alman mankenle de özel bir şey olmadı mı?"

Zaim gerçeği saklayan bir havayla, soğukkanlılıkla gülümsedi. "Adımın çapkına çıkmasından hiç hoşlanmıyorum," dedi sonra. "Sibel gibi harika birini bulsam, aslında ben de artık evlenmeyi çok isterim. Seni de çok tebrik ediyorum. Sibel gerçekten mükemmel bir kız. Senin mutluluğun da gözlerinden okunuyor."

"O kadar da mutlu değilim şu an. Sana bunu açmak istedim. Bana yardım edersin, değil mi?"

"Senin için her şeyi yaparım, biliyorsun," dedi gözlerimin içine bakarak. "Bana güven ve hemen anlat."

Barmen rakılarımızı hazırlarken, dans pistine baktım: Duygulu müziğin havasıyla Füsun başını Kenan'ın omzuna yaslamış mıydı? Pistin o köşesi karanlıktı ve kendimi ne kadar zorlasam da, acı çekmeden bakamıyordum. ·

"Anne tarafımdan uzak akrabam bir kız var," dedim piste bakarken. "Füsun adı."

"Güzellik yarışmasına katılan mı? Şimdi dans ediyor."

"Nereden biliyorsun?"

"Aşırı güzel," dedi Zaim. "Nişantaşı'ndaki o butiğin önünden geçerken görüyorum hep. Herkes gibi geçerken yavaşlayıp içeri bakıyorum. Akıldan hiç çıkmayan bir güzelliği var. Herkes bilir onu."

Zaim'in yanlış bir şey eklemesinden endişelenerek, "O benim sevgilim," dedim. Arkadaşımın yüzünde hafif bir kıskançlık gördüm. "Şimdi başkasıyla dans ediyor olması bile bana acı veriyor. Herhalde fena âşığım ona. Bu kötü durumun içinden çıkarım diye düşünüyorum, böyle bir şeyin uzun sürmesini de istemem aslında."

"Evet, kız harika ama durum kötü," dedi Zaim. "Böyle bir şey de çok uzun sürdürülemez zaten."

Niye sürdürülemezmiş, demedim. Zaim'in yüzünde bir küçümseme, bir kıskançlık gölgesi var mıydı, durmadım üzerinde. Ama ondan ne istediğimi hemen söyleyemeyeceğimi de anladım. Önce Füsun ile yaşadığım şeyin derinliğini ve içtenliğini bilsin ve saygı duysun istedim. Ama sarhoştum ve Füsun'a hissettiklerimi anlatmaya başladıktan az sonra, yaşadıklarımın ancak sıradan yanını anlatabileceğimi, duygusal yanını anlatmaya başlarsam Zaim'in beni zayıf ya da gülünç bulabileceğini, hatta kendi onca macerasına rağmen beni ayıplayabileceğini sezdim. Arkadaşımdan asıl beklediğim şey, duygularımın içtenliğini bilmesi değil, benim ne kadar talihli ve ne kadar mutlu olduğumu anlamasıydı aslında. Yıllar sonra bu hikâyeyi anlatırken, daha açık görebildiğim bu beklentimin o sırada farkına varmak istemiyor, böylece ikimiz dans eden Füsun'u seyrederken, ben onunla yaşadıklarımı dumanlı kafayla Zaim'e anlatıyordum. Arada bir Zaim'in yüzüne bir an dikkatle bakıp kıskançlık izleri görerek ve kendimi ondan kıskançlık değil anlayış beklediğime inandırmaya çalışarak, Füsun'un hayatta yattığı ilk erkek olduğumu, sevişme mutluluğumuzu, aşk kavgalarımızı ve o an aklıma geliveren bazı tuhaflıklarımı ona anlattım. "Kısacası," dedim bir ilhamla, "şimdi hayatta en çok istediğim şey, ölene kadar bu kızı hiç kaybetmemek."

"Anlıyorum."

Bencilliğimin yüzüme vurulmadan ve aşk mutluluğumun yargılanmadan erkekçe bir anlayışla kabul edilmesi, beni rahatlatmıştı.

"Şimdi beni dertlendiren şey, kızın dans ettiği adamın Satsat'ta yanımda çalışan çalışkan genç Kenan olması. Beni kıskandırmak için çocuğun işiyle oynuyor... Tabii, onu ciddiye almasından da korkuyorum. Kenan aslında onun için ideal bir koca da olabilir."

"Anlıyorum," dedi Zaim.

"Birazdan Kenan'ı babamın masasına davet edeceğim. Senden

istediğim, o zaman hemen gidip Füsun ile meşgul olman, iyi bir futbolcu gibi, onu yakından 'takip etmen' ki, bu akşam kıskançlıktan ölmeyeyim ve Kenan'ı işten atmak gibi hayallere kapılmadan kazasız belasız bu mutlu geceyi bitireyim. Yarın üniversite giriş imtihanı olduğu için, Füsunlar birazdan kalkarlar. Bu olmayacak aşk da yakında biter zaten."

"Senin kız bu akşam benimle ilgilenir mi bilmiyorum," dedi Zaim. "Ayrıca bir mesele daha var."

"Ne?"

"Görüyorum ki Sibel, Nurcihan'ı benden uzak tutmak istiyor," dedi Zaim. "Mehmet'e yakıştırmış onu. Ama Nurcihan galiba benden hoşlandı. Ben de ondan çok hoşlandım. Ben de senin bana bu konuda yardım etmeni istiyorum. Mehmet arkadaşımız, eşit bir rekabet olsun."

"Ne yapabilirim?"

"Bu akşam Sibel ve Mehmet varken işleri fazla ileri götüremezdim zaten, ama şimdi senin kız yüzünden Nurcihan ile hiç ilgilenemeyeceğim. Sen de bunu telafi edeceksin. Haftaya Pazar günü bizim fabrikadaki pikniğe Nurcihan'ı da getireceğinize şimdiden söz ver."

"Peki, söz veriyorum."

"Sibel beni niye Nurcihan'dan uzak tutmak istiyor?"

"Bu senin çapkınlıkların, Alman mankenler, dansözler... Sibel hoşlanmıyor öyle şeylerden. Arkadaşını güvendiği biriyle evlendirecek."

"Lütfen kötü biri olmadığımı anlat Sibel'e."

"Anlatıyorum zaten," dedim kalkarken. Bir sessizlik oldu. "Fedakârlığın için çok teşekkür ediyorum," dedim. "Ama Füsun ile ilgilenirken dikkat et, sakın kaptırma kendini ona. Çok tatlıdır çünkü."

Zaim'in yüzünde öyle anlayışlı bir ifade gördüm ki, kıskançlığımdan hiç utanmadım ve kısa bir süre için de olsa içim rahat etti.

Dönüşte annemlerin masasına oturdum. Rakıdan iyice çakır-keyif olmuş babama, Satsatçıların masasındaki çok akıllı, çok çalışkan genç bir memuru, Kenan'ı kendisine tanıştırmak iste-diğimi söyledim. O uzak masadan diğer Satsat çalışanları kıs-kanmasın diye babamın ağzından bir not yazıp bizi ta otelin açılış yıllarından beri tanıyan garson Mehmet Ali'ye verdim ve dansa ara verilince Kenan'a iletmesini tembihledim. Babamın kravatının üzerine, o sırada "Daha içme yeter," diyerek kade-hine uzanıp tutmaya çalışan annem yüzünden rakı döküldü. Dans müziğine ara verildiği sırada, kadehler içerisinde dondur-malar önümüze konuyordu. Ekmek kırıntılarını, kenarları ruj-lu bardakları, lekeli peçeteleri, dolu küllükleri, çakmakları, boş ve kirli tabakları, buruşturulmuş sigara paketlerini aklımın ka-rışıklığının görüntüleri gibi algılıyor, gecenin sonuna geldiği-mizi acıyla hissediyordum. O zamanlar, her yeni tabak yemek-ten önce, hepimiz mutlulukla sigaralar içerdik. Bir ara kucağı-ma altı-yedi yaşlarında küçük bir oğlan çocuğu çıkmış, çocuğu bahane edip bizim masaya koşan Sibel de yanıma oturup onun-la oynamaya başlamıştı. Annem, Sibel'in kucağına aldığı çocuğa bakıp "Çok yakıştı," dediğinde dans sürüyordu. Az sonra genç ve yakışıklı Kenan iki dirhem bir çekirdek masamıza oturdu ve kalkmakta olan eski dışişleri bakanıyla ve babamla tanışmaktan ne büyük şeref duyduğunu anlattı. Bakan sallana sallana gittik-ten sonra, Kenan Bey'in Satsat'ın taşraya açılması, özellikle İz-mir konusunu çok iyi bildiğini söyledim, babamların, herkesin işiteceği bir şekilde onu uzun uzun övdüm. Babam şirketleri-ne aldığı yeni "memurlara" her zaman sorduğu soruları ona da sormaya başladı. "Evladım, hangi yabancı dilleri biliyorsunuz; kitap okur musunuz; hobileriniz var mıdır; evli misiniz?" "Ev-li değil," dedi annem. "Demin de Nesibe'nin kızı Füsun ile çok güzel dans ediyordu." "Maşallah, o kız çok güzel olmuş," dedi babam. "Baba-oğul işten bahsedip sizi sıkmasınlar Kenan Bey," dedi annem. "Aklınız şimdi genç arkadaşlarınızla eğlenmektedir." "Yok efendim, sizlerle, Mümtaz Bey'le tanışma şerefi her şeyden önemli." "Çok kibar, çok nazik bir delikanlı," diye fısıldadı annem. "Bir akşam çağırayım mı?"

Ama annem bu fısıldamayı Kenan'ın işiteceği bir sesle yapmıştı. Annem birisini beğendiğini, takdir ettiğini yalnızca bize söylüyormuş gibi yaparken, söz konusu kişinin de bu övgüleri işitmesini ister, o sırada o kişinin utanmasını da kendi gücünün kanıtı olarak görür, gülümserdi. Annem aynı şekilde gülümserken, Gümüş Yapraklar çok ağır ve duygulu bir parça çalmaya başlamıştı. Zaim'in Füsun'u dansa kaldırdığını gördüm. "Satsat ve taşra konusunu, şimdi babam da buradayken konuşalım," dedim. "Şimdi, kendi nişanında iş mi konuşacaksın oğlum?" dedi annem. "Efendim," dedi Kenan anneme, "belki bilmiyorsunuzdur, ama oğlunuz haftada üç-dört gün, paydostan ve herkes evine döndükten sonra yazıhanede geç saatlere kadar kalır ve çalışmaya devam eder." "Bazan Kenan ile birlikte devam ederiz," diye ekledim." "Evet. Bazan çok keyifli oluruz Kemal Bey ile," dedi Kenan, "sabahlara kadar hem çalışır hem de borçluların adlarına kafiyeli cümleler uydururuz." "Ödenmeyen çeklere ne yapıyorsunuz?" dedi babam. "Ben bu konuyu Satsat ve bayileriyle birlikte konuşalım istiyordum babacığım," dedim ben.

Orkestra duygulu ağır parçalar çalarken çeklerden, Satsat'ta yapılacak yeniliklerden, babam Kenan'ın yaşındayken Beyoğlu'ndaki eğlence yerlerinden, babamın yanına aldığı ilk muhasebeci olan ve şimdi hep birlikte oturduğu masaya dönüp kadehlerimizi kaldırarak selamladığımız İzak Bey'in usullerinden, babamın deyişiyle gecenin ve gençliğin güzelliğinden ve yine babamın şaka yollu lafı getirdiği "aşk"tan söz ettik. Babamın ısrarlı sorularına rağmen, Kenan âşık olup olmadığını açıklamadı. Annem, ailesi hakkında Kenan'ın ağzını aradı; babasının belediyede memur olduğunu, yıllarca tramvay vatmanlığı yaptığını öğrenince, "Ah ne güzeldi eski tramvaylar, değil mi çocuklar!" dedi.

Misafirlerin yarıdan fazlası çoktan kalkmıştı. Babamın gözleri arada kapanıveriyordu.

Annem ile babam bizleri tek tek öpüp kalkıp giderlerken, "Siz de çok geç kalmayın olur mu oğlum," dedi annem, bana değil Sibel'in gözlerinin içine bakarak.

Kenan, Satsatçı arkadaşlarının masasına dönmek istedi ama onu bırakmadım. "Şu İzmir'e dükkân açma meselesini bir de ağabeyimle konuşalım," dedim. "Üçümüz kolay bir araya gelemiyoruz."

Bizim masada ağabeyimle Kenan'ı tanıştırmak isteyince, (onunla çoktandır tanışan) ağabeyim sol kaşını alaycılıkla yukarı kaldırdı ve benim kafamın fazla dumanlı olduğunu söyledi. Daha sonra da Berrin ile Sibel'e, kaş göz hareketleriyle elimdeki kadehi işaret etti. Evet, o sırada iki kadeh rakıyı hızla içmiştim. Çünkü Zaim ile Füsun'un dans edişine gözümün her takılışında saçma bir kıskançlığa kapılıyordum ve rakı iyi geliyordu. Çok saçmaydı onları kıskanmam. Ama ağabeyim Kenan'a çek tahsilatlarının zorluğunu anlatırken, Kenan dahil bizim sofradaki herkes de Zaim ile Füsun'un dansını seyrediyordu. Onlara sırtı dönük oturan Nurcihan bile Zaim'in bir başkasıyla ilgilendiğini hissetmiş, huzursuz olmuştu. Bir ara "Mutluyum," dedim kendi kendime. Her şeyin istediğim gibi olup bittiğini bütün sarhoşluğuma rağmen seziyordum. Kenan'ın yüzünde de, benimkine benzer bir huzursuzluk gördüm ve patronlarının ilgisine kapılıp az önce kollarında tuttuğu harika kızı kaçıran hırslı ve acemi arkadaşıma, bu ince uzun bardakta – tıpkı benimki gibi– bir teselli rakısı hazırlayıp önüne koydum. Aynı anda Mehmet en sonunda Nurcihan'ı dansa kaldırdı ve Sibel bana dönüp neşeyle göz kırptı. "Yeter canım, içme artık," dedi sonra tatlılıkla.

Bu tatlılığına kapılıp Sibel'i dansa kaldırdım. Dans eden kalabalığın arasına çıkar çıkmaz da, bunun ne yanlış bir şey olduğunu anladım hemen. Gümüş Yapraklar'ın çaldığı "O Yazdan

Bir Hatıra", Sibel ile önceki yaz aşırı mutlu olduğumuz günlerin tatlı hatıralarını, tıpkı müzemdeki eşyaların yapmasını hep istediğim gibi, olanca hatırlatma gücüyle canlandırmış, Sibel de bana aşkla sarılmıştı. Bütün hayatımı birlikte geçireceğimi o gece artık iyice anladığım nişanlıma aynı içtenlikle sarılabilmeyi ne de isterdim! Oysa aklım Füsun'a takılmıştı. Dans edenler kalabalığı içerisinde hem onu görmeye çalışıyor hem de Sibel ile mutluluğumuza tanık olmasını istemediğim için kendimi tutuyordum. Çözüm olarak dans eden çiftlere laf atıp şakalar yaptım. Onlar da kendi nişanının sonunda sarhoş olan damada yapılacağı gibi, bana hoşgörüyle gülümsüyorlardı.

Bir ara günün sevilen köşe yazarıyla omuz omuza geldik, hoş ve esmer bir kadınla dans ediyordu: "Celâl Bey, aşk gazete yazısına benzemez değil mi?" dedim ona. Nurcihan ve Mehmet'le yan yana gelince de, ikisi çoktandır sevgiliymiş gibi davrandım. Anneme misafirliğe her gelişinde, hizmetçiler sözlerini anlamasınlar bahanesiyle, gerekli gereksiz Fransızca konuşan Zümrüt Hanım'a da Fransızca birşeyler söyledim, ama laf attığım insanları güldüren şey şakalarımın parlaklığı değil, onları sarhoşlukla yapmamdı yalnızca. Sibel benimle unutulmaz bir dans etmekten vazgeçmiş, kulağıma beni ne kadar çok sevdiğini, sarhoşluğun beni çok sevimli yaptığını, çöpçatanlık merakıyla keyfimi kaçırdıysa özür dilediğini, ama her şeyi arkadaşlarımızın mutluluğu için yaptığını ve güvenilmez Zaim'in, Nurcihan'dan sonra şimdi de benim uzak akrabam o kıza asıldığını fısıldıyordu. Ona Zaim'in aslında çok iyi bir insan, çok güvenilir bir arkadaş olduğunu kaşlarımı çatarak söyledim. Ona niye kötü davrandığını Zaim'in merak ettiğini de ekledim.

"Zaim ile benden mi bahsettiniz? Ne dedi?" dedi Sibel. Az önce şakalaştığım gazeteci Celâl Salik ile iki şarkı arasındaki sessizlikte gene yan yana geldik. "İyi bir köşe yazısı ile aşkı birleştiren şeyi buldum Kemal Bey," dedi bana. "Nedir?" "Aşk da köşe yazısı da, tabii ki bizi *şimdi* mutlu etmelidir. Ama ikisinin de güzelliği ve gücü, akıldan hiç çıkmamasıyla ölçülür." "Üstat, bunu bir gün lütfen yazın," dedim ben, ama o beni değil, dans ettiği esmer hanımı dinliyordu. Aynı anda Füsun ile Zaim'i yanımızda gördüm. Füsun başını onun boynuna doğru iyice yaklaştırmış birşeyler fısıldıyor, Zaim de mutlulukla gülümsüyordu. Yalnız Füsun'un değil, Zaim'in de bizi yakından çok iyi gördüğünü, ama müzikle dönerek görmezlikten geldiğini hissettim.

Dansımızın ahengini fazla bozmadan Sibel'i onlara doğru sürükledim ve takip ettiği tüccar gemisine arkadan yetişip bodoslama çarpan bir korsan kalyonu gibi Füsun ile Zaim'e yandan hızla çarptık.

"Aaa affedersiniz," dedim ben. "Hah ha. Nasılsınız?" Füsun'un yüzündeki mutlu ve karmakarışık ifade, aklımı başıma getirdi ve hemen sarhoşluğun iyi bir mazeret olacağını sezdim. Sibel'in elini bırakırken, onunla Zaim'e döndüm. "Siz ikiniz biraz dans etsenize," dedim. Zaim elini Füsun'un belinden çekti. "Sen Sibel'in seni yanlış tanıdığını düşünüyorsun," dedim. "Senin de Zaim'e soracakların olmalı." Dost olmaları için fedakârlık yapar gibi bir tavırla onları sırtlarından birbirlerine doğru ittim. Sibel ile Zaim surat asarak dansa başlayınca, Füsun ile bir an bakıştık. Sonra elimi beline koydum ve dans ederek hafifçe döndürüp onu oradan kız kaçıran bir âşığın heyecanıyla uzaklaştırdım.

Onu kollarımın arasına alır almaz hissettiğim huzuru nasıl anlatmalı? Kalabalığın kafamın içinde dur durak bilmeden dolanan uğultusu, orkestranın tangırtısı ve şehrin iniltisi sandığım amansız gürültü, ondan uzak olmanın huzursuzluğuymuş yalnızca. Gözyaşları ancak tek bir kişinin kucağında dinen bebeklere olduğu gibi, içimi derin, yumuşacık ve kadifemsi bir mutluluk sessizliği sarmıştı. Bakışlarından Füsun'un da aynı mutluluğu hissettiğini anlıyor; sessizliğimizin, karşılıklı olarak birbirimize verdiğimiz mutluluğun farkında olduğumuz anlamına geldiğini hissediyor; dansın hiç bitmemesini istiyordum. Ama az sonra aramızdaki sessizliğin onun açısından bambaşka bir anlamı olduğunu da telaşla fark ettim. Füsun'un sessizliği, benim şakaya getirerek geçiştirdiğim asıl soruya ("Biz ne olacağız?") şimdi bir cevap vermem gerektiği anlamına geliyordu. Buraya bunun için geldiğine karar verdim. Nişanda, erkeklerin ona gösterdiği ilgi, çocukların bile bakışlarında gördüğüm hayranlık ona güven vermiş, acısını hafifletmişti. O da bana "geçici bir eğlence" gibi bakıyor olabilirdi. Gecenin bitmekte olduğu duygusu, şimdi çok iyi çalışan dumanlı kafamda, telaşla Füsun'u kaybetme korkusuyla birleşiyordu.

"İki insan birbirini bizim gibi severse, kimse giremez onların arasına, kimse," dedim hiç hazırlamadan ağzımdan çıkıveren sözlere kendim de hayret ederek. "Bizim gibi sevgililer, hiçbir şeyin aşklarını bitiremeyeceğini bildikleri için en kötü günlerinde bile, hatta birbirlerine en acımasız ve yanlış şeyleri istemeden yaparlarken bile, içlerinde hiç bitmeyen bir teselli duygusu taşırlar. Ama bundan sonrasını durduracağımdan, düzelteceğimden emin ol. Beni dinliyor musun?"

"Dinliyorum."

Çevremizde dans eden kalabalıktan kimsenin bize bakmadığından emin olunca, "Çok talihsiz bir zamanda karşılaştık," dedim. "Ne kadar hakiki bir aşk yaşayacağımızdan hemen ilk günlerde emin olamazdık. Ama bundan sonra her şeyi yoluna koyacağım. Şimdi ilk derdimiz, senin yarınki sınavın. Bu akşam kafanı artık bu işlerle meşgul etmemelisin."

"Bundan sonra ne olacak, onu söyle."

"Yarın, her zamanki gibi (sesim bir an titredi) saat ikide, sen sınavdan çıktıktan sonra, gene Merhamet Apartmanı'nda buluşalım mı? Bundan sonra ne yapacağımı sana o zaman rahat rahat anlatayım. Bana güvenmezsen, beni ömrünün sonuna kadar görmezsin."

"Hayır, şimdi söylersen gelirim."

Yarın ikide bana geleceğini, her zamanki gibi sevişeceğimizi ve hayatımın sonuna kadar ondan hiç ayrılmayacağımı, harika omuzlarına, bal rengi kollarına dokunurken, dumanlı kafayla düşünmek o kadar güzeldi ki, o anda onun için her şeyi yapmam gerektiğini anladım.

"Aramızda artık başka biri olmayacak," dedim.

"Peki, yarın sınavdan sonra gelirim, sen de inşallah sözünden dönmez, nasıl yapacağını anlatırsın."

Dimdik duruşumuzu hiç bozmadan kalçasının üzerindeki elimi aşkla bastırıp onu müziğin ahengiyle kendime çekmeye çalıştım. Direnip bana yaslanmaması, beni daha da kışkırttı. Ama herkesin önünde ona sarılmaya çalışmamı aşktan çok sarhoşluğumun işareti olarak gördüğünü hissedince kendimi toparladım.

"Oturmamız lazım," dedi aynı anda. "Baktıklarını hissediyorum." Kollarımdan çıkıyordu. "Hemen git uyu," diye fısıldadım. "Sınavda da seni çok sevdiğimi düşün."

Döndüğümde, bizim masada suratları asık didişerek birbirleriyle konuşan Berrin ile Osman'dan başka kimse yoktu. "İyi misin?" dedi Berrin.

"Çok iyiyim," dedim, karmakarışık masaya ve boş sandalyelere baktım.

"Sibel dansı bıraktı, Kenan Bey de onu Satsat masasına götürdü, bir şey oynuyorlarmış orada."

"Füsun ile dans ettiğin iyi oldu," dedi Osman. "Annemin soğuk davranması yanlış artık. Ailenin Füsun'la ilgilendiğini, güzellik yarışması saçmalığını unuttuğumuzu, ama gözümüzün üzerinde olduğunu, hem onun hem herkesin bilmesi lazım. Kız için endişeleniyorum. She thinks she is too beautiful. Kıyafeti fazla açık. Altı ayda çocukluktan kadınlığa geçti, kabak çiçeği gibi açıldı. Kısa zamanda doğru dürüst bir adamla düzgün bir evlilik yapmazsa önce dile düşer, sonra mutsuz olur. Ne diyor?"

"Yarın üniversite giriş imtihanı varmış."

"Ve hâlâ da dans ediyor, öyle mi? Saat on ikiyi geçiyor." O tarafa doğru yürüdüğünü gördü. "Senin şu Kenan'ı beğendim hakikaten. Onunla evlensin işte."

"Bunu onlara söyleyeyim mi?" diye bağırdım uzaktan. Çünkü çocukluğumuzdan beri, ağabeyimin hep benden istediğinin tersine, o konuşmaya başlayınca dikkatle dinlemek için durmamış, bahçenin öteki ucuna doğru yavaş yavaş ilerlemiştim.

Gecenin o saatinde, bizim masadan Satsatçıların ve Füsunların oturduğu arka masalara yürürken, ne kadar mutlu ve keyifli olduğumu yıllarca hep hatırladım. Her şeyi şimdiden yoluna koymuştum ve on üç saat kırk beş dakika sonra Merhamet Apartmanı'nda Füsun'la buluşacaktım. Önümde tıpkı karşımdaki pırıl pırıl Boğaz gecesi gibi mutluluk vaadiyle uzanan harika bir hayat vardı. Danslardan yorgun düşmüş, kıyafetleri hoş bir şekilde açılmış güzel kızlarla, gecenin sonuna kalmış olan konuklarla, çocukluk arkadaşlarımla ve otuz yıldır tanıdığım şefkatli teyzelerle gülüşüp şakalaşıyor; aklımın bir yanıyla da, tedbir olarak, iş oraya gelirse sonunda Sibel ile değil, Füsun ile evleneceğimi düşünüyordum.

Sibel Satsatçıların dağınık masasında, gerçek bir spiritüalizm bilgisinden çok sarhoşlukla "oynanan" bir ruh çağırma "seansına" katılmıştı. Çok da fazla ciddiye alınmadan "çağrılan ruhlar" gelmeyince, masa dağıldı. Sibel de yandaki boş masaya geçip Füsun ile Kenan'ın yanına oturdu. Hemen aralarında bir sohbet başlayınca oraya gittim. Ama Kenan benim yaklaştığımı görür görmez Füsun'u dansa kaldırmak istedi. Beni görmüş olan Füsun ayakkabısının vurduğunu söyleyerek onu reddetti. Kenan, konu Füsun değil de sanki dansmış gibi, günün hızlı danslarından birini bir başkasıyla yapmak için kalkıp gitti. Böylece artık iyice tenhalaşmış olan Satsat masasının kenarında, Füsun ile Sibel arasındaki sandalye bana kaldı. Oraya Füsun ile Sibel'in arasına oturdum. O sırada bir fotoğrafımızın çekilmesini ve yıllar sonra sergilemeyi ne çok isterdim!

İkisinin arasına oturur oturmaz da, Füsun ile Sibel'in tıpkı uzun yıllardır tanışan ve birbirlerine uzaktan değer veren iki Nişantaşlı hanımefendi gibi, son derece saygılı ve yarı resmî bir dille ruh çağırma konusunu tartıştıklarını hoşnutlukla fark ettim. Dinî eğitiminin zayıf olduğunu sandığım Füsun, ruhların "dinimizin buyurduğu gibi" elbette var olduklarını, ama bu dünyada yaşayan bizlerin, onlarla konuşmaya çalışmamızın dinimize aykırı ve günah olduğunu söyledi. Bir göz attığı ve yan masada oturan babasının fikriydi bu.

"Üç yıl önce bir kere babamı dinlemedim, meraktan lise arkadaşlarımla bir ruh çağırma seansına katıldım," dedi Füsun. "Çok sevdiğim ve izini kaybettiğim bir çocukluk arkadaşımın adını, kâğıda hiç düşünmeden, öylesine yazdım... Ama inanmadan, hatta laf olsun diye alaycılıkla adını yazdığım kişinin ruhu geldi ve çook pişman oldum."

"Neden?"

"Kayıp arkadaşım Necdet'in çok acı çektiğini fincanın titremesinden hemen anladım. Fincan kendi kendine çırpınır gibi titredikçe, Necdet'in bana bir şey söylemek istediğini hissediyordum. Sonra bir anda fincan sessizliğe büründü... Herkes o kişinin o anda öldüğünü söyledi... Nereden biliyorlardı?"

"Nereden biliyorlarmış?" dedi Sibel.

"Aynı akşam, evde bir eldivenimin kayıp tekini dolaplarda ararken, Necdet'in bana yıllar önce hediye ettiği mendili çekmecenin dibinde buldum. Belki de tesadüftü... Ama ben öyle düşünmedim. Bundan bir ders çıkardım. Sevdiklerimizi kaybedince, onların adlarını ruh çağırma oyunlarında taciz etmeyelim... Onun yerine, onları hatırlatacak bir eşya, ne bileyim, mesela bir küpe bile, bizi yıllarca çok daha iyi teselli edebilir."

"Füsuncuğum, canım, hadi gidelim evimize," diye seslendi Nesibe Hala. "Yarın sabah imtihanın var, babanın da gözleri kapanıyor, bak."

"Bir dakika anne!" dedi Füsun kararlılıkla.

"Ben de hiç inanmam ruh çağırmaya," dedi Sibel. "Ama insanların oynadıkları oyunları, korktukları şeyleri görmek için, –çağrılırsam– hiç kaçırmam."

"Sevdiğiniz bir insanı çok özlerseniz, hangisini tercih edersiniz?" diye sordu Füsun. "Arkadaşlarınızı toplayıp onun ruhunu çağırmayı mı, yoksa onun eski bir eşyasını, mesela bir sigara kutusunu bulmayı mı?"

Sibel kibar bir cevap ararken Füsun bir hamlede kalktı, yan masaya uzandı ve bir çantayı alıp önümüze koydu. "Bu çanta da mahcubiyetimi, size sahte bir şey satmış olmanın utancını hatırlatıyor bana," dedi.

Bunun "o" çanta olduğunu bile, Füsun'un kolunda ilk başta gördüğümde anlayamamıştım. Ama "o" çantayı ben, hayatımın en mutlu anından az önce, Şanzelize Butik'te Şenay Hanım'dan satın alıp, sonra sokakta Füsun ile rastlaşıp Merhamet Apartmanı'na geri getirmemiş miydim? Jenny Colon çanta dün de oradaydı. Nasıl oluyordu da şimdi buradaydı? Bir hokkabazın karşısında şaşırmış gibi kafam karışmıştı.

"Çok da yakıştı size o çanta," dedi Sibel. "Turuncularınızla, şapkanızla öyle güzel gitmiş ki, kıskandım görür görmez. Geri yolladığım için pişman oldum. Çok güzelsiniz."

Sahte Jenny Colon çantalardan, Şenay Hanım'da daha pek çok olduğunu anladım. Bana sattıktan sonra Şanzelize Butik'in vitrinine yenisini de koymuş olabilirdi, Füsun'a bu akşam kullansın diye bir tane vermiş de olabilirdi.

"Çantanın sahte olduğunu anladıktan sonra Şanzelize'ye hiç gelmediniz," dedi Füsun, Sibel'e tatlılıkla gülümseyerek. "Bu beni üzdü, ama tabii ki çok haklıydınız." Çantayı açıp içini gösterdi. "Bizim ustalar Avrupa mallarını çok güzel taklit ediyorlar evelallah, ama tabii sizinki gibi bilen göz anlıyor hakiki olmadığını. Ama bir şey söyleyeceğim şimdi." Bir an yutkundu, sustu, ağlayacak sandım. Ama kendini topladı ve evde dikkatle hazırladığını sandığım sözlerine kaşlarını çatarak başladı. "Benim için bir şeyin Avrupa malı olup olmamasının hiç önemi yoktur... Hakiki miymiş, sahte miymiş, bu da önemli değil... Bence insanlar, taklit bir ürünü sahte olduğu için değil, 'ucuza alındığı anlaşılabilir' korkusuyla kullanmak istemezler. Benim için kötü olan şey ise, tabii eşyanın kendisine değil, markasına önem vermektir. Kendi duygularına değil de, başkalarının ne diyeceğine önem veren insanlar vardır ya hani... (Bir an bana baktı.) Bu akşamı yıllarca bu çanta ile hatırlayacağım. Çok tebrik ediyorum, unutulmaz bir geceydi." Ayağa kalktı, ikimizin de elini sıkarken bizi yanaklarımızdan öptü güzelim. Tam giderken gözü yan masaya yaklaşan Zaim'e ilişti ve Sibel'e döndü. "Zaim Bey ile nişanlınız çok iyi arkadaşlar, değil mi?" diye sordu.

"Evet, öyleler," dedi Sibel. Füsun babasının koluna girip giderken, Sibel "Niye sordu bana bunu?" dedi, ama Füsun'u küçümser bir hali yoktu, ona karşı aşırı bir sevgi hatta heyecan duyuyordu bile denebilirdi.

Annesi ve babası arasında ağır ağır yürüyüp giderken, Füsun'un arkasından aşkla ve hayranlıkla baktım.

Zaim bizim masaya, benim yanıma oturdu: "Arkadaki senin şirket masasında, bütün gece Sibel'le senin şakanız yapılmış," dedi. "Arkadaşın olarak uyarıyorum."

"Yapma yahu, ne şakasıymış bu?"

"Kenan, Füsun'a anlatmış. O da bana anlattı... Kalbi kırıktı Füsun'un. Çünkü Satsat'ta herkes, her akşam orada Sibel'le buluşup herkes gittikten sonra patron odasındaki divanın üzerinde seviştiğinizi biliyormuş... Şakalar da bunun üzerineymiş."

"Ne oldu gene?" dedi bize dönen Sibel. "Keyfini gene kaçıran ne?"

25. BEKLEME ACISI

Bütün gece uyuyamadım. Füsun'u kaybetmekten korkuyordum. Aslında son haftalarda Sibel'le Satsat'ta iyice seyrek buluşuyorduk, ama bu ayrıntının hiçbir kıymeti yoktu artık. Sabaha doğru biraz uyuyakalmışım. Uyanır uyanmaz tıraş olup sokaklara çıktım ve uzun uzun yürüdüm. Dönüşte yolu uzattım ve Füsun'un sınava girdiği Teknik Üniversite'nin yüz on beş yıllık Taşkışla binasının önünden geçtim. Bir zamanlar talime giden fesli, sivri bıyıklı Osmanlı askerlerinin çıktığı büyük kapının çevresinde, şimdi sınava giren çocuklarını bekleyen başörtülü anneler, sigara içen babalar sıralar halinde oturmuş bekliyorlardı. Gazete okuyan, sohbet eden, boş boş gökyüzüne bakan bu anne-babalar arasında, gözlerim Nesibe Hala'yı boşuna aradı. Taş yapının yüksek pencerelerinin arasında, altmış altı yıl önce Abdülhamit'i tahttan indiren Hareket Ordusu askerlerinin attığı kurşunların delikleri hâlâ gözüküyordu. Gözlerimi o yüksek pencerelerden birine dikerek içeride soruları cevaplayan Füsun'a yardım etmesi ve sınavdan sonra onu bana cıvıl cıvıl bir neşeyle yollaması için Allah'a yalvardım.

Ama Füsun o gün Merhamet Apartmanı'na gelmedi. Bana geçici bir öfke duyduğunu düşünüyordum. Güçlü Haziran güneşi perdelerin arasından odayı iyice ısıttığında, her zamanki buluşma vaktimizin üzerinden iki saat geçmişti. Boş yatağa bakmak acı veriyordu, gene sokaklara çıkıp yürüdüm, Pazar öğleden sonra parklarda vakit öldüren askerlere, güvercinlere yem atan çocuklu ailelerin mutluluğuna ve deniz kıyısında banklara oturup gemileri seyredenlere ve gazete okuyanlara bakarak, ertesi gün her zamanki buluşma saatimizde Füsun'un geleceğine kendimi inandırmaya çalıştım. Ama ertesi gün de, sonraki dört gün de gelmedi.

Her gün Merhamet Apartmanı'na, her zamanki buluşma vaktinde gidiyor, beklemeye başlıyordum. Oraya erken gidip beklemenin acımı daha da artırdığını anlayınca, ikiye beş kaladan önce gitmemeye karar verdim. Sabırsızlıktan titreyerek içeri girerdim; ilk on-on beş dakikada aşk acımla umut birbirine karışır, karnımla yüreğim arasındaki ağrıyla, burnumun ve alnımın içinde hissettiğim heyecan çatışırdı. Durup durup perdelerin arasından sokağa bakar, gözüm kapının önündeki sokak lambasının paslı haline takılır, biraz odayı toplar, bir kat aşağıdaki sokaktan geçenlerin ayak seslerini dikkatle dinler, bazan bir kadın ayakkabısının ökçelerinin kararlı tıkırtısını onunkine benzetirdim. Ama ayak sesleri hiç yavaşlamadan geçer, giriş kapısını onun gibi hafif bir gürültüyle kapatan kişinin de apartmandan çıkan başka biri olduğunu acıyla anlardım.

Füsun'un artık o gün gelmeyeceğini yavaş yavaş kabul ettiğim o on-on beş dakikayı nasıl geçirdiğimi, en iyi burada sergilediğim saat, kibrit çöpleri ve desteleriyle anlatabilirim. Odalarda gezinerek, pencereden bakarak, bazan da bir köşede hiç kıpırdamadan öylece dikilip içimdeki acının dalgalanışını dinlerdim. Apartman dairesindeki saatler tıkırdarken, aklım saniyeler ve dakikalarla oynayarak acımı azaltmaya çalışırdı. Her zamanki buluşma saatimize doğru akan dakikalarda, içimde "bugün, evet, şimdi geliyor" duygusu bir bahar çiçeği gibi kendiliğinden açıverirdi. O anlarda, vaktin daha çabuk geçmesini bir an önce güzelime kavuşabilmek için isterdim. Ama o beş dakika hiç geçmezdi. Aslında kendimi kandırdığımı, vaktin geçmesini aslında hiç istemediğimi, çünkü Füsun'un belki gelmeyeceğini de bir an açıklıkla düşünürdüm. Saat tam iki olunca, kavuşma saatimiz geldi diye sevinmem mi gerekir, yoksa bundan sonra geçen her an Füsun'un gelme ihtimalini azaltıyor diye üzülmem mi gerekir çıkaramazdım. İskeleden uzaklaşan bir gemideki yolcu gibi, geçen her saniyenin beni arkada bıraktığım sevgilimden aslında uzaklaştırdığını bildiğim için, geçen dakikaların o kadar çok olmadığına kendimi inandırmaya çalışır, bu amaçla anlardan ve dakikalardan aklımda küçük desteler yapardım. Her saniyede her dakikada değil, ancak beş dakikada bir üzülmeliydim! Bu yöntemle beş tek dakikanın acısını son dakikaya kadar ertelemiş olurdum. İlk beş dakikanın geçtiğini inkâr etmek artık imkânsız olunca, yani geç kalma gerçek olunca, acı çivi gibi içime batar; can havliyle, Füsun'un buluşmalarımıza hep beş-on dakika geç geldiğini düşünür (bunun ne kadar doğru olduğunu o sırada çıkaramazdım artık) ondan sonraki beşlik dakika destesinin ilk dakikalarında daha az acı çeker, az sonra kapıyı çalacağını, az sonra tıpkı ikinci buluşmamızda olduğu gibi, onu birden karşımda buluvereceğimi umutla düşlerdim. Kapıyı çalınca önceki günlerde gelmediği için ona kızacağımı ya da onu görür görmez affedeceğimi kurardım. Çok kısa süren bu hayallere hatıralar da eşlik eder, o sırada gözüme takılan Füsun'un ilk buluşmamızda çay içtiği bu fincan ya da dairede sabırsızlıkla yürürken amaçsızca eline aldığı bu küçük eski vazo, bana onu hatırlatırdı. Beşer dakikalık destelerin dördüncüsünün ve beşincisinin de geçtiğini de kabul etmek için umutsuzlukla biraz direndikten sonra, mantığım en sonunda Füsun'un o gün de gelmeyeceğini kabul etmek zorunda kalır, o zaman içimdeki acı bir anda öyle artardı ki, dayanabilmek için kendimi bir hasta gibi yatağa atardım.

26. AŞK ACISININ ANATOMİK YERLEŞİMİ

O günlerde İstanbul eczanelerinin vitrinlerinde dikkatimi çeken ağrı kesici Paradison'un reklam afişindeki iç organlarımızı gösterir resmi, aşk acısının o günlerde belirdiği, keskinleştiği ve yayıldığı yerleri müze ziyaretçisine gösterebilmek için işaretledim. Müzemizi göremeyen okur için acının en yoğun olduğu başlangıç noktasının, midemin sol yanının yukarı kısmında olduğunu belirteyim. Acı güçlendiği vakit, şekilde görüldüğü gibi, göğsümle midem arasındaki boşluğa hemen yayılırdı. O zaman gövdenin yalnız sol kısmında kalmaz, sağa da geçerdi. Sanki içime bir tornavida ya da kızgın bir demir sokulmuş içeriden kanırtılıyormuş hissine kapılırdım. Sanki midemden başlayarak bütün karnımda keskin asitli sıvılar birikiyordu, sanki yakıcı ve yapışkan küçük deniz yıldızları iç organlarıma yapışıyordu. Şiddetlendikçe hacmi genişleyerek artan acı, alnıma, enseme, sırtıma, hayallerime, her yerime vurur, beni boğar gibi sıkıştırırdı. Bazan göbeğimde, tam göbek çukurunun etrafında, resimde gösterdiğim gibi, sanki bir yıldız şeklinde birikir ve asitli sert bir sıvı gibi boğazıma, ağzıma dolup sanki beni boğup öldürecekmiş gibi korkutur, oradan bütün gövdemi zonklatır, beni inletirdi. Elimi duvara vurmak, jimnastik hareketleri yapmak, gövdemi bir sporcu gibi zorlamak, bir an için acıyı unuttururdu; ama en zayıfladığı zamanlarda bile, bir türlü tam kapanamayan bir musluktan damlayan damlalar gibi, acının kanıma karıştığını hep hissederdim. Acı bazan boğazıma kadar çıkar, yutkunmamı zorlaştırır, bazan sırtıma, omuzlarıma, kollarıma yayılırdı. Ama her zaman asıl midemdeydi, merkezi orasıydı.

Bütün bu elle tutulur niteliklerine rağmen, acının aklım ve ruhum ile ilgili bir şey olduğunu da bilirdim, ama ondan kurtulmak için kafamda yapmam gereken temizliği yapmaya da girişemezdim. Daha önce böyle bir şeyi hiç yaşamadığım için, ilk defa baskına uğrayan mağrur bir komutan gibi, tam bir akıl karışıklığına sürüklenmiştim. Üstelik içimdeki acıyı dayanılır kılan ve bu yüzden de uzatan bir umudum ve Füsun'un her yeni gün Merhamet Apartmanı'na gelebileceğine ilişkin pek çok neden ve hayal vardı kafamda.

Nişanlanmaktan başka, Sibel ile yazıhanede buluşmalarımızı ondan saklamak, nişanda kıskançlıkla dolaplar çevirip onu Kenan'dan uzak tutmak ve tabii küpe sorununu bir türlü çözememek gibi suçlarım yüzünden bana küstüğünü, beni cezalandırdığını düşünürdüm soğukkanlılık anlarında. Ama benzersiz sevişme mutluluğumuzun yokluğunun, Füsun'un benim kadar kendisine de verdiği bir ceza olduğunu, buna onun da benim gibi dayanamayacağını kuvvetle hissederdim. Şimdi acıya katlanmalı, onun gövdeme yayılışını sabırla karşılamalı, dişimi sıkmalıydım ki, buluştuğumuz zaman o da benim durumumu kabullensin. Bunu düşünür düşünmez de pişmanlığa kapılır, kıskançlık yüzünden onlara nişan davetiyesi yollattığım için ya da kayıp küpesini bulup geri getirmediğim için ya da ona daha çok vakit ayırıp çok ciddi bir şekilde matematik öğretmediğim için ya da çocukluk bisikletini bir akşam yemeğinde ona ve ailesine geri götürmediğim için acı çekerdim. Pişmanlık acısı, daha içe dönük ve kısa bir acıydı ve bacaklarımın arka kısmına ve ciğerlerime vurur, tuhaf bir şekilde gücümü tüketirdi. O zaman ayakta duramaz, kendimi "pişmanlıkla" bir yatağa atmak isterdim.

Bazan da sorunun kötü geçen giriş sınavı olduğunu düşünürdüm. Daha sonra pişmanlıkla onunla uzun uzun matematik çalıştığımı hayal ederdim ve o zaman bu hayaller acımı azaltır, bu matematik derslerinin sonunda sevişeceğimizi düşlerdim. Kafamdaki bu resimlere onunla geçirdiğimiz mutlu saatlerden harika anlar eşlik eder, tam bu sırada nişanda dans ederken bana verdiği sözü, yani imtihandan hemen sonra bana gelme sözünü tutmadığı, bunun için bir gerekçe bile göstermediği için ona kızmaya başlardım. Nişanda beni kıskandırmaya çalışması, Satsat çalışanlarının benim hakkımdaki alaycı sözlerini dinlemesi gibi başka küçük suçlarına duyduğum öfkeyi de bu kızgınlığıma ekler ve bu duyguları ondan uzak durmak ve onun beni cezalandırma isteğini sessizce karşılayabilmek için kullanmaya çalışırdım.

Bütün bu küçük öfkeler, umutlanmalar ve kendimi kandırmak için yaptığım diğer hilelere rağmen, Cuma günü saat iki buçuğa doğru gene gelmeyeceğini anlayınca yenik düştüm. Şimdi acı, öldürücü ve zalimdi ve beni, kurbanının canına hiç değer vermeyen vahşi bir hayvan gibi tüketiyordu. Ölü gibi yatağa uzanmış, çarşaflara sinmiş kokusunu kokluyor, altı gün önce bu yatakta nasıl da mutlulukla seviştiğimizi hatırlıyor ve onsuz nasıl yaşayabileceğimi düşünüyordum ki, direnemediğim bir kıskançlık duygusu, içimdeki öfkeye karışarak yükselmeye başladı. Füsun'un kendine hemen yeni bir sevgili bulduğunu düşünüyordum. Kıskançlık acısı zihnimde başlıyor, kısa zamanda midemdeki aşk acısını tetikleyerek beni bir çeşit yıkıma sürüklüyordu. Beni zayıf düşüren bu utanç verici hayal, başka zamanlar da gelmişti aklıma, ama şimdi onları bir türlü durduramıyor, rakibimin Kenan, Turgay Bey, hatta Zaim ya da pek çok hayranı arasında hemen buluverdiği birisi olduğunu düşünüyordum. Sevişmekten bu kadar hoşlanan birisi, şimdi tabii ki bunu başkalarıyla yapmak isteyecekti. Üstelik bana olan kızgınlığı, onu intikam almaya yöneltecekti. Kıskançlığımın kıskançlık olduğunu, aklımın hâlâ mantıklı kalabilen küçük bir köşesiyle düşünebilmeme rağmen, her yerimi şiddete varan bir güçle saran bu aşağılayıcı duyguya bile bile teslim olmuştum. Hemen gidip Şanzelize Butik'te onu görmezsem hırstan, öfkeden delireceğimi hissederek koşa koşa evden çıktım.

Kalbimi hızla attıran bir umutla Teşvikiye Caddesi'nde koşturur gibi yürüdüğümü hatırlıyorum. Az sonra onu göreceğim düşüncesi kafamı öylesine teslim almıştı ki, ona ne diyeceğimi bile düşünmüyordum. Onu görür görmez, bütün acımın en azından bir süre için dineceğini biliyordum. Beni dinlemeliydi, söyleyeceklerim vardı, birlikte dans ederken böyle mi konuşmuştuk, bir pastaneye gidip konuşmalıydık.

Şanzelize Butik'in kapı çanı tıngırdarken, kalbim burkuluverdi. Kanarya yerinde değildi. Füsun'un orada olmadığını çoktan anlamıştım, ama korku ve çaresizlikten arka odada saklandığına kendimi inandırmaya çalıştım.

"Buyrun Kemal Bey," dedi Şenay Hanım şeytanca bir gülümsemeyle.

"Vitrindeki beyaz işlemeli gece çantasını bir görmek istiyorum," diye fısıldadım.

"Aaa, iyi bir parça," dedi. "Çok dikkatlisiniz. Dükkâna ne zaman güzel bir şey gelse, hep ilk siz görür, siz alırsınız. Paris'ten daha yeni geldi. Klipsi taşlıdır. İçinde portmonesi, aynası var. El yapımıdır." Ağır ağır yürüyüp vitrinden çıkardığı çantayı bir yandan da ballandıra ballandıra övüyordu.

Perdeleri kapalı arka odaya bir göz attım, Füsun yoktu. Kadının getirdiği bu çiçekli zarif çantayı sabırla inceler gibi yaptım, fiyat olarak söylediği sarsıcı rakamı hiç tartışmadım. Cadı paketi yaparken, herkesin nişanın ne kadar harika geçtiğini uzun uzun anlattığını söyledi. Sırf pahalı bir şey daha almış olmak için, gözüme ilişen bir çift kol düğmesini de sarmasını söyledim. Kadının yüzündeki sevinci görünce cesaretlenerek "Ne oldu bizim akraba kızı, bugün yok mu?" dedim.

"Aa bilmiyor musunuz? Füsun işi birden bıraktı."

"Öyle mi?"

Füsun'u aradığımı hemen sezmiş, bundan da artık görüşmediğimizi çıkarmış, ne olduğunu anlamaya çalışarak bana dikkatle bakıyordu.

Kendimi tuttum, hiçbir şey sormadım. Acıma rağmen soğukkanlılıkla sağ elimi cebime soktum ki, nişan yüzüğümü takmadığımı görmesin. Parayı öderken kadının bakışlarında bir şefkat gördüm: Şimdi ikimiz de Füsun'u kaybettiğimiz için sanki birbirimize yakınlaşmıştık. Ben gene de yokluğuna inanamadan küçük arka odaya bir bakış daha attım.

"İşte böyle," dedi kadın. "Bugünün gençleri parayı çalışarak değil, kolaydan kazanmayı seviyorlar." Özellikle cümlenin son kısmı, hem aşk acımı hem de kıskançlığımı dayanılmayacak kadar artırdı.

Ama bunu Sibel'den saklamayı başardım. Yüzümün her ifadesini, her yeni hareketimi duyarlıkla fark eden nişanlım, ilk günlerde bana hiçbir şey sormamış, ama nişandan üç gün sonra, akşam yemeğinde ben acıdan kıvrım kıvrım kıvranırken, bana çok hızlı içtiğimi yumuşacık bir edayla hatırlatmış ve "Neler oluyor canım?" diye soruvermiş, ben de ağabeyimle iş çatışmalarının beni gene yıprattığını söylemiştim. Cuma akşamı bir yandan Füsun'un ne yaptığını karnımdan yukarıya doğru ve ensemden bacaklarıma doğru çift yönde hareket eden bir acıyla merak ederken, gene Sibel'in sorusu üzerine ağabeyimle sözde çatışmamız hakkında bir anda bir sürü ayrıntı uydurdum. (Allah'ın hikmeti bir simetriyle, bu uydurduklarımın hepsi yıllar sonra gerçekleşti.) "Boşver," dedi Sibel gülümseyerek. "Zaim ile Mehmet'in Pazar günkü piknikte Nurcihan'a yakın olmak için çevirdikleri dolapları sana anlatayım mı?"

27. SARKMA, DÜŞERSİN

Sibel ile Nurcihan'ın okudukları Fransız bahçe ve ev dergilerinden ilhamla geleneksel keyiflerin bir sentezini yansıtan bu piknik sepetini, içi çay dolu termosu, plastik kutu içindeki yalancı dolmaları, yumurtaları, Meltem gazozu şişelerini ve Zaim'in anneannesinden kalan şık örtüyü, o Pazar gezintisini temsil etsinler ve ziyaretçiyi ev içlerinin ve benim acılarımın boğucu havasından çıkarsınlar diye sergiliyorum. Ama okur da ziyaretçi de, acımı bir an olsun unutabildiğimi sanmasın sakın.

Pazar sabahı önce Meltem gazozunun Boğaz'da, Büyükdere'deki fabrikasına gittik. Inge'nin koskocaman resimleri ve üstü karalanmış solcu duvar yazılarıyla çevrili binalarda, Zaim bizi mavi önlüklü, başörtülü, sessiz işçi kadınlarla, gürültülü, neşeli şeflerin çalıştırdığı yıkama, şişeleme bölümlerinde gezdirirken (bütün İstanbul'u reklamla donatan Meltem gazozu fabrikasında altmış iki kişi çalışıyordu yalnızca), ben Nurcihan ve Sibel'in deri çizmeli, şık kemerli ve blucinli fazla alafranga kıyafetlerinden ve serbest havalarından yüzeysel bir şekilde sıkılıyor ve "Füsun, Füsun, Füsun" diye sessizce atan yüreğimi yatıştırmaya çalışıyordum.

Oradan iki arabaya doluştuk ve Belgrad Ormanları'na ve Bentler'e giderek, yüz yetmiş yıl önce Avrupalı ressam Melling'in yaptığı bu manzaraya ve Bentler'e bakan bir yeşilliğe, piknik yapan kimi hayali Avrupalıları taklit ederek yerleştik. Öğleye doğru toprağa uzanıp pırıl pırıl mavi gökyüzüne baktığımı; bir kenarda Zaim ile, uğraşarak yeni alınmış gıcır gıcır iplerle, eski Acem bahçelerinden kalma bir salıncağı kurmaya çalışan Sibel'in güzelliğine ve zerafetine şaştığımı hatırlıyorum. Bir ara Nurcihan, Mehmet, ben dokuz taş oynadık. Toprağın hoş kokusunu, Bentler'in arkasındaki gölden gelen serin havanın taşıdığı çam ve gül rayihasını içime çekiyor, önümdeki harika hayatın Allah'ın bana bir lütfu olduğunu ve bana karşılıksız verilen bütün bu güzelliklerin karnımdan gövdeme ölüm gibi yayılan aşk acısıyla zehirlenmesinin ne büyük bir aptallık, hatta günah olduğunu düşünüyordum. Füsun'u görememenin verdiği acının altında bu kadar ezilmek, bana utanç veriyordu; bu utanç kendime olan güvenimi zayıflatıyor, bu zayıflık yüzünden de kıskançlığa kapılıyordum. Bir ara Mehmet, üzerinde hâlâ beyaz gömleği, askılı pantalonu ve kravatı sofrayı kurarken, böğürtlen toplama bahanesiyle Nurcihan ile uzaklaşan Zaim'in burada olmasından memnun olduğumu, çünkü bunu, onun Füsun ile buluşmadığının bir kanıtı olarak gördüğümü anladım. Ama bu, Füsun'un Kenan ya da başka birisiyle buluşmadığı anlamına gelmiyordu tabii. Dostlarla konuşmanın, top oynamanın, Sibel'i bir çocuk gibi salıncakta sallamanın ya da yeni model bir konserve açacağını denerken, nişan yüzüklü parmağımı derinden kesip kanlar içinde kalmanın beni oyaladığını, bu yoğun anlarda onu düşünmemeyi başarabildiğimi keşfediyordum. Kesik parmağımın kanı bir türlü dinmiyordu. Kanımdaki aşk zehrinden olabilir miydi bu? Bir ara aşktan sersemlemiş bir kafayla salıncağa bindim ve bütün gücümle sallanmaya başladım. Salıncak hızla düşer gibi aşağı inerken, karnımdaki acı biraz azalıyordu. Salıncağın uzun ipleri gıcırdar, ben havada koskocaman bir yay çizerken, kafamı geriye ve yere doğru sarkıtırsam, aşk acım biraz azalıyor, erteleniyordu.

"Ne yapıyorsun Kemal, dur, sarkma, düşersin!" diye bağırdı Sibel.

Öğle güneşi gölgelik ağaç altlarını bile ısıtırken, Sibel'e kanın dinmediğini, kendimi iyi hissetmediğimi, Amerikan Hastanesi'ne gidip parmağıma dikiş attırmak istediğimi söyledim.

Şaşırdı. Gözlerini kocaman açtı. Akşama kadar bekleyemez miydim? Kanımı durdurmaya çalıştı. Siz okurlara itiraf ediyorum: Kan dinmesin diye yarayı ona göstermeden gizlice açıyordum. "Hayır," dedim, "lütfen bu güzel pikniğin keyfini bozmuş olmayayım, sen de benimle gelirsen çok ayıp olacak, canım. Onlar seni akşam şehre geri getirirler." Ben arabaya doğru yürürken, canım nişanlımın anlayışlı ve buğulu gözlerinde, o soru soran bakışı utançla gene gördüm. "Nen var?" dedi sorunun akan kanlardan daha vahim olduğunu sezerek. O anda ona sarılıp acımı ve tutkumu unutabilmeyi, hiç olmazsa ona hissettiklerimi anlatabilmeyi ne çok isterdim! Ama Sibel'e tatlı bir-iki söz söyleyemeden, bir kalp çarpıntısının telaşıyla, sersem gibi sallanarak arabaya bindim. Nurcihan ile böğürtlen toplayan Zaim, bir şey olduğunu sezmiş bize yaklaşıyordu. Zaim'le göz göze gelirsem, nereye gittiğimi hemen anlayacağından emindim. Arabayı çalıştırırken yan gözle baktığım nişanlımın yüzündeki içten endişeyi ve kederi ise anlatmayayım da, okur beni kalpsiz sanmasın.

O pırıl pırıl ve sıcacık yaz öğleüstü, arabayı deli gibi sürerek Bentler'den Nişantaşı'na tam kırk yedi dakikada geldim. Çünkü ayağım gaza bastıkça, kalbim Füsun'un en sonunda bugün Merhamet Apartmanı'na geleceğine daha çok inanıyordu. İlk buluşmamıza da birkaç gün sonra gelmemiş miydi? Arabayı park edip vaktinden on dört dakika önce (parmağımı tam vaktinde kesmiştim) Merhamet Apartmanı'na koşarken, orta yaşlı bir kadın, arkamdan neredeyse bağırarak durdurdu beni:

"Kemal Bey, Kemal Bey, çok talihlisiniz."

Dönüp "Nasıl?" dedim, kadının kim olduğunu hatırlamaya çalışarak.

"Nişanda bizim masaya gelmiştiniz de *Kaçak* dizisinin sonunda ne olacak diye bahse girmiştik ya... Siz kazandınız Kemal Bey! Dr. Kimble en sonunda suçsuzluğunu kanıtladı!"

"Ah, sahi mi?"

"Hediyenizi ne zaman alacaksınız?"

"Sonra," diyerek koştum.

Kadının anlattığı mutlu sonu, tabii ki Füsun'un bugün geleceğinin bir işareti, bir uğur olarak görmüştüm. On-on beş dakika sonra sevişmeye başlayacağımıza coşkuyla inanarak ve ellerim titreyerek anahtarı çıkardım, daireye girdim.

28. EŞYALARIN TESELLİSİ

Kırk beş dakika sonra Füsun hâlâ gelmemiş, ben de ölü gibi yatağa uzanmış, karnımdan bütün gövdeme yayılan acıyı, ölmekte olan bir hayvanın kendi gövdesini dinlediği dikkat ve çaresizlikle dinliyordum. Acı o güne kadar hiç hissetmediğim bir derinliğe ve sertliğe ulaşmış, bütün gövdemi ele geçirmişti. Yataktan kalkmam, başka şeylerle oyalanmam, bu durumdan, en azından bu odadan ve Füsun'un kokusuyla dolu bu çarşaflardan ve yastıktan kaçmam gerektiğini hissediyordum, ama hiç halim yoktu.

Piknik kalabalığı arasında olmadığım için şimdi çok pişmandım. Bir haftadır sevişmediğimiz için Sibel bendeki tuhaflığın farkındaydı biraz, ama derdimin nedenini çıkaramıyor, tam soramıyordu da. Oysa Sibel'in anlayış ve şefkatine ihtiyacım vardı, nişanlımın beni oyalayabileceğini hayal ediyordum. Ama değil arabaya binip geri dönmek, yerimden kıpırdayacak gücüm bile yoktu. Midemden, sırtımdan, ta bacaklarımdan çeşitli yönlerde nefesimi kesen bir güçle hareket eden acımdan kaçacak, onu hafifletecek bir şey yapacak gücüm kalmamıştı. Bunu fark etmek içimdeki yenilgi duygusunu da artırıyor, bu da aşk acısı kadar sert ve içe dönük bir pişmanlık acısını harekete geçiriyordu. Tuhaf bir içgüdüyle, ancak bu acının içine (tıpkı kendi içine dönen bir çiçek gibi) döner, kalbimi yırtar gibi beni zorlayan acımı bütün yoğunluğuyla yaşarsam, Füsun'a yaklaşabileceğimi hissediyordum. Bunun bir yanılsama olabileceğini aklımın bir yanıyla düşünebiliyor, ama ona inanmaktan da kendimi alıkoyamıyordum. (Zaten şimdi evden ayrılırsam, gelip beni bulamayabilirdi.)

Acımın içine iyice girdiğimde, yani küçük asit bombaları kanımın ve kemiklerimin içinde sanki havai fişekler gibi patlarken, bir yığın hatıranın her biri, önce beni kısa bir süreliğine, bazan on-on beş, bazan bir-iki saniye oyalıyor; sonra da arkasında daha yoğun bir acı bırakarak şimdiki zamanın boşluğuna bırakıyor; bu boşluğu da, şaşırtıcı derecede güçlü yeni bir acı dalgası sırtımı, göğsümü acıtarak, bacaklarımın gücünü keserek dolduruyordu. Bu yeni dalganın acısından kurtulmak için ortak hatıralarımızla, onların havasıyla dolu bir eşyayı içgüdüyle elime alıyor ya da ağzıma sokup tadıyor ve bunun acıma iyi geldiğini keşfediyordum. Mesela o zamanlar Nişantaşı pastanelerinde çok yapılan ve Füsun çok sevdiği için buluşmalarımıza getirip ona ikram ettiğim cevizli, kuş üzümlü ayçöreğini ağzıma almak, aklıma çöreği birlikte yerken gülüşerek konuştuğumuz şeyleri (Merhamet Apartmanı'nın kapıcısının karısı Hanife Hanım'ın Füsun'u hâlâ üst kattaki dişçiye gelen hasta sanışını) getiriyor, bu da beni neşelendiriyordu. Annemin dolaplarından birinde bulduğu eski bir el aynasını mikrofon gibi eline alıp ünlü şarkıcı (ve sunucu) Hakan Serinkan'ın pozlarını taklit ederek oynayışını; çocukluğunda, terzi annesiyle bize geldiğinde, annemin oynasın diye verdiği benim oyuncağım Ankara Ekspresi treniyle çocuk gibi oynayışını; çocukluğumun bir başka oyuncağı uzay tabancasıyla birlikte oynarken her tetiklemeden sonra tabancanın dağınık odanın bir köşesinde kaybolan pervanesini gülüşerek arayışımızı, bu eşyalar tek tek elime gelince hatırlıyor ve teselli oluyordum. Bütün mutluluğumuza rağmen arada bir içimizi kasvetle karartan hüzün bulutlarının getirdiği sessizliklerin birinde, Füsun'un eline burada sergilediğim şekerliği alıp birden bana dönerek "Sibel Ha-

175

nım'dan önce beni tanımış olmak ister miydin?" diye soruşunu hatırlıyordum. Bu hatıraların her birinin tesellisi geçince, arkalarından gelen sarsıcı acıya ayakta dayanamayacağımı artık bildiğim için, hayal kurdukça yataktan çıkamıyor; yatakta yattıkça da, çevremdeki her şey bana hayal kurduruyor ve hatıralarımızı bir bir geri getiriyordu.

İlk sevişmelerimiz sırasında saatini dikkatle üzerine koyduğu sehpa yanı başımdaydı. Üzerindeki küllükte Füsun'un bastırıp söndürdüğü bir sigara izmariti olduğunun bir haftadır farkındaydım. Bir ara onu elime aldım, küflü yanık kokusunu kokladım, dudaklarımın arasına koydum, yakıp içecektim (ve belki bir an aşkla o olduğumu düşünecektim), ama sigaranın biteceğini düşünerek vazgeçtim. İzmaritin onun dudaklarına değmiş ucunu, tıpkı bir yaraya dikkatle pansuman yapan şefkatli bir hemşire gibi, yanaklarıma, gözlerimin altına, alnıma, boynuma hafif hafif dokundurdum. Gözümün önünde mutluluk vaat eden uzak kıtalar, cennetten çıkma sahneler, annemin çocukken bana gösterdiği şefkatten kalma hatıralar, Teşvikiye Camii'ne Fatma Hanım'ın kucağında gidişim canlandı. Ama hemen sonra, acı kabaran fırtınalı bir deniz gibi beni yeniden içine aldı.

Saat beşe doğru yatakta hâlâ yatarken, babaannemin, dedemin ölümünden sonra, acıya dayanabilmek için yalnız yatağını değil, odasını da değiştirdiğini hatırladım. Bu yataktan, odadan ve çok özel bir eskimişlik ve mutlu aşk kokusuyla kokan ve her biri kendi kendine çıtırdayan eşyalardan kurtulmam gerektiğini bütün iradem kullanarak düşündüm. Ama tam tersini yapmak, eşyalara sarılmak geliyordu içimden. Ya eşyaların teselli edici gücünü keşfediyordum ya da babaannemden çok daha zayıftım. Arka bahçede futbol oynayan çocukların neşeli bağırışları ve küfürleri, beni hava kararana kadar yatağa bağladı. Ancak akşam eve dönüp üç kadeh rakı içtikten sonra Sibel telefon edip sorunca, parmağımdaki yaranın çoktan kapandığını fark ettim.

Böylece Temmuz ortasına kadar her gün saat ikide Merhamet Apartmanı'ndaki daireye gittim. Füsun'un gelmeyeceğine ikna olduktan sonra çektiğim acının gün geçtikçe azalmasına bakarak, bazan onun yokluğuna kendimi yavaş yavaş alıştırdığımı zannederdim, ama hiç mi hiç doğru değildi bu. Yalnızca eşyaların verdiği mutlulukla oyalanıyordum. Nişandan sonraki ilk haftanın sonunda aklımın kimi zaman büyüyen, kimi zaman küçülen önemli bir parçası, sürekli olarak ona takılmıştı ve bir matematikçi gibi söylersem, toplam acı zaten hiç azalmıyor, umutlarımın tam tersine, hâlâ artıyordu. Daireye sanki alışkanlığımı ve onu görme umudumu kaybetmemek için gidiyordum.

Dairede geçirdiğim iki saatin çoğunda, yatağımızda yatıp hayaller kurar, elime geçirdiğim ve mutluluk anılarımızla pırıl pırıl ışıldayan hayaletimsi bir eşyayı, mesela bu ceviz kıracağını, Füsun'un pek çok kere çalıştırıp harekete geçirmek için uğraştığı, elinin kokusunu taşıyan balerinli bu eski saati yüzüme, alnıma, boynuma dayayıp acımı dindirmeye çalışır, iki saat sonra –yani bir zamanlar kadife yumuşaklığındaki sevişme sonrası uykudan uyandığımız saatte– hüzünden ve acıdan yorgun, her zamanki hayatıma dönmeye çalışırdım.

Hayatımdaki ışıltı kaçmıştı artık. Hâlâ sevişemediğim Sibel, (Satsat'takiler yazıhanede seviştiğimizi biliyormuş gibi bir bahane bulmuştum) adsız hastalığımı, bir çeşit evlilik öncesi erkek telaşı, daha doktorlarca teşhisi konulamamış özel bir hüzün cinsi gibi görüyor, bu hastalığı bende hayranlık uyandıran bir ağırbaşlılıkla kabul ediyor, hatta beni bu dertten çekip çıkaramadığı için kendini gizli gizli suçlayarak bana çok iyi davranıyordu. Ben de ona çok iyi davranıyor, onunla şimdiye kadar hiç gitmediğimiz lokantalara, girginlikle tanıştığım yeni arkadaşlarla gidiyor, 1975 yazında İstanbul burjuvalarının mutlu ve zengin olduklarını birbirlerine gösterebilmek için gittikleri Boğaz lokantalarına, kulüplere devam ediyor, davetler-

de geziyor, Mehmet ile Zaim arasında bir türlü karar vereme-
yen Nurcihan'ın mutluluğuna Sibel ile birlikte, ama saygıy-
la gülüyordum. Mutluluk, benim için artık doğuştan Allah'ın
bana bağışladığı ve bir hak gibi, mesele etmeden benimsedi-
ğim bir şey olmaktan çıkmış; talihli, akıllı ve dikkatli insanla-
rın çalışarak elde edip koruyabildikleri bir nimete dönüşmüş-
tü. Bir gece kapısında korumaların beklediği yeni açılan Meh-
tap'ın Boğaz'a uzanan küçük iskelesinin yanındaki barda, tek
başıma (Sibel ve ötekiler masada gülüşüyorlardı) Gazel'in kır-
mızı şarabını içerken Turgay Bey ile göz göze gelince, yüreğim
Füsun'u görmüş gibi hızlandı, içim sersemletici bir kıskançlık
öfkesiyle doldu.

29. ONU DÜŞÜNMEDİĞİM DAKİKA
ARTIK HİÇ YOKTU

Turgay Bey'in nazik, çelebi haliyle gülümsemek yerine bana ba-
şını çevirmesi, beni hiç beklemediğim kadar yaraladı. Bir yan-
dan adamın onu nişana çağırmadığımız için alınmakta haklı ol-
duğu mantığını yürütüyor, bir yandan da daha kuvvetli bir dü-
şünce, Füsun'un benden intikam almak için ona döndüğü dü-
şüncesi, beni öfkeden serseme çeviriyordu. İçimden neden ba-
şını çevirdiğini koşup ona sormak geldi. Belki de, bu öğleden
sonra Şişli'deki garsoniyerinde Füsun ile sevişmişti. Füsun'u
görmüş, onunla konuşmuş olmasının beni çileden çıkarmaya
yeteceğini hissettim. Benden önce Füsun'a âşık olması, Füsun
yüzünden bir zamanlar onun da şimdi benim çektiğim cinsten
acılar çekmiş olması, ona duyduğum öfkeyi, içimde hissettiğim
aşağılanma duygusunu hafifletmek bir yana, daha da artırıyor-
du. Barda iyice içtim. Gün geçtikçe daha sabırlı ve şefkatli olan
Sibel'e sarılarak Peppino di Capri'nin "Melankoli" adlı parçası
eşliğinde dans ettim.

Ancak içkiyle yatıştırabildiğim kıskançlığımın ertesi sabah başağrısıyla birlikte tekrar başladığını görünce, acımın azalmadığını, çaresizliğimin de gitgide arttığını telaşla anladım. O sabah Satsat'a yürürken (Inge, hâlâ Meltem gazozu reklamından bana çapkınca bakıyordu), yazıhanede dosyalar arasında oyalanmaya çalışırken, gün geçtikçe acımın biraz daha arttığını, zamanla Füsun'u unutmak yerine daha saplantılı bir şekilde onu düşündüğümü kabul etmek zorunda kaldım.

Geçen zaman, Allah'tan yalvararak dilediğim gibi, hatıralarımı zayıflatmıyor, çektiğim acıyı daha dayanılır kılmıyordu. Her güne ertesi günün daha iyi olacağını, onu birazcık olsun unutmuş olacağımı umarak başlıyor, ama ertesi gün karnımdaki ağrının hiç değişmediğini, acının sürekli yanan kuvvetli bir kara lamba gibi içimi karartmaya devam ettiğini hissediyordum. Onu birazcık daha az düşünebilmeyi, zamanla onu unutabilmeyi başardığıma inanabilmeyi ne de çok isterdim! Onu düşünmediğim dakika artık çok azdı, daha doğrusu hiç yoktu. Belki bazı geçici anlar vardı, o kadar. Bu "mutlu" anlar da çok kısa sürüyor, bir-iki saniyelik bir unutma süresinden sonra, kara lamba tıpkı bir apartmanın kendiliğinden sönen otomatiği gibi kendiliğinden yanıp karnımı, genzimi, ciğerlerimi zehirliyor, nefes alış verişlerimi bozuyor, varolmayı sürekli gayret gerektiren bir zorluğa çeviriyordu.

En kötü zamanlarda acımı dindirecek bir çıkış yapmak, birisiyle dertleşmek, Füsun'u bulup konuşmak ya da kahredici bir öfkeyle kıskanmaya başladığım bir kişiyle kavga etmek istiyordum. Yazıhanede Kenan'ı her görüşümde bütün gücümle kendimi tutmaya çalışmama rağmen, beni sersemleten bir kıskançlık buhranına kapılıyordum. Füsun'un Kenan ile bir ilişkisi olmadığına karar vermiş olsam da, Kenan'ın ona nişanda asılmış olması, Füsun'un da beni kıskandırmak için bu ilginin tadını çıkarmış olma ihtimali, ondan nefret etmem için yeterliydi. Öğleye doğru, Kenan'ı işten atmak için bahaneler ararken yakaladım kendimi. Evet, sinsi biriydi, çok belliydi bu artık. Öğle paydosunda, Merhamet Apartmanı'na gideceğimi, küçük de olsa bir umutla Füsun'u bekleyeceğimi düşünerek rahatladım. Ama o öğleden sonra da gelmeyince, artık beklemekle acıya dayanamayacağımı, ertesi gün de gelmeyeceğini, her şeyin daha da kötü olacağını korkuyla anladım.

O sıralarda kafamı kurcalayan bir başka yıkıcı düşünce de, benim çektiğim bütün bu acılara, peki, biraz daha azına Füsun'un nasıl dayandığıydı. Mutlaka hemen bir başkasını bulmuş olmalıydı, yoksa dayanamazdı. Yetmiş dört gün önce öğrendiği sevişme mutluluğunu, Füsun şimdi bir başkasıyla paylaşıyor olmalıydı... Ben ise her gün acılar içinde, yatağa ölü gibi ve aptalca uzanıp onu bekliyordum. Hayır, aptal değildim: Çünkü o beni kandırmıştı. Aramızda o kadar mutlu bir ilişki varken, nişanda durumun bütün gerilim ve korkunçluğuna rağmen ikimiz aşkla dans ederken, bana ertesi gün üniversite sınavından sonra geleceğini söylemişti. Nişanlandığım için bana kırılmışsa, benden ayrılmaya karar vermişse –ki bunlarda pekâlâ haklı olabilirdi– o zaman niye bana yalan söylemişti? İçimdeki acı, bir tartışma öfkesine, ona yanıldığını söyleme hırsına dönüştü. Pek çok kereler saplantıyla yaptığım gibi, gene onunla hayalimde bir tartışmaya gireceğimi, bu tartışmanın arasına onunla geçirdiğim mutlu saatlerden unutulmaz sahnelerin birer cennet tasviri gibi girip beni yumuşatacağını, sonra gene onunla tartışacağım iddialarımı tek tek hatırlayarak düşündüm. Beni terk ettiğini yüzüme söylemeliydi. Üniversite sınavı kötü geçtiyse bunun sorumlusu ben değildim, beni terk edecekse bunu bilmeliydim, beni ömrünün sonuna kadar hep göreceğini söylememiş miydi, bana son bir fırsat tanımalıydı, küpesini bulup hemen getirecektim, diğer erkeklerin onu benim sevdiğim kadar sevebileceğini mi zannediyordu? Yataktan kalktım, her şeyi onunla konuşma hırsıyla bir anda sokağa fırladım.

30. FÜSUN ARTIK YOK

Koşar adımlarla evlerine gidiyordum. Daha Alaaddin'in dükkânının köşesine gelmeden, az sonra onu görünce hissedeceğim şeyler içimde şimdiden aşırı bir mutluluk olarak hızla yükselmeye başlamıştı. Temmuz sıcağında gölgelik bir köşede uyuklayan bir kediye gülümserken, doğrudan evlerine gitmeyi daha önce neden düşünmediğimi sordum kendime. Karnımın sol üst yanındaki ağrı şimdiden yumuşamış, bacaklarımdaki isteksizlik, sırtımdaki yorgunluk hissi kaybolmuştu. Eve yaklaştıkça içimde onu orada bulamama korkusu yükseliyor, kalbim bu yüzden hızlanıyordu: Ne diyecektim ona, karşıma annesi çıkarsa ne diyecektim? Bir ara eve dönüp çocukluk bisikletimizi almayı düşündüm. Ama birbirimizi görür görmez bir bahane bulmaya gerek olmadığını ikimiz de anlayacaktık. Kuyulu Bostan Sokak'taki küçük apartmanın serinliğine bir hayalet gibi girdim ve uykuda gezer gibi ikinci kata çıkıp zile bastım. Meraklı müzegezer de önündeki düğmeye lütfen bassın ve o yıllarda Türkiye'de çok moda olan, kuş cıvıltısı sesi çıkaran bu kapı zilini benim de işittiğimi ve aynı anda yüreğimin de gırtlağımla ağzım arasına sıkışmış bir kuş gibi çırpındığını düşünsün.

Kapıyı annesi açtı ve apartman karanlığındaki yorgun yabancıya, davetsiz bir satıcıya bakar gibi bir an burun kıvırdı. Sonra beni tanıdı, yüzü aydınlandı. Bundan umutlanınca, karnımdaki ağrı hafifçe azaldı.

"Ah Kemal Bey, buyrun!"

"Geçiyordum, bir uğradım Nesibe Hala," dedim radyo tiyatrolarındaki mahalleden harbi ve mert delikanlı gibi. "Geçen gün fark ettim. Füsun dükkândaki işi bırakmış. Merak ettim, hiç aramadı beni, nasıl geçti kızımızın üniversite imtihanı?"

"Ah Kemal Bey, yavrucuğum, gel içeri de dertleşelim."

Bu dertleşme sözündeki imayı bile kavrayamadan, annemin o kadar terzilik ahbaplığı ve akrabalık hukukuna rağmen bir kere olsun ziyaret etmediği arka sokaktaki o loş eve adım adım girdim: Kılıflı koltuklar, masa, büfe, içinde bir şekerlik, kristal bir fincan takımı, televizyon üzerinde uyuyan bir köpek biblosu... Bütün bu eşyalar güzeldiler, çünkü en sonunda Füsun denilen harika şeyin oluşmasına katkıda bulunmuşlardı. Bir köşede bir terzi makası, kumaş kesikleri, renk renk iplikler, toplu iğneler ve dikilmekte olan bir elbiseden parçalar gördüm. Nesibe Hala dikiş dikiyordu anlaşılan. Füsun evde miydi? Yoktu galiba, ama kadının bir şey bekleyen pazarlıkçı ve hesapçı hali, bana umut veriyordu.

"Otur lütfen Kemal Bey," dedi. "Bir kahve yapayım sana. Yüzün beyaz. Dinlen biraz. Buzdolabından su da ister misin?"

"Füsun yok mu?" dedi ağzımın içindeki sabırsız kuş; boğazım kurumuş.

"Yook, yok," dedi kadın, ah bir bilsen ne oldu diyen birinin havasıyla. "Kahvenizi nasıl yapayım?" dedi "sen"den "siz"e geçerek.

"Orta!"

Şimdi, yıllar sonra kadının mutfağa bana kahveden çok vereceği cevabı pişirmek için gittiğini anlıyorum. Ama o sırada bütün algı merkezlerim sonuna kadar açılmış da olsa, aklım Füsun'un evin içine sinmiş kokusu ve onu görme umuduyla iyice dumanlandığı için, bu sonucu çıkaramıyordum. Şanzelize Butik'ten bildiğim dost kanarya Limon'un kafesindeki sabırsız tıkırtıları aşk acıma merhem gibi geliyor, aklımı daha da dağıtıyordu. Önümdeki sehpada geometri derslerinde kullansın diye (sonraki hesaplarıma göre yedinci buluşmamızda) ona hediye ettiğim yerli malı, kenarı ince ve beyaz, otuz santimlik tahta cetvel vardı. Belli ki Füsun'un geometri aletini, annesi dikiş dikerken kullanıyordu. Cetveli elime aldım, burnuma götürüp Füsun'un elinin kokusunu hatırladım ve gözlerimin önünde o canlandı. Gözlerim sulanacak mıydı? Nesibe Hala mutfaktan gelirken, cetveli ceketimin iç cebine soktum.

Kahveyi önüme koydu, karşıma oturdu. Kızının annesi olduğunu hatırlatan bir hareketle sigarasını yaktı ve "Füsun'un imtihanı iyi geçmedi Kemal Bey," dedi. Bana nasıl hitap edeceğine de karar vermişti. "Çok üzüldü. Yarısında ağlayarak çıktı, sonuçları bile merak etmiyoruz. Çok sarsıldı. Artık üniversitede okuyamaz zavallı kızım. Üzüntüsünden işi de bıraktı. Sizinle matematik dersleri de onu çok hırpalamış. Çok üzmüşsünüz onu. Nişan gecesi de çok üzüldü. Biliyor olmalısınız bunları... Her şey çok üst üste geldi. Yalnız sizin sorumluluğunuz değil tabii... Ama o daha küçük, narin bir çocuk. On sekizine yeni girdi. Çok kırıldı. Babası da onu aldı, çook uzaklara götürdü. Çok, çook uzaklara. Siz artık onu unutun. O da sizi unutacak."

Yirmi dakika sonra Merhamet Apartmanı'ndaki yatağımızda, arada bir gözlerimden tek tek ve ağır ağır fışkıran yaşların yanağımda çizdiği eğriyi hissederek tavana bakarken, aklıma cetvel geldi. Evet, bir benzerini benim de çocukluğumda kullandığım, Füsun'a da belki bu yüzden hediye ettiğim ortaokul-lise cetveli, aslında müzemizin ilk hakiki parçalarından biridir. Bana onu hatırlatan, onun hayatından acıyla edinilmiş bir eşya. Cetvelin 30 cm'yi gösterir ucunu yavaşça ağzımın içine soktum; acımsı bir tadı vardı ama orada uzun uzun tuttum. Cetveli kullandığı saatleri hatırlamak için, orada onunla oynayarak yatakta iki saat yatmışım. Bu o kadar iyi geldi ki, sanki Füsun'u görmüşüm gibi mutlu hissettim kendimi.

31. ONU BANA HATIRLATAN SOKAKLAR

Onu unutmak için bir plan program yapmazsam, eski günlük hayatımı da sürdüremeyeceğimi artık anlıyordum. Satsat çalışanlarının en dikkatsizleri bile, patronlarına sinen kara hüznü fark etmişlerdi. Annem ikide bir Sibel ile aramda bir mesele çıktığını sanıyor, ağzımı arıyor, seyrek olarak hep birlikte yediğimiz akşam yemeklerinde, artık babam gibi beni de daha fazla içmemem için uyarıyordu. Sibel'in merakı ve kederi de benim acımla birlikte artıyor, korktuğum bir patlama noktasına yaklaşıyordu. İçine düştüğüm buhrandan çıkmak için çok gerekli olan Sibel'in desteğini kaybetmekten, bütünüyle bir bozguna uğramaktan da korkuyordum.

Merhamet Apartmanı'na gitmeyi, Füsun'u beklemeyi, oradaki eşyaları elime alıp onu hatırlamayı kendime bütün irademle yasakladım. Daha önceleri de uygulamaya çalıştığım bu yasakları, çeşitli bahanelerle kendimi kandırarak (şuradan Sibel'e çiçek alayım derken, aslında Şanzelize Butik'in vitrininden içeri bakmak gibi) çiğnediğim için, şimdi daha sert bir dizi önlem almaya ve o güne kadar hayatımın büyük bir kısmını geçirdiğim bazı sokakları ve yerleri kafamın içindeki haritadan çıkarmaya karar verdim.

O günlerde bütün gücümle kafamda canlandırmaya ve benimsemeye çalıştığım yeni Nişantaşı haritasını sergiliyorum burada. Kırmızıyla boyalı yerlere ve sokaklara girmeyi kendime kesinlikle yasaklamıştım. Valikonağı ile Teşvikiye Caddesi'nin kesiştiği yere yakın olan Şanzelize Butik, Merhamet Apartmanı'nın üzerinde yer aldığı Teşvikiye Caddesi, karakol ve Alaaddin'in dükkânının köşesi, kafamda bu haritadaki gibi kırmızıydı. O zamanlar adı Abdi İpekçi Caddesi değil, Emlak Caddesi olan sokak ve daha sonra adı "Celâl Salik Sokak" olarak değiştirilen ve Nişantaşlıların "karakolun sokağı" dediği sokak, Füsunların oturduğu Kuyulu Bostan Sokak ve bütün bu kırmızı sokaklara açılan yan sokakları da kendime yasakladım. Turuncuyla işaretli yerlere çok gerekliyse, içki içmemişsem ve bir dakikayı asla geçmeyecek kestirmeler için neredeyse koşarak ve hemen terk etmek üzere girebilirdim. Bizim ev ve Teşvikiye Camii, pek çok yan sokak gibi, dikkatli olmazsam aşk acısına kapılacağım turuncu renkli sokaklardaydı. Sarı sokaklarda da dikkatli olmam gerekiyordu. Onunla buluşmak için Satsat'tan çıkıp her gün Merhamet Apartmanı'na yürüdüğüm yol, Füsun'un Şanzelize Butik'ten eve giderken izlediği yol (bu yolu hep hayal ediyordum) gibi acılarımı artıracak tehlikeli hatıralarla, tuzaklarla doluydu. O yollara girebilirdim, ama dikkat etmeliydim. Füsun ile olan kısacık ilişkimin başka mekânlarını da, mesela çocukluğumuzda kurban kesilen boş arsadan, cami avlusundayken uzaktan onu seyrettiğim köşeye kadar pek çok yeri de haritada işaretledim. Bu haritayı aklımda hep hazır tutuyor, kırmızı sokaklara gerçekten hiç girmiyor, hastalığımın yavaş yavaş ancak böyle bir dikkatle geçeceğine inanıyordum.

32. FÜSUN SANDIĞIM GÖLGELER, HAYALETLER

Bütün hayatımı geçirdiğim sokakları yasaklarla daraltmam ve onu hatırlatan eşyalardan uzaklaşmam, ne yazık ki Füsun'u bana hiç unutturmadı. Sokaklarda kalabalık içinde, davetlerde hayalet görür gibi Füsun'u görmeye başlamıştım çünkü.

En sarsıcı ilk karşılaşma, Suadiye'ye taşınmış olan annemlere Temmuz sonuna doğru bir akşamüstü arabalı vapurla giderken gerçekleşti. Kabataş'tan Üsküdar'a yanaşmakta olan vapurun içindeki diğer sabırsız şoförler gibi, arabamın motorunu çalıştırmıştım ki, yanda yaya yolculara ayrılmış kapıdan çıkarken Füsun'u gördüm. Arabaların inişine ayrılan kapı henüz açılmamıştı, ancak arabadan fırlayıp arkasından koşarsam ona yetişebilirdim, ama o zaman da vapurun çıkışını tıkayacaktım. Yüreğim hırsla çarparken, kendimi dışarı attım. Bütün gücümle ona tam seslenecektim ki, görüş açıma giren belden aşağısının sevgilimin güzelim gövdesinden çok daha kalın ve kaba olduğunu, yüzünün de bambaşka birinin yüzü şekline girdiğini acıyla fark ettim. Acımın bir mutluluk heyecanına dönüştüğü o sekiz-on saniyeyi, ertesi günlerde ağır çekimle hep yeniden yaşadım ve onunla böyle karşılaşacağımıza içtenlikle inanmaya başladım.

Birkaç gün sonra öğle vakti biraz oyalanırım diye gittiğim Konak Sineması'nın uzun ve geniş çıkış merdivenlerinden sokak seviyesine ağır ağır tırmanırken, onu sekiz-on basamak önümde gördüm. Sarıya boyalı uzun saçları, ince gövdesi önce yüreğimi, sonra bacaklarımı harekete geçirdi. Koşa koşa yaklaşırken bir rüyadaki gibi seslenmek istedim, ama o olmadığını son anda anladığım için sesim çıkmadı.

Onu bana hatırlatma ihtimali düşük olduğu için artık daha çok çıktığım Beyoğlu'nda, bir kere bir vitrine yansıyan gölgesi yüzünden heyecana kapıldım. Bir başka seferinde, onu gene Beyoğlu'nda alışverişe çıkmış, sinemalara giren kalabalık arasında kendine özgü yürüyüşüyle, sekerek ilerlerken gördüm. Arkasından koştum, ama yetişemeden kaybettim onu. O kişinin acımın bana sunduğu bir serap mı, yoksa gerçek mi olduğuna karar veremediğim için, sonraki birkaç gün aynı saatlerde Ağa Camii ile Saray Sineması arasında boşu boşuna aşağı yukarı yürüdüm; daha sonra da bir birahanenin vitrinine oturup sokağı, manzarayı, kalabalığı seyrederek içtim.

Cennetten çıkma bu karşılaşma anları, bazan çok kısa sürüyordu. Mesela Taksim Meydanı'nda Füsun'un beyaz gölgesini gösterir bu fotoğraf, benim yalnızca bir-iki saniye süren yanılsamamın belgesidir.

Aynı günlerde Füsun'un saçlarını, boyunu posunu ne kadar çok genç kızımızın, kadınımızın taklit ettiğini, ne çok esmer Türk kızının saçlarını sarıya boyattığını fark ediyordum. İstanbul sokakları Füsun'un birer-ikişer saniye belirip kaybolan hayaletleriyle doluydu. Ama bu hayaletleri biraz yakından inceleyince, benim Füsun'uma aslında hiç mi hiç benzemediklerini de görüyordum. Bir keresinde Dağcılık Kulübü'nde Zaim ile tenis oynarken, kenardaki masaların birinde gülüşerek Meltem gazozu içen üç genç kız arasında gördüm onu; ama ilk anda onu orada gördüğüme değil, kulübe gelmesine şaştım. Başka bir sefer, hayaleti Kadıköy vapurundan inen kalabalıkla birlikte Galata Köprüsü'ne çıkmış, geçen dolmuşlara el sallıyordu. Bir süre sonra bu seraplara yüreğim de, aklım da alıştı. Onu Saray Sineması'nda iki film arasında balkonda, benden dört sıra ötede, iki kız kardeşiyle Buz Serap marka buzlu çikolatalardan birini zevkle yalarken gördüğümde, Füsun'un hiç kız kardeşi olmadığı mantığını hemen yürütmemiş, yanılsamanın acımı dindiren yanının sonuna kadar tadını çıkarmış, bu kızın aslında Füsun olmadığını, hatta ona benzemediğini hiç düşünmemeye çalışmıştım.

Dolmabahçe Sarayı'nın yanındaki Saat Kulesi'nin önünde; Beşiktaş'ta çarşı içinde elinde filelerle bir ev hanımı olarak ve en şaşırtıcı ve sarsıcı olanı, Gümüşsuyu'ndaki bir apartmanın üçüncü kat penceresinden sokağa bakarken gördüm onu. Kaldırımda durmuş ona baktığımı görünce, penceredeki hayalet Füsun da bana bakmaya başladı. O zaman ona el salladım, o da karşılık verdi. Ama el sallayışından, onun Füsun olmadığını hemen anlayıp utançla oradan uzaklaştım. Buna rağmen, daha sonra, belki de beni unutmak için kısa zamanda babasının onu birisiyle evlendirdiğini, orada yeni bir hayata başladığını, ama beni de görmek istediğini hayal ettim.

İlk karşılaşma anının gerçek bir teselli hissi veren bir-iki saniyesi dışında, bu hayaletlerin Füsun değil, mutsuz ruhumun çeşitli kurguları olduğunu aklımın bir yanıyla hep fark ediyordum. Ama onu karşımda görüvermek içimde öyle tatlı bir duygu uyandırırdı ki, onun hayaletiyle karşılaşacağım kalabalık yerlere gitmeyi alışkanlık edinmiştim; bu yerleri, sanki kafamın içindeki bir İstanbul haritasına da işaretlemiştim. Füsun sandığım gölgelerin daha çok görüldüğü yerlere gitmek geliyordu hep içimden. Şehir benim için onu hatırlatan bir işaretler âlemi olup çıkmıştı.

Onun hayaletiyle, dalgın dalgın yürüyüp uzaklara bakarken karşılaştığım için, uzaklara bakarak dalgın dalgın yürürdüm. Yanımda Sibel varken gece kulüplerinde, davetlerde rakıyı fazla kaçırdığım zamanlarda da, çeşitli kıyafetlerdeki Füsun hayalleriyle karşılaşır, ama nişanlı olduğum, aşırı bir tepki gösterirsem her şeyin anlaşılacağı gibi düşüncelerle hemen aklımı başıma toplar, o kadının zaten Füsun olmadığını hemen anlardım. Kilyos, Şile Plajları'nın bu manzaralarını, onu en çok yaz öğleüzerleri, sıcaktan ve yorgunluktan kafamın ve dikkatimin iyice gevşediği zamanlarda, mayolu, bikinili utangaç genç kızlar, kadınlar arasında gördüğüm için sergiliyorum. Cumhuriyetin kurulmasının ve Atatürk devrimlerinin üzerinden kırk-elli yıl geçmesine rağmen, mayo-bikini giyip plajlarda birbirlerinin karşısına utanmadan çıkmayı hâlâ tam anlamıyla öğrenememiş Türk insanının mahcubiyeti ile Füsun'un kırılganlığı arasında, içime işleyen bir benzerlik olduğunu hissederdim o zaman.

Bu dayanılmaz özlem anlarında, Zaim ile deniz topu oynayan Sibel'in yanından ayrılır, uzakta bir yerde kuma uzanır, aşksızlıktan sertleşmiş hamhalat gövdemi kavrulsun diye güneşe bırakırken, yan gözle kumsallara, rıhtımlara bakıp koşa koşa bana yaklaşan kızın o olduğunu zannederdim. O kadar istediği şeyi yapıp niye onunla bir kerecik bile Kilyos Plajı'na gitmemiştim! Niye Allah'ın bana verdiği bu büyük hediyenin kıymetini bilememiştim! Onu ne zaman görebilecektim? Kumsalda güneş altında uzandığım yerde ağlamak ister, ama suçlu olduğumu bildiğim için onu da yapamaz, başımı kuma gömüp kahrolurdum.

33. KABA OYALANMALAR

Hayat sanki benden uzaklaşmış, o güne kadar hissettiğim gücünü ve rengini kaybetmiş, eşyalar bir zamanlar hissettiğim (ve hissettiğimin de ne yazık ki farkına varmadığım) güçlerini ve hakikiliklerini yitirmişlerdi. Yıllar sonra kendimi kitaplara verdiğim zaman, o günlerde hissettiğim sıradanlığı ve bayağılığı en iyi ifade eden satırları Fransız şair Gérard de Nerval'in bir kitabında okudum. En sonunda aşk acısından kendini asan şair, hayatının aşkını sonuna kadar kaybettiğini anladıktan sonra, *Aurélia* adlı kitabının bir sayfasında, bundan sonra hayatın kendisine yalnızca "kaba oyalanmalar" bıraktığını söyler. Ben de öyle hissediyor, Füsunsuz geçirdiğim günlerde yaptığım her şeyin kaba, sıradan ve anlamsız olduğu duygusundan kurtulamıyor ve bütün bu bayağılıklara yol açan şeylere, kişilere öfke duyuyordum. Ama en sonunda Füsun'u bulup onunla konuşacağıma, hatta ona sarılacağıma olan inancımı kaybetmemiştim hiç ve bu beni hem iyi-kötü hayata bağlıyor hem de daha sonra pişmanlıkla düşüneceğim gibi acımı uzatıyordu.

O en kötü günlerden birinde, aşırı sıcak bir Temmuz sabahı, ağabeyim telefon edip birlikte pek çok başarılı iş yaptığımız Turgay Bey'in nişana çağrılmadığı için bize kırgın olduğunu, hatta ihalesini birlikte kazandığımız bir büyük çarşaf ihracatı işinden ayrılmak istediğini haklı bir öfkeyle (Osman ortağımızın adını davetliler listesinden benim sildirdiğimi annemden öğrenmişti) anlattığında, bu işi hemen tatlıya bağlayacağımı, Turgay Bey'in gönlünü alacağımı söyleyerek onu yatıştırdım.

Hemen telefon edip Turgay Bey'den bir randevu aldım. Ertesi gün öğleye doğru, kavurucu sıcakta, Turgay Bey'in Bahçelievler'deki dev fabrikasına giden arabanın içinde şehrin gitgide çirkinleşen yeni apartmanlar, depolar, fabrikacıklar ve mezbeleyle kaplanan bu itici semtlerine bakarken, aşk acım dayanılmaz gelmiyordu bana. Bunun nedeni, Füsun'dan haber alabileceğimi ya da ondan söz açabileceğini sandığım birini görmeye gitmemdi elbette. Ama buna benzer başka durumlarda olduğu gibi (Kenan ile konuşurken ya da Şenay Hanım'a Taksim'de rastladığımda) içimdeki hoş heyecanın nedenini kendimden saklıyor, oraya yalnızca "iş" için gittiğime inanmaya çalışıyordum. Kendimi bu kadar kandırmasaydım, Turgay Bey'le "iş" görüşmemiz belki daha başarılı olurdu.

Özür dilemek için ta İstanbul'dan gelmem zaten Turgay Bey'in gururunu okşamış, ona yetmişti; bana iyi davrandı. İçinde yüzlerce kızın çalıştığı dokuma atölyelerini, tekstil makinelerinin başında çalışan genç kızları (bir tekstil makinesinin arkasında, bana sırtını dönmüş olan bir Füsun hayaleti, bir an kalbimi hızlandırarak beni asıl konuya hazırladı), yeni ve "modern" yönetim binasıyla "sıhhi" kafeteryaları mağrur bir üsluptan çok, kendisiyle iş yapmamızın bizim için de iyi olacağını sezdirir, arkadaşça bir havayla gösterdi. Turgay Bey öğle yemeğini de, kendisinin hep yaptığı gibi işçilerle birlikte kafeteryada yememizi istiyordu, ama ben bunun ondan özür dilemek için yeterli olmadığına kendimi inandırdım ve aramızdaki "derin konuları" açmak için belki biraz içmemiz gerektiğini söyledim. Bıyıklı, sıradan yüzünde Füsun'u ima ettiğimi anladığını gösteren hiçbir ifade belirmedi, nişan daveti konusunu da hâlâ açmadığım için, "Dikkatsizlikler hep olur, unutalım," dedi mağrurca. Ama anlamazlıktan geldim ve aklı işinde olan bu çalışkan ve dürüst adamı, beni Bakırköy'deki balık lokantalarından birine öğle yemeğine davet etmek zorunda bıraktım. Mustang marka arabasının içine girer girmez de bu koltuklarda Füsun ile defalarca öpüştüğü, sevişmelerinin ibrelerde, aynada yansıdığı, daha on sekiz yaşında bile değilken onu sıkıştırdığı, ellediği aklıma geldi. Füsun'un ona dönmüş olabileceğini düşünüyor; bütün bu hayallerden utanmama, adamın büyük ihtimal hiçbir şeyden haberi bile olmadığını irademle aklımdan geçirmeme rağmen, kendimi hiç toparlayamıyordum.

Lokantada iki berbat erkek gibi Turgay Bey ile karşı karşıya oturduğumuz zaman, üzeri kıllı elleriyle peçetesini kucağına yerleştirdiğini görünce, koca delikli burnuna, arsız ağzına yakından bakınca, her şeyin kötüye gideceğini, ruhumun acı ve kıskançlıkla daraldığını, toparlayamayacağımı hissettim. Garsona "Bana bak," diyor, peçetesini Hollywood filmlerinden çıkma hareketlerle, dudaklarına pansuman yapar gibi kibar kibar dokunduruyordu. Gene de kendimi tuttum ve durumu yemeğin yarısına kadar idare ettim. Ama içimdeki kötülükten kurtulmak için içtiğim rakı, içimdeki kötülüğü dışarı çıkardı. Turgay Bey, son derece kibar bir dille bu çarşaf işindeki pürüzlerin halledildiğini, artık ortaklar arasında bir mesele kalmadığını, işlerimizin iyi gideceğini anlatıyordu ki, "İşlerimizin iyi gitmesi değil, bizim iyi insan olmamız önemli," dedim.

"Kemal Bey," dedi elimdeki rakı bardağına göz atarak. "Size, babanıza, ailenize büyük saygım var. Hepimizin sıkıntılı günleri olmuştur. Bizlerin bu güzel ve yoksul ülkede, zengin olmak gibi, Allah'ın ancak çok sevgili kullarına bağışlayabileceği bir talihimiz var, şükredelim. Mağrur olmayalım, dua edelim, öyle iyi olabiliriz ancak."

"Ben sizin bu kadar sofu olduğunuzu bilmiyordum," dedim alaycılıkla.

"Kuzum Kemal Bey, benim kabahatim nedir?"

"Turgay Bey, benim ailemden gencecik bir kızın kalbini yaktınız, ona kötü davrandınız, hatta parayla elde etmeye kalktınız. Şanzelize Butik'te çalışan Füsun, anne tarafından çok çok yakın akrabamızdır."

Suratı kül gibi oldu, önüne baktı. O zaman, Füsun'un benden önceki sevgilisi olduğu için değil, bu aşktan sonra acılarını küllendirip normal burjuva hayatına başarıyla dönebildiği için Turgay Bey'i kıskandığımı anladım.

"Sizin akrabanız olduğunu bilmiyordum," dedi şaşırtıcı bir iradeyle. "Şimdi çok utanıyorum. Beni ailecek görmeye tahammül edemiyorsanız, nişanınıza bu yüzden davet edilmediysem, size hak veriyorum. Babanız, ağabeyiniz de böyle mi düşünüyorlar? Ne yapalım, ortaklığı bırakalım mı?"

"Bırakalım," dedim, daha bu sözü söylerken pişman olarak.

"O halde kontratı fesheden siz oluyorsunuz," dedi ve bir kırmızı Marlboro yaktı.

Aşk acısına, yaptığım yanlışın utancı da eklenmişti. Dönüş

yolunda iyice sarhoş olmama rağmen, arabayı kendim kullandım. İstanbul'da, hele sahil yolunda, surlar boyunca araba kullanmak, ta on sekiz yaşımdan beri benim için büyük bir mutluluk olan bu zevk, içimdeki felaket duygusu yüzünden şimdi bir işkenceye dönüşmüştü. Şehir de güzelliğini kaybetmişti sanki ve ondan kaçmak için gaza basıyordum. Eminönü'nde, Yeni Cami'nin önündeki yaya köprülerinin altından geçerken, az daha caddede yürüyen birini ezecektim.

Yazıhaneye gelince, yapabileceğim en iyi şeyin, Turgay Bey ile ortaklığın sona ermesinin o kadar da kötü bir şey olmayacağına kendimi ve Osman'ı inandırmak olduğuna karar verdim. Bu ihale konusunu iyi bilen Kenan'ı çağırdım, anlattıklarımı aşırı bir merakla dinliyordu. Olup bitenleri "Turgay Bey kişisel nedenlerle bize kabalık ediyor," diye özetledim ve bu çarşaf ihalesini tek başımıza yetiştirebilir miyiz diye sordum. Buna imkân olmadığını söyledi, asıl sorunun ne olduğunu sordu. Turgay Bey ile yollarımızı ayırmak zorunda olduğumuzu tekrarladım.

"Kemal Bey, mümkünse bunu yapmayalım," dedi Kenan. "Ağabeyinizle görüştünüz mü?" Bunun yalnız Satsat değil, öteki şirketler için de bir darbe olacağını, sözleşmede çarşaflar vaktinde yetiştirilemezse, New York mahkemelerinde aleyhimize işleyecek çok ağır maddeler olduğunu söyledi. "Ağabeyiniz durumdan haberdar mı?" diye yeniden sordu. Sanırım ağzımdan baca gibi tüten rakı kokusunu aldığı için de yalnız şirket için değil, benim için de dertleniyormuş pozu yapma hakkı görüyordu kendinde. "Artık ok yaydan çıktı," dedim. "Turgay Bey olmadan götüreceğiz işi. Ne yapalım." Bunun imkânsız olduğunu, Kenan söylemese de biliyordum. Ama aklımın o makul yanı tamamen durmuş, bir olay çıkarmak, kavga etmek isteyen bir şeytana teslim olmuştu. Kenan, ağabeyimle görüşmem gerektiğini tekrarlayıp duruyordu.

Burada sergilediğim bu Satsat logolu küllüğü ve zımbayı o sırada Kenan'ın kafasına atmadım tabii, ama atmak istedim. Gülünç bulduğum kravatının üzerinde, küllükteki renk ve biçimlerin aynılarının olduğunu hayretle fark ettiğimi de hatırlıyorum. "Kenan Bey, siz ağabeyimin şirketinde değil, benim yanımda çalışıyorsunuz!" diye bağırdım ona.

"Kemal Bey, rica ederim, bunun tabii ki farkındayım," dedi ukalaca. "Ama nişanda beni ağabeyinizle siz tanıştırdınız ve ondan beri de onunla görüşüyoruz. Bu önemli konuda onu hemen aramazsanız çok üzülecek. Son günlerdeki sıkıntılarınızdan ağabeyiniz haberdar ve size destek olmak istiyor herkes gibi."

Bu "herkes gibi" kelimeleri beni öfkeden çıldırtacaktı. Bir an onu hemen kovmayı düşündüm, ama pervasızlığından korktum. Kafamın bir yanının bütünüyle köreldiğini, aşktan, kıskançlıktan, her nedense artık olup bitenleri doğru değerlendiremediğimi hissediyordum. Kapana kısılmış bir hayvan gibi derin bir acı çekerken, bana bir tek Füsun'u görmenin iyi geleceğinin fazlasıyla farkındaydım. Dünya umurumda değildi, çünkü her şey zaten fazlasıyla lüzumsuz ve kabaydı.

34. UZAYDAKİ KÖPEK GİBİ

Ama Füsun yerine Sibel'i gördüm. Acım o kadar artmış, beni öylesine teslim almıştı ki, şirket boşaldıktan sonra orada tek başına oturmanın beni, küçük gemisiyle uzayın karanlık sonsuzluğuna yollanan bu köpek gibi yalnız hissettireceğini anladım hemen. Herkes gittikten sonra Sibel'i yazıhaneye çağırmam, onda "nişan öncesi cinsel alışkanlıklarımıza" geri döndüğümüz izlenimini uyandırmıştı. İyi niyetli nişanlım, her zaman hoş bulduğum Sylvie marka kokusunu sürmüş, beni tahrik ettiğini çok iyi bildiği bu file taklidi çorapları ve yüksek topuklu ayakkabıları giymişti. Buhranımın bittiğini sanarak aşırı bir mutlulukla geldiği için, durumun aslında tam tersi olduğunu, onu içimdeki felaket duygusundan biraz olsun çıkabilmek, çocukken anneme sarıldığım gibi ona sarılabilmek için çağırdığımı söyleyemedim. Böylece Sibel, bir zamanlar keyifle yaptığı gibi, önce beni divana oturttu, sonra hayali bir budala sekreteri zevkle taklit ederek yavaş yavaş soyundu ve tatlı tatlı gülümseyerek kucağıma oturdu. Saçlarının, boynunun, bana kendimi bütünüyle evde hissettiren kokusunun, o bildik güven verici yakınlığının beni ne kadar rahatlattığını anlatmayayım, çünkü makul okur ve meraklı müzegezer, ondan sonra mutlulukla seviştiğimizi zannedip hayal kırıklığına uğrayabilir. Sibel de hayal kırıklığına uğradı. Ben ise, ona sarılınca kendimi o kadar iyi hissettim ki, bir süre sonra rahatlatıcı ve mutlu bir uykuya daldım ve rüyamda Füsun'u gördüm.

Ter içinde uyandığımda, hâlâ birbirimize sarılmış yatıyorduk. İkimiz de hiç konuşmadan, o düşünceli düşünceli, ben suçlu suçlu, yarı karanlıkta giyindik. Caddeden geçen arabaların lambaları ve troleybüslerin boynuzlarının arada bir çaktığı mor şimşekleri, mutlu günlerimizde olduğu gibi yazıhaneyi aydınlatıyordu.

Nereye gidelim tartışmasına hiç girmeden, Fuaye'ye gittik ve mutlu kalabalık içerisindeki ışıltılı masamızda otururken, Sibel'in ne kadar hoş, ne kadar güzel ve ne kadar anlayışlı olduğunu bir kez daha düşündüm. Bir saat, şundan bundan konuştuğumuzu, masamıza oturup kalkan sarhoş dostlarla gülüştüğümüzü, garsondan Nurcihan'ın Mehmet ile gelip erkenden ayrıldıklarını öğrendiğimizi hatırlıyorum. Ama ikimizin de aklı artık kaçamayacağımız asıl konudaydı, sessizliklerden anlaşılıyordu bu. İkinci bir şişe Çankaya şarabı açtırdım. Artık Sibel de çok içiyordu.

"Artık söyle," dedi sonunda. "Nedir mesele? Hadi..."

"Bir bilsem," dedim. "Kafamın bir yanı, bu meseleyi sanki bilmek, anlamak istemiyor."

"Yani sen de bilmiyorsun, öyle mi?"

"Evet."

"Bence, benden çok biliyorsun," dedi Sibel gülümseyerek.

"Nasıl bir şey bu bildiğim sence?"

"Benim senin derdin hakkında ne düşündüğüm seni endişelendiriyor mu?" diye sordu.

"Bu meseleyi çözemeyip seni kaybetmekten korkuyorum."

"Korkma," dedi, "sabırlıyım ve seni çok seviyorum. Söylemek istemiyorsan da söyleme. Olay hakkında yanlış fikirlerim de yok, huzursuz olma. Vaktimiz var."

"Ne gibi yanlış fikirler?"

"Mesela homoseksüel filan olduğunu düşünmüyorum," dedi hem gülümseyerek hem de beni rahatlatma isteğiyle.

"Sağol. Başka?"

"Cinsel bir hastalık ya da derin bir çocukluk acısı falan gibi şeylere de inanmıyorum. Ama sana bir psikoloğun iyi geleceğini de düşünüyorum. Ayıp bir şey değil psikoloğa gitmek, Avrupa'da Amerika'da herkes gidiyor... Tabii bana anlatamadığını, ona anlatman lazım... Hadi canım, anlat bana, korkma, affedeceğim."

"Korkuyorum," dedim gülümseyerek. "Dans edelim mi?"

"O zaman senin bildiğin ve benim bilmediğim bir şey olduğunu kabul ediyorsun."

"Matmazel, lütfen dans isteğimi geri çevirmeyin."

"Ah mösyö, dertli bir adamla nişanlıyım ben," dedi ve dansa kalktık.

Bu ayrıntıları, o sıcak Temmuz gecelerinde burada menülerini ve bardaklarını sergilediğim gece kulüplerine, davetlere ve lokantalara gidip bol bol içerek aramızda geliştirdiğimiz tuhaf yakınlığa, özel dile ve –kelimeyi doğru kullanıyor muyum bilmiyorum ama– yoğun sevgiye örnek olsun diye kaydediyorum. Cinsel aşkla değil, çok güçlü bir şefkatle beslenen bu sevgi, gece yarıları artık ikimiz de iyice sarhoşken dans edişimizi kıskançlıkla seyredenlerin de tanık oldukları gibi, tenin ve gövdenin çekiminden de bütünüyle uzak değildi. Uzaktaki orkestranın çaldığı *Güller ve Dudaklar* ya da diskjokeyin (o zamanlar Türkiye'de yeni bir işti) çaldığı parçalar nemli yaz gecesinde sessiz ve kıpırtısız ağaçların yaprakları arasında gezinirken, kollarımın arasındaki sevgili nişanlıma, tıpkı yazıhanedeki divanda yatarken sarıldığım gibi, içten gelen bir korunma duygusu, bir paylaşma zevki ve yoldaşlık gücüyle sarılır, boynunun, saçlarının bana huzur veren kokusunu içime çeker, kendimi uzaya yollanmış astronot köpek gibi yalnız hissetmemin yanlış olduğunu, Sibel'in her zaman yanımda olacağını anlayarak ona sarhoşlukla sokulurdum. Bizim gibi romantik başka çiftlerin bakışları arasında bazan dans pistinde sendeler, hatta sarhoşluktan yere yuvarlanacak gibi olurduk. Alelade dünyadan bizi uzaklaştıran bu yarı tuhaf, yarı sarhoş halimiz, Sibel'in hoşuna giderdi. İstanbul'un sokaklarında komünistler ile milliyetçiler birbirlerini kurşunlar, bankalar soyulur, bombalanır, kahveler makineli tüfeklerle taranırken, bizim esrarengiz bir acı yüzünden bütün dünyayı unutuşumuz, Sibel'e bir derinlik duygusu verirdi.

Daha sonra masaya oturunca, Sibel zilzurna sarhoş halde esrarengiz konuyu yeniden kurcalar, ama konuşa konuşa onu anlamak yerine, kabul edilebilir bir şey haline getirirdi. Böylece Sibel'in gayretleriyle benim tuhaflığım, hüznüm ve onunla sevişememem, nişanlımın evlilik öncesi bana bağlılık ve şefkatini sınavdan geçirdiği hafif bir acıya, bir süre sonra unutulacak sınırlı bir trajediye indirgeniyordu. Sürat motorlarına binip birlikte gezdiğimiz kaba ve yüzeysel zengin dostlarımızdan, kendimizi sanki benim acım sayesinde ayırabiliyorduk. Verilen bir davetin sonunda yalının iskelesinden Boğaz'a atlayan sarhoşlara katılmamız gerekmiyordu, çünkü biz zaten benim acım ve tuhaflığım sayesinde "farklı" olmuştuk. Acımı Sibel'in bu kadar içten bir vakarla sahiplendiğini görmek bana mutluluk veriyor, bu bizi birbirimize bağlıyordu. Ama bütün bu sarhoş vakar içinde, ben gecenin bir anında, uzakta eski Şehir Hatları vapurlarından birinin kederli düdüğünü işitince ya da kalabalık içerisinde en beklenmedik yerde, birisini Füsun sanınca yüzümde beliren tuhaf ifadeyi, Sibel acıyla fark eder ve karanlık tehlikenin sandığından çok daha korkutucu olduğunu sezerdi.

Bu sezgileri yüzünden Sibel, önce arkadaşça bir şefkatle tavsiye ettiği psikanalizi Temmuz'un sonuna doğru olmazsa olmaz bir şarta çevirdi ve ben de onun harika yoldaşlığını ve şefkatini kaybetmemek için kabul ettim. Dikkatli okurun aşk hakkındaki incilerini hatırlayacağı psikanalizci ünlü Türk ruh doktoru o sırada Amerika'dan yeni dönmüş, İstanbul'da dar bir sosyete çevresine mesleğinin ciddiyetini papyonu ve piposuyla kabul ettirmeye çalışıyordu. Yıllar sonra müzemizi kurarken, o günden aklında ne kaldığını sormak ve bu papyonu ve pipoyu bulup müzemize bağışlamasını rica etmek için ona gittiğimde, benim o günkü dertlerimden hiçbir şey hatırlamadığını, dahası, İstanbul sosyetesince artık çok iyi bilinen acıklı hikâyemden bile haberdar olmadığını anladım. Beni o günlerde gelen pek çok müşteri gibi, sırf meraktan kapısını çalan sağlıklı biri olarak hatırlıyordu. Ben ise, hasta oğlunu doktora götüren anne gibi, Sibel'in ısrarla benimle birlikte gelmek isteyişini ve "Ben bekleme odasında otururum canım," deyişini unutamam hiç. Ama onun gelmesini istememiştim. Sibel, Batı dışı ülkelerin, özellikle İslam ülkelerinin burjuvalarının yerinde sezgisiyle, psikanalizi aile içi dayanışma ve sır paylaşma yoluyla tedavi alışkanlığı olmayan Batılılar için icat edilmiş "bilimsel bir sır verme" ritüeli olarak görürdü. Havadan sudan söz ettikten ve gerekli bilgi formlarını titizlikle doldurduktan sonra, "sorunumu" sorunca, doktora, bir an, sevgilimi kaybettiğim için kendimi uzaya yollanmış bir köpek gibi yalnız hissettiğimi söylemek geldi içimden. Ama derdimin sevdiğim, güzel ve çok çekici nişanlımla nişanlandıktan sonra sevişememek olduğunu söyledim. O da bana isteksizliğimin nedenini sordu. (Halbuki bu nedeni o bana söyleyecek sanıyordum.) Allah'ın yardımıyla aklıma geliveren cevabı bugün, olaylardan yıllar sonra hatırladıkça hâlâ gülümser, biraz doğru da bulurum: "Hayattan korkuyorum galiba doktor bey."

Bir daha ziyaretine gitmediğim ruh doktorum, son söz olarak "Hayattan korkmayın Kemal Bey!" diyerek uğurladı beni.

35. KOLEKSİYONUMUN İLK ÇEKİRDEĞİ

Ruh doktorunun verdiği cesaretle kendimi kandırdım, budalaca hastalığımın hafiflediğine hükmettim ve uzun zamandır kendime yasakladığım hayatımın kırmızıyla işaretli sokaklarında biraz yürüme hevesine kapıldım. Alaaddin'in dükkânının önünden geçmek, küçükken annemle alışverişe çıktığımız sokakların, dükkânların havasını koklamak, ilk birkaç dakika bana o kadar iyi geldi ki, hayattan gerçekten korkmadığımı ve hastalığımın gerilediğini sandım. Bu iyimserlikle, Şanzelize Butik'in önünden de hiçbir aşk acısı hissetmeden geçerek her şeyin normale döndüğüne kendimi inandırma hatasına düştüm. Ama dükkânı uzaktan görmek bile aklımı başımdan almaya yetti.

Zaten tetiklenmeyi bekleyen acı, bir anda ruhumu kararttı. Hemen bir çare bulma umuduyla Füsun'un dükkânda olabileceğini düşündüm; kalbim hızlandı. Kafam karışıp kendime güvenim azalınca, karşı kaldırıma geçtim ve vitrinden içeri baktım: Füsun oradaydı! Bir an bayılacak gibi oldum, kapıya koştum. Tam içeri girmek üzereyken gördüğümün o değil, bir hayaleti olduğunu anladım. Onun yerine işe bir başkası alınmıştı! Bir an ayakta duramayacağımı hissettim. Gece kulüplerinde, davetlerde dans ederek yaşadığım hayat, şimdi bana inanılmayacak kadar sahte ve bayağı gözüküyordu. Dünyada birlikte olmam, sarılmam gereken tek kişi vardı, hayatımın tek merkezi başka bir yerdeydi ve kaba oyalanmalarla boşu boşuna kendimi kandırmam hem kendime, hem ona saygısızlıktı. Nişandan sonra hissettiğim pişmanlık ile karışık suçluluk duygusu, şimdi dayanılmaz bir boyuta ulaşmıştı. Ben Füsun'a ihanet etmiştim! Yalnızca onu düşünmeliydim. Bir an önce, ona en yakın olabileceğim yere varmalıydım.

Sekiz-on dakika sonra Merhamet Apartmanı'ndaki yatağımızda yatıyor, Füsun'un çarşaflara sinmiş kokusunu bulmaya çalışıyor, onu gövdemin içinde hissetmek, sanki o olmak istiyordum. Yataktaki kokusu azalmış, hafiflemişti. Çarşafa bütün gücümle sarıldım. Acı dayanılmaz olunca, uzanıp sehpanın üzerindeki camdan kâğıt ağırlığını elime aldım. Camın üzerine Füsun'un elinin, teninin ve boynunun o özel kokusu hafifçe sinmişti ve kokladıkça ağzıma, burnuma ve ciğerlerime hoş bir şekilde vuruyordu. Bu kokuyu koklayarak, cam ağırlıkla oynayarak yatakta çok uzun bir süre öyle kalmışım. Sonradan hatırlayıp hesapladığıma göre cam kâğıt ağırlığını ona 2 Haziran tarihli buluşmamızda hediye olarak getirmiş, o da annesini şüphelendirmemek için, aldığım pek çok hediye gibi, ağırlığı da evine götürememişti.

Sibel'e doktora yaptığım ziyaretin uzun sürdüğünü, herhangi bir itirafta bulunmadığımı, adamın bana verecek bir şeyi olmadığını, ona bir daha gitmeyeceğimi, ama kendimi biraz daha iyi hissettiğimi söyledim.

Merhamet Apartmanı'na gidip yatağa yatmak, bir eşya ile oyalanmak bana iyi gelmişti. Ama bir buçuk gün sonra, acım yeniden eski haline döndü. Üç gün sonra gene oraya gidip yatağa uzanıp Füsun'un dokunduğu bir başka eşyayı, rengârenk boyaları kurumuş bir yağlıboya fırçasını, tıpkı yeni bir eşyayı ağzına sokan çocuk gibi ağzıma, tenime değdirdim. Acım gene bir süreliğine yatıştı. Bir yandan da artık bu işe alıştığımı, tıpkı bir uyuşturucu gibi, bana teselli veren eşyalara bağımlı olduğumu ve bu bağımlılığın da Füsun'u unutmama hiç yaramayacağını düşünüyordum.

Ama Merhamet Apartmanı'na gidişlerimi yalnız Sibel'den değil, sanki kendimden de sakladığım, iki-üç günde bir ikişer saat süren bu ziyaretleri sanki hiç yapmamışım gibi davrandığım için, hastalığımın yavaş yavaş dayanılabilir bir ölçüye indiğini de hissediyordum. İlk başlarda bu eşyalara, dededen kalma kavukluklara, Füsun'un kafasına koyup maskaralık ettiği bu fese ya da giydiği annemin bu eski ayakkabılarına (annemle ayakları aynı numaraydı: 38) bakışım bir koleksiyoncu gibi değil, ilaçlarına bakan bir hasta gibiydi. Füsun'u hatırlatan eşyalara acımı dindirmek için hem ihtiyacım vardı hem de acım dinince hastalığımı hatırlattıkları için bu eşyalardan ve o evden kaçmak istiyor, iyimserlikle hastalığımın hafiflediğini düşünüyordum. Bu iyimserliğim bana cesaret veriyor, eski hayatıma yeniden döneceğimi, yakında Sibel ile sevişmeye başlayabileceğimi, sonra onunla evleneceğimizi ve normal ve mutlu bir evlilik hayatına başlayacağımı, hem sevinç hem de acıyla hayal ediyordum.

Ama bu ilk iyimserlik anları kısa sürer, bir gün geçmeden özlem ağır bir acıya, iki günde de dayanılmaz bir ıstıraba dönüşür, o zaman gene Merhamet Apartmanı'na gitmem gerekirdi. Apartmana girince ya çay fincanı, unutulmuş bir toka, cetvel, tarak, silgi, tükenmez kalem gibi bana onunla yan yana oturmanın zevklerini hatırlatan eşyalara yönelir ya da annemin eski ve işe yaramaz diye buraya attığı eşyalar arasından Füsun'un ellediği, oynadığı, elinin kokusunun sindiği birşeyleri arayıp bulur ve onlarla ilgili hatıraları tek tek gözümün önünden geçirerek koleksiyonumu genişletirdim.

36. AŞK ACIMI YATIŞTIRACAK KÜÇÜK BİR UMUT İÇİN

Burada sergilediğim mektubu, koleksiyonumun ilk eşyalarını ortaya çıkardığım bu önemli günlerde yazdım. Mektubu zarfının içinde bırakmamın nedeni, hikâyemi uzatmamak ve yirmi yıl sonra Masumiyet Müzesi'ni kurarken bile hâlâ duyduğum utançtır. Bu kitabın okuru ya da müzegezer mektubu okuyabilseydi, Füsun'a düpedüz yalvardığımı görecekti. Ona yanlış davrandığımı, çok pişman olduğumu, çok acı çektiğimi, aşkın çok kutsal bir duygu olduğunu, bana geri dönerse Sibel'den ayrılacağımı yazmıştım. Sonuncusunu yazdıktan sonra da pişman olmuştum: Sibel'den şartsız şurtsuz ayrıldığımı yazmalıydım; ama o akşam da küp gibi içip Sibel'e sığınmaktan başka bir çarem yoktu ve elim o kadarını yazmaya varmıyordu. Metninden çok varlığı önemli olan mektubu on yıl sonra Füsun'un dolabında bulunca, onu yazdığım günlerde kendimi ne kadar çok kandırdığımı şaşarak gördüm. Bir yandan Füsun'a olan aşkımın şiddetini, çaresizliğimi kendimden saklamaya çalışıyor, yakında ona kavuşacağıma ilişkin saçma sapan ipuçları icat edip kendimi kandırıyor, diğer yandan da Sibel ile ileride kuracağım mutlu aile hayatının hayallerinden vazgeçemiyordum. Bu sonuncusunu yapıp, yani Sibel ile nişanı bozup, bu mektubu götüren Ceyda'nın aracılığıyla Füsun'a evlenme mi teklif etseydim? Aklımın köşesinden bile geçirmediğimi sandığım bu fikir, Füsun'un güzellik yarışmasından sevgili arkadaşı Ceyda ile buluştuğumuzda birden bütün ayrıntılarıyla gözümde canlandı.

Aşk acılarımın kasvetinden bıkmış olan müzegezere güzel bir gazete kesiği sergiliyorum burada. Füsun'un güzellik yarışmasından arkadaşı Ceyda'nın yarışma için çekilmiş resmi ve hayatının amacının hayallerindeki "ideal erkekle" mutlu bir evlilik olduğunu söylediği bir röportajı... Acıklı hikâyemin bütün ayrıntılarını ta başından beri bilen ve aşkımı saygıyla karşılayan ve bu güzel gençlik fotoğrafını cömertçe müzeme bağışlayan Ceyda Hanım'a teşekkürlerimi sunuyorum. Acıyla yazdığım mektubu, annesinin eline geçmesin diye Füsun'a postayla değil, Ceyda ile yollamaya karar verince, sekreterim Zeynep Hanım'ın yardımıyla onu arayıp buldum. Füsun'un benimle olan ilişkisini baştan beri bütün ayrıntılarıyla açtığı bu arkadaşı, onunla önemli bir konuda görüşmek istediğimi söyleyince hiç nazlanmadı. Maçka'da buluştuğumuzda, aşk acımı Ceyda'ya açmaktan utanmadığımı hemen fark ettim. Belki her şeyi olgunlukla anladığını hissettiğim için, belki de o sıra Ceyda'nın çok ama çok mutlu olduğunu gördüğüm için. Gebe kalmış, bu yüzden de Sedircilerin oğlu, zengin ve muhafazakâr sevgilisi onunla evlenmeye karar vermişti. Bunları benden saklamadığı gibi, yakında düğünün yapılacağını da söyledi. Orada Füsun ile karşılaşabilir miydim, Füsun neredeydi? Ceyda bu sorulara, geçiştiren cevaplar verdi. Füsun onun kulağını bükmüş olmalıydı. Taşlık Parkı'na doğru yürürken, aşkın derinliği ve ciddiyeti üzerine derin ve ciddi sözler söyledi. Onu dinlerken gözüm uzaktaki Dolmabahçe Camii'ne, çocukluğumdan kalma ve rüyalardan çıkma bir görüntüye takılmıştı.

Çok fazla ısrar edip Füsun'un nasıl olduğunu bile soramadım. Ceyda'nın benim en sonunda Sibel'den ayrılıp Füsun ile evleneceğimi, böylece ailecek görüşeceğimizi umutla hayal ettiğini hissettiğim gibi, bu hayallere kendimin de katıldığını fark ettim. Temmuz öğleden sonrasında girip oturduğumuz Taşlık Parkı'nın manzarası, Boğaz'ın girişinin güzelliği, önümüzdeki dut ağaçları, kır kahvesinin masalarında oturup Meltem gazozu içen âşıklar, bebek arabalarıyla gelmiş anneler, ileride kumda oynayan çocuklar, çekirdek ve leblebi yiyip gülüşen üniversite öğrencileri, çekirdek kabuklarını gagalayan bir güvercinle iki serçe, bütün bu kalabalık, unutmakta olduğum bir şeyi, hayatın sıradan güzelliğini hatırlatıyordu bana. Bu yüzden, Ceyda gözlerini kocaman kocaman açıp mektubu Füsun'a vereceğini, onun da bana mutlaka bir cevap vereceğine iyi niyetlerle inandığını söyleyince büyük bir umuda kapıldım.

Ama hiçbir cevap gelmedi.

Ağustos ayının başında, bir sabah, aldığım bütün önlemlere, teselli usullerine rağmen, acımın hiç hafiflemediğini, tam tersi hâlâ düzenli bir şekilde arttığını kabul etmek zorunda kaldım. Yazıhanede çalışırken ya da telefonda birisiyle tartışırken, aklım Füsun hakkında bir düşünce üretmiyordu, ama karnımdaki ağrı bir çeşit düşünce şeklini almış, aklımın içinde elektrik akımı gibi sessizce ve hızla dolaşıyordu. Aşk acımı yatıştıracak küçük bir umut için yaptığım çeşitli şeyler de ilk başta belli bir rahatlık veriyor ya da beni oyalıyordu, ama uzun vadede hiçbir işe yaramıyordu.

Uğura, esrarengiz işaretlere ve gazetelerdeki yıldız falı köşelerine merak salmıştım. En çok *Son Posta*'daki "Burcunuz, Gününüz" köşesine ve *Hayat* dergisindeki gözlemlere inanıyordum. Uzmanın akıllısı, biz okurlara, özellikle de bana hep "Bugün sevdiğiniz birinden bir işaret alacaksınız!" derdi. Başka burçlarda doğanlar için de sık sık böyle yazıyorlardı, ama çok da haklı ve inandırıcıydılar. Burç, yıldız falı köşelerini dikkatle okurdum, ama yıldızlara, astrolojiye hiç inanmaz, içi sıkılan ev kadınları gibi saatlerce burçlarla oyalanamazdım. Derdim acildi. Kapı açılıyorsa, "İçeri giren kadın olursa, Füsun'a en sonunda kavuşacağım, erkek olursa, kötü olacak," derdim kendi kendime.

Dünya, hayat, her şey, insanın her an falına bakabilmesi için Allah'ın bize yolladığı işaretlerle kaynaşıyordu. "Caddeden geçen ilk kırmızı araba soldan gelirse Füsun'dan bir haber alacağım, sağdan gelirse daha bekleyeceğim," der, Satsat'ın penceresinden yoldan geçen arabaları sayardım. "Vapurdan iskeleye ilk atlayan ben olursam, Füsun'u yakında göreceğim," derdim ve daha halat atılmadan iskeleye atlardım. "İlk atlayan eşşektir!" diye arkamdan bağırırdı halatçılar. Sonra bir vapurun düdüğünü işitir, bunu bir uğur olarak görür, gemiyi hayal ederdim. "Üst geçitteki merdivenin basamakları tek sayıysa, Füsun'u yakında göreceğim," derdim. Basamakların çift çıkması acımı artırır, uğurumun tutması ise beni bir an rahatlatırdı.

En kötüsü gecenin ortasında acıdan uyanmak ve uykuya devam edememekti. O zaman rakı içer, çaresizlikten üstüne birkaç kadeh viski ya da şarap yuvarlar; bilincimi, bana huzursuzluk veren ve bir türlü de susmayan bir radyoyu kapatır gibi kapatmak isterdim. Birkaç kere, gece yarısı elimde rakı kadehi, annemin eskimiş destesiyle falıma baktım, "pasyans" açtım. Birkaç gece de babamın çok az kullandığı zarlarını –her seferinde bunun son olduğunu düşünerek– binlerce kere attım. İyice sarhoş olunca acımdan tuhaf bir zevk aldığımı, durumumu aptalca bir gururla kitaplara, filmlere, operalara layık bulduğumu hissederdim.

Suadiye'deki yazlık evde kaldığım bir gece, sabaha birkaç saat kala, gene uyuyamayacağımı anlayınca, deniz tarafındaki terasa karanlıkta sessizce çıktım, bir şezlonga uzandım ve çam kokuları içerisinde, Adalar'ın titreyen ışıklarını seyrederek uyumaya çalıştım.

"Sen de mi uyuyamıyorsun?" diye fısıldadı babam. Karanlıkta, yanımdaki şezlongda uzandığını fark etmemiştim.

"Bu ara uyuyamıyorum bazı geceler," diye fısıldadım suçlulukla.

"Merak etme, geçer," dedi şefkatle. "Daha gençsin. Acılar yüzünden uykusuz kalmak için daha çok erken, korkma. Ama benim yaşıma gelince hayatta pişman olduğun şeyler varsa, sabahlara kadar yıldızları sayarak bekliyorsun. Sakın pişman olacağın bir şey yapma."

"Peki baba," diye fısıldadım. Az sonra biraz olsun acımı unutup uyuyakalacağımı anladım. Babamın o gece giydiği pijamanın yakasını ve bende hep hüzün uyandıran tek terliğini burada sergiliyorum.

Belki önemsiz bulduğum için, belki de okurların ve müzegezerlerin beni daha fazla küçümsemesini istemediğim için, o sıralarda alışkanlık edindiğim bir-iki şeyi sizlerden saklamıştım, ama hikâyemizin anlaşılabilmesi için şimdi onlardan birini kısaca itiraf edeceğim. Öğle tatillerinde sekreterim Zeynep Hanım, kalabalıkla birlikte yemeğe çıkınca, bazan Füsunlara telefon ediyordum. Telefona Füsun hiç çıkmıyordu, demek ki gittiği yerden hâlâ dönmemişti, babası da yoktu ortalıkta. Telefonu hep Nesibe Hala açıyordu, demek ki dikişlerini evde dikiyordu, ama bir gün Füsun'un açacağını umuyordum. Nesibe Hala'nın ağzından Füsun hakkında bir şey kaçırmasını umutla beklerdim. Ya da Füsun'un arkadan bir şey söyleyeceğini zanneder, hiç konuşmadan sabırla beklerdim. Telefon açılınca başta hiçbir şey dememek daha kolaydı da, sessizlik uzayıp Nesibe Hala konuştukça kendimi tutmam güçleşirdi. Çünkü Nesibe Hala, çok fazla telaşlanır, korkusunu, öfkesini, telaşını hemen belli eder, bir telefon sapığının çok hoşuna gidecek şekilde kıvranırdı: "Alo, alo, kimsiniz, kim o, kimi aradınız, konuşsana Allah aşkına, alo, alo, kimsin sen, niye arıyorsun?" gibi kelimelerden sınırsız sayıda düzenleme yapar, korku, telaş, öfke belirtileri gösterir, açar açmaz telefonu kapamak ya da benden önce telefonu kapamak aklına hiç gelmezdi. Zaman geçtikçe bu uzak hısmımın telefonlarım karşısında, gözü arabanın lambasına takılmış tavşan gibi davranması, bende bir keder ve çaresizlik duygusu uyandırmaya başladı ve bu alışkanlığımı bırakmayı başardım.

Füsun'dan hiçbir iz yoktu.

37. BOŞ EV

Ağustos'un sonunda, yani leyleklerin kafileler halinde Boğaz'ın, Suadiye'deki evin ve Adalar'ın üzerinden Avrupa'dan güneydoğuya, Afrika'ya geri döndüğü günlerde, her yıl bu vakit arkadaşlarımın da yoğun isteği üzerine yaptığım gibi, annemle babam yazlıktan dönmeden önce, bizim Teşvikiye Caddesi'ndeki boş dairede, bir yaz sonu partisi düzenlemeye karar verdik. Sibel'in hevesle alışveriş ettiği, masaların yerini değiştirip yaz için naftalinlenip rulo yapılıp kaldırılmış halıları parkelerin üzerine serdirdiği saatlerde, ben eve gidip ona yardım edeceğime, gene

Füsunlara telefon ettim. Birkaç gündür telefonu uzun uzun çaldırmama rağmen kimse açmadığı için huzursuzdum. Bu sefer kesilmiş hatlara özgü kesintili sesi işitince, karnımdaki ağrı bütün gövdemi ve aklımı ele geçirdi.

On iki dakika sonra bir süredir uzak durmayı başardığım hayatımın turuncuyla işaretli yasak sokaklarına çıkmış, öğle güneşinde gölge gibi Füsunların Kuyulu Bostan Sokak'taki evine yaklaşıyordum. Uzaktan pencerelerine bakınca, perdelerin yerinde olmadığını gördüm. Kapıyı çaldım, kimse açmadı. Kapıyı vurdum, yumrukladım, gene kimse açmayınca öleceğim sandım. "Kim o?" diye seslendi yaşlı kapıcı kadın yeraltındaki karanlık dairesinden. "Haa, onlar, üç numaralar, taşındılar, gittiler onlar."

"Yeni kiracı adayı olduğum" yalanını attım. Eline yirmi lira sıkıştırdığım kadına yedek anahtarıyla kapıyı açtırıp içeri girdim. Allahım! O boş odaların acıklı yalnızlığından, yıpranmış, ezilmiş mutfak fayanslarının döküntü halinden, kayıp sevgilimin bütün hayatı boyunca yıkandığı kırık dökük küvetle, onu korkutan şofbenin büyüsünden, duvarlara çakılı çivilerle, onlara asılı aynaların ve çerçevelerin yirmi yıllık gölgelerinden nasıl söz edeyim? Füsun'un odalardaki kokusunu, bir köşeye sinmiş gölgesini, onu Füsun yapan ve bütün hayatını geçirdiği bu evin planını, duvarlarını ve pul pul dökülen derisini aşkla hafızama kazıyordum. Bir duvar kâğıdı vardı, kenardan kocaman bir parçayı yırtarak kopardım ve yanıma aldım. Füsun'un olduğunu sandığım küçük odanın kapısının kulpunu da, onun bu kulpu on sekiz yıl ellediğini düşünerek cebime indirdim. Banyodaki rezervuarın zincirinin ucundaki porselen çekecek, ben dokununca elimde kaldı.

Bir köşeye atılmış kâğıtlar, çerçöp içinden, Füsun'un kırık bir bebeğinin kol parçasını, iri bir mika bilyeyi ve onun olduğundan şüphem olmayan firketeleri cebime attım ve yalnız kalınca onlarla biraz teselli bulacağımı düşünüp rahatlayarak kapıcı kadına kiracıların onca yıldan sonra niye çıktığını sordum. Ev sahibiyle kira yüzünden yıllardır çekiştiklerini söyledi. "Sanki başka mahallelerde kiralar daha mı düşük!" dedim, paranın pul olduğunu, pahalılığın alıp yürüdüğünü söyledim. "Eski kiracılar nereye taşındılar?" "Bilmiyoruz," dedi kapıcı kadın. "Bizlere, ev sahibine küskün gittiler. Yirmi yıl sonra araları bozuldu." İçimdeki çaresizlik duygusu beni boğacak gibiydi.

Bir gün buraya gelip, kapılarını çalıp, yalvararak içeri girip Füsun'u görme umudunu içimde hep taşıdığımı anladım. Şimdi bu son teselli imkânı ve onu görebilme hayali de elimden alınmıştı ve buna dayanmam çok zor olacaktı.

On sekiz dakika sonra, Merhamet Apartmanı'ndaki yatağımıza uzanmış, boş evden aldığım eşyalarla acımı hafifletmeye çalışıyordum. Füsun'un dokunduğu ve onu Füsun yapan bu şeyleri elimde tuttukça, onları okşayıp, seyredip boynuma, omuzlarıma, çıplak göğsüme, karnıma değdirdikçe, eşyalar içlerinde birikmiş hatıraları, bir teselli gücüyle ruhuma salıveriyorlardı.

38. YAZ SONU PARTİSİ

Çok sonra yazıhaneye hiç uğramadan, doğrudan Teşvikiye'ye eve, parti hazırlıklarına gittim. "Şampanyalar için bir şey soracaktım," dedi evde Sibel. "Yazıhaneye birkaç kere telefon ettim, her seferinde olmadığını söylediler."

Ona hiçbir cevap veremeden odama sıvıştım. Yatağıma uzandığımı, çok mu çok mutsuz olduğumu ve bu gecenin çok kötü geçeceğini umutsuzlukla düşündüğümü hatırlıyorum. Füsun'u acıyla hayal ederek, eşyalarıyla oynayarak teselli bulmam, kendimi kendi gözümden düşürmüştü, ama içine daha fazla girmek istediğim bir başka dünyanın kapılarını da açmıştı bana. Sibel'in gayretle hazırlık yaptığı parti için gereken zengin, akıllı, neşeli ve hayattan zevk almayı bilen sağlıklı erkek rolünü oynayamayacağımı hissediyordum şimdi. Üstelik kendi evimde verdiğim partide, surat asan ve her şeyi küçümseyen yirmi yaşındaki öfkeli bir genç gibi davranamayacağımı da biliyordum. Adlandırmadığımız gizli hastalığımı bilen Sibel, beni hoş görebilirdi, ama yaz sonu partisinin eğlenceye hevesli davetlileri aynı şeyi yapmayacaklardı.

Akşam saat yedide ilk konuklar geldiğinde, onlara İstanbul'da barlarda, mezecilerde el altından satılan bütün kaçak yabancı içki markalarından oluşan barı iyi bir ev sahibi gibi gösterip içki ikram ettim. Bir ara plaklarla uğraştığımı, kapağını sevdiğim Sergeant Pepper'i, Simon and Garfunkel'i çaldığımı hatırlıyorum. Sibel ile, Nurcihan ile gülüşerek dans ettim. Nurcihan'ın sonunda Zaim'i değil, Mehmet'i tercih ettiği ortaya çıkmıştı, ama Zaim buna alınmış gibi görünmüyordu. Sibel bana, Nurcihan'ın Zaim'le yattığını sandığını kaşlarını çatarak söyleyince, nişanlımın bundan neden kederlendiğini çıkaramadığım gibi, onu anlamaya çalışmadım bile. Dünya işte böyle güzel bir yerdi, yaz akşamında Boğaz yönünden esen poyraz, Teşvikiye Camii'nin avlusundaki çınar ağaçlarını taa çocukluğumdan beri hatırladığım hoş ve yumuşacık sesle hışırdatıyor; hava kararırken kırlangıçlar 1930'lardan kalma apartmanların damlarının ve caminin üzerinden çığlıklar atarak uçuyor; sayfiye evine gitmeyen Nişantaşlıların televizyonlarının ışığı hava karardıkça belirginleşiyor; bir balkonda canı sıkılan bir genç kız, daha sonra başka bir balkonda mutsuz bir baba, ana caddedeki trafiğe bir süre dalgın dalgın bakıyor; bense bütün bu manzarayı, kendi duygularımı seyreder gibi seyrediyor, Füsun'u hiç unutamamaktan korkuyordum. Orada kendi evimin balkonunun serinliğinde otura otura ve arada bana katılıp gevezelik edenleri tatlı tatlı dinleyerek, küp gibi içtim.

Zaim üniversite giriş imtihanında çok yüksek bir puan tutturduğu için çok mutlu gözüken tatlı bir kızla gelmişti, Ayşe'ydi adı, onunla konuştum. Sibel'in bir arkadaşının deri ithalatçılığı yapan ve çok iyi rakı içen çekingen bir erkek arkadaşıyla içtim. Hava kadifemsi bir karanlığa gömüldükten çok sonra Sibel "Ayıp ediyorsun," dedi, "içeri gel biraz." Onunla gene birbirimize bütün gücümüzle sarılarak, o umutsuz ama çok romantik gözüken dansımızı ettik. Bazı lambalar söndürüldüğü için yarı karanlık hale gelmiş salonda, bütün çocukluğumu ve hayatımı geçirdiğim bu dairede, bambaşka bir yerin havası ve renkleri vardı ve bu bütün dünyamın elimden alındığı duygusuyla bir şekilde örtüşüyor, Sibel'le dans ederken ona bütün gücümle sarılıyordum. Bütün yaz süren mutsuzluğumun ve ilerleyen içki alışkanlıklarımın önemli bir kısmı yaz sonunda ona da geçtiği için, canım nişanlım da benim gibi sallanıyordu.

Dönemin dedikodu sütunu yazarlarının diliyle söylersek, "gecenin ilerleyen saatlerinde alkolün etkisiyle" parti iyice çığırından çıktı. Bardakların, şişelerin kırıldığı, 45'lik, 33'lük plakların tahrip olduğu, bazı çiftlerin daha çok teşhir zevkiyle ve Avrupa dergilerinin sanat ve skandal sayfalarının etkisiyle, öpüşmeye başladığı, bazılarınınsa benim, ağabeyimin odasına sözümona sevişme niyetiyle girip sızdığı partinin havasında, bütün bu zengin çocuğu arkadaş takımının, gençliklerinin ve modernlik heveslerinin bitmekte olduğuna ilişkin telaşı da vardı. Sekiz-on yıl önce, yaz sonlarında, annemle babam yazlık evden dönmeden önce bu partileri vermeye başladığımda, eğlencenin havası anne-babaya dönük anarşizan bir öfke taşır; arkadaşlarım mutfaktaki pahalı aletleri kabaca kurcalayıp kırarken, annemin babamın dolaplarındaki eski şapkaları, parfüm pompalarını, elektrikli ayakkabı çekeceklerini, papyon kravatları ve elbiseleri birbirlerine gösterip sarhoş sarhoş gülerlerken, kendilerini siyasi bir öfke taşıdıklarına inandırarak rahatlarlardı.

Sonraki yıllarda bu kalabalık takımdan yalnızca iki kişi siyaseti ciddiye almış, bunlardan biri 1971'deki askerî darbeden sonra polisin elinde işkence görüp 1974'teki affa kadar hapis

209

yatmış ve herhalde ikisi de "sorumsuz, şımarık ve burjuva" buldukları bizlerden soğudukları için takımdan uzaklaşmışlardı.

Şimdi ise, sabaha doğru bir saatte, annemin dolaplarını karıştıran Nurcihan, bunu anarşizan bir öfkeden değil, kadınca bir merakla ve çok da saygıyla ve titizlikle yapıyordu. "Kilyos'a denize gidiyoruz," dedi çok ciddi bir havayla. "Annenin mayosu var mı diye bakıyorum." Füsun'u, o kadar istediği halde Kilyos'a denize götürememenin acısı ve pişmanlığı beni bir anda şiddetle kavradı, dayanabilmek için kendimi annemle babamın yatağının üzerine atmak zorunda kaldım. Yattığım yerden de sarhoş Nurcihan'ın mayo bahanesiyle annemin ta 1950'lerden kalma işlemeli çoraplarını, toprak rengindeki ipli ve zarif korselerini, Merhamet Apartmanı'na sürgüne yollamadığı şapkalarını, eşarplarını karıştırdığını görebiliyordum. Nurcihan, annemin bankadaki kasasına güvenmediği için naylon çoraplarının durduğu çekmecenin arkasındaki bir çantada sakladığı ev, arsa, apartman dairesi tapularını, kimileri satılmış, kimileri kiraya verilmiş dairelerin artık işe yaramayan deste deste anahtarlarını, otuz altı yıl önce bir gazetenin dedikodu sütunundan kesilmiş babamla düğününün haberini, bundan on iki yıl sonrasının tarihini taşıyan *Hayat* dergisinin "Cemiyet" sütunundan kesilmiş ve annemi bir kalabalık içinde çok şık ve havalı gösteren bir fotoğrafı da sabırla elden geçirdi. "Annen çok hoş, çok ilginç bir kadınmış," dedi. "Yaşıyor," dedim ölü gibi yattığım yerden. Füsun ile bu odada bütün hayatımı geçirmemin ne harika olacağını düşünürken, Nurcihan tatlı, mutlu bir kahkaha attı ve sanırım bu sihirli sarhoş kahkahasının çekimine kapıldıkları için önce Sibel, sonra da Mehmet odaya geldiler. Sibel de Nurcihan ile birlikte annemin dolabını bir sarhoş ciddiyetiyle elden geçirirken, Mehmet yatağın ucuna, babamın sabahları terliklerini giymeden önce, oturup ayak parmaklarını dalgın dalgın seyrettiği köşeye oturdu ve Nurcihan'ı aşkla, hayranlıkla uzun uzun seyretti. Yıllardır ilk defa hızla ve çok fena âşık olduğu ve evlenebileceği bir sevgili bulabildiği için o kadar mutluydu ki, mutluluğuna şaştığını, hatta bu kadar mutlu olmaktan utandığını hissediyordum. Ama onu kıskanmıyordum, çünkü aldatılmaktan, aşağılayıcı kötü bir sondan ve pişmanlıktan had safhada korktuğunu hissediyordum.

Sibel ile Nurcihan, annemin dolabından çıkardıkları ve burada sergilediğim şeyleri birbirlerine dikkatle gösteriyor, gülüşüyor, sonra da birbirlerine deniz için mayo aradıklarını hatırlatıyorlardı.

Mayo aramak ve "denize gidiyoruz" konuşmaları, günün ilk ışıklarına kadar sürdü. Hiç kimse araba kullanabilecek kadar ayık değildi aslında. İçki ve uykusuzlukla birleşen Füsun acısının Kilyos Plajı'nda bana dayanılmayacak kadar ağır geleceğini biliyordum, ben gitmeyecektim. Sibel ile bizim arkadan geleceğimizi söyledim ve işi ağırdan aldım. Gün ağarırken, annemin kahve içip cenaze seyrettiği balkona çıktım ve aşağıdaki arkadaşlara el sallayıp bağırdım. Caddede Zaim ile yeni sevgilisi Ayşe, Nurcihan ile Mehmet ve birkaç kişi daha, sarhoşça bağıra çağıra konuşuyor, parlak kırmızı bir plastik topu birbirlerine atıyor, ellerinden düşürüp peşinden koşuyor ve bütün Teşvikiye'yi uyandıracak kadar gürültü yapıyorlardı. Mehmet'in arabasının kapıları sonunda kapanınca, Teşvikiye Camii'nin avlusunda sabah namazına yetişen ihtiyarların ağır ağır yürüdüklerini gördüm. Aralarında karşı apartmanın, yılbaşlarında Noel Baba kıyafetine girip Milli Piyango satan kapıcısı da vardı. Derken Mehmet'in arabası patinaj çekerek gidip sert bir frenle durdu, geri geri geldi, durdu, kapısı açıldı ve Nurcihan çıkıp bütün gücüyle altıncı kata, bize bağırarak ipek fularını unuttuğunu söyledi. Sibel içeri koştu, fuları getirip balkondan caddeye attı. Mor fuların, ağır ağır aşağı inerken, belli belirsiz rüzgârda bir uçurtma gibi nazlanarak açılıp kapanışını, şişip kıvrılışını Sibel ile annemin balkonundan seyredişimizi unutamam hiç. Nişanlımla son mutlu hatıramız budur.

39. İTİRAF

İtiraf sahnesine geldik. Müzemizin bu noktasında çerçevelerin, fonun, her şeyin soğuk bir sarı renkte olmasını bir içgüdüyle istedim. Oysa arkadaşlarımız denize gittikten az sonra ben gene annemle babamın yatağına uzandığımda, Üsküdar sırtlarından doğan koskocaman güneş, büyük yatak odasını derin bir turuncuya boyamıştı. Uzaklardan Boğaz'ı geçen büyük bir yolcu gemisinin düdüğü yankılanarak geldi. "Hadi," dedi Sibel, benim istekli olmadığımı sezerek, "geç kalmayalım, yetişelim onlara." Ama yatışıma bakınca benim denize gitmeyeceğimi, (bu sarhoşlukla arabayı kullanamayacağımı hiç düşünmüyordu) anlamakla kalmadı, gizli hastalığım ile ilgili geri dönülmez bir noktaya geldiğimizi de hissetti. Konudan uzak durmak istediğini, gözlerini benden kaçırmasından anlıyordum. Ama korkularının üzerine, düşüncesizlikle gidenlerin (bazılarının cesaret dediği şey budur) yapacağı gibi, konuyu da ilk o açtı.

"Neredeydin öğleden sonra sahi?" diye soruverdi. Ama hemen de pişman oldu. "Daha sonra utanacağını düşünüyorsan, söylemek istemiyorsan söyleme," diye ekledi tatlılıkla.

Yatağa yanıma uzandı. Sokulgan bir kedi gibi, bana öyle içten bir şefkatle ve korkuyla sarıldı ki, onun canını yakacak bir şey yapmak üzere olduğumu hissettim ve utandım. Ama aşk cini, Alaaddin'in lambasından çıkmış; artık yalnızca benim sırrım olarak kalamayacağını, gövdemi sarsa sarsa bana hissettiriyordu.

"Bahar başında Fuaye'ye gittiğimiz geceyi hatırlıyor musun, canım?" diye dikkatle başladım hikâyeme. "Sen bir vitrinde Jenny Colon bir çanta görmüş, beğenmiştin de, geçerken bir an dönüp bakmıştık."

Canım nişanlım, konunun sahte çanta değil, hakiki ve dolayısıyla daha vahim bir şey olduğunu hemen anlayarak korkuyla gözlerini açınca, ona okurların ve müze ziyaretçilerinin ta ilk eşyadan beri bildiği hikâyeyi anlatmaya başladım. Müzegezerin hikâyemi hatırlamasına yardım etmek amacıyla, en seçkin ve önemli eşyaların küçük birer resmini sırayla sergiliyorum burada.

Sibel'e de her şeyi çok dikkatle ve sırayla anlatmaya çalıştım. Füsun ile karşılaşmamın ve sonra olup bitenlerin acıklı hikâyesinde, yıllar önce başımızdan geçmiş ve bizim kabahatimiz olan trafik kazalarının ya da işlenmiş büyük günahların yükünün kaçınılmaz ağırlığına benzeyen bir kefaret ve pişmanlık duygusu olduğunu hemen hissettim. Ama bu duyguyu sıradan suçumu hafifletmek, geçmişin çok gerilerde kaldığını hissettirmek için hikâyeye ben koymuş da olabilirim. Çünkü yaşadıklarımın vazgeçilmez bir yanı olan cinsel mutluluk ayrıntılarını tabii ki hiç anlatamıyor ve bütün bu serüveni, bir Türk erkeğinin evlilik öncesi yaptığı bir şımarıklık olarak göstermeye çalışıyordum. Sibel'in gözyaşlarını görünce hikâyemi olduğu gibi ona anlatma niyetimden caydığım gibi, konuyu açmış olduğum için de pişmanlık duydum.

"Çok iğrençmişsin," dedi Sibel. Annemin içi eski bozuk paralarla dolu, güllü çiçekli eski çantasını, arkasından da babamın siyah-beyaz yazlık eski ayakkabılarından birini bana fırlattı. İkisi de isabet etmedi. Eski bozuk paralar, kırık cam parçaları gibi etrafa saçıldı. Sibel'in gözlerinden yaşlar akıyordu.

"Çoktan bitirdim bu ilişkiyi," dedim. "Ama yaptığım şey çok yıprattı beni... Mesele ne o kız ne herhangi biri..."

"Nişanda masamıza oturan kız değil mi o?" dedi Sibel, adını söylemeye cesaret edemeden.

"Evet."

"Çok bayağı, çok iğrenç bir tezgâhtar! Onu hâlâ görüyor musun?"

"Tabii ki hayır... Seninle nişanlanınca terk ettim onu. O da kayıplara karıştı. Bir başkasıyla evlenmiş. (Bu yalanı nasıl attığıma şimdi bile şaşıyorum.) Nişandan sonra bende gördüğün tutukluk bu yüzdendi, ama geçti artık."

Sibel biraz ağlıyor, sonra yüzünü yıkıyor, kendini toparlıyor, sonra gene sorular soruyordu.

"Onu içinden çıkaramıyor musun yani?" diye gerçeği kendi kelimeleriyle veciz bir şekilde dile getirdi bir kerede akıllı nişanlım.

Bir kalbi olan hangi erkek bu soruya "evet" diyebilirdi ki? "Hayır," dedim istemeye istemeye. "Yanlış anladın. Bütün bu işin yükü, bir kızı böyle hırpalamış olmak, seni aldatarak ilişkimizi lekelemenin sorumluluğu beni yordu, hayat neşemi kaçırdı."

İkimiz de artık inanmıyorduk bu dediklerime.

"Öğleden sonra neredeydin?"

Onu hatırlatan eşyaları ağzıma aldığımı, tenime dokundurduğumu, bunları yaparken onu hayal ederek gözyaşlarıyla boşaldığımı, Sibel'e değil ama anlayışlı herhangi birine anlatabilmeyi çok isterdim. Öte yandan Sibel beni terk edip giderse, hayata devam edemeyeceğimi, aklımı kaçıracağımı hissediyordum. Aslında "hemen evlenelim" demeliydim ona. Toplumumuzu ayakta tutan pek çok sağlam evlilik bu tür fırtınalı ve mutsuz aşkları unutmak için yapılmıştır.

"Nikâhtan önce çocukluk oyuncaklarımla oyalanmak istedim. Bir uzay tabancam vardı mesela... Hâlâ çalışıyormuş... Tuhaf bir nostalji duygusu işte. Onun için oraya gitmiştim."

"O daireye hiç gitmemen lazım!" dedi Sibel. "Orada onunla çok mu buluştunuz?"

Cevabımı beklemeden ağlamaya başladı. Ona sarılıp okşamam, gözyaşlarını hızlandırdı. Derin bir şükran duyduğum nişanlıma, aşktan da derin bir yoldaşlık duygusuyla sarıldım. Sibel uzun uzun ağladıktan sonra, kollarımın arasında uyuyakalınca, ben de uyuyakalmışım.

Öğleye doğru uyandığımda, Sibel çoktan kalkmış, yıkanmış, makyaj yapmış ve mutfakta bana kahvaltı bile hazırlamıştı.

"Git istiyorsan, karşı dükkândan taze bir ekmek al!" dedi soğukkanlılıkla. "Ama üşeniyorsan, halin yoksa, bayat ekmeklerden keser kızartırım."

"Yok, giderim," dedim.

Partiden sonra savaş alanına dönmüş salonda, annemle babamın otuz altı yıldır karşılıklı yemek yedikleri masanın üzerinde kahvaltı ettik. Karşı bakkaldan aldığım ekmeğin tıpatıp aynısını, belgeselci bir anlayışla ve teselli olsun diye sergiliyorum burada. İstanbul'da, ağırlığı biraz değişse de, milyonlarca kişinin yarım yüzyıldır katık olarak yalnızca bu ekmeği yediğini hatırlatmak ve hayatın bir tekrar olduğuna, ama sonra her şeyin acımasızlıkla unutulduğuna işaret etmek de istiyorum. Ama Sibel'in bugün bile beni şaşırtan çok kararlı, güçlü bir hali vardı.

"Senin aşk zannettiğin şey geçici bir takıntı," dedi. "Yakında geçer. Sana sahip çıkacağım. Kapıldığın saçmalıktan seni çekip çıkaracağım..."

Ağlamaktan göz altlarının şiştiğini gizlemek için bolca pudra sürmüştü. Bütün acısına rağmen beni kıracak sözlerden incelikle kaçındığını görmek, şefkatini hissetmek, ona olan güvenimi öyle artırdı ki, beni acımdan kurtaracak tek şeyin Sibel'in kararlılığı olacağını hissedip onun her dediğini uysalca yapmaya karar verdim. Böylece taze ekmekli, beyaz peynirli, zeytinli ve çilek reçelli kahvaltımızı ederken, bu evden çıkmam, Nişantaşı'na, bu çevreye ve sokaklara uzun bir süreliğine hiç gelmemem gerektiğinde hemen anlaştık. Kırmızı ve turuncu sokakları iyice yasak ilan ettik...

Sibel'in annesiyle babası, kışları geçirdikleri Ankara'daki asıl evlerine dönmüşlerdi. Anadoluhisarı'ndaki yalı boştu. Sibel, artık nişanlandığımız için annesinin babasının bizim boş yalıda birlikte kalmamızı görmezlikten geleceklerini söyledi. Hemen oraya, onun yanına taşınacak ve beni sürekli takıntımın içine döndüren alışkanlıklardan vazgeçecektim. Aşk acısından kurtulsun diye Avrupa'ya yollanan hülyalı genç kızlar gibi, ben hem kederle hem de iyileşme umuduyla bavullarımı yaparken,

Sibel'in "Bunları da al," diyerek bavuluma koyduğu kışlık çorapların, tedavimin çok uzun sürebileceğini bana acıyla düşündürdüğünü hatırlıyorum.

40. YALI HAYATININ TESELLİLERİ

Yeni bir hayata başlamanın coşkusuyla hemen benimsediğim yalı hayatının tesellileri, ilk günlerde beni hastalığımdan hızla kurtulmakta olduğuma inandırdı. Gece hangi eğlenceden, hangi saatte ve ne kadar sarhoş dönmüş olursak olalım, sabah Boğaz'ın dalgalarında yansıyan tuhaf bir ışık panjurların arasından sızıp odamızın tavanında oynaşmaya başlar başlamaz yataktan kalkar, panjurları parmaklarımın ucuyla itip açar ve içeriye patlar gibi dolan manzaranın güzelliğine her seferinde hayret ederdim. Hayretimde, hayatın unutmakta olduğumu sandığım güzelliğini yeniden keşfetmenin heyecanı da vardı ya da ben öyle inanmak istiyordum. Bazan benim hissettiklerimi Sibel de incelikle sezer, üzerinde ipek geceliği, çıplak ayaklarıyla ahşap döşemeleri hafifçe gıcırdatarak yanıma gelir, Boğaz'ın güzelliğini, kırmızı bir balıkçı sandalının dalgalar arasından sallanarak geçişini, güneş altındaki karşı kıyıların karanlık korularının üzerindeki buğuyu ve sabah hayalet sessizliğiyle suları fışırdatarak şehre giden ilk yolcu gemisinin akıntıda yan yatarak sürüklenişini birlikte iyimserlikle seyrederdik.

Tıpkı benim gibi Sibel de yalı hayatının zevklerini benim hastalığımı iyileştirecek bir ilaç gibi abartılı bir heyecanla karşılıyordu: Aşkları kendilerine yeten mutlu çiftler gibi, akşam yemeğini Boğaz'a uzanan cumbada baş başa yerken, Anadoluhisarı İskelesi'nden kalkan Şehir Hatları vapuru Kalender, tam önümüzden yalıya sürünür gibi geçer; dümeni tutan bıyıklı, kasketli süvari, yemek masamızın üzerindeki çıtır çıtır istavritleri, patlıcan salatasını ve kızartmasını, beyaz peynir, kavun ve rakıyı görebildiği kaptan köşkünden, bize "Afiyet olsun" diye seslenir ve Sibel bunu beni iyileştirip mutlu edecek yeni bir hoşluk olarak görürdü. Nişanlımla sabah uyanır uyanmaz serin Boğaz sularına atlamanın, İskele Kahvesi'ne gidip simitle çay içip gazete okumanın, bahçedeki domates ve biberlerle uğraşmanın, öğleye doğru taze balıkla gelen balıkçı sandalına koşup kefal ya da karagöz seçmenin ve tek yaprağın kıpırdamadığı ve pervanelerin tek tek lambalara yakalandığı aşırı sıcak Eylül gecelerinde yakamozlu denize şıpırtılarla girmenin zevklerinin de beni iyileştireceğine iyimserlikle inandığını, gece yatakta mis kokulu harika gövdesiyle bana yavaş yavaş sarıldığında anlardım. Ama karnımın sol yanında bitip tükenmeyen bir telaş gibi hâlâ ağrıyan aşk acım yüzünden Sibel ile sevişemeyince, "Daha evli değiliz canım," diyerek işi sarhoşlukla şakaya vururdum. Canım nişanlım da işi alttan alarak, konuyu şakayla geçiştiriyormuşuz gibi yapardı.

Kimi zamanlar, ben rıhtımdaki şezlongun üzerinde gece tek başıma sızmak üzereyken ya da satıcı sandallarının birinden aldığım haşlanmış mısırı oburca atıştırırken ya da işe gitmek için sabah arabaya binmeden önce onu genç ve mutlu bir koca gibi yanaklarından öptüğümde, Sibel'in ruhunda bana karşı bir küçümsemenin ve nefretin filizlenmekte olduğunu gözlerinden çıkarırdım. Elbette hiç sevişemediğimiz içindi bu: Ama daha korkutucu neden, Sibel'in olağanüstü bir irade ve aşkla sürdürdüğü "beni iyileştirme" çabasının bir işe yaramadığını ya da daha kötüsü, "iyileşsem bile" gelecekte hem onu hem Füsun'u idare edeceğimi düşünmesiydi. Bu son ihtimale en kötü zamanlarımda ben de inanmak ister, bir gün Füsun'dan haber alacağımı, bir anda eski mutlu günlerimize dönüp gene her gün Merhamet Apartmanı'nda buluşacağımızı, aşk acımdan böylece kurtulduktan sonra da, tabii ki Sibel'le de sevişebileceğimi ve onunla evlenip çocuklu, mutlu normal bir aile hayatı yaşayacağımızı hayal ederdim.

Ama bu hayallere, ancak aşırı içkinin neşesi ya da güzel bir sabahın verdiği iyimserlikle pek seyrek olarak içtenlikle inanabilirdim. Vaktin çoğunda onu bir türlü unutamıyordum ve artık aşk acımı biçimlendiren şey, Füsun'un yokluğu değil, acının sonunun bir türlü gözükmemesiydi.

41. SIRTÜSTÜ YÜZMEK

Karanlık bir güzelliği olan o acıklı Eylül günlerini dayanılır kılan önemli bir şey keşfetmiştim: Sırtüstü yüzmek karnımdaki ağrıyı hafifletiyordu. Bunun için, sırtüstü ve geri geri yüzerken başımı Boğaz sularının içine iyice sokmam, denizin dibini başaşağı görmem, bir süreliğine nefes almadan kulaçlar atmam gerekiyordu. Akıntının ve dalgaların içinde geri geri ilerlerken gözlerimi açınca, tersinden gördüğüm Boğaz'ın renk değiştirerek koyulaşan karanlığı, aşk acıma hiç benzemeyen bambaşka bir sınırsızlık duygusu uyandırırdı içimde.

Sular kıyıda birden derinleşiverdiği için Boğaz'ın dibini bazan görür bazan göremezdim ama, tersinden baktığım bu renk renk âlemin büyük, esrarengiz bir bütün oluşu, içimi hem yaşama sevinci hem de büyük bir şeye ait olmanın alçakgönüllülüğüyle doldururdu. Bazan paslanmış konserveler, gazoz kapakları, ağzı açık kara midyeler, hatta çok eski zamanlardan kalma gemi hayaletleri görür, tarihin ve zamanın genişliğini, kendi önemsizliğimi hatırlardım. Böyle zamanlarda aşkımı yaşayışımdaki gösterişe meraklı, kendini önemseyen yanı fark eder, bu zaafımın da aşk dediğim acıyı derinleştirdiğini anlar, arınırdım. Altımda kıpırdanan sınırsız, esrarengiz âlemin parçası olmaktı önemli olan, çektiğim acı değil. Ağzımı, genzimi, burun ve kulak deliklerimi sonuna kadar dolduran Boğaz sularının, içimdeki denge ve mutluluk cinlerinin hoşuna gittiğini de hissederdim. Bir çeşit deniz sarhoşluğuyla tersinden kulaç üstüne kulaç atarken, karnımdaki ağrı neredeyse yok olurdu ve o zaman Füsun'a derin bir şefkat duyduğumu da fark eder ve aşk acımda ona karşı pek çok öfke ve kırgınlık olduğunu hatırlardım.

Bu sırada, düdüğünü telaşla öttüren bir Sovyet petrol tankerinin ya da Şehir Hatları vapurlarından birinin altına doğru tersinden son hızla yaklaştığımı gören Sibel, rıhtımda bütün gücüyle zıplayıp çığlıklar atıyor olurdu, ama çoğu zaman bu haykırışları işitmezdim. Boğaz'dan geçen pek çok Şehir Hatları gemisine, uluslararası petrol tankerine, kömür yüklü şileplere, Boğaz lokantalarına bira ve Meltem gazozu dağıtan mavnalara, yolcu motorlarına doğru aşırı tehlikeli ve neredeyse meydan okur gibi yaklaştığım için, Sibel başımı suya sokup yalının önünde sırtüstü yüzmemi yasaklamak isterdi, ama acıma çok iyi geldiğini bildiği için de ısrar edemezdi. Sibel'in önerisiyle bazı günler tek başıma sakin plajlara, dalgasız rüzgârsız günlerde Karadeniz kıyısına Şile'ye, bazan da onunla birlikte Beykoz'dan sonraki boş koylardan birine gider, kafamı sudan hiç çıkarmadan düşüncelerimin beni götürdüğü yere, sonuna kadar yüzerdim. Daha sonra sahile çıkıp güneşin altına uzanıp gözlerimi kapadığımda da, yaşadıklarımın aslında tutkuyla âşık olan her ciddi, onurlu erkeğin başına gelen şeyler olduğunu iyimserlikle düşünürdüm.

Tek tuhaflık, geçen zamanın herkeste olduğu gibi aşk acımı dindirmemesiydi. Sibel'in sessiz gece yarılarında (yalnızca uzaktan geçen bir mavnanın tatlı pata pataları duyulurdu) beni teselli etmek için söylediğinin tersine, acımın bir türlü "yavaş yavaş" geçmemesi ikimizi de yıldırıyordu. Bazan bu durumu kendi kafa yapımın ya da ruhsal eksikliğimin bir ürünü olarak görürsem acımdan kurtulurum zannederdim, ama kendimi kurtarıcı bir anne-melek-sevgilinin şefkatine aşırı bağımlı zayıf biri gibi gösterdiği için, bu tür düşünceleri de sonuna kadar götüremez, çoğu zaman çaresizliğe kapılmamak için sırtüstü yüze yüze acımı yendiğime inanmaya çalışırdım. Ama kendimi kandırdığımı da çok iyi bilirdim.

Eylül ayında sadece Sibel'den değil, kendimden de gizleyerek Merhamet Apartmanı'na üç kere daha gitmiş, yatağa yatıp Füsun'un dokunduğu eşyaları elime alıp okuyucunun bildiği şekilde kendimi teselliye çalışmıştım. Onu unutamıyordum.

42. SONBAHAR HÜZNÜ

Ekim başında çıkan bir poyraz fırtınasından sonra Boğaz'ın akıntılı suları girilemeyecek kadar soğuyunca, kısa sürede hüznüm saklanamayacak kadar koyulaştı. Akşamın erkenden inmesi, arka bahçeye ve rıhtıma erkenden dökülen sonbahar yaprakları, yazlık olarak kullanılan yalı dairelerinin boşalması, iskelelere, rıhtımlara çekilen sandallar ve yağmurlu ilk günlerden sonra bir anda boşalan sokaklara devrilmiş bisikletler, ikimize de kaldırmakta zorlandığımız ağır bir sonbahar hüznü vermişti zaten. Benim hareketsizliğimi, saklayamadığım kederimi, her gece küp gibi içmemi Sibel'in artık kaldıramadığını telaşla hissediyordum.

Ekim sonunda Sibel paslı, eski musluklardan akan paslı sudan, mutfağın yıkıntı, izbe ve o soğuk halinden, yalının delik ve çatlaklarından, içimize buz gibi esen poyrazdan bezmişti artık. Sıcak Eylül gecelerinde çatkapı yalıya gelen, sarhoş olup karanlıkta rıhtımdan kahkahalarla denize atlayan arkadaşlarımız da artık uğramıyor, bize şehirde daha eğlenceli bir sonbahar hayatının başladığını hissettiriyorlardı. Arka bahçedeki nemli ve çatlak taşları ve üzerlerindeki sümüklüböcekleri, yağmurlar sırasında ortadan kaybolan telaşlı dostumuz yalnız kertenkeleyi, yeni zenginlerin kışları yalı hayatından kaçtıklarına işaret olsun ve müzemin ziyaretçileri sonbahar hüznünü hissetsin diye sergiliyorum.

Sibel ile yalıda kışı yalnız geçirebilmek için Füsun'u unutmuş olduğumu ona cinsel olarak kanıtlamam gerektiğini o günlerde iyice hissediyor; bu da havalar soğudukça elektrikli sobalarla ısıtmaya çalıştığımız yüksek tavanlı yatak odasındaki hayatımızı daha da tutuk ve umutsuz kılıyor; birbirimize eskisi gibi yoldaşlıkla, şefkatle sarılarak uyuyabildiğimiz geceler seyrekleşiyordu. Bir yandan ahşap yalılarda elektrikli soba kullananları, tarihî yapıları tehlikeye atan cahil sorumsuzları Sibel ile birlikte küçümser, diğer yandan da her gece üşüyünce elektrikli sobayı ölümcül fişe takardık. Kasım başında kaloriferlerin yandığı günlerde kaçırmakta olduğumuzu hissettiğimiz şehirdeki sonbahar davetlerine, yeni gece kulüplerinin açılışlarına, kışa yeniliklerle giren eski yerlere, sinema girişlerindeki kalabalıklara yakın olabilmek için çeşitli bahanelerle Beyoğlu'na çıkmaya, hatta Nişantaşı'na, bana yasak sokaklara gitmeye başladık.

Sudan bir bahaneyle Nişantaşı'nda buluştuğumuz bir akşam Fuaye'ye bir uğrayalım dedik. Aç karna birer kadeh buzlu rakı yuvarlarken, tanıdık garsonlara, Başgarson Sadi ile Haydar'a hal hatır sorduk ve sokaklarda birbirlerini vuran, sağa sola bomba atan aşırı milliyetçi çeteler ile solcu militanların ülkeyi felakete sürüklediğinden herkes gibi şikâyet ettik. Siyasi konularda atıp tutmak konusunda yaşlı garsonlar her zaman olduğu gibi bizden çok daha ihtiyatlıydılar. Lokantaya giren tanıdık yüzlere çok davetkâr bakmamıza rağmen kimse bize yanaşmadığı için, Sibel keyfimin gene neden kaçık olduğunu sordu alaycılıkla. Ben de fazla ballandırmadan ağabeyim ile Turgay Bey'in anlaştıklarını, benim işten atmaya bir türlü karar veremediğim için şimdi pişman olduğum Kenan'ı da aralarına alarak yeni bir şirket kuracaklarını, böylece çok kazançlı bir çarşaf ihalesi bahanesiyle beni dışladıklarını anlattım.

"Kenan, o nişanda çok güzel dans eden Kenan değil mi?" dedi Sibel. Elbette "güzel dans eden" sözünü, Sibel Füsun'dan adını anmadan bahsedebilmek için kullanmıştı. İkimiz de nişanın ayrıntılarını hâlâ acıyla hatırlıyorduk ve konuyu değiştirecek bir bahane bulamadığımız için bir süre sustuk. Oysa "hastalığı-

221

mın" ilk ortaya çıktığı günlerde, en kötü anlarda bile Sibel hayat dolu bir güçle yepyeni konular açabiliyordu.

"Şimdi bu Kenan yeni şirketin başarılı müdürü mü olacak?" dedi Sibel son günlerde gitgide benimsediği alaycılıkla. Sibel'in, Fransa'da okuyan aydın ve mutlu bir Türk kızından, sorunlu bir zenginle nişanlanıp içkiye alışan dertli ve alaycı bir Türk ev kadınına dönüştüğünü, hafifçe titreyen ellerine ve bol makyajlı yüzüne kederle bakarken düşündüm.

Füsun'u Kenan'dan da kıskandığımı bildiği için beni iğneliyor olabilir miydi? Bir ay önce aklımdan bile geçmezdi böyle bir şüphe.

"Üç-beş kuruş fazla kazanmak için dümenler çeviriyorlar işte," dedim. "Boşver."

"Buradaki kazanç üç-beş kuruş değil, çok büyük biliyorsun. Seni dışarıda bırakarak hakkını yemelerine, önünden lokmanı almalarına göz yummamalısın. Dik durmalısın, mücadele etmelisin onlarla."

"Umurumda değil."

"Bu halini sevmiyorum," diye devam etti Sibel. "Her şeyini bırakıyorsun, hayattan çekiliyorsun, yenilgiyi seviyorsun sanki. Daha kuvvetli olman lazım."

"Birer tane daha isteyelim mi?" dedim rakı kadehimi kaldırıp gülümseyerek.

Birer tane daha istedik ve içkilerimizi beklerken sustuk. Öfkelendiği, kızdığı zamanlarda, Sibel'in kaşları arasında sıkışan, soru işaretine benzer kırışık, gene ortaya çıkmıştı.

"Nurcihanları arasana," dedim. "Gelirler belki."

"Demin baktım, içerideki telefon hat vermiyor, bozukmuş," dedi Sibel öfkeli sesiyle.

"Eee, sen neler yaptın, neler aldın bakalım?" dedim. "Aç da paketleri, biraz eğlenelim."

Ama, Sibel paket açma zevklerine kapılmadı hiç.

"Ona hâlâ o kadar âşık olamayacağından eminim artık," dedi daha sonra hiç beklemediğim bir havayla. "Derdin başka bir kadına âşık olman değil, bana âşık olamaman."

"O zaman sana niye bu kadar yapışıyorum?" dedim elini tutarak. "Neden elini tutmadan sensiz bir gün geçirmek istemiyorum?"

Bu sözleri karşılıklı ilk edişimiz değildi. Ama bu sefer Sibel'in gözlerinde tuhaf bir ışık gördüm ve şöyle demesinden korktum: "Çünkü tek başına kalırsan Füsun'un acısına dayanamayacağını, belki de acıdan öleceğini biliyorsun!" Ama Sibel, durumumun bu kadar kötü olduğunu şükür hâlâ görmüyordu.

"Aşkından değil, başına bir felaket geldiğine inanmak için sarılıyorsun bana."

"Felakete niye ihtiyacım olsun ki?"

"Her şeye burun kıvıran acılı adam olmak hoşuna gidiyor. Ama artık aklını başına toplaman lazım canım."

Bu kötü günlerin geçeceğini, iki oğlan çocuğun dışında ona benzeyen üç tane de kızım olmasını istediğimi söyledim. Mutlu, kalabalık, neşeli bir ailemiz olacak, yıllarca gülüşerek ve hayatı severek yaşayacaktık. Onun aydınlık yüzünü görmenin, akıllı sözlerini dinlemenin, mutfakta birşeyler yaptığını işitmenin, bana sınırsız bir yaşama sevinci verdiğini anlattım. "Ağlama lütfen," dedim.

"Artık bunların hiçbirinin olamayacağını hissediyorum," dedi Sibel ve gözlerinden daha da hızla yaşlar akmaya başladı. Elimi bıraktı, mendilini çıkarıp burnunu, yüzünü sildi; sonra pudralığını çıkardı ve yüzünü ve göz altlarını bol bol pudraladı.

"Niye bana güvenini kaybediyorsun?" diye sordum.

"Belki de kendime güvenimi kaybettiğim için," dedi. "Artık güzel değilim, diye düşünüyorum bazan."

Elini sıkıca tutup ne kadar güzel olduğunu söylüyordum ki, "Heey romantik âşıklar," dedi Tayfun. "Herkes sizden bahsediyor biliyor musunuz? Aaa ne oldu?"

"Ne diyor herkes bizim için?"

Tayfun, Eylül'de çok gelmişti yalıya. Sibel'in ağladığını görünce keyfi hemen kaçtı. Masadan da kaçmak istiyordu, ama Sibel'in yüzündeki ifadeyi görünce durdu.

"Bir yakınımızın kızı trafik kazasında öldü," dedi Sibel.

"Herkes ne diyormuş bizim için?" diye alaycılıkla sordum ben.

"Başınız sağolsun," dedikten sonra kaçıp kurtulmak için sağa sola bakan Tayfun, kapıdan giren birisine abartılı bir şekilde seslendi. Uzaklaşmadan önce de, "Birbirinize o kadar âşıkmışsınız ki, bazı Avrupalılar gibi, evliliğin aşkı öldürmesinden korktuğunuz için evlenmiyormuşsunuz," dedi. "Evlenin bence, çünkü herkes çok kıskanıyor sizi. O yalı uğursuz diyenler de var."

O gider gitmez, genç ve sevimli garsondan birer rakı daha istedik. Sibel, yaz boyunca dostlarımızın dikkatini çeken benim mutsuzluk buhranlarımı çeşitli bahaneler icat ederek çok iyi maskelemişti; ama evlenmeden birlikte yaşamamız başta olmak üzere hakkımızda pek çok dedikodu döndüğünü, Sibel'in benim hakkımda yaptığı alaycı şakaların, iğnelemelerin akıllarda kaldığını, uzun uzun sırtüstü yüzme alışkanlığımın, keyifsizlik buhranlarımın alay konusu olduğunu biliyorduk.

"Yemek için Nurcihanları arayacak mıyız, yoksa biz yiyelim mi?"

"Daha burada kalalım," dedi Sibel neredeyse telaşla. "Sen dışarıdan telefon et, bul onları. Jetonun var mı?"

Hikâyemle olaylardan elli yıl sonra ilgilenen yeni dünyanın mutlu insanlarının, suları akmayan (bu yüzden zengin mahallelerine özel kamyonlarla su taşınan), telefonları çalışmayan 1975 İstanbul'una dudak bükmelerini istemediğim için, o yıllarda tütüncü dükkânlarında satılan kenarları tırtıllı bu jetonu sergiliyorum burada. Hikâyemin başladığı yıllarda, İstanbul sokaklarındaki sayıları sınırlı telefon kulübelerinin çoğunun içindeki telefon, ya vandalca kırılmış ya da bozuk olurdu. PTT'ye ait herhangi bir telefon kabininden, o yıllarda bir kere bile telefon edebildiğimi hatırlamıyorum. (Bu işi, Batılı filmlerin etkisiyle, yerli film kahramanları başarıyla yaparlardı yalnızca.) Ama dükkânlara, bakkallara, kahvehanelere, becerikli bir girişimcinin sattığı jetonlu kumbaralarla işimizi görebilirdik. Bu ayrıntıları, dükkân dükkân Nişantaşı sokaklarında neden gezindiğimi açıklamak için anlatıyorum. Bir Spor Toto bayiinde boş bir telefon buldum. Nurcihan'ın telefonu meşguldü, adam ikinci telefona izin vermedi, çok sonra bir çiçekçi dükkânından Mehmet'i aradım. Nurcihan ile evde olduklarını, yarım saatte Fuaye'ye geleceklerini söyledi.

Dükkân dükkân telefon sorarak, Nişantaşı'nın kalbine gelmiştim. Merhamet Apartmanı'ndaki daireyi, oradaki eşyaları bu kadar yakındayken bir görsem belki iyi olur, dedim kendime. Anahtar yanımdaydı.

Daireye girer girmez üstümü başımı yıkadım, ceketimi gömleğimi ameliyata hazırlanan bir doktor gibi dikkatle çıkarıp Füsun ile kırk dört kere seviştiğimiz yatağın kenarına oturdum ve çevremdeki hatıralarla dolu bütün o eşyalar arasından, burada sergilediğim üçünü sevip okşayarak bir buçuk saat mutlu oldum.

Geri döndüğümde Mehmet ile Nurcihan'dan başka Zaim de Fuaye'ye gelmişti. Şişelerle, küllüklerle, tabaklarla, bardaklarla tıkış tıkış masaya, İstanbul sosyetesinin gürültüsüne bakıp mutlu olduğumu, hayatı sevdiğimi düşündüğümü hatırlıyorum.

"Kusura bakmayın arkadaşlar, geciktim, ama başıma neler geldi bir bilseniz," dedim bir yalan hazırlamaya çalışarak.

"Boşver," dedi Zaim tatlılıkla. "Otur. Unut hepsini. Bizimle mutlu ol."

"Mutluyum zaten."

Sibel ile göz göze gelince, iyice sarhoş olan nişanlımın kaybolduğum sürede ne yaptığımı anladığını ve benim hiçbir zaman iyileşemeyeceğime karar verdiğini gördüm hemen. Bana çok kızıyordu, ama Sibel şimdi olay çıkarmayacak kadar sarhoştu. Ayılınca da beni çok sevdiği için ya da beni kaybetmenin ve nişanı bozmanın korkunç bir yenilgi olacağını düşündüğü için olay çıkarmayacaktı. Ben de bu nedenlerden ya da hâlâ hiç anlayamadığım başka nedenlerden, ona çok güçlü bir bağlılık hissedecektim. Benim bu bağlılığım Sibel'e belki gene umut verecek, bir gün hastalığımın geçeceğine gene iyimserlikle inanmaya başlayacaktı. Ama o gece bu iyimserliğin artık sonuna geldiğimizi hissediyordum.

Bir ara Nurcihan ile dans ediyorduk.

"Sibel'i kırdın, kızdırdın," dedi. "Bekletme onu lokantalarda tek başına. Çok âşık sana. Çok da hassas oluyor."

"Biraz diken olmazsa, aşk gülünün kokusunu alamazsın. Siz ne zaman evleniyorsunuz?"

"Mehmet hemen istiyor," dedi Nurcihan. "Ama ben yalnızca nişanlanalım istiyorum ve sonra sizin gibi yapalım, evlenmeden önce bütün gücümüzle aşkımızı yaşayalım diyorum."

"Bizi örnek almayın o kadar çok..."

"Bilmediğimiz birşeyler mi var?" dedi Nurcihan, merakını yapay bir gülümsemeyle gizlemek istedi.

Ama beni endişelendirmedi bile bu söz. Rakı, takıntımı sürekli ve kuvvetli bir acıdan, bir belirip bir kaybolan bir seraba dönüştürüyordu. Gecenin bir saatinde Sibel ile dans ederken, liseli âşıklar gibi ona beni asla terk etmeyeceğine dair yeminler ettirdiğimi, onun da ısrarlarımdan etkilenip benim içten endişemi yatıştırmaya çalıştığını hatırlıyorum. Masamıza pek çok tanıdık gelip oturuyor, buradan çıkınca başka bir yere gidelim diyorlardı: Boğaz'a gidip arabalarda oturup çay içelim diyen ihtiyatlılar da vardı, Kasımpaşa'daki işkembeciye gidelim diyenler de, gazinolara gidip fasıl dinleyelim diyenler de. Bir ara Mehmet ile Nurcihan birbirlerine gülünç bir şekilde sarılıp sallanarak, bizim Sibel ile romantik havalarda dans edişimizi taklit edip herkesi güldürdüler. Ortalık aydınlanırken Fuaye'den çıkan arkadaşların itirazlarına rağmen arabayı ben kullandım. Yolda yalpaladığımı fark eden Sibel'in çığlıkları üzerine, karşıya araba vapuruyla geçtik. Vapur gün ışırken Üsküdar'a yanaşırken arabada ikimiz de uyuyakalmışız. Yiyecek kamyonlarının, otobüslerin çıkışını tıkadığımız için telaşla arabamızın camına vuran miço uyandırdı bizi. Boğaz yolunun hayalet çınarlarının dökülen kızıl yapraklarının altından yalpalaya yalpalaya, kazasız belasız yalıya döndük ve böyle maceralı gecelerin sonunda olduğu gibi birbirimize sıkıca sarılarak uyuduk.

43. SOĞUK VE YALNIZ KASIM GÜNLERİ

Ertesi günlerde Sibel benim Nişantaşı'nda kaybolduğum o bir buçuk saatte ne yaptığımı hiç sormadı bile: Artık takıntımdan hiç kurtulamayacağım duygusu, o gece şüpheye hiç yer bırakmayacak bir şekilde içimize yerleşmişti. Perhizlerin, yasakların hiçbir işe yaramadığı ortaya çıkmıştı. Öte yandan ikimiz de ihtişamını kaybeden bu eski yalıda birlikte yaşamaktan memnunduk. Durumumuz ne kadar umutsuz olursa olsun, köhne binada bizi birbirimize bağlayan ve acımızı güzelleştirerek dayanılır kılan bir şey vardı. Yalı hayatı artık canlanmayacağı anlaşılan aşkımızı bir çeşit yenilgi, kader ve yoldaşlık duygularıyla derinleştiriyor, yok olan Osmanlı kültürünün son kalıntıları biz eski âşık, yeni nişanlıların hayatlarındaki "eksikliğe" bir derinlik katıyor, hatta bizi sevişememenin acılarından koruyordu.

Akşamları denize karşı masamızı kurup kollarımızı, dirseklerimizi balkon demirine dayayarak karşılıklı Yeni Rakı içmeye başlayıp keyiflenmişsek, Sibel'in bakışlarından bizi cinsellik olmadan birbirimize bağlayacak tek şeyin evlenmek olduğunu hissederdim. Pek çok evli çift –yalnız babalarımızın annelerimizin kuşağındakiler değil, bizim yaşıtlarımız da–, aralarında hiçbir cinsellik olmamasına rağmen her şey çok "normalmiş" gibi yaparak çok mutlu bir birliktelik yaşamıyorlar mıydı? Üçüncü dördüncü kadehten sonra uzak-yakın, genç-yaşlı demeden, birbirimize bazı tanıdık çiftler için "Sence onlar hâlâ sevişiyorlar mıdır?" diye sorar, yarı şaka yarı ciddi akıl yürütürdük. Şimdi bana çok acıklı gelen bu alaycılığımızı, elbette yakın zamana kadar çok mutlu bir cinsel hayatımız olduğuna inanmamıza borçluyduk. Tuhaf bir suç ortaklığı ve mahremiyetle bizi birbirimize daha da bağlayan bu konuşmaların gizli amacı ise, bu halimizle de evlenebileceğimizi hissetmek ve gururlandığımız cinsel hayatımızın bir gün geri döneceğine üstü örtülü bir şekilde bir süreliğine inanmamızdı. En azından Sibel, en kötümser olduğu günde bile, benim alaycılığım, şakalarım ve ona duyduğum şefkatin etkisiyle buna inanır, bir umuda kapılır, mutlu olur, hatta bazan hemen harekete geçmek isteyerek kucağıma otururdu. İyimserlik anlarımda, Sibel'in hissettiğini sandığım şeyi ben de hisseder, artık evlenmemiz gerektiğini ona söylemeyi düşünür, ama Sibel'in ani bir kararla teklifimi reddedip beni terk etmesinden de çekinirdim. Çünkü Sibel'in, kendisine olan saygısını geri kazanacağı bir intikam hamlesiyle ilişkimizi bitirmek için fırsat kolladığını da hissediyordum. Dört ay önce önümüzde uzanan mutlu evliliğe, çocuklu, arkadaşlı, eğlenceli, herkesin kıskanacağı kusursuz hayata bu kadar yakınken onu kaybettiğini bir türlü kabul edemediği için, bir türlü harekete geçemiyordu. Durumumuzun ağırlığını ikimiz de birbirimize duyduğumuz tuhaf sevgi ve bağlılıkla geçiştirmeye çalışıyor; gece yarıları ancak içkinin yardımıyla dalabildiğimiz uykunun ortasında mutsuzluktan uyanınca, acımızı birbirimize sarılarak unutmaya çalışıyorduk.

Kasım ayının ortasından başlayarak, rüzgârsız günlerde bu çeşit mutsuzluk irkilmeleriyle ya da alkolün verdiği susuzlukla gecenin ortasında uyandığımızda, bir balıkçı sandalının, bizim kapalı panjurların hemen dışında, durgun Boğaz sularında ağ attığını, hareket ettiğini işitmeye başladık. Yatak odamızın hemen dibine sokulan sandalda, tecrübeli bir balıkçı ile babasının bir dediğini iki etmeyen, incecik ama tatlı sesli oğlu vardı. Sandalda yaktıkları lambadan panjurların arasından odamızın tavanına güzel bir ışık vururken, iyice sessiz gecelerde küreklerin sudaki şıpırtısını, çekilen ağdan damlayan su damlacıklarını, hiç konuşmadan işlerini gören babayla oğulun öksürmelerini işitirdik. Onların geldiğini fark edip uyanınca Sibel ile birbirimize sarılır, yatağımızdan beş-altı metre ötede, bizim hiç farkımıza varmadan kürek çeken, balıklar hareketlensin ve ağa yakalansın diye denize taş atan, ağ çeken babayla oğul balıkçının soluk alıp verişlerini ve çok nadir konuşmalarını dinlerdik. "Sıkı tut oğlum," derdi bazan balıkçı. Ya da "Sepeti kaldır," derdi. Ya da "Şimdi siya yap," derdi. Çok sonra, en derin sessizlikte, oğul tatlı sesiyle "Şurada bir tane daha var!" der; Sibel ile ben birbirimize sarılmış yatarken, çocuğun neyi gösterdiğini merak ederdik. Bir balık, tehlikeli bir iğne ya da ne olduğunu yatağımızda hayal etmeye çalıştığımız bir yaratık? Uykuyla uyanıklık arasında balıkçı ile oğul hakkında hayaller kurarken, ya tekrar uyuyakalırdık ya da balıkçı sandalının sessizce uzaklaşmış olduğunu fark ederdik. Gün içinde Sibel ile balıkçı ile oğlundan söz ettiğimizi hiç hatırlamıyorum. Ama gece sandal gelince Sibel'in bana sarılışından, onun da benim gibi uykuyla uyanıklık arasında balıkçıyla oğlunun seslerini işitmekten derin bir huzur duyduğunu anlar, hatta uyurken bile, onun da benim gibi onları beklediğini hissederdim. Sanki balıkçı ile oğlunu işittiğimiz sürece birbirimizden ayrılmayacaktık.

Oysa her geçen gün Sibel'in bana daha derinden içerlediğini, kendi güzelliğinden daha içten bir acıyla şüphelendiğini, gözlerinin daha sık sulandığını ve daha tatsız ağız dalaşlarına, küçük kavgalara, küskünlüklere sürüklendiğimizi hatırlıyorum. En çok rastlanan durum, Sibel'in bizi mutlu edecek bir gayretine, mesela pişirdiği bir pastaya ya da zahmetlerle eve aldığı bir sehpaya, elinde rakı kadehi Füsun'u düşleyen benim yeterince içten bir tepki verememem, Sibel'in kapıyı çarpıp çıkması, içerideki odada kahrolmama rağmen, bir çeşit utanç ve tutukluktan dolayı özür dilemek için onun yanına bir türlü gidememem, gittiğimde de onun acıdan içine kapandığını görmemdi.

229

Nişan bozulursa, sosyete artık uzun zaman "evlenmeden birlikte yaşadığımızı" söyleyerek Sibel'i küçümseyecekti. Başını ne kadar dik tutarsa tutsun, arkadaşları ne kadar "Avrupai" olurlarsa olsun, evlenmezsek bunu bir aşk hikâyesi olarak değil, şerefi lekelenen bir kadının hikâyesi olarak anlatacaklarını Sibel iyi biliyordu. Tabii ki bunları hiç konuşmuyorduk, ama geçen her gün Sibel'in aleyhine işliyordu.

Ben arada bir Merhamet Apartmanı'ndaki daireye gidip yatağa yatıp Füsun'un eşyalarıyla oynadığım için kendimi bazan daha iyi hisseder, acımın geçmekte olduğu yanılsamasına kapılır, bunun da Sibel'e umut verdiğini zannederdim. Akşamları şehir eğlencelerine, arkadaş toplantılarına, davetlere katılmamızın da Sibel'i biraz rahatlattığını hissediyordum, ama bütün bunlar durumumuzun berbatlığını, iyice sarhoş olduğumuz saatlerin ve balıkçıyla oğlunu dinlediğimiz dakikaların dışında, Sibel ile çok mutsuz olduğumuzu gizleyemiyordu. O günlerde Füsun'un nerede ve nasıl olduğunu öğrenebilmek için çocuğunu doğurmak üzere olan Ceyda'ya yalvardım, rüşvet teklif ettim, ama en fazla İstanbul'da bir yerde olduğunu öğrenebildim. Sokak sokak bütün şehri baştan aşağı yürüse miydim?

Kış başında, yalıdaki soğuk ve kasvetli günlerden birinde, Sibel, Nurcihan ile Paris'e gitmeyi düşündüğünü söyledi. Mehmet ile nişanlanıp evlenmeden önce, Nurcihan alışveriş etmek ve yarım kalmış işlerini bitirmek için Noel'de Paris'e gidecekti. Sibel ona katılmak istediğini söyleyince, onu cesaretlendirdim. Sibel Paris'teyken Füsun'u bütün gücümle arar, İstanbul'un altını üstüne getirir, bir sonuç alamazsam da, iradımi kıran bu pişmanlıktan ve acımdan kurtularak Sibel ile dönüşünde evlenirim diye düşünüyordum. Onu cesaretlendirmemi kuşkuyla karşılayan Sibel'e bir hava ve yer değişikliğinin ikimize de iyi geleceğini; dönüşünde kaldığımız yerden yola devam edeceğimizi; evlilik sözünü de, altını çok da fazla çizmeden, bir-iki kere kullanarak anlattım.

Umutlarını benden biraz uzaklaşmaya ve Paris dönüşünde önce kendisini, sonra da beni sağlıklı bulmaya bağlayan Sibel'le evleneceğimi içtenlikle düşünmüştüm de. Havaalanına Mehmet ve Nurcihan'la birlikte gitmiş, erken geldiğimiz için yeni terminalde küçük bir masaya oturmuş, duvardaki bir posterden Inge'nin bize tavsiye ettiği Meltem gazozundan içmiştik. Son kez Sibel'e sarılırken gözlerinde yaşlar görünce, bundan sonra eski hayatımıza hiç dönemeyeceğimizden, onu uzun zaman hiç görememekten korkmuş, sonra da bunun fazla kötümser bir hayal olduğunu düşünmüştüm. Dönüş yolculuğunda, Nurcihan'dan aylardır ilk defa uzak kalacak olan Mehmet, "Abi, artık kızlarsız hiç olmuyor," demişti arabadaki uzun sessizlikte.

Gece yalı bana dayanılmayacak kadar boş ve hüzünlü geldi. Gıcır gıcır gıcırdayan tahtaların gürültüsünden başka, eski yapının içinde denizin sürekli bambaşka makamlarla inleyen bir uğultu halinde gezindiğini şimdi tek başımayken fark ediyordum. Dalgalar rıhtımdaki betonda kayaların üzerindekinden bambaşka bir sesle patlıyor, akıntının uğultusu kayıkhane önünde bambaşka bir fışırtı halini alıyordu. Poyraz fırtınası yalının her köşesinden gıcırtılar çıkarırken, gece zilzurna sarhoş girdiğim yatağımda, sabaha doğru, balıkçıyla oğlunun sandalının uzun zamandır gelmediğini fark ettim. Hayatımın bir döneminin sona erdiğini, aklımın her zaman gerçekçi ve dürüst kalabilen sağlıklı yanıyla seziyordum artık; ama yalnızlıktan korkan telaşlı yanım, bu gerçeği bütünüyle kabul etmeme engeldi.

44. FATİH OTELİ

Ertesi gün Ceyda ile buluştum. Mektuplarımı taşıyordu; ben de bir akrabasını Satsat'ın muhasebe bölümünde işe almıştım. Füsun'un adresini isteyip biraz da sert çıkarsam, artık direnemez zannediyordum. Ceyda ısrarlarım üzerine çok esrarengiz bir havaya büründü. Füsun'u görmekten mutlu olmayacağımı ima etti; hayat, aşk, mutluluk, bunlar çok zor şeylerdi; herkes kendini korumak, bu ölümlü dünyada mutlu olmak için elinden geleni yapıyordu! Artık iyice kocamanlaşmış karnını arada bir mutlulukla tutarak konuşuyordu, bir dediğini iki etmeyen bir kocası vardı.

Ceyda'yı daha fazla korkutup sıkıştıramadım. Amerikan filmlerindeki gibi özel dedektiflik büroları İstanbul'da henüz açılmadığı için (otuz yıl sonra açılacaktı) peşine kimseyi de takamadım. Bir hırsızlık olayını gizlice soruşturuyoruz yalanıyla, daha önce Füsun'u, babasını ve Nesibe Hala'yı bulsun diye sağa sola gizlice yolladığım babamın karanlık işlerini gören ve bir süre de korumalığını yapan (eski adı fedai) Ramiz de araştırmalarından eli boş dönüyordu. Satsat'ın gümrüklerde, maliyede karşılaştığı zorluklarda bize yardım eden ve yıllarını suçlu peşinde geçirmiş olan emekli komiser amcamız Selami Bey de, nüfus dairelerinde, emniyet şubelerinde ve muhtarlıklarda biraz araştırma yaptıktan sonra, aradığım kişinin –Füsun'un babasının– bir sabıkası olmadığı için onu bulmamın en zor iş olduğunu söyledi. Füsun'un babasının emekli olmadan önce tarih öğretmenliği yaptığı iki liseye, Vefa Lisesi'ne ve Haydarpaşa Lisesi'ne, eski öğretmenlerinin elini öpmek için gelen vefalı öğrenci pozu takınarak yaptığım ziyaretler ise başarısızlıkla sonuçlandı. Annesine ulaşmanın yollarından biri, Nişantaşlı, Şişlili hangi hanımların evine dikişe gittiğini öğrenmekti. Tabii ki bunu anneme soramazdım. Zaim ise, annesinden artık çok az kişinin o tür terzilik yaptığını öğrendi. Terzi Nesibe'ye ulaşmak için aracılar koymuş, ama bulamamıştı. Bu hayal kırıklıkları acımı artırıyordu. Bütün gün yazıhanede çalışıyor, öğle tatilinde Merhamet Apartmanı'na gidip Füsun ile yatağımıza uzanıp eski eşyalarına sarılarak mutlu olmaya çalışıyor, oradan bazan yazıhaneye dönüyor, bazan da hemen arabama binip belki Füsun'a rastlarım diye İstanbul sokaklarında gelişigüzel geziniyordum.

Bütün İstanbul'u mahalle mahalle, sokak sokak gözden geçirdiğim o gezintileri, yıllar sonra çok mutlu saatler olarak hatırlayacağım hiç gelmezdi aklıma. Füsun'un hayaleti, Vefa, Zeyrek, Fatih, Kocamustafapaşa gibi ücra ve yoksul mahallelerde karşıma çıkmaya başladığı için Haliç'in öte yakasına geçiyor, şehrin eski mahallelerine gidiyordum. Parke taşı kaplı çukurlu dar sokaklarda tatlı tatlı sallanan arabayı elimde sigara sürerken, bir köşeden Füsun'un hayaleti bir anda karşıma çıkınca, hemen durup park eder ve onun yaşamakta olduğu bu güzel ve yoksul semte derin bir sevgi duyardım. Başörtülü yorgun teyzelerin, mahallenin hayaletlerinin peşine düşmüş yabancıları dikkatle süzen bıçkın delikanlıların ve kahvehanelerde gazete okuyarak pinekleyen işsizlerle ihtiyarların soluk alıp verdiği kömür dumanı kokan bu sokakları, bütün aşkımla kutsardım. İyice uzaktan takip ettiğim herhangi bir gölgenin Füsun'a benzemediğini görünce, mahalleyi hemen terk etmez; hayaleti burada belirdiğine göre, Füsun'un kendisinin de buralarda bir yerde olması gerektiğine kanaat getirerek, sokaklarda aylak aylak sallanırdım. Kedilerin yalandığı meydandaki kör çeşmenin iki yüz yirmi yıllık mermerleriyle birlikte gözün görebildiği bütün düz yüzeylerinin ve duvarlarının, çeşitli sağ ve sol siyasal partilerin, o zamanlar "fraksiyon" denen grupların sloganları ve ölüm tehditleriyle kaplı olmasından hiç huzursuz olmazdım. Az önce Füsun'un buralarda bir yerde olduğuna bütün kalbimle inanmış olmam, bu sokaklara bir masal ve mutluluk halesi verirdi. Onun hayaletinin gezindiği bu sokaklarda daha çok yürümem, mahalle kahvelerinde çay içip pencereden dışarı bakmam ve onun bu sokaktan geçişini beklemem gerektiğini düşünür; ona ve ailesine yakın olabilmek için onun ve ailesinin yaşadığı gibi yaşamam gerektiğini aklımdan geçirirdim.

Her akşam gittiğimiz sosyete eğlencelerinden, Nişantaşı ve Bebek'teki yeni lokantalardan, kısa sürede ayağımı kestim. Her gece benimle buluşmayı bir tür kader birliği alışkanlığı haline getiren Mehmet'in, "bizim kızların" Paris'te yaptıkları alışverişlerden saatlerce konuşmasından iyice bezmiştim zaten. Onu atlatsam da gittiğim kulüpte beni bulan Mehmet, Nurcihan ile o gün yaptığı telefon konuşmasını gözleri parlayarak uzun uzun anlatır; ben ise Sibel'i her arayışımda konuşacak bir şey bulamadığım için telaşlanırdım. Sibel'e sarılıp bir teselli bulmayı bazan ben de istiyordum, ama ona karşı hissettiğim suçluluk duygusundan, ikiyüzlülüğün verdiği kötülük hissinden o kadar yorulmuştum ki, yokluğu bana huzur veriyordu. Durumumuzun gerektirdiği yapaylıktan kurtulduğum için, eski doğal halime döndüğüme inanıyordum. Bu doğallık, uzak ve ücra mahallelerde Füsun'u ararken bana umut verir, daha önce bu cânım sokaklara, bu eski mahallelere gelmediğim için kendime kızardım. Sokaklarda yürürken, sık sık nişandan son anda caymadığım, nişanı bozmaya bir türlü karar veremediğim, hep geç kaldığım için çok pişman olduğumu hatırlıyorum.

Sibel'in Paris'ten dönmesine iki hafta kala, Ocak ortasında bavullarımı yapıp yalıdan çıktım ve Fatih ile Karagümrük arasında bir otelde yaşamaya başladım. Burada amblemli anahtarını ve antetli kâğıdını ve yıllar sonra edindiğim bir küçük levhasını sergilediğim otele, bir gün önce Fatih'ten aşağılarda, Haliç tarafındaki mahallelerde sokak sokak, dükkân dükkân Füsun'u aradıktan sonra, akşam bastıran yağmur yüzünden girmiştim. O Ocak günü bütün öğleden sonra, şehri terk eden Rumlardan kalma bakımsız taş binalarda, yıkılacakmış gibi duran boyasız ahşap konaklarda yaşayan aileleri pencere pencere dikizlemiş, onların yoksulluğundan, kalabalığından, gürültüsünden, mutluluk ve mutsuzluklarından iyice yorgun düşmüştüm. Akşam erken gelmişti, öte yakaya dönmeden içmeye hemen başlayabilmek için yokuşu çıktım ve ana cadde yakınlarındaki yeni bir birahaneye girdim. Votka ile birayı karıştırıp erkenden –saat dokuz olmadan– televizyona bakarak içen erkek kalabalığı arasında zil zurna sarhoş oldum. Dışarı çıktığımda, arabamı nereye bıraktığımı hatırlayamadım. Yağmurda, sokaklarda arabamdan çok Füsun'u ve hayatımı düşünerek uzun uzun yürüdüğümü, bu karanlık ve çamurlu sokaklarda, onu acıyla da olsa düşlemekten mutlu olduğumu hatırlıyorum. Gece yarısına doğru önüme çıkan Fatih Oteli'ne girip, bir oda isteyip uyudum.

Aylardır ilk defa deliksiz uyumuşum. Ondan sonraki geceler de aynı otelde huzurla uyudum. Buna şaşıyordum. Bazan, sabaha doğru rüyamda çocukluğumdan ve ilk gençlik yıllarımdan kalma mutlu bir hatırayı görür, tıpkı balıkçıyla oğlunu işittiğim zamanlardaki gibi bir ürpertiyle uyanır ve aynı mutlu rüyaya geri döneyim diye otel yatağımda hemen yeniden uyumak isterdim.

Yalıya gidip eşyalarımı, kışlık yün çoraplarımı, elbiselerimi aldım; annemin, babamın meraklı bakışlarından ve sorularından uzak olmak için bavullarımı eve değil, otele getirdim. Her zamanki gibi her sabah erkenden Satsat'a gidiyor, yazıhaneden erkenden çıkıp İstanbul sokaklarına koşuyordum. Sevgilimi bitmez tükenmez bir coşkuyla arıyor; akşamları birahanelerde içerken, bacaklarımın yorgunluğunu unutmaya çalışıyordum. Hayatımın pek çok dönemi gibi, yaşarken bana acı verdiğine inandığım Fatih Oteli günlerinin, aslında çok mutlu bir zaman parçası olduğuna yıllar sonra karar verecektim. Her gün öğle tatilinde yazıhaneden çıkıp Merhamet Apartmanı'na gidiyor ve gün geçtikçe daha bir özenle koruduğum ve bulup hatırladığım yeni parçalarla her geçen gün çoğalan eşyalarımla oynayarak aşk acımı yatıştırıyor, akşamları da içip uzun uzun yürüyordum. Dumanlı kafayla, Fatih'in, Karagümrük'ün, Balat'ın arka sokaklarında saatlerce yürür, açık perdeler arasından ev içlerini, akşam yemeğini yiyen ailelerin mutluluğunu seyreder, sık sık "Füsun şuralarda bir yerde" duygusuna kapılır, kendimi iyi hissederdim.

Bazan bu sokaklarda kendimi bu kadar iyi hissetmemin nedeninin, Füsun'a yakınlık değil, başka bir şey olduğunu sezerdim. Bu kenar mahallelerde, arsalarda, parke taşı kaplı çamurlu sokaklarda, arabalar, çöp tenekeleri ve kaldırımlar arasında, sokak lambalarının ışığında, yarı patlak bir topla futbol oynayan çocuklarda hayatın özünü görebildiğimi hissederdim. Babamın büyüyen işleri, fabrikaları, zenginleşme ve bu zenginliğe uygun itibarlı bir "Avrupai" hayat yaşama zorunluluğu, sanki beni hayatın basit ve temel yanlarından uzaklaştırmıştı da, şimdi bu arka sokaklarda hayatımın kayıp merkezini arıyordum. Rakıyla iyice dumanlanmış kafayla, dar sokaklarda, çamurlu yokuşlarda, merdivenlerle kesilen kıvrımlı yollarda gelişigüzel ilerlerken, birden sokaklarda köpeklerden başka kimseciklerin kalmadığını ürpererek hisseder, çekili perdeler arkasında yanan lambaların sarısını, bacalardan tüten mavi ince dumanları, televizyonların vitrinlerde, pencerelerde yansıyan ışıklarını hayranlıkla seyrederdim. Bu karanlık arka sokak manzaralarından biri, ertesi akşam Zaim'le Beşiktaş'ta çarşı içi meyhanelerinin birinde balıkla rakı içerken arada bir gözümün önünde canlanır, sanki beni Zaim'in hikâyelerini anlattığı dünyanın çekiminden korurdu.

Zaim en son davetlerden, danslardan, kulüp dedikodularından, Meltem gazozunun başarısından benim sorum üzerine söz eder, kayda değer bütün sosyete havadislerini hatırlar, ama üzerinde fazla durmadan geçerdi. Benim yalıdan çıktığımı, gecelerimi Nişantaşı'nda annemle babamın yanında da geçirmediğimi biliyor, ama belki de beni üzmemek için ne Füsun'u ne de aşk acımı soruyordu. Bazan onun ağzını arar, Füsun'un geçmişi hakkında bir şey bilip bilmediğini çıkarmaya çalışırdım. Bazan da kendine güvenen, ne yaptığını bilen bir adam pozu takınır, yazıhaneye her gün gidip çok çalıştığımı ona hissettirirdim.

Ocak sonunda karlı bir gün, Sibel Paris'ten yazıhaneye telefon etti ve komşulardan ve bahçıvandan yalıdan çıktığımı öğrendiğini söyledi telaşla. Uzun zamandır telefonla da görüşmemiştik, bu aramızdaki soğukluğun ve uzaklığın bir işaretiydi elbette, ama o zamanlar yurtdışı telefon görüşmesi yapabilmek kolay bir şey değildi. İnsanın telefonu eline alıp tuhaf uğultular arasında, bütün gücüyle bağırması gerekirdi. Sibel'e bağıra bağıra (ve galiba inanmadan) söylemem gereken aşk sözlerinin bütün Satsat çalışanlarınca dinleneceğini düşündükçe, ona telefon etmeyi ertelerdim.

"Yalıdan çıkmışsın, ama annenle babanın evine de gitmiyormuşsun akşamları!" dedi.

"Evet."

Eve gitmemem, Nişantaşı'na çıkıp hatıralarla "hastalığımı azdırmamam" ortak kararımızdı, demedim. Akşamları eve gitmediğimi nereden öğrendiğini de soramadım. Sekreterim Zeynep Hanım, nişanlımla rahat konuşayım diye yerinden fırlayıp aramızdaki kapıyı kapamıştı, ama Sibel'in beni anlayabilmesi için bağıra bağıra konuşmam gerekiyordu.

"Ne yapıyorsun? Nerede kalıyorsun?" diye sordu.

Fatih'te bir otelde kaldığımı, Zaim dışında kimsenin bilmediğini o zaman hatırladım. Ama bütün şirket konuştuklarımı dinlerken de, bunu bağırarak söylemek istemedim.

"Ona geri mi döndün?" dedi Sibel. "Dürüstçe söyle bunu bana, Kemal."

"Hayır!" dedim, ama gerektiği gibi bağıramamıştım.

"İşitmedim Kemal, bir daha söyle," dedi Sibel.

"Hayır," dedim yine. Ama yine bağıramamıştım. Uluslararası telefon hattından, o yıllarda hep olduğu gibi, kulağınızı bir deniz kabuğuna dayarsanız duyacağınız çok kuvvetli bir uğultu geliyordu.

"Kemal, Kemal... işitmiyorum, lütfen..." diyordu Sibel.

"Buradayım!" diye bütün gücümle bağırdım.

"Bana dürüstçe söyle," dedi.

"Söylenecek yeni bir şey yok," dedim sesimi biraz yükselterek.

"Anlıyorum!" dedi Sibel.

Hat tuhaf bir deniz uğultusuna boğuldu, çıtırtılar çıktı ve kesildi. Derken telefon şirketindeki santral görevlisi kızın sesi duyuldu:

"Paris hattı kesildi efendim, yeniden bağlayayım ister misiniz?"

"Hayır kızım, teşekkür ederim," dedim. Yaşları ne olursa olsun kadın memurlara "kızım" demek, babamın alışkanlığıydı. Babamın alışkanlıklarını bu kadar hızla benimsememe şaştım. Sibel'in kararlılığına da şaştım... Ama artık yalan söylemek istemiyordum. Sibel beni Paris'ten bir daha aramadı.

45. ULUDAĞ TATİLİ

Sibel'in İstanbul'a döndüğünü Şubat'ta ailelerin kayak yapmak için Uludağ'a çıktığı on beş günlük okul tatilinin başında öğrendim. Zaim de yeğenleriyle dağa gidecekti, gitmeden önce yazıhaneyi aradı, Fuaye'de öğle yemeğinde buluştuk. Mercimek çorbalarımızı karşılıklı içerken, Zaim sevgi dolu bir bakışla gözlerini gözlerimin içine dikti.

"Hayattan kaçtığını, her geçen gün kederli, dertli bir adam olduğunu görüyorum, üzülüyorum."

"Üzülme..." dedim. "Her şey iyi..."

"Mutlu görünmüyorsun," dedi. "Mutlu olmaya çalış."

"Benim için hayatın amacı mutluluk değil," dedim. "O yüzden benim mutlu olmadığımı, hayattan kaçtığımı zannediyorsun... Bana huzur veren başka bir hayatın eşiğindeyim..."

"İyi... Bize de anlat o hayatı... Gerçekten merak ediyoruz."

"Siz kimsiniz?"

"Yapma Kemal," dedi. "Benim ne kabahatim var? Senin en iyi arkadaşın değil miyim?"

"Öylesin."

"Biz... ben, Mehmet, Nurcihan ve Sibel... Uludağ'a gidiyoruz üç gün sonra... Sen de gel... Nurcihan yeğenine göz kulak olmak için gidiyormuş, biz de katılmaya karar verdik."

"Sibel geldi demek."

"On gün oluyor, geçen Pazartesi geldi. O da istiyor senin Uludağ'a gelmeni." Zaim iyilik dolu bakışlarla gülümsedi. "Ama bunu senin bilmeni istemiyor... Ben bunları sana, onun haberi olmadan söylüyorum, sakın Uludağ'da bir yanlış yapma."

"Yok, zaten gelmeyeceğim."

"Gel, iyi edersin... Bu iş unutulur, gider."

"Kim biliyor?.. Nurcihan ile Mehmet biliyorlar mı?"

"Sibel biliyor, tabii," dedi Zaim. "Onunla bu konuda konuştuk. Sibel seni çok seviyor, Kemal. Seni bu duruma sürükleyen insancıllığını çok iyi görüyor, anlıyor ve seni bu durumdan kurtarmak istiyor."

"Öyle mi?"

"Yanlış bir yere gidiyorsun, Kemal... Hepimiz en olmadık kişiye tutuluyoruz... Herkes âşık oluyor. Ama herkes sonunda düştüğü durumdan hayatını berbat etmeden çıkıyor."

"Bütün o aşk romanları, filmler ne o zaman?"

"Aşk filmlerini çok severim," dedi Zaim. "Ama hiçbirinde senin gibi birine hak verildiğini görmedim... Altı ay önce herkesin önünde, göstere göstere Sibel ile nişanlandın... Ne güzel geceydi! Evlenmeden önce yalıda birlikte yaşamaya, evinizde davetler de vermeye başladınız. Herkes çok uygar buldu bunları, evleneceksiniz diye çok iyi karşıladı, kimse ayıplamadı. Hatta örnek alacaklarını söyleyenleri bile işittim. Ama şimdi kendi kendine yalıdan çıkıyorsun. Sibel'i terk mi ediyorsun? Ondan neden kaçıyorsun? Çocuk gibi hiçbir şey açıklamıyorsun."

"Sibel biliyor..."

"Bilmiyor," dedi Zaim. "Durumu başkalarına nasıl açıklayacak, ne diyecek insanlara, hiç bilemiyor. Başkalarının yüzüne nasıl bakacak? 'Nişanlım bir tezgâhtar kıza âşık oldu, ayrıldık' mı diyecek? Sana çok kırgın, kızgın... Konuşmanız lazım. Uludağ'da her şeyi unutursunuz. Ben kefilim, Sibel hiçbir şey olmamış gibi yapmaya hazır. Büyük Otel'de Nurcihan ile Sibel bir odada kalacaklar. Biz de Mehmet ile ikinci kattaki köşe odayı ayırttık. Sisli zirveye bakan bir üçüncü yatak daha vardır o odada, bilirsin. Gelirsen, gençliğimizdeki gibi sabahlara kadar şamata yaparız... Mehmet, Nurcihan için alev alev yanıp tutuşuyor... Onunla da dalgamızı geçeriz."

"Asıl dalga geçilecek olan benim," dedim. "Hiç olmazsa Mehmet ile Nurcihan birlikteler."

"İnan ben tek bir şaka yapmam, kimseye de yaptırmam," dedi Zaim safça.

Bu sözünden de takıntımın sosyetede ya da en azından bizimkiler arasında, şimdiden şaka konusu olduğunu anladım. Ama bunu zaten tahmin ediyordum.

Bana yardım etmek için Uludağ tatilini akıl eden Zaim'in inceliğine hayran oldum. Çocukluk ve gençlik yıllarımda, babamın çoğu iş ve kulüp arkadaşı ve pek çok Nişantaşlı zengin gibi, biz de Uludağ'a kayak tatiline çıkardık. Herkesin herkesi tanıdığı, yeni arkadaşlıkların kurulduğu, evliliklerin ayarlandığı ve gece geç saatlerde en utangaç kızların bile güle oynaya dans ettiği o tatil günlerini o kadar severdim ki, yıllar sonra bile babamın eski bir kayak eldiveniyle ya da ağabeyimden sonra benim kullandığım kar gözlüğüyle bir dolabın dibinde karşılaşınca ürperir, annemin bana Amerika'ya yolladığı Büyük Otel'i gösterir kartpostallara her bakışımda, içimde bir mutluluk ve özlem dalgasının yükseldiğini hissederdim. Zaim'e teşekkür ettim. "Ama gelemeyeceğim," dedim. "Benim için çok acı olabilir... Fakat haklısın, Sibel ile konuşmam lazım."

"Yalıda değil, Nurcihanlarda kalıyor," dedi Zaim. Fuaye'nin her geçen gün daha zenginleşen cıvıl cıvıl kalabalığına dönüp benim dertlerimi unutup gülümsedi.

46. İNSANIN NİŞANLISINI ORTADA BIRAKMASI NORMAL MİDİR?

Sibel'i ancak Şubat sonunda, Uludağ'dan döndükten sonra arayabildim. Sonunun tatsızlıkla, öfkeyle, gözyaşları ve pişmanlıkla bitmesinden çok korktuğum için onunla konuşmayı hiç istemiyor, onun bir bahaneyle nişan yüzüğünü geri yollamasını bekliyordum. Bu gerilime dayanamadığım bir gün, telefon edip onu Nurcihan'ın evinde buldum ve Fuaye'de akşam yemeğine sözleştik.

Tanıdıklarla dolu Fuaye gibi bir yerde ikimiz de duygusallığa, aşırılığa, öfkeye kapılmayız diye düşünmüştüm. Nitekim başlarda öyle de oldu. Diğer masalarda Piç Hilmi ve yeni evlendiği karısı Neslihan, Gemi Batıran Güven ve ailesi, Tayfun ve kalabalık bir masada da Yeşimler vardı. Hilmi ile karısı, ta masamıza kadar gelip bizi görmekten ne kadar mutlu olduklarını söylediler.

Mezelerimizi yer, Yakut marka şarabımızı içerken, Sibel Paris'te geçen günleri, Nurcihan'ın Fransız arkadaşlarını, şehrin Noel'de çok güzelleştiğini anlattı.

"Annen baban nasıllar?" diye sordum ona.

"İyiler," dedi Sibel. "Bizim durumumuzdan haberleri yok henüz."

"Boş ver," dedim. "Kimseye bir şey söylemeyelim."

"Söylemiyorum..." dedi Sibel ve "peki bundan sonra ne olacak?" diyen bakışlarla bana sessizce baktı.

Konuyu değiştirmek için, babamın her geçen gün hayattan el etek çektiğini anlattım. Sibel, annesinin yeni geliştirdiği eski elbiseleri, eşyaları saklama takıntısını anlattı. Ben de annemin tam tersi davrandığını, bütün eski eşyaları başka bir eve sürdüğünü anlattım. Ama bu tehlikeli bir konuydu, sustuk. Zaten Sibel'in bakışları bu konuları laf olsun diye açtığımı hissettiriyordu. Dahası benim asıl konudan kaçmamdan, Sibel, aslında benim ona söyleyecek yeni bir şeyim olmadığını da anlamıştı.

"Senin hastalığına alıştığını da görüyorum," diyerek konuyu o açtı.

"Nasıl?"

"Aylardır hastalığın geçecek diye bekliyoruz. Bu kadar sabrettikten sonra, senin hiç iyileşmediğini, hatta hastalığını benimsediğini görmek çok üzücü Kemal. Paris'te hastalığın geçsin diye dualar ettim."

"Ben hasta değilim," dedim. Fuaye'nin neşeli, gürültücü kalabalığını bakışlarımla işaret ettim. "Bu insanlar durumumu hastalık olarak görebilirler... Ama senin beni böyle görmeni istemiyorum."

"Bunun bir hastalık olduğuna yalıda birlikte karar vermemiş miydik?" dedi Sibel.

"Vermiştik."

"Ne oldu şimdi? İnsanın nişanlısını ortada bırakması normal mi?"

"Nasıl?"

"Bir tezgâhtar kızla..."

"Ne karıştırıyorsun bunları..." dedim. "Bunun tezgâhtarlıkla, zenginlik ve fakirlikle ilişkisi yok."

"Konu tamamen bu," dedi Sibel, bu sonuca çok düşünüp acıyla ulaşmış birinin kararlılığıyla. "Yoksul ve hırslı bir kız olduğu için onunla böyle kolay bir ilişki kurabildin... Tezgâhtar olmasaydı, belki de kimselerden utanmaz, onunla evlenirdin... Seni hasta eden şeyler bunlar işte... Onunla evlenememek, o kadar cesur olamamak."

Bunları beni kızdırmak için söylediğine inandığım için Sibel'e kızmıştım. Söylediklerinin doğru olduğunu aklımın bir yanıyla hissettiğim için de kızıyordum ona.

"Senin gibi birinin, bir tezgâhtar kız için bu tuhaflıkları yapması, Fatih'te otellerde yaşaması normal değil, canım... İyileşmek istiyorsan önce bunları kabul et."

"Sandığın gibi o kıza âşık değilim tabii..." dedim. "Ama tartışmak için söylüyorum, insan kendinden yoksul birine hiç âşık olamaz mı? Zengin-fakir aşkı olmaz mı hiç?"

"Bizim ilişkimizde olduğu gibi aşk, dengi dengine sanatıdır. Sen hiç zengin bir genç kızın, yakışıklı diye kapıcı Ahmet Efendi'ye, inşaat işçisi Hasan Usta'ya âşık olup evlendiğini Türk filmleri dışında bir yerde gördün mü?"

Fuaye'nin başgarsonu Sadi, yüzünde bizi görmüş olmanın kendisine ne kadar büyük bir mutluluk verdiğini gösterir bir ifadeyle sokuluyordu ki, bizim konuştuğumuz şeye kendimizi fazla kaptırdığımızı görüp durdu. Sadi'ye, az sonra anlamında bir el işareti yaptım ve Sibel'e döndüm:

"Ben Türk filmlerine inanıyorum," deyiverdim.

"Kemal, şu kadar yılda ben senin bir kerecik olsun Türk filmine gittiğini görmedim. Gırgır olsun diye arkadaşlarla yaz sinemasına bile gitmezsin sen."

"Fatih Oteli'nde hayat Türk filmlerine benziyor, inan," dedim. "Geceleri uyumadan önce o tenha ve ücra sokaklarda yürüyorum. Bana iyi geliyor."

"İlk başta bütün bu tezgâhtar kız hikâyesi, Zaim yüzünden sanmıştım," dedi Sibel kararlılıkla. "Evlenmeden önce onun dansözlü, konsomatrisli, Alman mankenli, dolce vita taklidi hayatına özendiğini düşünüyordum. Zaim'le de konuştuk. Şimdi artık derdinin, fakir ülkede zengin olmakla ilgili bir kompleks (o zamanların moda kelimesiydi bu) olduğuna karar verdim. Bu da bir tezgâhtar kıza geçici bir hevesten daha derin bir derttir tabii."

"Belki öyledir..." dedim.

"Avrupa'da zenginler, kibarca zengin değil gibi yaparlar... Uygarlık budur. Bence kültürlü ve uygar olmak da herkesin birbiriyle eşit ve özgür olması değil, herkesin kibarca diğerleriyle eşit ve özgürmüş gibi davranmasıdır. O zaman kimsenin suçluluk duymasına gerek kalmaz."

"Hmmmmmnnnn... Sorbonne'da boş durmamışsın," dedim. "Artık balıkları da isteyelim mi?"

Masamıza yaklaşınca Sadi'nin hal hatırını (Hamdolsun!), işleri (Biz bir aileyiz Kemal Bey, her akşam aynı kişiler...), piyasayı (Sağ-sol teröründen vatandaş sokağa çıkamıyor!) ve kimlerin gelip gittiğini (Uludağ'dan herkes döndü) sorduk. Sadi'yi Fuaye açılmadan önce babamın sık gittiği Abdullah Efendi'nin Beyoğlu'ndaki yerinden, ta çocukluğumdan beri tanıyordum. Hayatında denizi ilk defa on dokuz yaşında geldiği İstanbul'da otuz yıl önce görmüş, eski Rum meyhanecilerinden ve ünlü Rum garsonlardan kısa zamanda İstanbul'da balık seçip hazırlamanın inceliklerini öğrenmişti. Bize de sabah balıkhanede kendi eliyle seçtiği barbunyaları, iri ve yağlı bir lüferi ve levreği bir tepsiye koyup gösterdi. Balıkları kokladık, gözlerinin parlaklığına, solungaçlarının kırmızılığına bakıp tazeliklerini onayladık. Sonra Marmara'nın kirlendiğinden bir şikâyet havasıyla söz ettik. Fuaye'ye su kesilmelerine karşı özel bir şirketten her gün bir tanker su geldiğini anlattı Sadi. Elektrik kesilmelerine karşı daha bir jeneratör alınamamıştı, ama kimi geceler karanlıkta mumlarla, gaz lambalarıyla oluşan hava da müşterilerin hoşuna gidiyordu. Sadi kadehlerimizdeki şarabı tazeleyip gitti.

"Yalıda geceleri seslerini dinlediğimiz o balıkçı babayla çocuk var ya..." dedim, "sen Paris'e gittikten kısa bir süre sonra onlar da yok oldular. O zaman yalı daha da soğudu ve yalnız bir yer oldu, dayanamadım."

Sibel bu sözlerimin özür dileyen yanıyla ilgilenmişti. Sözü başka yere çekmek için, balıkçı baba-oğulu sık sık düşündüğümü anlattım. (Aklımdan babamın verdiği inci küpeler geçti.) "Baba-oğul balıkçılar belki de palamut ve lüfer sürülerinin peşinden gitmişlerdir," dedim. Bu sene hem palamudun hem lüferin iyi çıktığını, Fatih'in arka sokaklarında bile seyyar satıcıların, peşlerinde kediler, at arabasında palamut sattıklarını gördüğümü anlattım. Balıklarımızı yerken, Sadi kalkan fiyatlarının çok çıktığını, çünkü Rusların ve Bulgarların kalkan sürüsü peşinde karasularına giren Türk balıkçılarını tutukladıklarını söyledi. Bunları konuştukça, Sibel'in neşesinin daha da fazla kaçtığını görüyordum. Ona söyleyecek yeni bir şeyim, verecek bir umudum olmadığını Sibel de görüyor, durumumuzdan söz etmemek için bu konuları açtığımı anlıyordu. Durumumuz konusunda da rahat bir havayla birşeyler söylemek istiyordum, ama aklıma hiçbir şey gelmiyordu. Artık Sibel'e yalan söyleyemeyeceğimi, onun kederli yüzüne baktıkça anlıyor ve telaşlanıyordum.

"Bak Hilmiler gidiyor," dedim. "Çağıralım mı onları biraz masamıza? Demin çok içten davrandılar." Sibel bir şey diyemeden, Hilmi ile karısına el salladım, ama görmediler.

"Çağırma onları..." dedi Sibel.

"Niye? Hilmi çok iyi çocuktur. Ayrıca sen karısını, neydi adı, seviyorsun, değil mi?"

"Biz ne olacağız?"

"Bilmiyorum."

"Paris'teyken Leclercq (Sibel'in hayran olduğu ekonomi profesörü) ile konuştum," dedi Sibel. "Benim tez yazmamı destekliyor."

"Paris'e mi gidiyorsun?"

"Burada mutlu değilim."

"Ben de mi geleyim?" dedim. "Ama çok işim var burada."

Sibel cevap vermedi. Yalnız bu buluşmamız değil, geleceğimiz konusunda da kararını verdiğini, ama aklında son bir şey olduğunu hissettim.

"Sen git Paris'e..." dedim konudan sıkılarak. "Ben durumu toparlayıp arkandan gelirim gene."

"Son bir şey var aklımda... Bu konuyu açtığım için özür dilerim... Ama Kemal, bekâret... senin bu davranışlarını haklı çıkaracak kadar önemli bir konu değildir."

"Nasıl?"

"Eğer modernsek, Avrupalıysak bu önemli bir şey değildir... Yok geleneğe bağlıysak ve bir kızın bakire olması senin de önem

245

verdiğin ve herkesin de saygı göstermesini istediği değerli bir şeyse... O zaman bu konuda herkese eşit davranmalısın!"

İlk anda Sibel'in ne demek istediğini anlayamadığım için kaşlarımı çattım. Sonra onun da hayatta benden başka kimseyle "sonuna kadar" gitmediğini hatırladım. "Bunun yükü seninle onun için aynı şey değil, sen zengin ve modernsin!" demek geldi içimden, ama utançla önüme bakıp sustum.

"Kemal, hiç affedemeyeceğim bir başka şey de şudur... Madem ondan kopamayacaktın, niye nişanlandık ve sonra nişanı niye hemen bozmadın?.." Sesinde öyle bir hınç vardı ki, neredeyse titriyordu. "Sonuç bu olacaksa niye yalıya taşındık, niye davetler verip herkesin önünde, bu ülkede, evlenmeden önce evli çiftler gibi yaşadık?"

"Yalıda seninle paylaştığım mahremiyeti, içtenliği, arkadaşlığı hayatta kimseyle yaşamadım."

Sibel'in bu sözlerime çok sinirlendiğini gördüm. Öfkeden ve mutsuzluktan, gözlerinden yaşlar akmak üzereydi.

"Özür dilerim," dedim. "Çok özür dilerim..."

Korkunç bir sessizlik oldu. Sibel ağlamasın, bu böyle sürmesin diye hâlâ masalarına oturamayan Tayfun ile karısına ısrarla el salladım. Bizi görünce sevinerek geldiler ve benim ısrarım üzerine masamıza oturdular.

"Biliyor musunuz, yalıyı şimdiden özledim!" dedi Tayfun.

Yazın yalıya çok gelmişlerdi. Tayfun rıhtımda ve yalıda kendi evindeymiş gibi gezinir, buzdolabını açıp kendisine, başkalarına içki ve yemek hazırlar, bazan coşar, mutfakta uzun uzun yemek pişirir ve geçen Sovyet ve Rumen tankerlerinin özellikleri hakkında uzun uzun konuşurdu.

"Bahçede sızıp herkesi meraklandırdığım gece vardı ya..." diye geçen yazdan kalma bir hikâyeye başladı. Sibel'in hiç açık vermeden Tayfun'u dinlemesine, şakalar yapıp tatlı sözler söylemesine, hayranlığa yakın bir saygı duydum.

"Eee, ne zaman evleniyorsunuz?" dedi Tayfun'un karısı Figen.

Hakkımızdaki dedikoduları duymamış olabilir miydi? "Mayıs'ta," dedi Sibel. "Gene Hilton'da... Hepiniz *Muhteşem Gatsby* filmindeki gibi beyazlar giymeye söz vereceksiniz. Filmi gördünüz mü?" Birden saatine baktı. "Aa, annemle beş dakika sonra Nişantaşı'nın köşesinde buluşacağız," dedi. Oysa annesi babasıyla birlikte Ankara'daydı.

Önce Tayfun ile Figen'i, sonra da beni alelacele yanaklarımdan öpüp çıktı. Tayfun ve Figen ile oturduktan sonra, ben de Fuaye'den çıkıp Merhamet Apartmanı'na gittim ve Füsun'dan kalma eşyalarla teselli bulmaya çalıştım. Sibel, bir hafta sonra Zaim ile nişan yüzüğünü geri yolladı. Sağdan soldan haberlerini almama rağmen, ondan sonra onu otuz bir yıl hiç görmedim.

47. BABAMIN ÖLÜMÜ

Nişanın bozulduğu haberinin hızla yayılması, Osman'ın bir gün yazıhaneye gelip beni azarlaması, araya girip Sibel'in gönlünü almaya hazır olduğunu söylemesi, sağdan soldan duyduğum dedikodular, kafayı üşüttüğüm, kendimi gece hayatına verdiğim, Fatih'te gizli bir tarikata mensup olduğum ve hatta komünist olduğum ve militanlar gibi gecekonduda yaşadığım yolundaki söylentiler kulağıma geliyor, ama bunlara fazla aldırmıyordum. Bilakis, nişanın bozulduğu haberini işitince Füsun'un etkileneceğini, saklandığı yerden bana haber yollayacağını kuruyordum. Hastalığımı iyileştirmekten de umudu kesmiştim artık; iyileşmektense acımın tadını çıkarıyor, Nişantaşı'nın turuncu renkli yasak sokaklarında da artık hiçbir şeye aldırmadan geziniyor, haftada dört beş kere Merhamet Apartmanı'na gidip eşyalarla, Füsun'un hatıralarıyla huzur buluyordum. Artık Sibel'den önceki bekâr hayatıma dönmüş olduğum için Nişantaşı'ndaki eve, annemle babamla kendi odamda da kalabilirdim, ama annem nişanı bozmamı bir türlü kabul edemediği, kötü haberi "çok halsiz ve zayıf" dediği babamdan sakladığı ve benimle de neredeyse bir tabu haline getirdiği bu konuyu hiç konuşmadığı için, onları görmeye sık sık öğle yemeklerine gidiyor, sessizce sofrada oturuyordum; ama akşamları orada kalmıyordum. Nişantaşı'ndaki evde karın ağrılarımı kuvvetlendiren bir yan olduğu için, geceleri orada kalmak istemiyordum.

Ama Mart başında babam ölünce eve döndüm. Kötü haberi bana, ta Fatih Oteli'ne babamın Chevrolet'siyle gelen Osman verdi. Osman'ın otel odama çıkmasını, kenar mahallelerdeki yürüyüşlerim sırasında eskicilerden, bakkal ve kırtasiyecilerden alıp sakladığım tuhaf eşyaları, küçük odamın dağınık halini görmesini istemezdim. Ama bana kederle baktı ve bu sefer beni küçümsemedi. Tam tersi içten bir sevgiyle sarıldı bana, yarım saatte toparlandım, hesabı ödeyip Fatih Oteli'nden çıktım. Arabada şoför Çetin Efendi'nin yaşlı gözlerini, perişan halini görünce, babamın hem onu hem de arabayı bana vasiyet ettiğini hatırladım. Kapkaranlık, kurşuni bir kış günüydü; Çetin'in kullandığı araba Atatürk Köprüsü'nden geçerken Haliç'e baktığımı, camgöbeği buz rengiyle madeni yağlı çamur rengi arasındaki suların soğukluğunu içimde bir çeşit yalnızlık olarak hissettiğimi hatırlıyorum.

Babam sabah ezanı okunurken, yediyi biraz geçe, uykuyla uyanıklık arasında kalp yetmezliğinden ölmüş, annem sabah uyanınca yanında kocasının hâlâ uyuduğunu sanmış, durumu anlayınca delirmiş, ona sakinleştirici olarak Paradison verilmişti. Şimdi annem salonda her zamanki yerinde babamın koltuğunun karşısındaki kendi koltuğunda oturuyor, arada bir ağlayarak babamın boş koltuğunu gösteriyordu. Beni görünce canlandı. Birbirimize güçle sarıldık, hiç konuşmadık.

İçeriye babamı görmeye gittim. Annemle kırka yakın yıldır paylaştığı büyük ceviz yatakta, pijamalarıyla, uyur gibi yatıyordu, ama kaskatı duruşunda, teninin aşırı soluk renginde ve yüzündeki ifadede uyuyan birinin değil, aşırı huzursuz birinin hali vardı. Uyanırken ölümü görmüş, telaşla gözlerini açmış, hızla yaklaşan bir trafik kazasından korunmak isteyen biri gibi bir hayret ve korku ifadesi takınmış, o da suratında donup kalmıştı. Yorganı sıkı sıkıya tutan buruş buruş ellerinin kolonya kokusunu, kıvrımlarını, üzerlerindeki benleri, tüyleri çok iyi tanıyordum; çocukluğumda saçlarımı, sırtımı, kollarımı binlerce kere okşayarak beni mutlu etmiş, tanıdığım ellerdi bunlar. Ama derilerinin rengi o kadar beyazlaşmıştı ki korktum, onları öpemedim. Yorganı üzerinden çekip her zamanki mavi çubuklu ipek pijama içindeki gövdesini görmek istedim, ama bir yere sıkışmıştı, yapamadım.

O çekiştirme sırasında sol ayağı yorganın dışına çıktı. Bir dürtüyle ayak başparmağına dikkatle baktım. Babamın ayak başparmağı benimkisinin tıpatıp aynısıydı ve eski bir siyah-beyaz fotoğraftan büyüterek elde ettiğim bu fotoğraf ayrıntısında görüleceği gibi hiç kimselerde olmayan tuhaf bir biçimi vardı. Babamın eski arkadaşı Cüneyt, on iki yıl önce Suadiye'de rıhtımda mayolarımızla otururken keşfettiği bu tuhaf baba-oğul benzerliğini, bizi birlikte her görüşünde aynı kahkahayla hatırlar, "Başparmaklar nasıl?" diye sorardı.

Bir ara oda kapısını kilitleyip babamı düşünerek, Füsun için uzun uzun ağlamaya hazırlandım, ama ağlayamadım. Annemle babamın yıllarını geçirdiği odaya; hâlâ kolonya, tozlu halı, parke cilası, ahşap ve annemin parfümü kokan çocukluğumun mahrem merkezine; babamın beni kucağına alıp gösterdiği barometreye; perdelere bir an bambaşka gözlerle baktım. Sanki hayatımın merkezi dağılmış, geçmişim dünyaya gömülmüştü. Dolabını açıp babamın modası geçmiş kravatlarını, kemerlerini, yıllardır giymediği halde arada bir hâlâ boyanıp cilalanan eski ayakkabılarından birini elime aldım. Koridorda ayak sesleri duyunca, çocukluğumda bu dolabı karıştırırken de hissettiğim suçluluk duygusunun aynısını hissettim ve kapısını gıcırdatarak dolabı hızla kapadım. Babamın başucundaki komodinin üzerinde ilaç kutuları, bilmece köşeleri, katlanmış gazeteler, subaylarla rakı içerken çekilmiş, çok sevdiği eski bir askerlik fotoğrafı, okuma gözlükleri ve bardağın içinde de takma dişleri vardı. Dişleri alıp mendilime sararak cebime koydum, salonda annemin karşısına, babamın koltuğuna oturdum.

"Anneciğim, babamın takma dişlerini ben aldım, merak etme," dedim.

"Peki, sen bilirsin," anlamında başını salladı. Öğle vakti ev akraba, tanıdık, dost, komşu büyük bir kalabalıkla dolmuştu. Herkes annemin elini öpüyor, ona sarılıyordu. Kapı açıktı ve asansör sürekli işliyordu. Bir süre sonra eski kurban bayramlarını, bayram yemeklerini hatırlatan bir kalabalık toplandı. Bu kalabalığı, ailenin gürültüsü ve sıcaklığını sevdiğimi, patates burunları ve geniş alınları hep birbirine benzeyen amca çocukları ve akraba kalabalığıyla mutlu olduğumu hissettim. Bir ara Berrin ile divana oturduk ve tek tek bütün kuzenlerimin dedikodusunu yaptık. Berrin'in herkesi bu kadar yakından izlemesi, aileyi benden iyi tanıması hoşuma gidiyordu. Ben de herkesle birlikte arada bir fısıldayarak küçük şakalar yaptım, Fatih Oteli'nin lobisindeki televizyonda seyrettiğim son futbol maçından (Fenerbahçe: 2 - Boluspor: 0) söz ettim; acısına rağmen mutfakta sigara böreği kızartan Bekri'nin kurduğu sofraya oturdum ve sık sık arka odaya gidip babamın hep aynı şekilde yatan pijamalı bedenine dikkatle baktım. Evet, hiç kıpırdamıyordu. Arada bir odadaki dolapları, çekmeceleri açıyor, her biri çocukluğumun pek çok hatırasını canlandıran eşyalara dokunuyordum. Babamın ölümü, çoğunu çocukluğumdan beri çok iyi tanıdığım bu eşyaları, kayıp bir geçmişi taşıyan değerli şeylere dönüştürmüştü. Komodinin çekmecesini açtım ve şekerli öksürük şurubu ve ahşap karışımı kokusunu koklarken, içindeki eski telefon faturalarına, telgraflara, babamın aspirin ve ilaç kutularına bir resme bakar gibi uzun uzun baktım. Defin işlemleri için Çetin ile yollara düşmeden önce, balkondan Teşvikiye

Caddesi'ne çocukluğumu hatırlayarak uzun uzun baktığımı da hatırlıyorum. Babamın ölümüyle birlikte yalnız hayatımın bu günlük eşyaları değil, en sıradan sokak manzaraları da anlamlı bir bütün oluşturan geçmiş bir dünyanın vazgeçilmez hatıralarına dönüşmüştü. Eve dönmek, o dünyanın merkezine dönmek demek olduğu için kendimden saklayamadığım bir mutluluğum vardı ve babası ölen herhangi bir erkeğin duyduğundan daha yoğun bir suçluluk duyuyordum. Buzdolabında, ölmeden önceki gece babamın yarıladığı bir küçük Yeni Rakı şişesi buldum, bütün konuklar gittikten sonra, annem ve ağabeyimle otururken dibine kadar içtim.

"Görüyor musunuz babanızın bana yaptığını," dedi annem. "Ölürken bile bana haber vermedi."

Babamın cesedi, öğleden sonra Beşiktaş'taki Sinan Paşa Camii'nin morguna götürülmüştü. Annem, babamın kokusunu koklayarak uyumak istediği için çarşafların, yastık yüzlerinin değiştirilmemesini istemişti. Ağabeyimle, geç vakit uyku hapı verip annemizi yatağa yatırdık. Annem, babamın kokusunu yastıklarda, çarşaflarda koklayıp, biraz ağlayıp uyuyakaldı. Osman da gittikten sonra, yatağıma yattım ve çocukluğumda hep istediğim ve sık sık düşlediğim gibi, en sonunda annemle bu evde yalnız kaldığımı düşündüm.

Ama kalbime kendimden saklayamadığım bir heyecan veren şey bu değil, cenazeye Füsun'un da gelme ihtimaliydi. Sırf bu yüzden gazetelerdeki vefat duyurularına, ailenin o uzak kanadının adlarını da yazdırmıştım. İstanbul'da bir yerde, Füsun'un annesiyle babasının gazetelerdeki ilanlardan birini okuyup cenazeye geleceğini hiç durmadan düşünüyordum. Acaba hangi gazeteyi okuyorlardı? Tabii haberi, adlarını vefat duyurularına koyduğum diğer akrabalardan da alabilirlerdi. Annem de sabah kahvaltısında gazetelerdeki ilanları tek tek okudu. Arada söyleniyordu:

"Sıdıka ile Saffet hem rahmetli babanız hem benim tarafımdan akrabadırlar, onun için onları Perran ile kocasından sonra sıralamak lazımdı. Şükrü Paşa'nın kızları Nigân, Türkan ve Şükran'ın sırası da yanlış yazılmış... Zekeriya Eniştenizin ilk karısı Arap Melike'den bahsetmeye hiç gerek yoktu. Zaten o kadın ile enişteniz üç ay evli kaldı kalmadı. Büyük halanız Nesime'nin iki aylıkken ölen o zavallı bebeğinin adı da Gül değil, Ayşegül idi... Kimlere sordunuz da yazdırdınız bunları?"

"Anneciğim dizgi hatası, bilirsin bizim gazeteleri..." dedi Osman. Sabah ikide bir pencereden Teşvikiye Camii avlusuna bakıp ne giyeceğini düşünen anneme, bu karlı, buz gibi havada evden çıkmaması gerektiğini anlatıyorduk. "Ama Hilton'da davete gider gibi kürkünüzü giyerseniz de iyi olmaz."

"Ölsem de babanızın cenazesinde evde duramam," dedi annem.

Ama cenaze arabasının caminin morgundan getirdiği babamın tabutunun musalla taşına taşınıp konuluşunu seyreden annem öyle bir ağlamaya başladı ki, merdivenleri inip caddeyi geçerek cenazeye katılamayacağı hemen anlaşıldı. Daha sonra aldığı bütün sakinleştirici ilaçlara rağmen, kalabalık avluda cenaze namazı kılınırken, annem üzerinde astragan kürkü, Fatma Hanım'la Bekri Efendi'nin kolları arasında balkona çıktı ve kalabalığın sırtladığı tabut, cenaze arabasına konurken bayıldı. Sert bir poyraz vardı, insanın gözünün içine giren küçük tanelerle kar atıştırıyordu. Avludaki kalabalıktan çok az kişi annemi fark etmişti. Bekri ile Fatma annemi balkondan içeri soktuktan sonra, ben de dikkatimi kalabalığa verdim. Sibel ile Hilton'daki nişanımıza gelen aynı insanlardı bunlar. Kışları İstanbul sokaklarında hep hissettiğim gibi, yazın fark ettiğim güzel kızlar ortalıktan kaybolmuş, kadınlar çirkinleşmiş, erkekler de daha karanlık ve daha tehditkâr bir havaya bürünmüşlerdi. Tıpkı nişandaki gibi yüzlerce kişinin elini sıktım, pek çok kişiyle kucaklaştım ve kalabalık içinde yeni bir gölgeyle her karşılaşmamda, babamı gömdüğümüz için olduğu kadar o kişi Füsun olmadığı için de acı çektim. Ne Füsun'un ne annesiyle babasının cenazeye ve mezarlığa gelmediğini, gelmeyeceğini iyice anlayınca, babamın tabutuyla birlikte soğuk toprağa kendim veriliyormuşum gibi hissettim.

Soğuğun da etkisiyle cenazede birbiriyle iyice yakınlaşan aile kalabalığı, törenden sonra birbirinden hiç ayrılmak istemiyordu, ama ben onlardan kaçtım, taksiyle Merhamet Apartmanı'na gittim. Dairenin kokusu bile bana huzur veren havasını içime çekerken, teselli gücünün en yüksek olduğunu tecrübeyle bildiğim eşyalar arasından Füsun'un kurşun kalemini ve o kaybolduktan sonra hiç yıkamadığım çay fincanını yanıma alıp yatağımıza uzandım. Bu eşyalara dokunmak, onları tenimin üzerinde gezdirmek kısa sürede acımı azalttı, beni rahatlattı.

O gün babam için mi yoksa Füsun cenazeye gelmediği için mi acı çektiğimi soran okurlara ve müzegezerlere, aşk acısının bir bütün olduğunu söylemek isterim. Gerçek aşk acısı, varlığımızın en temel noktasına yerleşir, bizi en zayıf noktamızdan sımsıkı yakalar ve diğer bütün acılara derinden bağlanarak bütün gövdemize ve hayatımıza hiç durdurulamayacak bir şekilde yayılır. Eğer umutsuzca âşıksak, baba kaybından en sıradan talihsizliğe, mesela anahtarımızı kaybetmeye kadar her şey, diğer bütün acılar, dertler ve huzursuzluklar, her an yeniden kabarmaya hazır olan bu asıl ıstırabımızın tetikleyicisi olur. Benim gibi aşk yüzünden bütün hayatı altüst olmuş biri, diğer bütün dertlerinin çözümünün de aşk acısının sona ermesiyle mümkün olacağını sandığı için, içindeki yarayı istemeden daha da derinleştirir.

Babamı gömdüğüm gün takside giderken açıklıkla kavradığım bu fikirlere uygun bir şekilde de, ne yazık ki hiç davranamadım. Çünkü aşk verdiği ıstırap ile ruhumu bir yandan terbiye ediyor ve beni daha olgun bir adam yapıyordu, ama diğer yandan da aklıma bütünüyle el koyarak, olgunluğun verdiği mantığı kullanmama çok az izin veriyordu. Benim gibi uzun bir süre ve yıkıcı bir şekilde âşık olmuş birisi, yanlış olduğunu bildiği bir mantığı, bir hareketi, sonunun hüsran olacağını bile bile sürdürmeye devam eder, zaman geçtikçe yaptıklarının yanlış olduğunu daha da açık görür. Bu durumda, insanoğlunun üzerinde durmadığı ilginç şey, mantığımızın en kötü günde bile hiç susmaması, tutkunun gücüne karşı çıkamasa da, yaptıklarımızın çoğunun aslında aşkımızı ve acımızı artırmaktan başka bir sonuç vermeyeceğini dürüstlükle ve acımasızlıkla bize fısıldamasıdır. Füsun'u kaybettikten sonra geçen dokuz ayda mantığımın bu fısıltısı gittikçe güçlenerek artmış, bir gün aklımın bütününe hâkim olarak beni bu acıdan kurtaracağı umudunu da vermişti. Ama aşk ile birlikte umut (bu bir gün hastalığımızdan kurtulacağımızın umudu bile olsa) bana acımla birlikte yaşama gücü verdiği için, çektiğim ıstırabın süresini uzatmaktan başka bir sonuç da vermiyordu.

Merhamet Apartmanı'ndaki yatakta Füsun'un eşyalarıyla acılarımı (baba kaybıyla sevgilinin kaybı, şimdi tek bir yalnızlık ve sevilmeme acısı olmuştu) hafifletirken, bir yandan da Füsun ve ailesinin cenazeye neden gelmediklerini kavrıyordum. Ama annemle ve aileyle olan ilişkisine her zaman dikkat eden Nesibe Hala'nın ve kocasının babamın cenazesine gelmemelerini, bunun da benim yüzümden olduğunu kabul edemiyordum bir türlü. Bu, Füsun'un ve ailesinin benden sürekli kaçacağı anlamına geliyordu. Öyleyse hayatımın sonuna kadar Füsun'u göremeyecektim. Bu düşünce öylesine dayanılmazdı ki, onu fazla düşünemiyor ve yakında Füsun'u görebileceğime ilişkin bir umut aramaya başlıyordum.

48. HAYATTA EN ÖNEMLİ ŞEY MUTLU OLMAKTIR

"Satsat'taki hesapsızlıklar için Kenan'ı suçluyormuşsun!" dedi Osman kulağıma bir akşam. Bazan Berrin ve çocuklarıyla, sık sık da tek başına akşamları annemi ziyarete geliyor, üçümüz birlikte yemek yiyorduk.

"Nereden duydun?"

"Ben duyarım," dedi Osman. Annem içerideydi, o tarafa doğru bir bakış attı. "Kendini sosyeteye rezil ettin, bari şirkettekilere mahcup olma," dedi acımasızlıkla. (Oysa o da sosyete kelimesinden hiç hoşlanmazdı.) "Çarşaf işini kaybetmen senin kabahatin," diye ekledi.

"Ne oluyor, ne konuşuyorsunuz!" dedi annem. "Gene kavga etmeyin!"

"Etmiyoruz," dedi Osman. "Kemal'in eve gelmesi iyi oldu diyordum, değil mi anne?"

"Ah oğlum, çok iyi oldu. Kim ne derse desin, hayatta en önemli şey mutlu olmaktır. Rahmetli babanız da öyle derdi. Bu şehir güzel kızlarla dolu, daha güzelini, daha şefkatlisini, daha anlayışlısını buluruz. Kedi sevmeyen bir kadın zaten erkeğini mutlu edemez. Artık kimse bu iş için üzülmesin. Otel odalarına da bir daha gitmeyeceğine söz ver bakayım."

"Bir şartla!" dedim Füsun'un dokuz ay önce söylediği bir cümleyi çocuk gibi tekrarlayarak. "Babamın arabası ve Çetin bende kalacak..."

"Peki," dedi Osman. "Çetin razıysa, ben de razıyım. Ama sen de Kenan'a ve yeni işe hiç karışma, kimseye çamur atma."

"Aranızda, herkesin önünde sakın kavga etmeyin!" dedi annem.

Sibel'den ayrılmam Nurcihan'dan uzaklaşmama, Nurcihan'dan uzaklaşmam da ona deli gibi âşık olan Mehmet'i çok daha az görmeme yol açmıştı. Zaim de her geçen gün onlarla daha sık çıktığı için onu ayrı görüyor, bu arkadaş takımından yavaş yavaş uzaklaşıyordum. Bir ara Piç Hilmi, Tayfun gibi evli, nişanlı, sözlü olmalarına aldırmadan gece hayatının karanlık yanına ihtiyaç duyan, İstanbul'un en pahalı randevuevlerini, alaycılıkla "üniversiteli" denen biraz bilgili, görgülü kızların takıldığı otel lobilerini bilen arkadaşlarla, eğlencesinden çok, hastalığımı iyileştirir umuduyla birkaç gece çıktım; ama

Füsun'a duyduğum aşk, ruhumun karanlık bir köşesinden bütün kişiliğime yayılmıştı. Arkadaş sohbetiyle biraz eğlendimse de, dertlerimi unutabilecek kadar ileri gidemedim. Akşamları çoğu zaman evden hiç çıkmıyor, annemin yanına oturup, elimde rakı, tek kanallı devlet televizyonunda ne varsa onu seyrediyordum.

Annem, tıpkı babam sağken yaptığı gibi ekranda gördüğü her şeyi acımasızca eleştirir, o kadar çok içmememi, tıpkı babama yaptığı gibi bana her gece bir kere söyler, az sonra da koltuğunda uyuyakalırdı. O zaman Fatma Hanım'la televizyon hakkında fısıltıyla konuşurduk. Fatma Hanım'ın Batı filmlerinde gördüğümüz zengin ailelerin hizmetçileri gibi odasında ayrı bir televizyonu yoktu. Dört yıl önce ülkede yayın başlayıp bizim eve bir televizyon alındığından beri, Fatma Hanım her gece salonun en uzak noktasındaki bar sandalyesinde –artık "onun sandalyesiydi"– iğreti bir şekilde oturur, duygulu sahnelerde heyecanlanıp başörtüsünün düğümüyle oynayarak uzaktan televizyona bakar, bazan sohbete de katılırdı. Annemin bitip tükenmez monologlarına karşılık verme işi babamın ölümünden sonra ona düştüğü için, sesi artık daha çok çıkıyordu.

Bir gece, annem koltuğunda uyuyakaldıktan sonra, Fatma Hanım'la televizyonda naklen yayımlanan buz pateni yarışmasındaki uzun bacaklı Norveçli ve Sovyet güzellerine bütün Türkiye gibi paten kurallarını hiç bilmeden bakarken, onunla annemin durumundan, havaların ısındığından, sokaklardaki siyasi cinayetlerden, her türlü siyasetin kötülüğünden, babamın yanında çalıştıktan sonra, Almanya'ya Duisburg'a göç edip dönerci dükkânı açan oğlundan, aslında hayatın güzel olduğundan tatlı tatlı söz ediyorduk ki, lafı bana getirdi.

"Kazmatırnak, artık çorapların hiç delinmiyor, aferin... Kemalciğim geçen gün baktım, ayak tırnaklarını da artık güzelce kesiyorsun. Ben de sana bir hediye vereceğim o zaman."

"Tırnak makası mı?"

"Yok, tırnak makasın maşallah iki tane var. Bir de babandan kaldı, üç etti. Bu başka."

"Ne?"

"Gel içeri," dedi Fatma Hanım.

Havasından, konunun özel olduğunu sezerek peşinden gittim. Küçük odasına girip bir şey aldı, benim odama girdi, ışığı yaktı, avcunu bir çocuğu eğlendirir gibi açıp bana gülümsedi.

"Bu ne?" dedim önce. Sonra kalbim gümbür gümbür atmaya başladı.

"Bir küpe teki, senin değil mi?" dedi. "Kelebek ile bir harf mi bu? Ne tuhaf."

"Benim..."

"Aylar evveldi, ceketinin cebinde buldum bunu. Sana vermek için bir kenara koydum. Ama annen görüp almış. Belli ki rahmetli babanın, bir başkasına vereceği öyle bir şey sandı, hoşuna gitmedi. Rahmetli babandan sakladığı –gülümsedi–, çalıp sakladığı şeylerini koyduğu gizli bir kadife kesesi var, oraya koymuş. Babanın ölümünden sonra içindekileri babanın çalışma masasına dizmiş de, o zaman gördüm ve senin olduğunu bildiğim için hemen aldım. Bir de babanın ceketinden çıkan bu fotoğraf var, onu da annen görmeden al bakalım. İyi etmiş miyim?"

"Çok çok iyi etmişsin Fatma Hanım," dedim. "Çok akıllısın, çok incesin, çok harikasın sen."

Küpeyi ve fotoğrafı mutlu bir gülümsemeyle verdi. Fotoğraf, babamın Abdullah'ta yemek yerken gösterdiği ölmüş sevgilisinin fotoğrafıydı. Bir an bu kederli kızda, arkadaki gemilerde ve denizde, Füsun'u hatırlatan birşeyler gördüm.

Ertesi gün Ceyda'yı aradım. İki gün sonra gene Maçka'da buluşup Taşlık Parkı'na yürüdük. Saçlarını topuz yapmıştı, şıktı, halinde yeni anne olmuş kadınlara özgü ışıl ışıl bir mutluluk ve kısacık bir sürede olgunlaşmanın verdiği bir güven gördüm. İki gün boyunca çok da zorlanmadan Füsun'a dört-beş tane mektup yazmış, bunlardan en makul ve soğukkanlı olanını sarı bir

Satsat zarfına koymuştum. Önceden planladığım gibi kaşlarımı çatıp çok önemli bir gelişme olduğunu, bu mektubun mutlaka Füsun'a ulaştırılması gerektiğini söyleyerek Ceyda'ya verdim. Niyetim mektupta yazdıklarımdan Ceyda'ya hiç söz etmemek ve esrarengiz bir havaya bürünerek onun olayın ciddiyetini kavramasını, mektubu da Füsun'a ulaştırmasını sağlamaktı. Ama Ceyda'nın yüzünde her şeyi doğal karşılayan o kadar makul ve olgun bir ifade vardı ki, kendimi tutamadım ve Füsun'un bana küsmesine yol açan meselenin halloldugunu, ona yolladığım bu haberi işitince Füsun'un da benim gibi çok sevineceğini ve kaybettiğimiz zamanlar için üzülmekten başka artık hiçbir derdimizin kalmayacağını, bir müjde vermenin heyecanıyla Ceyda'ya anlattım. Çocuğunu emzirmeye koşan Ceyda ile vedalaşırken, Füsun ile bizim de evlenir evlenmez bir çocuk yapacağımızı, çocuklarımızın arkadaş olacağını, bu sıkıntılı günlerimizi de baldan tatlı aşk hatıraları olarak hep birlikte gülüşerek hatırlayacağımızı söyledim. Çocuğunun adını sordum.

"Ömer," dedi Ceyda. Bebeğine gururla baktı. "Ama hayat hiç istediğimiz gibi olmuyor Kemal Bey."

Haftalarca Füsun'dan bir cevap çıkmayınca, sık sık Ceyda'nın bu sözünü hatırladım. Ama Füsun'un bu defa mektubuma mutlaka cevap vereceğinden emindim. Ceyda nişanın bozulduğunu Füsun'un bildiğini doğrulamıştı. Füsun'a mektupta, düşen küpesinin rahmetli babamın kutusundan çıktığını, babamın diğer küpeleri ve üç tekerlekli bisikletle birlikte ona küpesini getirmek istediğimi yazmıştım. Daha önceden de planladığımız gibi o, annesi-babası ve ben, hep birlikte bir akşam yemeği yememiz için artık vakit gelmişti.

Mayıs ortasında, yoğun bir gün, yazıhanede taşra bayilerinden gelen ve pek çoğu elle yazılmış dostluk, teşekkür, şikâyet, gönül alma ve tehdit mektuplarını –harfleri sökemediğim için bazılarını zorlanarak– okurken, kısacık bir mektubu, bir hamlede ve hızlanan kalp atışlarıyla okudum:

Kemal Ağabey,

Biz de görüşmeyi çok isteriz. Seni 19 Mayıs akşamı yemeğe mutlaka bekliyoruz.

Telefonumuz daha takılmadı. Gelemezsen Çetin Efendi'yle haber yolla.

Sevgiler, saygılar.

Füsun.

Adres: Dalgıç Çıkmazı, No: 24, Çukurcuma.

Mektupta tarih yoktu ama, Galatasaray Postanesi'nden 10 Mayıs'ta postalandığını üzerindeki damgadan çıkardım. Davete iki günden fazla vardı, Çukurcuma'daki adrese hemen gitmek geldi içimden, ama kendimi tuttum. Sonunda Füsun ile evlenmek, onu kendime geri dönüşsüz şekilde bağlamak istiyorsam, aşırı heyecan göstermemem lazım, diye düşündüm.

49. ONA EVLENME TEKLİF EDECEKTİM

19 Mayıs 1976 Çarşamba günü akşam yedi buçukta, Çetin Efendi ile Füsunların Çukurcuma'daki evine gitmek için yola çıktık. Çetin Efendi'ye Nesibe Halaların Çukurcuma'daki evlerine bir çocuk bisikletini geri vermeye gideceğimizi söyledim, adresi verdim ve koltuğuma yaslanıp bardaktan boşanır gibi yağan yağmurun altında sokakları seyrettim. Bir yıl boyunca gözümün önünde canlandırdığım binlerce kavuşma sahnesinde ne böyle yoğun bir sağanağı ne de çiseleyen hafif bir yağmuru hayal etmiştim.

Merhamet Apartmanı'nın önünde durup bisikleti, babamın bana kutu içinde verdiği inci küpeleri alırken, sırılsıklam oldum. Beklentilerimin tam tersi olan asıl şey ise, yüreğimin içinde hissettiğim derin huzurdu. Hilton Oteli'nde, onu son görüşümden o güne kadar geçen 339 gün boyunca çektiğim acıları bütünüyle unutmuştum sanki. Hatta beni bu mutlu sona ulaştırdığı için saniye saniye kıvranarak yaşadığım acıya şükran duyduğumu, hiçbir şeyi ve hiç kimseyi de suçlamadığımı hatırlıyorum.

Hikâyemin başında olduğu gibi, şimdi gene önümde mükemmel bir hayat olduğunu düşünüyordum. Sıraselviler Caddesi'nde arabayı durdurup, bir çiçekçide kırmızı güllerden önümdeki hayat kadar güzel kocaman bir buket yaptırdım. Sakinleşmek için evde yarım kadeh rakıyı ilaç gibi içmiştim. Beyoğlu'na çıkan ara sokaklardaki meyhanelerde bir kadeh daha içse miydim? Ama sabırsızlık, aşk acısı gibi beni içine çekip kavramıştı. "Dikkat et," dedi aynı anda içimden ihtiyatlı bir ses. "Bu sefer bir yanlış yapma!" Çukurcuma Hamamı yoğun yağmur içinde hayal meyal gözlerimin önünden geçerken, 339 gün boyunca çektiklerimin Füsun'un bana verdiği iyi bir ders olduğunu bir anda açıklıkla kavradım: O kazanmıştı. Bir daha onu görememe cezasına çarptırılmamak için, onun istediği her şeyi yapmaya hazırdım artık. Onu görüp rahatladıktan ve Füsun'un karşımda olduğuna inandıktan az sonra da, ona evlenme teklif edecektim.

Çetin Efendi yağmurun altında kapı numaralarını okumaya çalışırken, daha önceden kafamın bir köşesiyle kurduğum ve kendimden de saklamaya çalıştığım evlilik teklifi sahnesi gözümün önünde canlandı: İçeri girdikten, bisikleti şakalarla verdikten, oturduktan, sakinleştikten –bunları yapabilecek miydim?– az sonra, Füsun'un getirdiği kahvelerimizi içerken, babasının gözlerinin içine gözlerimi cesaretle dikip buraya Füsun ile evlenmek için izin almaya geldiğimi hemen söyleyecektim. Çocukluk bisikleti bahaneydi. Buna gülüşecek, şakalar yapacak, çekilen acılardan söz etmemize, üzüntülerimizi gözden geçirmemize fırsat vermeyecektik. Sofraya oturduğumuzda babasının vereceği Yeni Rakı'yı içerken, Füsun'un gözlerinin içine bu kararı vermiş olmanın mutluluğuyla bakacak, onu doya doya seyredecektim. Nişan ve evlilik ayrıntılarını diğer ziyaretimde konuşabilirdik.

Araba, yağmurdan mimarisine dikkat edemediğim eski bir

evin önünde durdu. Kalbim hızlanarak kapıyı çaldım. Az sonra Nesibe Hala kapıyı açtı; bisikleti getirirken, arkamdan bana şemsiye tutan Çetin Efendi'den ve elimdeki güllerden etkilendiğini hatırlıyorum. Kadının yüzünde bir huzursuzluk vardı, ama üzerinde durmadım; çünkü merdivenlerden, basamak basamak Füsun'a yaklaşıyordum.

Babası "Hoş geldin Kemal Bey," diye karşıladı beni sahanlıkta. Tarık Bey'i en son bir yıl önce nişanda gördüğümü unutmuştum da, eski kurban bayramı yemeklerinden sonra onu hiç görmediğimi sanıyordum. Yaşlılığın onu çirkinleştirmekten çok, bazı ihtiyarlara yaptığı gibi silikleştirdiğini hissettim.

Sonra Füsun'un ablası varmış diye düşündüm, çünkü kapının eşiğinde, babanın arkasında Füsun'a benzeyen, ama esmer bir başka güzel kız görmüştüm. Ama daha bunu düşünürken de, o esmerin Füsun olduğunu anladım. Çok sarsıcıydı. Füsun'un saçları simsiyahtı: "Tabii, asıl rengi!" dedim kendime sakin olmaya çalışarak. İçeri girdim. Daha önceden planladığım gibi annesiyle babasına aldırmadan gülleri verip ona sarılacaktım ki, bakışlarından, telaşından, gövdesinin yaklaşımından, Füsun'un benimle kucaklaşmayı istemediğini anladım.

El sıkıştık.

"Ah ne güzel güller bunlar!" dedi, ama elimden almadı onları.

Evet, tabii, çok güzeldi, olgunlaşmıştı. Hayalimdeki karşılaşma sahnesine aykırı birşeyler yaşadığım için huzursuz olduğumu anladı.

"Öyle değil mi?" dedi gözleriyle kucağımdaki gülleri odadaki bir başka kişiye işaret ederek.

İşaret ettiği kişiyle göz göze geldim. Bu şişko ve sevimli komşu delikanlıyı da yemeğe çağırmak için başka gece bulamamışlar mı diye hızla düşündüm! Ama daha kafamdan geçirirken yanlış olduğunu anladığım bir başka düşünce de buydu.

"Kemal Abi, tanıştırayım, kocam Feridun," dedi önemsiz bir ayrıntıyı hatırlar gibi yapmaya çalışarak.

Gerçek birine değil de, tam çıkaramadığım bir hatıraya bakar gibi baktım Feridun dediği adama.

"Biz beş ay önce evlendik," dedi Füsun, kaşlarını anlayış bekleyen bir bakışla kaldırarak.

Elimi sıkan aşırı şişman damadın bakışlarından, hiçbir şeyden haberdar olmadığını anladım. "Oo, çok çok memnun oldum!" dedim ona ve kocasının arkasına saklanan Füsun'a bakıp gülümseyerek. "Çok da talihlisiniz Feridun Bey. Hem harika bir kızla evlenmişsiniz hem de kızın harika bir çocukluk bisikleti var."

"Kemal Bey, sizleri düğüne çağırmayı çok istedik," dedi annesi. "Ama babanızın hastalığını işittik. Kızım, kocanın arkasına gizleneceğine o güzel gülleri alsana Kemal Bey'in elinden."

Bir yıl boyunca rüyalarımdan hiç çıkmayan cananım, gül buketini elimden zarif bir hareketle alırken, gül yanaklarını, iştahlı dudaklarını, kadife tenini ve bütün ömrüm boyunca yakın olmak için her şeyi göze alacağımı acıyla bildiğim boynunun ve göğüslerinin güzel kokulu üst kısmını bana bir yaklaştırdı, bir uzaklaştırdı. Onun gerçek olmasına, dünyanın var olmasına şaşan biri gibi hayretle baktım.

"Gülleri vazoya koy, canım," dedi annesi.

"Kemal Bey, rakı içersiniz, değil mi?" dedi babası.

"Civ-civ-civ," dedi kanaryası.

"A, tabii tabii, rakı, içerim, içerim rakı..."

Rakıdan iki buzlu kadehi hemen çarpsın diye aç karna içtim. Sofraya oturmadan önce getirdiğim bisikletten ve çocukluk hatıralarımızdan bir süre söz ettiğimizi hatırlıyorum. Ama o evlendiği için bisikletin temsil ettiği o çekici kardeşlik duygusunun yok olduğunu anlayacak kadar açıktı zihnim daha.

Bunun bir rastlantı olduğu hissini vererek (nereye oturacağını annesine sormuştu) Füsun sofrada karşıma oturdu; ama gözlerini benden kaçırıyordu. Bu ilk dakikalarda, benimle ilgilenmediğini düşünecek kadar şaşkındım. Ben de onunla ilgilenmez gözükmeye çalışıyor, fakir akrabasına evlilik hediyesi veren ve kafası çok daha önemli şeylerle meşgul, iyi niyetli bir zengin gibi davranmak istiyordum.

"Eee, çocuk ne zaman?" dedim böyle bir havayla, önce damadın gözlerinin içine baktım, ama aynı bakışı Füsun'a çeviremedim.

"Şimdilik düşünmüyoruz," dedi Feridun Bey. "Belki ayrı bir eve taşındıktan sonra..."

"Feridun çok genç, ama bugün İstanbul'da en çok aranan senaryo yazarıdır," dedi Nesibe Hala. "*Simitçi Teyze*'yi o yazdı."

Kafam halk dilinde "gerçeği kabullenmek" denen şeyi yapmakta bütün gece zorlandı. Bu evlilik hikâyesinin şaka olduğunu, beni şaşırtıp eğlenmek için şişko komşu çocuğunu Füsun'un çocukluk aşkı ve kocası kılığına soktuklarını, az sonra kötü bir şaka yaptıklarını itiraf edeceklerini, gece boyunca zaman zaman umutla hayal ettim. Karı-koca hakkında birşeyler öğrendikçe evliliği kabul ediyor, ama bu sefer öğrendiklerimi kabul edilmez ve sarsıcı buluyordum: İç güveysi damat Feridun Bey yirmi iki yaşındaydı, sinemaya ve edebiyata meraklıydı, henüz çok para kazanmıyordu ama Yeşilçam için senaryolar kaleme almaktan başka şiir de yazıyordu. Baba tarafından akrabası olduğu için çocukken Füsun ile oynadıklarını, hatta geri getirdiğim bisiklete Füsun ile birlikte çocukken onun da bindiğini öğrendim. Bunları öğrendikçe, Tarık Bey'in içten bir ilgiyle doldurduğu rakının da yardımıyla, ruhum sanki kendi içine çekiliyordu. Yeni bir eve her girişinde daha kaç oda var, arka balkon hangi sokağa bakıyor, masa niye buraya konmuş gibi sorulara cevaplar bulup mekânı anlayana kadar huzursuz olan aklım, şimdi bu sorularla hiç ilgilenmediği için de huzursuzdu sanki.

Tek teselli onun karşısında oturabilmek, bir resmi seyreder gibi onu şimdi doya doya seyredebilmekti. Elleri eskisi gibi kıpır kıpırdı. Evlenmiş olmasına rağmen, babasının yanında hâlâ sigara içmediği için, sigara yakarken yaptığı o çok sevdiğim el hareketlerini ne yazık ki hiç göremedim. Ama iki kere, eskiden de yaptığı gibi saçlarını çekiştirdi, üç kere lafa karışmak için fırsat kollarken –tartışmalarımızda hep yaptığı gibi– nefesini içine çekip omuzlarını hafifçe yükselterek bekledi. Gülüşünü her görüşümde karşı konulmaz bir mutluluk ve iyimserlik hâlâ aynı güçle içimde ayçiçeği gibi açıveriyordu. Güzelliğinden ya da kendimi çok yakın hissettiğim hareketlerinden ve teninden sızan bir ışık, bana dünyanın gitmem gereken merkezinin onun yanı olduğunu hatırlatıyordu. Geri kalan yerler, kişiler, meşgaleler "kaba oyalanmalar"dan başka bir şey değildi. Yalnız aklım değil, gövdem de bunu bildiği için burada onun karşısındaydım ve bu yüzden yerimden kalkıp kollarını tutmak, ona sarılmak istiyordum. Ama içine düştüğüm durumu, bundan sonra ne olacağını düşünmeye çalıştığım zaman yüreğimde öyle bir acı hissediyordum ki, düşünmeye devam edemiyor, yalnız sofradakilere değil, kendi kendime de buraya genç evlileri tebrike gelmiş bir akrabayım pozu yapmaya başlıyordum. Yemek boyunca çok az göz göze gelmemize rağmen Füsun bu züppece pozumu hemen hissediyor, o da bana özel şoförüyle bir gece uğrayan uzak ve zengin bir akrabaya yeni evli ve çok mutlu bir genç kadın nasıl davranırsa öyle davranıyor, kocasıyla şakalaşıyor, bakladan ona bir kaşık daha veriyordu. Bütün bunlar da kafamın içindeki tuhaf sessizliği derinleştiriyordu.

Eve gelirken iyice hızlanan yağmur hiç dinmedi. Tarık Bey, Çukurcuma'nın –adı üstünde– alçak bir semt olduğunu, geçen yaz satın aldıkları bu binayı eskiden çok sık sel bastığını öğrendiklerini daha yemeğin başında bana anlatmış, ben de onunla birlikte sofradan kalkıp cumbanın penceresinden, yokuştan aşağı inen suları seyretmiştim. Sokakta paçaları sıvamış, çıplak ayaklı mahalleliler, ellerinde çinko kovalar ve plastik çamaşır leğenleriyle, kaldırımların kenarından, evlerinin içine içine giren suları boşaltmaya ve taş yığınları ve bezlerle sel sularının yönünü değiştirmeye çalışıyordu. Çıplak ayaklı iki adam ellerindeki demirle tıkanmış bir ızgarayı açmak için uğraşırken, biri mor biri yeşil başörtülü iki kadın sulardaki bir şeyi ısrarla işaret edip bağırışıyorlardı. Masada Tarık Bey, lağımların ta Osmanlı'dan kalma ve yetersiz olduğunu söylemişti esrarengiz bir havayla. Yağmurun şakırtısının her artışında birisi "Gök delindi", "Nuh tufanı!", "Allah korusun" gibi bir şey söyleyip sofradan kalkıyor, cumbanın yokuşa bakan penceresinden soluk sokak lambasının ışığında tuhaf gözüken mahalleyi ve sel sularını endişeyle seyrediyordu. Ben de kalkıp yanlarına gitmeli, sel korkusunu onlarla paylaşmalıydım; ama sarhoşluktan ayakta duramayıp koltukları, sehpaları devirmekten korkuyordum.

"Acaba şoför ne yapıyor bu yağmurda?" dedi Nesibe Hala pencereden bakarken.

"Ona yiyecek birşeyler versek mi?" dedi damat bey.

"Ben aşağı indiririm," dedi Füsun.

Ama Nesibe Hala benim bundan hoşlanmayabileceğimi sezip konuyu değiştirdi. Bir an bütün ailenin cumbadan şüpheyle süzdüğü sarhoş ve yalnız bir adam olduğumu hissettim. Ben de dönüp onlara gülümsedim. Tam o sırada sokaktan devrilen bir varilin tangırtısı ve bir ah sesi geldi. Füsun ile göz göze geldik. Ama bakışlarını hemen kaçırdı.

Nasıl bu kadar ilgisiz davranmayı başarabiliyordu? Bunu ona sormak istiyordum. Ama sevgililerini ararken, "Ona bir şey soracağım da ondan!" diyen terk edilmiş ve aptallaşmış âşıklar gibi sormuyordum bu soruyu. Peki, öyle soruyordum.

Burada tek başıma oturduğumu görmesine rağmen niye yanıma gelmiyor, her şeyi bana açıklamak için bu özel fırsatı niye kullanmıyordu? Yeniden bakıştık ve yeniden gözlerini kaçırdı.

"Şimdi Füsun masaya yanına gelecek," dedi içimden iyimser bir ses. Ve gelirse bu, bir gün bu yanlış evlilikten cayacağının ve kocasından ayrılıp benim olacağının işareti olacak.

Gök gürledi. Füsun pencerenin önünden çekildi ve tüy gibi hafif beş adım atarak sessizce karşıma oturdu.

265

"Beni affetmeni rica ediyorum," dedi yüreğime işleyen, fısıldar bir sesle. "Babanın cenazesine gelemedim."

Bir şimşeğin mavi ışığı, rüzgârda ipekten kumaş gibi aramızda ürperdi.

"Seni çok bekledim," dedim ben.

"Tahmin ettim, ama gelemezdim," dedi.

"Bakkalın kaçak tentesi devrildi, gördünüz mü?" dedi kocası Feridun masaya dönerken.

"Gördük ve üzüldük," dedim.

"O kadar üzülecek bir şey yok," dedi pencereden dönen babası.

Kızının ağlayan biri gibi iki elini yüzüne kapadığını gördü ve endişeyle önce damadına, sonra bana bir göz attı.

"Mümtaz Eniştemin cenazesine gidemediğim için hep üzülüyordum," dedi Füsun titreyen sesini bastırarak. "Onu çok severdim, çok fena oldum."

"Füsun'u çok severdi babanız," dedi Tarık Bey. Geçerken kızının saçını öptü ve sofraya oturup tek kaşını kaldırıp gülümseyerek bana bir kadeh rakı daha koydu ve eliyle kiraz ikram etti.

Babamın verdiği kadife kutu içindeki inci küpeleri ve Füsun'un küpesinin tekini cebimden çıkarıp vermeyi sarhoş kafayla hayal ediyor, ama bunu bir türlü gerçekleştiremiyordum. Bu içimde öyle bir baskı yaptı ki, ayağa kalktım. Ama küpeleri vermek için ayağa kalkmam değil, tam tersi kalkmamam gerekiyordu. Baba kızın bakışlarından, onların da bir şey beklediklerini anladım. Belki de çıkıp gitmemi istiyorlardı, ama hayır, derin bir bekleyiş vardı odada. Ama küpeleri, o kadar hayalini kurmama rağmen ortaya çıkaramıyordum bir türlü. Bu hayallerde Füsun evli değil bekârdı, ben de hediyelerimi vermeden az önce, annesiyle babasından onu istiyordum... Şimdi yeni durumda küpeleri ne yapmam gerektiğine sarhoş kafayla hiç karar veremiyordum.

Elim kirazdan kirlendiği için kutuları çıkaramıyorum diye düşündüm. "Ellerimi yıkayabilir miyim?" dedim. Füsun, içimde kopan fırtınaları artık anlamazlıktan gelemiyordu. Babasının, "kızım misafire yolu göster" diyen bakışlarını da üzerinde hissettiği için telaşla ayağa kalktı. Onu karşımda ayakta görünce, bir yıl önceki buluşmalarımızın hatıraları bütün güçleriyle canlandı. Ona sarılmak istedim.

Hepimiz sarhoşluk anlarında kafamızın iki hat üzerinde çalıştığını biliriz: Birinci hatta, hayallerimde zaman ve mekândışı bir yerde karşılaşmışız gibi Füsun'a sarılıyordum. İkinci hatta ise, Çukurcuma'daki bu evde masanın çevresindeydik ve içimden bir ses ona sarılmamam gerektiğini, bunun rezillik olacağını söylüyordu. Ama rakı yüzünden bu ikinci ses yavaştı ve ona sarılma hayaliyle aynı anda değil, beş-altı saniye sonra ortaya çıkıyordu. O beş-altı saniyede özgürdüm, ama özgür olduğum için de telaş etmemiş, onunla yan yana yürümüş, arkasından merdivenlerden yukarı çıkmıştım.

Gövdesinin yakınlığı, merdivenleri çıkışımız, bunlar zamandışı bir hayalden çıkma gibiydi ve hafızamda da uzun yıllar öyle kaldı. Bana bakışındaki anlayış ve endişeyi görüyor ve duygularını bakışlarıyla ifade ettiği için ona şükran duyuyordum: İşte, Füsun ile benim, ikimizin birbirimiz için yaratıldığı bir kere daha ortaya çıkmıştı; ben bunu bildiğim için bütün o çileyi çekmiştim, evli olması hiç önemli değildi, şimdi olduğu gibi onunla birlikte merdiven çıkma mutluluğu için çok daha fazla çile çekmeye hazırdım. Çukurcuma'daki o evin küçüklüğünü görüp yemek masasıyla üst kattaki banyo arasındaki mesafenin dört buçuk adım ve on yedi merdiven basamağı olduğunu fark ederek bana gülümseyen sözümona "gerçekçi" müze ziyaretçisine, o kısa sürede duyduğum mutluluk için bütün hayatımı vermeye hazır olduğumu hemen söyleyeyim.

Evin yukarı kattaki küçük tuvaletine girdim, kapıyı kapadım ve hayatımın benim elimden çıktığına, Füsun'a olan bağlılığım yüzünden benim iradem dışında şekillenen bir şeye dönüştüğüne karar verdim. Ancak buna inanırsam mutlu olabilecek, hayata dayanabilecektim. Aynanın önündeki küçük tezgâhta Füsun'un, Tarık Bey'in, Nesibe Hala'nın diş fırçaları, tıraş sabunları, tıraş makineleri arasında Füsun'un rujunu gördüm. Elime alıp kokladım onu, sonra cebime koydum. Asılı havluların her birini, onun kokusunu hatırlamaya çalışarak aceleyle kokladım, ama bir şey hissetmedim: Hepsi ben geldiğim için yenilenmişti, temizdi. Buradan ayrıldıktan sonraki zor günlerde bana teselli verecek başka bir eşya daha arayarak bakışlarımı küçük helada gezdirirken, aynada kendimi gördüm ve gövdem ile ruhum arasındaki sarsıcı kopukluğu yüzümün ifadesinden çıkardım. Yüzüm yenilgi ve şaşkınlıktan yorgun gözükürken, kafamın içinde bambaşka bir âlem vardı: Burada olduğumu, gövdemin içinde bir kalp, bir mana olduğunu, her şeyin istek, dokunma ve aşktan yapıldığını, bunun için acı çektiğimi hayatın temel gerçeği olarak artık anlıyordum. Yağmurun uğultusu ve su borularının gurultusu arasında, çocukluğumda babaannemin dinlerken mutlu olduğu eski alaturka şarkılardan birini duyuyordum. Yakınlarda bir yerde açık bir radyo olmalıydı. Udun baygın iniltisi ve kanunun neşeli tımbırtısı arasından yorgun ama umutlu bir kadın sesi, banyonun yarı açık küçük penceresinden bana ulaşıyor ve "Aşktır, aşktır âlemde her şeyin sebebi," diyordu. Bu kederli şarkının da yardımıyla, banyodaki aynanın karşısında hayatımın en derin ruhsal anlarından birini yaşadım ve âlemin, bütün eşyanın bir bütün olduğunu anladım. Yalnız önümdeki diş fırçalarından sofradaki kiraz tabağına, Füsun'un o an fark edip cebime indirdiğim firketesinden banyo kapısının burada sergilediğim sürgülü kilidine kadar bütün eşyalar değil, bütün insanlar da birlik içindeydi. Yaşadığımız hayatın anlamı, aşkın gücüyle bu birliği hissetmekten ibaretti.

Bu iyimserlikle cebimden önce Füsun'un küpesinin tekini çıkardım, rujun yerine koydum. Babamın inci küpelerini çıkarmadan önce, aynı müzik, eski İstanbul sokaklarını, ahşap evlerde radyo dinleyerek ihtiyarlayan karı-kocaların anlattığı sevda fırtınalarını ve aşk yüzünden bütün hayatlarını berbat eden pervasız âşıkları bana hatırlatıyordu. Radyodaki kadının hüzünlü sesinin de verdiği ilhamla, Füsun'un haklı olduğunu, ben bir başkasıyla evlenmeye giriştiğime göre, onun da kendini korumak için evlenmekten başka bir çaresi olmadığını anlıyordum. Bunları düşünürken, aynadaki görüntüme bakarak bu sözleri kendi kendime söylerken buldum kendimi. Küçükken aynadaki görüntümle deneylere giriştiğim zamanların oyunculuğu ve saflığı vardı üzerimde ve şimdi Füsun'u taklit ederken kendimden kopabileceğimi, ona duyduğum aşkın gücüyle, onun kalbinden ve aklından geçen her şeyi hissedip düşünebileceğimi, onun ağzından konuşabileceğimi, onun ne hissettiğini daha o hissederken anlayabileceğimi, "o" olabileceğimi de şaşkınlıkla seziyordum.

Keşfimin şaşkınlığıyla banyoda çok kalmış olmalıyım. Kapının önünde biri özellikle öksürdü galiba. Ya da kapıya vurdu; tam hatırlamıyorum, çünkü bende "film kopmuştu". Gençliğimizde bu sözü, çok içtiğimiz ve sonrasını hatırlamadığımız zamanlar için kullanırdık. Ondan sonra heladan nasıl çıktım, sofraya nasıl oturdum, Çetin Efendi hangi bir bahaneyle yukarı geldi de beni kapıdan aldı –çünkü merdivenleri asla tek başıma inemezdim– ve arabaya bindirdi, eve getirdi bunları hatırlamıyorum. Sofrada da bir sessizlik vardı artık; onu hatırlıyorum; yağmur yavaşladığı için mi, artık saklayamadığım utancımı, beni iyice yıpratan yenilgi duygusunu, neredeyse elle tutulur hale gelmiş olan acımı görmezlikten gelemedikleri için mi susmuşlardı, bilmiyorum.

Damat bey, bu sessizlikten şüpheleneceğine "film koptu" lafıma uygun bir sinema heyecanına kapılmış, hem aşk ve hem nefretle Türk sinemasını, Yeşilçam'da yapılan filmlerin ne kadar berbat olduğunu, ama Türk halkının sinemaya bayıldığını

–o zamanların sıradan sözleriydi bunlar– anlatıyordu. Açgözlü olmayan, ciddi ve kararlı bir sermaye bulunursa, çok harika filmler yapılabileceğini, Füsun'un başrolünü oynayacağı bir senaryo yazdığını, ama ne yazık ki hiçbir para desteği bulamadığını da, Feridun Bey o sırada söylemiş olmalı. Bütün bu sözlerden, Füsun'un kocasının paraya ihtiyacı olduğu ve bunu bana açıkça söylediği değil, Füsun'un ileride ünlü bir "Türk film yıldızı" olacağı, sarhoş kafamı meşgul etmişti.

Dönüş yolunda Çetin'in kullandığı arabanın arka koltuğunda yarı baygın bir halde otururken, Füsun'u ünlü bir artist olarak düşlediğimi hatırlıyorum. Ne kadar sarhoş olursak olalım, acımızın ve akıl karışıklığımızın kurşuni bulutları bir ara dağılır da, herkesin bildiğini hissettiğimiz –sandığımız– gerçeği bir an görürüz ya: İşte Çetin Efendi'nin sürdüğü arabanın arka koltuğundan şehrin sular seller altındaki caddelerini karanlıkta seyrederken, bir an zihnim aydınlandı ve Füsun'un ve kocasının beni film yapma hayallerine destek olacak zengin akraba olarak gördükleri için yemeğe çağırdıkları sonucuna vardım. Ama rakının iyimserliği içinde, bu bende öfke uyandırmıyordu, tam tersi Füsun'un bütün Türkiye'nin taptığı çok ünlü bir kadın oyuncu olacağı hayallerine kapılıyor, gözümün önünde onu çekici bir Türk film yıldızı olarak canlandırıyordum: İlk filminin Saray Sineması'nda yapılacak galasında, Füsun sahneye alkışlar arasında benim kolumda çıkacaktı. Araba da zaten Beyoğlu'ndan, Saray Sineması'nın tam önünden geçiyordu işte!

50. BU BENİM ONU SON GÖRÜŞÜM

Sabah gerçeği gördüm. Gece gururum kırılmış, alay edilmiş, hatta küçümsenmiştim. Ayakta duramayacak kadar sarhoş olmakla, benim de ev sahiplerine katılarak, kendi kendimi aşağıladığım sonucunu da çıkardım. Kızlarına ne kadar âşık olduğumu bilmelerine rağmen, damatlarının çocuksu ve aptalca film hayallerini tatmin etmek için evlerine davet edilmeme göz yummalarından, Füsun'un annesi ve babasının da bu aşağılayıcı tutumu benimsedikleri sonucunu da çıkardım. Bu insanları artık görmeyecektim. Ceketimin cebinde babamın bana verdiği inci küpeleri görünce sevindim. Füsun'un küpesinin tekini geri vermiş, ama beni para için arayan bu insanlara babamın değerli küpelerini kaptırmamıştım. Bütün bir yıl acı çektikten sonra, Füsun'u son kere görmem de iyi olmuştu: Ona duyduğum aşk, Füsun'un güzelliğinden ya da kişiliğinden değil, Sibel ile evliliğe bilinçaltımda duymuş olduğum tepkiden kaynaklanıyordu yalnızca. O güne kadar hiç Freud okumamış olmama rağmen, gazetelerde okuyup sağda solda işittiğim "bilinçaltı" kavramını, hayatımın o döneminde başıma gelenleri açıklayabilmek için pek çok kereler kullandığımı hatırlıyorum. Atalarımızın içlerine girerek istemedikleri şeyleri onlara yaptıran cinleri vardı. Benim de, Füsun için bütün bu acıları bana çektirmekten başka, kendime yakıştırmadığım utanç verici şeyleri de bana yaptıran "bilinçaltım" vardı. Ona kanmamalı, hayatımda yeni bir sayfa açmalı, Füsun ile ilgili her şeyi unutmalıydım.

Bu amaçla ilk olarak, bana yolladığı davet mektubunu ceketimin göğüs cebinden çıkarıp zarfıyla birlikte küçük parçalara ayırarak yırttım. Ertesi sabah öğleye kadar yatakta yattım ve bilinçaltımın beni sürüklediği bu saplantıdan "artık" uzak durmaya karar verdim. Acımı ve aşağılanmamı yeni bir kelimeyle açıklamak, onunla savaşmak için bana yeni bir güç veriyordu. Akşamdan kalma olduğumu, yataktan bile çıkmak istemediğimi gören annem, öğle yemeği için Fatma Hanım'ı Pangaltı'ya yollayıp karides aldırmış ve benim sevdiğim gibi güveçte sarımsaklı karides ile bol limonlu zeytinyağlı enginar yaptırmıştı. Artık Füsunları bir daha görmeme kararının rahatlığıyla, tadını çıkararak, ağır ağır öğle yemeğimi yerken, annemle birer kadeh beyaz şarap içtik ve annem ünlü demiryolu zengini Dağdelenlerin küçük kızı Billur'un İsviçre'de liseyi bitirdiğini, geçen ay on sekiz yaşına bastığını anlattı. Müteahhitliğe devam eden aile kim bilir ne ahbaplıklar ve rüşvetlerle bankalardan aldığı borçları ödeyemediği için zor durumdaydı; bu zorluklar –iflasları bekleniyormuş– ortaya çıkmadan kızı evlendirmek istediklerini işittiğini ekledi. "Kız çok güzelmiş!" dedi sonra esrarlı bir tavırla. "Senin için gider bir görürüm istiyorsan. Böyle taşrada subaylar gibi her akşam erkek arkadaşlarla içmene gönlüm razı değil."

"Git sen kızı bir gör bakalım anneciğim," dedim hiç gülümsemeden. "Kendim bulup, görüşüp tanıştığım modern kızla olmadı. Bir de görücü usulünü deneyelim bakalım."

"Ah oğulcuğum, bu kararına ne kadar sevindim bir bilsen," dedi annem. "Tabii önce biraz tanışır, birlikte gezersiniz... Önünüzde güzel bir yaz var, ne güzel, gençsiniz. Bak buna iyi davran... Sibel ile niye olmadı söyleyeyim mi?"

O an annemin Füsun hikâyesini çok iyi bildiğini, ama tıpkı atalarımızın cinleri gibi, acı verici bir olayı açıklayacak bambaşka bir neden bulmak istediğini anladım ve ona derin bir şükran duydum.

"Çok hırslı, çok mağrur, çok gururlu bir kızdı o," dedi annem gözlerimin içine bakarak. Sır verir bir havada ekledi: "Zaten kedi sevmediğini öğrendiğimde şüphelenmiştim."

Sibel'in kedi düşmanlığını hiç hatırlamıyordum, ama annem ikinci defa bunu Sibel'i kötülemeye bir giriş olarak söylüyordu; konuyu değiştirdim. Birlikte kahvemizi balkonda, küçük bir cenaze kalabalığını seyrederek içtik. Arada bir "Ah zavallı babacığın," diyerek birkaç gözyaşı döktüyse de, annemin sağlığı, maneviyatı, dikkatleri yerindeydi. Musalla taşının üzerinde yatmakta olan tabutun içinde, Beyoğlu'ndaki ünlü Bereket Apartmanı'nın sahiplerinden birinin yattığını söyledi. Bu binanın yerini tarif etmek için de iki bitişiğinde Atlas Sineması olduğunu söyleyince, kendimi Atlas Sineması'nda Füsun'un başrol oynadığı bir filmin galasında hayal eder buldum. Yemekten sonra evden çıkıp Satsat'a gittim ve Füsun'dan ve Sibel'den önceki "normal" hayatıma döndüğüme kendimi inandırarak işlere sarıldım.

Füsun'u görmüş olmak, aylar süren acımın büyük bir kısmını alıp götürmüştü. Yazıhanede çalışırken, aşk hastalığından kurtulduğumu aklımın bir yanıyla ve sık sık içtenlikle düşünüyor, rahatlıyordum. İşler arasında kendimi yokladığımda, içimde onu görmek için hiçbir istek kalmadığını sevinçle fark ediyordum. Çukurcuma'daki o berbat eve, seller, çamurlar içindeki o fare yuvasına bir daha gitmem söz konusu olamazdı artık. Konuya ilgim, Füsun'a duyduğum aşktan çok, bütün aileye ve damat denen çocuğa duyduğum öfkeden alıyordu gücünü. Çocuk yaştaki damada da fazla öfkelenmeyi saçma bulduğum için kendime kızıyor, hayatımın bütün bir yılını, bu aşk yüzünden ıstırap içinde geçirmiş olmamdaki akılsızlığa öfkeleniyordum. Ama kendime duyduğum bu şey, hakiki bir öfke de değildi: Yeni bir hayata başladığıma, aşk acımın bittiğine kendimi inandırmak istiyor, bu yeni ve güçlü duygularımı da hayatımın değiştiğinin kanıtı olarak görüyordum. Bu yüzden ihmal ettiğim eski arkadaşlarımı görmeye, onlarla eğlenmeye, davetlere gitmeye de karar verdim. (Ama Füsun ve Sibel ile ilgili unutmak istediğim hatıraları alevlendirirler diye, Zaim'den ve Mehmet'ten bir süreliğine uzak durdum.) Gece eğlencelerinde, davetlerde iyice içtikten ve gece yarısından sonra, içimdeki öfkenin aslında ne sosyetenin sersemliklerine ve sıkıcılığına, ne takıntım yüzünden kendime ne de herhangi başka bir kimseye değil, Füsun'a yönelik olduğunu anlar; aklımın iyice bastırılmış bir köşesinde, onunla sürekli kavga ettiğimi korkuyla sezer ve bu yaşadığım eğlenceli hayata katılamayıp Çukurcuma'da seller içindeki bir fare yuvasında yaşamanın onun kendi seçimi ve kabahati olduğunu, o saçma evliliği yaparak intihar eden birini ciddiye alamayacağımı gizlice düşünürken yakalardım kendimi.

Babası zengin bir toprak ağası olan Kayserili askerlik arkadaşım Abdülkerim, terhisten sonra memleketinden bana süslü imzasını özenle attığı yılbaşı ve bayram tebrik kartları yollamış, ben de onu Satsat'ın Kayseri bayii yapmıştım. Sibel'in onu "fazla alaturka" bulacağını sezdiğim için son yıllarda İstanbul'a gelişlerinde çok ilgilenemediğim Abdülkerim'i, Füsunlara gidişimden dört gün sonra, sosyete tarafından hemen benimsenen yeni lokantalardan Garaj'a götürdüm ve yaşadığım hayatı sanki onun gözlerinden görerek, kendimi iyi hissetmek için masalarda oturan, lokantaya girip çıkan ve bazıları ta masamıza kadar gelip kibarca, dostça elimizi sıkan zenginler hakkında ona hikâyeler anlattım. Ama kısa sürede Abdülkerim'in bu hikâyelerdeki zaafların, acının ve kimi kabalıkların insani yanlarından çok, az tanıdığı İstanbullu zenginlerin seks hayatları, rezaletleri ve ev içleriyle ilgilenmesinden ve evlenmeden –hatta nişanlanmadan– yatan kızların tek tek üzerinde durmasından hoşlanmadığımı anladım. Belki de bu yüzden gecenin sonuna doğru tam tersi tuhaf bir dürtüye kapıldım ve kendi hikâyemi, Füsun'a duyduğum aşkı, sanki bir başka sersem zenginin hikâyesiymiş gibi Abdülkerim'e anlattım. Sosyetede tanınan, sevilen genç zenginin sonunda başkasıyla evlenen "tezgâhtar kıza" duyduğu aşkı anlatırken, Abdülkerim benim "o" olduğumdan şüphelenmesin diye de, uzak masalardan birinde oturan genç bir adamın "o" olduğunu söyleyip işaret ettim.

"Neyse, malın gözü kız evlenmiş de zavallı herif kurtulmuş," dedi Abdülkerim.

"Aslında adamın aşk için göze aldığı şeye saygı duyuyorum," dedim. "Kız için nişanı da bozmuş..."

Abdülkerim'in yüzünde bir an yumuşak bir anlayış ifadesi belirdi; ama hemen sonra, tütün tüccarı Hicri Bey, karısı ve iki güzel kızının çıkış kapısına doğru ağır ağır yürüyüşlerini zevkle seyretmeye başladı. "Kim bunlar?" diye sordu bana bakmadan. Hicri Bey'in, uzun boylu esmer kızlarından küçüğü –Neslişah'tı adı galiba– saçlarını boyamış, sarışın olmuştu. Abdülkerim'in onlara dönük yarı alaycı ve yarı hayran bakışından hoşlanmamıştım.

"Geç oldu, gidelim mi?" dedim.

Hesabı istedim. Sokağa çıkıp birbirimizden ayrılana kadar bir şey konuşmadık.

Nişantaşı'na, eve doğru değil, Taksim'e doğru yürüdüm. Füsun'a küpesini geri vermiştim, ama bunu açıkça değil, küpenin tekini banyoda sarhoşlukla unutarak yapmıştım. Bu, hem onlar hem benim için gurur kırıcıydı. Onurumu korumak için bunun bir yanlışlık değil, niyet edilmiş bir şey olduğunu onlara hissettirmeliydim. Sonra ondan özür dileyecek ve hayatımın sonuna kadar artık onu bir daha görmeyeceğimden emin olmanın rahatlığıyla, Füsun'a gülümseyerek son bir "Allahaısmarladık!" diyecektim. Füsun, ben kapıdan tam çıkarken bunun beni son görüşü olduğunu anlayacağı için telaşlanacaktı belki; ama ben tıpkı onun bana bir yıldır hissettirdiği cinsten, derin bir sessizliğe bürünecektim. Ya da bir daha görüşmeyeceğimizden hiç söz etmeyecektim, ama ona hayatının geri kalan kısmı için öyle bir şekilde mutluluklar dileyecektim ki, bunun beni son görüşü olduğunu anlayıp telaşa kapılacaktı.

Beyoğlu'nun arka sokaklarından ağır ağır Çukurcuma'ya doğru inerken, Füsun'un belki de telaşlanmayacağı da geçti aklımdan; çünkü belki de o evde kocasıyla mutluydu. Öyleyse, yani o sıradan kocasını, o döküntü evde zor şartlar altında yaşamayı seçecek kadar sevebiliyorsa, ben zaten o akşamdan sonra onu bir daha görmek de istemezdim. Dar sokaklarda, çarpık çurpuk kaldırımlar ve basamaklar üzerinden yürürken, pencerelerin iyi çekilmemiş perdeleri arasından televizyonlarını kapatıp yatmaya hazırlanan aileleri, uyumadan önce karşılıklı son bir sigara içen yoksul ve yaşlı karı-kocaları görüyor ve bahar akşamında soluk sokak lambalarının ışığında, bu sessiz ve ücra mahallelerde yaşayan insanların mutlu olduğuna inanıyordum.

Kapının zilini çaldım. İkinci katın cumbasının penceresi açıldı. Füsun'un babası "Kim o?" diye seslendi karanlığa.

"Benim."

"Kim?"

Kaçmayı aklımdan geçirip orada dikiliyordum ki, annesi kapıyı açtı.

"Nesibe Hala, akşamın bu saatinde rahatsız etmek hiç istemezdim."

"Hayırdır Kemal Bey, buyrun içeri."

İlk gelişimde de olduğu gibi, o önde ben arkada merdivenleri çıkarken, "Utanıp sıkılma!" dedim kendi kendime, "bu, Füsun'u son görüşün!" Bundan sonra bir daha aşağılanmayacağıma karar vermenin rahatlığıyla içeri girdim, ama onu görür görmez kalbim beni utandıracak kadar hızlı atmaya başladı. Babasıyla televizyonun karşısına oturmuşlardı. Beni görünce ikisi de şaşkınlık ve mahcubiyetle ayağa kalktılar, ama dertli halimi, ağzımdan gelen içki kokusunu fark edip özür dilermiş gibi davrandılar. Şimdi hatırlamaktan hiç hoşlanmadığım ilk üç-beş dakikada, geçerken uğradığımı, rahatsız ettiğim için çok özür dilediğimi, aklıma bir şeyin takıldığını, onu konuşmak istediğimi zorlanarak söyledim. Kocasının evde olmadığını ("Feridun filmci arkadaşlarına gitti") öğrendim. Ama konuyu açamadım bir türlü. Annesi çay hazırlamak için mutfağa gitti. Babası bir bahane söylemeden kalkınca yalnız kaldık.

"Çok özür dilerim," dedim ikimiz de televizyona bakarken. "Kötü niyetten değil, o gün sarhoşluktan küpeni diş fırçalarının durduğu yere bırakmışım. Oysa sana doğru dürüst verebilmek isterdim."

"Diş fırçalarının orada benim küpem yoktu," dedi kaşlarını çatarak.

Durumu anlamaya çalışan bakışlarla birbirimize bakarken, babası içeriden benim için özel olduğunu söyleyerek, kâse içinde meyveli irmik helvası getirdi. İlk lokmayı yutup helvayı uzun uzun övdüm. Bir an gece yarısı, sanki buraya bu helva için gelmişim gibi hepimiz sustuk. O zaman küpelerin bahane olduğunu, oraya tabii ki Füsun'u görmeye geldiğimi sarhoş halimle bile anladım. Şimdi de Füsun küpeleri görmediğini söyleyerek bana eziyet ediyordu. O sessizlik sırasında Füsun'u görememe acısının, onu görmek için katlandığım bu utançtan çok daha kahredici olduğunu hemen hatırlattım kendime. Onu görememe acısını bir daha çekmemek için çok daha utanç verici durumlara katlanmaya razı olduğumu da artık biliyordum. Ama utanca karşı daha savunmasızdım. Aşağılanma korkusuyla, Füsun'u görememe acısı arasında ne yapacağımı bilemedim ve ayağa kalktım.

Karşımda, eski dost kanaryayı gördüm. Kafese doğru bir adım attım. Kuşla göz göze geldik. Benimle birlikte Füsun ve annesi babası da –galiba gittiğim için rahatlayarak– ayağa kalkmışlardı. Buraya bir daha gelsem de, artık evlenmiş olan ve benimle param için ilgilenen Füsun'u ikna edemeyeceğimi açıklıkla kavradım: "Bu benim onu son görüşüm!" dedim kendi kendime. Bir daha oraya adım atmayacaktım.

Tam o sıra kapının zili çaldı. O sahneyi, yani ben kanarya ile bakışırken ve Füsun, annesi ve babası arkadan bize bakarken, zil çalınca hep birlikte kapıya döndüğümüz anı gösterir bu yağlıboya resmi, olaylardan yıllar sonra ben sipariş ettim. Resim, o anda tuhaf bir şekilde özdeşleştiğim kanarya Limon'un bakış açısından yapıldığı için hiçbirimizin yüzü gözükmüyor. Hayatımın aşkının sırttan görünüşünü tam hatırladığım gibi nakşederek, her görüşümde gözlerimi nemlendiren bu resmi yapan ressamın, yarı açık perdeler arasından gözüken geceyi, karanlık Çukurcuma Mahallesi'ni ve odanın içini, kelimesi kelimesine benim ona anlattığım gibi resmettiğini gururla söyleyeyim.

Tam o sırada, Füsun'un babası cumbanın penceresinden cephedeki aynaya bir bakış atmış ve kapıyı çalanın komşu çocuklardan biri olduğunu ilan edip sokak kapısını açmaya aşağı inmişti.

Bir sessizlik başladı. Kapıya yürüdüm. Pardösümü giyerken sessizce önüme bakıyordum. Kapıyı açtım ve o anda bunun bir yıldır kendimden de gizli düşünüp hazırlandığım "intikam" sahnesi olabileceği hayaline kapıldım. "Allahaısmarladık," dedim.

"Kemal Bey," dedi Nesibe Hala. "Geçerken kapımızı çaldığınız için ne kadar sevindik anlatamayız." Füsun'a bir göz attı. "Bakmayın siz onun surat asmasına, babasından korkuyor, yoksa sizi gördüğü için o da en az bizim kadar sevindi."

"Aman anne, lütfen..." dedi güzelim.

"Esmer olmasına zaten daha fazla dayanamazdım," gibi bir sözle ayrılık törenine başlamak geçtiyse de aklımdan, bu lafın doğru olmadığını, onun için dünyanın bütün acılarına katlanabileceğimi, bunun da beni bitireceğini biliyordum.

"Hayır, hayır, ben Füsun'u çok iyi gördüm," dedim ve dikkatle gözlerinin içine baktım. "Senin ne kadar mutlu olduğunu görmek, bana istediğim mutluluğu verdi zaten."

"Sizi görmek de bizi mutlu etti," dedi Nesibe Hala. "Artık ayağınız da alıştı, hep bekleriz."

"Nesibe Hala, bu benim buraya son gelişim," dedim.

"Neden? Yeni mahallemizi sevmediniz mi?"

"Artık sıra sizde," dedim şakacı, yapmacıklı bir havayla. "Anneme söyleyeyim de sizi davet etsin." Onlara son bir kere dönüp bakmadan merdivenden inişimde umursamaz bir hava vardı.

"İyi akşamlar evladım," dedi kapıda karşılaştığım Tarık Bey usulca. Komşu çocuk "Annem yolladı!" diye ona bir paket veriyordu.

Dışarıdaki temiz hava yüzüme hoş bir serinlik verirken, Füsun'u hayatımın sonuna kadar artık bir daha görmeyeceğimi geçirdim aklımdan ve bir an önümde dertsiz, tasasız, mutlu bir hayat olduğuna inandım. Annemin benim için görmeye gideceği Dağdelenlerin kızı Billur'un hoş olduğunu hayal ettim. Ama attığım her adımda Füsun'dan uzaklaştığımı, kalbimden bir parçanın koptuğunu hissediyordum. Çukurcuma Yokuşu'ndan yukarı çıkarken, ruhumun arkada bıraktığı yere geri dönmek için kemiklerimin içinde çırpındığını hissediyor, ama bu acıyı çekip bu işi bitireceğimi düşünüyordum.

Çok yol almıştım. Şimdi yapmam gereken, oyalanacak şeyler bulmak, güçlü olmaktı. Kapanmakta olan meyhanelerden birine girdim ve masmavi ve ağır sigara dumanı içinde, bir dilim kavunla birlikte iki kadeh rakı içtim. Dışarı çıktığımda ruhum, gövdem hâlâ Füsunların evinden uzaklaşmadığımı bana hissettiriyordu. Bu arada yolumu kaybetmiştim galiba. Dar bir sokakta tanıdık bir gölgeyle karşılaştım ve bir an bir elektrik geçti içimden:

"Ooo merhaba!" dedi, Füsun'un kocası Feridun Bey'di.

"Ne tesadüf," dedim. "Ben de sizden dönüyordum."

"Öyle mi?"

Genç kocanın gençliğine –çocukluğuna mı demeliydim– şaştım gene.

"Geçen gelişimden bu yana bu film işini düşünüyorum," dedim. "Haklısınız. Türkiye'de de, Avrupa'daki gibi sanat filmleri yapılmalı... Siz yoksunuz diye bu akşam konuyu Füsun'a açmadım. Bir akşam bunu konuşalım mı?"

Onun da en az benim kadar sarhoş olan kafasının bu öneriyle bir anda karıştığını gördüm.

"Salı akşamı yedide gelip sizi kapıdan alayım mı?" dedim.

"Füsun da gelsin değil mi?"

"Tabii, niyetimiz hem Avrupa'daki gibi sanat filmi çekmek hem de başrolde Füsun'u oynatmak."

Uzun yıllar okul arkadaşlığı, asker arkadaşlığı edip sıkıntılar çektikten sonra, önlerinde zengin olma hayali beliren iki eski dost gibi bir an karşılıklı gülümsedik birbirimize. Feridun Bey'in sokak lambasının ışığı altında görebildiğim çocuksu gözlerinin içine dikkatle baktım ve sessizce ayrıldık.

51. MUTLULUK İNSANIN SEVDİĞİ KİŞİYE YAKIN OLMASIDIR YALNIZCA

Beyoğlu'na çıkınca vitrinleri ışıl ışıl bulduğumu, sinemalardan boşalan kalabalık arasında yürümekten hoşlandığımı hatırlıyorum. İçimi kendimden gizleyemediğim bir yaşama sevinci, bir mutluluk sarmıştı. Füsun ile kocasının beni evlerine, saçmasapan film hayallerine para yatırayım diye çağırdıklarını hayal ettikten sonra, şimdi durumumu küçültücü bulmam, utanmam gerekiyordu belki, ama kalbimdeki mutluluk öylesine güçlüydü ki, utancımı dert etmiyordum hiç. Kafam o gece bir görüntüye takılmıştı: Filmimizin gala gecesi, Füsun elinde mikrofon, Saray Sineması'nın –yoksa Yeni Melek daha mı iyiydi?– sahnesinden hayran kalabalığına seslenirken, herkesten çok bana teşekkür edecekti. Sanat filminin zengin yapımcısı olarak ben sahneye çıktığımda, etraftaki dedikodulardan haberdar olanlar, genç yıldızın, bu filmin çekimi sırasında prodüktöre âşık olup kocasından ayrıldığını fısıldayacaklar, sahnede Füsun beni yanaklarımdan öperken çekilmiş fotoğrafımız da bütün gazetelerde yayımlanacaktı.

O günlerde tıpkı kendi kendine afyonlu bir iksir salgılayarak uykuya dalan nadir safsa çiçekleri gibi kafamın kendi kendine sürekli salgıladığı bu hayalleri daha fazla anlatmamın gereği yok aslında. Çünkü benim dünyamda yaşayan ve benim durumuma düşen Türk erkeklerinin çoğu gibi ben de, delice âşık olduğum kadının aklından neler geçirdiğini, onun hayallerinin ne olduğunu anlamak yerine, onun hakkında hayaller kuruyordum yalnızca. İki gün sonra Çetin Efendi'nin kullandığı Chevrolet ile onları kapıdan alırken, Füsun ile göz göze gelir gelmez, hiçbir şeyin kafamın dur durak bilmeden salgıladığı bu hayallere benzemeyeceğini hemen hissettim, ama onu görmek beni öylesine mutlu ediyordu ki, neşem kaçmadı.

Genç evlileri arabanın arka koltuğuna buyur ettim, ben Çetin'in yanına öne oturdum ve şehrin gölgeler içindeki sokaklarından, tozlu ve dağınık meydanlarından geçerken, ikide bir arkaya dönüp şakalar yaparak havayı ısıtmaya çalıştım. Füsun kan portakalı ve alev rengi bir elbise giymişti. Tenini Boğaz'dan gelen harika kokulu esintiye açmak için üst üç düğmesini iliklememişti. Araba, parke taşı kaplı Boğaz yollarında sıçraya sıçraya ilerlerken, bir şey söylemek için arkaya her dönüşümde, içimde bir mutluluğun alevlendiğini hatırlıyorum. Büyükdere'deki Andon Lokantası'na gittiğimiz o ilk gece, –film projemizi tartışmak için buluştuğumuz diğer gecelerde de olacağı gibi– aramızda en heyecanlı olanın aslında kendim olduğumu çok geçmeden anladım.

Yaşlı Rum garsonların getirdiği tepsi içindeki mezeleri seçer seçmez, "Benim için sinema hayatta her şeydir Kemal Bey," diye anlatmaya başladı kendine güvenine biraz gıpta ettiğim damat Feridun Bey. "Yaşıma bakıp bana güvensizlik göstermeyin diye söylüyorum. Üç yıldır Yeşilçam'ın tam içindeyim, çok talihliyim. Herkesi tanıdım. Lambaları, dekorları taşıyarak set işçiliği de yaptım, yönetmen yardımcılığı da. On bir tane de senaryo yazdım."

"Hepsi de çekildi ve çok da iyi iş yaptılar," dedi Füsun.

"O filmleri görmeyi çok isterim Feridun Bey."

"Tabii gideriz Kemal Bey. Çoğu yazlık sinemalarda, bazıları da Beyoğlu'nda hâlâ oynuyor. Ama o filmlerden memnun değilim. Onlar gibi şeyler çekmeye razı olsaydım, Konak Film'dekiler benim artık yönetmenliğe başlayabileceğimi söylüyorlardı. Ama ben öyle filmler çekmek istemiyorum."

"Nasıl filmlerdi onlar?"

"Ticari, melodramatik, piyasa işi şeyler. Hiç Türk filmine gider misiniz?"

"Çok az."

"Avrupa görmüş zenginlerimiz Türk filmlerine alay etmek için giderler. Ben de yirmi yaşındayken öyle düşünürdüm. Ama artık Türk filmlerini eskisi gibi küçümsemiyorum. Füsun da şimdi Türk filmlerini çok seviyor."

"Allahaşkına bana da öğretin, ben de seveyim," dedim.

"Öğretirim," dedi damat bey içtenlikle gülümseyerek. "Ama sayenizde çekeceğimiz film onlar gibi olmayacak, merak etmeyin. Füsun'un köyden şehre indikten sonra, Fransız dadı sayesinde üç günde hanımefendi olacağı bir film yapmayacağız mesela."

"Zaten ben de dadıyla kavga ederdim hemen," dedi Füsun.

"Ya da zengin akrabaları tarafından fakir olduğu için küçümsenen Sindirella da olmayacak bizim filmimizde," diye devam etti Feridun.

"Küçümsenen fakir akrabayı oynamak isterdim aslında," dedi Füsun.

Sözlerinde bana dönük bir alaycılık değil, bana acı veren bir hafiflik ve mutluluk hissediyordum. Bu hafif hava içerisinde ortak aile hatıralarından, Çetin'in kullandığı Chevrolet'yle yıllar önce Füsun ile bir İstanbul gezintisine çıktığımızdan, uzak mahallelerde, dar sokaklarda oturan ve kimi ölmüş, kimi ölmekte olan uzak akrabalardan ve başka pek çok şeyden söz ettik. Midye dolması nasıl yapılır tartışması, aşırı beyaz tenli bir Rum ahçının ta mutfaktan gülümseyerek gelip tarçın da konulacağını söylemesiyle sonuçlandı. Saflığını ve iyimser heyecanını sevmeye başladığım damat bey de, senaryo ve film hayallerini ısrarla anlatmaya kalkışmadı. Onları evlerine bırakırken, dört gün sonra yeniden buluşmaya karar verdik.

1976 yazı boyunca, film konuşmak için birlikte pek çok Boğaz lokantasına akşam yemeğine gittik. Yıllar sonra bile bu lokantaların deniz üzerindeki pencerelerinden Boğaz'a her bakışımda, o yemeklerde Füsun'un karşısında oturmanın aşırı mutluluğu ile onu tekrar elde etmem için gerekli soğukkanlılık arasında kalır, gene aklım karışırdı. Yemeklerde kocasının film konularını ve hayallerini, Yeşilçam'ın ve Türk seyircisinin yapısı üzerine çözümlemelerini, bir süre saygıyla ve şüphelerimi kendime saklayarak dinler; derdim aslında Türk seyircisine "Batılı anlamda bir sanat filmi hediye etmek" olmadığı için, işi ihtiyatla yokuşa sürer; mesela yazılmış senaryoyu görmek ister, ama senaryo önüme gelmeden önce de başka bir konuya ilgi gösterirdim.

Pek çok Satsat çalışanından daha zeki ve becerikli olduğunu keşfettiğim Feridun ile bir keresinde, "doğru dürüst" bir Türk filminin maliyeti üzerine konuştuktan sonra, Füsun'un yıldız olması için Nişantaşı'nın arka sokaklarında küçük bir apartman dairesinin fiyatının yarısı kadar bir para gerektiği sonucunu çıkarmıştım, ama işlere bir türlü girişememenizin nedeni bu miktarın azlığı ya da çokluğu değil, haftada iki kere film yapmak bahanesiyle Füsun'u görmenin acılarımı şimdilik yatıştırdığını anlamamdı. Onca acıdan sonra, o günlerde bunun bana yetmesi gerektiğine karar vermiştim. Daha fazlasını istemek gözümü korkutuyordu. Şimdi bütün bu aşk işkencesinden sonra sanki biraz dinlenmeliydim.

Yemeklerden sonra Çetin'in kullandığı arabayla İstinye'ye gidip bol tarçınlı tavukgöğsü yemek ya da Emirgân'da kâğıt helvalı dondurmalarımızı gülüşe konuşa yerken Boğaz'ın karanlık sularına birlikte bakarak yürümek, bana insanın bu dünyada bulabileceği mutluluğun en deriniymiş gibi geliyordu. Bir akşam Yani'nin Yeri'nde Füsun'un karşısında oturmanın verdiği huzur içimdeki aşk cinlerini yatıştırınca, mutluluğun çok basit ve herkesin bilmesi gereken reçetesini keşfedip kendi kendime mırıldandığımı da hatırlıyorum: Mutluluk, insanın sevdiği kişiye yakın olmasıdır yalnızca. (Ona hemen sahip olmamız gerekmez.) Bu sihirli reçete aklıma gelmeden az önce, lokantanın penceresinden, Boğaz'ın karşı yakasına bir bakmış ve Sibel ile geçen sonbaharı birlikte geçirdiğimiz yalının titreyen ışıklarını görünce, karnımdaki korkunç aşk ağrılarının geçtiğini fark etmiştim.

Füsun ile aynı masaya oturunca o dayanılmaz aşk acısı yalnızca bir anda çekip gitmiyor, çok yakın zaman önceye kadar bu ağrılar yüzünden kendimi öldürmeyi aklımdan geçirdiğimi de unutuveriyordum. Böylece, Füsun'un yanında acı dinince acıların beni ne kadar yıprattığını unutup eski "normal" zamanlarıma döndüğümü sanıyor; kendimi güçlü, kararlı, hatta özgür hissetme yanılgısına kapılıyordum. Bu iniş çıkışların tutarlılıkla birbirini izlediğini gördüğüm ilk üç buluşmamızdan sonra, Boğaz lokantalarında onun karşısında otururken, daha sonraki günlerde onu özleyince çekeceğim acıları düşünüp masadaki bazı eşyaları onun karşısında oturma mutluluğumu bana hatırlatsınlar ve yalnızlık anlarımda bana güç versinler diye yanıma aldım ve sakladım. Mesela bu küçük teneke kaşığı, Yeniköy'deki Aleko'nun Yeri'nde kocasıyla küçük bir futbol sohbetine daldığımız sırada –ikimizin de Fenerbahçeli olması, yüzeysel bir çatışmaya fırsat vermediği için iyiydi– sıkıldığı için Füsun ağzına sokup uzun uzun oynamıştı. Bu tuzluğu, tam kullanırken pencerenin önünden çok yakınımızdan geçen, pervanesinin dönüşü masamızın üzerindeki şişeleri ve bardakları titreten paslı bir Sovyet gemisine bakarken uzun bir süre elinde tutmuştu. Dördüncü buluşmamızda, İstinye'deki Zeynel'den aldığımız dondurmayı yedikten sonra, kenarı ısırılmış bu külahı Füsun yere atıvermiş, arkadan gelen ben külahı kaşla göz arasında cebime indirivermiştim. Eve dönünce odamda bu eşyalara sarhoş kafayla bakar, bir-iki gün sonra annemin dikkatini çekmesinler diye onları Merhamet Apartmanı'ndaki benzeri diğer kıymetli eşyaların yanına götürür ve ağır ağır yükselmeye başlayan acımı onlarla yatıştırmaya çalışırdım.

O bahar ve yaz günlerinde, annemle, eskiden karşılıklı hiç hissetmediğimiz bir yoldaşlık duygusuyla yakınlaştık. Bunun nedeni elbette onun babamı, benim de Füsun'u kaybetmemdi. Bu kayıp ikimizi de olgunlaştırmış ve daha hoşgörülü yapmıştı. Ama annem benim kaybımdan ne kadar haberdardı? Eve getirdiğim dondurma külahları ya da kaşıkları bulsa ne düşünürdü? Çetin'in ağzını arayıp nerelere gittiğimi ne kadar öğrenirdi? Bazan mutsuzluk anlarımda bunları merak eder, annemin benim için üzülmesini, benim kabul edilmez bir takıntı yüzünden onun deyişiyle "hayatın boyunca pişman olacağın yanlış işler" yaptığımı düşünmesini hiç istemezdim. Bazan kendimi ona olduğumdan daha mutlu ve neşeli gösterir, görücü usulü kız bakmanın saçma olduğunu –şakayla bile olsa– hiç söylemeden, annemin benim için baktığı kızların hepsinin özelliklerini, hikâyelerini ciddiye alarak dikkatle dinlerdim. Dağdelenlerin küçük kızı Billur'u annem benim için görmeye gitmiş, iflas ettikleri halde ahçılar, uşaklar ile "büyük bir israf hayatı" yaşamaya devam ettiklerini görmüş, kızın yüzünün evet güzel olduğunu kabul etmiş, ama boyunun çok kısa olduğunu, benim bir cüce ile evlenmeyeceğimi söyleyerek konuyu kapatmıştı ("1.65'ten kısa kız istemem, cücelerle sakın evlenmeyin," derdi annem ilkgençlik yıllarımızdan beri). Geçen yazın başında, benim de Büyükada'da, Sibel ve Zaim ile birlikte Büyük Kulüp'te tanıştığım Mengerlilerin ortanca kızının uygun olmayacağına da karar vermişti annem: Çünkü kızın çok yakın zaman önceye kadar delice bir aşkla sevdiği ve evleneceğini sandığı Avundukların büyük oğlu tarafından çok fena terk edildiğini, bunun da bütün sosyete tarafından çok fazla konuşulduğunu yeni öğrenmişti. Yaz boyunca annemin araştırmalarını, gerçekten beni mutlu edebilecek bir sonuç alabileceğine zaman zaman inandığım için ve babamın ölümünden sonra çekildiği inzivadan onu çıkaracağını düşündüğüm için de destekledim. Bazan annem Suadiye'deki evden öğleüstü yazıhaneye bana telefon eder, benim görmemi çok istediği bir kızın, Işıkçıların motoruyla son günlerde komşu Esat Bey'in rıhtımına akşamüstleri geldiğini, benim de o akşam hava kararmadan karşıya geçip rıhtıma inersem bu kızı görebileceğimi, onunla istersem tanışabileceğimi, kekliklerin nereye indiğini avcılara tarif eden bir köylünün dikkatiyle anlatırdı.

Annem her gün yazıhaneye çeşitli bahanelerle en azından iki kere telefon ediyor, o gün Suadiye'deki evde gene babamın eski bir eşyasını, mesela burada saygıyla tekini sergilediğim yazlık siyah-beyaz ayakkabılarını bir dolabın dibinde bulup uzun uzun ağladığını anlattıktan sonra, "Beni yalnız bırakma lütfen!" diyerek Nişantaşı'nda kalmamamı, yalnızlığın bana da iyi gelmeyeceğini, beni akşam yemeğine Suadiye'ye mutlaka beklediğini söylüyordu.

Bazan o yemeklere karısı ve çocuklarıyla ağabeyim de gelirdi. Yemekten sonra, annemle Berrin çocuklar, akrabalar, eski alışkanlıklar, hiç durmadan yükselen fiyatlar, yeni dükkânlar, kıyafetler ve en son dedikodulardan söz ederlerken, Osman ile ben palmiye ağacının altında, bir zamanlar babamın tek başına şezlonga uzanıp karşıdaki Adalar'a ve yıldızlara bakarak gizli sevgililerini hayal ettiği yerde oturup şirketler ve babamdan kalan işler hakkında konuşurduk. Ağabeyim, Turgay Bey ile kurdukları yeni şirkete, o günlerde hep yaptığı gibi benim de ortak olmam gerektiğini çok da fazla ısrar etmeden söyler, şirketin başına Kenan'ı getirmekle çok iyi yaptığını, benim Kenan'la iyi geçinmemekle hata ettiğimi, bu işe girmemekle de şimdi gene hata ettiğimi tekrarlar, vazgeçmek için bunun son şans olduğunu, sonra pişman olmamam gerektiğini yarım ağızla ekler ve benim yalnız iş hayatında değil, toplum hayatında da kendisinden, ortak dostlarımızdan, başarıdan, mutluluktan sanki kaçtığımı söyleyip "Nen var?" diye sorardı kaşlarını kaldırarak.

Ben de ona babamın ölümünün, Sibel ile nişanın bozulmasının beni yorduğunu, biraz içime kapandığımı söylerdim. İçimde yoğun bir sıkıntı ve yalnız kalma isteği olduğunu da çok sıcak bir Temmuz akşamı söylemiş ve bunun Osman'ın kafasında bir çeşit delilik olarak resmedildiğini yüzünde beliren ifadeden anlamıştım. Ağabeyimin kafamdaki çatlağın derinliğini şimdilik kabul edilebilir bulduğunu, ama tuhaflığım daha derinleşirse, herkes bize ne der utancı ile deliliğimi işlerde bana karşı kullanmanın zevkleri arasında kararsız kalacağını da hissediyordum. Ama bu endişeli mantığı, Füsun'u gördükten sonraki günlerde kendimi iyi hissederken yürütür; birkaç gün sonra Füsun'u acıyla özlediğim zaman ise, gözüm ondan başka bir şey görmezdi. Annem ise, takıntımı ya da içimdeki karanlığı hem hisseder ve merak eder hem de bilmek istemezdi. Ben de tıpkı onun gibi, onun ne bildiğini merak eder, ama Füsun'a olan aşkımı benim sandığımdan daha fazla bildiğini de –eğer öyleyse– öğrenmek istemezdim. Tıpkı, Füsun'u her görüşümden sonra ona duyduğum aşkın artık öyle fazla önemli olmadığına kendimi safça inandırmak istemem gibi, annemi de içimdeki takıntının önemsizliğine bu konuda hiç konuşmadan ikna etmeye çalışırdım. Bu amaçla, bu konuda "komplekssiz" olduğumu anneme kanıtlamak için, terzi Nesibe Hala'nın kızı Füsun ile kocasını bir kere Boğaz'a yemeğe götürdüğümü, bir kere de genç damadın ısrarıyla onun senaryosunu yazdığı filmlerden birini seyre gittiğimizi –laf arasında– anlatıverdim.

"Aman aman iyi olsunlar," dedi annem. "Çocuk filmcilerle, Yeşilçamcılarla düşüp kalkıyormuş diye duymuş, üzülmüştüm. Güzellik yarışmalarına giren kızdan ne beklersin! Ama sen iyiler diyorsan..."

"Aklı başında bir çocuğa benziyor..."

"Onlarla sinemalara mı gidiyorsun? Gene de dikkat et, Nesibe çok iyi kalplidir, eğlencelidir ama çok da entrikacıdır. Bak ne diyeceğim. Esat Bey'in rıhtımında bu akşam davet var, adam yollayıp bizi de çağırdılar. Sen git, ben de koltuğumu incir ağacının altına koydurtur, uzaktan sizi seyrederim."

52. HAYAT VE ACILAR HAKKINDA BİR FİLM SAMİMİ OLMALI

1976 yılının Haziran ortasından Ekim başına kadar, giriş biletlerini ve bazılarını yıllar sonra İstanbul'un koleksiyoncularından arayıp bulduğum lobi fotoğraflarını ve el ilanlarını sergilediğim yazlık sinemalarda elliden fazla film gördük. Tıpkı Boğaz meyhanelerine gittiğimiz akşamlarda olduğu gibi, havanın kararmakta olduğu bir saatte Füsun ile kocasını Çukurcuma'daki evin kapısından Çetin'in kullandığı arabayla alır, göreceğimiz filmin oynadığı semti, mahalleyi, tanıdık işletmeci ve dağıtımcılardan öğrenip bir kâğıda yazmış olan Feridun'un tarifiyle, yolumuzu bulmaya çalışırdık. İstanbul son on yıl içinde öylesine büyümüş, yangınlar ve yeni inşaatlarla öylesine değişmiş ve göçlerle dar sokaklar öylesine kalabalıklaşmıştı ki, sık sık yolumuzu kaybeder, sora sora ancak bulur, filmlere koşarak son anda yetişir, bazan bahçeye karanlıkta girer, nasıl bir yerde olduğumuzu ancak beş dakika arada lambalar yanınca fark ederdik.

Yıllar sonra dut ve çınar ağaçları kesilerek üzerlerine apartmanlar dikilen, araba park yerine ya da yeşil plastik halılarla kaplı mini futbol sahalarına dönüştürülen bu büyük sinema bahçelerinin, kireçle badanalanmış duvarlar, imalathaneler, çökmekte olan ahşap konaklar ve iki-üç katlı apartmanlarla ve sayısız balkon ve pencereyle çevrilmiş bu hüzünlü mekânların kalabalığı, her seferinde beni şaşırtırdı. Çoğu zaman seyretmekte olduğumuz melodramatik filmin kederiyle sandalyelerde çekirdek yiyerek oturan binlerce kişinin kıpır kıpır hayatiyeti, bütün o kalabalık ailelerin, başörtülü annelerin, sürekli sigara tüttüren babaların, gazoz içen çocukların ve bekâr erkeklerin insanlığı, filmin anlattığı şeyle kafamda birbirine karışırdı.

Şarkıları ve filmleri, plakları ve afişleriyle o günlerde bütün Türk milletinin hayatına girmekte olan yerli filmlerin ve müziğin kralı Orhan Gencebay ile ilk defa işte böyle koskocaman bir açıkhava sinemasının perdesinde karşılaştım. Pendik ile Kartal arasındaki yeni gecekondu mahallelerinin arkasında, Marmara'ya, ışıl ışıl Adalar'a ve duvarlarına çeşitli sol sloganlar yazılmış imalathanelere, fabrikalara bakan bir tepedeydik. Bütün çevremizi bembeyaz bir kireç rengine boyayan Kartal'daki Yunus Çimento Fabrikası'nın yüksek bacalarından çıkan pamuk gibi dumanlar, gecenin içinde daha da beyaz gözüküyor ve kireç parçaları film seyredenlerin üzerine masaldan çıkma bir kar gibi yağıyordu.

Filmde Orhan Gencebay, Orhan adlı fakir bir genç balıkçıyı canlandırıyordu. Ona hamilik eden ve vefa duygusuyla bağlı olduğu zengin bir kötü adam vardı. Onun daha da rezil ve şımarık oğlu ve arkadaşları, daha ilk filmini çeviren Müjde Ar'a, biz de iyice görelim diye üstünü başını açarak, acımasızca ve uzun uzun tecavüz ederlerken, sinema sessizleşti. Hamisi bunu emrettiği ve o da vefalı olduğu için, Orhan olayı örtbas etmek zorunda kalıyor ve Müjde'yle evleniyordu. Bu sırada Gencebay "Batsın bu dünya!" diyerek, onu bütün Türkiye'de meşhur eden şarkıyı acı ve öfkeyle bir kere daha söylüyordu.

Filmin aşırı duygulu anlarında, sandalyelerde oturan yüzlerce kişinin çekirdek çıtlatarak oluşturduğu hışırtıyı (ilk anda yakınlardaki bir fabrikadan gelen makine uğultusu sanmıştım) dinliyor ve hepimiz sanki uzun zamandan beri birikmiş acılarımızla baş başa kalıyorduk. Ama filmin havası, eğlenmeye gelmiş kalabalığın kıpırtısı, erkekler kısmının ön sıralarında oturan neşeli gençlerin hazırcevap şakaları ve tabii hikâyedeki inanılmazlıklar, beni kendimi koyvermekten ve bastırılmış korkularımın tadını çıkarmaktan alıkoyuyordu. Ama Orhan Gencebay "Her şey karanlık, nerede insanlık!" diye öfkelenirken, ben ağaçlar ve yıldızlar arasındaki o sinemada Füsun'un yanında oturmaktan çok memnundum. Bir gözümle perdeyi seyrederken, bir gözümle de sahneden sahneye Füsun'un gövdesinin dar tahta sandalyede kıpırdanışını, soluk alış verişlerini, Orhan Gencebay "Kaderin böylesine yazıklar olsun," derken blucinli bacaklarını üst üste atışını ve sigara içişini izliyor, onun perdedeki duygusallığı ne kadar paylaştığını tahmin etmeye çalışarak zevk alıyordum. Müjde ile evlenmek zorunda kalan Orhan'ın öfkeli şarkısı isyankâr bir havaya bürününce, bir an yarı duygusal, yarı alaycı bir bakışla Füsun'a dönüp gülümsedim. Filme öylesine kapılmıştı ki, dönüp bana bakmadı bile.

Balıkçı Orhan, karısı ırzına geçilmiş biri olduğu için onunla sevişmiyor, ona uzak duruyordu. Orhan ile evliliğinin acılarını dindirmediğini anlayınca, Müjde intihara teşebbüs ediyor; Orhan onu hastaneye yetiştirip kurtarıyordu. Hastaneden dönüşte karısına koluna girmesini söyleyince, Müjde filmin bu en dokunaklı yerinde "Benden utanıyor musun?" diye soruyordu ona. O zaman içimde saklı kalmış acının en sonunda kıpırdandığını hissettim. Sinemadaki kalabalık da tamamen sessizleşmiş, bunun ırzına geçilmiş, bekâretini kaybetmiş bir kızla evlenmenin, onunla kol kola yürümenin utancı olduğunu hemen anlamıştı.

Ben de içimde bir utanç, hatta bir kızgınlık hissettim. Bekâret ve namus konusunun bu kadar açık bir şekilde konuşulmasının utancı mıydı bu, yoksa bunu Füsun ile birlikte izliyor olmanın utancı mı? Bir yandan bunu düşünüyor, bir yandan yanımda oturan Füsun'un sandalyesinde kıpırdandığını hissediyordum. Daha sonra annelerinin kucaklarında film seyreden çocuklar uyuyakalınca ve ön sıradan perdedeki kahramanlara sürekli laf yetiştiren öfkeliler sessizliğe bürününce, Füsun'un hemen yanı başımda duran ve sandalyenin arkasına attığı kolunu tutmayı çok istedim.

İkinci film, içimdeki utancı bütün ülkenin ve gökteki yıldızların asıl derdine, aşk acısına dönüştürdü. Bu sefer Orhan Gencebay'ın karşısında esmer ve tatlı Perihan Savaş vardı. Gencebay inanılmaz acılar karşısında öfkelenmiyor, hepimizin içine işleyen daha güçlü bir silaha, alçakgönüllülüğe ve çilekeşliğe gururla sarılıyor ve müzegezerlerin severek dinleyecekleri bir şarkıyla tutumunu ve filmi özetliyordu:

"Bir zamanlar benim sevgilimdin / Yanımdayken bile hasretimdin / Şimdi başka bir aşk buldun / Mutluluk senin olsun / Dertler benim, çile benim / Hayat senin, senin olsun."

Seyirciler vakit ilerlediği, kucaklardaki çocuklar uyuyakaldığı, gazoz içip leblebi savaşı yapanlar yorulduğu, ön sıralardaki şamatacılar da suskunlaştığı için mi acaba filmi daha büyük bir sessizlikle izliyorlardı? Yoksa Orhan Gencebay'ın aşk acısını fedakârlığa çevirmesini saygıyla karşıladıkları için mi? Ben de aynı şeyi yapabilir, kendimi daha fazla rezil ve mutsuz etmeden yalnızca Füsun'un mutluluğunu isteyerek yaşayabilir miydim? Onun bir Türk filminde oynaması için gerekenleri yapıp rahatlayabilir miydim?

Füsun'un kolu bana yakın değildi artık. Orhan Gencebay'ın sevgilisine "Mutluluk senin, hatıralar benim olsun!" demesine, ön sıralardan biri "Enayi!" diye bağırdı, ama pek az kişi gülüp onay verdi ona. Hepimiz sessizdik. Yenilgiyi efendice kabul etmenin bütün milletin en iyi öğrendiği, öğrenmek istediği bilgelik ve hüner olduğunu o sırada düşündüm. Belki de film bir Boğaz yalısında çekildiği ve bende geçen yazın ve sonbaharın hatıralarını uyandırdığı için, bir ara boğazım düğümlendi. Dragos açıklarında ışıltılı bir beyaz gemi Adalar'da yazı geçiren mutlu insanların pırıl pırıl ışıklarına doğru ağır ağır ilerliyordu. Bir sigara yakıp bacak bacak üstüne attım, âlemin güzelliğine şaşarak yıldızları seyrettim. Bütün kabalığına rağmen bu filmde duygulanmamı sağlayan şeyin, gecenin ilerleyen saatlerinde sessizliğe bürünen seyircilerin varlığı olduğunu hissettim. Evde, tek başına televizyon karşısında bu film içime bu kadar işlemez, annemle oturup sonuna kadar izleyemezdim. Füsun'un yanında otururken, seyircilerle aramda bir kardeşlik duygusu olduğunu anlıyordum.

Film bitip ışıklar yanınca, kucaklarda uyuyan çocuklarını taşıyan annelerin, babaların sessizliğine katıldık, dönüş yolunda bile hiç bozmadık onu. Füsun arka koltukta başını kocasının göğsüne dayayıp uyuyakalınca, pencerelerden akan karanlık sokakları, imalathaneleri, gecekonduları, duvarlara sol sloganlar yazan gençleri, karanlıkta daha da ihtiyar gözüken ağaçları, başıboş köpek çetelerini ve kapanmakta olan çay bahçelerini seyrederek sigara içtim ve gördüğümüz filmlerin bilinmesi gereken püf noktalarını, tam bir iyimserlikle fısıldar gibi anlatan Feridun'a dönüp hiç bakmadım.

Sıcak bir gece, Nişantaşı'nın arka sokaklarıyla Ihlamur Kasrı'nın yakınlarındaki gecekondular arasında sıkışmış dar ve uzun bir bahçedeki Yeni İpek Sineması'nda dut ağaçlarının altında *Aşkın Çilesi Ölünce Biter* ile çocuk yıldız Papatya'nın oynadığı *Duyun Kalbimin Feryadını* adlı melodramları seyrettik. İki film arasında ellerimizde şişeler gazozlarımızı içerken, Feridun birinci filmde namussuz muhasebeci rolünü oynayan kaytan bıyıklı bıçkının arkadaşı olduğunu, bizim çekeceğimiz filmde de benzer bir rolü oynamaya hazır olduğunu söyleyince, Yeşilçam filmleri âlemine sırf Füsun'a yakın olmak için girmenin, benim için çok zor olacağını anladım.

Aynı anda sinema bahçesine bakan balkonlardan birinin kara perdeyle örtülü kapısından, o eski ahşap evin Nişantaşı'nın arka sokaklarındaki iki gizli lüks randevuevinden biri olduğunu fark ettim. Yaz geceleri içeride kızlarla sevişen zengin beyefendilerin aşk haykırışlarına, film müziklerinin, kılıç şakırtılarının ve melodramlarda kör gözleri açılınca, "Görüyorum... görüyorum," diye bağıran oyuncuların haykırışlarının karışması, kızlar arasında şaka konusu olurdu. Bir zamanlar ünlü bir Yahudi tüccarın evinin salonu olan müşteri bekleme odasındaki mini etekli şakacı kızlar, canları sıkılınca yukarı çıkıp arkadaki boş odalardan birinin balkonundan film seyrederlerdi.

Şehzadebaşı'ndaki küçük Yıldız Bahçesi Sineması'nın üç yanını tıpkı La Scala'daki localar gibi çevreleyen ve tıklım tıklım dolu olan balkonları biz seyircilere o kadar yakındı ki, *Aşkım ve Gururum* adlı aile filminde, zengin baba oğlunu azarladıktan ("O tezgâhtar parçasıyla evlenirsen seni mirasımdan mahrum bırakır ve evlatlıktan reddederim!") az sonra, balkonlardan birinde çıkan kavganın gürültüsünü bazılarımız filmdeki kavgayla karıştırmıştı. Karagümrük'teki kışlık Çiçek Sineması'nın hemen bitişiğindeki yazlık Yaz Çiçek Sinema Bahçesi'nde ise, senaryosunu damat Feridun Bey'in kaleme aldığı ve bize Xavier de Montepin'in *Ekmekçi Kadın* adlı romanının yeni bir uyarlaması olduğunu söylediği *Simitçi Teyze* adlı filmi seyrettik. Bu sefer başrolde Türkan Şoray değil, Fatma Girik oynuyordu ve hemen yukarımızdaki balkona bir rakı sofrası kurup ailesiyle demlenen atletli ve şişman bir balkon babası, bu durumdan memnun olmadığını, ikide bir "Türkan hiç böyle mi oynardı, geç kardeşim geç, hiç olmamış!" diyerek ifade ediyordu. Balkon babası filmi dün akşam da seyrettiği için, olacakları önceden bağıra bağıra bütün sinemaya aşağılayıcı bir dille ilan etti; "Şşşt, sus da seyredelim," diyen seyircilerle balkonundan ağız dalaşına girip filmi daha da aşağıladı. Füsun, bütün bunların kocasını üzdüğünü düşünerek Feridun'a sokulunca içim yandı.

Dönüş yolunda, Füsun'un arka koltukta uyuklarken ya da arabadaki sohbete laf yetiştirirken başını kocasının omzuna ya da göbeğine koyuşuna, onun eline sarılışına gözüm takılsın istemezdim. Çetin'in hep dikkatle ve yavaş sürdüğü araba, cırcırböceklerinin işitildiği, nemli ve sıcak yaz gecesinde ilerlerken, yarı açık pencerelerden giren arka sokakların hanımeli, pas ve toz kokusunu içime çekip karanlığı seyrederdim. Ama film seyrederken karı-kocanın birbirlerine sokulduklarını hissettiğimde, mesela Bakırköy'deki İncirli Sineması'nda Amerikan filmlerinden ve İstanbul sokaklarından mülhem iki polisiyeyi seyrederken olduğu gibi, içim birden kararıverirdi. Bazan da *İki Ateş Arasında* adlı filmin, acısını içine atan sert erkek kahramanı gibi, ağzımı bıçak açmazdı. Bazan Füsun'un kocasının omzuna beni kıskandırmak için yaslandığını düşünür, hayalimde onunla bir kıskançlık düellosuna tutuşurdum. O zaman genç evlilerin arada fısıldaşıp gülüşmelerini hiç fark etmiyormuş ve kendi kafama göre takılıp filmden çok hoşlanıyormuş gibi yapar, bunu kanıtlamak için ancak en mankafa seyircinin güldüğü bir şeye kahkahalar atardım. Ya da hem Türk filmine gidip hem de orada olmaktan huzursuzluk duyan entelektüeller gibi, kimsenin fark etmediği tuhaf bir ayrıntıyı fark etmiş ve bu saçmalığı küçümseyerek gülmekten kendimi alamıyormuş gibi kıs kıs gülerdim. Ama bu alaycı halimi sevmezdim. Kocasının, bir duygusallık anında kolunu Füsun'un omzuna atması –ki zaten az yapardı– beni huzursuz etmezdi de, bu vesileyle Füsun başını Feridun'un omzuna hafifçe yaslayınca içim ezilir, Füsun'un bunu beni üzmek için yaptığını, çok kalpsiz olduğunu kendime rağmen düşünür, öfkelenirdim.

Ağustos'un sonunda Balkanlar'dan güneye Afrika'ya giden leylek sürülerinden ilk kafilenin (geçen yıl bu vakitte Sibel'le bir yaz sonu partisi verdiğimiz aklıma bile gelmemişti) İstanbul'un üzerinden geçişinden sonraki serin ve yağmurlu günlerin birinde, Beşiktaş'ta çarşı içinde Kambur'un Yeri olarak bilinen büyük bahçede (Yumurcak Sineması yazlığı) *Fakir Bir Kız Sevdim*'i seyrederken, hemen yanı başımdaki Füsun'un kucağında duran kazağın altında, karı kocanın el ele tutuştuklarını hissettim. Başka zamanlarda da, başka sinemalarda da böyle bir kıskançlığa kapıldığım zamanlarda yaptığım gibi, konuyu unuttuğumu sandıktan hemen sonra, bacak bacak üstüne atma ve sigara yakma bahaneleriyle onlara doğru bir bakış atıp Füsun'un kucağında duran kazağın altında mutlulukla el ele tutuşup tutuşmadıklarını görmeye çalışırdım. Evli oldukları, bir yatağı paylaştıkları, birbirlerine dokunmak için başka çok fırsatları olduğu halde, bunu niye şimdi benim yanımda yapıyorlardı?

Kıskançlıktan keyfim kaçınca yalnız perdedeki film değil, haftalardır gördüğümüz bütün o filmler ahlaksızca kötü, budalaca sığ ve gerçek dünyadan acınacak kadar da uzak gözükürdü bana. İkide bir şarkı söyleyen bütün o salak âşıklardan, hizmetçi kızken bir günde şarkıcı olabilen başörtülü ama dudakları boyalı köylü kızlarından bıkmıştım. Feridun'un gülümseyerek hepsinin Dumas'nın *Üç Silahşörleri*'nin "bir Fransız uyarlamasından çalıntı" olduğunu söylediği ahbap çavuş filmlerinden ve sokakta kızlara arsızca laf atan çeşit çeşit kan kardeşlerinden de hiç hoşlanmıyordum. *Kasımpaşalı Üçler* ile siyah gömlekler giyen *Üç Korkusuz Fedai* filmlerini, rekabet yüzünden her gece kesile kesile kuşa dönmüş ve anlaşılmaz üç film göstermek zorunda kalan Feriköy'deki Arzu Sineması'nda seyretmiştik. Bütün o fedakâr âşıkların ("Durun durun Tanju suçsuzdur, aradığınız suçlu benim!" demişti Hülya Koçyiğit yağmur altında yarıda kalan *Akasyalar Altında* filminde); her şeyi kör çocuğunun ameliyat parası için yapan annelerin (iki film arasında sahnede cambaz gösterisi yapılan Üsküdar Halk Bahçesi Sineması'nda seyrettiğimiz *Kırık Kalp*); "Sen kaç yiğidim, ben onları oyalarım!" diyen arkadaşların (Feridun'un bizim filmimizde de oynamaya söz verdiğini iddia ettiği Erol Taş); "Ama sen arkadaşımın aşkısın," diyerek mutluluğa sırt çeviren mahalleli erkeklerin fedakârlığından da yorulmuştum. Bu keder ve umutsuzluk anlarımda "Ben bir fakir tezgâhtar kızım, siz ise çok zengin bir fabrikatörün oğlusunuz," diyen kızlar, hatta aşk acılarını içlerine atıp sevgililerini uzak akrabayı görme bahanesiyle şoförlü arabalarıyla ziyaret eden kederli erkekler bile etkilemezdi beni.

Füsun ile yan yana oturmanın zevkiyle halka halka perdedeki filme, sinemadaki kalabalığa yayılan geçici mutluluğum, bir kıskançlık rüzgârıyla bütün âlemi lanetleyen kapkara bir kasvete hemen dönüşebilirdi. Ama bazan da, sihirli bir anda bütün dünyam ışıl ışıl aydınlanırdı. İkide bir kör olan kahramanların sefil dünyasının karanlığı ruhuma iyice sinmişken, bir an kolum kolunun kadife tenine değer, bu çarpışmanın verdiği harika tadı kaybetmemek için, kolumu hiç kıpırdatmaz, filmi anlamadan seyrederken onun da kolunu hiç kıpırdatmadan tenini benim tenimin dokunuşuna bıraktığını hisseder, mutluluktan bayılacağımı sanırdım. Yaz sonunda Arnavutköy Çampark Sineması'nda şımarık bir zengin kızıyla, onu yola getiren şoförünün maceralarını *Küçük Hanımefendi* filminde izlerken, kollarımız gene birbirine böyle değip yapıştı ve teninin alevi benim tenimi alevlendirince, gövdem hiç beklenmedik bir tepki verdi. Bir süre vücudumun edepsizliğine hiç aldırmadan onun tenine değmenin başdöndürücü tatlarına kendimi bırakmıştım ki, birden ışıklar yandı ve beş dakikalık ara başladı. Utanç verici heyecanımı gizlemek için, lacivert kazağımı kucağıma koydum.

"Gazoz alalım mı?" dedi Füsun. Film aralarında gazoz, çekirdek almaya çoğu zaman kocasıyla giderdi.

"Olur ama bir dakikacık bekle," dedim. "Bir şey düşünüyorum."

Vücudumun bu edepsizliğini lise yıllarında sınıf arkadaşlarımdan gizlemek için yaptığım gibi, anneannemin ölümünü düşündüm, çocukluğumun gerçek ve hayali cenaze törenlerini, babamın beni azarlamasını, kendi cenazemi, mezarımın karanlık olacağını ve gözümün toprakla dolacağını hızla gözlerimin önünden geçirdim.

Yarım dakika sonra, ayağa kalkabilecek gibi olunca "Tamam," dedim, "gidelim."

Birlikte yürürken boyunun uzunluğunu, gövdesinin dikliğini sanki ilk defa fark ettim. Aileler, sandalyeler, koşuşturan çocuklar arasında başkalarının bakışlarından utanmadan onunla yürümek ne güzeldi... Sinemadaki kalabalığın ona bakması hoşuma gidiyor, bizi bir çift, bir karı-koca sandıklarını hayal etmekten mutluluk duyuyordum. Onun için çektiğim bütün acıların o kısacık yürüyüşe değdiğine, o yürüyüşün hayatımın olağanüstü mutlu, özel anlarından biri olduğuna, o sırada, o mutlu anı yaşarken hemen karar vermiştim.

Gazoz satıcısının önünde her zamanki gibi bir kuyruk değil, hepsi aynı anda bağırarak gazoz isteyen yetişkinlerden ve çocuklardan bir kalabalık birikmişti. Biz de arkalarında beklemeye başladık.

"Neydi demin o çok ciddi düşündüğün?" diye sonra sordu Füsun.

"Filmi sevdim," dedim. "Eskiden gülüp geçtiğim, ilgilenmediğim bütün bu filmleri neden o kadar severek seyrediyorum, diye düşünüyordum. Sanki o an kafamı toparlasaydım bunun cevabını verebilecektim."

"Gerçekten beğeniyor musun bu filmleri? Yoksa bizimle sinemalara gelmek için mi öyle diyorsun?"

"Katiyen öyle değil. Çok mutlu oluyorum. Bu yaz gördüğümüz filmlerin çoğunda içime işleyen, acılarıma uygun çok da teselli edici bir yan vardı."

"Hayat bu filmler kadar basit değil aslında," dedi Füsun hayalperestliğime üzülür gibi. "Ama ben eğleniyorum. Bizimle geldiğin için memnunum."

Bir an sustuk. "Senin yanında oturmak bana yetiyor," demek isterdim. Kollarımızın uzun zaman birbirine yaslanması tesadüf müydü? İçimde saklı kalmış sözlerin dışarı çıkmak istediğini, ama sinemanın kalabalığının ve yaşadığımız dünyanın buna izin vermediğini acıyla hissettim. Ağaçlara asılı hoparlörlerden iki ay önce Pendik sırtlarındaki manzaralı sinemada seyrettiğimiz filmdeki Orhan Gencebay'ın şarkısı duyuldu. "Bir zamanlar benim sevgilimdin..." diye başlayan güfte ve müzik bütün yazın hatıralarını toplamış, resimler halinde gözümün önünden bir bir geçiriyordu. Boğaz meyhanelerinde, dumanlı kafayla Füsun'a ve mehtaplı denize hayranlıkla baktığım bütün o eşsiz anlar içimde canlandı.

"Çok mutluydum bu yaz," dedim. "Bu filmler beni terbiye etti. Hayatta önemli olan zengin olmak değil aslında... Ne yazık ki, acılar... çile... Değil mi?"

"Hayat ve acılar hakkında bir film," dedi yüzünde bir gölge gördüğüm güzelim, "samimi olmalı."

İtişerek birbirlerine gazoz fışkırtan çocuklardan biri ona doğru sert bir hamle yapınca Füsun'u belinden tuttum, kendime çektim. Üzerine biraz gazoz fışkırmıştı.

"Eşşoğlueşşekler sizi," dedi bir amca ve çocuklardan birinin ensesine bir şaplak indirdi. Onay bekleyen bir bakışla bize döndü ve gözü Füsun'un belinin üzerinde duran elime takıldı.

Sinema bahçesinde birbirimize yalnızca fiziksel olarak değil, ruhen de ne kadar yakındık! Füsun benim bakışlarımdan korkarak uzaklaşmış, çocukların arasına girip çamaşır leğeninin içine yatırılmış gazoz şişelerine uzanmış, kalbimi kırmıştı bile.

"Bir gazoz da Çetin Efendi'ye alalım," dedi Füsun, iki gazoz açtırdı.

Parayı ödedim, filmlerde bizimle birlikte "aile" kısmında değil, tek başına bekâr erkekler kısmında oturan Çetin Efendi'ye gazozunu götürdüm.

"Zahmet ettiniz, Kemal Bey," dedi gülümseyerek.

Geri döndüğümde bir çocuğun, şişeden gazoz içen Füsun'a hayranlıkla baktığını gördüm. Çocuk bir cesaret yanımıza geldi.

"Abla siz artist misiniz?"

"Hayır."

Bu sorunun o yıllarda makyajlı, bakımlı ve biraz açık giyimli ama çok da yukarı sınıftan olmayan bir kıza yaklaşmanın, ona "Çok güzelsiniz," demenin çapkınlar arasında artık bugün unutulmuş bir yolu olduğunu hatırlatayım. Ama on yaşlarındaki çocuk bu ikinci anlamla ilgili değildi hiç. Israr etti:

"Ama ben sizi bir filmde gördüm."

"Hangisinde?" dedi Füsun.

"*Sonbahar Kelebekleri*'nde bu elbiseyi giymiştiniz ya..."

"Ne rolündeydim?" dedi Füsun hayalden hoşlanıp gülümseyerek.

Ama çocuk yanıldığını anlayıp susmuştu.

"Kocama sorayım şimdi, bütün filmleri bilir o."

"Kocam" deyişi, sandalyelerde oturan kalabalık içerisinde bakışlarıyla onu arayıp bulması, çocuğun benim Füsun'un kocası olmadığımı anlaması üzdü beni, anlamışsınızdır. Ama gene de üzüntümü bastırdım, ona bu kadar yakın olmanın ve birlikte gazoz içmenin mutluluğuyla şöyle dedim:

"Yakında bizim filmin çekileceğini ve senin yıldız olacağını çocuk anladı galiba..."

"Yani sonunda hakikaten parayı vereceksin de, bu film çekilecek mi? Kusura bakma Kemal Ağabey, Feridun utanıyor artık, konuyu bile açmıyor, ama bu senin oyalamalarından biz yorulduk artık."

"Sahi mi?" dedim ve kalakaldım.

53. KIRILAN KALBİN ACISININ VE KÜSKÜNLÜĞÜN KİMSEYE YARARI YOK

Gecenin sonuna kadar ağzımı bıçak açmadı. O sırada yaşadığım şeye başka pek çok dilde de "kalp kırıklığı" denildiği için, burada sergilediğim porselenden kırık kalbin müzemize gelen herkese acımı iyi anlatacağını düşünüyorum. Geçen yaz olduğu gibi, artık aşk acımı bir telaş, bir umutsuzluk, bir öfke şeklinde yaşamıyordum. Artık acı, kanımda daha ağır bir kıvamda akıyordu, çünkü Füsun'u her gün ya da iki günde bir görüyor olmam, ıstırabımın gücünü azaltmıştı ve bu yeni acıyla yaşayabilmek için yeni alışkanlıklar edinmiş, bu alışkanlıklar da bütün yaz boyunca ruhuma yerleşerek beni başka bir insana çevirmişti. Günlerimin çoğunu acıyla savaşarak değil, acıyı bastırarak, üstünü örterek ya da böyle bir şey hiç yokmuş gibi yaparak geçiriyordum.

Aşk acım biraz hafiflerken yerini bir başka şey, aşağılanma acısı almıştı. Füsun da, bu acıyı çekmeyeyim diye dikkat ediyor, benim gururumu kıracak tehlikeli konulardan, durumlardan uzak duruyor sanıyordum. Ama onun son kaba sözlerinden sonra, hiçbir şey olmamış gibi yapamayacağımı artık anlamıştım.

Aklımda durmadan tekrarlanan o sözleri ("Hakikaten parayı vereceksin de... Biz yorulduk artık") Füsun hiç söylememiş (sanki sağırmışım gibi) gibi yapmayı önce başarmıştım. Ama mırıldandığım sözler ("Sahi mi?") bu lafı işitmiş olduğumu da kanıtlamıştı. Bu yüzden üzerime alınacak hiçbir şey yokmuş gibi de davranamazdım. Zaten keyfimin kaçtığı –demek ki aşağılandığımın farkında olduğum–, asılan suratımdan hemen anlaşılabilirdi. Aşağılayıcı cümleler kafamda tekrarlanırken, hiçbir şey olmamış gibi elimde gazoz şişesi, döndüm sandalyeme oturdum. Acıdan zorlukla hareket ediyordum. Şimdi, aşağılayıcı sözleri fark etmek değil, onların aşağılayıcı olduğunu fark ettiğimi, buna üzüldüğümü Füsun'un fark etmesi daha aşağılayıcı olmuştu.

Hiçbir şey olmamış gibi yapabilmek için, sıradan şeyler düşünmeye bütün gücümle kendimi zorladım. Tıpkı çocukluğumda ve ilk gençliğimde sıkıntıdan patlayarak metafizik düşüncelere kapıldığım zamanlarda olduğu gibi, kendime şu soruyu sorduğumu hatırlıyorum: "Ne düşünüyorum şimdi ben? Ne düşündüğümü düşünüyorum!" Bu kelimeleri kafamda uzun uzun tekrarladıktan sonra kararlı bir şekilde Füsun'a döndüm, "Boşları geri istiyorlarmış," dedim ve elindeki boş gazoz şişesini alıp kalkıp götürdüm. Öbür elimde kendi şişem vardı. İçindeki gazoz bitmemişti. Kimse bakmıyordu, benim şişemdeki gazozu Füsun'un boş şişesine doldurdum, kendi boş şişemi gazoz satan çocuklara geri verdim. Elimde burada sergilediğim Füsun'un şişesi, geri dönüp oturdum.

Füsun kocasıyla konuşuyordu, fark etmemişlerdi. Ben de sonuna kadar perdedeki filmi hiç fark etmedim. Çünkü az önce Füsun'un dudaklarına değen şişe, şimdi benim titreyen ellerimdeydi. Başka bir şey düşünmek istemiyor, kendi dünyama, kendi eşyalarıma dönmek istiyordum. Bu şişe yıllarca, Merhamet Apartmanı'ndaki yatağın başucunda dikkatle korunmuştur. Şişenin biçimine dikkat eden müzegezerler, bunun hikâyemizin başladığı günlerde piyasaya sürülen Meltem gazozu şişesi olduğunu hatırlayacaklardır, ama içindeki Zaim'in tadıyla övündüğü Meltem gazozu değildi. Artık Türkiye'nin yarısında dağıtılan bu ilk büyük milli gazoz markamızın kötü taklitleri çıkmıştı. Yeraltındaki bu küçük ve yerel korsan gazoz üreticileri, boş Meltem şişelerini bakkallardan topluyor, kendi imalathanelerinde ürettikleri ucuz boyalı gazozla doldurup piyasaya sürüyorlardı. Dönüş yolunda arabada şişeyi arada bir dudaklarıma değdirdiğimi gören ve Füsun ile aramdaki tatsızlıktan habersiz olan damat Feridun Bey, "Abi, çok iyi değil mi bu Meltem gazozu?" dedi. Ona gazozun "hakiki" olmadığını anlattım. Hemen durumu anladı.

"Bakırköy'ün arkalarında gizli bir dolumevi var. Boş Aygaz tüplerini ucuz gazla dolduruyorlar. Biz de aldık bir kere. Kemal Abi inanın hakikisinden daha iyi yanıyor."

Dikkatle şişeyi dudaklarıma değdirdim. "Bunun da daha iyi bir tadı var," dedim.

Araba solgun sokak lambalarının aydınlattığı parke taşı kaplı sessiz arka sokaklarda sallana sallana ilerlerken, ön camda ağaçların ve yaprakların gölgeleri rüyalardaki gibi ağır ağır kıpırdanıyordu. Ön koltukta şoför Çetin'in yanında oturuyor, kırılan kalbimin acısının içime işlediğini artık fark ediyor, arkaya dönüp bakmıyordum hiç. Her zamanki gibi, filmlerden konuşmaya başladık. Dönüş yolunda bu sohbetlere çok az katılan Çetin Efendi, belki de sessizlikten hoşlanmadığı için konuyu açtı ve filmin bazı yerlerinin hiç inandırıcı olmadığını söyledi. Bir İstanbul şoförü, hiçbir zaman bu filmdeki gibi patron hanımefendiyi kibarca da olsa azarlamazdı.

"Ama o şoför değil, ünlü aktör Ayhan Işık," dedi damat Feridun.

"Tamam efendim," dedi Çetin, "ben de bu yüzden çok beğendim. Çünkü öğretici bir yanı da vardı... Ben bu yaz bu filmleri eğlendirdiği gibi, hayat dersi verdiği için de çok sevdim."

Füsun da, ben de susuyorduk. Acımı daha da artıran şey, Çetin Efendi'nin "bu yaz" deyişiydi. Güzelim yaz gecelerinin bittiğini, Füsun ile artık bahçe sinemalarında film seyretmeyeceğimizi, yıldızların altında onunla yan yana oturmanın verdiği mutluluğun artık sona erdiğini hatırlatıyordu bu söz. Acımı Füsun'a göstermemek için gelişigüzel konuşmak istiyordum, ama ağzımı bıçak açmıyor ve çok uzun sürecek bir küskünlüğün içine girdiğimi hissediyordum.

Artık Füsun'u görmek istemiyordum. Benimle kocasının çekeceği filmi destekleyeceğim diye, yani para için arkadaşlık eden birisini görmek içimden de hiç gelmiyordu zaten. Üstelik beni para için gördüğünü, artık benden saklamaya bile çalışmıyordu. Böyle biri benim için artık çekici de olmadığı için ondan kolaylıkla kopacağımı hissediyordum.

O gece arabayla onları evlerine bıraktıktan sonra, bir sonraki gece sineması için randevulaşmaya hiç uğraşmadım. Üç gün boyunca ben de onları hiç aramadım. Bu sırada, önce aklımın bir yanıyla, daha sonra gittikçe artan bir şekilde, başka türlü bir küskünlük de göstermeye başlamıştım. "Diplomatik küskünlük" dediğim bu küskünlüğüm, kalp kırıklığımın acısından çok, bir mecburiyete dayanıyordu: Bize kötü davranan kişiye, aynı şeyi bir daha yapmasın diye bizim de bir ceza vermemiz ve gururumuzu korumamız gerekir. Füsun'a verdiğim "ceza", kocasının filmine para vermemek ve onun da böylece film yıldızı olma hayallerini suya düşürmekti elbette. "Film çekilmezse ne olur bir düşünsün!" diyordum kendi kendime... Böylece küskünlüğümü başta içten bir şekilde yaşarken, ikinci günden itibaren cezanın Füsun'un canını nasıl yaktığını ayrıntılarıyla hayal etmeye başladım. Ama beni görememelerinin onlar için sonucunun maddi olduğunu çok iyi hayal etmeme rağmen, film yapılamayacağı için değil, Füsun'un beni göremeyeceği için üzüldüğünü hayal ediyordum. Belki bu bir yanılsama değildi, doğruydu.

Füsun'un pişman olduğunu hayal etmenin zevki, ikinci günden başlayarak gerçek küskünlüğümün önüne geçmeye başladı. İkinci günün akşamı, annemle Suadiye'deki evde sessizce yemek yerken, Füsun'u artık özlediğimi, içten küskünlüğümün çoktan sona erdiğini hissetmiş; küskünlüğümü, ancak bunun Füsun'u üzeceğini, ona ceza olacağını düşünerek sürdürebileceğimi anlamıştım. Annemle yemek yerken, kendimi Füsun'un yerine koymaya çalışınca, onun namına çok gerçekçi ve acımasız bir mantık yürütmeye başlıyordum. Ben onun gibi genç ve güzel bir kadın olsaydım, kocamın çekeceği bir filmde oynayıp tam yıldız olacakken, aptalca bir sözle zengin prodüktörün kalbini kırıp yıldız olma hayallerini kaybetmenin bana ne büyük pişmanlık acıları vereceğini çıkarmaya çalışıyordum. Ama annemin soruları ("Etini niye bitirmeden bıraktın? Akşam çıkacak mısın? Yazın keyfi kaçtı, istersen ay sonunu beklemeden yarın dönelim Nişantaşı'na, bu kaçıncı kadeh oldu?"), kendimi Füsun'un yerine koymama engeldi.

Füsun'un ne düşündüğünü içkili kafayla çıkarmaya çalışırken, bir başka şeyi keşfettim: Aslında o çirkin sözü ("Hakikaten parayı vereceksin de...") işittiğim andan beri, küskünlüğüm intikam almaya yönelik "diplomatik" bir küskünlüktü. Bana yaptıkları için Füsun'dan intikam almak istiyordum, ama bu istekten korktuğum, utandığım için, "artık onu görmek istemediğime" kendimi inandırmıştım. Bu bahane daha şerefliydi ve bana, intikam alırken kendimi temize çıkarma fırsatı veriyordu. İçten küskünlüğüm aslında içten ve hakiki değildi, intikam alma isteğime masum bir derinlik vermek için kalp kırıklığını abartıyordum. Bunu anlayınca, Füsun'u affedip görmeye karar verdim; onu görmeye karar verince de, her şeyi daha olumlu düşünmeye başladım. Ama onlara yeniden gitmem için çok düşünüp kendimi kandırmam gerekti.

Akşam yemeğinden sonra, on yıl önce gençlik yıllarımda arkadaşlarımla yukarı aşağı "piyasa" yaptığımız Bağdat Caddesi'ne çıktım ve geniş caddenin kaldırımlarında yürürken, verdiğim cezadan vazgeçersem bunun Füsun için ne anlama geleceğini tam olarak kavramak için, bütün gücümle kendimi Füsun'un yerine koymaya çalıştım. Az sonra kafamda bir şimşek çaktı: Onun gibi akıllı, güzel, ne istediğini bilen genç bir kadın, kocasına destek olacak bir başka film yapımcısını biraz uğraşsa hemen bulabilirdi. İçimden yakıcı bir kıskançlık ve pişmanlık acısı geçti. Ertesi gün öğleden sonra Çetin'i Beşiktaş'a bahçe sinemalarında ne olduğunu öğrenmeye yolladım ve "görmemiz gereken önemli bir film" olduğuna karar verince, onlara telefon ettim. Satsat'taki odamda kulağıma dayadığım telefon ahizesinden, Füsunların evinde telefonun çalmakta olduğunu işitince kalbim hızlandı ve kim açarsa açsın, doğal bir şekilde konuşamayacağımı anladım.

Bu yapaylık, hâlâ ruhumun bir yerinde saklamaya devam ettiğim içe dönük küskünlüğüm ile Füsun özür dilemedikçe mecbur olduğumu hissettiğim "diplomatik" küskünlüğüm arasında sıkıştığım için çıkmıştı ortaya. Böylece son yaz akşamlarını, bahçe sinemalarında Füsun ve kocasıyla çok da eğlenemeden, fazla konuşmadan, küskünlük taklidi yaparak geçirdik. Benim asık suratım, tabii Füsun'a da bulaşmıştı. İçimden gelmediği zamanlarda bile küskünlük taklidi yapmaya beni mecbur bıraktığı için Füsun'a kızar, bu sefer içten bir şekilde küskün dururdum. Bir süre sonra Füsun'un yanında kendiliğimden benimsediğim bu ikinci kişiliğim, giderek asıl kişiliğim halini almaya başladı. Hayatın, insanlığın çoğunluğu için, içtenlikle yaşanması gereken bir mutluluk değil, baskılar ve cezalarla ve inanılması gereken yalanlarla yapılmış dar bir alanda, sürekli bir rol yapma hali olduğunu, ilk bu sıralarda sezmeye başlamış olmalıyım.

Oysa gittiğimiz bütün Türk filmleri bu "yalan dünya"dan çıkışın "hakikilik" ile mümkün olduğunu ima ediyordu. Ama tenhalaşan bahçelerde seyrettiğimiz filmlere artık inanamıyor, kendimi o duygusal âleme veremiyordum. Beşiktaş'taki Yıldız Sineması yaz sonunda o kadar boştu ki, Füsun'un yanına sokularak oturmak tuhaf gözükeceği için, arada boş bir sandalye bıraktım ve numaradan yaptığım küskünlük, serin rüzgârla birlikte, içimi üşüten buz gibi bir pişmanlığa dönüştü. Dört gün sonra gittiğimiz Feriköy'deki Kulüp Sineması'nda film yerine, belediyenin yoksul çocuklar için düzenlediği cambazlı, hokkabazlı, dansözlü bir sünnet düğünü olduğunu, yataklara yatmış sünnet kıyafetli, asık suratlı çocukları ve başörtülü teyzeleri görünce sevinerek anladık. Ama sevincimizi hisseden fırça bıyıklı tonton belediye başkanının davetine, sırf Füsun ile ben küskünlük taklidinden çıkamadığımız için gitmedik. Benim küskünlüğüme onun da küskünlük taklidiyle cevap vermesi, ama bunu kocasının fark edemeyeceği bir ölçüyle yapması da çileden çıkarıyordu beni.

Altı gün onları aramamayı başardım. Füsun değilse bile, kocasının bir kere olsun telefon etmemesine de içerliyordum. Film de yapılmayacaksa, hangi bahaneyle arayacaktım onları? Artık onları görmek istiyorsam, ona ve kocasına para vermem gerektiğini, bu dayanılmaz gerçeği görüyor, kabul ediyordum.

Son olarak, Ekim başında, Pangaltı'daki Majestik Bahçe Sineması'na gittik. Hava sıcaktı, sinema da tenha değildi. Yazın belki de bu son akşamının güzel geçeceği, küskünlüğümüzün sona ereceği umudu vardı içimde. Ama sandalyelerimize oturmadan önce bir şey oldu: Bir çocukluk arkadaşımın annesiyle, Cemile Hanım'la karşılaştım. Aynı zamanda annemin bezik arkadaşıydı, yaşlanırken sanki yoksullaşmıştı. Fakirleştikleri için utanç ve suçluluk duyan eski zenginler gibi, "senin burada ne işin var!" diyen bakışlarla baktık birbirimize.

"Mükerrem Hanımların evini merak ettim de geldim," dedi Cemile Hanım bir itiraf havasıyla.

Pek bir şey anlamadım. Sinema bahçesinin içlerine baktığı aşağıdaki eski konakların birinde, Mükerrem Hanım diye ilginç birilerinin yaşadığını düşündüm, bu evin içini birlikte seyretmek için Cemile Hanım'ın yanına oturdum. Füsun ile kocası, altı-yedi sıra önümüze geçip oturdular. Film başlayınca, Mükerrem Hanımların evinin filmdeki ev olduğunu anladım. Eren-köy'deki paşazade bir ailenin ünlü köşküydü burası, çocuklu-ğumda önünden bisikletle geçerdim. Yoksul düştükleri için eski ahşap yapının sahipleri, annemin de tanıdığı başka eski paşaza-delerin yaptığı gibi, evlerini Yeşilçam filmlerine set olarak kiraya veriyorlardı. Cemile Hanım'ın niyeti *Aşktan da Acı* adlı filmi izle-yip ağlamak değil, filmde kötü ruhlu, sonradan görme zenginle-rin evi rolünü üstlenmiş eski paşa konağının ahşap kakmalı oda-larını görmekti. Artık Cemile Hanım'ın yanından kalkıp gidip Füsun'un yanına oturmalıydım. Ama bunu yapmıyordum, tuhaf bir utanç içindeydim. Sinemada annesiyle babasıyla değil, onlar-dan ayrı bir köşede oturmak isteyen bir delikanlı gibi, utancımın nedenini de bilmek istemiyordum hiç.

Nedenini yıllar sonra bile bilmek istemediğim bu utanç, küs-künlüğümle iç içe geçmişti. Film bittikten sonra, Cemile Ha-nım'ın dikkatle bir bakış attığı Füsun ile kocasına sokuldum. Füsun her zamankinden daha da çok surat asıyordu, benim de küskünlük taklidinden başka yapacak hiçbir şeyim yoktu ar-tık. Dönüş yolunda, arabadaki dayanılmaz sessizlikte, kendimi mecbur hissettiğim bu küskün rolünden çıkabilmek için saçma bir şaka yapmayı, delice bir kahkaha atmayı, sarhoş olmayı ha-yal ettim, ama hiçbirini yapmadım.

Beş gün aramadım onları. Füsun'un çok pişman olduğunu, bana yalvarmak üzere olduğunu zevkle uzun uzun hayal ede-rek kendimi tuttum. Hayalimde Füsun'un pişmanlık sözlerine, yalvarmalarına, her şeyin onun kabahati olduğunu söyleyerek cevap veriyordum ve tek tek saydığım bu kabahatlerin hepsine öyle bir içtenlikle inanıyordum ki, sık sık haksızlığa uğramış bi-rinin öfkesine kapılıyordum.

Onu görmeden geçen günler, bana gittikçe daha zor geliyor-du. Geçen bir buçuk yıl boyunca dayanmak zorunda kaldığım derin ve yakıcı ıstırabın karanlık rengini, koyu kıvamını, yavaş yavaş yeniden ruhumda hissetmeye başlamıştım. Yanlış bir şey yapıp yeniden Füsun'u hiç görememe cezasına çarptırılma ihtimali çok korkutucuydu. Sırf bu yüzden küskünlüğümü Füsun'dan saklamalıydım. Bu da, küskünlüğümü yalnızca beni hırpalayan, içedönük bir şeye, kendi kendime verdiğim bir cezaya çeviriyordu. Küskünlüğümün ve kırık kalbimin kimseye faydası yoktu. Böyle böyle düşünerek, Nişantaşı'nda düşen sonbahar yapraklarının altından tek başıma yürüdüğüm bir gece, benim için en mutlu ve bu yüzden en umut veren çözümün, Füsun'u haftada üç-dört kere (en azından iki kere) görmek olduğunu anladım. İçimdeki kara sevdanın yakıcı ıstırabını çok fazla alevlendirmeden, sıradan günlük hayatıma ancak böyle dönebilirdim. İster onun bana verdiği bir ceza sonucu olsun, ister benim ona küskünlük sonucu vermeye çalıştığım bir ceza yüzünden, Füsun'u görememe acısının bir süre sonra hayatımı dayanılmayacak kadar zorlaştıracağını artık biliyordum. Geçen yıl yaşadıklarımı bir daha asla yaşamak istemiyorsam, zaten Füsun'a Ceyda ile yolladığım mektupta söz vermiş olduğum babamın inci küpelerini de ona götürmeliydim.

Ertesi gün öğle yemeğine Beyoğlu'na çıktığımda, inci küpeler babamın verdiği kutuda, cebimdeydiler. 12 Ekim 1976 Salı İstanbul'da yazdan kalma, güneşli, tatlı, pırıl pırıl bir gündü. Rengârenk vitrinler ışık içindeydi. Öğle yemeğimi Hacı Salih'te yerken, kendime karşı dürüsttüm: Buraya, "aklıma eserse" hemen Çukurcuma'ya inip Nesibe Hala'yla yarım saat görüşebileyim diye geldiğimi kendimden saklamıyordum. Oturduğum lokanta masasından, Çukurcuma altı-yedi dakikalık bir yürüyüş uzaklığındaydı. Geçerken göz atmıştım, Saray'da saat 13:45'te yeni bir seans vardı. Sinemaya girip oturursam, içerisinin küf ve nem kokan serin karanlığında her şeyi unutur, en azından bir süre bambaşka bir âleme gidebilir, rahatlardım. Ama saat 13:40'ta hesabı ödeyip kalkmış, Çukurcuma Yokuşu'nu iniyordum. Midemde öğle yemeği, ensemde güneş, aklımda aşk, ruhumda telaş ve kalbimde de bir sızı vardı.

Kapıyı aşağıya inip Nesibe Hala açtı.

"Hayır, yukarı çıkmayayım Nesibe Hala," dedim. Cebimden inci küpelerin kutusunu çıkardım. "Bu Füsun'un... Babamdan ona bir hediye... Geçerken bırakayım dedim."

"Hemen bir kahve yapayım sana Kemal, Füsun gelmeden anlatacaklarım var."

Bunu öyle esrarlı bir havada söylemişti ki, nazlanmadan hemen peşinden yukarı çıktım. Ev ışıl ışıldı, kanarya Limon da güneş ışığında memnun mesut kafesinde tıkırdıyordu. Nesibe Hala'nın terzi eşyaları, makasları, kumaş kesikleriyle bütün salona yayıldığını gördüm.

"Bu ara evlere dikişe hiç gitmiyorum ama çok ısrar ettiler, bir gece elbisesi yetiştiriyoruz. Füsun da bana yardım ediyor, birazdan gelir."

Kahvemi verirken de hemen konuya girdi. "Lüzumsuz küskünlükler, kalp kırıklıkları oluyormuş, anlıyorum," dedi. "Kemal Bey, çok acı çekti, kalbi de çok kırıldı kızımın, onun huysuzluklarına sabredecek, gönlünü alacaksınız..."

"Tabii, tabii..." dedim çokbilmiş bir havayla.

"Siz bunun nasıl yapılacağını benden daha iyi bilirsiniz... Onun gönlünü alın, istediğini yapın da girdiği bu yanlış yoldan bir an önce çıksın."

Füsun'un girdiği yanlış yolun ne olduğunu sorar bir bakış attım, kaşlarımı kaldırdım.

"Sizin nişanınızdan önce, nişan günü, hele nişandan sonra aylarca çok çekti, çok ağladı," dedi. "Yiyip içmekten, yürümekten, her şeyden kesildi. Bu çocuk da her gün gelip onu teselli ediyordu."

"Feridun mu?"

"Evet, ama merak etme, seni bilmiyor."

Kızının acıdan, üzüntüden ne yaptığını bilmediğini, Füsun'u evlendirme fikrini Tarık Bey'in ortaya attığını, "bu çocuk"la en sonunda Füsun'un evlenmeyi kabul ettiğini söyledi. Feridun,

Füsun'u ta on dört yaşından beri tanırdı. O zamanlar ona çok âşıktı, ama Füsun ona hiç yüz vermemiş, hatta ilgisizliğiyle yıllarca eziyet de etmişti. Şimdi Feridun, Füsun'a o kadar âşık değildi. ("Bu senin için iyi haber," der gibi kaşlarını hafifçe kaldırıp gülümsedi.) Feridun akşamları evde de durmuyordu, aklı fikri sinemada, filmci arkadaşlarındaydı. Kadırga'daki öğrenci yurdunu sanki Füsun ile evlenmek için değil, Beyoğlu'ndaki filmci kahvelerine yakın olmak için bırakmıştı. Tabii şimdi tıpkı görücü usulü evlenen sağlıklı gençler gibi ikisinin kanı birbirine kaynamıştı, ama ben bunları çok ciddiye almamalıydım. Başına gelenlerden sonra, Füsun'un hemen evlenmesinin iyi olacağını düşünmüşlerdi ve pişman da değillerdi...

Burada "başına gelenler" ile kastedilenin Füsun'un bana duyduğu aşktan, üniversite sınavının kötü geçmesinden çok, evlenmeden önce benimle yatması olduğunu, bakışlarıyla bana şüpheye yer bırakmayacak şekilde ve biraz da cezalandırma zevkiyle hissettirdi. Füsun, birisiyle evlenirse bu lekeden kurtulacaktı ve ben de bu durumdan tabii sorumluydum!

"Feridun'un bir işe yaramadığını, Füsun'a iyi bir hayat veremeyeceğini o da, hepimiz de biliyoruz. Ama Füsun'un kocası o!" dedi Nesibe Hala. "Karısını film yıldızı yapmak istiyor, dürüst, iyi niyetli çocuk! Kızımı seviyorsanız onlara destek olursunuz. Füsun'u, onu lekeli diye küçümseyecek yaşlı bir zengin adam yerine Feridun'la evlendirmek daha iyi diye düşündük. Onu filmciler arasına sokacak. Sen de koru onu Kemal."

"Tabii Nesibe Hala."

Aile sırlarını bana anlattığını öğrenirse, Füsun'un ikimize de "çok büyük cezalar" (belli belirsiz gülümsedi) vereceğini söyledi. "Sibel Hanım ile nişanı bozmandan, onun için o kadar üzülmenden Füsun tabii çok etkilendi, Kemal. Bu filmci çocuk altın kalpli, ama onun ne beceriksiz olduğunu Füsun yakında anlar, bırakır onu... Tabii sen de hep yanında olursan, ona güven verirsen..."

"İsteğim, verdiğim zararı, kırdığım kalbi tamir etmektir Nesibe Hala. Lütfen Füsun'un sevgisini yeniden kazanmam için bana yardım edin," dedim ve babamın küpe kutusunu çıkarıp verdim. "Bu Füsun'un," dedim.

"Teşekkür ederim..." deyip kutuyu aldı.

"Nesibe Hala... Bir de buraya ilk akşam geldiğimde, ona küpesinin tekini geri getirmiştim... Ama eline geçmemiş... Sizin haberiniz var mı?"

"Hiç haberim yok. Hediyesini de ona sen ver istiyorsan."

"Yok, yok... Zaten o küpe hediye değil, onundu."

"Hangi küpe?" dedi Nesibe Hala. Bir kararsızlık geçirdiğimi görünce, "Keşke bir çift küpeyle hallolsa her şey..." dedi. "Füsun'un hastalığında Feridun da bize geldi. Üzüntüden yürüyecek mecali bile kalmayan kızımın koluna girip onu Beyoğlu'na sinemaya bile götürdü. Her akşam filmci arkadaşlarına, kahvelere gitmeden önce bizimle oturup yemek yedi, televizyon seyretti, Füsun ile ilgilendi..."

"Ben çok daha fazlasını yapabilirim bütün bunların Nesibe Hala."

"İnşallah, Kemal Bey. Akşamları bekliyoruz. Annene de selam söyle, ama üzme onu."

Kapıya bir bakış atıp Füsun'a yakalanmadan gitmem gerektiğini ima edince, hemen huzurla evden çıktım ve Çukurcuma Yokuşu'ndan Beyoğlu'na yürürken, küskünlüğümün tamamen bittiğini mutlulukla anladım.

54. ZAMAN

Tam yedi yıl on ay, Çukurcuma'ya, Füsun'u görmeye akşam yemeğine gittim. İlk gidişim Nesibe Hala'nın "Akşamları bekliyoruz!" demesinden on bir gün sonra, 23 Ekim 1976 Cumartesi olduğuna ve Çukurcuma'daki son akşam yemeğimizi Füsun, ben ve Nesibe Hala 26 Ağustos 1984 Pazar günü yediğimize göre, aradan 2864 gün geçmiş. Hikâyesini anlatacağım bu 409 haftada, notlarıma göre onlara 1593 kere akşam yemeğine gitmişim. Ortalama haftada dört kere demektir bu, ama haftada dört gün hiç şaşmadan Çukurcuma'ya akşam yemeğine gittiğim de sanılmasın.

Bazı dönemlerde haftanın her günü onları görürdüm, bazı dönemlerde ise bir küskünlüğe, alınganlığa kapılır ya da Füsun'u unutabileceğimi sanır, onlara çok daha seyrek giderdim. Ama Füsunsuz geçirdiğim (Füsun'u görmeden demek istiyorum) hiçbir zaman parçası on günü aşmadığı, on günden sonra acım 1975 sonbaharındaki dayanılmaz ağır ıstırap düzeyine çıktığı için, bu yedi küsur yılda Füsunları (soyadlarıyla Keskinler diye anmak isterim onları) düzenli olarak gördüğüm söylenebilir. Onlar da beni düzenli olarak yemeğe beklerler, geleceğim geceyi de hep doğru tahmin ederlerdi. Kısa sürede onlar benim akşam yemeği vakti yaptığım ziyaretlere, ben de onların beni bekliyor olmalarına iyi-kötü alışmıştık.

Keskinler beni akşam yemeğine çağırmazlardı, çünkü masada benim yerim sürekli olarak hazır tutulurdu. Bu da beni, her akşam onları görüp görmemek konusunda uzun iç hesaplaşmalara sürüklerdi. Onlara gene gidersem, acaba fazla mı rahatsız ediyor olacağım diye bazan düşünür; gitmezsem de, Füsun'u o akşam görmekten mahrum kalma acısından başka, bir de "nezaketsizlik" etmiş olacağım ya da yokluğum olumsuz bir şekilde yorumlanacak diye dertlenirdim.

Çukurcuma'daki eve ilk ziyaretlerim bu dertlenmelerle, eve alışma, Füsun ile göz göze gelme, evin içindeki havaya uyum sağlama gayretleriyle geçti. Bakışlarımla "İşte geldim, buradayım," demek isterdim Füsun'a. İlk ziyaretimdeki hâkim duygu buydu. İlk birkaç dakika en sonunda kafamdaki huzursuzlukları, utancı yenip geldiğim için kendi kendimi tebrik ederdim. Füsun'un yanında olmak beni bu kadar mutlu ediyorsa, kendi kendime niye bu kadar dert çıkarıyordum? İşte Füsun da her şey olağanmış, benim gelmemden çok memnunmuş gibi tatlı tatlı gülümseyerek bakıyordu.

İlk ziyaretlerde, ne yazık ki çok az baş başa kaldık. Gene de her seferinde bir fırsatını bulup "Seni çok özledim!", "Seni çok özlemişim!" gibi bir şeyi fısıldayarak söyler, Füsun da bu sözümden hoşlandığını gösterecek şekilde gözleriyle karşılık verirdi. Bundan ileri bir yakınlık kuracak ortam yoktu.

Sekiz yıl Füsunlara (Keskinlere diyemiyorum bir türlü) akşam ziyaretine gitmeme hayret eden, bu büyük zaman parçasından, binlerce günden rahatlıkla söz etmeme şaşan okurlar için, zamanın ne kadar yanıltıcı bir şey olduğunu biraz anlatabilmek, bir kendi zamanımız, bir de herkesle paylaştığımız "resmî" zaman olduğunu gösterebilmek isterim. Bu, hem Füsunların kapısını sekiz yıl Füsun'un aşkı için aşındırmış olduğum için bana tuhaf, takıntılı, korkulacak bir kişi gibi bakan okurların saygısını kazanmam için önemli, hem de Füsunların evindeki hayatı anlamak için.

Alman yapımı, zarif ahşap kutulu, sarkaçlı, cam kapaklı, gonglu büyük duvar saatinden başlayayım. Füsunların evinde kapının hemen yanında asılı duran bu saatin görevi zamanı ölçmek değil, evin ve hayatın sürekliliğini bütün aileye hissettirmek ve dışarıdaki "resmî" dünyayı hatırlatmaktı. Zamanı gösterme görevini son yıllarda televizyon, radyodan da çok daha eğlenceli bir şekilde yaptığı için, saat tıpkı şehirdeki yüzbinlerce diğer duvar saati gibi önemini kaybediyordu.

Bu saatten daha gösterişli, kurgulu, ağırlıklı ve sarkaçlı büyük duvar saatleri, İstanbul'da önce 19. yüzyılın sonunda Batılılaşmış paşaların ve zengin gayrımüslimlerin konaklarında moda olmuş, 20. yüzyılın başında ve Cumhuriyet'in ilk yıllarında Batılılaşma gayreti ve özentisiyle şehrin orta sınıf evlerine hızla yayılmıştı. Çocukluğumda, bizim evde ve başka pek çok tanıdığın evinde benzeri ya da daha ağır, ahşap işlemeli bir duvar saati, ya giriş kapısının açıldığı sofanın, holün ya da koridorun duvarlarında asılı dururdu, ama çok az bakılırdı artık onlara; unutulmak üzereydiler. 1950'lerde artık "herkesin", çocukların bile bir kol saati ve evlerde sürekli açık birer radyo vardı çünkü. Televizyon ekranları evlerin iç seslerini ve yeme-içme-oturma alışkanlıklarını değiştirene kadar, yani hikâyemizin başladığı 1970'lerin ortalarında, artık çok az bakılmalarına rağmen bu duvar saatleri evlerde alışkanlıktan tıkırdamaya devam ediyordu. Bizim evdeki saatin tıkırtısı ve saat başlarını ve buçukları gösteren gongu, yatak odalarından ve salondan hiç duyulmadığı için kimseyi rahatsız etmezdi. Bu yüzden saati durdurmak yıllarca kimsenin aklına gelmedi ve yıllarca bir sandalyeye çıkıp kurularak çalıştırıldı! Füsun'un aşkıyla çok içtiğim bazı geceler mutsuzluktan uyanıp bir sigara yakmak için odamdan salona geçerken, koridorda saat başını vuran gongu işitince mutlu olurdum.

Füsunların evinde, bu büyük saatin bazan çalışıp bazan sustuğunu daha ilk ay fark etmiş, duruma hemen alışmıştım. Gecenin ilerlemiş bir saatinde, hepimiz televizyondaki bir Türk filmine ya da eski şarkıları fıkırdayarak söyleyen şuh bir hanım şarkıcıya bakarken, ya da çevirinin ve dublajın bozukluğundan ve zaten aramızda konuşup gülüşerek ortasından seyretmeye başladığımız için çok az anladığımız gladyatörlü, aslanlı tarihî Roma filmini seyredip kendi hayallerimize dalmışken, bir an ekranda da sihirli bir sessizlik olur ve birden hiç aklımızda yokken, kapının hemen yanına asılı saatin gongu çalmaya başlardı. İçimizden biri, çoğu zaman Nesibe Hala, bazan da Füsun saate dönüp manalı bir bakışla bakar, Tarık Bey de "Kim kurdu acaba gene?" derdi.

Saat bazan kurulur, bazan da unutulurdu. Kurulup düzenli çalıştığı zamanlarda bile, gongu bazan aylarca sessiz kalır, bazan yalnızca buçuklarda tek bir vuruş yapar, bazan da evdeki sessizliğe katılarak haftalarca susardı. O zaman evde kimse olmadığı zaman her şeyin ne kadar korkunç olduğunu hisseder, ürperirdim. İster yalnızca tıkırdasın, ister gongu çeyrekleri göstersin, kimse saate vaktin ne olduğunu anlamak için bakmazdı, ama kurulup kurulmaması ya da sarkacının bir dokunuşla harekete geçmesi, sık sık tartışma konusu olurdu. "Bırak tıkırdasın işte, kimseye zararı yok," derdi bazan Tarık Bey karısına, "evin ev olduğunu hatırlatıyor." Bu düşünceye ben, Füsun, Feridun, hatta arada bir gelen misafirler de katılırdı sanırım. Bu bakımdan, bu duvar saati zamanı hatırlamaya, yani şeylerin değiştiğini arada bir düşünmeye değil, tam tersi, hiçbir şeyin değişmediğini hissetmeye ve inanmaya yarardı.

İlk aylarda hiçbir şeyin değişmediğini, değişmeyeceğini, Çukurcuma'daki evde yemek sofrasında oturup televizyona bakıp sohbet ederek sekiz yıl geçireceğimi hayal bile edemezdim. İlk ziyaretlerimde, Füsun'un her sözü, yüzünde beliren her değişiklik, evin içinde gidiş gelişleri, her şey bana yeni ve değişik gelir, saat tıkırdasa da tıkırdamasa da önem vermezdim. Önemli olan onunla aynı sofrada oturmak, onu görmek, içimden hayaletim çıkmış onu öperken hiç kıpırdamadan durup mutlu olmaktı.

Hep aynı şekilde tıkırdayan saat, bu tıkırtıyı her an fark etmesek de evin, eşyaların, masada oturup yemek yiyen bizlerin değişmediğimizi, hep aynı kaldığımızı hissettirerek bizlere huzur verirdi. Saatin zamanı unutturan bu işleviyle, şimdiyi ve başkalarıyla ilişkimizi hatırlatan diğer işlevi, Tarık Bey ile Nesibe Hala arasında sekiz yıl boyunca zaman zaman alevlenen bir soğuk savaşın da konusu oldu. "Kim kurdu gene şimdi bunu, gecenin ortasında uykumuzu kaçırmak için!" derdi Nesibe Hala, bir sessizlikte saatin yeniden çalışmaya başladığını fark ettiğinde. "Tıkırdamazsa sanki evde bir eksiklik, bir boşluk oluyor..." demişti 1979 Aralığı'nda rüzgârlı bir akşam Tarık Bey. Eklemişti: "Öbür evde de çalardı." "Aa hâlâ alışamadın mı sen Çukurcuma'ya Tarık Bey," demişti Nesibe Hala, bu sözlerin gerektirdiğinden çok daha şefkatli bir gülümsemeyle (kocasına bazan "Tarık Bey" derdi).

Karı-koca arasında yıllarca sürüp giden ölçülü iğnelemeler, laf sokuşturmalar, taşı gediğine koymalar, duvardaki saatin hiç beklenmedik bir anda fark ettiğimiz tıkırtısı ya da çalmaya başlayan gongunun vuruşlarıyla şiddetlenirdi. "Sen geceleri ben de uykusuz kalayım diye gene kurmuşsun bunu Tarık Bey," derdi Nesibe Hala. "Füsun, canım durdursana şunu lütfen." Sarkacı parmakla ortada durdurulursa, saat ne kadar kurulu olursa olsun hareketsiz kalırdı, ama Füsun önce gülümseyerek babasına bakar, Tarık Bey bazan "peki, durdur!" anlamına gelen bir bakış atar, bazan da inat ederdi. "Ben elimi sürmedim. Saat kendi kendine çalıştı, bırak kendi kendine dursun!" derdi. Bazı komşular ya da seyrek uğrayan misafir çocukları arasında bu esrarlı sözlerden etkilenenler olduğunu görünce, Tarık Bey ile Nesibe Hala çift anlamlı sözlerle tartışmaya girerlerdi. "İyi saatte olsunlar, saatimizi gene çalıştırmışlar," derdi Nesibe Hala. "Hiç dokunmayın, çarpılırsınız," derdi Tarık Bey kaşlarını çatarak, tehditkâr bir havayla. "İçinde cin var." "Cinin tıkırtısına diyeceğimiz yok da, gece yarısı sarhoş zangocun kilise çanı gibi kafa şişirmesin." "Şişirmez, şişirmez, sen zaten zamanı unutsan daha rahat edeceksin," derdi Tarık Bey. Burada "zaman" kelimesini, "modern dünya", "yaşadığımız çağ" anlamında kullanırdı. Bu "zaman" sürekli değişen bir şeydi ve biz duvar saatinin sürekli tıkırtısıyla bu değişiklikten uzak kalmaya çalışıyorduk.

Keskinlerin günlük hayatları içerisinde vakti öğrenmek için başvurdukları temel araç, tıpkı 1950'lerde, 60'larda bizim evdeki radyo gibi sürekli açık duran televizyondu. O yıllarda radyo programlarının ortasında, yayında müzik, tartışma, matematik dersi, ne olursa olsun, saati öğrenmek isteyenler için, saat başlarında ve buçuklarda hafif bir "dıt" sesi duyulurdu. Akşam seyrettiğimiz televizyonda böyle bir işarete gerek duyulmazdı, çünkü zaten saatin kaç olduğunu, çoğunlukla televizyonda ne olduğunu öğrenmek için merak ederdi insan.

315

Füsun, burada sergilediğim kol saatine, Tarık Bey de sekiz yıl boyunca onda pek çok çeşidini gördüğüm cep saatine günde bir kere, onları ayarlamak için ya da mevcut ayarın doğru olduğunu bir kere daha görmek için bakarlardı. Bu ayar her akşam saat yedide, haberlerden bir dakika önce ülkenin tek televizyon kanalı olan TRT'nin yayınında, ekranda beliren kocaman bir saate bakarak yapılırdı. Füsun'un akşam yemeğine otururken ekranda beliren kocaman saate bakarak, kaşlarını çatarak, dilini hafifçe yanağının kenarına değdirerek ve çocuk gibi ciddiyetle babasını taklit ederek kendi saatini ayarlayışını seyretmekten derin bir zevk alırdım. Bu zevkimi, Füsun daha ilk ziyaretlerimde fark etmişti. Saatini ayarlarken onu aşkla seyrettiğimi bilir, ayarı tam yapınca bana bakarak gülümserdi. "Tamı tamına yaptın mı?" derdim o zaman ben ona. "Evet, tam oldu!" derdi o da bana, daha sıcak bir gülümsemeyle.

Bu sekiz yılda yavaş yavaş anlayacağım gibi, ben her akşam Keskinlerin evine yalnızca Füsun'u görmeye değil, onun içinde yaşayıp havasını soluduğu âlemde bir süre yaşamak için de gidiyordum. Bu âlemin temel özelliği de "zamandışı" olmasıydı. Tarık Bey, karısına "Zamanı unut," derken, işte bunu kastediyordu. Müzemizi ziyarete gelen meraklının, Keskinlerin bütün eski eşyalarına, bozulmuş, paslanmış, yıllardır çalışmayan çalar saatlerine, kol saatlerine bakarken, bu "zamandışı" tuhaflığı ya da bu şeylerin kendi aralarında oluşturdukları özel zamanı fark etmesini isterim. Bu özel zaman, Füsunların evinde yıllarca soluduğum ruhtur.

Bu özel ruhun dışında, radyoyla, televizyonla, ezanlarla haberdar olduğumuz dışarıdaki "zaman" vardı ve vakti öğrenmek demek, dışarıdaki dünya ile ilişkimizi düzenlemek demekti, öyle hissederdim.

Füsun saatini saniyesine kadar dakik bir saat gerektirecek bir hayat sürdüğü, işlere, randevulara yetişmek zorunda olduğu için değil, tıpkı emekli memur babası gibi, Ankara'dan, devletten kendisine özel olarak gelen bir işarete duyduğu saygı yüzünden ayarlıyormuş gibi gelirdi bana. Ekranda beliren saate bakışımız, televizyonun kapanış saatinde ekranda İstiklal Marşı'yla beliren bayrağa bakışımıza benzerdi: Kendi köşemizde, tam akşam yemeğine başlamışken ya da tam televizyonu kapatıp akşamı sona erdirmek üzereyken, bizimle aynı şeyi yapmakta olan milyonlarca ailenin varlığını, millet denilen kalabalığı, devlet denilen kuvvetin gücünü ve kendi küçüklüğümüzü hissederdik. Ev içinde yaşadığımız dağınık, kuralsız hayatın devletin resmiyeti dışında olduğunu, bu milli saatleri ("Memleket saat ayarı derdi," arada bir radyo), bayrakları ve Atatürk ile ilgili programları seyrederken de hissederdik.

Aristo, *Fizik*'inde "şimdi" dediği tek tek anlar ile Zaman arasında ayırım yapar. Tek tek anlar, tıpkı Aristo'nun atomları gibi bölünmez, parçalanmaz şeylerdir. Zaman ise, bu bölünmez anları birleştiren çizgidir. Zaman'ı, şimdileri birleştiren çizgiyi, Tarık Bey'in "unut" öğüdüne rağmen ne kadar gayret etsek de, aptallar ve hafızasızlar hariç kimse bütünüyle unutamaz. Hepimizin yaptığı gibi mutlu olmaya ve Zaman'ı unutmaya çalışabilir ancak insan. Füsun'a aşkımın bana öğrettiklerine ve Çukurcuma'daki evde sekiz yılda yaşadıklarıma dayanan bu gözlemlerime dudak büken okurlar, Zaman'ı unutmak ile saati ya da takvimi unutmayı birbirlerine karıştırmasınlar, lütfen. Saatler ve takvimler, bize unuttuğumuz Zaman'ı hatırlatmak için değil, başkalarıyla olan ilişkimizi ve aslında bütün toplumu düzenlemek için yapılmışlardır, böyle de kullanılırlar. Her akşam haberlerden önce ekranda görülen siyah-beyaz saate bakarken, başka aileleri, başka kişileri, onlarla buluşmalarımızı ve bu işi düzenleyen saatleri hatırlarız, Zaman'ı değil. Füsun televizyonda beliren saate bakarken, kendi kol saati saniyesi saniyesine doğru olduğu için ya da saati ayarladığı ve "tam doğru" yaptığı için ve belki de benim kendisini aşkla seyrettiğimi bildiği için mutlulukla gülümserdi, Zaman'ı hatırladığı için değil.

Yaşadığım hayat, Zaman'ı, yani Aristo'nun şimdi dediği anları birleştiren çizgiyi hatırlamanın çoğumuz için pek acı verici olduğunu bana öğretmiştir. Anları birleştiren ya da müzemizde olduğu gibi, anları içlerinde taşıyan eşyaları birleştiren çizgiyi gözümüzün önüne getirmeye çalışmak, hem çizginin kaçınılmaz sonucunu, ölümü hatırlattığı için hem de çizginin kendisinin –çoğu zaman hissettiğimiz gibi– pek bir anlamı olmadığını yaşımız ilerledikçe acıyla kavradığımız için üzer bizi. Oysa "şimdi" dediğimiz anlar, Çukurcuma'ya akşam yemeklerine gitmeye başladığım günlerde olduğu gibi, Füsun'un bir gülümseyişiyle, bazan bir yüzyıl yetecek kadar mutluluk verebilir bize. Keskinlerin evine hayatımın geri kalanında bana yetecek mutluluğu almaya gittiğimi daha baştan anlamıştım ve evlerinden Füsun'un dokunduğu irili ufaklı küçük eşyaları, bu mutlu anları saklamak için alıp götürüyordum.

Bu sekiz yılın ikincisinde, bir akşam geç saatlere kadar oturmuş, televizyon programı bittikten sonra, Tarık Bey'in Kars Lisesi'ndeki gençlik ve öğretmenlik anılarını dinlemiştim. Sınırlı öğretmen maaşı, yalnızlık ve pek çok kötülükle boğuşarak geçen bu mutsuz yılların hatıralarının Tarık Bey'e tatlı gelmesinin nedeni, pek çoklarının sandığı gibi, yıllar geçtikçe kötü hatıraların bile bize iyi gözükmesi değil, yaşadığı kötü dönemden (kötü bir çizgi: Zaman) yalnızca iyi anları (şimdi noktaları) hatırlayıp anlatmaktan hoşlanmasıydı. Bu ikiliğe dikkat çektikten sonra, Kars'tan aldığı çift kadranlı bir saati, bir yüzü Arap, bir yüzü Latin harfli Doğu-Batı saatini nedense hatırlayıp bana göstermişti.

Ben de kendimden bir örnek vereyim: Füsun'un 1982 Nisanı'nda takmaya başladığı bu Buren marka incecik kol saatini görür görmez, bunu yirmi beşinci doğum gününde Füsun'a benim hediye edişim, bugün kayıp olan kutusundan saati çıkardıktan sonra Füsun'un annesi ve babasının görmeyeceği (kocası Feridun evde değildi) bir ara, açık mutfak kapısının arkasında beni yanaklarımdan öpüşü ve sofrada hep birlikte otururken saati annesine ve babasına mutlulukla gösterişi ve beni çoktan beri ailenin tuhaf bir üyesi gibi kabul eden annesiyle babasının bana tek tek teşekkür edişleri canlanır gözlerimin önünde. Benim için mutluluk, bunun gibi unutulmaz bir anı tekrar yaşayabilmektir. Hayatımızı Aristo'nun Zaman'ı gibi bir çizgi olarak değil de, böyle yoğun anların tek tek her biri olarak düşünmeyi öğrenirsek, sevgilimizin sofrasında sekiz yıl beklemek bize alay edilebilecek bir tuhaflık, bir saplantı gibi değil, şimdi yıllar sonra düşündüğüm gibi Füsunların sofrasında geçirilmiş 1593 mutlu gece gibi gözükür. Çukurcuma'daki eve yemeğe gittiğim akşamların her birini –en zorunu, en umutsuzunu ve en gurur kırıcı olanını bile– bugün büyük bir mutluluk olarak hatırlıyorum.

55. YARIN GENE GELİN, GENE OTURURUZ

Füsunların evine beni akşamları Çetin Efendi, babamın Chevrolet'siyle götürürdü. Sekiz yıl boyunca kardan yolların tıkanması, sel baskını, Çetin Efendi'nin hastalıkları, tatilleri, arabanın bozulması gibi geçici nedenler dışında, bu kuralı bozmamaya dikkat ettim. Çetin Efendi ilk birkaç aydan sonra, çevredeki kahvelerde, çayhanelerde kendine dostlar edinmişti. Arabayı evin tam önüne değil, Karadeniz Kahvehanesi ve Akşam Çayevi gibi adları olan bu yerlere yakın park eder, çayhanelerin birinde bir yandan bizim Füsunların evinde seyrettiğimiz televizyon programını seyrederken, bir yandan da gazete okur, sohbete katılır, bazan tavla oynar ya da konken oynayanlara bakardı. İlk birkaç aydan sonra mahalledekiler onun ve benim kim olduğumuzu öğrenmiş ve Çetin Efendi bana abartarak anlatmıyorsa, uzak ve yoksul akrabalarını dostane duygularla sürekli ziyaret eden beni, vefalı ve alçakgönüllü bulup sevmişlerdi.

Elbette bu sekiz yılda karanlık, kötü niyetlerim olduğunu söyleyenler de çıkmıştı. Mahalledeki eski yıkıntı evleri ucuza alıp yerlerine apartmanlar yaptıracağım, fabrikalarımda ucuza çalıştırmak için vasıfsız işçi aradığım, asker kaçağı olduğum ya da Tarık Bey'in gayrımeşru çocuğu (yani Füsun'un ağabeyi) olduğum yolunda ciddiye alınmayacak dedikodulardı bunlar. Mahallenin makul çoğunluğu ise, Füsun'un uzak akrabası olduğumu, "sinemacı" kocasıyla birlikte onu film yıldızı yapacak bir film işini konuştuğumuzu, Nesibe Hala'nın sağa sola dikkatle sızdırdığı doğru yanlış bilgilerden öğrenmişti. Bu konumumun makul karşılandığını, özel olarak sevilmesem de Çukurcuma Mahallesi'nde bana beslenen duyguların olumlu olduğunu yıllar boyunca Çetin'in bana söylediklerinden anladım. Zaten ziyaretlerimin ikinci yılından sonra yarı mahalleli sayılmaya başlamıştım.

Mahalle kalabalığı çeşitliydi: Galata'da limanda işçilik yapanlar, Beyoğlu'nda ara sokaklarda küçük dükkânları, lokantaları işletenler ve garsonlar, Tophane tarafından yayılarak gelen Çingene aileleri, Tuncelili Alevi Kürt aileleri, bir zamanlar Beyoğlu'nda, Bankalar Caddesi'nde kâtiplik yapan Rum, İtalyan, Levanten ailelerinin fakir düşmüş çocukları ve torunları, tıpkı onlar gibi İstanbul'u hâlâ bir türlü terk etmeyen son Rum aileleri, depolarda, fırınlarda çalışanlar, taksi şoförleri, postacılar, bakkallar ve üniversitelerin yoksul öğrencileri... Bütün bu kalabalık, Fatih, Vefa, Kocamustafapaşa gibi geleneksel Müslüman mahallelerinde olduğu gibi kuvvetli bir cemaat duygusuyla hareket etmezdi. Ama bana gösterilen koruyucu, kollayıcı hareketlerden, gelip geçen özel, pahalı arabalara gençlerin gösterdiği ilgiden ve haberlerin hızla yayılışından, dedikodulardan, mahallenin bir dayanışması, birliği, en azından kendi içinde bir hareketliliği olduğunu anladım.

Füsunların (Keskinlerin) evi, Çukurcuma Caddesi (halk arasında "Yokuşu") ile daracık Dalgıç Sokak'ın kesiştiği köşedeydi.

Haritadan da anlaşılabileceği gibi, buradan kıvrıla kıvrıla ilerleyen dik yokuşlardan on dakikada Beyoğlu'na, İstiklal Caddesi'ne çıkılırdı. Bazı akşamlar dönüş yolunda Çetin ara sokaklardan ağır ağır kıvrılarak Beyoğlu'na çıkar, ben de arka koltukta sigara içerek ev içlerini, dükkânları, sokaklardaki insanları seyrederdim. Parke taşla kaplı bu dar sokaklarda, kaldırımlara yıkılacakmış gibi eğilen yıkıntı halindeki ahşap evler, Yunanistan'a göçen son Rumların bıraktığı boş binalar ve o boş yapılara kaçak yerleşen yoksul Kürtlerin pencerelerden dışarıya uzattıkları soba boruları, geceye korkutucu bir görüntü verirdi. Gece yarıları Beyoğlu yakınlarındaki küçük karanlık eğlence yerleri, meyhaneler, kendilerine "içkili gazino" diyen pavyonlar, büfeler, sandviç satan bakkallar, Spor Toto bayileri, uyuşturucu, kaçak Amerikan sigarası ya da viski bulabileceğin tütüncü dükkânları, hatta plak-kaset bayileri bile geç saatlere kadar açık olur, bütün bu yerler kederli hallerine rağmen, bana hayat dolu ve çok da canlı gelirdi. Tabii ancak Füsunların evinden huzurlu bir şekilde çıkmışsam böyle hissederdim. Pek çok gece, Keskinlerin evinden, artık oraya bir daha gelmeyeceğimi, bunun son olması gerektiğini düşünerek çıkar, Çetin'in kullandığı arabanın arka koltuğunda mutsuzluktan baygın gibi yatardım. Bu mutsuz geceler daha çok ilk yıllarda olurdu.

Çetin beni akşamları Nişantaşı'ndan yedi civarında alırdı; Harbiye, Taksim ve Sıraselviler'de biraz trafiğe takılır, Cihangir ve Firuzağa'nın ara sokaklarından kıvrılır, tarihî Çukurcuma Hamamı'nın önünden aşağıya inerdik. Yolda arabayı bir dükkânın önünde durdurur, bir paket yiyecek ya da bir demet çiçek alırdım. Her seferinde değil ama ortalama her iki gidişimden birinde Füsun'a da küçük bir hediye, şakası için bir çiklet ya da Kapalıçarşı veya Beyoğlu'nda bulduğum kelebekli bir broşu ya da takıyı götürür, hiç tören yapmadan verirdim.

Trafiğin çok tıkalı olduğu bazı akşamlar Dolmabahçe üzerinden Tophane'den sağa sapıp Boğazkesen Caddesi'nden geldiğimiz de olurdu. Bu sekiz yıl boyunca Keskinlerin sokağına arabanın her sapışında, tıpkı ilkokul yıllarında, sabahları okulun sokağına girdiğim zamanki gibi kalbim hızlanır, mutluluk ile telaş arası bir huzursuzluk duyardım.

Tarık Bey Çukurcuma'daki binayı, Nişantaşı'ndaki daireye kira yetiştirmekten bıktığı için bankadaki parasıyla almıştı. Keskinlerin dairesinin girişi ikinci kattaydı. Onların mülkü olan küçük alt kattan bu sekiz yılda hikâyemize hiç karışmayan ve hayalet gibi bir görünüp bir kaybolan kiracı aileler geçti. Daha sonra Masumiyet Müzesi'nin bir parçası olacak bu küçük dairenin girişi yanda, Dalgıç Sokak'ta olduğu için orada yaşayanlarla fazla karşılaşmazdım. Füsun'un bir dönem alt katta dul annesiyle yaşayan ve nişanlısı askerde olan Ayla adlı kızla arkadaşlık ettiğini, birlikte Beyoğlu'na sinemaya gittiklerini işitmiştim, ama Füsun mahalle arkadaşlarını benden saklardı.

Ben Çukurcuma Yokuşu'na açılan sokak kapısının zilini çalınca, ilk aylarda kapıyı bana hep Nesibe Hala açardı. Bunun için yukarıdan aşağı bir merdiven inmesi gerekirdi. Oysa benzeri başka durumlarda, kapı zili akşam vakti de çalınsa, sokak kapısını açmak için aşağıya Füsun yollanıyordu hep. Bu kadarı bile, daha ilk günden, benim oraya niye gittiğimi herkesin bildiğini bana hissettirmişti. Ama bazan Füsun'un kocası Feridun'un gerçekten hiçbir şeyden şüphelenmediğini de hissederdim. Tarık Bey bambaşka bir âlemde yaşadığı için, bana zaten çok az huzursuzluk verirdi.

Her şeyden her zaman haberdar olduğunu hissettiğim Nesibe Hala, kapıyı bana açtıktan sonraki tuhaf sessizliği kırmak için birşeyler söylemeye hep dikkat ederdi. Bu açılış cümleleri, "Bir uçak kaçırılmış duydunuz mu?", "Otobüs kazasını olduğu gibi gösteriyorlar...", "Başbakanın Mısır'ı ziyaretini takip ediyoruz," gibi televizyondaki haberlerle ilgili bir şey olurdu çoğunlukla. Eğer haberlerin başlamasından önce gelmişsem, Nesibe Hala'nın her seferinde aynı inançla tekrarladığı bir cümlesi vardı:

"Aman, tam zamanında geldiniz, haberler şimdi başlıyor!" Bazan da, "Sizin sevdiğiniz sigara böreğinden var," ya da "Bu sabah Füsun ile çok güzel yaprak dolması sardık, bayılacaksınız," gibi bir şey söylerdi. Bunun durumumun tuhaflığını gizlemek için söylenmiş bir cümle olduğunu düşünürsem, utançla susardım. Çoğu zaman da ona "Sahi mi?" ya da "Aman vaktinde gelmişim," gibi bir cevap verir, yukarı kata çıkıp eve girer, Füsun'u görünce de, o anki mutluluğumu ve utancımı gizlemek için sözümü abartılı bir heyecanla tekrarlardım.

"Aman uçak kazasını ben de bir göreyim," demiştim bir keresinde.

"Uçak kazası dün oldu Kemal Ağabey," diye cevap vermişti Füsun.

Kışları paltomu çıkarırken, "Off, ne soğuk hava!" ya da "Mercimek çorbası mı var, çok iyi..." gibi bir şey de diyebilirdim. 1977 Şubatı'ndan sonra, yukarıya sokak kapısını açan bir "otomatik" bağlandığı için, açılış cümlesini merdivenleri çıkıp daireye girerken söylemem gerekiyordu, bu daha zordu. Her zaman göründüğünden daha ince, daha şefkatli olan Nesibe Hala, benim bu açılış cümlesini söyleyip evin sıradan günlük hayatına katılamadığımı hissederse, bana hemen yardım ederdi: "Aman hemen oturun Kemal Bey, böreğiniz soğumadan," ya da "Adam kahveyi makineli tüfekle taramış, bir de utanmadan anlatıyor," gibi bir şey söylerdi.

Kaşlarımı çatarak hemen sofraya oturudum. Yanımda getirdiğim hediye paketleri, eve girişteki bu sıkıntılı anları atlatmama yardım ederdi. İlk yıllarda bunlar, Füsun'un sevdiği fıstıklı baklava, Nişantaşı'nın ünlü börekçisi Latif'ten alınmış su böreği, lakerda tarama gibi şeyler olurdu. Paketimi önemsemeden, ama hakkında birşeyler söyleyerek Nesibe Hala'ya verirdim. "Ah, niye zahmet ettiniz!" derdi Nesibe Hala. O sırada hiç önemsemeden Füsun'un hediyesini verir ya da onunla göz göze gelince göreceği bir kenara bırakır, ayna anda Nesibe Hala'ya da cevap yetiştirir, "Dükkânın önünden geçerken, mis gibi börek koktu, dayanamadım!" der, Nişantaşı'ndaki bu börekçi hakkında bir-iki cümle daha ederdim. Bu sırada sınıfa geç giren bir öğrenci gibi görünmez olmaya çalışarak hemen yerime oturur ve bir anda kendimi çok iyi hissederdim. Masaya oturduktan bir süre sonra, bir an Füsun ile göz göze gelirdim. Bunlar olağanüstü mutlu anlardı.

Eve girdikten sonraki değil, masaya oturduktan sonraki ilk göz göze gelme anı, benim için hem çok mutlu bir andı hem de önümüzdeki gecenin nasıl geçeceğini hemen anladığım, hissettiğim özel bir an. Füsun'un bakışlarında –kaşlarını çatıyor bile olsa– bir mutluluk, rahatlık görürsem gece de öyle geçerdi. Mutsuz ve huzursuz ise, gülmüyorsa ben de çok gülmez, ilk aylarda onu güldürmeye de çalışmaz, kendimi fazla fark ettirmeden orada yalnızca dururdum.

Yerim sofrada Tarık Bey ile Füsun'un arasında, yemek masasının televizyona bakan uzun kenarında, Nesibe Hala'nın karşısındaydı. Eğer evdeyse benim yanıma Feridun, o yoksa seyrek gelen misafirlerden biri otururdu. Nesibe Hala yemeğin başında, mutfağa yakın olmak için, televizyona sırtını dönerek otururdu; yemeğin ortasında, mutfak ile işi azaldığında kalkar, benim soluma, Füsun ile arama oturur, böylece televizyonu rahat rahat seyredebilirdi. Sekiz yıl burada, Nesibe Hala ile dirsek dirseğe oturdum. Nesibe Hala yanıma geçtikten sonra, masanın diğer uzun yanı boş kalırdı. Bu boş yere, akşam eve döndüğünde, bazan Feridun otururdu. O zaman Füsun da kocasının yanına geçer, Nesibe Hala da Füsun'un yerine otururdu. O durumda televizyonu seyretmek zor olurdu, ama o saatlerde zaten yayın bitmiş, televizyon kapanmış olurdu.

Önemli bir televizyon programı sırasında ocakta hâlâ pişen bir şey varsa, mutfağa gidip gelmek gerekiyorsa, Nesibe Hala bu işi bazan Füsun'a bırakırdı. Füsun hemen yanındaki mutfağa elinde tabaklar, tencereler gidip gelirken, benimle televizyon arasına sürekli girip çıkardı. Babası, annesi ekrandaki filme, bilgi yarışmasına, hava raporuna, askerî darbe yapan paşamızın öfkeli bir nutkuna, Balkan Güreş Şampiyonası'na, Manisa Mesir Macunu Şenliği'ne ve Akşehir'in düşman işgalinden kurtuluşunun altmışıncı yıl törenlerine dalmışken, ben güzelimin önümde bir sağa bir sola gidip gelişlerini, annesinin babasının yaptığı gibi asıl konuyla arama girmiş bir şey gibi değil, asıl konunun bu olduğunu bilerek zevkle seyrederdim.

Keskinlerin evine gittiğim 1593 gecede, vaktin büyük bir kısmını sofrada masanın uzun kısmında televizyona bakıp oturarak geçirdim. Ama oraya sekiz yılda kaç gün gittiğimi söylediğim rahatlıkla, her seferinde orada ne kadar oturduğumu, evde ne kadar kaldığımı söyleyemem. Çünkü bu konu bana utanç verdiği için, dönüş saatimin aslında evden çıkış saatinden çok daha erken olduğuna hep inandırırdım kendimi. Vakti bizlere hatırlatan şey, televizyonun kapanış saatiydi elbette. TRT'nin, Türkiye'nin bütün kahvehanelerinde, kumarhanelerinde seyredilen ve dört dakika süren kapanış töreninde, uygun adımlarla yürüyen askerler göndere bayrak çekip onu selamlarken, arkada bir de İstiklal Marşı duyulurdu. Her ziyaretimde ortalama saat yedide gelip televizyon yayını bittiği, bayrak çekildiği sırada, saat on iki civarında döndüğüm düşünülürse, her gece Füsunlarda beş saat kaldığım çıkar ortaya, ama daha da uzun kalırdım.

Ziyaretlerimin başlamasından dört yıl sonra, 1980 Eylülü'nde yeni bir askerî darbe daha yapıldı, sıkıyönetim ilan edildi, gece sokağa çıkma yasağı kondu. Akşam saat onda başlayan bu yasaklar yüzünden, uzun bir dönem Keskinlerin evinden saat ona çeyrek kala, Füsun'u görmeye doyamadan çıkmak zorunda kaldım. O gecelerde dönüş yolunda sokağa çıkma yasağının başlamasından önceki dakikalarda şehrin hızla boşalan karanlık sokaklarında, Çetin'in kullandığı arabada süratle ilerlerken, akşam Füsun'u yeterince görememenin acısını hissederdim. Şimdi, yıllar sonra, gazetelerde askerlerin ülkenin halinden hoşnut olmadıklarını, yeni bir askerî darbe daha olabileceğini her okuyuşumda, askerî darbenin kötülüğü olarak aklıma ilk Füsun'a doyamadan eve alelacele dönmelerim gelir.

Keskinlerle aramızdaki ilişki, yıllar boyunca tabii ki çeşit çeşit aşamadan geçti; sohbetlerimizin, beklentilerin, sessizliklerin anlamı, orada ne yaptığımız, sanki aklımızda sürekli değişti. Benim için değişmeden kalan tek şey, oraya gidiş nedenimdi: Ben oraya elbette Füsun'u görmeye gidiyordum. Onların ve Füsun'un da, bundan hoşlandığını varsayıyordum. Füsun ve ailesi benim oraya Füsun'u görmeye geldiğimi açıkça kabul edemeyeceği için, hepimizce kabul edilen ortak bir başka nedenimiz vardı. Ben oraya, Füsunların evine "misafirliğe" gidiyordum. Ama bu muğlak kelime bile inandırıcı olmadığı için, bize daha az huzursuzluk verecek başka bir kelimeyi içgüdüyle tercih ederdik. Ben Keskinlerin evine haftada dört akşam "oturmaya" gidiyordum.

"Oturma" tabirinin, Türk okurlarımın çok iyi bildiği, ama müzemin yabancı ziyaretçilerinin hemen anlayamayacağı "misafirliğe gelmek", "geçerken uğramak", "birlikte vakit geçirmek" gibi, sözlüklerde vurgulanmayan ama çok yaygın anlamını, özellikle Nesibe Hala sık sık kullanırdı. Akşam evden ayrılırken, bana nezaketle hep şöyle derdi Nesibe Hala:

"Kemal Bey yarın gene gelin, gene otururuz."

Bu sözler, orada akşamları sofrada oturmaktan başka bir şey yapmadığımız anlamına gelmezdi. Televizyon seyrediyor, bazan uzun uzun susuyor, bazan çok tatlı sohbet ediyor ve tabii yemek yiyip rakı içiyorduk. Nesibe Hala, beni akşamları beklediklerini söylemek için ilk yıllarda, seyrek de olsa bu faaliyetleri de hatırlatırdı. "Kemal Bey, yarın gene bekleriz, sevdiğiniz kabak dolmasından *yeriz*," ya da "Yarın televizyonda buz pateni yarışmasını *seyrederiz*, naklen veriyorlar," derdi. O bunu söylerken ben Füsun'a bir bakış atar, yüzünde onaylayıcı bir ifade, bir gülümseme görmek isterdim. Nesibe Hala "Gelin otururuz," derse ve Füsun bunu onaylarsa, kelimelerin bizi aldatmadığını, yaptığımız asıl şeyin birlikte aynı mekânda bulunmak, evet, birlikte oturmak olduğunu düşünürdüm. Oraya asıl geliş nedenim olan Füsun ile aynı mekânda bulunma isteğime en saf biçimiyle dokunduğu için, "oturmak" kelimesi çok yerindeydi. Halkı küçümsemeyi iş edinmiş bazı aydınlar gibi, Türkiye'de her gece "birlikte oturan" milyonlarca kişinin bu kelimelerle aslında hiçbir şey yapmadıklarını ortaya koyduklarını asla düşünmez, tam tersi, birbirlerine sevgiyle, dostlukla, hatta tam ne olduklarını bilmedikleri, daha derin içgüdülerle bağlı insanlar arasında "birlikte oturmanın" bir ihtiyaç olduğunu geçirirdim aklımdan.

Müzemizin bu noktasında olaylara, o sekiz yıla bir giriş ve saygı işareti olarak, Füsunların Çukurcuma'da oturdukları binanın ikinci, onların evinin ilk katının maketini sergiliyorum. Üst katta Nesibe Hala'yla Tarık Bey'in ve Füsun ile kocasının odaları, arada da bir banyo vardı.

Müze ziyaretçisi makete dikkatle bakınca, yemek masasının uzun köşesinde, benim yerimi görür hemen. Müzemizi ziyaret edemeyen meraklılar için anlatayım: Televizyon hafifçe solda karşımdaydı; mutfak ise, karşımda sağdaydı. Arkamda içi dolu bir büfe vardı, bazan sandalyemin arka ayakları üzerinde yaylanınca büfeye çarpardım. O zaman içindeki kristal bardaklar, gümüş ve porselen şekerlikler, likör takımları, hiç kullanılmayan kahve fincanları, her orta sınıf İstanbul evinde büfede sergilenen çeşmi bülbül küçük vazo, eski saat, çalışmayan gümüş bir çakmak ve diğer ıvır zıvır, büfenin cam rafıyla birlikte bir an titrerdi.

Sofradaki herkes gibi, yıllarca akşamları televizyona bakarak oturdum, ama bakışlarımı hafifçe soluma çevirince Füsun'u rahatlıkla görebilirdim. Bunun için başımı ona doğru çevirmeme ya da kıpırdatmama gerek yoktu hiç. Bu da televizyon seyrederken yalnızca gözlerimi oynatarak kimseye fark ettirmeden uzun uzun Füsun'u seyretme imkânını veriyordu bana. Bunu çok yaptım, bu konuda uzmanlaştım.

İzlediğimiz filmin duygulu, yoğun anlarında ya da ekranda hepimizi heyecanlandıran bir haber başladığında, Füsun'un yüzünde beliren ifadeyi seyretmekten büyük bir zevk alır; daha sonraki günlerde, aylarda o filmin o en dokunaklı sahnesini, Füsun'un yüzündeki ifadeyle birlikte hatırlardım. Bazan filmdeki dokunaklı sahneden önce Füsun'un yüzündeki ifade gözümün önünde canlanır (bu Füsun'u özlediğim, akşam yemeğine gitmem gerektiği anlamına gelirdi), sonra da filmin o sahnesi gelirdi aklıma. Sekiz yıl boyunca Keskinlerin sofrasında seyrettiğimiz filmlerin en yoğun, en çok içe işleyen ve en tuhaf anları, bu anlara eşlik eden Füsun'un yüz ifadesiyle birlikte hafızama kazınmıştır. Füsun'un bakışının anlamını, hangi yüz ifadesinin filmlerdeki hangi duygulara denk düştüğünü sekiz yılda öylesine iyi öğrenmiştim ki, filmi dikkatle izlemesem bile, Füsun'un yandan göz ucuyla gördüğüm yüz ifadesinden, seyretmekte olduğumuz sahnede ne olup bittiğini çıkarabilirdim. Bazan da aşırı içkiden, yorgunluktan, Füsun ile birbirimize gene küstüğümüz için dikkatle izleyemediğim televizyonda önemli birşeyler olduğunu, Füsun'un bakışlarından anlardım yalnızca.

Masada, Nesibe Hala'nın daha sonra oturacağı yerin yanında, üzerindeki başlığı her zaman yamuk duran ayaklı bir lamba, onun yanında da L biçimi bir divan vardı. Yemekten, içmekten, gülüşüp konuşmaktan çok yorulduğumuz bazı geceler, Nesibe Hala "Hadi biraz da divanda oturalım," ya da "Kahvelerinizi masadan kalkınca vereceğim!" der, o zaman ben, divanın büfe kenarındaki ucuna, Nesibe Hala öbür ucuna, Tarık Bey de cumbanın kenarındaki iki koltuktan yokuş tarafındakine otururdu. Yeni oturduğumuz bu yerlerden ekranı iyi görebilmek için televizyonun duruş açısını değiştirmek gerekir, bunu masanın kenarındaki yerini değiştirmeyen Füsun yapardı. Bazan da Füsun televizyonun açısını ayarladıktan sonra, divanın öbür ucuna, annesinin yanına oturur, anne-kız televizyonu birbirlerine yaslanarak seyrederlerdi. Bazan Nesibe Hala televizyon seyrederken kızının saçlarını, sırtını okşar; ben anne-kız arasındaki bu mutlu yakınlığı tıpkı kafesinden ilgiyle bizi izleyen Limon gibi göz ucuyla seyretmekten özel bir haz alırdım.

L biçimindeki divanın üzerindeki yastıklara iyice yaslanınca, gecenin ilerleyen saatlerinde, Tarık Bey ile birlikte içtiğimiz rakının da etkisiyle bazan uykum gelir; bir gözümle televizyondaki programı izlerken, bir gözümle de sanki ruhumun derinliklerini seyreder; hayatın beni getirdiği tuhaf yerden utanarak, öfkeyle yerimden kalkıp evden çıkmak isterdim. Bunları Füsun'un bakışlarından memnun olmadığım, bana az gülümsediği, umut vermediği, elimin, kolumun, gövdemin rastlantıyla, yanlışlıkla ona değmesini soğuk karşıladığı kötü, karanlık gecelerde hissederdim.

Bu anlarda yerimden kalkar, cumbanın ortadaki ya da sağ yandaki penceresinin perdesini hafifçe aralayarak, Çukurcuma Yokuşu'nu seyrederdim. Nemli, yağışlı günlerde, sokağın parke taşları üzerinde sokak lambasının ışığı parıldardı. Bazan cumbanın ortasındaki kafesinde ağır ağır yaşlanmakta olan kanarya Limon'la ilgilenirdim. Tarık Bey ve Nesibe Hala, gözlerini televizyondaki hareketten ayırmadan, Limon hakkında "Yemini yemiş mi?", "Suyunu değiştirelim mi?", "Bugün keyifsiz galiba," gibi bir şey söylerlerdi.

Birinci katta, arkada dar bir balkonu olan bir oda daha vardı. Burası gün boyunca daha çok kullanılır, Nesibe Hala dikişlerini burada diker, evdeyse Tarık Bey gazetesini burada okurdu. İlk altı aydan sonra, sofrada huzursuzluğa kapıldığım, bir aşağı bir yukarı yürüme isteği duyduğum zamanlarda, eğer lambası da yanıyorsa, sık sık bu odaya girip balkon penceresinden baktığımı, dikiş makinesi, terzi eşyaları, eski gazete ve dergiler, açık dolaplar ve ıvır zıvır kalabalığı arasında durmaktan ve bir süre Füsun özlemimi dindirecek bir eşyayı kaşla göz arasında cebime indirmekten hoşlandığımı hatırlıyorum.

Bu odanın balkon penceresinden bakarken, hem pencereden yansıyan içerideki yemek yediğimiz odayı görebilir, hem de arkadaki dar sokağa sıralanmış, yoksul evlerinin içlerini seyredebilirdim. Bu evlerden birinde, üzerinde bir yün gecelik, her akşam uyumadan önce, bir ilaç kutusunu açıp içinden bir hap çıkarıp kutunun içindeki kâğıdı dikkatle okuyan şişmanca bir kadını birkaç defa uzun uzun seyretmiştim. Kadının yıllarca babamın fabrikasında çalışan takma elli rahmetli Rahmi Efendi'nin karısı olduğunu, bir akşam arka odaya yanıma gelen Füsun'un sözlerinden anladım.

Füsun arka odaya, orada ne yaptığımı merak ettiği için geldiğini fısıldayarak söylemişti. Onunla karanlıkta, pencerenin önünde yan yana durup bir süre manzaraya baktık. O sırada Keskinlere sekiz yıl süren akşam ziyaretlerimin kalbinde yatan ve bana kalırsa dünyanın bu köşesinde erkek ve kadın olmanın da kalbinde yatan sorunu içimde derinden hissettiğim için ayrıntıları anlatayım:

Bana kalırsa, o gece Füsun, masadan kalkıp yanıma bana yakınlık göstermek için gelmişti. Yanımda sessizce durup, bu sıradan manzaraya bakması da bunu gösteriyordu. Sırf Füsun yanımda olduğu için bana olağanüstü şiirsel gözüken kiremitlerle çinko damlara, dumanı hafifçe tüten bacalara, aydınlık pencerelerdeki ailelerin ev içlerinde hareket edişine bakarken, içimden elimi Füsun'un omzuna koymak, ona sarılmak, ona dokunmak geliyordu.

Ama Çukurcuma'daki evdeki ilk haftalardaki sınırlı tecrübem, bunu yaparsam Füsun'un bana çok soğuk ve sert davranacağını, (neredeyse taciz edilmiş gibi) beni iteceğini ya da bir anda sırtını dönüp gideceğini, onun bu hareketinin bana olağanüstü acı vereceğini ve bir süre karşılıklı küskünlük oynayacağımızı (yavaş yavaş uzmanlaştığımız bir oyun), belki bir süre Keskinlere akşam yemeğine bile gitmeyeceğimi söylüyordu bana. Bunu bilmeme rağmen ruhumun derinliklerinden gelen bir şey beni kuvvetle ona dokunmaya, onu öpmeye, en azından ona yandan yaslanmaya itiyordu. İçtiğim rakının da bunda etkisi vardı. Ama içmeseydim de, bu ikilemi içimde acıyla ve kuvvetle hissedecektim.

Kendimi tutup ona dokunmamayı başarırsam –ki hızla bunu öğreniyordum– Füsun bana daha da yaklaşacak, belki hafifçe ve "yanlışlıkla" o bana dokunacak, belki tatlı bir-iki söz daha söyleyecekti. Ya da birkaç gün önce söylediği gibi "Canını sıkan bir şey mi oldu?" diyecekti. O sırada "Gecenin bu sessizliğini, damlarda gezen kedileri çok seviyorum," dedi Füsun ve ben gene aynı ikilemi içimde neredeyse acıyla hissettim. Şimdi ona dokunabilir, onu tutabilir, öpebilir miydim? Bunu çok istiyordum. Belki ilk haftalarda, ilk aylarda –daha sonra yıllarca düşündüğüm gibi– bana herhangi bir davette bulunmuyor; liseyi bitirmiş, görgülü, zeki bir kızın, zengin ve âşık uzak bir hısmına uygarca ve nezaketle söylemesi gereken şeyleri söylüyordu yalnızca.

Şu anlattığım ikilemle sekiz yıl çok düşünmüş, çok kahrolmuşumdur. Pencereden dışarıya, burada bir resmini sergilediğim gece manzarasına en fazla iki-iki buçuk dakika baktık. Müzegezer bu manzaraya bakarken benim ikilemimi içinde hissetsin lütfen ve Füsun'un bu konuda çok ince ve zarif davrandığını unutmasın.

"Bu manzarayı yanımda sen olduğun için bu kadar güzel buluyorum," dedim en sonunda.

"Hadi, babamlar merak ediyordur," dedi Füsun.

"Sen yanımda oldukça, böyle bir manzaraya yıllarca mutlulukla bakabilirim," dedim ben.

"Yemeğin soğuyor," dedi Füsun ve masaya döndü.

Söylediği sözün soğukluğunun farkındaydı. Ben de masaya dönüp yerime oturduktan az sonra, Füsun kaşlarını çatmayı bıraktı. Tam tersi iki kere tatlılıkla, içtenlikle güldü ve daha sonra koleksiyonuma katacağım tuzluğu bana verirken parmaklarının benim elime iyice değmesine izin verdi, her şey de tatlıya bağlandı.

56. LİMON FİLMCİLİK T.A.Ş.

Üç yıl önce Tarık Bey, kızının annesinin destek ve onayıyla güzellik yarışmasına katıldığını öğrenince kıyametleri koparmış, ama Füsun'u çok sevdiği için ağlayıp yalvarmalarına dayanamamış, daha sonraki tepkileri işitince de, rezaleti hoş gördüğü için pişman olmuştu. Ona göre Atatürk zamanında, Cumhuriyet'in ilk yıllarında yapılan ve kızların siyah mayolar giyip, podyuma çıkıp hem Türk tarihine ve kültürüne olan ilgilerini kanıtladıkları hem de ne kadar modernleştiklerini bütün dünyaya kanıtladıkları güzellik yarışmaları iyi şeylerdi. Ama 1970'lerde hiçbir kültürü ve terbiyesi olmayan şarkıcı ve manken adayı bayağı kızların katıldığı yarışmalar artık başkaydı. Eski yarışmalarda sunucular, efendi bir edayla, yarışmacı kıza ileride nasıl biriyle evlenmeyi düşlediğini sorarlarken, onun bakire olduğunu kibarca ifade etmiş olurlardı. Şimdi ise "erkeklerde ne aradıklarını" (doğru cevap: karakter) sorarlarken, Hakan Serinkan gibi yılışık bir şekilde sırıtırlardı. Tarık Bey, kızının böyle serüvenlere bir daha girmesini hiç istemediğini, evinde yaşayan filmci damadına da birkaç kere açıkça söylemişti.

Füsun, babasının kendisinin film yıldızı olmasına da karşı çıkmasından, önüne gizli-açık engeller koymasından korktuğu için, kocasının çekeceği 'sanat filmi' konusunu Tarık Bey'in duymayacağı bir şekilde konuşuyor, en azından öyle yapıyormuş gibi fısıldaşıyorduk. Bana kalırsa Tarık Bey, ailesine gösterdiğim ilgiden ve akşamları benimle içmekten ve sohbetten hoşlandığı için konuyu duymazlıktan geliyordu. Çünkü "sanat filmi" konusu ilk yıllarda Keskinlere haftada dört akşam niye geldiğimi, Nesibe Hala'nın da çok iyi bildiği asıl nedeni perdelemek için inandırıcı bir bahaneydi. İlk aylarda damat Feridun'un iyi niyetli ve sevimli yüzüne her bakışımda, onun hiçbir şeyden haberi olmadığını sanmama rağmen, daha sonra onun da her şeyden haberdar olduğunu, ama karısına güvendiğini, beni ciddiye bile almayıp arkamdan alay ettiğini ve tabii filminin çekilebilmesi için benim desteğime çok ihtiyacı olduğunu düşünmeye başlamıştım.

Kasım'ın sonuna doğru, Füsun'un da yönlendirmesiyle Feridun senaryosuna son şeklini verdi ve yazılı metin, prodüktör adayı bana, son kararımı bildirmem için çatık kaşlı Füsun'un bakışları altında resmî bir havayla bir akşam yemeğinden sonra, merdivenlere açılan sahanlıkta teslim edildi.

"Kemal, bunu anlayışla ve dikkatle okumanı istiyorum," dedi Füsun. "Ben bu senaryoya inanıyor, sana da güveniyorum. Beni kırma."

"Hiç kırmam, canım. Bu (elimdeki dosyayı işaret ettim) sen oyuncu olacağın için mi, yoksa film "sanat filmi" (1970'lerde Türkiye'de üretilmiş özel bir kavram) olacağı için mi bu kadar önemli?"

"İkisi de."

"O zaman sen filmi çekilmiş bil."

Mavi Yağmur adlı senaryoda Füsun'a, bana ya da aşkımıza ve hikâyemize yeni bir ışık düşürecek hiçbir şey yoktu: Bu yaz zekâsına ve akıllı çözümlemelerine saygı duyduğum Feridun, belirli bir kültür ve eğitim düzeyine erişmiş ve Batılılar gibi "sanat filmi" yapmayı gerçekten çok özleyen, ama bunu bir türlü yapamayan Türk filmcilerinin yanlışları diye bana tek tek anlattığı şeyleri (taklit, yapmacıklık, ahlakçılık, kabalık, melodram, ticari popülizm vs.) şimdi kendisi niye yapmıştı? Sıkıcı senaryoyu okurken, sanat hevesinin, tıpkı aşk gibi, aklımızı körleştiren, bildiğimiz şeyleri bize unutturan ve gerçekleri bizden saklayan bir hastalık olduğunu düşündüm. Feridun'un ticari kaygılarla senaryoya koyduğu Füsun'un soyunacağı (bir kere sevişirken, bir kere Fransız "Yeni Dalga" tarzı köpüklü küvette düşünceli bir şekilde sigara içerken, bir kere de rüyasında bir cennet bahçede gezinirken) üç sahne de zevksiz ve gereksizdi!

Zaten hiç güvenemediğim bu film tasarısına, bu sahneler yüzünden iyice karşı olmuştum. Bu konudaki öfkeli kararlılığım, Tarık Bey'inkinin olabileceğinden de sertti. Film işini bir süre yokuşa sürmem gerektiği kararına böylece kesinlikle vardıktan sonra da, Füsun'la kocasına hemen senaryonun çok iyi olduğunu söyledim, Feridun'u tebrik ettim ve artık harekete geçmeye karar verdiğimi, bunun için bir "prodüktör olarak" (kendimi ciddiye almamla alay ederek bir prodüktör pozu yaptım burada) –Feridun'un önerdiği gibi– teknik adam ve oyuncu adaylarıyla görüşmelere hazır olduğumu bildirdim.

Böylece kış başında Füsun'un da katılmasıyla üçümüz Beyoğlu'nun arka sokaklarındaki "lokallere", yapımcı yazıhanelerine, ikinci sınıf oyuncuların, hevesli yıldız adaylarının, figüranların, set işçilerinin gittiği, okey oynanan kahvelere ve en çok da akşamüstlerinden geç saatlere kadar yapımcı, rejisör ve yarı ünlü oyuncuların içki içip yemek yedikleri barlara gitmeye başladık. Aralıklarla ziyaret ettiğimiz bütün bu yerler, Keskinlerin evinden on dakikalık bir yokuş uzaklığındaydı ve bu yol bazan bana Nesibe Hala'nın, Feridun'un Füsun ile bu yerlere yürüyüş mesafesinde oturmak için evlendiğini söylediğini hatırlatırdı. Bazı akşamlar onları kapıdan alırdım, bazı akşamlar da anne ve babasıyla birlikte yemek yedikten sonra üçümüz, ben, Feridun ve onun koluna giren Füsun, birlikte Beyoğlu'na çıkardık.

En çok gittiğimiz Pelür Bar'a, film yıldızlarıyla yıldız olmak isteyen kızlarla karşılaşmak isteyen yeni zenginler, İstanbul'da iş hayatına atılan ve eğlenmek isteyen taşralı ağa çocukları, yarı ünlü gazeteciler, film eleştirmenleri ve dedikodu yazarları geliyordu. Kış boyunca, yazın da gördüğümüz filmlerde yardımcı rollerde oynamış pek çok kişiyle (bu arada namussuz muhasebeci rolünde yazın seyrettiğimiz Feridun'un kaytan bıyıklı arkadaşıyla da) tanıştık ve birbirleri hakkında acımasızca dedikodu yapan, herkese hayat hikâyesini ve film tasarısını anlatan ve birbirlerini her gün görmeden yapamayan bu sevimli, öfkeli ve umudunu henüz tüketmemiş insanlardan yapılmış cemaatin parçası olduk.

Çok sevilen Feridun, kimisine hayran olduğu, kimisine yardımcılık ettiği ve hep iyi geçinmek istediği bu sinema insanlarının masalarına gidip saatlerce oturduğu için, biz Füsun'la masamızda sık sık baş başa kalırdık, ama bunlar beni mutlu eden özel zamanlar olmazdı. Füsun, Feridun yanımızdayken takındığı "Kemal Ağabeyli" yarı masum yarı sahte dili ve kişiliği çok seyrek olarak bırakır, benimle içtenlikle konuşursa, söyledikleri, masamıza oturup kalkan adamlarla ve gelecekteki film hayatıyla ilgili benim de dikkat etmem gereken bir uyarı olurdu.

Rakıyı fazla kaçırdığım ve gene baş başa kaldığımız bir akşam, Füsun'un film hayalleriyle küçük hesaplarından sıkılmış, bir an onu da etkileyecek bir gerçeği gördüğümü sanmış, söyleyeceklerime onun da ikna olacağını içtenlikle hissetmiştim. "Canım, gir koluma, bu berbat yerden hemen şimdi birlikte çıkalım," demiştim. "Paris'e ya da dünyanın öbür ucuna, Patagonya'ya gidelim. Bütün bu insanları unutalım ve ikimiz sonsuza kadar mutlu olalım."

"Kemal Abi, hiç olur mu? Artık hayatlarımız ayrı yollara girdi," demişti Füsun.

Bara her gün gidip gelen ve kendilerine "Biz burada kadroluyuz," diyen sarhoş kalabalık, birkaç ay sonra Füsun'u genç ve güzel gelin olarak benimsemiş, beni de sanat filmi çektirmek isteyen "iyi niyetli salak milyoner" olarak şüphe ve alaycılıkla kabul etmişti. Ama bizleri tanımayanlar, tanıyıp da gene de bir kere Füsun'a asılıp şansını denemek isteyen sarhoşlar, bar bar gezerken uzaktan onu görenler ve hayat hikâyelerini başkalarının öğrenmesini saplantılı bir şekilde arzulayanlar (çok büyük bir kalabalıktı bu takım) bizi çok az yalnız bırakırlardı. Ellerinde rakı bardağı masamıza oturup hemen konuşmaya başlayan yabancıların beni Füsun'un kocası sanmaları hoşuma gider; Füsun ise, her seferinde kalbimi kıran bir özenle, kocasının "oradaki masada oturan şişman" olduğunu gülümseyerek söyler; bu da yeni misafirinin de beni adamdan saymayıp ona umutsuzca asılması sonucunu verirdi.

Herkesin asılması başka türlüydü. Kimisi fotoromanlar için onun gibi "masum yüzlü Türk tipi güzel esmer" aradığını söyler; kimisi çekimine az sonra başlanacak yeni bir Hazreti İbrahim filminde baş kadın oyuncu rolünü hemen teklif eder; bazısı hiç konuşmadan saatlerce gözlerinin içine bakar; bazısı her şeyin maddileştiği bu para dünyasında, hiç kimsenin durup fark etmediği küçük inceliklerden ve güzelliklerden söz açar; bazıları hapishaneye düşmüş çilekeş şairlerden aşk, özlem ve vatan şiirleri okurken, uzak masalarda oturanlar ya hesabımızı öder ya da bir tabak meyve yollarlardı. Benim yokuşa sürmem ve isteksizliğim yüzünden kış sonunda artık daha seyrek gittiğimiz Beyoğlu mekânlarında her seferinde karşılaştığımız, filmlerde gaddar gardiyan, kötü kadının nedimesi rollerini oynayan iri yarı bir kadın vardı. Evinde verdiği ve "Füsun gibi pek çok okullu, kültürlü genç kızın" katıldığı dans partilerine onu çağırır; pantalon askılı, papyonlu, koskocaman göbekli kısacık bir ihtiyar eleştirmen de akrep misali çirkin elini Füsun'un omzuna koyup onu "çok çok büyük bir şöhretin" beklediğini, belki de uluslararası üne ulaşan ilk Türk film yıldızı olacağını söyleyerek adımlarını dikkatli atması öğüdünü verirdi.

Füsun doğru-yanlış, ciddi-saçma bütün film ve fotoroman ve modellik tekliflerini ciddiyetle dinler, herkesin adını aklında tutar, tanıdığı ünlü-ünsüz bütün film oyuncularını, tezgâhtarlık yaparken öğrendiğini sandığım bir ölçüsüzlükle abartılı ve hatta bayağı övgülere boğar, bir yandan herkesi memnun etmeye çalışırken, bir yandan da tam tersi bir şeyi yapmaya, herkese ilginç gözükmeye çalışır ve bu yerlere hep birlikte daha çok gitmemizi isterdi. Ona her iş teklifi yapana telefonunu vermemesini, babasının işitirse çok huzursuz olacağını söylediğimde, önce ne yaptığını bildiğini, Feridun'un filmi bir zorluk çıkar da çekilmezse, artık başka bir filmde oynamayı düşündüğünü öfkeyle söylemişti bir kere. Benim çok kederlenerek başka bir masaya gitmemden az sonra, Feridun'u alıp yanıma gelmiş, "Geçen yazki gibi üçümüz yemeğe gidelim," demişti.

Yavaş yavaş, ama biraz da utançla bir parçası olmaya alıştığım bu film ve bar cemaatinden iki yeni arkadaş edinmiştim, dedikoduları onlardan alıyordum. Biri, Sühendan Yıldız, ilk Türk estetik cerrahi denemelerinden birisiyle burnu parçalanarak tuhaf ve itici bir biçime sokulmuş, ama bu burnun verdiği "kötü kadın" kimliğiyle tanınan orta yaşlı bir kadın oyuncuydu. Diğeri, Salih Sarılı, yıllarca otoriter subay ve polis rollerinde oynadıktan sonra, şimdi ekmek parası için yarı meşru yerli porno filmlere dublaj yapan ve bu sırada başından geçen gülünç şeyleri hırıltılı sesiyle güle öksüre anlatan bir "karakter oyuncusu"ydu.

Birkaç yıl içinde yalnız Salih Sarılı'nın değil, Pelür Bar'da tanışıp ahbaplık ettiğimiz oyuncuların büyük çoğunluğunun yerli porno film sanayiinde çalıştığını, tıpkı insanın arkadaşlarının çoğunun gizli örgüt üyesi olduğunu öğrenmesi gibi şaşırarak öğrenmiştim. Hanımefendi tavırlı orta yaşlı kadın yıldızlar, Salih Bey gibi karakter sahibi oyuncular yurtdışından gelen çok da edepsiz olmayan filmlere ekmek parası için dublaj yapar, sevişme sahnelerinde filmin tam gösteremediği ayrıntıları akla getiren abartılı sevişme sesleri çıkarır, çığlıklar atarlardı. Çoğu evli, çocuklu ve ciddiyetleriyle tanınan bu oyuncular, bu işi ekonomik bunalım sırasında "sinema dünyasından kopmamak" için yaptıklarını arkadaşlarına söylerler, ama başta aileleri herkesten de gizlerlerdi. Yine de özellikle taşrada, tutkulu hayranları onları seslerinden tanır ve ya nefret ya da iltifat mektupları yollarlardı. Daha gözükara ve para hırslısı oyuncular ve çoğu Pelür müdavimi olan başka bazı prodüktörler ise, tarihe "ilk Müslüman porno filmleri" olarak geçmesi gereken yerli filmleri o günlerde çekmişlerdi. Çoğu seks ile mizahı karıştıran bu filmlerin sevişme sahnelerinde kalıplaşmış aynı abartılı çığlıklar gene atılır, Avrupa'dan kaçak gelmiş kitaplardan öğrenilmiş bütün sevişme pozisyonları bir bir taklit edilir, ama kadın-erkek bütün oyuncular, tıpkı dikkatli, ihtiyatlı bakire kızlar gibi donlarını asla çıkarmazlardı.

Hep birlikte Beyoğlu'na, sinemacıların takıldığı mekânlardan birine çıktığımızda, en çok da Pelür'de Füsun ile Feridun yeni insanlarla tanışmak, piyasayı öğrenmek için masa masa gezerlerken, ben orta yaşlı bu iki yeni arkadaşımın özellikle kibar Sühendan Hanım'ın "dikkatli olmam" için yaptığı bütün uyarıları dinlerdim. Mesela, şuradaki sarı kravatlı, tiril tiril ütülü gömlekli, badem bıyıklı, beyefendi görünüşlü prodüktör ile Füsun'un konuşmasını bile yasaklamalıydım, çünkü bu ünlü prodüktör Atlas Sineması'nın üst katındaki ünlü yazıhanesinde otuz yaşından genç herhangi bir kadınla yalnız kaldığında, hemen kapıyı kilitleyip kadının ırzına geçer, daha sonra ağlayan kadına filmlerinde başrol teklif eder, filmin çekimine başlandığında ise, başrol diye sözü edilen şeyin üçüncü sınıf bir rol –iyi kalpli Türk zengininin evinde dolaplar çevirerek herkesi birbirine düşüren Alman dadı rolü– olduğu çıkardı ortaya. Ya da Feridun'un sürekli yanına sokulup şakalaştığı, sanat filmine teknik destek verecek diye her şakasına güldüğü eski patronu prodüktör Muzaffer'e dikkat etmeli, en azından Feridun'u uyarmalıydım. Çünkü bu arsız adam, çok değil, iki hafta önce, gene Pelür Bar'da, gene aynı masada, bu sefer Füsun ve kocasıyla değil, sürekli ticari rekabet halinde olduğu orta boy iki film şirketinin patronuyla, önümüzdeki bir ay içinde Füsun'u elde edeceği konusunda bir şişe kaçak Fransız şampanyasına bahse girmişti. (Batılı ve Hıristiyan bir lüks maddesi olarak şampanya fetişizmi dönemin filmlerinde çok vardı.) Yıllarca filmlerde sıradan kötü kadını (şeytani değil) oynayan ve magazin basınının Türk milletine Hain Sühendan diye tanıttığı ünlü yıldız bana bu hikâyeleri anlatırken, bir yandan da elindeki uzun örgü şişleriyle üç yaşındaki sevimli torunu için, örneğini bana gösterdiği *Burda* dergisinden aldığı, üç renkli kışlık bir yün kazak örüyordu. Kucağında kırmızı, yeşil ve lacivert yün çileleriyle bar köşelerinde oturmasıyla alay edenlere, "Ben yeni iş beklerken siz sarhoşlar gibi boş oturmuyorum," der ve hanımefendiliği bir an rahatlıkla bırakıp bir de sunturlu küfür savururdu.

Pelür gibi yerlerde, akşam saat sekizden sonra bütün aydınlar, filmciler ve küskün yıldızlar iyice sarhoş olunca kaçınılması imkânsız olan bu tür kabalıklardan huzursuz olduğumu gören olgun dostum Salih Sarılı, yıllarca oynadığı adil ve idealist polis rollerini hatırlatan romantik bir havayla gözlerini benden kaçırarak uzaklara, uzak masalardan birinde gülüşerek oturan Füsun'a dikmiş ve kendisi benim gibi çok zengin bir işadamı olsaydı, artist olsun diye güzel akrabasını bu tür yerlere –oturup içtiğimiz Pelür Bar'ı kastediyordu– asla götürmeyeceğini söylemişti. Bu elbette kalbimi kırmıştı. Bunun üzerine ben de, aklımdaki "Füsun'a kötü gözlerle bakan erkekler" listesine oyuncu dublajcı dostumun adını da eklemiştim. Hain Sühendan da, bir daha hiç unutamadığım bir laf etmişti bir keresinde: Kırmızılı, yeşilli ve lacivertli bir kazak ördüğü torununu doğuran kendi kızı gibi iyi, çok iyi bir anne olabilecek yaştaydı ve çok tatlı, cici ve iyi bir insandı akrabam güzel Füsun. Bizim burada ne işimiz vardı?

Bu endişelere gün geçtikçe ben de kapıldığım için, 1977 başında, Feridun'a artık film için teknik ekip konusunda bir karara varması gerektiğini hissettirdim. Her geçen hafta Füsun Beyoğlu barlarında, sinemacı mekânlarında yeni arkadaşlar ediniyor; bu arkadaşların hayranlığı, yeni iş teklifleri, fotoroman ve reklam çekimi önerileri getiriyordu. Oysa ben hemen her gün, kısa bir süre içerisinde Füsun'un Feridun'dan ayrılacağını gerçekçi bir havayla düşünüyor; Füsun'un tatlı, arkadaşça gülümsemelerinden, bana dokunup kulağıma eğlenceli hikâyeler fısıldamalarından bu günün çok yakın olduğunu hissediyordum.

Feridun'dan ayrıldıktan hemen sonra evlenmeyi düşündüğüm Füsun'un bu dünyaya çok fazla girmemesi, onun için de iyi olacak, diyordum kendi kendime. Füsun'u bu insanlarla düşüp kalkmadan da oyuncu yapardık. Feridun'un Füsun ile birlikte artık bu işleri Pelür Bar'dan değil, bir yazıhaneden yönetmesinin daha iyi olacağına o günlerde karar verdik. Artık öngörüşmeler yeterince ilerlemişti, Feridun'un yapacağı filmler için bir de şirket kuracaktık.

Füsun'un önerisiyle, şirkete gülüşerek kanaryamız Limon'un adını verdik. Sevimli kuşun resmini de koyduğumuz bu küçük kartvizitten anlaşılacağı gibi, Limon Film'in yazıhanesi Yeni Melek Sineması'nın hemen bitişiğindeydi.

Özel bir hesabım olan Ziraat Bankası'nın Beyoğlu şubesine, her ay başı Limon Film'e 1200 lira yatırılmasını emrettim. Satsat'taki en yüksek maaşlı iki müdürümün aldığı toplam paradan biraz yüksekti bu miktar ve yarısını Feridun şirket müdürü olarak alacak, geri kalanla da kirayı ödeyecek ve filmin masraflarını karşılayacaktı.

57. KALKIP GİDEMEMEK

Hiç acelesi olmadığına her geçen gün daha da çok inandığım filmin çekimine başlamadan önce, Feridun'a Limon Film üzerinden para vermeye başlamak içimi rahatlatmıştı. Artık Füsunlara giderken biraz daha az utanıyordum. Ya da daha doğrusu bazı akşamlar Füsun'u görmek için karşı koyulamayacak güçte bir istek duyarken, aynı anda ruhumda aynı güçte bir utanç uyanınca, artık onlara para verdiğimi, bu yüzden onlardan utanmamam gerektiğini söylerdim kendime. Füsun'u görme isteği aklımı öylesine köreltmişti ki, verdiğim paranın duyduğum utancı hangi mantıkla hafiflettiğini kendime sormazdım bile. 1977 baharında Nişantaşı'nda, bir akşam yemek vaktine doğru, annemle televizyona bakarken, gene aynı istekle aynı utanç arasında ikiye bölünüp koltukta (babamın yeri) taş kesilip, hiç kıpırdamadan yarım saat oturduğumu hatırlıyorum.

Annem, akşamüstleri beni evde gördüğü zamanlarda hep söylediği şeyi söylemişti:

"Bir akşam otur da, karşılıklı şöyle bir yemek yiyelim."

"Hayır, çıkacağım anneciğim..."

"Aman ne kadar çok eğlence varmış bu şehirde. Her akşam yetişiyorsun."

"Arkadaşlar çok rica ettiler, anneciğim."

"Senin annen değil, arkadaşın olmalıymışım. Yapayalnız kaldım hayatta... Bak ne diyeceğim... Bekri hemen gidip aşağıdan Kazım'dan pirzola alsın, sana ızgara yapsın. Benimle yemeğe otur. Pirzolanı ye, sonra gidersin arkadaşlarına..."

"Hemen şimdi inerim kasaba," dedi mutfaktan annemi işiten Bekri Efendi.

"Yok anneciğim, bu Karahanların oğlunun önemli daveti," diye uydurdum.

"Benim niye hiç haberim yok?" dedi annem haklı bir şüpheyle. Sık sık Füsunlara gittiğimi annem, Osman, kim ne kadar biliyordu? Bunları düşünmek istemezdim. Füsunlara gittiğim akşamlar, sırf şüphelenmesin diye bazan önce evde annemle oturup akşam yemeği yer, sonra bir de Füsunlarda yerdim. Böyle gecelerde, Nesibe Hala karnımın tok olduğunu hemen anlar, "Kemal, bu akşam hiç iştahın yok, türlüyü sevmedin mi?" derdi.

Bazan da evde akşam yemeğini annemle yer, Füsun'a duyduğum özlemin en şiddetli olduğu saatleri atlatırsam, o akşam kendimi tutup evde oturabileceğimi zannederdim, ama yemekten bir saat ve iki kadeh rakı sonra özlemim öyle artardı ki, annem bile durumu fark ederdi.

"Gene başladın bacaklarını sallamaya, çık sokağa biraz yürü gel istiyorsan," derdi. "Aman uzaklara gitme, sokaklar da tehlikeli oldu artık."

Soğuk Savaş'ın bir uzantısı olarak İstanbul sokaklarında birbirlerini vuran inançlı milliyetçilerle inançlı komünistlerin çatışmasıyla hikâyemi uzatmak istemem. O yıllarda sokaklarda sürekli cinayetler işlenir, gece yarıları kahvehaneler taranır, üniversitelerde her iki günde bir işgal-boykot gibi şeyler yaşanır, bombalar patlar, bankalar militanlarca soyulurdu. Şehrin bütün duvarları üst üste yazılmış sloganlarla rengârenkti. İstanbul'un büyük çoğunluğu gibi ben de siyaset ile hiç ilgilenmez, sokaklarda birbirlerini öldürenlerin savaşının kimseye yararı olmayacağını düşünür, siyasetin takımlar halinde hareket eden ve bizlere hiç benzemeyen acımasız bazı özel insanların meşgalesi olduğunu hissederdim. Dışarıda beni beklemekte olan Çetin'e arabayı dikkatli sürmesini söylerken siyasetten, deprem ya da sel benzeri bir doğal afetmiş ve biz sıradan vatandaşların kendimizi ondan uzak tutmaktan başka yapacak bir şeyimiz yokmuş gibi söz ederdim.

Evde duramadığım her akşam –ki akşamların çoğu böyleydi– Keskinlere gitmem gerekmezdi. Bazan gerçekten davetlere gider, bazan Füsun'u bana unutturabilecek hoş bir kızla tanışırım diye umutlanır, bazan da arkadaşlar arasında içip gevezelik ederek mutlu olurdum. Zaim'in beni götürdüğü bir davette ya da sosyeteye yeni girmiş uzak bir akrabamın evinde Nurcihan ile Mehmet'e rastladığım zaman, ya da Tayfun'un beni sürüklediği bir gece kulübünde gece yarısı eski arkadaşlarla karşılaşıp çoğu İtalyan ve Fransız şarkılarından çalıntı Türkçe pop parçalarını dinlerken yeni bir şişe viski açtırdığımızda, eski sağlıklı hayatıma yavaş yavaş geri dönmekte olduğum gibi yanlış bir düşünceye kaptırıyordum kendimi.

Derdimin ciddiyetini ve derinliğini Füsunlara gitmeden önce hissettiğim kararsızlık ve utançtan değil, onlarla uzun uzun masada oturup akşam yemeği yiyip televizyon seyrettikten sonra, gece eve dönüş vakti gelince kapıldığım hareketsizlik ve kararsızlıktan anlardım en çok. Bu sekiz yılda durumuma uygun olarak hissetmem gereken ve doya doya hissettiğim genel utanç duygusundan başka, bir de özel bir başka utançla uğraştım: Kimi akşamlar kalkıp Çukurcuma'daki evden bir türlü çıkamamamın utancıydı bu.

Televizyon yayını, her akşam on bir buçuk-on iki civarında bayrak, Anıtkabir ve "Mehmetçiklerin" görüntüleriyle bitip, arkasından beliren bulanık görüntü de –sanki yeni bir program orada yanlışlıkla belirebilirmiş gibi– bir süre seyredildikten sonra, Tarık Bey "Füsun, kızım, kapa artık şunu," der ya da Füsun kendiliğinden televizyonu bir dokunuşta kapatırdı. Şimdi çözümlemek istediğim özel ıstırabım, işte o zaman başlardı. Bu, hemen kalkıp gitmezsem onları da çok rahatsız edeceğim duygusuydu. Bunun ne kadar haklı ya da haksız bir duygu olduğunu düşünemezdim. Hemen "Birazdan kalkarım," derdim kendi kendime. Çünkü televizyon kapanır kapanmaz "iyi akşamlar" bile demeden giden misafirlerin, televizyonları olmadığı için gelip son program bitince hemen çıkıp giden komşuların arkasından iğneli sözlerle konuştuklarını çok duymuştum. Onlar gibi olmak istemiyordum.

Elbette benim akşamları televizyon seyretmek için değil, Füsun'a yakın olmak için geldiğimi biliyorlardı, ama gelişime resmî bir hava vermek için bazan telefon edip Nesibe Hala'ya "Geleyim de televizyon seyredelim bu akşam, Tarihten Sayfalar var!" dediğime göre, televizyon programı bitince kalkıp gitmem gerekirdi. Bu yüzden televizyon kapatıldıktan sonra biraz daha oturur, sonra kalkmam gerektiğini gittikçe artan bir yoğunlukla aklımdan geçirmeye başlardım, ama bir türlü yapamazdım bunu. Masadaki yerime ya da daha sonra geçtiğim L biçimindeki divandaki köşeme yapıştırılmış gibi hiç kıpırdamadan oturur, utançla hafifçe terlerken *anlar* birbirini izler, duvar saatinin tıkırtısı huzursuzluk veren bir gürültüye dönüşür, "Şimdi kalkıyorum!" diye kendi kendime kırk kere tekrarlar, ama gene harekete geçemez, yerimde hiç kıpırdamadan otururdum.

Yıllar sonra bile bu tutukluğumun gerçek nedenini –tıpkı yaşadığım aşk gibi– doyurucu bir şekilde açıklayamıyorum da, o sırada irademi kıran aşağıda numaraladığım başka nedenler geliyor aklıma:

1. Benim her "Artık kalkayım efendim ben," deyişimden sonra, ya Tarık Bey ya da Nesibe Hala, mutlaka "Aa, durun daha Kemal Bey, ne güzel oturuyorduk!" der, beni tutarlardı.

2. Onlar bunu söylemezse, Füsun tatlı tatlı gülümseyerek ve esrarengiz bir şekilde bakarak aklımı daha da karıştırırdı.

3. Derken biri mutlaka yeni bir hikâyeye başlar ya da yeni bir konu açardı. O zaman bu yeni hikâye bitmeden kalkarsam ayıp olacağı için, yirmi dakika daha huzursuzluk içinde otururdum.

4. Bu arada Füsun ile göz göze gelince vakti unutur, sonra saatime çaktırmadan bir bakış atınca yirmi dakika değil, kırk dakika geçmiş olduğunu telaşla görür, gene "Kalkıyorum efendim ben," der, ama gene kalkamazdım. Yerimden kalkamayınca zayıflığıma, hareketsizliğime öfkelenir, öyle derin bir utanç duyardım ki, yaşadığım an dayanılmayacak kadar ağırlaşırdı.

5. O zaman aklım orada biraz daha oturmak için yeni bir bahane arar, kendime biraz daha süre tanırdım.

6. Tarık Bey kendine bir kadeh rakı daha almış olur, belki benim de ona katılmam gerekirdi.

7. Saatin tam on iki olmasını bekleyip "Saat on iki olmuş, artık kalkayım," dersem, çıkışımı da kolaylaştırmış olurdum.

8. Belki kahvede Çetin şimdi tam sohbetin ortasındaydı, biraz bekleyebilirdim.

9. Zaten aşağıda sokakta, kapının önünde mahalleli gençler oturmuş sigara içiyor, sohbet ediyorlardı, tam o sırada çıkarsam hakkımda dedikodu ederlerdi. (Keskinlere gidip gelirken karşılaştığım mahalleli gençlerin büründüğü sessizlik beni yıllarca huzursuz etti, ama Feridun ile aramın iyi olduğunu gördükleri için onların da "mahallenin namusu" diyecek halleri yoktu.)

Feridun'un varlığı da yokluğu da huzursuzluğumu artırırdı.

Füsun'un bakışlarından durumumun zorluğunu zaten anlıyordum. Daha zoru Füsun'un bakışlarıyla bana umut vermesi, acımın uzamasıydı. Feridun'un karısına çok güvendiğini aklımdan geçirince, çok mutlu bir evlilikleri olduğu sonucunu çıkarır, daha çok acı çekerdim.

En iyisi Feridun'un ilgisizliğini tabularla ve gelenekle açıklamaktı. Annesinin ve babasının önünde evli bir kadına değil asılmanın, yan bakmanın bile özellikle yoksullar ve taşralılar arasında ölüm nedeni olduğu bir ülkede, benim bir aile mutluluğu havası içerisinde televizyon seyrederken her akşam Füsun ile kırıştırmayı aklımdan bile geçirmeyeceğimi Feridun'un düşünmesini ben de aslında makul buluyordum. Duyduğum aşk ve oturduğumuz aile sofrası o kadar çok incelikle ve yasakla çevrilmişti ki, her şeyimden Füsun'a sırılsıklam âşık olduğum anlaşılsa bile, hepimiz böyle bir aşkın olamayacağını kesinlikle biliyormuş "gibi yapmak"la yükümlüydük. Bu yükümlülüğümüzü asla bozamayacağımızdan da emindik. Bunu fark ettiğim zamanlarda Füsun'u hassas yasaklar ve törelere rağmen değil, onlar sayesinde bu kadar çok görebildiğimi anlardım.

Hikâyemin bu çok önemli noktasına dikkat çekmek için, aynı şeyi başka bir örnekle anlatayım: Kadın-erkek ilişkilerinin daha açık olduğu, kaçgöç, mahrem gibi şeylerin olmadığı modern bir Batı toplumunda, ben haftada dört-beş kere Keskinlerin evine gitsem, tabii ki herkes en sonunda benim oraya Füsun'u görmek için geldiğimi kabul etmek zorunda kalırdı. O zaman da kıskanç koca beni durdurmak zorunda kalırdı. Bu yüzden de öyle bir ülkede, ne ben onları görebilirdim ne de Füsun'a olan aşkım yaşadığım biçimi alabilirdi.

Feridun o gece evde kalmışsa, vakti gelince kalkıp gitmem çok zor olmazdı. Feridun, filmci arkadaşlarıyla çıkmışsa, geç saatte, televizyon kapandıktan sonra "Bir çay daha için," ya da "Oturun lütfen Kemal Bey biraz daha!" gibi sözlerin her gece nezaketen söylendiğini düşünemeden otururken, kendimi Feridun'un gelişine göre ayarlayacağım derdim kendime. Ama Feridun'un gelişinden önce mi sonra mı kalkmam gerektiğine bile, bu sekiz yıl boyunca tam karar veremedim.

İlk aylarda, ilk yıllarda gece Feridun gelmeden önce kalkmamın çok daha iyi olacağını hissederdim. Çünkü Feridun içeri girip de göz göze geldiğimiz o ilk anlarda, kendimi çok ama çok kötü hissederdim. O gecelerde Nişantaşı'na, eve döndükten sonra uyuyabilmek için en az üç kadeh rakı daha içmem gerekirdi. Üstelik Feridun gelir gelmez kalkmak, ondan hoşlanmıyorum, oraya Füsun'u görmeye geliyorum demek olacaktı. Bu yüzden Feridun geldikten sonra, en azından bir yarım saat daha oturmam gerekir, bu da elimi kolumu iyice bağlar, içimdeki utancı daha da artırırdı. Feridun gelmeden önce gitmek ise, suçumu, utancımı kabul etmek, düpedüz ondan kaçmak demekti. Bunu yakışıksız bulurdum. Avrupa romanlarında kontese açıkça kur yaparken kont gelmeden az önce şatodan sıvışan şerefsiz çapkınlar gibi davranamazdım ben! Demek ki Feridun gelmeden önce kalkabilmem için benim gidiş saatimle onun gelişi arasında uzunca bir süre olmalıydı. Bu da, iyice erken bir vakit Keskinlerin evinden çıkmam demekti. Bunu yapamıyordum. Geç saatte kalkamıyordum. Erken saatte hiç kalkamıyordum.

Koltuğumdan hiç kalkmadan oturur, karaya oturmuş bir gemi, bir beceriksizlik ve utanç yığını olarak dururdum. Füsun ile göz göze gelmeye, kendimi biraz daha iyi hissetmeye çalışırdım. Kalkıp gidemediğimi ve sandığım gibi kısa bir süre sonra da gidemeyeceğimi zihnimin berrak bir anında iyice kavrayınca, hareketsizliğim için yeni bir bahane daha bulurdum.

10. Feridun'u bekleyeyim, onunla senaryo işindeki filanca sorunu konuşurum, derdim kendi kendime. Feridun eve döndükten sonra, bunu birkaç kere denedim ve onunla konuşmaya çalıştım.

"Sansür Kurulu'ndan daha çabuk haber almanın bir yolu varmış Feridun. Duydun mu?" demiştim bir kere. Tam bu cümle olmasa da, ona benzer bir şey söylemiştim ve aynı masada hemen buz gibi bir sessizlik olmuştu.

"Panayot'un kahvesinde Erler Filmcilerin toplantısı vardı," demişti Feridun.

Sonra Amerikan filmlerinde işten eve dönünce karısını yarı içten, yarı ezberlenmiş bir hareketle öpen kocalar gibi Füsun'u öpmüştü. Bazan bu öpüşlerin hakiki olduğunu, Füsun'un da ona sarılmasından anlar; maneviyatım fena bozulurdu.

Feridun çoğu akşam film dünyasından yazarlar, çizerler, set işçileri, kameramanlarla kahvelere takılıyor, evlerdeki buluşmalara gidiyor, çeşit çeşit nedenden çoğu birbirleriyle kavgalı bu dedikodulu, gürültülü ve dertli insanlarla yoğun bir cemaat hayatı paylaşıyordu. Sürekli yiyip içip birlikte eğlendiği bu insanların kavgalarını ve hayallerini Feridun fazla önemser, filmci arkadaşlarının geçici sevinçleriyle kolayca mutlu olduğu gibi umutsuzluklarıyla da bir anda kahrolurdu. Bunları gördüğüm zamanlar, benim geldiğim geceler, Füsun kocasıyla çıkamadı, eğlenceye gidemedi diye boşu boşuna dertlendiğime karar verirdim. Zaten benim gelmediğim geceler, haftada bir-iki kere Füsun şık gömleklerinden birini giyiyor, benim aldığım kelebekli broşlardan birini takıyor, kocasıyla Beyoğlu'na çıkıp Pelür, Perde gibi yerlerden birinde saatlerce oturuyordu. Daha sonra ben o gece ne yaptıklarını Feridun'dan ayrıntılarıyla öğreniyordum.

Feridun da, ben de, Nesibe Hala'nın da Füsun'un bir an önce iyi-kötü film işine girmesini çok istediğini biliyorduk. Öte yandan, bu konuları Tarık Bey'in önünde tartışmanın uygun olmayacağının da farkındaydık. Tarık Bey sessizce "bizim" tarafımızdaydı, ama onu bu işlerle yüzleştirmemeliydik. Buna rağmen ben, Tarık Bey'in benim Feridun'un işlerini desteklediğimi bilmesini de istiyordum. Limon'un kurulmasından ancak bir yıl sonra, Feridun'dan, kayınpederinin benim damadıma verdiğim desteğin farkında olduğunu öğrenebildim.

Aradaki bir yılda, Feridun ile Keskinlerin evinin dışında bir iş arkadaşlığı, hatta kişisel bir dostluk kurdum. Arkadaş canlısı, makul ve çok da içten biriydi Feridun. Arada bir Limon Film yazıhanesinde buluşur, senaryodan, Sansür Kurulu'nun çıkardığı dertlerden, Füsun'un karşısında oynayabilecek erkek baş oyuncu adaylarının kim olabileceğinden de söz ederdik.

Şimdiden iki çok ünlü ve yakışıklı erkek oyuncu Feridun'un sanat filminde oynamak için hazır olduklarını söylemişlerdi, ama Feridun ile ben onlara şüpheyle bakıyorduk. Tarihî filmlerde Bizanslı papazları öldüren, bir şamarla kırk haydutu deviren bu palavracı zamparalara insan olarak hiç güvenmiyor, Füsun'a hemen asılacaklarını biliyorduk. Kara bıyıklı bu şımarık oyuncuların önemli bir meslek hüneri de, birlikte film çevirdikleri kadın oyuncularla, daha on sekiz yaşına basmamış yıldızlarla bile hemen yattıklarını ima eden çift anlamlı açıklamalar yapmalarıydı. "Filmdeki öpüşmeler gerçek oldu" ya da "Sette gelişen yasak aşk" gibi gazete başlıkları, hem filmin yıldızlarını meşhur ettiği hem de kalabalıkları sinemalara çektiği için, film işinin önemli bir parçasıydı; ama Feridun ile ben Füsun'u böyle çirkinliklerden uzak tutmak niyetindeydik. Füsun'u koruyan bu cinsten ortak bir karara vardığımızda, Feridun'un kaybedeceği paraları da göz önünde tutarak, Limon Film'in bütçesine Satsat'tan biraz daha para yollatırdım.

O günlerde Füsun'un bir davranışı da beni çok endişelendirmişti. Bir akşam Çukurcuma'daki eve gittiğimde Nesibe Hala, Feridun ile birlikte Füsun'un da Beyoğlu'na çıktığını özür diler gibi söyledi bana. Hiç renk vermeden, kederimi içime atıp Tarık Bey ve Nesibe Hala ile oturup televizyon seyrettim. İki hafta sonra, benim geldiğim bir gece bir kere daha Füsun'un kocasıyla çıktığını görünce Feridun'u öğle yemeğine davet ettim, Füsun'un bu sarhoş filmci kalabalığıyla fazla düşüp kalkmasının bizim sanat filmi için iyi olmayacağını anlattım. Feridun benim gelmemi bahane ederek Füsun'dan geceleri evde oturmasını istemeliydi. Bunun hem aile hem de yapacağımız film için daha iyi olacağını da, Feridun'a uzun uzun anlattım.

Uyarılarımın yeterince dinlenmemesi de beni çok endişelendirirdi. Feridun ile Füsun'un eskisi kadar sık olmasa da, akşamları birlikte gene Pelür'e ve benzeri yerlere gitmeye devam ettiklerini, bir akşam gene onları evde bulamayınca anladım. O akşam da Nesibe Hala ve Tarık Bey ile oturup sessizce televizyon seyrettim. Gece saat ikiden sonra Füsun ile Feridun eve dönene kadar, saatin kaç olduğunu sanki unutmuş gibi Tarık Bey ve Nesibe Hala ile oturdum ve onlara üniversitelerinde yıllarca okuduğum Amerika'nın nasıl bir yer olduğunu anlattım: Amerikalılar çok çalışkan ve aynı zamanda çok saf ve iyi niyetli insanlardı; akşamları erken uyurlardı; en zenginin çocuğu da baba baskısıyla sabahları bisikletle kapı kapı dolaşıp gazete veya süt dağıtırdı. Beni şaka yapıyormuşum gibi gülümseyerek ama merakla dinlediler. Sonra Tarık Bey, çok merak ettiği şeyi sordu: Amerikan filmlerinde telefonların zili bizdekinden bambaşkaydı. Amerika'daki bütün telefonlar da o zil sesiyle mi çalıyordu, yoksa bu yalnızca filmlerde çalan telefonun sesi miydi? Bir an kafam karıştı ve Amerika'da telefonların ne tür bir sesle çaldığını unuttuğumu fark ettim. Bu da, geceyarısından çok sonra bana gençliğimi, Amerika'da yaşadığım bir özgürlük duygusunu arkada bıraktığım izlenimi verdi. Tarık Bey Amerikan filmlerindeki telefonların taklidini yaptı. Hatta film polisiye ise, telefon sesi daha da sert oluyordu. Bunu da taklit etti. Saat ikiyi geçiyordu ve hep birlikte çay ve sigara içip gülüşüyorduk.

O saate kadar Füsun benim geldiğim akşamlar çıkmasın diye mi, yoksa o gece onu görmezsem çok mutsuz olacağım için mi kalmıştım, bugün bile söyleyemem. Ama bu konuyu Feridun'a bir kere daha ciddiyetle açtıktan, sarhoş filmci kalabalığından Füsun'u birlikte korumamız gerektiğini ısrarla söyledikten sonra, benim geldiğim akşamlar Füsun ile Feridun bir daha birlikte çıkmadılar.

Füsun'un oynayacağı sanat filmine destek olarak Feridun ile ticari bir film de yapabileceğimizi de, ilk o günlerde düşünmeye başladık. Füsun'un oynamayacağı bu film tasarısı da, akşamları Füsun'u evde oturmaya ikna etmiş olabilir. İntikam olarak Füsun, bazı geceler, daha ben gitmeden önce yukarı çıkıp yatardı. Bundan, bana küskün olduğunu çıkarırdım. Ama film yıldızı olma umudunu da hiç kaybetmez, ertesi gidişimde bana her zamankinden sıcak davranır, durup dururken annemi sorar ya da kendiliğinden tabağıma bir kaşık pilav daha koyar, böylece ben de bir türlü kalkıp gidemezdim.

Feridun ile gittikçe ilerleyen arkadaşlığımız, akşamları o gelmeden önce yerinden kalkamama buhranlarına kapılmama engel değildi hiç. Feridun içeri girer girmez, kendimi orada bir "fazlalık" olarak hissederdim. Tıpkı bir rüyadaki gibi gördüğüm âleme ait değildim, ama inatla sanki oraya ait olmak istiyordum. 1977 Martı'nda televizyonun kapanış haberlerinde bombalanan siyasi toplantıların, kahvehanelerin, kurşunlanan muhalif siyasetçilerin sürekli gösterildiği gecelerden birinde, çok geç bir saatte (utancımdan saate bakamıyordum artık) eve gelen Feridun'un benim hâlâ oturduğumu görünce yüzünde beliren ifadeyi unutamam hiç. Benim için içtenlikle dertlenen iyi bir insanın kederli bakışıydı bu –ama bir yandan da– yüzünde, benim için Feridun'u bir muamma yapan o her şeyi olağan karşılayan hafif, iyimser ve iyilik dolu saf ifade de vardı.

12 Eylül 1980 Askerî Darbesi'nden sonra, gece saat ondan sonra sokağa çıkma yasağı konduğu için, benim uzayıp giden yerimden kalkamama derdimin süresine bir sınır konmuş oldu. Ama sıkıyönetimle derdim bitmedi. Sanki çok kısa bir zaman parçasına sıkıştırılarak yoğunlaştı yalnızca. Sıkıyönetimli gecelerde yerimden kalkamama buhranım saat dokuz buçuktan sonra giderek ağırlaşır, her an kendi kendime hırslı ve öfkeli bir şekilde "Şimdi kalkıyorum!" dememe rağmen gene yerimden kalkamazdım. Gittikçe daralan zaman bana bir dinlen-

me anı bile bırakmadığı için, saat ona yirmi kala civarında telaşım dayanılmaz olurdu.

En sonunda kendimi sokağa ve Chevrolet'ye attığımda, Çetin ile birlikte yasak saatinden önce eve yetişecek miyiz telaşına kapılır; her seferinde üç-beş dakika gecikirdik. Askerler saat ondan (daha sonra bu on bire ertelenmişti) sonraki ilk dakikalarda, caddelerde son hızla giden arabaları hiç durdurmazlardı. Dönüş yolunda, Taksim Meydanı'nda, Harbiye'de, Dolmabahçe'de yasak saatinden önce deli gibi hızlanan arabaların yaptıkları kazaları görür, arabalardan çıkıp hemen tekme tokat dövüşen şoförleri seyrederdik. Bir keresinde Dolmabahçe Sarayı'nın arkasında mavi dumanlar içerisinde Plymouth marka özel bir arabadan çıkan köpekli bir sarhoş beyefendiyi gördüğümüzü hatırlıyorum. Taksim'de bodoslama kazadan sonra radyatörü patlayan bir taksi, Cağaloğlu Hamamı gibi buhar dumanları içinde kalmıştı. Dönüşte sokakların ürpertici karanlığı, yarı aydınlık caddelerin boşluğu bizi korkuturdu. En sonunda eve dönüp uyumadan önce son bir kadeh içerken, normal hayata dönebileyim diye bir gece Allah'a yalvardığımı hatırlıyorum. Ama gerçekten bu aşktan, Füsun'a olan takıntımdan kurtulmak istiyor muydum, şimdi yıllar sonra bile bunu tam anlayamıyorum.

Çıkıp gitmeden önce işiteceğim herhangi bir iyi söz, Füsun'un ya da evdekilerin benim hakkımda söyleyecekleri muğlak da olsa tatlı, iyimser birkaç kelime bana umut verir, Füsun'u yeniden kazanabileceğimi, bütün bu ziyaretlerin boşuna olmadığını bir anlığına bana hissettirir, böylece fazla zorlanmadan kalkıp evime dönebilirdim.

Sofrada otururken en beklenmedik anda Füsun'un bana söylediği hoş bir söz, mesela "Berbere gitmişsin, çok kesmiş, ama yakışmış," demesi (16 Mayıs 1977) ya da annesine benim hakkımda şefkatle "Oğlan çocuğu gibi köfte seviyor, değil mi?" deyişi (17 Şubat 1980) ya da bir sene sonra karlı bir akşam ben içeri girer girmez "Seni beklediğimiz için sofraya oturmadık

Kemal, bu akşam gelir inşallah diyorduk," deyişi beni öylesine mutlu ederdi ki, o akşam eve hangi karanlık duygularla gelmiş olursam olayım, televizyon seyrederken ne türden uğursuz işaretler hissedersem hissedeyim, vakti gelince kararlı bir şekilde yerimden kalkar, bir hamlede kapının yanındaki küçük askıda duran paltomu kapar ve hiç gecikmeden dışarı çıkardım. Baştan kapıya yürüyüp paltomu giymek, ondan sonra "İzninizle, gidiyorum efendim ben!" demek, dışarı çıkmayı çok kolaylaştırırdı. Evden erken çıkmışsam, dönüş yolunda Çetin Efendi'nin sürdüğü arabada kendimi iyi hisseder, Füsun'u değil, ertesi günkü işlerimi düşünürdüm.

Bütün bu gürültü patırtıdan bir-iki gün sonra, gene akşam yemeğine onlara gittiğim zaman, kapıdan içeri girip Füsun'u görür görmez beni oraya çeken iki şeyi hemen anlardım.

1. Füsun'dan uzaksam, dünya, tıpkı parçaları karmakarışık olmuş bir bilmece gibi beni huzursuz ederdi. Füsun'u görünce, bilmecenin, her şeyin bir anda yerli yerine oturduğunu hisseder, dünyanın anlamlı ve güzel bir yer olduğunu hatırlayarak rahatlardım.

2. Akşam evlerine girip onunla göz göze geldiğimde, her seferinde içimde bir zafer duygusu yükselirdi. Bütün umut ve gurur kırıcı belirtilere, her şeye rağmen o akşam da oraya gelebilmiş olmamın zaferiydi bu ve çoğu zaman bu mutluluğun ışığını, Füsun'un gözlerinde de görürdüm. Ya da öyle sanır, inadımın ve kararlılığımın onu etkilediğini hisseder, yaşadığım hayatın güzelliğine inanırdım.

58. TOMBALA

1976'yı 1977'ye bağlayan yılbaşı gecesini, Keskinlerin evinde tombala oynayarak geçirdim. Bunu az önce "yaşadığım hayatın güzelliği"nden söz ettiğim için hatırlamış olabilirim. Ama yılbaşı gecesi eğlencesi olarak Keskinlerin evine gitmem, hayatımdaki inkâr edilmez değişimi gösterdiği için de önemliydi. Sibel'den ayrılmış, arkadaş çevremden uzaklaşmak zorunda kalmış, Keskinlere haftada dört-beş kere giderek pek çok alışkanlığımdan da vazgeçmiştim, ama o yılbaşına kadar, hâlâ eski hayatıma devam ettiğime ya da o hayata her an geri dönebileceğime kendimi ve yakınlarımı inandırmaya çalışıyordum.

Sibel'den uzak durmak, kötü hatıralarla kimsenin kalbini kırmamak ve neden etrafta görünmediğimi açıklamak derdinden kurtulmak için görüşmediğim tanıdıkların haberlerini Zaim'den alıyordum. Zaim ile Fuaye'de, Garaj'da ya da yeni açılan sosyete lokantalarının birinde buluşur, hırsla iş konuşan iki ciddi arkadaş gibi, uzun uzun kimin ne yaptığından ve hayattan zevkle söz ederdik.

Zaim, Füsun yaşındaki genç sevgilisi Ayşe'den memnun değildi artık. Onun fazla çocuk olduğunu, dertlerini, endişelerini onunla paylaşamadığı gibi, bizim takım ile de bir türlü uyuşmadığını söylüyor, benim sorularım üzerine de yeni bir sevgilisi ya da sevgili adayı olmadığında ısrar ediyordu. Anlattıklarından Zaim ile Ayşe'nin öpüşmekten ileri gitmediklerini, kızın dikkatli ve ihtiyatlı olduğunu ve Zaim'den iyice emin olmadıkça, kendisini koruyacağını anlıyordum.

"Niye gülüyorsun?" dedi Zaim bunları konuşurken.

"Gülmüyorum."

"Hayır, gülüyorsun," dedi Zaim. "Ama aldırmıyorum. Daha da güleceğin bir şey söyleyeyim. Nurcihan ile Mehmet haftanın neredeyse yedi günü buluşuyorlar, lokanta lokanta, kulüp kulüp geziyorlar. Mehmet, Nurcihan'ı gazinolara götürüp ona eski şarkıları, fasıl heyetlerini dinletiyor. Bir zamanlar radyoda okumuş yetmişlik, seksenlik şarkıcıları buluyorlar. Onlarla arkadaşlık ediyorlar."

"Yapma yahu... Nurcihan'ın bu kadar meraklı olduğunu bilmiyordum..."

"Mehmet'in aşkıyla o da merak sardı. Mehmet de aslında çok bilmez eski şarkıları. Şimdi Nurcihan'ı etkileme heyecanıyla o da öğreniyor. Birlikte Sahaflar'a gidip kitaplar alıyorlar, bitpazarına gidip eski plakları buluyorlar... Akşamları Maksim'e, Bebek Gazinosu'na gidip Müzeyyen Senar'ı dinliyorlar... Ama plakları gidip birlikte dinlemiyorlar."

"Nasıl?"

"Her akşam çıkıp gazinolara gidiyorlar," dedi Zaim dikkatle. "Ama bir kere bir yerde yalnız kalıp sevişmiyorlar."

"Nereden biliyorsun?"

"Nerede buluşacaklar?" dedi Zaim. "Mehmet hâlâ annesiyle babasıyla oturuyor."

"Maçka'nın arkalarında kadınları götürdüğü bir yeri vardı..."

"Beni de götürdü oraya viski içmeye," dedi Zaim. "Tam bir garsoniyer orası. Nurcihan akıllıysa katiyen o berbat yere adımını atmaz, atarsa da Mehmet'in kendisiyle bu yüzden evlenmeyeceğini anlar. Ben bile tuhaf hissettim kendimi: Kapı deliklerinden komşular, bu adam bu gece gene orospu mu getirdi diye bakıyorlar."

"Ne yapsın peki Mehmet? Bekâr adamın bu şehirde kiralayacak daire bulması kolay mı?"

"Hilton'a gitsinler," dedi Zaim. "Ya da iyi bir mahallede daire alsın kendine."

"Annesi babasıyla aile hayatına bayılır Mehmet."

"Sen de bayılıyorsun," dedi Zaim. "Sana arkadaşça bir şey söyleyeyim mi, ama kızmayacaksın."

"Kızmayacağım."

"Sen de Sibel ile gizli gizli yasak bir şey yapar gibi yazıhanede buluşacağına, onu Füsun'u götürdüğün Merhamet Apartmanı'na götürseydin, inan bugün birlikteydiniz."

"Sibel mi söyledi sana bunu?"

"Yok canım, Sibel kimseyle böyle şeyleri konuşmuyor," dedi Zaim. "Merak etme."

354

Biraz sustuk. Tatlı dedikodunun birden benim dertlerime gelmesi, yaşadıklarımdan başıma bir felaket gelmiş gibi söz edilmesi keyfimi kaçırmıştı. Zaim bunu fark ettiği için Mehmet, Nurcihan, Tayfun ve Fare Faruk hep birlikte bir akşam geç saatte Beyoğlu'nda işkembecide karşılaştıklarını anlattı. Sonra hep birlikte iki araba Boğaz'a gezmeye gitmişlerdi. Bir başka gece de, Emirgân'da Ayşe ile arabada çay içip müzik dinlerken Piç Hilmi'ye ve başkalarına rastlamışlar, onlara takılmışlar ve dört araba, önce Bebek'teki yeni açılan Parizyen'e, oradan da Gümüş Yapraklar'ın çaldığı Lalezar gece kulübüne gitmişlerdi.

Zaim'in biraz beni özendirmek ve eski hayatıma çekmek için ve biraz da gecelerin zevklerine kapılıp ballandırarak anlattığı bu eğlencelerin ayrıntılarını ondan dinlerken fazla düşünmez, ama daha sonra akşam Keskinlerin evindeyken, bu eğlenceleri hayal ederken yakalardım kendimi. Ama eski arkadaşlarımla, eski mutlu eğlencelerime devam edemediğim için kahrolduğum sanılmasın. Yalnızca, bazan, Keskinlerin masasındayken, dünyada hiçbir şey olmadığı, olsa da bizim bu olup bitenden çok uzakta bir yerde olduğumuz duygusuna kapılırdım, o kadar.

1977'yi başlatan gece de böyle bir duyguya kapılmış olmalıyım ki, eğlencenin tam ortasında Zaim'in, Sibel'in, Mehmet'in, Tayfun'un, Fare Faruk'un, diğer arkadaşların ne yaptıklarını bir an durup hayal ettiğimi hatırlıyorum. (Zaim yazlık evine elektrikli sobalar kurdurmuş, kapıcıyı yollayıp şömineyi yaktırmış, "herkese" kalabalık bir davet veriyordu.)

"Kemal, bak yirmi yedi çıktı, sende var!" demişti Füsun. Benim oyuna dikkat etmediğimi görünce, tombala kartımın üzerine kendi eliyle bir kuru fasulye koyup 27'yi örtmüş, gülümsemiş, "Dalga geçme!" demiş, dikkatle, endişeyle, hatta şefkatle bir an gözlerimin içine bakmıştı.

Keskinlerin evine, elbette Füsun'dan bu ilgiyi görmek için gidiyordum. Olağanüstü mutlu olmuştum. Ama bu mutluluğu da kolay elde etmemiştim. Üzülmesin diye annemden, ağabeyimden, yılbaşı akşamını Keskinlerde geçireceğimi saklamak için, önce bizim evde onlarla yemeğe oturmuştum. Daha sonra Osman'ın oğulları, yeğenlerim "Hadi babaanne tombalaya başlayalım!" deyince, onlarla bir tur tombala da oynamıştım. Ailecek hep birlikte oynadığımız "tombala" sırasında, Berrin ile göz göze geldiğimizi ve onun bu mutlu aile tablosunun yapaylığından şüphelenerek "Hayrola!" der gibi anlayışla kaşlarını kaldırdığını hatırlıyorum.

"Hiiç, eğleniyoruz işte!" diye fısıldamıştım Berrin'e.

Daha sonra Zaim'in verdiği davete gitmem gerektiğini söyleyerek koşa koşa evden çıkmadan önce Berrin'in külyutmaz bakışlarıyla karşılaşmış, ama hiç renk vermemiştim.

Çetin'in kullandığı arabayla hızla Keskinlere giderken, telaşlı ama mutluydum. Beni akşam yemeğine mutlaka bekliyorlardı. Yılbaşı gecesini onlarla geçirmek istediğimi Nesibe Hala'ya ilk ben açmış, kapı aralığında bir kere yalnızken mutlaka geleceğimi söylemiştim. "O gece Füsun, kocasıyla çıkıp arkadaşlarıyla bir eğlenceye gitmesin, lütfen," demekti bu. Çünkü ben bütün bu film hayallerini böylesine bir iyi kalplilikle destekler, aileye kendimi bu kadar yakın hissederken, benim geldiğim akşamlar Füsun'un evden çıkıp gitmesi, Nesibe Hala'ya göre çok ayıp bir şey, çocukça bir hareketti. Feridun'un benim geldiğim gecelerde çıkıp gitmesini de, Nesibe Hala "çocukça" bulduğunu söylemişti. Ama kimsenin şikâyeti olmadığı için, hepimizin sessizce geçiştirdiği bir çocukluktu bu: Zaten o evde yokken, bazan Nesibe Hala Feridun'dan "çocuk" diye söz etmiyor muydu?

Bizim evden çıkmadan önce, annemin tombalayı kazananlar için hazırladığı hediyelerden bir takım da yanıma almıştım. Keskinlere girip koşa koşa merdivenleri çıkıp içeri girer girmez, –tabii ki önce her zamanki gibi bir an Füsun ile göz göze gelmenin mutluluğunu yaşadıktan sonra– annemin hediyelerini plastik torbadan çıkardım ve yemek masasının kenarına, neşeyle "Tombalayı kazananlar için!" diyerek dizdim. Tıpkı annemin çocukluğumuzdan beri her yılbaşında yaptığı gibi, Nesibe Hala da tombala için çeşit çeşit küçük hediye hazırlamıştı. Onun hazırladığı hediyelerle anneminkileri karıştırdık. O gece hep birlikte tombala oynarken o kadar mutlu olduk ki, yılbaşı geceleri, benim getirdiğim hediyelerle Nesibe Hala'nın hazırladıklarını karıştırıp tombala oynamak bizler için ondan sonraki yıllar boyunca vazgeçilmez bir alışkanlık oldu.

Füsunların evinde sekiz yılbaşı akşamı oynadığımız tombala takımını sergiliyorum... Bizim evde de 1950'lerin sonundan 1990'ların sonuna kadar kırk yıl, annem yılbaşı akşamları önce ben, ağabeyim ve kuzenlerimi, daha sonraki yıllarda da torunlarını, aynı cins bir tombala takımıyla eğlendirmişti. Nesibe Hala da annem gibi, yılbaşı gecesinin sonunda, oyun bitip, hediyeler dağıtılıp, çocuklar, komşular esnemeye, uyuklamaya başlayınca, tombala takımını dikkatle toplar, kadife torbadan tek tek çekilen tahta rakamları (90 tane) sayar, numaralı oyun kartlarını deste yapıp kurdeleyle bağlar, torbadan çıkan rakamları kartların üzerinde işaretlemek için kullandığımız kuru fasulyeleri torbasına koyup bir köşede, gelecek yılbaşı akşamına kadar saklardı.

Şimdi yıllar sonra, yaşadığım aşkı başkalarına bütün içtenliğimle, her şeyi tek tek göstererek anlatmak için uğraşırken, yılbaşıları tombala oynamamızın o sihirli ve tuhaf yılların ruhuna derinden işaret ettiğini seziyorum. İtalyan ailelerinin Noel akşamları hep birlikte toplanıp oynadıkları bir Napoli oyunu olan tombala, pek çok yılbaşı töreni ve alışkanlığı gibi, Atatürk'ün takvim reformundan sonra Levanten ve İtalyan ailelerden İstanbul'a yayılmış, kısa sürede evlerde yılbaşı gecesi eğlencelerinin vazgeçilmez bir parçası olmuştu. 1980'lerde gazeteler, yılbaşından önce okurlarına ucuz kartondan yapılmış, plastik rakamlı tombala takımlarını hediye ederlerdi. O yıllarda şehir sokaklarında kazanana kaçak Amerikan sigarası ya da viski veren, elleri kara torbalı binlerce tombalacı türemişti. Bu sokak tombalacıları, talihini denemeye her zaman hazır olan sokaktaki vatandaşların parasını, "mini tombala" denebilecek bir oyunla ve hileli bir torbayla elinden alırlardı. Tombala kelimesi, Türkçe'ye "kura çekmek ve talih işi" anlamıyla işte o günlerde, ben haftada dört-beş kere Füsunlara giderken girmişti.

Annemin ve Nesibe Hala'nın yılbaşı akşamları tombalayı kazananlar için hazırladığı çeşit çeşit hediyeden özenle seçtiğim örnekleri, gerçek bir müzeci heyecanıyla ve hikâyemi eşyaların hikâyesi gibi anlatabilme coşkusuyla gözden geçiriyorum.

Nesibe Hala her yıl tombala hediyeleri arasına mutlaka bir küçük kız ya da çocuk mendili koyar, annem de aynı şeyi yapardı. "Yılbaşında tombala oynamak, küçük kızlara özgü bir mutluluktur, ama biz yetişkinler de o gece çocuk gibi mutlu oluyoruz," anlamı var mıydı bunun? Bizim evde çocukluğumda yılbaşında tombala oynanırken, çocuklar için alınmış hediyelerden birini yaşlı misafirlerden biri kazanırsa, mutlaka "Aa, tam da böyle bir mendile ihtiyacım vardı!" derdi. Babam ve arkadaşları bu sözden sonra çocukların yanında çift anlamlı bir söz söylediklerinde yaptıkları gibi belli belirsiz kaş-göz hareketleriyle işaretleşirlerdi. Ben bu işaretleşmeleri görünce, büyüklerin tombalayı, eskilerin "istihza" dedikleri bir alaycılıkla oynadıklarını hissedip huzursuz olurdum. Yıllar sonra, 1982 yılının yağmurlu yılbaşı gecesi, Keskinlerin evinde tombala kartımın ilk sırasını herkesten önce tamamlayıp bir çocuk gibi "Çinko!" diye ben bağırınca, Nesibe Hala da "Tebrikler Kemal Bey," deyip bana bu mendili vermişti. İşte o zaman "Tam da böyle bir mendile ihtiyacım vardı!" demiştim ben.

"Füsun'un çocukluk mendili," demişti Nesibe Hala bütün ciddiyetiyle.

O zaman, o akşam, Keskinlerin evinde tombalayı hiçbir "istihza" ve alaycılığa kapılmadan, tıpkı oyuna katılan komşu çocukları gibi bütün masumiyetimle oynadığımı anlamıştım. Füsun'da, Nesibe Hala'da, hatta Tarık Bey'de bile az da olsa bir alaycılık, belli belirsiz bir "gibi yapma" hali vardı, ama ben sonuna kadar samimiydim. Füsun'a duyduğum aşkın bana yaptırdıklarını şimdi zaman zaman alaycılığa yaklaşan bir istihza ile anlattığıma bakan okurlarım ve müzemin ziyaretçileri, o anları, o durumları yaşarken bütünüyle içten ve her zaman masum olduğumu hatırlasınlar lütfen.

Annemin tombala hediyelerinin arasına her yıl birkaç tane çocuk çorabı koyması, hediyelerin eve zaten alınması gereken şeyler olduğu duygusunu verirdi bizlere. Bu duygu hediyenin hediyeliğini azaltır, ama çoraplarımıza, mendillerimize, mutfakta ceviz dövdüğümüz havana ya da Alaaddin'in dükkânında satılan ucuz bir tarağa, kısa bir süre de olsa, daha değerli şeylermiş gibi bakmamıza yol açardı. Keskinlerin evinde ise, herkes, çocuklar bile, tombalanın sonunda çorabı değil, oyunu kazandığı için sevinirdi. Şimdi yıllar sonra, bunun nedeninin, Keskinlerde eşyaların tek tek aile üyelerine değil, bu çorap gibi sanki bütün eve ve aileye ait olmasıydı diye düşünüyorum, ama bu tam doğru değildi: Sürekli, üst katta Füsun'un kocasıyla paylaştığı bir odası, bir dolabı, kendi özel eşyaları olduğunu hisseder; sık sık bu odayı ve içindeki eşyayı, Füsun'un elbiselerini hayal ve acıyla düşünürdüm. Ama yılbaşı gecelerinde zaten ben bunu düşünmeyeyim diye tombala oynuyorduk. Bazan akşamları Keskinlerin masasında otururken, iki kadeh rakıdan sonra, televizyonu da (tombala oynarken hissettiğimiz) masumiyet duygusunu yaşamak için seyrettiğimizi hissederdim.

Tombala oynarken ya da sıradan bir akşam, huzur içinde televizyon seyrederken Keskinlerin bir eşyasını (mesela yıllar sonra büyük bir sayıya ulaşan ve Füsun'un elinin kokusunu taşıyan kaşıklardan birini) cebime indirdiğimde, içimdeki çocuksu saflık duygusu bir süreliğine kaybolur, o zaman bir özgürlük hisseder, istediğim zaman oradan kalkıp gidebileceğimi anlardım.

Nişanlandığım günkü son buluşmamızda Füsun ile viski içtiğimiz antika bardağı (dedem Ethem Kemal'den yadigâr), sürpriz bir tombala hediyesi olarak 1980'in yılbaşı gecesi onlara getirdim. 1979'dan sonra, Keskinlerin evinden ıvır zıvır eşyaları cebime indirip götürmem ve onların yerine çok daha değerli, pahalı hediyeler getirmem de, tıpkı Füsun'a duyduğum aşk gibi yıllarca anlaşılıp hiç konuşulmadan kabul edilen bir şey olduğu için, kalem, çorap, sabun gibi küçük hediyelerin arasına Rafi Portakal'ın antikacı dükkânında satılacak cinsten bu pahalı bardağın da girmesi hiç yadırganmadı. Kalbimi kıran şey, tombalayı Tarık Bey kazanıp Nesibe Hala hediyeyi ortaya çıkarınca, Füsun'un aşkımızın en kederli gününün izlerini taşıyan bu bardağı hiç fark etmemesi oldu. Yoksa hatırlamıştı da, benim pervasızlığıma (o yılbaşını Feridun da bizimle geçirmişti) sinirlendiği için bilmezlikten mi geliyordu?

Ondan sonraki üç buçuk yılda Tarık Bey rakısını içmek için bardağı ne zaman eline alsa, ben Füsun ile son sevişmemizin mutluluğunu hatırlamak ister, ama tıpkı yasak bir konuyu düşünemeyen çocuk gibi, bütün gayretime rağmen Keskinlerin masasında Tarık Bey'le otururken bunu hakkıyla yapamazdım.

Eşyaların gücü, içlerinde birikmiş hatıralar kadar, bizim hayal ve hatırlama gücümüzün cilvelerine de bağlıdır elbette. Başka bir zaman hiç ilgilenmeyeceğim, hatta bayağı bulacağım sepet içindeki bu Edirne sabunları, sabundan yapılmış bu üzümler, ayvalar, kayısı ve çilekler, tombala hediyesi olduğu için yılbaşı gecelerinde derinden hissettiğim huzur ve mutluluk duygusunu, Keskinlerin sofrasında geçirdiğim sihirli saatlerin hayatımın en güzel saatleri olduğunu ve hayatlarımızın ağır akan alçakgönüllü müziğini hatırlatır bana. Ama bu duyguların yalnız bana ait olmadığına, bu eşyalarla yıllar sonra karşılaşan müze ziyaretçilerinin de, aynı şeyleri hissedeceğine de içtenlikle ve saflıkla inanırım.

Bu inancıma bir örnek daha olsun diye, Milli Piyango'nun o yıllardaki yılbaşı biletlerini sergiliyorum. Nesibe Hala da tıpkı annem gibi 31 Aralık gecesi yapılan büyük çekiliş biletlerinden bir tane alır, her yıl tombala hediyeleri arasına koyardı. Tombaladan bileti kazanana masadakiler, hem bizim evde hem de Keskinlerde, neredeyse hep bir ağızdan aynı şeyi söylerdi:

"Oo maşallah, bu gece talihlisin... Bak gör, piyango çekilişinde de kazanacaksın."

1977 ile 1984 arasındaki yılbaşı gecelerinde Keskinlerde oynadığımız tombalalarda, Milli Piyango biletini tuhaf bir rastlantıyla Füsun altı kere kazandı. Ama sonuçları o gece az sonra radyodan ve televizyondan açıklanan Milli Piyango çekilişlerinin hiçbirinde, gene aynı tuhaf rastlantıyla, ona ne bir ikramiye ne de bilet parasını geri alabileceği bir "amorti" çıktı.

Hem bizim evde hem de Keskinlerin masasında, kumar, talih ve hayat konusunda (özellikle Tarık Bey misafirleriyle kâğıt oynarken) her fırsatta tekrarlanan bir vecize vardı. Oyunda kaybedenlere hem takılmanın hem de onları teselli etmenin bir yoluydu bu.

"Kumarda kaybediyorsunuz, demek ki aşkta kazanacaksınız."

Herkesin her uygun fırsatta söylediği bu sözü, 1982 yılbaşında, televizyondan naklen verilen ve Ankara'nın 1. noterinin de katıldığı çekilişten sonra, gene Füsun'a bir ikramiye çıkmayınca, sarhoşluk ve düşüncesizlikle söylemiştim.

"Kumarda kaybettiğinize göre, Füsun Hanım," demiştim, televizyonda seyrettiğimiz filmlerin kibar İngiliz kahramanlarının taklidini yaparak, "aşkta kazanacaksınız!"

"Bundan hiç şüphem yok Kemal Bey!" demişti Füsun o filmlere uygun zeki ve kibar bir kahraman gibi, hiç duraksamadan.

1981 sonunda, artık aşkımızın önündeki engelleri neredeyse yarı yarıya aştığıma inandığım için, önce bunun hoş bir şaka olduğunu düşünmüş, ama ertesi sabah, 1982'nin ilk günü sarhoşluktan iyice ayılınca, annemle kahvaltı ederken, aslında Füsun'un belki de çift anlamlı konuştuğunu düşünerek korkuya kapılmıştım: "Aşkta kazanmak!" sözüyle ima edilen mutluluk, besbelli, Füsun'un ileride kocasından ayrılıp benimle yaşayacağı mutluluk değil, başka bir şeydi; bunu alaycılığından anlamıştım.

Daha sonra, aşırı evhamla yanlış şeyler düşündüğüme de karar vermiştim. Füsun'u (ve beni) bu düzeysiz çift anlamlı konuşmaya sürükleyen şey, aşk ile kumarı ilişkilendiren ve sürekli tekrarlanan o sözdü elbette. Kâğıt oyunları, Milli Piyango çekilişi, tombala ve lokantaların ve eğlence yerlerinin verdiği büyük ilanlar, yılbaşı gecesini gün geçtikçe yalnızca içki içilip kumar oynanan bir sefahat gecesine çeviriyor, *Milli Gazete*, *Tercüman* ve *Hergün* gibi muhafazakâr gazetelerde bu konularda öfkeli yazılar çıkıyordu. Şişli'de, Nişantaşı'nda, Bebek'te bazı zengin Müslüman ailelerin yılbaşına doğru filmlerdeki Hıristiyanların Noel'de yaptığı gibi bir çam dalı alıp süslemelerinden, bu çamların caddelerde sergilenmesinden annemin de rahatsız olduğunu, çam süsleyen bazı tanıdıklar için, dinci basın gibi "soysuz" ya da "kâfir" demese de, "kafasız" dediğini hatırlıyorum. Annem yılbaşında çam süslemeye özenen Osman'ın küçük oğluna "Zaten fazla bir ormanımız, yeşilliğimiz yok... Çam ormanlarımızı tahrip etmeyelim!" demişti bir keresinde sofrada.

Yılbaşlarına doğru Milli Piyango biletlerini satmak için İstanbul sokaklarına dağılan on binlerce satıcıdan bazıları, Noel Baba kılığına girip zengin mahallelerine giderlerdi. 1980 Aralığı'nda bir akşamüstü Füsunlara götüreceğim tombala hediyelerini seçerken, okuldan dönen kızlı-erkekli üç-beş liseli öğrencinin, bizim evin karşısında piyango satan Noel Baba'yla alay ettiklerini, pamuktan sakallarını çekiştirip gülüştüklerini gördüm. Yaklaşınca Noel Baba kılığındaki satıcının bizim karşı apartmanın kapıcısı olduğunu anladım: Pamuktan bıyıkları çekiştirilip aşağılanırken, Haydar Efendi, elinde biletler sessizce önüne bakıyordu. Birkaç yıl sonra Taksim'deki Marmara Oteli'nin yılbaşı için büyük bir çam ağacıyla süslenmiş pastanesinde, İslamcıların koyduğu bir bomba patlayınca, kumarlı içkili

yılbaşı eğlencelerine karşı duyulan muhafazakâr öfke iyice orta-
ya çıktı. Keskinlerin sofrasında da bu bomba konusunun, yılba-
şı gecesi devlet televizyonuna çıkacak dansöz kadar önemsen-
diğini hatırlıyorum. Muhafazakâr gazetelerin öfkeli eleştirileri-
ne rağmen 1981 yılında günün ünlü dansözü Sertap televizyo-
na çıkınca, onu Keskinlerin masasında merakla bekleyen bizler,
bütün ülkeyle birlikte çok şaşırmıştık. Çünkü TRT yöneticileri,
kıvrak ve güzel vücutlu Sertap'ı ağır ve kapalı kat kat elbiseler-
le öyle bir giydirmişlerdi ki, değil "dünyaca ünlü" göbeği ve gö-
ğüsleri, bacakları bile gözükmüyordu.

"Bari kızı çarşafla çıkarsaydınız, rezil maskaralar sizi!" de-
mişti Tarık Bey. Aslında televizyona bakarken nadiren öfkele-
nir, ne kadar içse de bizler gibi sinirlenip ekrandakilere laf ye-
tiştirmeye çalışmazdı.

Nesibe Halalara, bazı yıllar tombala için Alaaddin'in dükkâ-
nından aldığım Saatli Maarif Takvimi'ni götürürdüm. Füsun
1981'in yılbaşı gecesi takvimi kazanmış, o yıl benim ısrarımla,
mutfak ile televizyon arasındaki duvara takvim çiviyle asılmış-
tı; ama benim olmadığım günlerde kimse takvimin yapraklarıy-
la ilgilenmezdi. Oysa her yaprağın üzerinde günün şiiri, günün
tarihteki önemi, namaz saatlerini gösterir ve okuma-yazma bil-
meyenlerin de anlayacağı saat kadranı resimler, o gün için öne-
rilen çeşit çeşit yemekler ve tarifleri, tarihî hikâyeler ve fıkralar
ve bir de hayat hakkında veciz bir söz olurdu.

"Nesibe Hala, takvimin yapraklarını koparmayı gene unut-
muşsunuz," derdim ben akşamın sonunda. Televizyondaki son
program bitmiş, askerler kaz adımlarla geçip bayrağı göndere
çekmiş ve epeyce rakı içilmiş olurdu.

"Bir gün daha geçti," derdi Tarık Bey. "Allaha şükürler olsun
ki aç değiliz, açıkta değiliz, karnımız tok, sıcak bir evimiz var...
Başka ne ister ki insan hayatta!"

Gecenin sonunda Tarık Bey'in bu sözleri söylemesi nedense
o kadar hoşuma giderdi ki, takvimin yaprağının koparılmamış

olduğunu akşam gelir gelmez fark etmeme rağmen, bunu söylemeyi akşamın sonuna ertelerdim.

"Üstelik de biz bize, sevdiklerimizle birlikteyiz," diye eklerdi Nesibe Hala. Bunu söyler söylemez uzanıp Füsun'u öper, Füsun yanında değilse ona seslenir, "Gel bakayım buraya benim huysuz kızım, gel annen seni biraz öpsün, sevsin," derdi.

Füsun bazan küçük bir kız ifadesi takınır, annesinin kucağına oturur, Nesibe Hala onu uzun uzun okşar, kollarını, boynunu, yanaklarını sevip öperdi. Anne-kızın araları iyi ya da kötü, nasıl olursa olsun, sekiz yıl boyunca, beni çok etkileyen bu sevgi törenlerinden hiç vazgeçmediler. Gülüşerek koklaşıp öpüşürlerken, Füsun gözlerimin onlara takıldığını çok iyi bilir, ama bana doğru hiç bakmazdı. Onların o mutlu halini seyrederken, özellikle kendimi iyi hisseder, fazla zorluk çekmeden hemen kalkıp giderdim.

Bazan da "sevdiklerimiz" sözü üzerine, Füsun annesinin kucağına değil, gittikçe büyüyen komşu çocuğu Ali, Füsun'un kucağına oturur, Füsun da onu öpüp okşadıktan sonra "Hadi git artık, annen-baban seni bırakmıyoruz diye sonra bize kızıyorlar," derdi. Bazan Füsun sabah annesiyle kavga ettiği için sinirli olur, Nesibe Hala'nın "Gel kızım yanıma," demesine "Aman anneee!" sözleriyle karşılık verirdi. O zaman Nesibe Hala, "Hadi bari, takvimin yaprağını kopar da günümüzü şaşırmayalım," derdi.

O zaman Füsun bir anda neşelenir, kalkıp Saatli Maarif Takvimi'nin yaprağını kopardıktan sonra üzerindeki şiiri, günün yemeğini yüksek sesle ve gülümseyerek okur, Nesibe Hala da "Yaa, doğru, kuru üzümlü, ayvalı bir hoşaf yapalım, kaç zamandır yapmadık," ya da "Evet, enginar çıkmış, ama o avuç kadar küçük enginarlarla yemek olmaz ki," gibi bir şey söylerdi. Bazan da beni tedirgin eden bir soru atardı ortaya:

"Ispanaklı börek yapsam yer misiniz?"

Tarık Bey soruyu işitmemişse ya da efkârlı bir gecesindeyse

cevap vermez, o zaman Füsun da hiçbir şey söylemeden, bana dikkatle bakmaya başlardı. Füsun'un bunu acımasızlık ve merakla yaptığını, çünkü benim Keskin ailesinin ayrılmaz bir parçasıymışım gibi Nesibe Hala'ya ne pişirmesi gerektiğini söyleyemeyeceğimi düşündüğünü bilirdim.

"Füsun çok sever böreği Nesibe Hala, siz mutlaka yapın!" diyerek zor durumdan kurtarırdım kendimi.

Bazan Tarık Bey, kızından takvim yaprağını koparıp o gün tarihte yaşanmış önemli olayları okumasını ister, Füsun da okurdu:

"3 Eylül 1658, bugün Osmanlı Ordusu'nun Doppio Kalesi kuşatması başladı," diye okurdu Füsun. Ya da "26 Ağustos 1071, bugün Malazgirt Meydan Muharebesi'nden sonra Türklere Anadolu'nun kapıları açıldı."

"Hmmm. Ver bakayım şunu..." derdi Tarık Bey. "Doppio'yu yanlış yazmışlar. Al, şimdi bize günün sözünü oku bakalım..."

"İnsanın evi karnının doyduğu, kalbinin olduğu yerdedir," diye okudu Füsun. Neşe ve alaycılıkla okurken birden benimle göz göze geldi ve ciddileşti.

Hepimiz bu sözün derin anlamını düşünüyormuş gibi bir an sessizliğe büründük. Keskinlerin sofrasında pek çok sihirli sessizlik yaşamış, hayatın anlamı, bu dünyadaki varlığımızın boyutları, ne için yaşadığımız gibi temel konularda başka yerde aklıma gelmeyen pek çok düşünce, onların masasında dalgın dalgın televizyon izlerken, Füsun'u göz ucuyla seyrederken, Tarık Bey ile havadan sudan konuşurken aklıma gelmişti. Bu sihirli sessizlikleri seviyor, aylar, yıllar geçtikçe, yaşadığımız hayatın esrarını bizlere hissettiren bu anların, Füsun'a olan aşkım yüzünden o kadar derin ve özel olduğunu anlıyor ve onları bana hatırlatacak şeyleri dikkatle saklıyordum. O gün Füsun'un okuduktan sonra bir kenara bıraktığı takvim yaprağını, bir kere daha okuma bahanesiyle böyle elime almış, kimse bakmazken cebime indirip saklayabilmiştim.

Tabii her seferinde bu kadar rahat değildim. Keskinlerin evinden ve sofralarından irili ufaklı, önemli önemsiz pek çok eşyayı alıp yanımda götürürken karşılaştığım zorluklarla hikâyemi gülünçleştirmek ve uzatmak istemem, ama 1982 yılbaşı gecesinin sonundaki küçük bir şeyi anlatacağım: Tombaladan kazandığım mendille evden çıkmadan az önce, her geçen gün Füsun'a hayranlığı artan komşu çocuğu Ali bana yaklaşmış, her zamanki yaramaz halinden çok daha başka bir poz takınmıştı:

"Kemal Bey, tombaladan size demin çıkan mendil var ya..."

"Evet."

"Füsun'un çocukluk mendili o. Ona bir daha bakabilir miyim?"

"Aliciğim, bilmiyorum nereye koyduğumu."

"Ben biliyorum," dedi velet. "Bu cebinize koydunuz, orada olmalı."

Elini neredeyse cebime sokacaktı. Geriye bir adım attım. Dışarıda şakır şakır bir sağanak vardı, herkes pencereye birikmişti, çocuğun sorusunu fark etmemişlerdi.

"Aliciğim çok geç oldu, ama sen hâlâ buradasın," dedim. "Sonra annen baban bize kızıyor."

"Gidiyorum Kemal Bey. Füsun'un mendilini verecek misiniz?"

"Hayır," diye fısıldadım kaşlarımı çatarak. "Bana lazım."

59. SANSÜRDEN SENARYO GEÇİRMEK

Feridun'un filmini çekebilmek için sansür kurulunun onayını almak, bizi çok uğraştırıyordu. İster yerli ister yabancı, sinemalarda gösterilen bütün filmlerin sansürden geçtiğini, gazetelerdeki haberlerden ve anlatılan hikâyelerden yıllar önceden biliyordum. Ama sansürün film işinin ne kadar büyük bir parçası olduğunu, ancak Limon Film'i kurduktan sonra fark ettim. Gazeteler sansür kurulunun kararlarından, Batı'da çok önemsenen ve Türkiye'de de haber olan bir film tamamen yasaklanırsa bahsediyorlardı yalnızca. Mesela *Arabistanlı Lawrence* filmi Türklüğe hakaret içerdiği için tamamen yasaklanmış, *Paris'te Son Tango* bütün seks sahneleri çıkarılarak hakikisinden de "sanatlı ve sıkıcı" bir hale getirilmişti.

Sansür kurulunda yıllarca çalışmış, Pelür Bar'ın ortaklarından ve masamızın sürekli misafirlerinden Hayal Hayati Bey, bir gece bize düşünce özgürlüğüne ve demokrasiye aslında Avrupalılardan da çok inandığını, ama bizim saf ve iyi niyetli milletimizi kandırmak isteyenlerin Türk sinema sanatını kullanmasına asla izin vermediğini (ve vermeyeceğini) söylemişti. Hayal Hayati aynı zamanda rejisör ve prodüktördü ve Sansür Kurulu üyeliğini, Pelür'e devam eden başka pek çokları gibi, "ötekileri deli etmek!" için kabul ettiğini söyler, sonra şaka yaptığı zamanlarda hep yaptığı gibi Füsun'a bir göz kırpardı. Bu göz kırpmalarda bir amcanın, küçük, yeğen kıza "şaka yaptım canım" demesi de vardı, hafif bir kışkırtma da. Hayal Hayati benim Füsun'un "uzak bir akrabası" olduğumu bilir, bu konumdaki birinin hoş görebileceği ölçüde Füsun'a hafifçe asılırdı. Lakabı, ileride çekeceği filmleri anlatırken (masa masa dolaşarak ya hep bunu yapar ya da dedikodu toplardı) sürekli bu kelimeyi kullandığı için Pelür ahalisi tarafından takılmıştı. Her gelişinde Füsun'un masasına oturur, gözlerinin içine bakarak uzun uzun bu film hayallerinden birini anlatır, her seferinde "asla ticari düşünmeden" konuyu beğenip beğenmediğini "derhal ve kalpten" söylemesini isterdi.

"Çok güzel bir konu," derdi Füsun her seferinde.

"Çekerken mutlaka oynamayı kabul edeceksiniz," derdi Hayal Hayati de her seferinde. Her zaman her şeyi içgüdüyle ve kalpten gelen bir sese uyarak yapan bir adam edası takınırdı. "Aslında çok gerçekçi bir adamımdır," diye de eklerdi daha sonra. Masada otururken, arada bir benim gözümün içine de bakarsa, bunu sürekli Füsun'a bakarak konuşmasının ayıp kaçacağını bildiği için yaptığını hissederdim ve dost olmaya çalışarak ona gülümserdim. Füsun ile birlikte ilk filmimize başlamanın vakit alacağını keşfediyorduk.

Hayal Hayati'ye göre İslamiyet, Atatürk, Türk ordusu, din adamları, cumhurbaşkanı, Kürtler, Ermeniler, Yahudiler ve Rumlar hakkında hoşa gitmeyecek yorumların ve edepsiz aşk sahnelerinin dışında, Türkiye'deki sinema aslında özgürdü. Ama bunun doğru olmadığını kendi de bilir, bazan gülerek söylerdi. Çünkü yarım yüzyıldır sansür kurulu üyeleri, yalnız devletin yasaklamak istediği, güç sahiplerini huzursuz eden konuları değil, kafalarına takılan ve sivri buldukları her filmi, her türlü gerekçeyle yasaklama alışkanlığı edinmişlerdi ve bu gücü Hayal Hayati gibi içlerinden gelen bir zevk ve mizahla gelişigüzel kullanmayı da çok seviyorlardı.

Şakacı bir adam da olan Hayati Bey, bazı avcıların kapana kıstırdıkları ayılardan söz ettikleri zevkle, sansürcülük yıllarında filmleri nasıl yasakladıklarının hikâyelerini bizleri de güldürerek anlatırdı. Mesela bir fabrika bekçisinin serüvenlerinin alaycılıkla ele alındığı bir film "Türk bekçilerini küçük düşürüyor" bahanesiyle; evli ve çocuklu bir kadının başka bir adama aşkını anlatan film "annelik müessesesine saygısız yaklaştığı için", okuldan kaçan çocuğun mutlu serüvenlerini anlatan film "çocukları okuldan soğutuyor" gerekçesiyle yasaklamıştı. Bizler de film işini seviyor, masum Türk seyircisine ulaşmayı önemsiyorsak, bazıları arada bir Pelür'e gelen ve hepsi Hayati Bey'in yakın dostu olan Sansür Kurulu üyeleriyle iyi geçinmeyi öğrenmeliydik. Bu sözü sürekli bana bakarak söylemesinden Füsun'u etkilemek istediğini anlardım.

Ama Sansür'den onay almak için Hayati Bey'e ne kadar güveneceğimizi de çıkartamazdık. Çünkü Hayal Hayati'nin, süresi dolup kuruldan ayrıldıktan sonra çektiği ilk film de "ne yazık ki kişisel bir kaprisle" yasaklanmıştı. Hayati Bey bu konu açılınca sinirlenirdi. O kadar masrafla çektiği filmde öfkeli bir ba-

banın biraz kafayı çekip salatanın sirkesi yok diye karısına, ço-
cuklarına bağırıp çağırdığı bir akşam yemeği sahnesi, "toplu-
mun temeli olan aile müessesesini korumak" amacıyla bütün
filmin yasaklanmasına yol açmıştı.

Pelür Bar'da bize bu sahneyi ve Sansür'ü kızdıran başka iki ai-
le kavgasını kendi hayatından içtenlikle aldığını haksızlığa uğ-
ramış birinin havasıyla anlatan Hayal Hayati, aslında Sansür
Kurulu'ndaki eski arkadaşlarının filmini yasaklamalarına kız-
mıştı en çok. Bir gece, onlarla zilzurna sarhoş olana kadar iç-
miş, sabaha doğru da anlatılanlar doğruysa, bir kız meselesi ba-
hanesiyle Sansür Kurulu'ndaki en eski arkadaşıyla arka sokak-
ların birinde tekme tokat kavgaya girişmişti. Onları düştükle-
ri çamurlu sokaktan Beyoğlu Karakolu'nun polisleri kaldırmış,
iki eski arkadaş birbirlerinden şikâyetçi olmamış, polisin de teş-
vikiyle öpüşüp barışmışlardı. Hayal Hayati, filmini sinemalar-
da gösterebilmek ve iflastan kurtulabilmek için aile müessese-
sini zedeleyen, bütün aile içi kavgaları filminden dikkatle kesip
çıkarmış; bir tek, iri yarı ağabeyin, dindar annesinin teşvikiyle
küçük kardeşe dayak attığı sahneler, Sansür Kurulu'nun izniy-
le filmde kalmıştı.

Hayal Hayati devletçe sakıncalı bulunan sahnelerin sansür-
lenerek makaslanmasının, "aslında gene iyi" olduğunu da bize
böyle açıklamıştı. Çünkü makaslanan film sinemalarda göste-
rilebilir ve hâlâ anlaşılıyorsa parasını çıkarabilirdi. Felaketlerin
en beteri, çekilmiş bir filmin tamamen yasaklanmasıydı. Buna
karşı, aralarına yavaş yavaş karışmaktan gurur duyduğum akıl-
lı Türk yapımcılarının da önerisiyle, devlet iyi niyetlerle sansür
işini iki aşamaya bölmüştü.

Önce filmin senaryosu sansür kuruluna yollanıyor, konu-
nun ve sahnelerin uygunluğu için onay alınıyordu. Türkiye'de
herhangi bir iş yapacak vatandaşın devletten "izin" aldığı bü-
tün durumlarda olduğu gibi, burada da ayrıntılı bir izin ve rüş-
vet bürokrasisi gelişmiş, bu zorluklara karşı, vatandaşın müra-

caatını bu bürokrasiden geçirerek "izin" alacak aracı kişiler ve şirketler de türemişti. 1977 baharında Limon Film'in yazıhanesinde Feridun ile karşılıklı sigara içerek oturup *Mavi Yağmur*'u hangi aracı kişi ile sansürden geçirmemizin doğru olacağını pek çok kereler uzun uzun tartıştığımızı hatırlıyorum.

Daktilo Demir takma adlı, çok sevilen, çalışkan bir Rum vardı. Onun sansüre takılmayacak senaryo hazırlama yöntemi, yazılmış her senaryoyu kendi ünlü daktilosuyla ve kendi üslubuyla yeniden yazmaktı. Bu iri yarı, eski amatör boksör (Kurtuluş forması giymişti), zarif ruhlu ince bir adamdı. Kabul ettiği senaryonun sivri köşelerini yuvarlar, zengin ile fakir, işçi ile patron, ırza geçen ile kurbanı, iyiyle kötü arasındaki sertlikleri masumiyetle yumuşatır, esas kahramanın filmin sonunda sansürcülerin takılacağı, ama seyircinin seveceği öfkeli, sert, eleştirel sözlerini dengeleyecek bayraklı, vatanlı, Atatürklü, Allahlı birkaç tatlı söz eklemeyi herkesten iyi becerirdi. Asıl hüneri, senaryodaki kaba ve aşırı her noktayı mizahla, hafiflikle ve tatlılıkla masalımsı bir hayat ayrıntısı haline getirmesiydi. Sansür Kurulu üyelerine düzenli rüşvet veren büyük film şirketleri, hiçbir sakıncası olmayan senaryolarını bile, sırf onun şekerli, büyülü, çocuksu havası sinsin diye Daktilo Demir'e teslim ederlerdi.

Yaz gecelerinde içimize işleyen masalımsı Türk filmlerinin o benzersiz şiirini Daktilo Demir'e borçlu olduğumuzu öğrenince, Feridun'un da önerisiyle Füsun'u da aldık ve üçümüz "Senaryo Doktoru"nun Kurtuluş'taki evine gittik. Koskoca bir duvar saatinin tıkırdadığı bu yerde, ona efsane adını veren eski Remington daktiloyu görmüş ve filmlerdeki o özel ve büyülü havayı hissetmiştik. Demir Bey bize çok kibar davranmış, senaryoyu bırakmamızı, severse sansürden geçecek bir hale koymak için yeniden daktiloya çekeceğini, ama bunun vakit alacağını, çünkü çok işi olduğunu kebap ve meyve tabakları arasındaki dosya yığınlarını göstererek anlatmış, koskocaman bir yemek masasının kenarında babalarının yetiştiremediği senaryoları kabul edilebilir hale getiren yirmi yaşlarındaki baykuş gözlüklü, miyop ve ikiz kızlarıyla "İşi benden iyi yapıyorlar," diyerek övünmüştü. Kızlardan biraz daha balık etli olanı, Füsun'un dört sene önceki Milliyet Türkiye Güzellik Yarışması'nın finalistlerinden olduğunu hatırlayarak onu çok mutlu etmişti. Ne yazık ki, çok az kimse hatırlıyordu bunu.

Ama yeniden yazılmış ve Füsun için de özel olarak cilalanmış senaryoyu, aynı kız özel övgü ve hayranlık sözleriyle ("Babam tam Avrupai bir sanat filmi," dedi) geriye ancak üç ay sonra getirmişti. Bu yavaşlığın Füsun'un hoşuna hiç gitmediğini surat asmalarından, arada bir ettiği öfkeli sözlerden anlıyor, kocasının da yavaş olduğunu ona anlatmaya çalışıyordum.

Çukurcuma'daki eve akşam ziyaretlerine gittiğim zamanlarda, Füsun ile masadan kalkıp aramızda konuşabilmek için fırsatlarımız sınırlıydı. Her akşam, yemeğin sonuna doğru Limon'un yemine, suyuna ve gagalamayı sevdiği mürekkep balığı kemiğine (Mısır Çarşısı'ndan ben alırdım) bakmak için kafesinin başına giderdik. Ama burası sofraya çok yakındı ve aramızda mahremiyet kurmak çok zordu. Bunun için ya fısıldaşmak ya da fazla gözükara olmak gerekirdi.

Daha uygun bir yol ise, zamanla kendiliğinden açıldı: Füsun benden sakladığı mahalle arkadaşlarıyla (çoğu bekâr kız ya da yeni evli kadın) oyalanmak, onlarla bazan sinemaya gitmek, Feridun ile sinemacı mekânlarına takılmak, ev işlerine bakmak ve annesinin hâlâ kabul ettiği terzilik işlerine yardım etmekten kalan zamanlarında, "kendi kendine" kuş resimleri yapıyordu. "Kendi kendine" onun ifadesiydi. Ama ben bu amatör oyalanmanın arkasındaki tutkuyu hisseder, bu resimler yüzünden onu daha da çok severdim.

Bu merak ilk katın arka odasının balkon demirine tıpkı Merhamet Apartmanı'nda olduğu gibi, bir karganın konması ve Füsun yaklaşmasına rağmen uçup kaçmamasıyla başlamıştı. Karga başka kereler de gelmiş ve parlak ve korkutucu gözüyle yan yan Füsun'u seyrederken ondan kaçmamış, hatta Füsun ondan ürkmüştü. Bir gün Feridun karganın resmini çekmiş, Füsun da burada sergilediğim küçük siyah-beyaz fotoğrafı kareleyerek büyütmüş ve suluboya ile ağır ağır benim çok sevdiğim bir resim yapmıştı. Daha sonra aynı balkon demirine konan bir güvercin ve sonra serçeyle de resimlere devam etmişti.

Feridun'un evde olmadığı geceler, yemekten önce ya da televizyondaki uzun reklam aralarında, Füsun'a "Resim nasıl?" diye sorardım.

Bazan neşeli olur, "Gel birlikte bakalım," der, içeriye arka odaya gider, Nesibe Hala'nın terzi aletleri, makasları ve kumaşlarla dağınık gözüken odadaki küçük avizenin solgun ışığında resme birlikte bakardık.

"Çok güzel, gerçekten çok güzel Füsun," derdim içtenlikle. Aynı anda ona, sırtına, eline dokunmak için dayanılmaz bir istek duyardım. Sirkeci'deki ithalatçı kırtasiye dükkânlarından, ona güzel, "Avrupa malı" resim kâğıtları, defterler ve suluboya takımları alıyordum.

"İstanbul'un bütün kuşlarını yapacağım," derdi Füsun. "Feridun bir serçe fotoğrafı çekti. Sırada o var. Kendi kendime eğleniyorum işte. Balkona baykuş konar mı sence?"

"Bir gün mutlaka sergi açmalısın," dedim bir kere.

"Aslında Paris'e gidip müzelerdeki resimlere bakmak isterim," dedi Füsun.

Bazan da sinirli, keyifsiz olur, "Son günlerde resim yapamadım Kemal," derdi.

Keyifsizlik nedeninin oynayacağı filmine değil başlamak, senaryoyu bile çekilebilir bir senaryo haline getirememememizle ilgili olduğunu elbette anlardım. Bazan da resme fazla bir şey eklememiş olmasına rağmen, Füsun sırf bana film konusunu açabilmek için arka odaya giderdi:

"Feridun, Daktilo Demir'in düzeltmelerini sevmemiş, yeniden yazıyor..." demişti bir kere. "Ben söyledim, lütfen sen de söyle ona, uzatmasın. Artık benim filme başlayalım."

"Söylerim."

Üç hafta sonra bir gece gene arka odaya geçmiştik. Füsun karga resmini bitirmiş, şimdi ağır ağır bir serçe resmi yapıyordu.

"Gerçekten çok güzel oluyor," demiştim resme uzun uzun baktıktan sonra.

"Kemal, ben anladım artık. Feridun'un sanat filmine başlamamız aylar alacak," dedi Füsun. "Öyle şeylere sansür kolay izin vermiyor. Şüpheleniyorlar. Ama önceki gün Pelür'de Muzaffer Bey masamıza geldi ve bana bir rol teklif etti. Feridun sana söyledi mi?"

"Hayır. Pelür'e mi çıktınız? Dikkat et Füsun, o adamların hepsi birer kurt."

"Merak etme, Feridun da, ikimiz de çok dikkat ediyoruz. Haklısın, ama bu çok çok ciddi bir teklif."

"Senaryoyu okudun mu? Sen istiyor musun?"

"Senaryoyu tabii okumadım. Kabul edersem onlar bir senaryo yazdıracakmış. Görüşmek istiyorlar benimle."

"Konu ne?"

"Konunun ne önemi var Kemal? Muzaffer Bey tarzı aşklı, melodramlı bir film işte. Ben kabul etmeyi düşünüyorum."

"Acele etme. Onlar kötü insanlar. Senin yerine Feridun konuşsun onlarla. Niyetleri kötü olabilir."

"Nasıl kötü?" dedi Füsun.

Ama konuyu uzatmadan, canım sıkılmış olarak masaya döndüm hemen.

Muzaffer Bey gibi becerikli bir rejisörün Füsun'u öne çıkartarak çekeceği ticari bir melodramın, onu Edirne'den Diyarbakır'a bütün Türkiye'de hemen meşhur edeceğini çok kolay hayal edebiliyordum. Kömür sobalarıyla ısıtılan pis kokulu, havasız sinemalarda tıkış tıkış kalabalıklar, okul kaçakları, işsizler, hülyalı ev kadınları ve kadınsız kızgın erkekler, Füsun'un güzelliği ve insanlığıyla elbette ki büyüleneceklerdi. Sonra, istediği gibi yıldız olur olmaz Füsun'un yalnız bana değil, Feridun'a bile kötü davranacağını, hatta belki bizi bırakacağını düşünürken yakalıyordum kendimi. Füsun'u ün ve para için her şeyi yapan, magazin yazarlarıyla al takke ver külah ilişkiler sürdüren biri olarak düşünemiyordum elbette; ama Pelür Bar'a gelenlerin bakışlarından, pek çok kişinin onu benden ayırmak için –dilimin ucuna geliveren ilk şey olduğu için kullanıyordum bu sözü– ellerinden gelen her şeyi yapacaklarını anlıyordum. Meşhur bir yıldız olursa, Füsun'a ne yazık ki daha da fazla âşık olacaktım ve onu kaybetme korkum çok daha büyük olacaktı.

O akşam yemeğinin sonuna kadar Füsun'un öfkeli bakışlarını gördükçe, aslında güzelimin aklının bende ya da kocasında değil, film yıldızı olma hayallerinde olduğunu bir daha görüp endişeye, hatta telaşa kapıldığımı hatırlıyorum. Füsun'un bu meyhanelerde düşüp kalkan bir yapımcı ya da ünlü bir oyuncuyla kaçıp beni –ve kocasını– göz göre göre terk etmesinin bana vereceği acının, 1975 yazında çektiklerimden de kat kat ağır olacağını artık çoktan beri biliyordum.

Feridun önümüzdeki bu tehlikeden ne kadar haberdardı? Ticari yapımcıların karısını kendinden iyice uzak ve berbat bir âleme sürüklemek isteyeceklerinin farkındaydı biraz, ama ben her fırsatta onu bu tehlikeye karşı –üstü örtülü bir dille– uyarır, Füsun o berbat melodramlarda oynamaya başlarsa, artık benim için Feridun'un yapacağı sanat filminin hiçbir anlamının kalmayacağını ima eder, sonra evde gece yarısı babamın koltuğuna oturup tek başıma rakı içerken, acaba Feridun'a çok fazla mı açıldım diye dertlenirdim.

Mayıs başında, film çekimi mevsimi yaklaşırken Limon Film'e gelen Hayal Hayati, yarı ünlü bir genç kadın oyuncunun kıskanç sevgilisinden yediği dayak yüzünden hastanelik olduğunu, onun rolünü Füsun'un almasının çok iyi olacağını, bunun Füsun gibi güzel ve kültürlü bir kız için büyük bir fırsat olduğunu anlatmış, benim endişelerimi çok iyi bilen Feridun da teklifi kibarca reddetmiş ve konuyu sanırım Füsun'a hiç açmamıştı bile...

60. HUZUR LOKANTASI'NDA BOĞAZ GECELERİ

Füsun'u, Pelür Bar'a her gidişinde başına üşüşen aç erkek kurtlardan ve çakallardan uzak tutmak için yaptıklarımız bazan da bizi dertlendireceğine güldürür, hatta mutlu ederdi. Okurlarımın Hilton'daki nişandan hatırlayacakları dedikodu yazarı Beyaz Karanfil'in Füsun hakkında "bir yıldız doğuyor" konulu bir yazı yazmak istediğini öğrenmiş, bu adamın güvenilmez olduğunu Füsun'a anlatmıştım. Sonra köşe kapmaca oynar gibi ondan hep birlikte kaçmıştık. Füsun'un masasına oturup bir anda içine doğan aşk şiirini bir peçeteye yazıp ona duygulu sözlerle ithaf eden gazeteci şairin eseri, hiçbir okura ulaşamadan, benim de gayretimle Pelür'ün yaşlı garsonu Tayyar tarafından çöpe atılmıştı. Ben, Feridun, Füsun, üçümüz daha sonra yalnız kaldığımızda, bu hikâyelerin bazılarını (hepsini değil) birbirimize anlatır gülüşürdük.

Pelür Bar'da ve benzeri bar ve meyhanelerde karşılaştığımız filmci, gazeteci ve sanatçıların çoğunun içki içtikten sonra kendilerine acımaya başlayarak ağlamalarının tersine, Füsun iki kadehten sonra meyhane masalarında neşelenip çocuksulaşır, uçarı bir kız gibi cıvıltılı olurdu. Yaz sinemalarına, Boğaz lokantalarına gittiğimiz zamanlardaki gibi, o, ben, kocası üçümüz birlikteyiz diye Füsun'un neşelendiğini de hissederdim bazan. İğnelemelerden, dedikodulardan yorulduğum için ben Pelür'e artık çok az gidiyor, oradayken Füsun'un etrafındakileri kolluyor ve çoğunlukla gecenin sonunu getirmeden Füsun ile kocasını ikna edip onları Çetin ile Boğaz'a yemeğe götürüyordum. Füsun, Pelür'den erken kalktığımız için başta surat asardı, ama yolda arabada Çetin ile hep birlikte sohbet ederken öylesine mutlu olurdu ki, ben onlarla –tıpkı 1976 yazında yaptığımız gibi– birlikte lokantalara daha çok gitmemizin hepimiz için iyi olacağını düşünürdüm. Bunun için, önce Feridun'u ikna etmem gerekirdi. Çünkü Füsun ile ben, ikimiz, iki sevgili gibi birlikte herhangi bir lokantaya gidemezdik elbette. Feridun'u filmci arkadaşlarından koparmak zor olduğu için, bir keresinde Nesibe Hala'yı ikna etmiştim, sonra Füsun ve kocasıyla Sarıyer'deki Urcan'a lüfer yemeğe gitmiştik.

1977 yazında, Tarık Bey'in de fazla zorluk çıkarmadan, hatta istekle bize katılmasıyla, Keskinlerde televizyonun karşısında oturan bizim takım –Çetin'in kullandığı arabayla hep birlikte– Boğaz lokantalarına gitmeye başladık. Bu gezintilerimizi, yemekleri, müzemize gelen herkesin benim hatırladığım mutlulukla hatırlamasını istediğim için ayrıntılara gireceğim. Zaten romanın ve müzenin amacı, hatıralarımızı içtenlikle anlatıp mutluluğumuzu başkalarının mutluluğu haline getirmek değil midir? O yaz, kısa bir zamanda, hep birlikte Boğaz'da bir meyhaneye akşam yemeğine gitmek bizler için hoş bir alışkanlık oldu. Daha sonraki yıllarda yaz-kış demeden, sık sık –ayda bir– arabaya biner, düğüne gider gibi güle oynaya yola çıkar, ya bir Boğaz lokantasına ya da Tarık Bey'in sevdiği eski şarkıları ve şarkıcıları dinlemek için büyük, ünlü gazinolardan birine giderdik. Başka bazı zamanlarda ise Füsun ile aramızdaki gerginlikler, belirsizlikler, filmimizin bir türlü çekilememesi gibi dertler bize bu zevki unutturuverdu; ancak uzun süren neşesiz aylardan sonra hep birlikte arabaya doluşunca, aslında birlikte ne kadar gülüp eğlenebildiğimizi, aslında birbirimize ne kadar alıştığımızı ve birbirimizi sevdiğimizi fark ederdim.

O zamanlar yan yana dizili meyhanelerinin kaldırımlara taşan kalabalığı, kaldırımlardaki masalar arasında yukarı aşağı gezen tombalacıları, midye ve badem satıcıları, resmini çekip bir saatte basıp getiren fotoğrafçıları, dondurmacıları ve lokantaların çoğundaki küçük fasıl heyetleri ve alaturka şarkıcılarıyla Tarabya, Boğaz'a eğlenceye çıkan İstanbulluların en gözde mekânıydı. (O yıllarda tek bir turist yoktu daha ortalıkta.) Masalar ile lokanta arasındaki dar yolda ilerleyen arabalar arasında, ellerinde meze tabaklarıyla tıkış tıkış dolu tepsiler, koşturarak hizmet veren garsonların hızına ve cesaretine, Nesibe Hala'nın her gidişimizde hayretle güldüğünü hatırlıyorum.

"Huzur" adlı görece gösterişsiz bir lokantaya gidiyorduk. Boğaz'a gittiğimiz ilk gece boş yer var diye girip oturduğumuz bu lokantayı, Tarık Bey yandaki iddialı Mücevher Gazinosu'ndan gelen alaturka müziği ve eski şarkıları "bedavadan ve uzaktan" dinleyebildiği için de sevmişti. Öteki gidişimizde ben Mücevher'de oturursak eski şarkıcıları aslında daha iyi dinleyebileceğimizi söyleyince, Tarık Bey "Aman o berbat heyete, karga sesli kadınlara para vermeyelim Kemal Bey!" demiş, ama yemek boyunca yandan gelen müziği daha da dikkatle, keyifle ve öfkeyle dinlemişti. "Sesi bozuk, kulağı bozuk" şarkıcıların hatalarını yüksek sesle düzeltir, bütün güfteleri bildiğini, şarkının sonunu şarkıcıdan önce getirerek gösterir, üçüncü kadeh rakıdan sonra ruhsal bir derinlik duygusu ve efkârla gözlerini kapatıp başını sallayarak müziğe tempo tutardı.

Çukurcuma'daki evden arabayla Boğaz gezintisine çıkarken, hepimiz evin içinde takındığımız rolleri de sanki biraz olsun geride bırakıyorduk. Ben Boğaz lokantalarını ve gezintilerini, evdekinin tersine, Füsun tam yanıma oturduğu için de çok severdim. Kalabalık masalar arasında kolunun koluma iyice yaslandığını kimse görmez, babası müzik dinlerken ve annesi Boğaz'ın titrek ışıklarını, buğulu karanlığını seyrederken, ikimiz gürültünün içinde fısıldaşarak, havadan sudan, yediklerimizden ve gecenin güzelliğinden, babasının ne kadar sevimli olduğundan, tıpkı yeni tanışan ve Avrupai kız-erkek arkadaşlığını yeni öğrenen mahcup gençler gibi dikkatle söz ederdik. Babasının yanında sigara içmesi her zaman bir başka dert olan Füsun, Boğaz meyhanelerinde, kendi ekmeğini kendi kazanan dişli bir Avrupalı kadın havasına bürünüp göstere göstere fosur fosur sigara içerdi. Kara gözlüklü bıçkın tombalacıdan fiş alıp talihimizi denediğimizi, hiçbir şey çıkmayınca karşılıklı bakışıp "Kumarda kaybettik," dediğimizi, sonra utandığımızı, sonra mutlu olduğumuzu hatırlıyorum.

Bu, evden çıkmanın, divan şiirindeki şarabın, sevgiliyle yan yana oturmanın mutluluğu kadar, sokaktaki kalabalıkla birlikte olmanın da mutluluğuydu. Masalarla lokantalar arasına iyice sıkışan Boğaz yolu tıkanınca, pencereleri açılan arabaların içindekilerle masadakiler arasında "Kıza yan baktın", "Sigaranı niye üzerime attın" kavgaları çıkıp bir anda alevlenirdi. Gece ilerledikçe sarhoşlar şarkıya başlar, masadan masaya alkışlar ve laf atmalar ortalığı canlandırırdı. Derken bir meyhaneden ötekine gösteri için koşturan "oryantal" dansözün pullu yaldızlı elbisesiyle güneşte yanmış teni araba lambalarında yansıyınca, araba kornaları 10 Kasım'daki Boğaz vapurlarının düdükleri gibi içtenlikle çalmaya başlardı. Sonra sıcak gecenin ortasında, aniden rüzgâr yön değiştirir, parke taşı kaplı rıhtımın üzerine ve yerlere atılmış fındık, çekirdek, mısır ve karpuz kabuklarının, kâğıt ve gazete parçalarının, gazoz kapakları, martı ve güvercin pislikleri ve plastik torbaların üzerindeki ince kumu, tozu ve kiri bir anda havalandırır, bir an yolun öte tarafındaki ağaçların hışırtısı duyulur ve Nesibe Hala, "Aman çocuklar, toz kalktı, yemeklere dikkat!" diyerek, tabakların üzerini elleriyle örterdi. Sonra rüzgâr bir anda gene yön değiştirir ve poyraz, Karadeniz'den iyot kokan bir serinlik getirirdi.

Gecenin sonuna doğru "Bu hesap niye bu kadar yüksek" kavgaları çıkarken, masalardan şarkılar yükselir, Füsun ile ellerimiz, kollarımız, bacaklarımız birbirine daha da çok değer, hatta birbirine o kadar karışırdı ki, bazan mutluluktan bayılacağım sanırdım. Bazan o kadar mutlu olurdum ki, geçen fotoğrafçıyı durdurur, fotoğraf çektirir, Çingene kadını durdurup hepimizin el falına baktırırdım. Bazan sanki onunla ilk defa tanışmışız gibi hissederdim kendimi. Orada Füsun'un yanında, kolum koluna, eline değerken, onunla evleneceğimizi düşünür, mehtaba bakarken mutluluk hayallerine dalıp gider, derken, bir kadeh buzlu rakı daha içer, sonra tıpkı bir rüyadaki gibi önümün kaskatı kalktığını ürpertici bir hazla fark eder, ama telaşa kapılmaz, cennetteki ecdadımız gibi suç ve günahtan iyice arınmış bir ruh haline girdiğimi, girdiğimizi hisseder, kendimi hayalin, hazzın ve Füsun'un yanında oturmanın mutluluğuna bırakırdım.

Evin dışında, o kalabalığın içinde, annesinin babasının burnunun dibinde, birbirimize Çukurcuma'daki evde hiç olmadığımız kadar neden bu kadar yakınlaşabiliyorduk, bilmiyorum. Ama o gecelerde ileride birlikte uyum içinde mutlu bir çift olabileceğimizi, magazin sayfalarının sevdiği ifadeyle "birbirimize yakıştığımızı" anlardım. Hatta bunu ikimiz de içimizde hissederdik. Şundan bundan tatlı tatlı konuşurken onun "Bir tatmak ister misin?" demesi üzerine, tabağındaki küçük esmer köftelerden, bir başka seferinde, gene onun cesaretlendirmesiyle tabağının kenarında duran ve burada çekirdeklerini sergilediğim zeytinleri kendi çatalımla alıp ağzıma attığımı da büyük bir mutlulukla hatırlıyorum. Bir başka gece de yan masada oturan bize benzer bir çiftle (adam otuz küsur yaşlarında kumral, kız yirmi yaşında beyaz tenli, esmer) sandalyelerimizde yan dönüp uzun uzun arkadaşça sohbet etmiştik.

Aynı gecenin sonunda Mücevher Gazinosu'ndan çıkan Nurcihan ve Mehmet ile karşılaşmış, ayaküstü ortak arkadaşlarımızdan hiç söz etmeden, "Gecenin bu saatinde açık olan en iyi Boğaz dondurmacısı hangisidir?" diye ciddi bir tartışmaya girmiştik. Onlardan ayrılırken, Çetin'in kapısını açtığı Chevrolet'ye annesiyle babasıyla giren Füsun'u uzaktan göstererek akrabalarımı Boğaz gezintisine çıkardığımı söylemiştim. Müzemi yıllar sonra gezecek meraklılara 1950'lerde, 60'larda, İstanbul'da çok az özel araba olduğunu, Amerika'dan ya da Avrupa'dan özel otomobil getiren zenginlerin, tanıdık ve akrabalarını şehir gezintilerine çıkardıklarını hatırlatmak isterim. (Çocukluğumda annemin bazan babama "Saadet Hanım, kocası, çocuklarıyla bir araba gezintisi istiyor, sen de gelir misin, yoksa ben onları Çetin ile –annem bazan yalnızca "şoför ile" de derdi– gezdireyim mi?" diye sorduğunu, babamın da "Aman sen onları gezdir, ben meşgulüm," dediğini sık sık işitmiştim.)

Boğaz gezintilerinden dönüşte, arabada hep birlikte şarkı söylerdik. Şarkıya önce hep Tarık Bey başlardı. Önce eski bir besteyi, güfteyi hatırlamaya çalışarak mırıldanır, sonra bize radyoyu açtırır, eski bir şarkı aratır ya da biz radyoyu karıştırırken, o gece Mücevher'den işittiğimiz eski bir melodiyi söylemeye başlardı. Bazan radyoyu karıştırırken, uzak, yabancı ülkelerin tuhaf dilleriyle karşılaşır, bir an susardık. "Moskova Radyosu," derdi o zaman Tarık Bey esrarengiz bir havayla. Sonra yavaş yavaş ısınır, mesela bir şarkının ilk sözlerini söyler, Nesibe Hala ile Füsun az sonra ona katılırdı. Arabanın içinde eski şarkılardan bir konser dinleyerek, Boğaz yolunun yüksek çınarlarının ve karanlık gölgelerinin altından eve dönerken, ön koltuktan onlara doğru döner, bütün güftesini bilmediğim için utandığım Gültekin Çeki'nin *Eski Dostlar*'ını onlara uyarak söylemeye çalışırdım.

Arabada hep birlikte şarkı söylerken, Boğaz lokantasında konuşa gülüşe yemek yerken, aslında aramızda en mutlu olan kişi Füsun'du. Buna rağmen evden çıkabildiği gecelerde Füsun, Pelür Bar'daki filmcilerle birlikte olmaktan hoşlanırdı. Bu yüzden, hep birlikte Boğaz gezintisine çıkmak için önce Nesibe Hala'yı ikna ederdim. Nesibe Hala, Füsun ile beni yan yana getirecek fırsatları hiç kaçırmak istemezdi. Bir başka yol, önce Feridun'un aklını çelmekti. Bunun için bir gece, Feridun'un ayrılamadığı kameraman arkadaşı Yani'yi de Boğaz'a götürmüştük. Feridun, Limon Film'in imkânlarıyla Yani'yle birlikte reklam filmleri çekiyor, ben de onlara karışmıyor, biraz para kazanmalarını iyi karşılıyordum. Feridun bir gün çok para kazanır da, kayınvalidesi ve kayınpederinin yanından ayrılıp karısıyla ayrı bir eve taşınırsa, Füsun'u nasıl görebilirim diye bazan sorardım kendime. Feridun ile bazan bu yüzden de iyi geçinmek istediğimi utanarak hissederdim.

Tarık Bey ile Nesibe Hala gelmediği için, o gece Tarabya'da ne yandaki meyhaneden gelen şarkıları dinledik ne de dönüş yolunda hep birlikte şarkı söyleyebildik. Füsun benim değil kocasının yanına oturmuş, sinema dedikodularına dalmıştı.

O gece mutsuz olduğum için bir başka gece, Feridun ve Füsun'la gene Pelür'den çıkarken, Feridun'un bizimle gelmek isteyen başka bir arkadaşına, arabada yer olmadığını, çünkü az sonra Füsun'un annesiyle babasını alıp Boğaz'a gideceğimizi söyledim. Galiba biraz kabaca söylemiştim bunu. Geniş, güzel bir alnı olan adamın koyu yeşil gözlerinin şaşkınlıkla, hatta öfkeyle büyüdüğünü gördüm, ama çıkardım onu aklımdan. Daha sonra Çukurcuma'ya gidip Nesibe Hala ile Tarık Bey'i tatlılıkla ve Füsun'un da yardımıyla kandırıp hep birlikte gene Tarabya'ya Huzur Lokantası'na gittik.

Oturup içmeye başladıktan bir süre sonra, masada huzursuz olduğumu, Füsun'un tutuk, gergin halinden, gecenin akışından zevk alamadığımı bir an düşündüğümü hatırlıyorum. Bizi eğlendirebilecek tombalacıları, soyulmuş taze ceviz satıcılarını bulabilmek için arkaya dönmüştüm ki, hemen iki masa ötemizde aynı koyu yeşil gözlü adamı gördüm. Az ötede bir masada bir arkadaşıyla oturmuş bizi seyrederek içiyordu. Feridun benim onları gördüğümü fark etti.

"Senin arkadaşın arabaya binmiş, bizi takip etmiş," dedim.

"Tahir Tan benim arkadaşım değil," dedi Feridun.

"Pelür'den çıkarken kapıda bizimle gelmek isteyen adam değil mi bu?"

"Evet, ama arkadaşım değil. Yerli fotoromanlarda, vurdulukırdılı filmlerde oynuyor. Sevmiyorum onu."

"Niye peşimize düştüler?"

Bir an sustuk. Feridun'un yanında oturan Füsun da konuşmayı duymuş, gerilmişti. Tarık Bey müzik dinliyordu, ama Nesibe Hala da bize kulak kesilmişti. Hemen sonra Füsun'un ve Feridun'un bakışlarından, adamın bize yaklaştığını anlayıp arkama döndüm.

"Kusura bakmayın Kemal Bey," dedi bana Tahir Tan. "Sizi rahatsız etmek değil amacım. Ben Füsun'un annesi ve babasıyla konuşmak istiyorum."

Bir subay düğününde, görüp beğendiği kızı dansa kaldırmadan önce, gazetelerdeki adap ve görgü sütunlarında yazıldığı gibi kızın annesi ve babasından izin alan kibar ve yakışıklı delikanlının ifadesi geldi yüzüne.

"Affedersiniz efendim, bir konuyu açmak istiyorum," dedi Tarık Bey'e yaklaşarak. "Füsun'un film..."

"Bak Tarık, adam sana bir şey diyor," dedi Nesibe Hala.

"Size de diyorum efendim. Füsun'un annesisiniz, değil mi? Siz de babasısınız, efendim. Şundan haberiniz var mı? Efendim, Türk sinemasının önde gelen iki önemli yapımcısı Muzaffer Bey ve Hayal Hayati, kızınıza önemli roller teklif ettiler. Fakat filmlerde öpüşme sahnesi var diye sizler teklifleri kabul etmemişsiniz."

"Yok öyle bir şey," dedi Feridun soğukkanlılıkla.

Her zamanki gibi Tarabya'da yoğun bir gürültü vardı. Tarık Bey ya duymamıştı ya da böyle durumlardaki pek çok Türk babası gibi duymamış gibi yapıyordu.

"Yok ne?" dedi Tahir Tan kabadayı havasıyla.

Çok içtiğini, kavga çıkarmak istediğini hepimiz anladık.

"Tahir Bey," dedi Feridun dikkatle. "Biz bu akşam ailecek oturuyoruz ve film işlerinden hiç bahsetmek istemiyoruz."

"Ben istiyorum ama... Füsun Hanım, niye korkuyorsunuz, filmde oynamak istediğinizi söylesenize."

Füsun gözlerini kaçırdı. Telaşsız ve ağır hareketlerle sigara içiyordu. Ayağa kalktım. Feridun da aynı anda ayağa kalktı. Adamla masa arasına girdik. Başka masalardan kafalar bize doğru çevrildi. Kavgadan önce Türk erkeklerinin takındığı dövüşçü horozları andıran hareketleri, kabadayı pozlarını takınmış olmalıyız. Çünkü kavgayı kaçırmak istemeyen meraklı seyirciler, eğlenmek isteyen sarhoşlar bize yaklaşıyorlar, seyre hazırlanıyorlardı. Tahir'in arkadaşı da masadan kalkıp yaklaştı.

Meyhane kavgalarını bilen yaşlı, tecrübeli bir garson hemen araya girdi. "Haydi beyler, birikmeyelim, dağılalım," dedi. "Hepimiz içkiliyiz, olur böyle anlaşmazlıklar. Kemal Bey, sizin masaya bir midye tava, bir de çiroz bırakıyoruz."

Müzemizi yüzyıllar sonra ziyaret eden, gelecek kuşağın mutlu insanlarına, o zamanlar Türk erkeklerinin en küçük bahaneyle her yerde, kahvehanelerde, hastane kuyruğunda beklerken, trafik tıkandığında, futbol maçlarında, her durumda tekme tokat kavgaya giriştiğini, kavgadan korkup pusmanın en büyük şerefsizlik kabul edildiğini söyleyeyim ki, bizleri yanlış anlamasınlar.

Arkadan gelen arkadaşı, elini Tahir'in omzuna attı, "efendilik sende kalsın" pozlarıyla onu uzaklaştırdı. Feridun da omzumdan tutup "hiç değer mi!" ifadesiyle beni masaya oturttu. Bunu yaptığı için ona şükran duydum.

Gecenin içinde bir geminin projektörü poyrazla çalkalanan dalgaların üzerinde gezinirken, Füsun hiçbir şey olmamış gibi sigara içiyordu. Uzun uzun gözlerinin içine baktım, o da bakışlarını benden hiç kaçırmadı. Neredeyse mağrur, meydan okuyan bir havayla bakarken, son iki yılda yaşadıklarının, hayattan beklediklerinin bu sarhoş oyuncunun çıkardığı şu küçük meseleden çok daha büyük ve tehlikeli olduğunu bir an hissettirdi bana.

Sonra Tarık Bey, Mücevher Gazinosu'ndan gelen şarkıya, Selahattin Pınar'ın *Nereden Sevdim O Zalim Kadını*'na elindeki rakı bardağını ve başını çok ağır bir havada sallayarak eşlik etti.

Bizler de şarkının kederini paylaşmanın çok iyi olacağını anlayıp ona katıldık. Çok sonra, gece yarısı, dönüş yolunda, arabada hep birlikte şarkı söylerken, gecenin başındaki olayı bütünüyle unutmuş gibiydik.

61. BAKMAK

Oysa Füsun'un ihanetini ben hiç unutmamıştım. Besbelli Tahir Tan, Pelür'de göre göre Füsun'a abayı yakmış, Hayal Hayati'nin ve Muzaffer Bey'in ona filmlerde roller teklif etmesini sağlamıştı. Ya da daha akla yatkın olanı, Hayal Hayati'nin ve Muzaffer Bey'in, Tahir Tan'ın Füsun'a olan ilgisini görüp ona rol teklif etmeleriydi. Füsun'un, Tahir Tan gittikten sonra süt dökmüş kedi gibi olmasından, onları en azından cesaretlendirdiğini de anlamıştım.

1977 yazında Tarabya'daki Huzur Lokantası'ndaki o geceden sonra, Füsun'un Beyoğlu'na sinemacıların yerlerine, özellikle de Pelür'e gitmesinin yasaklandığını, ondan sonra Keskinlere ilk gidişimde Füsun'un küskün ve öfkeli bakışlarından sezdim. Daha sonra Limon'da buluştuğumuzda Feridun, Nesibe Hala ile Tarık Bey'in o olaydan telaşa kapıldıklarını söyledi. Füsun'un şu ara Pelür'e gitmesi çok zordu. Mahalle arkadaşlarıyla görüşmesine bile sınır getirilmişti. Sokağa çıkmadan önce, evlenmemiş bir kız gibi annesinden izin alması gerekiyordu. Çok uzun sürmeyen bu sert önlemlerin Füsun'u çok mutsuz ettiğini hatırlıyorum. Feridun artık kendisinin de Pelür'e gitmeyeceğini süslü sözlerle söyleyerek Füsun'u teselli ediyordu. Feridun'un sanat filminin çekimine başlamamız gerektiğini, Füsun'u ancak böyle mutlu edebileceğimizi ikimiz de çok iyi biliyorduk.

Ama ne filmin senaryosu sansür kurulundan geçebilecek haldeydi ne de Feridun'un bunu yakın zamanda gerçekleştirebileceğini hissediyordum. Füsun'un da bunu bütün açıklığıyla ve acıyla hissettiğini, arka odada yeni yapmaya başladığı martı resmine bakarken konuştuklarımızdan anlar, üzülürdüm. Füsun'un öfkeli sorularına, isyanına tanık olmaktan hoşlanmadığım için artık ona daha az "Yeni resim nasıl?" diyor, bunu ancak Füsun'un o gün neşeli olduğunu, arka odada gerçekten martı resminden söz edeceğimizi anladığım zaman soruyordum.

Çoğu zaman Füsun'u neşesiz görür, "Martı resmi ilerliyor mu?" diye hiç sormaz, bakışlarından öfkesini hissederek otururdum. Benimle bakışlarıyla iletişim kurduğunu derinden hissedince, Füsun da bana daha özel bir şekilde bakardı. İçeriye resme bakmak için üç-beş dakika gitsek bile, gecenin büyük çoğunluğu bu bakışlarla, onlara bir anlam vermekle geçerdi. Çukurcuma'daki akşam yemeklerinde çoğu zaman Füsun'un benim için, kendi hayatı için ne düşündüğünü, duygularının ne olduğunu bakışlarından okumaya çalışırdım. Bir zamanlar burun kıvırdığım bakışlarla iletişim kurma töresine kısa sürede kendimi iyice vermiş, süratle bu işte hüner kazanmıştım.

Gençlik yıllarımda arkadaşlarla bir sinemaya gittiğimizde, bir lokantada hep birlikte otururken ya da adaya bahar gezintisine giderken, vapurun üst salonunda aramızdan biri, "Beyler, şuradaki kızlar bize bakıyor!" dediğinde, bazılarımız heyecanlanırken ben bu sözü hep şüpheyle karşılardım. Çünkü aslında kalabalıkların olduğu yerlerde kızlar çok seyrek olarak etraftaki erkeklere bakar, bakarken göz göze gelirlerse de, ateşle karşılaşmış gibi bakışlarını hemen korkuyla kaçırır, bir daha da o yöne hiç dönmezlerdi. Keskinlerin evine akşam yemeklerine gitmeye başladığım ilk aylarda, hep birlikte televizyon seyrederek yemek masasında otururken hiç beklenmedik bir anda göz göze geldiğimizde, Füsun da bakışlarını işte böyle, ateşle karşılaşmış gibi kaçırırdı benden. Bunun, bir Türk kızının sokakta bir yabancıyla karşılaşınca yaptığı hareket olduğunu hisseder, hoşlanmazdım. Ama daha sonra Füsun'un bu hareketi, masada otururken beni kışkırtmak için yaptığını düşünmeye başladım. Bakışma sanatını öğrenmeye yeni başlıyordum.

Eskiden İstanbul sokaklarında yürürken, çarşı pazar gezinirken, başı ister açık olsun ister örtülü, kadınların başka erkeklerle değil göz göze gelmeye çalışmak, onlara baktıklarına –Beyoğlu'nda bile– bile çok az tanık olmuştum. Öte yandan, görücü usulüyle evlenen çoğunluğun dışında, birbirlerini görüp, tanıyıp seçerek evlenen pek çok kişiden "Biz önce bakışarak anlaştık," sözünü de işitmiştim. Görücü usulüyle evlenmelerine rağmen, annem bile babamla Atatürk'ün de katıldığı bir baloda uzaktan birbirlerini görerek beğenip, hiç konuşmadan, yalnızca bakışarak anlaştıklarını iddia ederdi. Babam ise annemi hiç bozmamasına rağmen, bana bir kere Atatürk ile birlikte aynı baloda bulunduklarını, ama ne yazık ki o gece şık kıyafeti, beyaz eldivenleri ile on altı yaşındaki annemi hiç göremediğini, hiç hatırlamadığını söylemişti.

Bizimkisi gibi kadın ile erkeğin aile dışında tanışıp, görüşüp hiç buluşamadığı bir âlemde, göz göze gelmenin anlamını –belki de gençliğimin bir kısmını Amerika'da geçirdiğim için– zaten geç anladım, otuz yaşımdan sonra ve Füsun sayesinde... Ama anladığım şeyin değerini çok iyi bildim ve derinliğini hep içimde hissettim. Füsun, tıpkı eski İran minyatürlerindeki kadınlar gibi ya da o zamanların fotoroman ve film sahnelerindeki kadınlar gibi bakardı bana. Sofrada onun çaprazında otururken, bana düşen boş boş televizyona bakmak değil, güzelimin bakışlarını okumaktı. Ama bir süre sonra, belki de bu zevkimi keşfettiği ve beni cezalandırmak istediği için bakışlarımız kesişince, Füsun utangaç kızlar gibi bir anda gözlerini kaçırmaya başlardı.

Birlikte yaşadıklarımızı aile sofrasında ne hatırlamak ne de hatırlatmak istiyor, üstelik onu film yıldızı yapamadık diye öfkeleniyor, diye düşünür; önceleri ona hak verirdim. Ama bir süre sonra, benimle bakışlarla bile temastan bu kadar kaçınması, o mutlu sevişmelerimizden sonra utangaç bir bakire, hiç tanışmadığı yabancı bir erkekle göz göze gelmiş gibi davranması, beni öfkelendirmeye başladı. Kimse bizimle ilgilenmez, yani akşam yemeğini yer, dalgın dalgın televizyona bakarken ya da tam tersi ekrandaki duygusal dizideki dokunaklı ayrılma sahnesi tam gözlerimizi sulandırmışken, bir an rastlantıyla göz göze gelmek beni çok mutlu eder, o gece oraya o göz buluşması için geldiğimi sevinçle anlardım. Ama Füsun o anın mutluluğunu hiç hissetmemiş gibi davranır, bakışlarını kaçırır, bu da kalbimi kırardı.

Bir zamanlar birlikte ne kadar mutlu olduğumuzu unutamadığım için orada olduğumu bilmiyor muydu? Bu düşüncelere kapılıp ona içerlediğimi daha sonra bakışlarımdan anladığını hissederdim. Ya da galiba yalnızca hayal ederdim.

Hissetmek ile hayal etmenin açtığı bu muğlak âlem, bakışma sanatının inceliklerini yavaş yavaş Füsun sayesinde öğrenirken fark ettiğim ikinci büyük keşif oldu. Bakışmak, hiçbir kelime kullanmadan bakışlarımızla karşımızdakine kendimizi anlatma yoluydu elbette. Ama anlatılan şey de, anlaşılan şey de, aslında hoşumuza giden derin bir muğlaklık taşıyordu. Füsun'un bakışlarıyla ifade ettiği şeyin ne olduğunu tam anlayamaz ve bir süre sonra ifade edilen şeyin bakışın kendisi olduğunu anlardım. Füsun'un başlarda çok seyrek de olsa, bir an yoğunlaşan ifade dolu güçlü bakışlarından öfkesini, kararlılığını, ruhunda esen fırtınaları hisseder, bir an aklım karışır, onun karşısında sanki gerilerdim. Daha sonra televizyonda ortak mutlu hatıralarımıza işaret eden bir şey, mesela bizim gibi öpüşen bir çift belirdiğinde onunla göz göze gelmek isteyince, hiçbir taviz vermeden bakışlarını kaçırması, hatta bana yan dönmesi beni isyan ettirirdi. Ona ısrarla, inatla, gözlerimi hiç kaçırmadan bakma alışkanlığımı bu sıralarda geliştirdim.

Bakışlarımı onun gözlerinin içine diker, ona uzun uzun dikkatle bakardım. Tabii, aile sofrasında bakışım çoğunlukla on-on iki saniyeyi geçmez, en uzunu, en pervasızı yarım dakikaya varırdı. Bu sürede yaptığım şeyin bir çeşit "taciz" olduğunu, gelecekteki modern çağın özgür insanları haklı olarak düşünebilirler. Çünkü o ısrarcı bakışlarımla, Füsun'un saklamak, hatta belki de unutmak istediği geçmişteki ortak mahremiyetimizi, aşkımızı aile sofrasına taşımış oluyordum. Aile sofrasının içkili olması ya da benim sarhoş olmam tabii bir mazeret olamaz. Ama bu kadarını bile yapmasaydım, herhalde delirir, Keskinlere gidecek gücü kendimde bulamazdım diye savunabilirim şimdi kendimi.

Çoğu geceler Füsun böyle öfkeli ve takıntılı bir akşamımda olduğumu, bakışlarımla ona sık sık yoğunlaşacağımı ilk göz göze gelmelerden, arsızca ısrarımdan anlayınca, hiç telaşa kapılmaz; erkeklerin tacizci, huzursuzluk verici bakışlarını görmezlikten gelip idare etmeyi bir hüner haline getirmiş bütün Türk kadınları gibi, bana bir daha hiç bakmadan karşımda otururdu. O zaman deli gibi olur, ona daha da öfkelenir, bakışlarımı daha da dikerdim gözlerinin içine. Ünlü köşe yazarı Celâl Salik, *Milliyet* gazetesindeki köşesinde şehir sokaklarında yürüyen öfkeli erkeklerimizi uyarmış, pek çok kereler "Güzel bir kadın görünce dik dik gözlerinin içine onu öldürecekmiş gibi bakmayın," diye yazmıştı. Füsun'un benim yoğun bakışlarımı, ben Celâl Salik'in anlattığı o erkeklerden biriymişim gibi yorumlaması beni çileden çıkarırdı.

Taşradan İstanbul'a gelip de başı açık, makyajlı, rujlu güzel bir kadına hiç durmadan sert sert ve hayranlıkla bakan erkeklerin kadınları ne kadar taciz ettiklerini, Sibel bana sık sık anlatmıştı. Şehirde sık sık olduğu gibi, bu erkeklerin bazıları daha sonra uzun uzun seyrettikleri kadınların peşlerine düşer, bazıları varlıklarını tacizkâr bir şekilde belli ederek, bazıları da ruh gibi sessizce saatlerce, bazan günlerce uzaktan kadını izleyerek ona bakarlardı.

1977'nin Ekim ayında bir gece, Tarık Bey "üzerinde bir kırıklık olduğu için" hepimizden önce yukarı çıkıp yatmıştı. Füsun

ile Nesibe Hala tatlı tatlı konuşuyorlardı, onlara dalgın dalgın
–öyle sanıyordum– bakıyordum ki, birden Füsun benimle göz
göze geldi. O günlerde sık sık yaptığım gibi ona dikkatle baktım.

"Yapma öyle!" dedi Füsun.

Bir an sarsıldım. Füsun benim bakışımı çok iyi taklit etmişti.
İlk anda utançtan durumu kabul edemedim.

"Ne demek istiyorsun?" diye mırıldandım.

"Böyle yapma demek istiyorum," dedi Füsun ve benim bakı-
şımı daha da abartılı bir şekilde taklit etti. Bu taklitle, kendimin
de fotoroman kahramanları gibi baktığımı anladım.

Nesibe Hala bile gülümsedi buna. Sonra benden korktu.
"Herkesi, her şeyi çocuk gibi taklit etme kızım!" dedi. "Artık
çocuk değilsin."

"Yok, Nesibe Hala," dedim bütün gücümü toparlayarak. "Ben
Füsun'u çok iyi anlıyorum."

Gerçekten Füsun'u anlıyor muydum? Önemli olan âşık ol-
duğumuz kişiyi anlamaktır elbette. Bunu yapamıyorsak, hiç ol-
mazsa anladığımızı sanmak da iyi bir şeydir. Bu ikincisinin ve-
receği tatmin duygusunu bile sekiz yılda seyrek tattım, itiraf
edeyim.

Koltuğumdan kalkamama buhranına yakalanmak üzere ol-
duğumu sezdim. Bütün gücümü kullanarak ayağa kalktım, sa-
atin geç olduğunu mırıldanarak çıktım oradan. Evde, bir da-
ha Keskinlere hiç gitmeyeceğimi düşünerek sızana kadar içtim.
Yan odada annem acıyla inler gibi, ama çok sağlıklı bir şekilde
horluyordu.

Okurun tahmin edeceği gibi bir küskünlüğe kapıldım. Ama
çok fazla sürmedi. On gün sonra gene bir akşam hiçbir şey ol-
mamış gibi Keskinlerin kapısını çaldım. İçeri girip Füsun ile
göz göze gelir gelmez, beni görmenin onu mutlu ettiğini göz-
lerinin içindeki pırıltıdan anladım. Aynı anda ben de dünyanın
en mutlu insanı oldum. Sonra gene masaya oturduk ve bakış-
maya devam ettik.

Zaman geçtikçe, aylar yıllar aktıkça, Keskinlerin masasında sohbet edip oturmak, televizyonu bayrak törenine kadar seyredip Tarık Bey ve Nesibe Hala ile sohbet etmekten –çoğu zaman kenarından Füsun da katılırdı– hiç tatmadığım zevkler alıyordum. Kendime yeni bir aile ediniyordum da diyebilirim buna. O gecelerde yalnız Füsun ile karşı karşıya oturduğum için değil, Keskinlerin sohbetine katıldığım için de bir hafiflik, hayat hakkında bir iyimserlik duygusuna kapılır, sanki oraya neden geldiğimi unuturdum.

İşte ben bu duygular içindeyken, gecenin ortasında sıradan bir anda, rastlantıyla Füsun ile göz göze geldiğimde, beni oraya o akşam getiren asıl nedeni, Füsun'a duyduğum bitip tükenmez aşkı bir anda sanki yeniden hatırlar, bir an uykudan uyanır gibi doğrulur, heyecanlanır, canlanırdım. O anlarda Füsun'un aynı heyecanı duymasını isterdim. Bir an, o da benim gibi bu masum rüyadan uyanırsa, bir zamanlar birlikte yaşadığımız daha derin ve hakiki âlemi hatırlayacak ve kısa sürede kocasını bırakıp benimle evlenecekti. Ama Füsun'un bakışlarında böyle bir "hatırlama", bir "uyanış" göremez, sonu yerinden kalkamama buhranına varacak bir kalp kırıklığı hissederdim.

Füsun film işlerinin bir türlü sonuçlanmadığı o dönemde, bir zamanlar birlikte ne kadar mutlu olduğumuzu hatırladığını gösterir bir şekilde, bana neredeyse hiç bakmazdı. Tam tersi, bakışları yoğunluk ve derinlikten yoksun bir hal alır, o an televizyonda seyrettiğimiz şeyler ile ya da mahalledeki bir komşuyla ilgili dedikoduyla çok ilgileniyormuş gibi bakmaya devam eder, hayatın gerçek anlam ve amacı annesi ve babasının sofrasında oturup sohbet edip gülüşmekmiş gibi davranırdı. O zaman, bir an sanki Füsun ile hiçbir geleceğimiz olamazmış, ileride kocasından ayrılıp benimle birlikte olmasına hiç ihtimal yokmuş gibi bir boşluk ve anlamsızlık duygusuna kapılırdım.

Olaylardan yıllar sonra, Füsun'un o aylardaki küskün bakışlarını, diğer anlamlı bakışlarını Türk filmlerindeki kadın oyuncuların bakışlarına benzettim. Ama burada bir taklit yoktu, Türk filmlerindeki kadın kahramanlar gibi Füsun da, annesinin, babasının ve erkeklerin yanında derdini tam anlatamıyor; öfkesini, isteğini, duygularını, bakışlarıyla ifade ediyordu.

62. VAKİT GEÇSİN DİYE

Füsun'u düzenli bir şekilde görüyor olmam, iş hayatımı da düzene sokmuştu. Uykumu aldığım için her sabah erkenden yazıhaneye gidiyordum. (Harbiye'deki apartmanın yan duvarında tatlı gülüşlü Inge hâlâ Meltem gazozu içiyor, ama Zaim'den duyduğuma göre artık bu satışlara pek yardımcı olmuyordu.) Kafam Füsun'a takılmadığı için hem çok iyi çalışıyor, hem de çevrilen dolapları görüp karar alabiliyordum.

Osman'ın, yönetimini Kenan'a emanet ettiği Tekyay, beklenildiği gibi kısa sürede Satsat'ın rakibi olmuştu. Ama Kenan ve ağabeyimin başarılı yönetimi yüzünden değildi bu. Mustang'ı, fabrikası ve Füsun'a olan aşkı yüzünden aklıma her gelişinde beni kederlendiren tekstilci Turgay Bey –nedense onu artık kıskanmıyordum hiç– kendi ürünlerinin bir kısmının dağıtımını Tekyay'a bırakmıştı da ondan. Turgay Bey, her zamanki inceliği ile nişana çağrılmamasını unuttuğu gibi, şimdi Osman ile ailecek ahbaplığa da başlamıştı. Kışları birlikte Uludağ'a kayak yapmaya gidiyor; Paris'e, Londra'ya alışveriş yolculuklarına çıkıyor ve aynı seyahat dergilerine abone oluyorlardı.

Gittikçe büyüyen Tekyay'ın saldırganlığına şaşıyor, ama pek fazla bir şey de yapamıyordum. Benim şirkete aldığım genç ve hırslı yeni yöneticileri, çalışkanlıkları ve dürüstlükleri ile yıllar boyunca Satsat'ın temel direği olmuş orta yaşlı iki yöneticiyi, Kenan, pervasızca yüksek maaşlar vererek kendi şirketine transfer etmişti.

Ağabeyimin bana kazık atma zevki ve para hırsıyla babamın

kurduğu Satsat'a karşı işler yapmasını, anneme akşam yemeklerinde birkaç kere açıp şikâyet ettim. Ama annem "Artık ben aranıza girmeyeyim oğlum" bahanesiyle bana yardım etmedi. Sanırım Osman'ın telkinleriyle annem, Sibel'den ayrılmamdan, özel hayatımdaki esrarengiz tuhaflıktan ve artık biraz farkında olduğunu sandığım Keskinlere gitmelerimden bir sonuç çıkarmış, benim babamın bıraktığı işleri iyi idare edemeyeceğime karar vermişti.

Bu iki buçuk yılda Keskinlere ziyaretlerim, Füsun ile göz göze gelmelerimiz, akşam yemeklerimiz, sohbetlerimiz, artık kış akşamları da çıktığımız arabalı Boğaz gezilerimiz, her şey sanki zamandışı bir sıradanlığına (ve güzelliğe), birbirini hep tekrar eden bir kıvama kavuştu. Feridun'un sanat filmine bir türlü başlayamıyorduk, ama önümüzdeki birkaç ay içerisinde başlayacakmışız gibi hazırlık yapıyorduk hep.

Füsun sanat filminin biraz daha vakit alacağına, ticari filmlerin de kendisini tehlikeli sokaklarda tek başına bırakacağına ya karar vermişti ya da karar vermiş gibi davranıyordu. Bakışlarıyla dışa vurduğu öfkesi bütünüyle yok olmamıştı. Bazı akşamlar Çukurcuma'daki evde sofrada otururken bakışlarımız kesişince, ilk başlardaki mahcup genç kız edasıyla gözlerini kaçırmaz, gözlerimin içine benim bütün kusurlarımı hatırlatacak bir hiddetle bakardı. O zaman içine attığı öfkesini dışa vurduğu için kederlenir, ama bana da kendini daha yakın hissettiğini anladığım için mutlu olurdum.

Artık akşam yemeklerinin sonuna doğru, ona yeniden "Füsun resim nasıl gidiyor?" diye sormaya başlamıştım. Feridun evde, sofradaysa da soruyordum bunu. (Huzur Lokantası'ndaki geceden sonra Feridun geceleri daha az çıkıyor, bizimle yiyordu. Zaten film sanayii zordaydı.) Bir kere üçümüzün sofradan kalkıp, Füsun'un o sırada yapmakta olduğu bir güvercin resmine uzun uzun baktığımızı, konuştuğumuzu hatırlıyorum:

"Bu kadar yavaş yavaş, sabırla çalışmanı çok seviyorum Füsun," demiştim fısıldar gibi.

"Ben de söylüyorum, bir sergi açsın!" demişti Feridun aynı fısıltılı havayla. "Ama utanıyor..."

"Ben bunları vakit geçsin diye yapıyorum," derdi Füsun. "En zoru, güvercinin başındaki tüylerin parlaması. Görüyor musunuz?"

"Evet, görüyoruz," dedim.

Uzun bir sessizlik oldu. Feridun o akşam sanırım Spor Saati'ni seyretmek için de evde kalmıştı. Televizyondan bir gol sesi gelince koşarak gitti. Füsun ile hiç konuşmadık. Onunla yaptığı resme sessizce bakmak, Allahım, bu beni çok mutlu ediyordu.

"Füsun, bir gün Paris'e gidelim ve birlikte oradaki resimleri, bütün müzeleri görelim, çok isterim."

Bu pervasızlık; birkaç ziyaret surat asma, kaş çatma, hatta hiç konuşmama ve küskünlük cezasına çarptırılacak bir suçtu, ama Füsun sözümü çok doğal karşıladı.

"Ben de gitmek isterim Kemal."

Pek çok çocuk gibi ben de okul yıllarındayken resme heves etmiş, ortaokul ve lisede bir dönem Merhamet Apartmanı'ndaki dairede "kendi kendime" hevesle resim yapmış, ileride ressam olacağım hayallerini kurmuştum. O zamanlar, bir gün Paris'e gidip bütün resimleri görmek gibi çocuksu hayallerim vardı. 1950'lerde, 1960'ların başında, Türkiye'de resim seyredilecek hiçbir müze, sayfaları çocuksu bir zevkle çevrilebilecek resim ve reprodüksiyon kitapları yoktu. Ama biz Füsun ile resim sanatında neler olduğu gibi konularda değildik hiç. Fotoğraftaki siyah-beyaz kuşu büyütüp renklendirmenin zevkleri bizi mutlu ediyordu.

Keskinlerin evinde gittikçe daha fazla tat aldığım bu çocuksu mutluluğun tuhaf zevkleri arttıkça, evin dışındaki dünya, İstanbul sokakları bana daha tekinsiz gelirdi. Füsun ile yaptığı kuş resimlerine bakmak, resimlerin ağır ağır gelişimini izlemek, Feridun'un onun için fotoğrafını çektiği İstanbul kuşlarından bundan sonra hangisini, kumruyu mu, çaylağı mı, yoksa kırlangıcı mı resmedeceği gibi konuları haftada bir, hatta iki kere arkadaki odada alçak sesle üç-beş dakika konuşmak, beni olağanüstü mutlu ederdi.

Ama "mutluluk" burada yeterli bir kelime değil. O arka odada yaşadığım şiiri, o üç-beş dakikanın bana verdiği derin tatmini başka türlü anlatmaya çalışacağım: Zamanın durduğu, her şeyin sonsuza kadar aynı kalacağı duygusuydu bu. Bu duygunun hemen yanında korunma, süreklilik ve evde olma hazzı vardı. Bir başka yanında, dünyanın ve âlemin basit ve iyi olduğuna dair yüreğimi hafifleten bir inanç, daha süslü kelimelerle söylersem, bir dünya görüşü vardı. Bu huzur duygusu, elbette Füsun'un yüzü, zarif güzelliği, ona duyduğum aşktan besleniyordu. Arka odada onunla üç-beş dakika konuşabilmek, zaten kendi başına bir mutluluktu. Ama bu mutluluk, biraz da içinde bulunduğumuz mekânın, odanın sonucuydu. (Fuaye'de onunla yemek yiyebilseydim gene çok mutlu olurdum, ama bu başka türlü bir mutluluk olurdu.) Yere, mekâna, ruh haline bağlı bu derin huzur, çevrede gördüklerimle, Füsun'un ağır ağır ilerleyen kuş resimleriyle, yerdeki Uşak halısının kiremit rengiyle, kumaş parçaları, düğmeler, eski gazeteler, Tarık Bey'in okuma gözlüğü, küllükler ve Nesibe Hala'nın örgü takımlarıyla karışıyordu aklımda. Odanın kokusunu da içime çeker, çıkmadan önce cebime atıverdiğim bir yüksük, bir düğme, bir makara, daha sonra bana bütün bunları Merhamet Apartmanı'ndaki odada hatırlatır, mutluluğumu uzatırdı.

Nesibe Hala, her yemeğin sonunda tencereleri kaldırdıktan, büyük servis tabaklarını, bitmemiş yemekleri buzdolabına (Keskinlerin bana her zaman büyülü gelen buzdolabına müzegezer özel bir dikkat göstermeli) koyduktan sonra, eski ve büyük bir plastik torba içinde duran "örgü takımı"nı alır ya da Füsun'dan getirmesini isterdi. Bu aynı zamanda bizlerin arka odaya gitme vaktimize denk düştüğü için "Kızım gelirken benim örgümü de getir!" derdi Füsun'a. Çünkü televizyon seyrederken örgü örmekten, sohbete katılmaktan zevk alıyordu. Arka odada baş başa kalmamıza itirazı olmayan Nesibe Hala, sanırım Tarık Bey'den korktuğu için bizi fazla yalnız bırakmamak için içeriye gelir, "Örgümü alayım, *Sonbahar Rüzgârları* başlıyor," derdi. "Seyretmeyecek misiniz?"

Seyrederdik. Sekiz yılda Füsunlarda yüzlerce film ve dizi seyretmiş olmalıyım; ama Füsun'la, Keskinlerin eviyle ilgili her türlü küçük ayrıntıyı, en saçma şeyi bile çok iyi hatırlayan ben, bu filmler, diziler, milli bayramlarda yapılan tartışma programları ("İstanbul'un fethinin dünya tarihindeki yeri"; "Türklük nedir ve nasıl olmalıdır?"; "Atatürk'ü nasıl daha iyi anlarız?" gibi şeyler) ve televizyonda seyrettiğimiz başka yüzlerce, binlerce programı kısa bir süre sonra tamamen unuturdum.

Televizyonda seyrettiğimiz şeylerden bir süre sonra çoğunlukla yalnızca bazı anları (Zaman kuramcısı Aristo'nun hoşuna gidecek bir şey) hatırlardım. Bu "an" bir resimle birleşir ve hafızamda hiç silinmemecesine kalırdı. Kafamdaki unutulmaz resmin yarısı televizyondaki görüntü ya da hatta onun bir parçası olurdu. Mesela filmde merdivenleri koşarak çıkan bir Amerikan dedektifinin ayakkabısının ve paçasının hareketleri; kameramanın aslında ilgilenmediği ama nasılsa çerçeveye girmiş bir eski binanın bacası; bir öpüşme sahnesinde (sofrada bir sessizlik olurdu) kadının saçları ve kulağı; futbol maçını seyreden binlerce bıyıklı erkek arasında babasına sokulmuş ürkek bir kız (herhalde evde kimseye bırakılamamış); Kandil gecesi camide hep birlikte secdeye varanlardan en yakınının çoraplı ayağı; Türk filminde arkadaki Boğaz vapuru; kötü adamın yediği dolmanın konserve kutusu ve başka pek çok şey kafamda o sahneye bakan Füsun'un yandan gördüğüm yüzünün bir ayrıntısı, mesela dudağının kenarı, kalkan kaşları, elini tutuşu, elindeki çatalı farkında olmadan tabağın kenarına bırakışı ya da birden kaşlarını çatışı ve sigarasını sabırsızca ezip söndürüşüyle birleşir, kimi zamanlar bu görüntüler tıpkı sonradan hatırladığımız rüyalar gibi sık sık aklıma takılırdı. Sorular ve resimler halini alan bu hayalleri, Masumiyet Müzesi'nde sergileyebilmek için ressamlara çok anlattım, ama sorularıma hiçbir zaman tam bir cevap bulamadım. Füsun şu sahnede niye o kadar duygulanmıştı? Ekrandaki filmi izlerken kendini hikâyeye bu kadar vermesine yol açan şey neydi? Bütün bunları ona sorabilmek isterdim, ama Keskinlerin filmlerden sonra yaptıkları sohbet, filmin kendileri üzerindeki etkisinden çok, onun ahlaki sonuçlarıyla ilgili olurdu.

"Alçak herif cezasını çekti, ama ben çocuğa acıdım," derdi mesela Nesibe Hala.

"Bırak, zaten çocuğu hatırladıkları bile yok," derdi Tarık Bey. "Bu heriflerin dini imanı para. Kapa şunu Füsun."

Bu herifler –filmdeki Avrupalı tuhaf adamlar, Amerikalı gangsterler, o tuhaf ve edepsiz aile, hatta bu filmi düşünen rezil senarist ve rejisör–, Füsun'un düğmeye basmasıyla bir anda karanlık bir sonsuzluğa doğru –tıpkı banyo küvetinin deliğinden bir hortuma kapılarak emilip yok olan pislikler gibi– yok olup gider, ekranın içinde kaybolurlardı.

Televizyon kapatılır kapatılmaz, "Oh, iyi oldu, kurtulduk şunlardan!" derdi Tarık Bey.

Şunlar, televizyondaki yerli ya da yabancı film, açık oturum, bilgi yarışmasının ukala sunucusu ve aptal yarışmacılar da olabilirdi! Bu söz içimdeki huzuru artırır, sanki burada Füsun ve ailesi ile baş başa kalmanın en önemli şey olduğunu onlar da fark ediyorlarmış gibi hissederdim. O zaman orada daha da fazla kalmak ister ve bunu yalnız Füsun ile aynı odada, aynı masada oturmanın zevkleri için değil, bütün Keskin ailesiyle birlikte bu evde, bu binada bulunmanın verdiği derin duygu için de istediğimi anlardım. (Orası, müzegezerin içinde Zaman'ın içinde gezinir gibi gezindiği o sihirli yerdir.) Füsun'a olan aşkımın, yavaş yavaş onun bütün dünyasına, onunla ilgili her şeye, onun bütün anlarına ve eşyalarına yayıldığını, müzegezerler özellikle akıllarında tutsun isterim.

Televizyon seyrederken hissettiğim Zaman'ın dışında olma duygusu, sekiz sene Keskinlere ziyaretlerimi ve Füsun'a aşkımı mümkün kılan bu derin huzur, bir tek haberleri seyrederken bozulurdu. Ülke bir iç savaşa doğru sürükleniyordu.

1978'de artık bizim mahallede de geceleri bombalar patlıyordu. Tophane'ye ve Karaköy tarafına uzanan sokaklar milliyetçilerin, ülkücülerin denetimindeydi ve gazeteler buralardaki kahvelerde pek çok cinayetin planlarının yapıldığını yazardı. Çukurcuma Yokuşu'ndan yukarıya, Cihangir'e doğru çıkan parke taşı kaplı çarpık çurpuk sokaklarda ise Kürtler, Aleviler, çeşit çeşit sol fraksiyona yakınlık duyan küçük memurlar, işçiler ve öğrenciler yuvalanmıştı. Onlar da silah kullanmayı severdi. Bu iki takımın kabadayıları bir sokağın, bir kahvenin, bir küçük meydanın hâkimiyeti için bazan silahlı çatışmaya girer; bazan da gizli servislerin ve devletin uzaktan denetlediği haydutların yerleştirdiği bir bombanın patlamasıyla, iki taraf meydan savaşına tutuşurdu. Çoğu zaman iki ateş arasında kalan, Chevrolet'yi nereye park edeceğini, hangi kahvehanede beni bekleyeceğini bilemeyen Çetin Efendi, bu dönemde çok sıkıntı çekmişti; ama birkaç kere ona akşamları Keskinlere yalnız başıma gidebileceğimi söylediğimde, buna asla izin vermeyeceği cevabını vermişti bana. Keskinlerden çıktığım saatlerde Çukurcuma, Tophane, Cihangir sokakları hiç tekin olmazdı. Arabayla evimize dönerken bile afiş asan, bildiri yapıştıran ya da duvarlara slogan yazan birilerini hep görür, korku içinde bakışırdık.

Akşam haberlerinde hep bu çeşitten bombalama, öldürme ve katliam ayrıntıları anlatıldığı için Keskinler hem "çok şükür" evlerinde oldukları için huzur duyarlar, hem de gelecek konusunda huzursuzluğa kapılırlardı. Haberler dayanılmayacak kadar kötü olduğu için, hepimiz, o dönem haberlerin kendisinden çok, onları okuyan güzel spiker Aytaç Kardüz'ün jestlerinden, mimiklerinden söz etmeyi severdik. Batı'daki özgür ve rahat görünümlü kadın spikerlerin aksine, Aytaç Kardüz yerinden hiç kıpırdamaz, bir kere olsun gülümsemez, haberleri elindeki kâğıttan mum gibi hareketsiz ve hızlı hızlı okurdu.

"Dur kızım, bir nefes al, boğulacaksın," derdi Tarık Bey arada bir.

Bu şakayı belki yüzlerce kere yapmış olmasına rağmen ilk defa yapılmış gibi gülerdik, çünkü çok disiplinli, işini çok sevdiği, bir yanlış yapmaktan çok korktuğu her şeyinden belli olan hanım spiker, bazan bir cümleyi bitirene kadar nefes almak için hiç durmaz; cümle uzayınca da boğulmamak için gitgide hızlanır; o zaman da yüzü kızarmaya başlardı.

"Eyvah, gene kızarmaya başladı," derdi Tarık Bey.

"Yavrum dur biraz, bir yutkun bari..." derdi Nesibe Hala.

Aytaç Kardüz, Nesibe Hala'nın sözlerini işitmiş gibi, bir an gözlerini elindeki haber kâğıdından kaldırır, masada yarı telaş yarı neşeyle ona bakan bizlere bir göz atar ve o anda daha yeni bademcik ameliyatı olmuş bir çocuk gibi büyük bir gayretle ve zorlanarak yutkunurdu.

"Aferin kızım!" derdi Nesibe Hala.

Elvis Presley'in Memphis'teki evinde öldüğü; Kızıl Tugayların eski İtalya Başbakanı Aldo Moro'yu kaçırıp öldürdüğü; gazeteci Celâl Salik'in Nişantaşı'nda Alaaddin'in dükkânının hemen önünde kızkardeşiyle birlikte vurularak öldürüldüğü gibi haberleri hep bu kadın spikerin ağzından işittik.

Keskinlerin televizyon seyrederken dünya ile aralarına bana çok huzur veren bir mesafe koymalarının bir başka yolu da, ekranda beliren kişileri yakın çevremizdeki insanlara benzetmeleri ve yemeğimizi yerken, bu benzetmenin ne kadar yerinde olduğunu uzun uzun tartışmalarıydı. Bu tartışmalara Füsun da, ben de içtenlikle katılırdık.

1979 sonunda Sovyetler'in Afganistan'ı işgal ettiğini gösteren görüntülere bakarken, yeni Afganistan Devlet Başkanı Babrak

Karmal'ın bizim mahalle fırınında çalışan birine kardeşi kadar benzediğini uzun uzun tartıştığımızı hatırlıyorum. Konuyu, bu benzetmeleri yapmaktan en az Tarık Bey kadar hoşlanan Nesibe Hala açmıştı. İlk başta fırından kimi kastettiğini hiçbirimiz anlayamadık. Bazı akşamlar Çetin'e arabayı fırının önünde durdurtup akşam yemeği için bir koşu taptaze ve sıcacık ekmekler aldığım için, fırında çalışan Kürtlerin yüzlerine benim de bir aşinalığım vardı. Bu yüzden Nesibe Hala'ya tamamen hak verdim. Füsun ile Tarık Bey ise, kasaya bakan adamın yeni Afgan Devlet Başkanı'na benzemediğinde inatla ısrar ettiler.

Bazan, Füsun sırf bana inat olsun diye karşı görüşü savunuyor gibi gelirdi bana. Mesela –tıpkı bizdeki paşalar gibi–, stadyumun şeref tribününden askerî geçit seyrederken İslamcıların öldürdüğü Mısır Devlet Başkanı Enver Sedat'ın Çukurcuma Yokuşu ile Boğazkesen Caddesi'nin köşesindeki gazetecinin tıpatıp aynısı olduğuna, bana kalırsa sırf ben öyle söyledim diye Füsun karşı çıkmıştı. Sedat'ın öldürülmesi televizyon ekranlarını, haberleri birkaç gün meşgul ettiği için de, bu tartışma Füsun ile aramda, benim hiç hoşuma gitmeyen bir çeşit sinir harbi şeklinde sürmüştü.

Eğer bir benzetme Keskinlerin sofrasında yeterince kabul görürse, ekrandaki önemli kişiden Enver Sedat diye değil, bakkal Bahri Efendi diye bahsedilirdi. Keskinlerin evindeki akşam yemeklerimin beşinci yılına girdiğimizde, yorgancı Nazif Efendi'nin ünlü Fransız karakter oyuncusu Jean Gabin (pek çok filmini görmüştük); Füsun'un benden sakladığı arkadaşlarından alt katta annesiyle oturan Ayla'nın bazı akşamlar televizyonda hava bültenini sunan ürkek sunucu; rahmetli Rahmi Efendi'nin her akşam televizyona sert bir demeç veren İslamcı partinin yaşlı başkanı; elektrikçi Efe'nin Pazar akşamları haftanın gollerini sunan ünlü spor yazarı; Çetin Efendi'nin de (özellikle kaşları yüzünden) yeni Amerikan Başkanı Reagan olduğunu, ben de benimsemiştim.

Bu ünlü kişiler ekranda belirince, hepimizin içinde bir şaka yapma isteği doğardı: "Koşun çocuklar, Bahri Efendi'nin Amerikalı karısına bakın, ne güzel!" derdi Nesibe Hala.

Bazan da ekrandaki bir ünlünün kime benzediğini çıkarmaya çalışırdık. Mesela Filistin'deki çatışmalara bir çözüm bulmaya çalışan ve sık sık ekranda gördüğümüz Birleşmiş Milletler Genel Sekreteri Kurt Waldheim için Nesibe Hala, "Bilin bakalım bu adam kime benziyor?" diye ortaya bir soru atar, hepimiz bu soruya cevap ararken sofrada çok uzun süren sessizlikler olurdu. Ekrandaki ünlü kaybolduktan, yeni haberler, reklamlar, bambaşka görüntüler belirdikten sonra da sürerdi bu sessizlikler.

Derken Tophane, Karaköy yönünden gelen gemi düdüklerini işitir, şehrin gürültüsünü, kalabalığını hatırlar, iskelelere yanaşmakta olan vapurları gözümün önünde canlandırmaya çalışırken, Keskinlerin hayatına ne kadar çok karışmış olduğumu, bu sofrada ne kadar çok vakit geçirdiğimi ve vapur düdükleri arasında ayların, yılların akışını hiç fark etmediğimi istemeden fark ederdim.

63. DEDİKODU SÜTUNU

Ülkenin bir iç savaşa doğru sürüklenmesi, patlayan bombalar, sokaklardaki çatışmalar, akşamları sinemaya gidenleri çok azaltmış, "sinema sanayii"ni sarsmıştı. Pelür Bar, diğer sinemacı meyhaneleri, gene her zamanki gibi kalabalıktılar, ama artık aileler akşamları sokağa çıkmadığı için herkes ya reklam filmlerinde ya da her gün bir yenisi çekilen seks ve dövüş filmlerinde iş bulabilmek için çırpınıyordu. Büyük yapımcılar iki yıl önce yaz sinemalarında mutlulukla seyrettiğimiz cinsten filmlere artık para koymadıkları için, Pelür Bar'daki sinemacı takımı arasında filmlere para yatıran, Limon Film'i destekleyen sinemasever zengin olarak önemimin arttığını hissederdim. O günlerde iyice uzak kaldığım Pelür Bar'a bir akşamüstü Feridun'un ısrarıyla gidince, içeride her zamankinden daha büyük bir kalabalık görmüş, daha sonra sarhoşlardan, işsizliğin sinemacı barlarına yaradığını, "bütün Yeşilçam'ın içtiğini" öğrenmiştim.

O gece ben de mutsuz filmcilerle sabaha kadar rakı içtim. Tarabya'da, Huzur Lokantası'nda, Füsun'a olan ilgisini gösteren Tahir Tan ile o gecenin sonunda tatlı tatlı sohbet ettiğimizi hatırlıyorum. Genç ve yeni oyunculardan sevimli Papatya ile de o gecenin sonunda, onun deyişiyle "arkadaş olduk." Birkaç yıl önce aile filmlerinde simit satarak kör annesine bakan ya da Hain Sühendan'ın oynadığı üvey annenin eziyetlerine gözyaşlarıyla katlanan masum kız çocuklarını canlandıran Papatya, şimdi herkes gibi hayallerini gerçekleştirememekten, işsizlikten, yerli porno filmlere dublaj yapmaktan şikâyetçiydi ve Feridun'un da ilgi duyduğu bir senaryonun filme çekilebilmesi için benim desteğime ihtiyacı vardı. Feridun'un da onunla ilgilendiğini, aralarında sinema magazincilerinin deyişiyle bir "duygusal yakınlaşma" olduğunu, sarhoş kafam hayal meyal fark etmiş; dahası, Feridun'un Papatya'yı benden kıskandığını hayretle görmüştüm. Sabaha doğru üçümüz Pelür'den birlikte çıkmış, Papatya'nın ucuz pavyonlarda şarkı söyleyen annesiyle yaşadığı Cihangir'deki evine doğru karanlık arka sokaklarda, üzerine sarhoşların işediği, gençlerin radikal sloganlar yazdığı karanlık duvarlar arasında yürümüştük. Soğuk sokaklarda tehditkâr köpekler bizi izlerken, Papatya'yı evine götürme işini Feridun'a bırakıp annemle huzur içinde yaşadığım Nişantaşı'ndaki evimize dönmüştüm.

O sarhoş gecelerimde, uykuyla uyanıklık arasında artık gençliğimin çoktan sona erdiğini, bütün Türk erkeklerine olduğu gibi daha otuz beşime basmadan hayatımın artık şekillendiğini, bundan sonra hayatımda büyük bir mutluluk olmayacağını, olamayacağını acıyla düşünürdüm. İçimdeki onca aşka ve sevme isteğine rağmen, geleceğimin her geçen gün bana daha dar ve karanlık gözükmesinin nedeninin, siyasi cinayetlerden, bitip tükenmez çatışma, pahalılık ve iflas haberlerinden gelen bir yanılsama olduğunu sezer, bazan kendimi teselli ederdim.

Bazan da akşamları Çukurcuma'ya gidip Füsun'u gördükçe, onunla göz göze gelip konuştukça, Keskinlerin yemek masasından, evlerinden bana daha sonra onu hatırlatacak eşyaları çalıp Nişantaşı'na götürdükçe ve o eşyalarla oynayıp oyalandıkça, artık hiç mutsuz olamazmışım gibi gelirdi bana. Keskinlerin sofrasından aldığım ve Füsun'un kullandığı kaşıkları, çatalları bazan bir resme ve bir hatıraya bakar gibi seyrederdim.

Bazan da başka bir yerde daha iyi bir hayat olduğu duygusuna öyle bir güçle kapılırdım ki, acı çekmemek için başka bir şey düşünmeye, bahaneler bulmaya çalışırdım. Zaim'i görüp en son sosyete dedikodularını öğrendikten sonra, zengin arkadaşlarımın sıkıcı hayatlarından uzak kalmamın, o kadar da büyük bir kayıp olmadığına karar veriyordum.

Nurcihan ile Mehmet, üç yılın sonunda Zaim'e kalırsa hâlâ hiç sevişmemişlerdi. Ama evlenmeye karar verdiklerini söylüyorlardı. En büyük haber buydu. Zaim'e göre Nurcihan, Fransız erkekleriyle Paris'te aşklar yaşayıp onlarla seviştiğini Mehmet dahil herkesin bilmesine rağmen, evlenene kadar onunla yatmamaya kararlıydı. Nurcihan bunun şakasını yapıyor, Müslüman bir ülkede yıllar sürecek hakiki, mutlu ve huzurlu bir evliliğin ilk şartının zenginlik değil, evlilikten önce sevişmemek olduğunu söylüyordu. Mehmet'in de hoşuna giden bu şakalar, ikisinin birlikte anlattıkları ecdadımızın bilgeliği, eski müziğin güzelliği, derviş tabiatlı eski üstatların kanaatkârlığı hikâyeleriyle birlikte yapılıyordu. Zaim'e göre Nurcihan ile Mehmet'in Osmanlı'ya ve atalarımıza olan merakı ve şakaları, sosyetenin gözünde onları sofu ya da mürteci gösterecek boyutlara hiç varmıyordu. Bunun bir nedeni, Zaim'e göre, ikisinin de davetlerde fazla içmeleriydi. Zilzurna sarhoş olmalarına rağmen kibarlıklarından, zarafetlerinden hiçbir şey kaybetmediklerini de Zaim saygıyla anlatmıştı. Şarap içtikçe Mehmet, divan şiirindeki mey'in, bade'nin mecazi değil, hakiki şarap olduğunu heyecanla savunur, Nedim'den, Fuzuli'den kimsenin doğru mu yanlış mı söylendiğini bilmediği mısralar okur ve Nurcihan'ın gözlerinin içine dikkatle bakarken, elindeki kadehi Allah aşkı için kaldırırdı. Zaim'e göre bu şakaların sosyetede hiç sorgulanmadan, hatta bazan saygıyla kabul edilmesinin bir nedeni de, Sibel ile nişanımızın bozulmasından sonra sosyetede genç kızlar arasında kuvvetli bir telaş rüzgârının esmesiydi. Bizim vakamız, 1970'li yıllarda İstanbul sosyetesinde genç kızların evlenmeden erkeklere çok fazla güvendikleri yolunda güçlü bir uyarı olmuştu anlaşılan. Evlendirecek kızları olan anneler, anlatılanlar doğruysa, kızlarına çok dikkatli olmalarını, o günlerde bir de bizim yüzümüzden telaşla öğütlemişlerdi. Ama kendimi fazla önemsemeyeyim. İstanbul sosyetesi o kadar küçük ve kırılgan bir dünyaydı ki, insan başına gelenlerden, küçük bir aile arasında olduğu gibi çok da derin bir utanç duyamazdı.

Üstelik 1979'dan sonra ev, yazıhane, Füsunların evi ve Merhamet Apartmanı arasında kurduğum yeni hayatımın rahatlıklarına ve maneviyatına iyice alışmıştım artık. Merhamet Apartmanı'ndaki daireye gider, orada Füsun ile yaşadığımız mutlu saatleri düşünerek hayallere dalarken, gittikçe büyüyen "koleksiyonuma" hayret ile şaşkınlık arası bir duyguyla bakardım. Hiç durmadan biriken bu eşyalar, yavaş yavaş aşkımın yoğunluğunu gösteren işaretlere dönüşüyordu. Onlara Füsun ile yaşadığım mutlu saatleri hatırlatan teselli edici şeyler gibi değil, ruhumda esmekte olan bir fırtınanın elle tutulur uzantılarıymış gibi bakardım bazan. Bazan da biriktirdiğim şeylerin varlığından utanır, başkalarının onları görmesini hiç istemez, gittikçe artan eşyaların bu gidişle birkaç yılda Merhamet Apartmanı'ndaki dairenin odalarını baştan aşağı kaplayabileceğini aklıma getirir, korkardım. Keskinlerin evlerinden bu eşyaları ile-

ride ne olacaklarını hesaplayarak değil, bana geçmişi hatırlata-
cakları için getiriyordum. Onların çoğalıp odaları, evleri doldu-
rabileceği de aklıma gelmezdi. Çünkü bu sekiz yılın büyük bir
kısmını, birkaç ay içinde, en fazla altı ayda Füsun'u ikna edip
onunla evleneceğimizi hayal ederek geçirdim.

8 Kasım 1979 günü *Akşam* gazetesinin "Cemiyet" başlıklı de-
dikodu sütununda, burada bir kesiğini sunduğum bir haber ya-
yımlandı:

SİNEMA VE SOSYETE: NAÇİZANE BİR NASİHAT

Hollywood ve Hindistan'dan sonra Türkiye'nin dünyada en çok
film çeken üçüncü memleket olduğunu söylemek hepimizin ho-
şuna gider. Ama durum ne yazık ki değişiyor: Vatandaşı akşamla-
rı sokağa çıkmaktan korkutan sağ-sol terörü ve seks filmleri, aile-
lerimizi sinema salonlarından uzaklaştırdı. Değerli Türk sinema-
cıları da film çekecek seyirciyi ve sermayeyi bulamaz oldu. Bu
yüzden Yeşilçam'a gelip "sanat filmi" çekmek isteyen zengin işa-
damlarımıza, Türk sinemasının bugünlerde her zamankinden da-
ha da çok ihtiyacı var. Eskiden bu sanatsever sinema meraklıla-
rı, güzel artist kızlarla tanışmak isteyen taşralı yeni zenginler ara-
sından çıkardı. Eleştirmenlerimizce övgülere boğulan nice "sa-
nat filmi", iddia edildiğinin tersine, aslında ne Batı sinemaların-
da aydınlara gösterilebilmiş ne de Avrupa'nın fakir kasaba festi-
vallerinden bir teselli ödülü alabilmiştir; ama pek çok yeni zengi-
nimiz ile "sanatçı" kızımızın tanışıp hoş aşklar yaşamasına vesi-
le olmuştur. Ama bu eskidendi. Şimdiyse yeni bir moda başlıyor...
Artık zengin sanatseverlerimiz Yeşilçam'a güzel artist kızlarla aşk
yaşamak için değil, zaten âşık oldukları kızları artist yapmak için
geliyorlar. Bunlardan sonuncusu, çok zengin bir ailenin oğlu, İs-
tanbul sosyetesinin gözde bekâr gençlerinden Bay K. (adı bizde
saklı) "uzak akrabam" dediği evli bir genç kadına öylesine âşık
olmuş ve onu öylesine kıskanıyormuş ki, senaryosunu yazdırdığı

"sanat filmi"nin çekilmesine şimdi kendi bir türlü razı olamıyormuş. İddialara göre, hem "Onun başkasıyla öpüşmesine dayanamam!" diyormuş, hem de genç kadının ve rejisör kocasının peşlerinden gölge gibi ayrılmıyor, Yeşilçam barlarında, Boğaz meyhanelerinde elinde rakı kadehi sürünüyormuş, hem de güzel ve evli artist adayının evinden çıkmasını bile kıskanıyormuş. Birkaç yıl önce Hilton'da bütün sosyetenin katıldığı ve sütunlarımızda anlattığımız şahane bir törenle emekli bir diplomatımızın çok cici kızıyla nişanlanan bu sosyetik zenginimiz, iddialara göre o nişanı da şimdi "Seni artist yapacağım!" dediği güzel akrabası için sorumsuzca bozmuş. Biz bu sorumsuz zengin çocuğunun Sorbonne'da okumuş, hanımefendi diplomat kızından sonra, şimdi de özellikle çapkın beyefendilerin ağzını sulandıran güzel artist adayı F.'nin geleceğini karartmasına razı değiliz. Onun için, eğitici nutuklardan bıkmış okurlarımızdan özür dileyerek sosyeteden Bay K.'ya nasihat edeceğiz: Beyefendi, Amerikalıların Ay'a gittiği bu modern dünyada, öpüşmesiz bir "sanat filmi" artık mümkün değildir! Siz önce bir karar verin ve ya başörtülü bir köylü kızıyla evlenin ve Batılı filmi ve sanatı unutun; ya da başkalarının bakışından bile kıskandığınız güzel kızları artist yapma sevdasından vazgeçin. Tabii niyetiniz yalnızca "artist yapmak" ise...

BK

Haberi, *Akşam*'da yayımlandığı sabah, annemle kahvaltı ederken masada okudum. Annem eve her gün gelen iki gazeteyi baştan sona okur, hele sosyete dedikodularını hiç kaçırmazdı. O mutfağa gidince haberin çıktığı sayfayı koparıp katlayıp cebime sıkıştırdım. "Gene nen var!" dedi evden çıkarken annem bana. "Çok keyifsizsin!" Yazıhanede de, her zamankinden daha keyifli davranmaya çalıştım, Zeynep Hanım'a eğlenceli bir fıkra anlattım, ıslık çalarak koridorlarda yürüdüm, Satsat'ın gittikçe keyifsizleşen ve işsizlikten *Akşam*'ın bulmacasını çözen ihtiyar memurlarıyla şakalaştım.

Ama öğle tatilinden sonra, yüzlerdeki ifadelerden, sekreterim Zeynep Hanım'ın aşırı şefkatli –biraz da korkulu– bakışlarından, haberin bütün Satsat çalışanlarınca okunduğunu anladım. Belki de yanılıyorumdur, dedim sonra kendime. Öğle yemeğinden sonra annem telefon etti, beni yemeğe beklediğini, gelmedim diye üzüldüğünü söyledi. "Nasılsın canım?" diye sordu her zamanki sesiyle, ama her zamankinden daha şefkatli bir havayla. Haberin kulağına gittiğini, gazeteyi bulup okuduğunu, ağladığını (sesinde ağlama sonrası derinlik vardı), yırtılmış sayfadan benim de okumuş olduğumu da bildiğini anladım hemen. "Dünya canavar ruhlu insanlarla dolu evladım," dedi annem. "Hiçbir şeye aldırmayacaksın."

"Neden bahsediyorsunuz anneciğim, hiç anlamadım," dedim.

"Hiç yavrum," dedi annem.

O an içimden geldiği gibi davranıp onunla dertleşmeye kalksaydım, ilk sevgi ve anlayıştan sonra benim de kabahatli olduğumu anlatmaya kalkacağından ve Füsun hikâyesinin ayrıntılarına girmek isteyeceğinden emindim. Belki de, bana büyü yapıldığını söyleyerek ağlayacaktı. "Evin bir köşesine, pirinç ya da un kavanozlarının içine, yazıhanede çekmecelerin dibine okuyup üflenmiş ve seni âşık eden bir muska saklanmıştır, ara bul ve yak hemen!" de diyebilirdi. Ama üzüntümü paylaşamadığı, daha önemlisi konuyu açamadığı için keyfinin kaçtığını hissettim. Ama durumuma saygı da gösteriyordu. Bu, durumumun ne kadar vahim olduğunun bir belirtisi miydi acaba?

Şu anda, *Akşam* gazetesini okuyanlar beni ne kadar aşağılıyorlardı, budala ve hırslı âşık halime ne kadar gülüyor, haberin ayrıntılarına ne kadar inanıyorlardı? Sürekli bunu aklımdan geçiriyor, bir yandan da Füsun'un haberi okuyunca ne kadar üzüleceğini düşünüyordum. Annemin telefonundan sonra, Feridun'a telefon edip Füsun'u ve bizimkileri bugünkü *Akşam*'dan uzak tutmasını öğütlemek geçti aklımdan. Ama yapmadım. Birinci neden, Feridun'u ikna edememe korkusuydu. İkinci ve daha derin neden ise, aslında bütün aşağılayıcı havasına, beni budala yerine koymasına rağmen, haberden memnun olmamdı. Bu memnuniyetimi kendimden saklıyordum, ama şimdi yıllar sonra çok iyi görüyorum: Füsun ile ilişkim, ona yakınlığım –her neyse– en sonunda gazetelere geçmiş, bir anlamda toplum tarafından kabul edilmişti! Bütün İstanbul sosyetesinin takip ettiği "Cemiyet" sütununda yazılan her şeyi –hele bunun gibi alaycı, sivri dilli bir rezalet haberini– herkes aylarca konuşurdu. Bu dedikoduların yakın zamanda bir gün, Füsun'u koluma takıp, onunla evlenip sosyete hayatına dönüşümün başlangıcı olduğuna inanmaya, en azından böyle bir mutlu çözümü hayal edebilmeye çalıştım.

Ama bunlar umutsuzlukla kurulmuş teselli düşleriydi. Sosyete dedikodularıyla, yalan yanlış haberlerle yavaş yavaş başka bir adama dönüştüğümü hissediyordum. Sanki kendi tutkum, kendi kararlarım yüzünden hayatı tuhaflaşmış biri değilmişim de, bu haber yüzünden toplum dışına itilmekte olan biriymişim gibi hissettiğimi de hatırlıyorum.

Elbette haberin altındaki baş harfler, BK, Beyaz Karanfil'indi. Nişana onu çağıran anneme kızıyordum, habere dedikodu taşıdığını ("Öpüşmesine dayanamam!") sandığım Tahir Tan'a da öfke doluydu. Bütün bunları baş başa konuşmak, düşmanlarımıza birlikte lanetler yağdırmak için Füsun ile oturup konuşmayı, onu teselli etmeyi, onun beni teselli etmesini ne kadar da çok isterdim. Yapmamız gereken hemen Füsun ile Pelür Bar'a gidip meydan okur gibi boy göstermekti. Feridun da bizimle gelmeliydi! Dedikodu haberinin ne kadar aşağılık bir yalan olduğunu ancak böyle kanıtlar, yalnız sarhoş filmcileri değil, şimdi büyük bir zevkle haberi okumakta olan sosyetedeki dostlarımızın çenesini de böylece kapatırdık.

Ama haberin çıktığı akşam, bütün irademi kullanmama rağmen Keskinlere gidemedim. Nesibe Hala'nın beni rahatlatır bir şekilde davranacağından, Tarık Bey'in hiçbir şeyden habersiz görüneceğinden emindim, ama Füsun ile göz göze gelince, ne olacağını hiç kestiremiyordum. Bakışlarımız kesişir kesişmez, haberin hem onun hem benim ruhumda fırtınalar yarattığını karşılıklı elbette hissedecektik. Bu, nedense korkutucuydu. Hemen şunu da anlamıştım: Aslında göz göze gelir gelmez anlayacağımız şey, ruhumuzdaki fırtınalar değil, yalan haberin aslında "doğru" olduğu idi!

Evet, haberdeki pek çok ayrıntı okurun bildiği gibi yanlıştı, ben Sibel ile nişanı Füsun'u ünlü bir sinema oyuncusu yapmak için bozmamıştım... Feridun'a senaryoyu ben yazdırmamıştım. Ama bunlar ayrıntılardı. Gazete okurlarının ve dedikodu yapan herkesin anlayacağı şey, şu basit gerçekti: Ben aşkım ve Füsun için yaptıklarım yüzünden rezil olmuştum! Herkes benimle alay ediyor, halime gülüyor, en iyi niyetlisi bana acıyordu. İstanbul sosyetesinin küçük olması, herkesin birbirini tanıması ve bu insanların çok büyük servetleri ve şirketleri olmadığı gibi vazgeçilmez ilkeleri ve ideallerinin de hiç olmaması, utancımı azaltmıyor; tam tersi, beceriksizliğimi, kafasızlığımı gözümde büyütüyordu. Yoksul bir ülkede zengin bir aileye doğmak gibi bir talihi, Allah'ın dünyanın bu köşesinde yaşayanlara çok seyrek bağışladığı, doğru dürüst, efendice ve mutlu bir hayat yaşama fırsatını, kafasızlığım yüzünden kaçırmıştım! Bu durumdan çıkabilmek için tek yolun Füsun ile evlenip, iş hayatımı düzene koyup, çok para kazanıp sosyeteye zaferle geri dönmek olduğunu anlıyor, ama hem bu mutlu planı gerçekleştirebilecek gücü kendimde bulamıyor hem de "sosyete" dediğim o çevreden artık nefret ediyordum. Üstelik Keskinlerin evindeki havanın da gazetedeki haberden sonra hayallerime hiç uygun olmadığını da biliyordum.

Aşkımın ve utancımın beni getirdiği yerde, daha da çok içime çekilmekten ve sessiz kalmaktan başka hiçbir çarem yoktu. Bir hafta boyunca her akşam tek başıma sinemaya gittim ve Konak, Site ve Kent Sinemaları'nda Amerikan filmleri seyrettim. Sinema, hele bizimkisi gibi mutsuzlar âleminde, gerçekliğin ve mutsuzluğumuzun doğru bir resmini vermek yerine, bizleri oyalayacak, mutlu edecek yeni bir âlem yaratmalıdır. Film seyrederken, hele kahramanların birinin yerine kendimi koyabilmişsem, dertlerimi abarttığımı düşünürdüm. Gazetedeki sefil haberi abarttığımı, pek az kimsenin yazıda alay edilenin ben olduğumu anlayacağını, olayın unutulacağını da aklımdan geçirerek rahatlardım. Haberdeki pek çok yalanı düzeltme saplantımdan kurtulmam ise daha zordu, çünkü onlara aklımı takınca "zayıf" düşüyor, bütün sosyetenin eğlenerek şimdi bu olayı konuştuğunu, bazılarının üzülüyor pozlarında olayı bilmeyenlere, haberdeki yalanları kendi abartmaları ve yalanlarıyla da süsleyerek anlattıklarını hayal edip dertleniyordum. Herkesin istekle ve gülümseyerek bu yalanlara kanacağını, mesela benim Füsun'a "Seni artist yapacağım," diyerek Sibel ile nişanı bozduğuma herkesin inandığını gerçekçilikle tahmin ediyordum. O anlarda dedikodu köşelerinde alay konusu olabilecek kadar beceriksiz olduğum için kendimi suçluyor ve dedikodu haberindeki bazı yalanlara kendim de inanmaya başlıyordum.

Haberdeki yalanlar içinde kafamı en çok Füsun'a "Filmde bir başkasıyla öpüşmene dayanamam!" demiş olmama takmıştım. Maneviyatım bozulduğunda herkesin en çok buna güldüğünü düşünür, en çok bunun düzeltilmesini isterdim. Sorumsuzca nişan bozan şımarık bir zengin çocuğu olduğum iddiası da sinirimi bozuyordu, ama beni tanıyanların buna inanmayacaklarını düşünüyordum. Oysa "Öpüşmene razı olamam"a inanabilirlerdi, çünkü bütün Avrupai olma havalarıma rağmen aslında bende böyle bir lafı edebilecek bir yan vardı, hatta bazan böyle bir lafı sarhoşlukla ya da şakayla Füsun'a ettim mi diye düşündüğüm de oluyordu. Çünkü sanat veya iş için bile olsa, Füsun'un bir başkasıyla öpüşmesini hiç istemiyordum.

64. BOĞAZ'DA YANGIN

15 Kasım 1979 gecesi sabaha karşı, annemle Nişantaşı'ndaki evde büyük bir patlama sesiyle uyandık ve yataklarımızdan korkuyla fırlayıp koridorda birbirimize sarıldık. Bütün apartman da, sanki çok şiddetli bir depreme yakalanmış gibi bir an sağa sola sallanmıştı. O günlerde kahvehanelere, kitabevlerine, meydanlara pek çok yere atılan bombalardan birinin Teşvikiye Caddesi'nde yakınlara bir yere atıldığını sanıyorduk ki, Boğaz'ın ta öteki yanından, Üsküdar tarafından yükselen alevleri gördük. Bir süre çok uzaktaki yangını, kızıllaşan göğü seyrettikten sonra, siyasal şiddete, bombalara da alıştığımız için yeniden yatıp uyuduk.

Haydarpaşa açıklarında petrol yüklü bir Romen tankeri, küçük bir Yunan gemisi ile çarpışmış, tanker ve Boğaz'a dökülen petrol patlamalarla yanmaya başlamıştı. Ertesi gün aceleyle yeni baskı yapan bütün gazeteler ve bütün şehir bundan söz ediyor, herkes Boğaz'ın yanmakta olduğunu söyleyip İstanbul'un üzerinde kara bir şemsiye gibi asılı duran duman bulutlarını gösteriyordu. Satsat'ta bütün gün yaşlı memureler ve bıkkın yöneticilerle birlikte, yangının varlığını içimde hissettim ve bunun Keskinlere akşam yemeğine gitmek için iyi bir bahane olduğuna kendimi inandırmaya çalıştım. Dedikodu haberinden hiç söz etmeden, durmadan yangından konuşarak Keskinlerin sofrasında oturabilirdim. Ama tıpkı bütün İstanbullulara olduğu gibi, Boğaz'ın yanışı, kafamda siyasi cinayetler, aşırı enflasyon, kuyruklar, ülkenin sefil ve fakir hali gibi herkesi mutsuz eden felaketlerle birleşmiş, onların bir çeşit işareti ve resmi olmuştu. Yeni baskı yapan gazetelerdeki yangın haberlerini okurken, aslında kendi hayatımın felaketini aklımdan geçirdiğimi, hatta yangınla bu yüzden içtenlikle ilgilendiğimi de hissediyordum.

Akşam Beyoğlu'na çıktım, İstiklal Caddesi'nin boşluğuna şaşarak uzun uzun yürüdüm. Ucuz seks filmleri gösteren Saray,

Fitaş gibi büyük sinemaların önünde bir-iki huzursuz erkekten başka kimse yoktu. Galatasaray Meydanı'ndayken, Füsunlara ne kadar yakın olduğumu geçirdim aklımdan. Bazı yaz gecelerinde dondurma yemek için ailecek yaptıkları gibi akşam Beyoğlu gezintisine çıkmış olabilirlerdi. Onlarla karşılaşabilirdim. Ama ne bir kadın gördüm sokaklarda ne de bir aile. Tünel'e gelince de, yeniden Füsunların evine yaklaşmaktan, onun çekimine kapılmaktan korktuğum için aksi yönde yürüdüm. Galata Kulesi'nin yanından geçerek Yüksekkaldırım'dan ta aşağıya indim. Kerhanelerin sokağının Yüksekkaldırım'la birleştiği yerde, her zamanki mutsuz erkek kalabalığı vardı. Onlar da şehirdeki herkes gibi yukarıdaki kara bulutlara ve bu bulutlara vuran turuncumsu ışığa bakıyordu.

Uzaktan yangını seyreden kalabalıkla birlikte Karaköy Köprüsü'nü geçtim. Köprüden çapariyle istavrit tutanlar da alevlere dikmişti gözlerini. Herkesle birlikte, ayaklarım beni kendiliğinden Gülhane Parkı'na götürdü. Parkın lambaları, İstanbul'un çoğu sokak lambası gibi ya atılan taşlarla kırılmıştı ya da elektrik kesintisinden yanmıyordu, ama yalnız büyük park değil, bir zamanlar bahçesi olduğu Topkapı Sarayı, Boğaz'ın girişi, Üsküdar, Salacak, Kızkulesi, her yer tankerin alevleriyle gün gibi aydınlıktı. Yangını seyreden büyük kıpır kıpır bir kalabalık vardı, parkta ışık hem doğrudan alevlerden geliyordu, hem de yukarıdaki bulutlara vuruyor ve tıpkı Avrupai bir oturma salonunu aydınlatan abajurun hoş ışığına benzer tatlı bir aydınlık yayıyor, bu da kalabalığı olduğundan daha mutlu ve huzurlu gösteriyordu. Ya da seyretme zevki herkesi mutlu etmişti. Şehrin her yerinden arabalarıyla, otobüslerle, yürüyerek gelmiş, zengin, fakir, meraklı, takıntılı insanların kalabalığıydı bu. Başörtülü babaannelerle, kucaklarındaki çocuğu uyutan kocalarına sarılan genç annelerle, büyülenmiş gibi alevleri seyreden yoksul işsizlerle, koşturup duran çocuklarla, arabalarının, kamyonlarının içinden alevleri seyrederken müzik dinleyenlerle, şehrin her köşesinden gelmiş simit, helva, midye dolma, Arnavut ciğeri, lahmacun ve tepsileriyle koşturan çay satıcılarıyla karşılaştım. Atatürk heykelinin çevresinde köfte, sucuk ekmek satıcıları, tekerlekli, camekânlı arabalarının kömür ocaklarını yakmışlar, etrafa hoş kokulu ızgarada et dumanları saçıyorlardı. Bağırarak ayran, gazoz (Meltem yoktu) satan çocuklar, parkı bir pazar yerine çevirmişti. Bir satıcıdan bir bardak çay aldım, bankların birinde, bir an boş bir yer açılınca oturdum ve yanımdaki dişsiz ihtiyar yoksulla birlikte alevleri seyrederek mutlu oldum.

Yangın şiddetini kaybedene kadar, bir hafta boyunca her akşam parka geldim. Alevler bazan iyice soluklaşmışken birdenbire yeni bir dalgayla ilk günkü gibi yükseliyor, o zaman yangını seyredenlerin hayret ve korkuyla bakan yüzlerinde turuncumsu gölgeler dolaşıyor, yalnız Boğaz'ın girişi değil, Haydarpaşa Tren İstasyonu, Selimiye Kışlası, Kadıköy Koyu bazan portakal, bazan yıldız rengi bir ışıkla aydınlanıyordu. O zaman kalabalıkla birlikte büyülenerek hiç kıpırdamadan manzarayı seyrediyordum. Az sonra bir patlama işitiliyor, korlar düşüyor ya da alevler sessizce gücünü kaybediyordu. O zaman seyirciler de gevşeyerek yiyip içmeye, konuşmaya başlıyorlardı.

Bir gece Gülhane Parkı'ndaki bu kalabalığın içinde Nurcihan ile Mehmet'e rastladım, ama görünmeden kaçtım onlardan. Füsun'u, annesini, babasını orada görmek istediğimi, belki de her akşam bu kalabalığa bu yüzden karıştığımı, bir akşam gölgeleri onlara benzeyen üç kişilik bir aileyi onlar sanınca anladım. 1975 yazında –dört yıl geçmişti aradan– olduğu gibi, birini Füsun'a benzetince kalbim gene aşkla hızlanmıştı. Keskinlerin, faciaların bizi birbirimize bağladığını derinden kalplerinde hisseden bir aile olduğunu düşünüyordum. Romen tanker Independenta'nın yangını sönmeden önce evlerine gitmeli, onlarla bu felaket ve cemaat ruhunu paylaşarak geçmişteki kötülükleri unutmalıydım. Bu yangın benim için yeni bir hayatın başlangıcı olabilir miydi?

Bir akşam da, parktaki kalabalıkta hayaller içinde oturacak yer ararken, Tayfun ve Figen ile karşılaştım. Bir anda burun buruna geldiğim için onlardan kaçamamıştım. Ne *Akşam*'daki haberden ne de sosyetede olup bitenden hiç söz etmemeleri, daha önemlisi aslında dedikodunun farkında bile olmamaları beni o kadar mutlu etti ki, parktan onlarla çıktım, –artık alevler sönüyordu– arabalarına bindim ve onlarla Taksim arkalarında yeni açılan barlardan birine gidip sabaha kadar içtim.

Ertesi gün Pazar akşamı Keskinlere gittim. Bütün gün yatmış, öğle yemeğini annemle evde yemiştim. Akşam iyimserdim, neşeliydim, umutlu, hatta mutluydum. Ama eve girip Füsun ile göz göze gelir gelmez, bütün hayallerim yıkıldı: Neşesiz, umutsuz, kırgındı.

"Ne haberler Kemal?" dedi hayalindeki başarılı, mutlu bir hanımefendiyi taklit ederek. Ama daha bu taklidi yaparken ona inanamamıştı güzelim.

"Hiç valla," dedim pişkinlikle. "Fabrika, şirket, işler o kadar çok ki, gelemedim."

Türk filmlerinde esas oğlanla esas kız arasında bir yakınlaşma olunca, en dikkatsiz seyirci bile durumu kavrasın ve duygulansın diye, anlayışlı bir teyze mutlu bir bakış atar ya... İşte öyle baktı Nesibe Hala bana ve Füsun'a. Ama hemen sonra da bakışlarını kaçırınca, dedikodu haberinden sonra evde pek çok acı yaşandığını, tıpkı nişandan sonra olduğu gibi, Füsun'un günlerce ağladığını anladım.

"Kızım, rakısını ver bakalım misafirin," dedi Tarık Bey.

Üç yıldır olup bitenlerden habersizmiş gibi yaptığı, beni yalnızca akşam ziyaretine gelen akraba gibi içtenlikle ve sevgiyle karşıladığı için Tarık Bey'e hep saygı duymuştum. Ama şimdi kızının da derinden hissettiği acıya, benim çaresizliğime, hayatın bizi getirdiği yere bu kadar ilgisiz kalabilmesine içerliyordum. Kendimden bile saklayarak gizli gizli düşündüğüm acımasız gözlemimi dile getireyim şimdi: Tarık Bey, büyük ihti-

413

malle benim oraya neden geldiğimi seziyordu, ama karısının da baskısı sonucunda, bilmemezlikten gelmenin "aile için" daha uygun olacağına karar vermişti.

"Evet, Füsun Hanım," dedim, ben de babası gibi yarı yapay bir havayla. "Her zamanki gibi rakımı verin de, en sonunda eve dönmenin mutluluğunu yaşayayım."

Bugün bile bu sözü niye söylediğimi, ne kastettiğimi, maksadımın ne olduğunu söyleyemem. Mutsuzluğum dilime vurmuştu diyeyim. Ama Füsun sözlerimin arkasındaki duyguyu anlamıştı, bir an gözlerinden yaşlar akacak sandım. Kafesteki kanaryamızı fark ettim. Geçmişi, kendi hayatımı, zamanın akışını, geçen yılları hatırladım.

Yaşadığımız anların en kötüleri o aylar, o yıllardı. Füsun film yıldızı olamıyor, ben ona daha fazla yaklaşamıyordum. Bu açmazda bir de rezil olmuş, aşağılanmıştık. Tıpkı akşamları bir türlü "kalkamamam" gibi, bu durumdan da kalkıp çıkamayacağımızı da anlıyordum. Haftada dört-beş kere Füsun'u gördüğüm müddetçe, onun da benim de bir başka hayat kurmamız imkânsızdı, bunu ikimiz de hissediyorduk.

O akşam yemeğin sonuna doğru, her zamanki alışkanlığımla ama çok da içtenlikle "Füsun," dedim. "Çok zaman oldu, kumru resmi ne halde, çok merak ediyorum."

"Kumru biteli çok oldu," dedi. "Feridun güzel bir kırlangıç fotoğrafı bulmuş. Şimdi ona başladım."

"En güzeli bu kırlangıç oluyor," dedi Nesibe Hala.

İçeri gittik. Zarif bir kırlangıç, tıpkı evin balkon demirlerine, denizliklerine, bacalarına oturtulan öteki İstanbul kuşları gibi evin bir başka köşesine, bizim yemek odasının yokuşa bakan cumba penceresinin hemen önüne başarıyla oturtulmuştu. Arkada tuhaf ve çocuksu bir perspektifle, parke taşı kaplı Çukurcuma Yokuşu gözüküyordu.

"Seninle iftihar ediyorum," dedim. Ama bütün içtenliğime rağmen sesimde derin bir yenilgi duygusu vardı. "Bunları bir gün bütün Paris görmeli!" dedim. Aslında her zaman demek istediğim gibi, "Canım, seni çok seviyorum, çok özledim, senden uzak kalmak ne büyük bir acıymış, seni görmek de ne mutluluk!" gibi bir şey demek isterdim. Ama sanki resmin dünyasındaki eksiklik, bizim dünyamızdaki eksiklik olmuştu ve bunu kırlangıç resminin hafifliği, basitliği, saflığını kederle izlerken görüyordum.

"Çok güzel olmuş Füsun," dedim dikkatle, içimde derin bir acı duyarken.

Resimde, İngiliz resmi etkisiyle yapılmış Hint minyatürlerini, Japon ve Çin kuş resimlerini, Audubon'un dikkatlerini ve hatta İstanbul'da dükkânlarda satılan bir çikolatalı gofretin içinden çıkan kuş dizisini hatırlatan bir şeyler vardı dersem, âşık olduğum da akılda tutulsun, lütfen.

Füsun'un İstanbul'un kuşlarını yaparken resmettiği arkadaki şehir manzaralarına baktık. İçimde sevinç değil, keder uyanıyordu. Bu âlemi çok seviyorduk, ona aittik ve bu yüzden de sanki bu resimlerin saflığı içinde kalmıştık.

"Şehri, arkadaki evleri daha canlı renklerle yapsana bir kere..."

"Neyse canım," dedi Füsun. "Vakit geçiriyorum işte."

Kaldırıp bize gösterdiği resmi bir kenara koydu. Bana çok çekici gelen boya takımlarına, fırçalara, şişelere, rengârenk lekeli bezlere baktım. Kuş resimleri gibi her şey derli topluydu. Daha ötede Nesibe Hala'nın kumaşları, yüksükleri vardı. Renkli porselen bir yüksük ile Füsun'un az önce elinde sinirle oynadığı turuncu bir pastel kalemciği cebime attım. 1979'un sonlarında en kötülerini yaşadığımız bu karanlık aylar, Keskinlerden en çok eşya çaldığım dönemdir. Artık bu eşyalar yaşadığım anın yalnızca bir işareti, o güzel anı hatırlatan bir şeyden çok, benim için o anın bir parçasıydılar da. Masumiyet Müzesi'nde sergilediğim kibrit kutuları mesela... Bu kibrit kutularının her birine Füsun'un eli değmiş, elinin kokusu ve belli belirsiz gül suyu kokusu sinmiştir. Kibrit kutularından her birini, tıpkı müzemde sergilediğim diğer eşyalar gibi daha sonra Merhamet Apartmanı'ndaki dairede elime aldığımda, Füsun ile aynı masada oturmanın, onunla göz göze gelmenin zevklerini yaşıyordum elbette. Ama kibriti masadan alıp farkında değilmiş gibi cebime indirirken kalbimde hissettiğim mutluluğun bir başka yanı daha vardı: Takıntıyla sevdiğim, ama "elde edemediğim" birisinden, küçük de olsa bir parça koparmanın mutluluğuydu bu.

Koparma kelimesinin ima ettiği şey, tabii ki sevdiğimizin tapılası gövdesinden bir parçadır. Ama benim için üç yılda annesi, babası, akşam yemek yediğimiz sofra, soba, kömür kovası, televizyon üzerinde uyuyan köpek biblolari, kolonya şişeleri, sigaralar, rakı bardakları, şekerlikler, Çukurcuma'daki evdeki her şey, yavaş yavaş kafamdaki Füsun fikrinin bir parçası haline geliyordu. Haftada üç-dört kere Füsun'u gördüğüm, görebildiğim için mutlu olduğum kadar, Keskinlerin evinden –yani Füsun'un hayatından– üç-dört, bazan daha da çok altı-yedi, hatta en mutsuz zamanlarımda olduğu gibi on-on beş tane eşyayı alıp (çalmak yanlış kelime) Merhamet Apartmanı'na götürdüğüm için de bir zafer duygusuna kapılırdım. Füsun'un bir eşyasını, mesela televizyona dalgın dalgın bakarken elinde zarafetle tuttuğu bir tuzluğu kaşla göz arasında cebime indirmiş olmak, sohbet ederken, ağır ağır rakımı içerken tuzluğun cebimde olduğunu, "artık ona sahip olduğumu" bilmek bana öyle bir mutluluk verirdi ki, akşamın sonunda koltuğumdan çok fazla zorlanmadan kalkabilirdim. Yanıma aldığım eşyaların varlığı, koltuğumdan kalkamama buhranlarımı 1979 yazından sonra bir ölçüde hafifletmiştir.

Onlar yalnız Füsun'un değil, benim de en mutsuz yıllarımdı. Yıllar sonra, hayat beni İstanbul'un takıntılı, tuhaf mutsuz koleksiyoncularıyla karşılaştırdığında; kâğıt, çöp, kutu, fotoğrafla tıkış tıkış dolu evlerinde onları ziyaret ettiğimde; bu kardeşlerimin gazoz kapakları veya artist resimleri biriktirirken neler hissettiklerini, her yeni parçanın onlar için ne anlama geldiğini kavramaya çalıştıkça, Keskinlerin evinden eşya alırken hissettiklerimi hatırladım.

65. KÖPEKLER

Anlatmakta olduğum olaylardan yıllar sonra, dünyanın bütün müzelerini görmek için çıktığım yolculuklarda, Peru'da, Hindistan'da, Almanya'da, Mısır'da ve başka pek çok ülkede müzelerde sergilenen koleksiyonları, on binlerce küçük tuhaf eşyayı gün boyunca seyrettikten sonra akşamları bir-iki kadeh içer, sokaklarda kendi kendime saatlerce yürürdüm. Lima'da, Kalküta'da, Hamburg'da, Kahire'de ve başka pek çok şehirde ailelerin hep birlikte akşam yemeği yerken nasıl televizyon seyrettiklerini, nasıl gülüşerek konuştuklarını açık pencereler ve perdeler arasından seyreder, çeşit çeşit bahaneyle de evlerin içlerine girer, hatta ev sahipleriyle fotoğraf bile çektirirdim. Dünyanın büyük çoğunluğunun evlerinde, akşam karşısına geçip seyrettikleri televizyonun üzerine bir köpek biblosu yerleştirildiğini böyle fark ettim. Milyonlarca aile, dünyanın neredeyse her köşesinde, televizyonlarının üzerine niye bir köpek biblosu koyma gereği duyuyordu?

Bu soruyu, daha küçük bir ölçekte Keskinlerin evinde kendime sormuştum ilk. Füsun'un Nişantaşı Kuyulu Bostan Sokak'taki evine ilk girişimde hemen fark ettiğim porselen köpek, daha sonra öğreneceğim gibi, televizyondan önce, akşamları Keskinlerin gene hep birlikte dinledikleri radyonun üzerinde duruyordu. Tebriz'de, Tahran'da, Balkan şehirlerinde, Doğu'da, Lahore'da ve hatta Bombay'da da pek çok evde gördüğüm gibi, Keskinlerin evinde de köpek ile üzerine oturduğu televizyon arasına elişi bir örtü serilmişti. Bazan köpeğin yanına küçük bir vazo, bir deniz kabuğu (Füsun bir keresinde gülümseyerek kulağıma dayayıp bana okyanusların kabuğun içine sıkışmış uğultusunu dinletmişti) konur ya da köpek bir sigaralığa yaslanır, ona bekçilik ederdi. Masanın üzerindeki köpeğin ya da köpeklerin duruşu, bazan bu küllüklerin, sigaralığın yerine göre ayarlanırdı. Bende köpeğin başını sallayacağı, hatta küllüğe doğru bir hamle yapacağı duygusunu uyandıran bu esrarengiz düzenlemeleri Nesibe Hala'nın yaptığını zannediyordum, ama 1979 Aralığı'nda bir akşam Füsun'un ben ona hayranlıkla bakarken köpeğin televizyonun üzerindeki duruşunu değiştirişine tanık olmuştum. Ortalıkta köpeğe, hatta televizyona dikkat çekecek hiçbir şey yokken, annesinin hazırladığı yemeği hepimiz sofrada beklerken, bir çeşit sabırsızlık hareketi gibi yapmıştı bunu. Ama bu, köpeklerin oraya neden konduğunu açıklamıyordu. Daha sonraki yıllarda televizyonun üzerine bir sigaralığa destek olan bir başka köpek de yerleşti. Bir dönem başlarını gerçekten sallayan ve o yıllarda taksilerin, dolmuşların arka camı içinde çok sık görülen iki plastik köpek bir belirip bir yok oldular. Haklarında çok az konuşulan köpeklerin bu hareketliliği, benim Keskinlerin eşyalarına olan ilgimin artık açıkça ortaya çıkması yüzündendi. Televizyonun üzerindeki köpeklerin hızla değiştiği bu dönemde, benim tıpkı başka eşyalar gibi onları "aldığımı" Nesibe Hala ile Füsun artık seziyorlar ya da biliyorlardı.

Aslında ne "koleksiyonumu" ne de alıp biriktirme huyumu başkalarıyla paylaşmayı hiç istemiyor, yaptığımdan utanç duyuyordum. Kibrit kutuları, Füsun'un sigara izmaritleri, tuzluklar, kahve fincanları, firketeler, saç tokaları gibi toplaması zor olmayan ve dikkat çekmeyen bu ilk şeylerden sonra daha dikkat çeken küllük, fincan, terlik gibi şeyleri almaya başlayınca, yavaş yavaş yerlerine yenilerini alıp getirmeye başladım.

"Geçen gün televizyonun üzerindeki kuçudan bahsediyorduk ya! Bende kalmış. Bizim Fatma Hanım kenara kaldırayım derken düşürüp kırmış. Onun yerine bunu getirdim, Nesibe Hala. Mısır Çarşısı'nda Limon'a kuş yemi, şalgam tohumu alırken, oradaki bir dükkânda gördüm..."

"Aa, bu kara kulaklı çok güzel," dedi Nesibe Hala. "Tam bir sokak köpeği... Seni karakulak seni! Otur bakalım. İnsana huzur veriyor, zavallı evladım..."

Köpeği elimden alıp televizyonun üzerine koydu. Bazı köpekler televizyonun üzerindeki duruşlarıyla, tıpkı duvar saatinin tıkırtısı gibi, bizlere huzur verirlerdi. Bazıları tehditkâr, bazıları düpedüz çirkindi, sevimsizdi, ama köpeklerin bekçilik ettiği bir mekânda oturduğumuzu, belki de bu yüzden korunduğumuzu hissettiriyorlardı bizlere. Artık geceleri mahallenin sokaklarında siyasi grupların silah sesleri yankılanıyordu ve evin dışındaki âlem bize gittikçe tekinsiz geliyordu. Kara kulaklı sokak köpeği, Keskinlerin televizyonunun üzerinden sekiz yılda geçen onlarca köpeğin en sevimlisidir.

12 Eylül 1980'de yeni bir askerî darbe oldu. Sabah bir içgüdüyle herkesten önce kalkmış ve Teşvikiye Caddesi'nin diğer sokaklarının bomboş olduğunu görüp, çocukluğundan beri her on yılda bir askerî darbe yaşayan biri olarak durumu hemen anlamıştım. Caddeden arada bir içi marşlar söyleyen askerle dolu askerî kamyonlar geçiyordu. Hemen televizyonu açtım, bayrak ve resmî geçit görüntülerine, iktidara el koyan paşaların konuşmasına biraz baktım ve balkona çıktım. Teşvikiye Caddesi'nin boşluğu, şehrin sessizliği, cami avlusundaki kestane ağaçlarının yapraklarının hafif rüzgârda hışırdaması hoşuma gitti. Tam beş yıl önce, Sibel ile yaz sonu partisinden sonra, bu balkondan sabah gene aynı saatte, aynı manzaraya bakmıştım.

"Aman, iyi oldu, memleket felaketin eşiğindeydi," dedi annem, televizyondaki palabıyıklı serhat türkücüsünün savaş ve kahramanlık türkülerini dinlerken. "Ama niye bu kaba saba, çirkin adamı televizyona çıkarıyorlar! Bekri de bugün gelemez artık, Fatma yemeği sen yap, buzdolabında ne var?"

Sokağa çıkma yasağı, bütün gün sürdü. Arada bir caddeden hızla geçen askerî kamyonlara bakıp, siyasilerin, gazetecilerin, pek çok kişinin evlerinden alınıp götürüldüğünü anlıyor, böyle şeylere hiç karışmadığımız için şükrediyorduk. Gazetelerin hepsi yeni baskılar yapmış, darbeyi sevinçle karşılamışlardı. Akşama kadar, televizyonda durmadan tekrarlanan paşaların askerî darbe açıklamasını, Atatürk'ün eski görüntülerini seyrederek, gazeteleri okuyarak, pencerelerden boş sokakların güzelliğine bakarak evde annemle oturdum. Füsun'u, evlerindeki, Çukurcuma'daki havayı merak ediyordum. Bazı mahallelerde, 1971 Askerî Darbesi'ndeki gibi ev ev arama yapıldığı söylentileri vardı.

"Artık rahat rahat sokağa çıkabileceğiz!" dedi annem.

Ama akşamları saat ondan sonra sokağa çıkmak yasaklandığı için, askerî darbe Füsunlardaki akşam yemeklerinin tadını kaçırdı. Bütün ülkenin seyrettiği tek televizyon kanalında haber saatinde paşalar yalnız siyasetçileri değil, bütün milleti, geçmiş alışkanlıklarından dolayı her akşam azarlıyorlardı. Teröre bulaşmış pek çok kişi, ibret olsun diye alelacele idam edilmişti. Keskinlerin masasında, bu idam haberlerini seyrederken hepimiz susardık. O zaman Füsun'a daha da yaklaştığımı, ailenin bir parçası olduğumu hissederdim. Yalnız siyasetçiler, muhalif aydınlar değil, dolandırıcılar, trafik kurallarını çiğneyenler, duvarlara siyasi slogan yazanlar, randevuevi işletenler, seks filmleri çekenler, gösterenler ve kaçak sigara satan tombalacılar da hapse atılıyordu. Bundan önceki askerî darbe günlerinde olduğu gibi, askerler sokaklarda uzun saçlı, "hippi tipli" sakallı gençleri toplayıp tıraş etmiyorlardı, ama pek çok üniversite hocasını hemen kovmuşlardı. Pelür Bar da boşalmıştı. Ben de askerî darbeden sonra hayatıma çekidüzen vermeye, daha az içmeye, aşk için kendimi daha az rezil etmeye, eşya toplama alışkanlığıma hiç olmazsa bir ölçü getirmeye karar vermiştim.

Askerî darbenin üzerinden iki ay geçmemişti ki, bir akşam yemeğinden önce kendimi mutfakta Nesibe Hala ile baş başa buldum. Füsun'u daha çok görebilmek için akşamları erken gidiyordum onlara.

"Kuzum Kemal Bey, televizyonun üzerindeki hani sizin getirdiğiniz, kara kulaklı sokak köpeğimiz kaybolmuş... Gözümüz alışmış, yokluğunu hemen fark ediyor insan. Ne olmuşsa olmuş, hiç merak etmiyorum, belki de hayvan kendi çıkıp gitmek istemiştir," dedi. Küçük sevimli bir kahkaha attı, ama benim yüzümdeki sert ifadeyi görünce ciddileşti. "Ne yapalım?" diye sordu. "Tarık Bey 'Köpeğe ne oldu?' diye tutturdu."

"Ben bir çaresine bakarım."

Akşam ağzımı bıçak açmadı. Ama suskunluğuma rağmen – ya da o yüzden– kalkıp gidemiyordum da. Sokağa çıkma yasağının başladığı saate doğru çok şiddetli bir "yerinden kalkamama buhranı" yaşadım. Sanırım Füsun ile Nesibe Hala buhranın şiddetinin farkındaydılar. Nesibe Hala, birkaç kere "Aman geç kalmayın, ne olur!" demek zorunda kaldı. Saat onu beş geçe çıkabildim evden.

Dönüş yolunda, yasak saatinden sonra sokakta olduğumuz için kimse durdurmadı bizi. Evde köpeklerin anlamı ve benim onları önce getirip sonra da almam hakkında uzun uzun düşündüm, köpeğin yokluğunu ancak on bir ay sonra ve bence askerî darbenin yaydığı kendimize çekidüzen verelim havasıyla fark etmişlerdi, ama Nesibe Hala "hemen" fark ettiklerini zannediyordu. Büyük ihtimal, televizyonların üzerindeki elişi örtüde uyuyan, oturan bütün o köpekler aslında radyo döneminden kalmaydı. Hep birlikte radyo dinlenirken, başlar kendiliğinden radyoya doğru dönüyor, o zaman göz orada oyalayıcı, yatıştırıcı bir şey arıyordu. Radyolar bir kenara konup televizyon aile sofrasının mihrabı olunca, köpekler de televizyonun üzerine terfi etmişlerdi, ama şimdi gözler ekrana dönük olduğu için kimse fark etmiyordu bu hayvancıkları. Onları istediğim gibi alıp götürebilirdim.

O geceden iki gün sonra, Keskinlere porselen iki köpek götürdüm.

"Beyoğlu'nda bugün yürürken Japon Pazarı'nın vitrininde gördüm onları," dedim. "Sanki tam bizim televizyonumuzun üzerine konsun diye yapılmışlar."

"Aa, çok şeker şeyler bunlar," dedi Nesibe Hala. "Neden zahmet ettiniz Kemal Bey."

"Kara kulaklının kaybolması üzdü beni," dedim. "Aslında onun televizyonun üzerindeki yalnızlığına üzülüyordum. Bu ikisinin bu keyifli, arkadaş halini görünce, bu sefer televizyonun üzerine neşeli, mutlu iki köpek iyi olur dedim."

"Köpeğin yalnızlığı sizi hakikaten üzüyor muydu Kemal Bey?" dedi Nesibe Hala. "Âlem adamsınız doğrusu. Ama sizi böyle biri olduğunuz için seviyoruz biz."

Füsun tatlılıkla gülümsüyordu bana.

"Bir kenara atılıp unutulmuş eşyalar çok üzer beni," dedim. "Çinliler eşyaların ruhu olduğuna inanırlarmış."

"Biz Türkler zaten Orta Asya'dan gelmeden önce Çinlilerle çok fazla düşüp kalkmışız, televizyonda vardı geçende," dedi Nesibe Hala. "Siz yoktunuz o akşam, neydi o programın adı Füsun? Aa, çok güzel koydunuz köpekleri oraya. Ama öyle birbirlerine dönük mü dursunlar, yoksa bize dönük mü, ben de şimdi karar veremiyorum."

"Soldaki bize doğru dursun da, ötekisi ona dönük otursun," dedi birdenbire Tarık Bey.

Bazan sohbetin en tuhaf yerinde, bizi hiç dinlemediğini sandığımız bir anda, Tarık Bey birden konuya girer, ayrıntıları bizden de iyi kavradığını gösteren bilgece bir şey söylerdi:

"O zaman hem aralarında arkadaşlık olur, köpekler sıkılmaz, hem de bize dönük durur, ailenin bir parçası olurlar," diye devam etti.

Çok arzuladımsa da, bir yıldan fazla bir süre o iki köpeğe dokunamadım. Onları alıp götürdüğüm 1982 yılında ise, artık Keskinlerin evinden alıp götürdüğüm eşyaların karşılığında, bir kenara para bırakıyor ya da aldığım eşyanın yerine çok pahalı bir yenisini hemen ertesi gün getiriyordum. Hem iğnedanlık hem köpek ya da hem köpek hem dikiş "mezura"sı gibi tuhaflıklar da, bu son dönemde televizyonun üzerinden geçtiler.

66. NEDİR BU?

Askerî darbenin üzerinden dört ay geçtikten sonra, bir gece yasak saatinden on beş dakika önce Keskinlerin evinden dönerken, Çetin ile Sıraselviler Caddesi'nde kimlik kontrolü yapan askerlerce durdurulduk. Arka koltukta huzurlu bir şekilde yayılarak oturmuştum, korkacağım bir eksiğim yoktu. Ama kimliğimi alırken bana bir bakış atan erin gözleri yanımda duran ayva rendesine bir an takılınca huzursuz oldum.

Rendeyi eski alışkanlıkla az önce Keskinlerde kimse bakmadığı bir anda içgüdüyle alıvermiştim. Bu beni öylesine mutlu etmişti ki, evden fazla zorlanmadan erkenden çıkmış, az önce yakaladığı bir çulluğa arada bir gururla göz atabilmek isteyen bir avcının dürtüsüyle, rendeyi paltomdan çıkarıp arka koltukta yanıma koymuştum.

Akşam Keskinlerin evine geldiğimde, evdeki hoş ayva reçeli kokusunu içime çekip hemen tanımıştım. Şundan bundan konuşurken, Nesibe Hala öğleden sonra kısık ateşin üzerinde Füsun'la birlikte reçel kaynattıklarını anlatmıştı. Ana-kız tatlı tatlı sohbet etmişlerdi. Annesi başka şeyle meşgulken Füsun'un tahta kaşıkla reçeli ağır ağır karıştırışını da, onun sözlerinden çıkarıp mutlulukla hayal etmiştim.

Askerler bazı arabaları, yolcuların kimliklerine baktıktan sonra bırakıyorlardı. Bazan da herkesi araçtan indiriyor, arabayı, yolcuları dikkatle baştan aşağı arıyorlardı. Bize de inmemizi söylediler.

Çetin ile arabadan indik. Kimliklerimize dikkatle baktılar. Emre uyarak filmlerdeki suçlular gibi kollarımızı iki yana açıp Chevrolet'nin üstüne koyduk. İki asker de arabanın torpido gözünü, koltukların altını, her köşesini arıyordu. Yüksekçe apartmanlar arasına sıkışmış Sıraselviler Caddesi'nde kaldırımlar ıslaktı, birkaç kişinin geçerken çevirme yapan askerlere ve biz aranan yolculara göz attığını hatırlıyorum. Yasak saati yaklaşıyordu, kimseler yoktu kaldırımlarda. İleride bir zamanlar nere-deyse, bizim bütün lise üç sınıfının ziyaret ettiği ve Mehmet'in pek çok kızı tanıdığı ünlü randevuevi Altmış Altı'nın (yapının sokak numarası buydu) bütün pencereleri karanlıktı.

"Kimin bu alet?" dedi askerlerden biri.

"Benim..."

"Nedir bu?"

Bir an onun ayva rendesi olduğunu söyleyemeyeceğimi his-settim. Söylersem sanki Füsun'a olan takıntımı, yıllardır evli bir kadını görmek için haftada dört-beş kere ailesiyle yaşadığı eve gidişimi, durumun rezaletini ve umutsuzluğunu, aslında tuhaf ve kötü bir insan olduğumu hemen anlayacaklar zannediyor-dum. Kafam Tarık Bey ile kadehlerimizi tokuşturarak içtiğimiz rakıyla dumanlıydı; ama bu yüzden yanlış değerlendirme yap-tığımı, şimdi yıllar sonra hiç düşünmüyorum. Ayva rendesinin, az önce Füsunların mutfağında duran bir eşyanın şimdi Trab-zonlu –olduğunu sandığım– ve iyi niyetli bir astsubayın elinde oluşunu yadırgıyordum, ama daha derindeydi mesele, bu dün-yada yaşamak ve insan olmakla ilgiliydi.

"Beyefendi, bu eşya sizin mi?"

"Evet."

"Nedir bu kardeşim?"

Gene bir sessizliğe gömüldüm. Yerinden kalkamamak benze-ri bir teslimiyet ve çaresizlik duygusu şimdi yavaş yavaş her ye-rimi sarıyor, ben suçumu söylemeden, asker kardeşim beni an-lasın istiyordum, ama olmuyordu.

İlkokulda çok tuhaf ve biraz da akılsız bir sınıf arkadaşımız vardı. Öğretmen onu tahtaya kaldırıp matematik ödevini yapıp yapmadığını sorduğunda, o da benim büründüğüm sessizliğe bürünür, ne evet ne hayır der, öylece bir suçluluk ve yetersiz-lik duygusuyla, ağırlığını bir sağ bacağına, bir sol bacağına ve-rip duruşunu değiştirerek karşımızda öğretmeni öfkeden çıldır-tana kadar dikilirdi. Bir kere sessizliğe büründükten sonra insanın ağzını açmasına imkân olmadığını, hatta insanın yıllarca, yüzyıllarca susacağını, onu sınıfta şaşkınlıkla seyrederken anlayamazdım. Çocukluğumda mutlu ve hürdüm. Ama yıllar sonra o gece, Sıraselviler Caddesi'nde, konuşamamak neymiş anladım. Füsun'a olan aşkımın da en sonunda bu çeşitten bir inat ve içe kapanma hikâyesi olduğunu da hayal meyal hissettim. Ona olan aşkım, takıntım, her neyse, başka biriyle özgürce bu dünyayı paylaşmak yolunu tutamıyordu bir türlü. Bunun şu anlattığım âlemde olmayacağını ruhumun derinliklerinde daha başta anlamış, içime dönmüş, Füsun'u kendi içimde arama yolunu tutmuştum. Onu kendi içimde bulacağımı da Füsun bence anlamıştı. Sonunda her şey iyi olacaktı.

"Komutanım, o bir rende..." dedi Çetin Efendi. "Bildiğiniz ayva rendesi."

Çetin hemen nasıl tanımıştı rendeyi?

"Ee niye söylemiyor o zaman?" Bana döndü. "Bak sıkıyönetim var... Sağır mısın sen?"

"Komutanım, Kemal Bey şu ara çok üzgün."

"Niye o?" dedi komutan, ama işi bu türden bir şefkate imkân vermiyordu. "Geçin, bekleyin arabanın içinde!" dedi sertçe. Elinde ayva rendesi ve kimliklerimiz, uzaklaştı.

Arkamızda sırada bekleyen bir arabanın parlak ışıklarında rendenin bir an ışıldadığını, sonra ilerideki askerî aracın –küçük bir kamyon– içine atıldığını gördüm.

Chevrolet'nin içinde Çetin ile beklemeye başladık. Yasak saatine doğru sokaktaki arabalar hızlandı. Uzakta, Taksim Meydanı'ndan hızla dönen arabaları görüyorduk. Aramalarda, kimlik kontrollerinde, polis karşısındayken, vatandaşlar arasında hep hissettiğim korku ve suçluluk duygularıyla yüklü bir sessizlik vardı aramızda. Arabanın saatinin tıkırtısını işitiyor, ses çıkarmamak için yerimizden kıpırdamıyorduk.

Askerî aracın içinde ayva rendesinin bir yüzbaşının parmakları arasında olduğunu düşünüyor, huzursuz oluyordum. Sessizce beklerken, askerler ayva rendesine el koyarlarsa çok acı çekeceğimi gittikçe artan bir endişeyle hissediyordum, endişemin şiddetiyle birlikte yıllar sonra hatırladım. Çetin radyoyu açtı. Çeşitli sıkıyönetim komutanlıklarının bildirileri okunuyordu. Arananların listesi, yasaklar, yakalananlar... Çetin'den başka bir istasyona geçmesini istedim. Biraz cızırtıdan sonra, çok uzak bir ülkeden ruh halime uygun birşeyler işittik. Tadını çıkararak dinlerken, hafif bir yağmur ön camı damla damla ıslatıyordu.

Sokağa çıkma yasağının başlamasından yirmi dakika sonra, erlerden biri geldi. Kimliklerimizi geri verdi.

"Tamam, artık gidebilirsiniz," dedi.

"Yasakta sokaklarda geziyoruz diye gene bizi durdurmasınlar?" dedi Çetin.

"Bizim durdurduğumuzu söylersiniz," dedi asker.

Çetin motoru çalıştırdı. Er bize yolu açmıştı. Ama ben arabadan indim ve askerî kamyona sokuldum.

"Komutanım, annemin ayva rendesi kaldı galiba..."

"Bak gördün mü, sağır dilsiz değilmişsin, konuşmayı ne güzel biliyorsun."

"Beyefendi, bu kesici delici bir alet, yanınızda bulundurmanız yasak!" dedi öteki asker. Bunun rütbesi daha yüksekti. "Ama al bakalım, bir daha da yanında taşıma. Ne iş yapıyorsun bakayım sen?"

"İşadamıyım."

"Vergini iyi veriyor musun?"

"Veriyorum."

Başka bir şey söylemediler. Biraz kalbim kırılmıştı, ama rendeye kavuştuğum için mutluydum. Dönüşte Çetin'in ağır ağır ve dikkatle sürdüğü araba caddelerde ilerlerken, mutlu olduğumu kavradım. İstanbul'un köpek çetelerine teslim olmuş boş ve karanlık sokakları, gündüzleri çirkinliği ve kırık dökük halleriyle maneviyatımı bozan beton apartmanlarla çevrili caddeleri, şimdi bana şiirsel ve esrarlı gözüküyordu.

67. KOLONYA

1981 Ocağı'nda bir öğle Feridun ile Rejans Lokantası'nda rakılı, lüferli uzun bir yemek yedik, film işlerini görüştük. Feridun, Pelür'den tanıdığı kameraman Yani ile reklam filmleri çekiyordu. Benim hiçbir itirazım yoktu buna, ama o "Para için yapıyoruz!" diyerek bu işten huzursuz olduğunu söylüyordu. Her zaman rahat gözüken ve hayatın zevklerini en kolay yerinden zahmetsizce elde etmenin genç yaşta ustası olan Feridun'un, bu türden ahlaki sorunlarla acı çekmesini hiç anlayamayabilirdim, ama başımdan geçenler beni genç yaşta olgunlaştırmış, insanların çoğunun aslında göründüklerinden farklı olduğunu öğrenmiştim.

"Hazır bir senaryo var," dedi sonra Feridun. "Parası için bir şey yapacaksam onu çekeyim, daha iyi. Biraz bayağı ama iyi bir fırsat."

"Hazır" ya da "her şeyiyle hazır senaryo", Pelür Bar'da arada bir işittiğim bir kavramdı, bir senaryonun sansürden geçtiği, çekilebilmesi için devletten bütün izinlerin alındığı anlamına gelirdi. Seyircinin sevebileceği çok az senaryonun sansürden geçtiği dönemlerde, her yıl bir-iki film yaptırması gereken yapımcılar, yönetmenler, aslında hiç düşünmedikleri hazır bir senaryoyu boş durmamak için çekerlerdi. Sansür kurulu yıllar boyunca ilginç ve değişik her fikrin köşelerini ve sivri yerlerini budayarak bütün filmleri birbirine benzettiği için, konuyu hiç bilmemeleri, çoğu yönetmenler için sorun olmazdı.

"Füsun için uygun mu konu?" diye sormuştum Feridun'a.

"Hiç değil. Papatya için uygun, çok hafif bir rol. Kadın oyuncunun biraz açılıp soyunması gerekiyor. Baş erkek de Tahir Tan olmalı."

"Tahir Tan olmaz."

Böylece, esas konu birlikte ilk filmimizi Füsun yerine Papatya ile yapmak değilmiş gibi, uzun uzun Tahir Tan'dan söz ettik. Feridun, Tahir Tan'ın Huzur Lokantası'nda çıkardığı olayı unutmamız gerektiğini, "Duygusal olmayalım!" diyerek ifade etti. Bir an göz göze geldik. Füsun'u ne kadar düşünüyordu? Filmin konusunu sordum.

"Zengin adam, uzak akraba güzel kızı iğfal eder ve terk eder. Bekâretini kaybeden kız intikam için şarkıcı olur... Şarkılar zaten Papatya için yazılmış... Filmi Hayal Hayati çekecekti, ama Papatya onun kölesi olmayı reddediyor diye kızıp bıraktı. Senaryo da ortada kaldı. Bizim için de çok iyi bir fırsat."

Senaryo, şarkılar, bütün film, değil Füsun'a, Feridun'a da yakışmayacak kadar kötüydü. Güzelim akşam yemeklerinde gözlerinde şimşekler çakarak bana bakar, surat asarken hiç olmazsa Feridun'u memnun etmenin iyi olacağını düşündüğüm için, filme yatırım yapmayı öğle yemeğinde rakının da cesaretlendirmesiyle kabul ettim.

1981 Mayısı'nda Feridun "hazır senaryo"yu filme çekmeye başladı. Halit Ziya'nın seksen yıllık aşk ve aile romanı *Kırık Hayatlar*'ın adı verilmişti filme, ama son dönem Osmanlı konaklarında, Batılılaşmış zengin Osmanlı seçkinleri ve burjuvaları arasında geçen o romanla, 1970'lerin çamurlu arka sokaklarda ve şarkılı türkülü gazinolarda geçen senaryo arasında hiçbir benzerlik yoktu. Aşk şarkıları söyleyip, ünlü olup, kaybettiği bekâretinin intikamını almak için büyük bir kin ve iradeyle yıllarca sabırla hazırlanan ve Papatya'nın istekle oynadığı şarkıcı kızımız, romandakinin tersine evli olduğu için değil, olamadığı için o kadar mutsuzdu.

Filmin çekimine, bir zamanlar bütün şarkılı-türkülü filmlerin gazino sahnelerinin çekildiği eski Peri Sineması'nda başlanmıştı. Sinemanın koltukları çıkarılmış, yerlerine masalar konarak gazinoya çevrilmişti. Sinemanın geniş ve büyük sahnesi, o zamanların en büyük gazinoları Maksim ve Yenikapı'daki dev bir çadıra kurulmuş Çakıl Gazinosu kadar olmasa bile iyice büyüktü. Müşterilerin bir yandan yiyip içerken, bir yandan da sahnedeki şarkıcıları, şakacı sunucuları, cambazlar, hokkabazlar, gözbağcılar gibi başka "atraksiyonları" izledikleri Fransız kabare örneğinden İstanbul'a uyarlanmış müzikli gazinolarda, 1950'lerden 1970'lerin sonuna kadar hem alaturka hem alafranga yerli müzik yapılır ve şarkılı filmler çekilirdi. Türk filmlerinde gazino sahnelerinde kahramanlar önce kendilerini ve acılarını süslü bir dille ifade ederler, yıllar sonra seyircilerin, müşterilerin çılgınca alkışlarından ve gözyaşlarından da anlaşıldığı gibi hayatta zafere gene gazinoda kavuşurlardı.

Fakir gençlerin acılarını içtenlikle ifade edişlerini alkışlayan zengin pozundaki figüranları ucuza mal etmek için Yeşilçam yapımcılarının başvurduğu çeşitli usulleri bana Feridun anlatmıştı: Eskiden müzikli filmlerde Zeki Müren, Emel Sayın gibi gerçek şarkıcılar çoğu zaman kendilerini oynadıklarında, seyirci olarak kravat takıp ceket giyen ve masada usuluyle ve edeple oturan herkes içeri alınırdı. Gazino masaları bedavadan yıldızları seyretmek isteyenlerle tıkış tıkış dolar, böylece hiç para vermeden figüran sorunu çözülürdü. Son yıllarda şarkıcıların yerine müzikli fimlerde Papatya gibi adı az duyulmuş oyuncular oynatılıyordu. (Filmlerde kendi hayatlarındakinden çok daha ünlü olan şarkıcı rolünü oynayan bu yıldızcıklar, hayat ile film arasındaki ün farklarını bir-iki film sonra kapatırlar, bu sefer hayatta olduklarından daha az ünlü fakir şarkıcı filmlerinde oynamaya başlarlardı. Türk seyircisinin hem hayatta hem de filmde ünlü ve zengin olan birinden sıkılacağını söylemişti bana bir kere Muzaffer Bey. Bir filmin gizli gücü, yıldızının hayattaki konumu ile filmdeki konumu arasındaki farka dayanırmış. Zaten filmin hikâyesi de bu farkın kapatılmasıymış.) Kimse ünsüz, önemsiz bir şarkıcıyı dinlemek için şık kıyafetlerle tozlu Peri Sineması'na gelmediği için, gazino masalarında, kravatla ceketle gelen erkeklere ve başörtüsüz kadınlara bedava kebap veriliyordu. Eskiden yaz sinemalarında gördüğü Türk filmlerini arkadaş toplantılarında, akşam eğlencelerimizde alaycılıkla anlatmaktan hoşlanan Tayfun, karın tokluğuna zengin pozu yapan kravatlı yoksulların yapmacıklı hallerini ve özentili tavırlarını taklit ettikten sonra, haksızlığa uğramış birinin içten alınganlığıyla Türk zenginlerinin hiç de böyle olmadıklarını öfkeyle tekrarlardı.

Ucuz figüranların, zenginleri yanlış tanıtmaktan daha büyük dertler çıkarabildiğini, Feridun'un çekime başlamadan önce, asistanlık günlerinden örnekler vererek bana anlattıklarından çıkarmıştım. Figüranların bazısı kebabını yedikten sonra film çekiminin sonunu beklemeden setten çekip gitmek istiyor, bazısı masalarda gazete okuyor, bazısı yıldız şarkıcı en dokunaklı sözleri söylerken diğer figüranlarla gülüp şakalaşıyor (aslında bu hayata uygundu), bazısı da beklemekten bezip masada uyuyakalıyordu.

Kırık Hayatlar'ın çekimine ilk gittiğimde, "set amiri"nin öfkeden kıpkırmızı olmuş bir yüzle, kameraya bakan figüranları azarladığını gördüm. Gerçek bir film prodüktörü, bir patron gibi sessizce uzaktan biraz seyrettim. Derken Feridun'un sesi duyuldu, her şey bir anda Türk filmlerinin o yarı masal, yarı bayağı büyüsüne kavuştu ve Papatya, seyircilerin arasında uzanan köprüde elinde mikrofon yürümeye başladı.

Beş yıl önce Füsun ve Feridun ile Ihlamur Kasrı'nın yakınındaki bir bahçe sinemasında, bir yanlış anlamayla birbirlerinden ayrılan annesiyle babasını barıştıran becerikli, cingöz ve altın kalpli küçük kızı oynayan Papatya, şimdi (bütün Türk çocuklarının kaderine işaret eden bir hızla) hayat yorgunu, öfkeli ve acılar içindeki bir kurbana dönüşmüştü. Türk filmlerinin trajik ve masumiyetini kaybetmiş ve bu yüzden de alnına ölüm yazılmış bahtsız kadın havası, Papatya'ya mükemmel oturan bir elbise gibi uymuştu. Ben Papatya'nın çocukluğunu, eski masum halini hatırlarken, şimdiki halini anlıyor; sahnedeki yorgun ve kızgın halinde ise, saf çocukluğunu görüyordum. Varolmayan bir orkestranın eşliğinde –Feridun bu eksiği başka filmcilerden alacağı parçalarla kapatacaktı– podyumda manken gibi yürüyor, umutsuz bir isyan ile Allah'a başkaldırmanın eşiğine yaklaşıyor ve intikam isteği, çektiği acının şiddetini hatırlattığı için bizleri kederlendiriyordu. Oradaki herkesle birlikte bu sahne çekilirken, Papatya'da bayağı da olsa bir cevher olduğunu hissettik. Uyuklamakta olan figüranlar canlanmış, çekim başlayınca masalara kebap dağıtan garsonlar onu seyretmeye başlamıştı.

Papatya, elindeki mikrofonu parmaklarını cımbız gibi yaparak tutuyordu. O yıllarda büyük yıldızların her birinin özel şahsiyetini yansıtan bu mikrofon tutma jestine Papatya'nın tamamen yeni ve orijinal bir usul getirmesi, Pelür'den tanıdığım bir gazetecinin yorumuna göre, onun çok kısa zamanda büyük bir yıldız olacağının kanıtıydı. O yıllarda gazinolarda üç ayaklı yüksek bir kaidenin üzerine yerleştirilen sabit mikrofondan, uzun kordonlu hareketli mikrofona geçilmiş, bu da yıldız şarkıcılara sahneden halkın arasına karışma fırsatı vermişti. Bu yeni durumda çıkan sorun, yıldız şarkıcının bir yandan duygulu şarkısını pişmanlık ve öfke jestleriyle, bazan gözyaşlarıyla vurgularken, bir yandan da mikrofonun upuzun kordonunu, tıpkı elektrikli süpürgenin uzun kordonunu köşelere, masa ayaklarına takılmasın diye hamleler yapan ev kadını gibi idare etmek zorunda kalmasıydı. Papatya, aslında şarkı söylemeyip "playback" yaptığı ve mikrofonun kordonu hiçbir yere bağlı olmadığı ve takılmadığı halde takılıyormuş gibi yapıyor ve bu zorluğu çok zarif ve yumuşak bir hareketle hallediyordu. Bu hareketlerin, ip atlayan arkadaşları için ip çeviren küçük bir kızın hareketlerine benzediğini daha sonra gene aynı gazeteci hayranlıkla söyledi bana.

Hızla ilerleyen çekime ara verilince, Papatya'yı ve Feridun'u tebrik ettim ve her şeyin çok iyi gitmekte olduğunu söyledim. Bu sözler daha ağzımdan çıkarken gazetelerdeki, magazin sayfalarındaki prodüktörlere benzettim kendimi. Belki de gazeteciler not aldığı için! Ama Feridun'a da tıpkı gazetelerdeki rejisörlerin havası gelmişti: Çekimlerin hızı, kargaşası çocuksu halini alıp götürmüş, sanki iki ayda on yıl yaşlanmıştı. Başladığı işi bitiren, kararlı, güçlü ve biraz da acımasız bir erkek havası gelmişti üzerine.

Papatya ile Feridun arasında bir aşk, en azından ciddi bir ilişki olduğunu o gün hissettim. Ama tam da emin olamadım. Yanlarında gazeteciler varken, bütün yıldızlar ve yıldızcıklar birileriyle gizli aşk ilişkisi yaşadıkları havasına giriyorlardı. Ya da magazin ve film sayfası hazırlayan gazetecilerin bakışında yasak, günah ve suç kokan öyle bir şey vardı ki, oyuncular ve filmciler de bu günahları işliyorlardı. Fotoğraflar çekilirken, kameralardan uzak durdum. Füsun *Ses*, *Hafta Sonu* gibi bol bol sinema haberi veren dergileri her hafta bir yerde görüp okuyordu. Feridun ile Papatya arasında olup bitenleri bu dergilerde okuyacağını seziyordum. Papatya baş oyuncu Tahir Tan ile, hatta benimle –"prodüktör ile!"– bir aşk yaşadığını da ima edebilirdi. Ama kimsenin herhangi bir şey ima etmesine de gerek yoktu aslında. Magazin ve sinema sayfalarını hazırlayanlar, en çok hangi haberin satacağına karar verdikten sonra bu haberi uydurur, süsler, özenip eğlenerek yazarlardı. Bazan yalan haberi dürüstçe oyunculara baştan açarlar, onlar da yardımcı olup gerekli "samimi pozları" verirlerdi.

Füsun'un bu hayattan ve insanlardan uzak kalmasına hem seviniyor hem de buradaki gürültüyü, eğlenceyi yaşayamadığı için onun adına üzülüyordum. Aslında her türlü düşük kadın rolünü filmlerde ve hayatta –bu ikisi seyircinin gözünde aynıydı zaten– oynayıp feleğin çemberinden geçtikten sonra, çok ünlü bir kadın yıldızın, birden ahlaklı aile kadını pozlarına bürünüp bir hanımefendi olarak film hayatına devam etmesi de mümkündü. Bunu Füsun da hayal ediyor olabilir miydi? Bunun için kendine yeraltı dünyasından bir "baba" ya da o türden ilişkileri olan gözüpek ve kabadayı bir zengin bulması gerekirdi. Bu kabadayılar yıldızlarla ilişki kurar kurmaz, onlara filmlerde öpüşmeyi ve açılıp saçılmayı yasaklarlardı. Açılıp saçılmadan kastedilen –gelecek yüzyılların okurları ve müzeseverler yanılmasın– bacakların alt kısmıyla omuzların çıplak gözükmesinden fazlası değildi. Bir babanın kanatları altına aldığı ünlü yıldız hakkında aşağılayıcı, alaycı, edepsiz haberler yayımlanması da hemen yasaklanırdı. Yasaktan haberi olmayan genç bir muhabir, ünlü bir babanın koruması altındaki iri göğüslü bir yıldızın lise çağında dansözken, aynı zamanda ünlü bir fabrikatörün kapatması olduğunu yazdığı için bacağından kurşunlanmıştı.

Film çekimini seyrederken, hem eğleniyor hem de Peri Sineması'ndan on dakikalık bir yürüyüş mesafesinde, Füsun'un Çukurcuma'da evde boş boş oturduğunu acıyla düşünüyordum. Film çekimleri gecenin geç saatlerine, sokağa çıkma yasağına kadar sürüyordu. Akşam yemeğinde, Keskinlerin sofrasındaki yerim boş kalırsa, Füsun'un benim film çekimlerini ona tercih ettiğimi düşüneceğini aklımdan geçirir, telaşlanırdım. Peri Sineması'ndan Keskinlere, akşamları parke taşı kaplı yokuşlardan suçluluk duygusu ve bir mutluluk vaadi hissederek inerdim. Füsun en sonunda benim olacaktı. Onu filmlerden uzak tutmakla iyi etmiştim.

Artık ona yoldaşlık ve yenilgi duygusuyla da bağlandığımı anlıyordum ve bu beni bazan aşktan daha çok mutlu ediyordu. Bunu hissedince şehrin sokaklarına vuran akşam güneşi, eski Rum apartmanlarının içinden gelen tozlu nem ve eskimişlik kokusu, nohutlu pilav ve Arnavut ciğeri satıcıları, sokaklarda futbol oynayan çocukların parke taşlarında sekerek gelen futbol topu ve Keskinlerin evine inerken o topa ben sert bir vole vurunca kopan alaycı alkış, her şey beni mutlu ederdi.

O günlerde film setinden Satsat koridorlarına, kahvehanelerden Keskinlerin evine herkesin konuştuğu şey, gecekondu bankerlerin verdiği çok yüksek faizdi. Enflasyon yüzde yüzlere yaklaştığı için, herkes parasını bir yerlere yatırmak istiyor du. Keskinler akşamları sofraya oturmadan önce bu konu açılırdı. Tarık Bey mahallede arada bir gittiği kahvede, bazılarının kazandığı parasını korumak için Kapalıçarşı'dan altın aldığını, bazılarının da paralarını yüzde yüz elliye yakın faiz veren çeşit çeşit bankere yatırdığını, ama herkesin birikmiş altınını bozduğunu, banka hesabını bitirdiğini söyleyerek benden bir işadamı olarak akıl ister, sıkılarak ağzımı arardı.

Film çekimi ve sokağa çıkma yasağı bahanesiyle Feridun zaten artık eve az uğruyor, benim Limon Film'e verdiğim paradan Füsun'a hiçbir şey vermiyordu. Alıp götürdüğüm eşyaların yerine, bir süre sonra bir yenisini getirmek yerine eşyayı aldığım yere para bırakmaya o günlerde başladım. Bu, bir ay önce Tarık Bey'in eski bir oyun kâğıdı destesini çok fazla saklamadan alıp götürmemden sonra olmuştu.

Füsun'un oyun kâğıdı destesiyle vakit öldürmek için fal açtığını biliyordum. Tarık Bey, Nesibe Hala ile bezik oynarken başka bir kâğıt destesi kullanırdı. Kırk yılın başında, Nesibe Hala misafir ile bir kâğıt oyunu (fasulyesine poker, hatta yedi vale) oynayacak olsa, bu desteyi çıkarmazdı. Benim "çaldığım" destenin bazı kâğıtlarının köşeleri hırpalanmış, arkaları lekelenmişti; kâğıtların birkaç tanesi bükülüp kırılmıştı. Füsun, bu işaret ve lekelerden bazı kâğıtları tanıdığını ve bu yüzden bu desteyle açtığı falların çıktığını gülerek söylemişti. Desteyi dikkatle koklamış, eski oyun kâğıtlarına özgü o parfüm, nem ve toz kokusundan başka Füsun'un elinin kokusunu içime çekmiştim. Deste ve kokusu başımı döndürüyordu ve Nesibe Hala ilgimi fark ettiği için de, onu göstere göstere cebime atmıştım.

"Annem de fal bakıyor, ama hiç çıkmıyor," demiştim. "Bu kâğıtlarla fal bakanın talihi açılıyormuş. Lekeleri, kırıkları tanıdıktan sonra annemin de biraz talihi açılır artık. Şu aralar çok sıkılıyor."

"Vecihe Abla'ya selam söyle," demişti Nesibe Hala.

Nişantaşı'ndan Alaaddin'in dükkânından yeni bir deste alaca-

ğımı söyleyince, Nesibe Hala bana uzun uzun "Hiç zahmet et-
memi," söyledi önce. Israr ettim. O zaman Beyoğlu'nda gör-
düğü yeni bir takımdan söz etti.

Füsun arka odadaydı. Cebimden çıkardığım bir tomar kâğıt
parayı bir kenara utanarak bıraktım.

"Nesibe Hala, o yeni oyun kâğıtlarından bir deste size, bir
deste de anneme alır mısınız lütfen? Bu evden gelen oyun kâğı-
dı annemi sevindirir."

"Tabii," demişti Nesibe Hala.

On gün sonra, yanıma aldığım yeni bir şişe Pe-Re-Ja kolon-
yasının durduğu yere, gene tuhaf bir utanç hissederek bir des-
te kâğıt para bıraktım. İlk aylarda bu eşya-para alışverişlerinden
Füsun'un hiç haberi olmadığından emindim.

Keskinlerin evinden kolonya şişelerini aslında yıllardır alıp
götürüyor, Merhamet Apartmanı'nda biriktiriyordum. Ama on-
lar ya tamamen boş ya da boşalmak üzere olan ve yakında atıla-
cak şişelerdi. Boş şişelerle, oyun oynayan mahalle çocukları ha-
riç kimse ilgilenmezdi.

Akşam yemeklerinden çok sonra ikram edilen kolonyayı el-
lerime, alnıma, yanaklarıma kutsal bir sıvı gibi istekle, hatta
umutla sürerdim. Annesinin, babasının ve Füsun'un kolonya
ikram edilirken yaptıkları hareketleri de hep büyülenerek sey-
rederdim... Tarık Bey, Pe-Re-Ja kolonyasının ağır şişesinin bü-
yük kapağını televizyona bakarken bir tıkırtıyla ağır ağır çevi-
rir, bizler de az sonra ilk reklam arasında şişeyi Füsun'a verip
"Sor bakalım kolonya isteyen var mı?" diyeceğini bilirdik. Fü-
sun şişeyi önce babasının eline döker, Tarık Bey tıbbi bir yar-
dım alıyormuş gibi kolonyayı bileklerine sürer ve koklarken
nefes darlığını yenen biri gibi nefesini derin derin içine çeker,
sonra arada bir uzun uzun parmaklarının ucunu koklardı. Ne-
sibe Hala kolonyayı çok az alırdı, annemde benzerini gördü-
ğüm zarif hareketlerle, sanki avcunun içinde hayali bir sabun
varmış da ellerini içinde yuvarlaya yuvarlaya sabunu köpür-

tüyormuş gibi yapardı. Evdeyse, karısının sunduğu kolonyadan en çok Feridun alırdı, iki avcunu susuzluktan ölen biri gibi açar, kolonyayı kana kana su içen biri gibi neredeyse hırsla yüzüne sürerdi. Bütün bu hareketlerden, kolonyanın verdiği hoş kokudan ve serinlik hissinden (çünkü soğuk kış akşamları da aynı küçük kolonya törenleri yapılırdı) bambaşka bir anlamı olduğunu hissederdim.

Otobüs yolculuklarının başında, muavinin tek tek bütün yolculara sunduğu kolonya gibi, bizim kolonya da her akşam televizyon etrafında toplanan bizlere bir cemaat olduğumuzu, aynı kaderi paylaştığımızı (televizyondaki haberlerin de vurguladığı bir duygu), her akşam aynı evde buluşup televizyon seyretmemize rağmen hayatın bir serüven olduğunu ve hep birlikte bir şey yapmanın güzelliğini hissettirirdi.

Benim sıram gelip de avuçlarımı sabırsızlıkla açıp Füsun'un kolonya dökmesini beklerken, bir an göz göze gelirdik. O zaman ilk bakışta birbirlerine âşık olan bir çift gibi derin derin bakardık birbirimize. Elime dökülen kolonyayı koklarken avuçlarıma hiç bakmaz, gözlerimi Füsun'un gözlerinin içinden hiç uzaklaştırmazdım. Bazan benim bakışımdaki yoğunluk, kararlılık, aşk onu gülümsetiverirdi. Dudaklarının kenarlarında o gülümsemenin belli belirsiz izi uzun süre kaybolmazdı. O gülümseyişte benim âşık halime, her akşam oraya gelmeme ve hayata yönelik bir şefkat ve alaycılık görürdüm, ama kalbim kırılmazdı. Tam tersi, bir an ona daha da âşık olur, kolonya şişesini, Altın Damla'yı alıp evime götürmek ister, sonraki gelişlerimin birinde şişe zaten iyice boşalmaktayken kaşla göz arasında onu askıdaki paltomun cebine sıkıştırırdım.

Kırık Hayatlar'ın çekildiği günlerde akşam saat yedi civarında, hava kararmadan az önce, Peri Sineması'ndan Çukurcuma'ya doğru yürürken, bazan o anda yaşamakta olduğum hayat parçacığını aslında daha önce yaşamış olduğum duygusuna kapılırdım. Tamı tamına aynısını bir kere daha yaşayacağım o ilk hayatta çok büyük mutsuzluklar da yoktu, çok büyük mutluluklar da. Ama bu birinci hayatın bana ağır gelen, içimi karartan bir kederi vardı... Galiba hikâyenin sonunu gördüğüm ve beni büyük zaferlerin de, büyük mutlulukların da beklemediğini bildiğim için. Füsun'a âşık olduğum altı yılın sonunda hayatın bir ucu açık, eğlenceli bir serüven olduğunu düşünen birinden, hayata küskün, içine kapanık, kederli bir adama dönüşmek üzereydim. Hayatta artık bir şey olmayacak duygusu üzerime yavaş yavaş çöküyordu.

"Füsun, leyleğe bakalım mı?" derdim o bahar akşamlarında.

"Hayır, yeni bir şey yapmadım," derdi Füsun keyifsizlikle.

Bir keresinde Nesibe Hala söze karışmıştı: "Aa, niye öyle diyorsun... Leylek bizim bacadan kalkıp öyle bir uçtu ki Kemal Bey, çıktığı yerden bütün İstanbul gözüküyor."

"Çok merak ediyorum."

"Bu akşam keyfim yok..." derdi Füsun bazan dürüstçe.

O zaman Tarık Bey'in kalbinin titrediğini, şefkatle kızını korumak istediğini, kederlendiğini görürdüm. Füsun'un bu sözünün yalnız bu akşamın değil, hayattaki açmazının da bir ifadesi olduğunu hissetmek beni üzer ve bundan sonra *Kırık Hayatlar*'ın çekimlerine gitmemeye karar verirdim. (Bu kararı kısa sürede uyguladım.) Aklımın bir yanı ise; Füsun'un bu cevabının, bana karşı yıllardır sürdürmekte olduğu bir savaşın parçası olduğunu hatırlatırdı bana. Nesibe Hala'nın bakışlarından, onun hem benim hem Füsun'un tutumuna dertlendiğini de hissederdim. Hayatın zorluklarının, sıkıntılarının, Tophane'nin üstünde biriken kara yağmur bulutlarının göğü karartması gibi, bizim içimizin de kararmakta olduğunu hisseder hissetmez bir süre sessizliğe bürünür ve her zamanki gibi üç şey yapardık:

1. Televizyona bakardık.

2. Kadehlerimize birer rakı daha koyardık.

3. Birer sigara daha yakardık.

68. 4213 İZMARİT

Keskinlere gidip sofralarına oturduğum sekiz yılda, Füsun'un 4213 adet sigara izmaritini saklayıp biriktirdim. Bir ucu Füsun'un gül dudaklarına değen, ağzının içine giren, kimi zaman filtresine dokunarak anladığım gibi diline değen, ıslanan ve çoğu zaman da dudaklarına sürdüğü ruj ile hoş bir kırmızıya boyanan bu izmaritlerin her biri; derin acıların, mutlu anların hatıralarını taşıyan çok özel, mahrem eşyalardır. Dokuz yıl boyunca Füsun hep Samsun sigarası içti. Keskinlere akşam yemeğine gitmeye başlamamdan hemen sonra, ben de Marlboro'yu bıraktım ve Füsun'un etkisiyle Samsun'a geçtim. Marlboro Lights'ı sokak aralarındaki kaçak sigara satıcılarından, tombalacılardan alırdım. Bir gece, Marlboro Lights ile Samsun'un, tok içimli benzer tatta sigaralar olduğundan konuştuğumuzu hatırlıyorum. Füsun Samsun'un daha çok öksürttüğünü söylemiş, ben de Amerikalıların tütünün içine kim bilir hangi zehirleri ve kimyasal maddeleri koyarak Marlboro'yu çok zararlı bir şey haline getirdiklerini anlatmıştım. Tarık Bey daha sofraya oturmamıştı ve birbirimizin gözlerinin içine bakarken, paketlerimizden birbirimize sigara ikram ediyorduk. Bu sekiz yıl boyunca Füsun gibi ben de baca gibi Samsun tüttürdüm, ama gelecekteki kuşaklara kötü örnek olmasın diye, eski filmlerde ve romanlarda çok sevilen sigara içme ayrıntılarından hikâyemde az söz edeceğim.

Bulgaristan Sosyalist Cumhuriyeti'nde üretilen ve Türkiye'ye kaçakçı gemileri ve balıkçı tekneleriyle sokulan sahte Marlborolar da Amerika'daki hakiki Marlborolar gibi, bir kere yakıldıktan sonra sonuna kadar yanardı. Samsun ise kendi kendine yanıp bitmezdi. Tütünü nemli ve kabaydı. İçinden kimi zaman yeterince öğütülmemiş tahtamsı parçalar, tütün yaprağının kalın damarları ve nemli tütün topakları çıktığı için, Füsun sigarasını yakmadan önce parmaklarının arasında ezerek sigarayı yumuşatırdı. Bu jesti ondan ben de öğrenmiştim, sigarayı yakma-

dan önce tıpkı Füsun gibi, parmaklarımla kendiliğinden sigara-
yı yuvarlayarak ezerdim. Bu sırada o da aynı şeyi yapıyorsa, Fü-
sun'la göz göze gelmek çok hoşuma giderdi.

Keskinlere gittiğim ilk yıllarda, Füsun babasının yanında si-
gara içemiyormuş pozu yaparak sigara içerdi. Elindeki sigara-
yı saklıyormuş gibi avcunun içine doğru kıvırarak tutar, külü-
nü babasının ve benim kullandığım Kütahya işi küllüğe değil,
bir kahve fincanının küçük altlığına "kimseye göstermeden"
silkerdi. Babası, ben ve Nesibe Hala sigaramızın dumanını hiç-
bir şeye aldırmadan gelişigüzel üfleyerek bırakırdık, Füsun ise
derste yanında oturan bir sınıf arkadaşının kulağına aceleyle ve
gizlice bir şey söylüyormuş gibi, başını bir anda sağa, masadan
uzak bir noktaya doğru çevirip ciğerlerindeki masmavi dumanı
ağzından uzaklara doğru aceleyle üflerdi. Bana matematik ders-
lerimizi hatırlatan bu hareketi, o sırada yüzünde beliren utan-
ma taklidini ve telaşlı ve suçlu ifadeyi çok sever, ona hayatımın
sonuna kadar âşık kalacağımı düşünürdüm.

Babanın yanında içki sigara içmemek, yayılarak oturup ba-
cak bacak üstüne atmamak gibi geleneksel aile kurallarına uy-
ma endişesiyle yapılan bütün bu "saygı" hareketleri, yıllar için-
de yavaş yavaş kayboldular. Tarık Bey elbette kızının sigara iç-
tiğini görüyordu, ama geleneksel bir baba olarak, gösterme-
si gereken tepkiyi göstermiyor, Füsun'un saygı jestleriyle tat-
min oluyordu. Bu "gibi yapma" ritüellerini, antropologların ço-
ğu zaman hiç anlayamadıkları bütün bu karmaşık incelikleri iz-
lemekten olağanüstü mutlu olurdum. "Gibi yapma" kültürü-
nü asla ikiyüzlü bulmaz; Füsun'un sevimli, çekici jestlerini sey-
rederken, Keskinleri her akşam hepimiz "gibi yaptığımız" için
görebildiğimi hatırlatırdım kendime. Orada gerçekten olduğum
gibi, bir âşık olarak oturmuyordum. Ziyarete gelen uzak akraba
gibi yaparak Füsun'u görebiliyordum.

Ben evde yokken, Füsun sigaralarını neredeyse dibine kadar
içerdi. Bunu, evin içindeki küllüklere ben gelmeden önce bas-

tırılmış izmaritlerden anlardım. Füsun'un içtiği ve küllüğe bastırdığı bir sigarayı diğerlerinden hemen ayırabilirdim. Bu, sigaranın markasından çok, Füsun'un sigarayı küllüğe bastırış şekliyle, onun duygularıyla ilgiliydi. Benim geldiğim akşamlar ise, Füsun tıpkı ince uzun "ultra light" kibar Amerikan sigaralarını içen Sibel ve arkadaşları gibi, Samsun sigarasını filtresine yakın bir yere kadar değil, neredeyse yarısına kadar içerdi.

Bazan sinirli bir hareketle sigarasını küllüğe bastırırdı. Bazan bu bir sinirlenme hareketi değil, bir sabırsızlık jesti olurdu. Sigarayı küllüğe bir çeşit öfkeyle bastırdığını da çok görmüştüm ve bundan huzursuz olurdum. Kimi günler, çok küçük ısrarlı hareketlerle, sigarayı küllüğün tabanına vura vura söndürürdü. Bazan da kimse bakmazken bir yılanın başını usulca eziyormuş gibi sigarayı küllüğe büyük bir güçle ve ağır ağır bastırırdı. O zaman hayattaki bütün öfkesini izmaritten çıkardığını düşünürdüm. Televizyonu seyrederken, sofradaki sohbeti dinlerken, sigarayı küllüğe, o yöne hiç bakmadan dalgın dalgın bastırdığı da olurdu. Eline kaşığı ya da büyük bir sürahiyi almadan önce, elini boşaltmak için aceleyle bir hamlede söndürdüğünü de çok gördüm. Bazan neşeli, mutlu olduğu zamanlarda, canını acıtmadan bir hayvanı öldürür gibi, sigarayı bir hamlede işaret parmağının ucuyla küllüğe hafifçe bastırarak söndürürdü. Mutfakta iş görürken, tıpkı Nesibe Hala gibi ağzındaki sigarayı musluktan akan suya bir an değdirip sonra çöpe atardı.

Bütün bu değişik yöntemler ve daha niceleri, Füsun'un elinden çıkan izmaritlerin her birine özel bir biçim, bir ruh verirdi. Onları Merhamet Apartmanı'nda cebimden çıkarır, dikkatle inceler, her birini ayrı bir şeye; mesela boynu, başı ezilmiş, kamburu çıkmış, haksızlığa uğramış kara yüzlü küçük insancıklara ya da tuhaf korkutucu soru işaretlerine benzetirdim. Bazan izmaritleri Şehir Hatları gemilerinin bacalarına, deniz böceklerine benzetirdim. Bazan da onları beni uyaran ünlem işaretleri, gelecekteki bir tehlikenin ilk belirtileri, pis kokulu çöpler ya da

Füsun'un ruhunu ifade eden birşeyler, hatta bu ruhun parçası olarak görür, filtrelerinin ucundaki ruj izini de hafifçe tadarak hayat hakkında, Füsun hakkında derin düşüncelere dalardım.

Müzemi gezen okurlar, bu sekiz yılda biriktirdiğim 4213 izmaritin her birinin altında onu hangi tarihte aldığıma ilişkin nota bakıp vitrinleri lüzumsuz bilgilerle donattığımı düşünmesin: Her sigara izmaritinin biçimi, Füsun'un onu söndürürken hissettiği yoğun bir duygunun dışavurumudur. Mesela, Peri Sineması'nda *Kırık Hayatlar*'ın çekimine başlanan 17 Mayıs 1981 günü Füsun'un küllüğünden aldığım bu üç izmarit de, içe doğru sertçe kıvrılmış içine kapanık halleriyle yalnız o berbat ayların değil, Füsun'un o günkü sessizliğini, konudan uzak duruşunu, hiçbir şey yokmuş gibi davranışını hatırlatır bana.

İyice ezilmiş bu iki izmaritten biri, televizyonda o günlerde seyrettiğimiz *Yalan Mutluluk* adlı filmin baş oyuncusu ve Pelür'den dostumuz Ekrem'in (bir zamanlar Hazreti İbrahim rolünü de oynamış olan ünlü Ekrem Güçlü) "Hayatta en büyük yanlış, daha fazlasını isteyip mutlu olmaya çalışmakmış, Nurten!" deyişi üzerine, fakir sevgilisi Nurten'in önüne bakıp susuşu üzerine söndürülmüştür. Diğeri de o sahneden tam on iki dakika sonra küllüğe bastırılmıştı. (Füsun bir Samsun'u ortalama dokuz dakikada içerdi.)

Düzgün görünüşlü başka bazı izmaritlerin üzerindeki lekelerin sıcak bir yaz akşamı Füsun'un yediği vişneli dondurmadan bulaştığını hatırlıyorum. Yaz akşamları üç tekerlekli el arabasıyla Tophane ve Çukurcuma'nın parke taşı kaplı sokaklarında "Gayymak!" diye bağırarak ve elindeki çanı sallayarak ağır ağır dolaşan dondurmacı Kamil Efendi, kışları da gene aynı arabayla helva satardı. Bir keresinde Füsun bana Kamil Efendi'nin bu el arabasını, çocukluğunda kendi bisikletini götürdüğü bisikletçi Beşir'e tamir ettirdiğini anlatmıştı.

Sıcak yaz akşamlarında, patlıcan kızartma ve yoğurt yediğimizi, Füsun ile birlikte açık pencereden dışarıya bakışımızı başka bir-iki sigaraya ve altlarındaki tarihe bakarken hatırlıyorum. Böyle zamanlarda Füsun eline küçük bir küllük alır ve diğer elindeki Samsun sigarasının külünü sık sık o küllüğe silkerdi. O zaman onun şık bir partiye gitmiş bir kadın olduğunu hayal ederdim. Ya da Füsun benimle pencerenin önünde sohbet ederken böyle birini taklit ederdi. İstese benim gibi, bütün Türk erkekleri gibi, sigaranın külünü pencereden aşağıya silkebilir, sigarayı pencerenin kenarına bastırıp aşağı atabilir, dahası yanan sigarayı fiske vurur gibi bir parmak hareketiyle fırlatıp uçurur, karanlığın içinde döne döne düşüşünü seyredebilirdi. Ama hayır, Füsun herkesin yaptığı bu sigara jestlerinin hiçbirini yapmaz, inceliği ve kibarlığı ile bana da örnek olurdu. Uzaktan bakan biri, bizi kaçgöçün olmadığı bir Batı ülkesinde, bir partide, birbirlerini tanımak için sakin bir köşeye çekilmiş, kibar kibar konuşan bir çift sanabilirdi. Açık pencereden dışarı bakarken, hiç göz göze gelmeden, az önce televizyonda seyrettiğimiz filmin sonundan, yaz sıcağının ağırlığından, sokakta saklambaç oynayan çocuklardan gülüşerek bahsederdik. Derken Boğaz yönünden hafif bir rüzgâr eser ve denizin yosun kokusu ve hanımellerinin bayıltıcı kokusuyla birlikte, bana Füsun'un saçlarının ve teninin kokusunu, sonra da bu sigaranın dumanının hoş kokusunu taşırdı.

Bazan Füsun tam sigarasını söndürürken, beklenmedik bir şekilde göz göze gelirdik. Acıklı bir aşk filmi seyrederken ya da İkinci Dünya Savaşı tarihi üzerine bir belgeselin yoğun ve sarsıcı olaylarının ağır müzikle birlikte etkisi altına girmişken, Füsun üzerinde durmadan ilgisizce sigarasını söndürürdü. Bu örnekte olduğu gibi, o anda raslantıyla göz göze gelirsek, bir an aramızda bir elektriklenme olur, benim orada masada niye oturduğumu ikimiz de hatırlar, böylece sigara da çok özel bir akıl karışıklığını yansıtacak bir şekilde söndürülünce tuhaf bir biçim alırdı. Sonra büyük bir geminin çok uzaktan ve derinden gelen düdüğünü duyar; âlemi, hayatımı, o gemidekilerin gözünden düşünürdüm.

Bazı geceler yalnız birini, bazı geceler birkaç tanesini alıp Merhamet Apartmanı'na götürdüğüm ezik sigara izmaritlerini daha sonra tek tek elime alınca, geçmişte kalmış bazı "an"ları hatırlardım. Sigaralar aslında biriktirdiğim bütün eşyaların, Aristo'nun anlarına tek tek denk düştüğünü açıklıkla kavramamı sağlamıştı.

Merhamet Apartmanı'nda biriktirdiğim eşyaları elime almadan, yalnızca onları bir kere görmekle bile Füsun ile geçmişimizi, akşamları sofrada oturuşumuzu artık hatırlayabiliyordum. Eşyalarla, porselen bir tuzluk ya da köpek biçiminde bir terzi mezurası ya da korkutucu bir konserve açacağı ya da Füsunların mutfağından hiç eksik olmayan Batanay marka ayçiçek yağı şişesi ile birleştirdiğim tek tek anlar, yıllar geçtikçe hafızamda sanki geniş bir zamana yayılıyordu. Merhamet Apartmanı'nda biriken eşyalara, tıpkı izmaritler gibi baktıkça Füsunların evinde sofrada otururken yaptıklarımızı tek tek hatırlardım.

69. BAZAN

Bazan hiçbir şey yapmaz, sessizce otururduk. Bazan Tarık Bey, televizyondaki programdan hepimiz gibi sıkılır ve göz ucuyla gazetesini okurdu. Bazan yokuştan aşağı bir araba, kornasını çalarak gürültüyle iner, o zaman hepimiz susar, arabanın geçişine kulak kabartırdık. Bazan yağmur yağar, camlardaki tıpırtıyı dinlerdik. Bazan "Hava ne sıcak," derdik. Bazan Nesibe Hala küllükte bir sigarası olduğunu unutur, mutfakta bir tane daha yakardı. Bazan Füsun'un eline hiç kimseye fark ettirmeden on beş-yirmi saniye bakar, ona daha da hayran olurdum. Bazan televizyondaki bir reklamda sofrada o sırada yediğimiz bir şeyi tanıtan bir kadın belirirdi. Bazan uzaklardan bir patlama sesi gelirdi. Bazan Nesibe Hala, bazan da Füsun sofradan kalkar, sobaya bir-iki parça kömür atardı. Bazan gelecek gelişimde Füsun'a toka değil, bilezik getireyim diye düşünürdüm. Bazan hep birlikte seyrettiğimiz filmin konusunu daha onu seyrederken bile unutur, hem televizyona bakar hem de Nişantaşı'nda ilkokula gittiğim günleri hatırlardım. Bazan "Hadi size bir ıhlamur kaynatayım!" derdi Nesibe Hala. Bazan Füsun öyle güzel esnerdi ki, bütün dünyayı unuttuğunu ve kendi ruhunun derinliklerinden daha huzurlu bir hayatı, tıpkı sıcak yaz günü soğuk bir kuyudan kovayla su çeker gibi çektiğini düşünürdüm. Bazan artık daha oturmayayım, kalkayım, derdim kendime. Bazan karşıda alt katta geç saatlere kadar çalışan berberin son müşterisini yolladıktan sonra kepengi hızla indirişi, gecenin sessizliğinde bütün mahallede yankılanırdı. Bazan sular kesilir, iki gün gelmezdi. Bazan kömür sobasının içinde, alevlerden başka bir hareket olduğunu işitirdik. Bazan sırf Nesibe Hala "Zeytinyağlı fasulyemi sevdiniz, bitmeden yarın akşam gene gelin!" dediği için ertesi gün de onlara giderdim. Bazan Amerika-Rusya kavgası, Soğuk Savaş, Boğaz'dan geceleri geçen Sovyet harp gemileri, Marmara'daki Amerikan denizaltıları gibi konulardan konuşurduk. Bazan "Çok sıcak oldu bu akşam!" derdi Nesibe Hala. Bazan Füsun'un hayallere daldığını yüzünden anlar, onun hayal ettiği ülkeye gitmek ister, ama kendimi, hayatımı, ağırlığımı, masada oturuşumu çok umutsuz bulurdum. Bazan sofradaki eşyalar gözüme dağlar, vadiler, tepeler, platolar ve çukurlar gibi gözükürdü. Bazan televizyondaki gülünç bir şeye bir an hep birlikte gülerdik. Bazan hepimizin aynı anda televizyondaki şeye yoğunlaşmamız, bana, bizim için küçültücü bir şeymiş gibi gözükürdü. Bazan komşu çocuğu Ali'nin Füsun'un kucağına tırmanması, ona sokulması sinirimi bozardı. Bazan Tarık Bey ile erkek erkeğe ve alçak sesle, ekonomik durumun püf noktalarını bir kumpas, hile ve kurnazlık havasıyla konuşurduk. Bazan Füsun üst kata çıkar ve bir süre aşağı inmez, bu da beni mutsuz ederdi. Bazan telefon çalar, yanlış numara çıkardı. Bazan "Gelecek Salı'ya size kabak tatlısı yapacağım," derdi Nesibe Hala. Bazan futbol şarkıları söyleyen üçlü-dörtlü bir genç kalabalığı bağırıp çağrışarak yokuştan aşağı iner, Tophane tarafına giderdi. Bazan Füsun'un sobaya kömür atmasına yardım ederdim. Bazan mutfağın zemininde bir hamamböceğinin telaşla koşturduğunu görürdüm. Bazan Füsun'un masanın altında ayağını terliğinden çıkardığını hissederdim. Bazan bekçi, düdüğünü tam bizim kapının önünde çalardı. Bazan Füsun, bazan ben yerimizden kalkar, Saatli Maarif Takvimi'ndeki unutulmuş yaprakları tek tek yırtardık. Bazan kimse bakmazken, sofradaki irmik helvasından bir kaşık daha alırdım. Bazan televizyondaki görüntü netliğini kaybeder, Tarık Bey "Kızım şuna bir bak," der, Füsun televizyonun arkasındaki bir düğmeyi kurcalar, ben de arkadan seyrederdim. Bazan "Bir sigara daha içeyim, gideyim," derdim. Bazan Zaman'ı bütünüyle unutur, "şimdi"nin içine yumuşacık bir yatağa yatar gibi yayılırdım. Bazan halının içindeki mikropları, böcekleri, parazitleri fark ettiğimi sanırdım. Bazan televizyondaki iki program arasında Füsun buzdolabından soğuk su çıkarır, Tarık Bey yukarıya tuvalete giderdi. Bazan tencerede sade yağlı kabak, domates, patlıcan, biber dolması yapılır, iki akşam yenilirdi. Bazan yemekten sonra Füsun masadan kalkar, Limon'un kafesine gider, onunla arkadaşça konuşur ve ben, benimle konuştuğunu sanırdım. Bazan yaz akşamları, cumbanın penceresinden giren bir pervane, lambanın çevresinde hızlanarak deli gibi dönmeye başlardı. Bazan Nesibe Hala yeni öğrendiği eski bir mahalle dedikodusu açar, mesela elektrikçi Efe'nin babasının ünlü bir haydut olduğunu anlatırdı. Bazan orada olduğumu unutur, sanki baş başaymışız gibi kendimden geçer, Füsun'a bütün aşkımı göstererek, uzun uzun, aşkla bakardım. Bazan sokaktan bir araba o kadar sessiz geçerdi ki, ancak camların titremesinden fark ederdik. Bazan Füruzağa Camii'nden ezan sesi gelirdi. Bazan Füsun durup dururken sofradan kalkar, cumbanın yokuşa doğru bakan penceresinden, sanki derin bir özlemle birini bekliyormuş gibi uzun uzun bakar, bu benim kalbimi kırardı. Bazan televizyon seyrederken bambaşka şeyler düşünür, mesela gemi lokantasında karşılaşmış yolcular olduğumuzu hayal ederdim. Bazan yaz akşamları Nesibe Hala yukarı odalara Temiz İş marka pompayla sıktığı sinek ilacını aşağıda, yemek odasında da "şöyle bir gezdirir", sinekler ölürdü. Bazan Nesibe Hala, eski İran Kraliçesi Süreyya'dan söz eder, Şah'tan çocuk doğuramadığı için boşanan bu kadının acıları ve Avrupa sosyetesindeki hayatını bize anlatırdı. Bazan "Gene çıkardılar bu rezil herifi yahu!" derdi Tarık Bey televizyona bakarak. Bazan Füsun üst üste iki gün aynı kıyafeti giyer, ama bana gene de değişik görünürdü. Bazan "Dondurma isteyen var mı?" derdi Nesibe Hala. Bazan karşı apartmandan birinin pencereye çıkıp sigara içtiğini görürdüm. Bazan hamsi tava yerdik. Bazan Keskinlerin âlemde bir adalet olduğuna, suçluların bu veya öteki dünyada mutlaka cezalandırılacaklarına içtenlikle inandıklarını görürdüm. Bazan çok uzun bir süre susardık. Bazan yalnız biz değil, sanki bütün şehir sessizliğe bürünürdü. Bazan "Baba lütfen ortadan atıştırma!" derdi Füsun ve o zaman benim yüzümden sofrada bile rahat edemediklerini hissederdim. Bazan da tam tersini düşünür, herkesin çok rahat olduğunu fark ederdim. Bazan sigarasını yaktıktan sonra gözü ekrana takılan Nesibe Hala, elindeki kibriti söndürmeyi eli yanana kadar unuturdu. Bazan fırında makarna yerdik. Bazan Yeşilköy'e, havaalanına doğru alçalan bir uçak gecenin karanlığında üzerimizden gürültüyle geçerdi. Bazan Füsun uzun boynunu, göğüslerinin üst kısmını açıkta bırakan bir gömlek giyer ve ben televizyonu seyrederken gözümün güzel gerdanının beyazlığına takılmamasına dikkat ederdim. Bazan "Resim nasıl gidiyor?" derdim Füsun'a. Bazan "Kar yağacak," derdi televizyon, ama yağmazdı. Bazan büyük bir petrol tankerinin düdüğünün telaşlı sesi acı acı duyulurdu. Bazan uzaklardan silah sesleri gelirdi. Bazan yan komşunun sokak kapısı öyle sert bir şekilde vurulurdu ki, arkamda duran büfedeki fincanlar titrerdi. Bazan telefon çalar ve Limon onu dişi bir kanarya sanıp coşkuyla ötmeye başlar, hepimiz gülerdik. Bazan misafir bir karı-koca gelir, ben biraz mahcup olurdum. Bazan Tarık Bey televizyondaki Üsküdar Musiki Cemiyeti Kadınlar Korosu'nun söylediği eski şarkıya oturduğu yerden katılırdı. Bazan dar sokakta iki araba burun buruna gelir, iki şoför inatla birbirine yol vermez, ağız dalaşına girişir, küfürleşir, arabalarından çıkıp dövüşmeye başlarlardı. Bazan evde, sokakta, bütün mahallede sihirli bir sessizlik olurdu. Bazan akşamları onlara börek ve lakerdadan başka çiroz da götürürdüm. Bazan "Hava bugün ne soğuk değil mi," derdik. Bazan Tarık Bey yemeğin sonunda gülümseyerek cebinden çıkardığı Ferah marka nane şekerinden hepimize birer tane ikram ederdi. Bazan kapının önünde iki kedi önce kabadayıca miyavlaşır, sonra çığlık çığlığa kavgaya tutuşurdu. Bazan Füsun o gün getirdiğim küpeyi ya da broşu hemen takar, yemekte çok yakıştığını sessizce ona söylerdim. Bazan televizyondaki aşk filmindeki kavuşma ve öpüşme sahnesi bizi öyle etkilerdi ki, sanki nerede olduğumuzu unuturduk. Bazan "Yemeğe az tuz koydum, isteyen istediği kadar koysun," derdi Nesibe Hala. Bazan uzaklarda şimşekler çakar, gök gürüldürdü. Bazan eski bir Boğaz vapurunun tiz düdüğü, kederiyle kalbimize işlerdi. Bazan Pelür'den tanıdığımız ve biraz dalga geçtiğimiz bir oyuncu, televizyonda bir filmde, bir dizide ya da bir reklamda belirir, o zaman Füsun ile göz göze gelmek isterdim, ama o gözlerini kaçırırdı. Bazan elektrikler kesilir, karanlıkta sigaralarımızın kızıl uçlarını görürdük. Bazan kapının önünden birisi tek başına ıslıkla eski bir şarkıyı çalarak geçerdi. Bazan "Ay bu akşam çok sigara içtim," derdi Nesibe Hala. Bazan gözüm Füsun'un boynuna takılır, bütün gece oraya daha fazla bakmamak için kendimi çok da fazla zorlamadan tutardım. Bazan bir an derin bir sessizlik olur, "Bir yerde birisi öldü," derdi Nesibe Hala. Bazan Tarık Bey'in yeni çakmaklarından biri ateş almaz, ona yeni bir çakmak hediye etmenin vaktidir diye düşünürdüm. Bazan Nesibe Hala buzdolabından bir şey getirir, geçen vakitte filmde ne olduğunu bize sorardı. Bazan Dalgıç Sokak'ta tam karşımızdaki dairede gene bir karı-koca kavgası çıkar, koca karısını dövdüğü için içimize işleyen çığlıklar duyulurdu. Bazan kış geceleri bozacı çıngırağını çalar, "Vefa'nın, boo-zaaa," diye bağırarak kapının önünden geçerdi. Bazan "Bugün çok neşelisiniz!" derdi bana Nesibe Hala. Bazan uzanıp Füsun'a dokunmamak için kendimi zor tutardım. Bazan, özellikle yaz akşamları bir rüzgâr çıkar, kapılar çarpardı. Bazan Zaim'i, Sibel'i, eski arkadaşlarımı düşünürdüm. Bazan sofradaki yemeğimize sinekler konmaya başlar, Nesibe Hala sinirlenirdi. Bazan Nesibe Hala, Tarık Bey için buzdolabından maden suyu çıkarır, bana "Siz de ister misiniz?" diye sorardı. Bazan daha saat on bir bile olmadan, bekçi, düdüğünü öttürerek kapının önünden geçerdi. Bazan ona "Seni seviyorum!" demek için dayanılmaz bir istek duyar, ama yalnızca çakmağımla sigarasını yakabilirdim. Bazan bir önceki gelişimde getirdiğim leylakların hâlâ vazoda durduğunu fark ederdim. Bazan bir sessizlik daha olur ve komşu evlerden birinin penceresi açılır ve birisi aşağıya bir çöp atardı. Bazan "Bu son köfteyi kim yiyecek bakalım?" derdi Nesibe Hala. Bazan televizyondaki paşaları seyrederken, askerlik günlerimi hatırlardım. Bazan yalnız kendimin değil, hepimizin çok önemsiz olduğunu derinden hissederdim. Bazan "Bilin bakalım tatlı ne var bu akşam?" derdi Nesibe Hala. Bazan Tarık Bey bir öksürük nöbetine yakalanır, Füsun yerinden kalkıp babasına bir bardak su verirdi. Bazan Füsun ona yıllar önce getirdiğim bir iğneyi takardı. Bazan televizyonun gösterdiği şeyden bambaşka bir şey anlattığını sanmaya başlardım. Bazan Füsun televizyondaki bir tiyatrocu, bir edebiyatçı ya da profesör hakkında bana bir soru sorardı. Bazan sofradaki kirli tabakları mutfağa ben de taşırdım. Bazan hepimizin ağzı yemekle dolu olduğu için sofrada bir sessizlik olurdu. Bazan önce birimiz esner, onu görür ve diğerleri de esnemeye başlar ve bunu fark edince bu konuyu konuşur, gülüşürdük. Bazan Füsun televizyondaki filme kendini öyle verir, öyle kaptırırdı ki, o filmdeki kahraman olmak isterdim. Bazan ızgara etin kokusu gecenin sonuna kadar evde kalırdı. Bazan sırf Füsun'un yanında oturduğum için çok mutlu olduğumu düşünürdüm. Bazan "Bir gece akşam Boğaz'a yemeğe gidelim artık," diye konuyu açardım. Bazan hayatın başka bir yerde değil, tamı tamına orada, o masada olduğu duygusuna kapılırdım. Bazan sırf televizyonda o konu biraz açıldığı için hiç bilmediğimiz konularda, Arjantin'deki kayıp kral mezarları, Mars'taki yer çekimi, insanın nefes almadan suyun dibinde ne kadar kalabileceği, motosikletin neden İstanbul'da tehlikeli olduğu, Ürgüp'teki peribacalarının oluşumu konusunda tartışmalara girişirdik. Bazan sert bir rüzgâr eser, pencerelerde uğuldar, soba borusunda da tuhaf bir ses çıkarırdı. Bazan Tarık Bey elli metre ötedeki Boğazkesen Caddesi'nden, beş yüz yıl önce Fatih'in kadırgalarını geçirerek Haliç'e indirdiğini hatırlatarak, "Adam bunu yaptığında on dokuz yaşındaymış!" derdi. Bazan Füsun yemeğin sonunda sofradan kalkar, Limon'un kafesine gider, az sonra ben de onun yanına giderdim. Bazan "İyi ki bu akşam da gelmişim!" derdim kendi kendime. Bazan Tarık Bey unuttuğu gözlüğünü, gazetesini ya da bir piyango biletini getirsin diye Füsun'u yukarıya odasına yollar, o zaman Nesibe Hala masadan "Elektriği söndürmeyi unutma!" diye yukarıya ona seslenirdi. Bazan Nesibe Hala, Paris'teki uzak akrabanın düğününe yetişebileceğimizi söylerdi. Bazan Tarık Bey, şiddetle "Susun!" der ve evin içindeki bir tıkırtıyı işitebilmemiz için gözleriyle tavanı işaret eder, o zaman hepimiz üst kattaki bir farenin mi, hırsızın mı çıkardığını ilk anda anlayamadığımız tıkırtılar dinlerdik. Bazan "Televizyonun sesi iyi mi canım?" derdi Nesibe Hala kocasına, çünkü yaşı ilerledikçe Tarık Bey daha az işitir olmuştu. Bazan aramızda çok uzun süren sessizlikler olurdu. Bazan kar yağar, pencerelerin kenarlarında, kaldırımlarda tutardı. Bazan havai fişekler atılır, hepimiz sofradan kalkar, görebildiğimiz kadar gökyüzündeki renkleri seyreder, daha sonra açık pencerelerden içeri giren barut kokusunu koklardık. Bazan "Bardağınızı doldurayım mı Kemal Bey?" derdi Nesibe Hala. Bazan "Resmine bakalım mı Füsun?" derdim ben ve bazan bakardık ve o zaman Füsun'la yaptığı resme bakarken, her zaman mutlu olduğumu anlardım.

70. KIRIK HAYATLAR

Sokağa çıkma yasağının saat on bire alınmasından bir hafta sonra, bir akşam yasak saatine yarım saat kala Feridun eve geldi. Uzun bir süredir film bahanesiyle, akşamları sette uyuduğunu söyleyerek eve gelmiyordu. İçeri girdiğinde zilzurna sarhoştu, besbelli mutsuzdu ve acı içindeydi. Masada oturan bizleri görünce kendini zorlayarak kibar sözler söyledi, ama fazla sürdüremedi. Füsun ile göz göze gelince, uzun sürmüş yıpratıcı bir seferden yenilgiyle dönen asker gibi, çok fazla bir şey konuşmadan yukarıya odasına çıktı. Füsun'un da hemen masadan kalkıp kocasının peşinden yukarıya çıkması gerekirdi, ama yapmadı.

Gözlerinin içine gözlerimi dikmiş, her şeyini dikkatle gözlüyordum. O da onu gözlediğimin farkındaydı. Bir sigara yaktı, hiçbir şey olmamış gibi ağır ağır içti. (Tarık Bey'den utanır gibi dumanını kenara doğru üflemiyordu artık.) Sigarayı üzerinde durmadan söndürdü. Ben de yerimden kalkamama buhranına yakalanmıştım. Artık arkada bıraktığımı sandığım bu hastalığım çok sert bir şekilde nüksetmişti.

Saat on bire dokuz kala, Füsun yeni bir Samsun'u –hafifçe ağırlaştırılmış hareketlerle– dudaklarının üzerine koyarken, benim gözlerimin içine dikkatle baktı. Bakışlarımızla bir anda birbirimize o kadar çok şey söyledik ki, onunla bütün bir gece saatlerce konuşmuşuz duygusuna kapıldım. Böylece elim kendiliğinden uzandı, çakmağımla Füsun'un dudağındaki sigarayı yaktım. Füsun Türk erkeklerinin ancak yabancı filmlerde gördüğü bir hareketle, çakmağı tutan elimi bir an tuttu.

Ben de bir sigara yaktım. Ve olağanüstü hiçbir şey yokmuş gibi ağır ağır içtim. Vaktin yavaş yavaş sokağa çıkma yasağına yaklaştığını her an hissediyordum. Nesibe Hala durumun farkındaydı, ama olayın ciddiyetinden korkmuştu, sesini hiç çıkarmıyordu. Tarık Bey ise tuhaf bir durum olduğunu elbette kavramıştı da, neyi görmezlikten gelmesi gerektiğini çıkaramıyordu. On biri on geçe çıktım evden. Sanırım Füsun ile evleneceğimizi o gece kavradım. Füsun'un en sonunda beni tercih edeceğini anladığım için o kadar mutluydum ki, yasak saatinden sonra sokaklara çıkarak yalnız kendimi değil, şoför Çetin Efendi'yi de tehlikeye attığımı unuttum. Çetin Efendi beni Teşvikiye'de evin önünde indirdikten sonra, bir dakika uzaklıktaki Şair Nigâr Sokak'taki bir garaja arabayı bırakır, yakındaki eski gecekondu mahallesindeki evine arka sokaklardan yürüyerek kimseciklere görünmeden giderdi. O gece çocuk gibi mutluluktan uyuyamadım.

Yedi hafta sonra, Beyoğlu'nda Saray Sineması'nda *Kırık Hayatlar*'ın gala gecesinin yapıldığı akşam, Çukurcuma'daki evde Keskinlerle birlikteydim. Aslında Füsun'un yönetmenin karısı olarak, benim de filmin yapımcısı (Limon Film'in yarıdan fazlasının sahibi bendim) galaya katılmamız gerekirdi, ama ikimiz de gitmemiştik. Füsun'un zaten mazerete ihtiyacı yoktu, Feridun ile kavgalıydılar. Kocası yazın eve çok az uğramıştı. Büyük ihtimal Papatya ile yaşıyordu. Çukurcuma'daki eve iki haftada bir yukarıdaki odasından bir-iki eşyasını, gömleğini ve kitabını almak için uğruyordu. Bu ziyaretlerden ancak dolaylı bir şekilde, Nesibe Hala'nın laf dokundurmaları, ağzından laf kaçırmış gibi yapmalarıyla haberdar olur, çok merak etmeme rağmen bu "yasak" konulara hiç giremezdim. Füsun'un bu konuların benim yanımda konuşulmasını yasakladığını bakışlarından, halinden anlardım. Ama Feridun'un ziyaretlerinden birinde, Füsun ile arasında bir kavga çıktığını Nesibe Hala'dan öğrendim.

Gala gecesine gidersem, Füsun'un gazetelerden bunu öğreneceğini ve buna çok üzüleceğini, beni mutlaka cezalandıracağını tahmin ediyordum. Öte yandan filmin yapımcısı olarak galaya elbette ki gitmem gerekirdi. O gün öğle yemeğinden sonra, sekreterim Zeynep Hanım, Limon Film'e benim isteğim üzerine telefon etti ve annemin çok hasta olduğunu, o gün evden çıkmayacağımı söyledi.

Akşam *Kırık Hayatlar*'ın İstanbullu sinameseverlere, gazetecilere ilk defa gösterileceği saatlerde, yağmur yağıyordu. Çetin'e beni Teşvikiye'deki evden alıp Keskinlere Tophane yoluyla değil, Taksim ve Galatasaray'dan geçerek götürmesini söyledim. Beyoğlu'nda Saray Sineması'nın önünden geçerken, arabanın ıslak camları arasından gala gecesi için gelen şık ve şemsiyeli birkaç insan, Limon Film'in parasıyla yapılmış bir-iki süslü afiş ve duyuru gördüm, ama bunlar yıllar önce Füsun'un oynayacağı bir filmin Saray Sineması'nda yapılacağını hayal ettiğim açılış gecesine hiç benzemiyordu.

Akşam yemeğinde Keskinlerin sofrasında bu konudan hiç söz edilmedi. Hepimiz, Tarık Bey, Nesibe Hala, Füsun ve ben fosur fosur sigara içerek, kıymalı makarna, cacık, domates salatası, beyaz peynir ve benim Nişantaşı'ndan getirip içeri girer girmez buzdolabının buzluğuna koyduğum Ömür'ün dondurmasından yedik ve sık sık yerimizden kalkıp pencereden dışarıya, yağan yağmura, Çukurcuma Yokuşu'ndan aşağı akan sulara baktık. Gece boyunca Füsun'a kuş resminin nasıl gittiğini sormayı birkaç kere aklımdan geçirdim, ama yüzündeki sert ifadeden, çatık kaşlarından bunun zamanı olmadığını hissettim.

Kırık Hayatlar, eleştirmenlerin alaycı, küçümseyici sözlerine rağmen, hem İstanbul'da hem de taşrada sinema seyircileri tarafından heyecanla karşılanarak gişe rekorları kırdı. Papatya'nın kara bahtından öfkeli ve kederli iki şarkıyla yakındığı son sahneler, özellikle taşrada kadınları ağlatıyor, genci yaşlısı pek çok insan nemli ve havasız sinemalardan ağlamaktan şişmiş gözlerle çıkıyordu. Son sahneden önce, Papatya'nın, neredeyse çocuk yaştayken kendisini kandırarak namusunu lekeleyen kötü kalpli zengini yalvarta yalvarta öldürmesi de coşkuyla karşılanıyordu. Bu sahne o kadar etkileyiciydi ve kısa zamanda öyle ünlenmişti ki, Papatya'yı kandırarak bekâretini alan kötü zengini oynayan –Bizanslı papazları ve Ermeni komitacıları da oynardı– Pelür'den dostumuz Ekrem Bey, sokaklarda yüzüne tükürmeye, tokat atmaya kalkışan vatandaşlardan bıktığı için bir süre evinden çıkmamıştı. Film, artık "terör yılları" diye anılan askerî darbe öncesi dönemde, sinemalardan uzaklaşmış kitleleri en sonunda salonlara çektiği için de takdir ediliyordu. Yalnız sinemalar değil, Pelür Bar da canlanmıştı; film işinin hareketleneceğini gören sinemacılar, piyasanın buluştuğu bir çeşit pazar olan Pelür'e uğrayıp kendilerini her gün göstermek istiyorlardı artık. Ekim sonunda, rüzgârlı, yağmurlu bir gece, sokağa çıkma yasağından iki saat önce, Feridun'un ısrarıyla Pelür'e gidince, oradaki itibarımın çok yükseldiğini; o günlerin deyişiyle, havamın yerinde olduğunu da gördüm. *Kırık Hayatlar*'ın ticari başarısı şimdi beni başarılı –hatta akıllı ve kurnaz– bir prodüktör yapmış, bu da kameramanlardan ünlü oyunculara kadar masama oturup benimle arkadaşlık etmek isteyenlerin sayısını hatırı sayılır ölçüde artırmıştı.

O gecenin sonunda iltifatlardan, ilgiden ve rakıdan kafamın iyice dumanlandığını, bir ara Hayal Hayati, Feridun, ben, Papatya ve Tahir Tan, aynı masada oturduğumuzu hatırlıyorum. En az benim kadar sarhoş olan Ekrem Bey, gazetelerde fotoğrafları tekrar tekrar yayımlanan ırza geçme sahnesini hatırlatarak Papatya'ya edepsiz şakalar yapıyordu. Papatya da "işi bitmiş" ve "fakir" erkekleri hiç ciddiye almadığını söyleyip gülüyordu. Papatya, yan masada oturan ve *Kırık Hayatlar* için "Pespaye bir melodram," deyip kendisiyle alay eden "züppe" bir eleştirmene haddini bildirmesi, sıkı bir dayak atması için Feridun'u bir ara kışkırttı, ama bu da bir süre sonra unutuldu.

Ekrem Bey, filmden sonra banker reklamlarında oynaması için daha da çok teklif aldığını, oysa kötü adamların reklamlarda rol bulamadığını, bu işi hiç anlamadığını anlattı. Günün vazgeçilmez konusu, yüzde iki yüz faiz veren bankerlerdi. Bankerler, gazetelere ve televizyona Yeşilçam'ın ünlü yüzlerini kullanarak büyük reklamlar verdikleri için, film camiasında sevgiyle karşılanıyorlardı. Pelür Bar'ın kafaları dumanlı müdavimleri beni başarılı ve modern ("Kültürsever bir işadamı moderndir," demişti Hayal Hayati) bir işadamı olarak gördükleri için bu tür konular açılınca saygılı bir sessizliğe bürünür, çoğu zaman da fikrimi sorarlardı. *Kırık Hayatlar*'ın gişe başarısından sonra, çok uzak görüşlü ve "acımasız bir kapitalist" olduğuma karar verilmiş ve Pelür'e yıllar önce Füsun'u ünlü bir artist yapmak için geldiğim onunla birlikte unutulmuştu. Füsun'u ne kadar çabuk unutabildikleri aklıma gelince, ona olan aşkım içimi yakarak alevlenir, bir an önce onu görmek ister, bu sefil ve rezil dünyaya fazla bulaşmadan, hiç lekelenmeden kalabildiği için ona daha da âşık olduğumu hisseder, onu bu kötü niyetli insanlardan uzak tutmakla çok iyi yaptığımı bir kere daha düşünürdüm.

Papatya'nın filmde söylediği şarkıları, annesinin arkadaşı olan, tanınmamış yaşlı bir şarkıcı kadın seslendirmişti. Filmin başarısı üzerine, şimdi Papatya aynı şarkıları bir de kendisi söyleyip plak yapacaktı. Limon Film olarak bu girişimi desteklemeye ve *Kırık Hayatlar*'ın devamını çekmeye o akşam karar verdik. İkinci film bizim kararımız değil, Anadolu'daki sinema salonlarının ve dağıtımcıların kararıydı daha çok. Devam filmini çekmemiz için o kadar çok ısrar vardı ki, Feridun hayır demenin "eşyanın tabiatına aykırı" (o zamanın bir başka basmakalıp sözü) olduğunu söyledi. Papatya da, ister iyi ruhlu ister kötü niyetli olsun, bakire olmayan bütün kızlar gibi filmin sonunda, mutlu bir aile hayatına kavuşamadan ölmüştü. Buna çözüm olarak da, Papatya'nın aslında ölmediğini, kurşunlarla yaralandığını, ama kötü adamlardan gizlenmek için ölü numarası yapmış olabileceğine karar verdik. İkinci film hastanede açılacaktı.

İkinci filmin çekimine başlanacağını, Papatya üç gün sonra *Milliyet*'te çıkan bir röportajda kamuoyuna duyurdu. Artık her gün bir gazetede röportajı çıkıyordu. Gazeteler filmin gösterilmeye başladığı ilk günlerde, Papatya ile Tahir Tan arasında hakiki ve gizli bir aşk yaşandığını ima etmişlerdi, ama bu konu artık tükenmişti ve şimdi Papatya bu aşkı inkâr ediyordu. Feridun o günlerde bana telefonda artık en ünlü erkek oyuncuların Papatya ile oynamak istediğini, Tahir Tan'ın onun karşısında zaten zayıf kaldığını söyledi. Zaten Papatya, yeni röportajlarında, erkeklerle öpüşmekten öte ciddi bir yakınlaşma deneyimi olmadığını anlatmaya başlamıştı. Unutamadığı en büyük hatırası, ilk defa başka bir erkekle, bir gençlik aşkıyla bir yaz günü arıların vızıldadığı bir bağda öpüşmesiydi. Bu delikanlı, ne yazık ki Kıbrıs'ta Yunanlılara karşı savaşırken şehit olmuştu. Papatya ondan sonra hiçbir erkekle yakınlaşamamıştı; evet, aşk acısını ona ancak gene bir teğmen unutturabilirdi. Feridun aslında bu çeşit röportaj yalanlarından hoşlanmadığını söyleyince, Papatya bütün bunları yeni filmin sansürden geçebilmesi için yaptığını söylemişti. Feridun, Papatya ile ilişkisini benden saklamaya da çalışmıyordu. Hayatla, kimseyle kavga etmeyen, olaylara takılıp mutsuz olmayan, her zaman saf kalabilen ve içten gözüken haline içten içe gıpta ediyordum.

Papatya'nın *Kırık Hayatlar* adlı 45'lik ilk plağı, 1982 Ocak ayının ilk haftasında çıktı ve film kadar olmasa da, gene çok sevildi. Şehrin askerî darbeden sonra kireçle boyanan duvarlarına el ilanları yapıştırılmıştı, gazetelere küçük de olsa reklamlar verilmişti. Türkiye'nin tek televizyon kanalı, devlet denetimindeki TRT'nin sansür heyeti (aslında adı daha kibardı: müzik denetim kurulu) plağı hafif bulduğu için Papatya'nın sesi ne radyodan ne de televizyondan duyuluyordu. Plak, Papatya'nın gene bir dizi yeni röportaj yapmasına yol açmış, bu röportajlarda çıkan yarı hakiki yarı danışıklı dövüşler ve polemikler de onu daha da meşhur etmişti. Papatya "Atatürkçü modern Türk kızı önce kocasını mı, yoksa işini mi düşünmeli?" gibi tartışmalara giriyor; rüyalarının erkeği ile hâlâ ne yazık ki tanışmadığını, yatak odasındaki aynanın önünde (yarı pop, yarı alaturka bir hazır mobilya takımı almıştı) oyuncak ayısıyla oynarken açıklıyor; mazbut bir ev hanımı pozuna bürünen annesiyle mutfakta ıspanaklı börek yaparken –aynı emaye tencereden Füsunların mutfağında da vardı– *Kırık Hayatlar*'ın yaralı ve öfkeli kahramanı Lerzan'dan çok daha mazbut, lekesiz ve mutlu olduğunun altını çiziyordu. ("Elbette hepimiz birer Lerzan'ız," da demişti!) Papatya'nın aslında çok profesyonel olduğunu, gazetelerde, dergilerde çıkan bu röportajların, haberlerde yazılanların hiçbirini ciddiye almadığını, Feridun bana bir kere gururla söylemişti. Papatya, Pelür'den tanıdığımız ve amatörlükten çıkamamış kimi kafasız yıldızlar ve yıldızcıklar gibi, yalan yanlış bir magazin haberi kendisini halka yanlış tanıtıyor diye dertlenmiyor, baştan kendi yalanını söyleyerek konuya hâkim oluyordu.

71. HİÇ GELMİYORSUNUZ ARTIK KEMAL BEY

O günlerde Coca Cola ve benzeri yabancı büyük şirketlerle rekabette zorlanan milli gazozumuz Meltem, yaz başındaki reklam kampanyasında Papatya'yı kullanmaya karar verince –reklam filmini de Feridun çekecekti–, uzaklaştığım ama hiçbir küskünlük duymadığım eski arkadaş çevremle kalbimi kıran son bir çatışmaya girdim.

Zaim, Papatya'nın Limon Film'e bağlı olduğundan elbette haberdardı. Bu konuları arkadaşça konuşmak için onunla Fuaye'de uzun bir öğle yemeği yedik.

"Coca Cola bayilere kredili satış yapıyor, bedava pleksiglas pano veriyor, takvimler, hediyeler dağıtıyor, baş edemiyoruz," dedi Zaim. "Gençler de zaten maymun gibi, Maradona'nın (dönemin futbol yıldızı) elinde Coca Cola görünce, Meltem daha ucuz, daha sağlıklı, yerli malı filan dinlemiyorlar, illa ki onu içecekler."

"Kızma ama, kırk yılın tekinde gazoz içeceksem, ben de Coca Cola içiyorum."

"Ben de..." dedi Zaim. "Boş ver bizim ne içtiğimizi... Papatya bizi taşrada daha da kuvvetlendirecek. Ama nasıl bir kadın?.. Ona güvenebilir miyiz?"

"Bilmem. Hırslı, yoksul bir kız. Annesi, emekli pavyon şarkıcısı... Baba ortalıkta yok. Sen neyi merak ediyorsun?"

"O kadar yatırım yapıyoruz. Sonra gidip bir porno filmde göbek atarak oynarsa ya da ne bileyim evli biriyle yakalanırsa... taşra bunu kaldıramaz. Senin Füsun'un kocasıyla birlikteymiş."

Füsun'dan "senin" diye bahsedişi, o sırada yüzünde beliren "sen artık o insanları yakından tanıyorsun" ifadesi, hoşuma gitmemişti. "Meltem taşrada daha mı çok seviliyor?" diye sordum. Modernlik, Avrupailik özentileri olan Zaim'in Inge'yle, Batılı reklam kampanyalarıyla piyasaya sürdüğü Meltem gazozunun, onun istediği gibi İstanbullu zenginler arasında ve büyük şehirlerde artık tutulmaması onda bir huzursuzluk yaratıyordu.

"Evet, taşrada daha çok seviliyoruz," dedi Zaim. "Çünkü taşralı insan damak zevki henüz bozulmamış, daha halis Türk de ondan! Ama sen de alınganlık edip laf sokuşturma... Ben senin Füsun'a duyduğun şeyi çok iyi anlıyorum. Bu çağda yıllardır yaşadığın bu aşk çok saygıdeğer bir şey, kim ne derse desin."

"Kim ne diyor?"

"Kimse bir şey demiyor," dedi Zaim dikkatle.

Bu söz de "sosyete seni unuttu" anlamına geliyordu. İkimiz de bundan rahatsız olduk. Zaim'i, hem bana gerçekleri söylediği hem de hiç kırılmamı istemediği için de seviyordum.

Zaim de bakışlarımdaki sevgiyi gördü. Çok arkadaşça ve güven veren bir havayla gülümsedi, kaşlarını kaldırarak "Ne oluyor?" diye sordu.

Konuyu geçiştirebilirdim, Zaim de beni çok iyi anlardı. Ama eski çevremde, arkadaşlar arasında unutulmak, nedense hâlâ canımı yakıyordu.

"İşler iyi gidiyor," dedim. "Füsun ile evleneceğim. Onunla sosyeteye geri döneceğim... Tabii bu berbat dedikoducuları affedebilirsem."

"Bırak canım onları," dedi Zaim. "Her şey üç günde unutulur. Senin iyi olduğun yüzünden, keyfinden belli. Feridun hikâyesini duyunca, ben de artık Füsun'un da aklını başına toplayacağını anladım."

"Feridun'u nereden duydun?"

"Onu da boşver," dedi Zaim.

"Eee, ufukta evlilik var mı?" diye konu değiştirdim. "Yeni birisi var mı?"

"Piç Hilmi'yle karısı Neslihan..." dedi Zaim kapıdan içeri girenlere bakarak.

"Oooo, kimler buradaymış yahu!" diyerek Hilmi masamıza sokuldu. Neslihan da çok şıktı. Piç Hilmi Beyoğlu terzilerine güvenmez, hep İtalya'dan giyinir, kıyafetine özen gösterirdi. Hallerindeki şıklık, zenginlik hoşuma gitti. Ama onlara istedikleri gibi, her şeyi şakaya, alaya alarak gülümseyemeyeceğimi de anladım. Neslihan bana biraz korkulu bakıyormuş gibi geldi bir an. Ellerini sıktım, ama soğuk durdum onlara karşı, dahası bunu kafama taktım, bir süre dert ettim. Annemin okuduğu dergilerin, magazin sayfalarının etkisiyle "sosyete" gibi tuhaf bir sözü kullanarak iddialı bir şekilde oraya döneceğimi az önce Zaim'e söylemem hiç güzel olmamıştı, şimdi utanıyordum. Füsun ile yaşadığım dünyaya, Çukurcuma'ya gitmek istedim. Fuaye gene kalabalıktı, devekulağı saksılarına, boş duvarlara, şık lambalara, hoş bir hatıraya bakar gibi zevkle baktım. Ama Fuaye gözümde yaşlanmış, nedense hemen eskimişti. Füsun ile bir gün hiçbir şeyi dert etmeden, sırf yaşama ve birlikte olma mutluluğuyla bu masalarda oturacak mıydık? "Büyük bir ihtimal," diye düşündüm.

"Daldın gittin tatlı hayallere," dedi Zaim.

"Yok, senin için Papatya'yı düşünüyorum."

"Meltem reklamlarında oynayacağına, bu yaz Meltem'in yüzü olacağına göre, bu kadının bizim toplantılarımıza, davetlere falan gelmesi gerekir. Ne diyorsun?"

"Neyi soruyorsun?"

"İyi, hoş olur mu, uygun davranır mı?"

"Niye uygun davranmasın, o bir oyuncu. Hem de yıldız."

"Ben de onu diyorum... Türk filmlerinde zenginleri oynayan yapmacıklı tipler var ya hani... Onlar gibi olmayalım."

Zaim annesinden aldığı terbiyeyle "olmayalım!" diyordu ama kastettiği "olmasın" idi elbette. Yalnız Papatya'ya değil, alt sınıftan olduğuna karar verdiği herkese böyle bakardı. Ama Fuaye'de otururken, Zaim'in dargörüşlülüğüne kızıp neşemi kaçırmanın çok akılsızca bir iş olacağını düşünebilecek kadar aklım başımdaydı.

Lokantanın yıllardır tanıdığım başgarsonu Sadi'ye bize hangi balığı tavsiye ettiğini sordum.

"Hiç gelmiyorsunuz artık Kemal Bey," dedi. "Anneniz hanımefendi de hiç gelmiyorlar."

"Annem, babamdan sonra evden çıkıp lokantada yemek yeme zevkini kaybetti."

"Getirin hanımefendiyi, lütfen Kemal Bey. Biz onu neşelendiririz. Karahanlar babaları ölünce, annelerini haftada üç kere öğle yemeğine getirip pencerenin yanındaki masaya oturttular. Hanımefendi, hem bifteğini yiyor hem de kaldırımdan gelip geçenleri seyrederek oyalanıyordu."

"Haremden çıkmadır o kadın..." dedi Zaim. "Çerkezdir, yeşil gözlüdür, yetmişinde olmasına rağmen hâlâ güzeldir. Ne balık vereceksin bize?"

Sadi bazan bir kararsızlık ifadesi takınır; "Mezgit, çipura, barbunya, kılıç, dil," diyerek balıkları tek tek sayarken, inip kalkan kaşları ve yukarı aşağı oynayan bıyıklarıyla her balığın tazeliği, lezzeti hakkında bilgi verirdi. Bazan da konuyu kesip atardı: "Size levrek tava vereceğim bugün Zaim Bey. Bugün başka bir şey tavsiye etmiyorum."

"Yanına ne koyuyorsun?"

"Haşlanmış patates, roka, ne isterseniz."

"Önden ne vereceksin?"

"Bu yılın lakerdası var."

"Kırmızı soğan da getir," dedi Zaim başını menüden kaldırmadan. "İçecekler" yazan son sayfayı açtı. "E maşallah, Pepsi, Ankara gazozu, Elvan bile var da Meltem gene yok!" diye çıkıştı.

"Zaim Bey, sizinkiler bir kere getiriyorlar, sonra bir daha uğramıyorlar. Boş şişeler arkada kasalarda haftalarca bekliyor."

"Haklısın, bizim İstanbul dağıtımı kötü," dedi Zaim. Bana döndü. "Sen bilirsin bu işleri, Satsat nasıl gidiyor, dağıtımı nasıl adam ederiz?"

"Satsat'ı boşver," dedim. "Osman, Turgay ile yeni bir şirket kurdu, bizi mahvetti. Babam öldükten sonra, Osman hırsa kapıldı."

Zaim, Sadi'nin özel başarısızlıklarımızı işitmesinden hoşlanmamıştı. "Sen bize birer duble Kulüp Rakısı ve buz getir bakalım en iyisi," dedi. Sadi gidince, kaşlarını bir cevap bekleyerek çattı. "Sevgili ağabeyin Osman bizimle de iş yapmak istiyor."

"Ben hiç karışmam," dedim. "Osman'la iş yaptın diye sana kızacak değilim. Bildiğin gibi yap. Başka ne haberler var?"

Zaim "haber" ile sosyeteyi kastettiğimi hemen anladı ve beni neşelendirmek isteyerek pek çok eğlenceli hikâye anlattı. Gemi batıran Güven, bu sefer de Tuzla ile Bayramoğlu arasındaki sahilde, paslı bir şilebi karaya oturtmuştu. Güven yurtdışından çürümüş, paslanmış, seferden alıkonmuş ve çevreyi zehirleyen gemileri hurda demir fiyatına satın alır; kâğıt oyunlarıyla bürokrasiye bu gemileri gerçek ve pahalı gemiler gibi gösterip hükümet ve devletteki tanıdıkları sayesinde, rüşvetle "Türk Denizciliğini Geliştirme Fonu"ndan faizsiz kredi alır; sonra gemileri batırıp devletin Başak Sigorta'sından büyük bir paraya konar; karaya oturan paslı gemiyi de demir tüccarı dostlarına satıp masasından hiç kalkmadan büyük paralar kazanırdı. Güven, iki kadeh içkiden sonra "Ben hayatında hiç gemiye binmemiş en büyük armatörüm," diye kulüplerde övünürdü.

"Rezalet tabii, bu üçkâğıtlardan değil, gemiyi uzak olmasın diye metresine aldığı yazlık evin az ötesinde batırmasıyla çıktı. Güven gemiyi yazlık evlerin bahçeleri, plajları arasında batırınca, bu sefer herkes deniz kirlendi diye şikâyetçi oldu. Metresinin de iki gözü iki çeşmeymiş."

"Başka?"

"Avunduklar ve Mengerliler paralarını Banker Deniz'e verip batırmışlar. Avunduklar kızlarını bu yüzden alelacele Dame De Sion'dan alıp evlendiriyorlar, deniliyor."

"O kız çirkindir, para etmez," dedim. "Üstelik Banker Deniz'e de güvenilir mi? Bütün bu bankerlerin en sefili olmalı... Adını bile duymadım."

"Bankerde paran var mı?" dedi Zaim. "Adını duyduğun ünlü bir bankere güveniyor musun?"

Bazıları bu işe kebapçılıktan, kamyon lastiği, hatta Milli Piyango bayiliğinden geçen yeni bankerlerin bu kadar yüksek faiz vererek dayanamayacağını biliyorduk. Ama çok reklam veren ve hızla büyüyen bazı bankerler, batmadan yola bir süredir devam ediyordu. Gazetelerde onları alaycılıkla eleştiren, bu sahtekârlara burun kıvıran iktisat profesörlerinin bile aşırı yüksek faizin cazibesine kapılarak "Hiç olmazsa bir-iki aylığına," diyerek, onlara para yatırdığı söyleniyordu.

"Hiçbir bankerde param yok," dedim. "Bizim şirketlerin de bankerde parası yok."

"O kadar yüksek faiz veriyorlar ki, doğru dürüst iş yapmak

enayilik oldu. Meltem gazozuna yatırdığım parayı Kastelli'ye yatırsaydım, bugün iki misli olmuştu."

Şimdi yıllar sonra o konuşmalarımızı Fuaye'deki kalabalıkla birlikte hatırlarken hissettiğim hayatın boşluğu ve anlamsızlığı duygusunu, o zaman da hissettiğimi hatırlıyorum. Ama o zaman bunu şimdiki gibi, hikâye ettiğim bütün bir âlemin kafasızlığı ya da daha kibar bir ifadeyle mantıksızlığıyla değil, bir çeşit üzücü ciddiyetsizliğiyle açıklar, bunu çok fazla dert etmez, hatta gülerek gururla benimserdim.

"Meltem hiç mi kâr etmiyor gerçekten?"

Düşüncesizlikle söylemiştim bunu, ama Zaim alındı.

"Papatya'ya güveniyoruz, ne yapalım," dedi. "Umarım bizi mahcup etmez. Mehmet ile Nurcihan'ın düğününde Gümüş Yapraklar ile Papatya, Meltem'in reklam şarkısını söylesin istiyorum. Bütün basın orada, Hilton'da olacak."

Biraz sustum. Mehmet ile Nurcihan'ın Hilton'da evleneceklerinden haberim hiç yoktu. Bozulmuştum.

"Biliyorum, seni çağırmadılar," dedi Zaim. "Duymuşsundur artık sanıyordum."

"Niye çağırılmıyorum?"

"Bu konu çok konuşuldu, çok tartıştılar. Tahmin edeceğin gibi Sibel seni görmek istemiyor, 'O gelirse ben yokum,' diyor. Sibel, Nurcihan'ın en iyi arkadaşı. Ayrıca Nurcihan'ı Mehmet'e tanıştıran da o."

"Ben de Mehmet'in iyi arkadaşıyım," dedim. "O ikisini ben de tanıştırdım sayılır."

"Bunu mesele edip kendini üzme."

"Niye Sibel'in dediği oluyor?" dedim. Ama bunu söylerken de çok haklı hissetmedim kendimi.

"Herkesin gözünde Sibel haksızlığa uğramış durumda," dedi Zaim. "Nişanlandıktan, onunla Boğaz'daki yalıda aynı evde, aynı yatakta yaşadıktan sonra onu bıraktın. Herkes uzun uzun bunu konuştu. Anneler kızlarına öcü gösterir gibi sizin olayı gösterdiler. O hiç aldırmıyor, ama Sibel için herkes üzüldü. Sana da çok kızdılar tabii. Şimdi Sibel'in yanında olmalarına o kadar da takılma."

"Takılmıyorum," dedim, ama takılmıştım.

Rakılarımızı içerek, balıklarımızı sessizce yemeğe başladık. Zaim ile ilk defa, Fuaye'de yemek yerken karşılıklı susuyorduk. Koşuşturan garsonların ayak seslerine dikkat ettim. Kahkahaların, konuşmaların ve çatal-bıçakların çıkardığı sürekli bir uğultu vardı. Öfkeyle, bir daha Fuaye'ye hiç gelmemeye karar verdim. Ama bunu düşünürken bile burasını sevdiğimi, başka bir dünyam olmadığını biliyordum.

Zaim bu yaz bir sürat teknesi almak istediğini, ama tekneden önce kıçtan takma güçlü bir motor aradığını, Karaköy'deki dükkânlarda hiçbir şey bulamadığını anlatıyordu.

"Yeter artık, surat asma," dedi birden. "Hilton'da bir düğüne gidemiyorum diye insan bu kadar bozulmaz. Hiç mi gitmedin?"

"Arkadaşlarımın beni Sibel yüzünden dışlaması hoşuma gitmiyor."

"Kimse seni dışlamıyor."

"Peki, karar sana kalsa ne yapardın?"

"Hangi karar?" dedi Zaim yapmacıklı bir şekilde. "Aa, anladım. Ben tabii ki senin gelmeni çok isterdim. Düğünlerde çok eğleniriz biz seninle."

"Mesele eğlence değil, daha derin."

"Sibel çok hoş, özel bir kız," dedi Zaim. "Onun kalbini kırdın. Dahası herkesin önünde zor duruma düşürdün onu. Surat asıp bana kötü kötü bakacağına, yaptığın şeyi kabul et Kemal. İnan o zaman eski hayatına dönmen, bütün bu olayın unutulması da çok daha kolay olur senin için."

"Yani sana göre de suçluyum, öyle mi?" dedim. Konuyu uzattığım için kısa sürede pişman olacağımı bile bile devam ettim. "Bekâret hâlâ bu kadar önemliyse, niye o kadar Avrupailik ve modernlik pozu yapıyoruz? Bari dürüst olalım," dedim.

"Herkes dürüst... Senin yanıldığın şey, bekâreti kendi meselen sanman. Senin için, benim için önemli değil belki... Ama ne kadar Avrupai ve modern olursa olsun, bu konu bu ülkede, tabii ki bir kız için çok önemli."

"Sibel aldırmıyor demiştin..."

"Sibel aldırmasa da, cemaat aldırıyor," dedi Zaim. "Senin de aldırmadığına eminim, ama Beyaz Karanfil senin hakkında yalan yanlış bir dedikodu haberi yazınca, herkes konuşuyor bunu. Sen de aslında hiç aldırmamana rağmen buna üzülüyorsun, öyle değil mi?"

Zaim'in beni öfkelendirecek ayrıntıları, "eski hayatın" gibi ifadeleri özellikle seçtiğine karar verdim. O beni üzmek istiyorsa, ben de onu pekala üzebilirdim. Aklımın bir yanı kendimi tutmamı, iki kadeh rakının etkisiyle konuştuğumu, pişman olabileceğimi söyledi bana, ama kızmıştım.

"Aslında Zaimciğim," dedim. "Ben Papatya'nın Hilton'da Gümüş Yapraklar'la reklam şarkısı söylemesini çok ticari ve yanlış buluyorum."

"Yahu kadın, bizimle reklam kampanyası için anlaşma yapıyor. Hadi hadi, kızma bana..."

"Çok bayağı olacak..."

"Ee, biz Papatya'yı zaten bayağı diye seçtik," dedi Zaim güvenle. Bu bayağılığı, benim yaptırdığım filmin piyasaya çıkardığını söyleyecek sandım; ama Zaim iyi bir insandı, öyle bir şeyi aklından bile geçirmedi. Papatya'yı idare edeceklerini söyledi. "Ama sana arkadaşça şunu söyleyeyim..." dedi ciddiyetle. "Kemalciğim, o insanlar seni dışlamadı, sen onları dışladın."

"Ne yaptım yani?"

"İçine çekildin. Bizim âlemimizi yeterince ilginç, eğlenceli bulmadın. Kendine göre derin, manalı bir şey yaptın. Bu aşk senin iddian oldu. Bize kızma..."

"Daha basit bir şey olamaz mı? Çok güzel sevişiyorduk, sonra ona takıldım... Aşk böyle bir şey. Bir de derin anlam hissediyorsun, bu dünyaya, bu âleme ait. Sizinle ilgili bir şey değil!"

"Sizinle" kelimesi, ağzımdan kendiliğinden çıkmıştı. Bir an Zaim'in bana çok uzaklardan baktığını, benden çoktan vazgeçtiğini hissettim. Benimle artık yalnız kalamıyordu. Beni dinlerken bana değil, arkadaşlara ne diyeceğine dikkat ediyordu. Bunu yüzünden okuyordum artık. Oysa Zaim akıllı adamdı, böyle şeylere dikkat ederdi, demek ki bir de bana kızgınlığı vardı. Bunu da hissettim. Onun benden uzaklaşan bakışıyla birlikte, ben de bir anda kendi gözümde, kendi geçmişimden ve Zaim'den uzaklaştım.

"Çok duygusalsın," dedi Zaim. "Seni bunun için çok seviyorum."

"Mehmet ne diyor bütün bunlara?"

"Seni çok sever biliyorsun. Ama Nurcihan ile, senin benim anlayamayacağımız kadar mutlu. Mutluluktan uçuyor ve herhangi bir şey, hiçbir dert bu mutluluğu lekelemesin istiyor."

"Anladım," dedim ve konuyu kapatmaya karar verdim.

Zaim bunu hemen anladı. "Duygusal olma, makul ol!" dedi.

"Tamam, makulüm," dedim ve yemeğin sonuna kadar da başka dişe dokunur hiçbir şeyden söz etmedik.

Zaim bir-iki kere beni neşelendirmek için sosyete dedikodusu anlatmayı denedi, kalkıp çıkarlarken masamıza sokulan Piç Hilmi ve Neslihan'la şakalaşarak havayı yumuşatmaya çalıştı, ama olmadı. Hilmi'nin ve karısının şıklıkları şimdi çok özenti, hatta sahte gözüküyordu bana. Bütün çevreden, arkadaşlardan kopmuştum. Buna üzülüyordum belki, ama içimde daha derin bir hınç ve öfke vardı.

Hesabı ben ödedim. Fuaye'nin kapısında Zaim ile tam ayrılıyorduk ki, uzun bir seyahat yüzünden yıllarca birbiriyle görüşmeyeceklerini bilen iki eski iyi dost gibi sarılıp içtenlikle öpüştük. Sonra ayrı yönlere yürüdük.

İki hafta sonra Mehmet Satsat'a telefon etti, Hilton'a düğüne beni çağıramadığı için çok özür diledi ve bana Zaim ile Sibel'in uzun zamandır birlikte olduklarını söyledi. Herkesin bildiği bu şeyi, benim de bildiğimi sanıyormuş.

72. HAYAT DA TIPKI AŞK GİBİ...

1983 başında bir akşam Keskinlerin evinde sofraya tam oturmak üzereyken yemek odasında bir yabancılık, bir eksiklik hissederek çevreye dikkatle baktım. Ne koltukların yeri değiştirilmişti ne de televizyonun üzerine yeni bir köpek konmuştu, ama odanın duvarları siyaha boyanmış gibi bir yabancılık duygusu uyanmıştı içimde. O günlerde, yaşadığım hayatın bilerek ve kararlılıkla yaşadığım bir şey değil de, –tıpkı aşk gibi– başıma gelen ve rüyalardan çıkma bir şey olduğu duygusu içimde gitgide yükseliyor, bu karamsar hayat görüşüyle ne savaşmak ne de ona tamamen teslim olmamak için kafamda böyle bir düşünce yokmuş gibi davranıyordum. Her şeyi kendi halinde bırakmaya karar vermiştim de denebilir buna. Yemek odasının bende uyandırdığı huzursuzluğu da aynı mantıkla, üzerinde durmadan geçiştirmeye karar verdim.

O günlerde kültür sanat kanalı TRT 2, ölümü üzerine Grace Kelly filmleri gösteriyordu. Her Perşembe akşamı "Sanat Filmi" saatini dostumuz ünlü oyuncu Ekrem, elindeki kâğıttan okuyarak sunardı. Alkolik Ekrem Bey'in titreyen ellerini gizlemek için güllerle dolu bir vazonun arkasına sakladığı kâğıttaki metinleri, Feridun'un bir zamanlar yakın arkadaşı olan (*Kırık Hayatlar* ile alay eden bir yazıdan sonra bozuşmuşlardı) genç bir sinema eleştirmeni yazıyordu. Bu süslü entelektüel metinleri çok fazla anlamadan okuyan Ekrem Bey, yazıdan kafasını kaldırıp filmin "şimdi" başlayacağını söylemeden önce, yıllar evvel bir film festivalinde "Amerikalı zarif yıldız prenses" ile tanıştığını, kendisinin Türkleri çok sevdiğini sır verir gibi söyler, güzel yıldızla aslında çok büyük bir aşk yaşayabileceklerini ima eden romantik bir ifade takınırdı. Evliliğinin ilk yıllarında Feridun'dan ve genç eleştirmen arkadaşından Grace Kelly hakkında çok şey işitmiş olan Füsun bu filmleri hiç kaçırmazdı. Ben de Füsun'un Grace Kelly'nin kırılgan, çaresiz ama sağlıklı halini seyretmesini hiç kaçırmak istemediğim için her Perşembe akşamı Keskinlerin sofrasında yerimi alırdım.

O Perşembe Hitchcock'un *Arka Pencere*'sini seyrettik. Film içimdeki huzursuzluk duygusunu bana unutturacağına, tam tersi bir etki yaptı. Sekiz yıl önce, Satsat çalışanlarıyla öğle yemeği yemeyip gittiğim sinemada, Füsun'un öpüşlerini düşünerek seyrettiğim filmdi bu. Füsun'un filme kendini bütünüyle verişini göz ucuyla seyretmek, onda Grace Kelly zarafetinden, saflığından birşeyler bulmak da teselli etmiyordu beni. Çukurcuma'daki evde yediğimiz akşam yemeklerinde, çok sık olmasa da düzenli aralıklarla kapıldığım bir duyguya, filme rağmen ya da film yüzünden kapılmıştım. Tıpkı gittikçe daralan bir odadan çıkamamak gibi boğucu bir rüyadan çıkamamak duygusuydu bu. Zaman sanki gittikçe daralan bir şey olmuştu.

Masumiyet Müzesi'nde bu rüyalardan çıkamama duygusunu gösterebilmek için çok uğraştım. Bu duygunun iki yanı vardır: a) Yaşanan bir ruh durumu olarak, b) Ve dünyayı bize bir yanılsamayla göstermesi bakımından.

a) Yaşanan bir ruh durumu olarak bir rüyada olduğumuz duygusu, içki ya da esrar içince hissedilenlere benzer biraz. Ama farklıdır da. Sanki şu anı, şimdiyi tam olarak yaşayamamak gibi bir şeydir bu duygu. Füsunların evinde, akşam yemeklerinde pek çok kereler o anı sanki geçmişte yaşıyormuş gibi hissederdim kendimi... O anda televizyonda seyrettiğimiz Grace Kelly'nin filmini ya da bir benzerini daha önce de seyretmiş olurduk; sofra sohbetlerimiz hep birbirine benzerdi, ama bu yüzden değildi bu duygu. Yaşadığım anları o an yaşıyormuş gibi hissetmezdim kendimi. Sanki uzaktan o anı seyrediyormuş gibi hissederdim. Gövdem tıpkı bir başkasının gövdesi gibi bir tiyatro sahnesinde şimdiyi yaşarken, ben biraz uzaktan kendimi ve Füsun'u seyrederdim. Gövdem sanki bugündeydi, ruhum ise ona uzaklardan bakıyordu. Yaşadığım şu an, hatırladığım bir şeydi. Masumiyet Müzemi gezenler orada sergilediğim eşyalara, düğmelere, bardaklara, Füsun'un taraklarına ve eski fotoğraflara şimdi karşılarında var olan şeyler gibi değil, benim hatıralarım gibi bakmalıdırlar.

b) Şu anı bir hatıra gibi yaşamak, zamanla ilgili bir yanılsamadır. Bir de mekânla ilgili yanılsama hissediyordum. Buna en yakın duygu, küçükken çocuk dergilerinin burada bir-iki örneğini sergilediğim göz yanılsamalarının, aralarındaki yedi farkı ya da en küçüğü bulunuz, gibi oyunların bana verdikleri huzursuzluktu. Çocukluğumda "Kralın saklandığı dehlizden çıkış yolunu bulunuz!", "Tavşan ormandan çıkmak için hangi çukurdan gitmelidir?" gibi oyunlar, beni huzursuz ettiği kadar eğlendirirdi de. Oysa Keskinlere akşam yemeklerine gidişlerimin yedinci yılında Füsunların sofrası benim için gitgide daha az eğlenceli ve boğucu bir yer olmaya başladı. O akşam Füsun bunu hissetti.

"Ne oldu Kemal, beğenmedin mi filmi?"

"Yok, beğendim."

"Belki senin hoşlandığın bir konu değil..." dedi dikkatle.

"Tam tersi," dedim ve sustum.

Füsun'un benim neşem, keyfim ve huzursuzluklarımla ilgilenmesi, hele bunu sofrada annesi babası bizi dinlerken yapması o kadar özel bir şeydi ki, film ve Grace Kelly hakkında tatlı bir-iki söz söyledim.

"Ama bu akşam çok keyifsizsin, saklama Kemal," dedi Füsun.

"Peki, söyleyeceğim... Sanki bu evde bir şey değişmiş, ama nedir, bir türlü çıkaramıyorum."

Bir an hepsi gülüştüler.

"Limon içeri odaya taşındı Kemal Bey," dedi Nesibe Hala. "Biz de hâlâ nasıl fark etmediniz diyorduk."

"Sahi!" dedim. "Nasıl da fark etmedim. Oysa ben Limon'u ne kadar çok severim..."

"Biz de çok severiz," dedi Füsun gururla. "Resmini yapmaya karar verdim, kafesi oraya aldım."

"Resme başladın mı?.. Lütfen görebilir miyim?"

"Tabii."

Uzun zamandır keyifsizlikten, isteksizlikten Füsun İstanbul'un kuşları dizisini bırakmıştı. İçeri odaya geçince Limon'un kendisinden önce, Füsun'un kuşun daha yeni başladığı resmine baktım.

"Feridun artık kuş resmi de getirmiyor," dedi Füsun. "Ben de fotoğraftan yapacağıma hayattan yapmaya karar verdim."

Füsun'un havası, rahatlığı, Feridun'dan geçmişte kalmış biri gibi söz edişi başımı hemen döndürdü. Ama kendimi tuttum. "Çok iyi başlamışsın bu resme Füsun," dedim. "Limon senin en iyi resmin olacak. Çünkü konuyu da çok iyi biliyorsun. İnsan en çok sevdiği şeyleri konu ederse sanatta başarılı olurmuş."

"Ama gerçekçi olmayacağım."

"Ne gibi?"

"Kafesi yapmayacağım. Limon pencerenin önüne hür bir kuş gibi kendisi gelip konmuş olacak."

O hafta üç kere daha Keskinlere akşam yemeğine gittim. Yemekten sonra, her seferinde arka odaya geçiyor, resmi ayrıntılarıyla tartışıyorduk. Limon resimde, kafesin dışında daha mutlu, daha canlı gözüküyordu. Arka odaya geçtiğimizde, artık kanaryanın kendisinden çok resmiyle ilgileniyorduk. Resmin sorunlarını yarı resmî ama içten bir havayla konuştuktan sonra, her seferinde Paris'e müzelere gitmekten söz ederdik.

Salı akşamı, daha önceden hazırladığım sözleri, bir lise öğrencisi gibi heyecanlanarak da olsa, Limon'un resmine bakarken söyledim:

"Canım artık bizim bu evden, bu hayattan birlikte çıkmamız lazım," diye fısıldadım. "Hayat kısa, günler yıllar inatlaşarak geçiyor. Artık bizim birlikte başka bir yere gidip mutlu olmamız lazım." Füsun sözlerimi hiç duymamış gibi yapıyordu, ama Limon kısacık bir cik cik cik ile bana cevap verdi. "Artık korkacak, çekinecek bir şey de yok. Sen ve ben, ikimiz, bu evden birlikte çıkıp başka bir yerde, başka bir evde, bizim evimizde hayatımızın sonuna kadar mutlu olalım. Yirmi beş yaşındasın, önümüzde daha yarım asırlık hayat var Füsun. O elli yıllık mutluluğu hak etmek için son altı yılda yeterince çile çektik! Artık ikimiz birlikte gidelim. Yeterince inatlaştık artık."

"Biz inatlaşıyor muyuz Kemal, hiç haberim yok. Elini oraya koyma, kuş ürküyor."

"Ürkmüyor, bak elimden yiyor. Onu evimizde baş köşeye yerleştireceğiz."

"Babam merak eder şimdi," dedi, sırdaşça bir edayla, dostça.

Ertesi Perşembe gene Hitchcock'un çektiği *Hırsızı Yakalamak*'ı seyrettik. Film boyunca Grace Kelly'i değil, Füsun'un ona bakışını izledim. Güzelimin boynundaki mavi damarın atışından elinin sofrada kıpırdanışına, saçlarını düzeltişinden Samsun sigarasını tutuşuna kadar her şeyinde, yıldız prensese ilgisini görüyordum.

İçeriye, Limon'un resmine bakmaya gittiğimizde "Biliyor musun Kemal, Grace Kelly'nin de matematiği kötüymüş," dedi Füsun. "Oyunculuğa da mankenlikle başlamış. Ama ben yalnızca araba kullanmasını kıskandım."

Filmi tanıtırken Ekrem Bey, geçen sene yıldız prensesin tam bu filmde araba kullandığı yolda, hatta aynı köşede araba kazası yapıp öldüğünü, çok özel bir yakını hakkında bilgi verir gibi Türk sanat filmi seyircisine söylemişti.

"Niye kıskandın?"

"Bilmiyorum. Araba kullanmak onu çok güçlü, özgür gösteriyor. Belki ondan."

"Ben sana hemen öğretirim istersen."

"Yok yok, olmaz."

"Füsun, çok yeteneklisin, biliyorum, ben sana iki haftada ehliyet alacak, İstanbul'da rahat rahat araba kullanacak kadar öğretebilirim. Utanacak bir şey yok. Bana da senin yaşındayken (bu doğru değildi) araba kullanmayı Çetin öğretmişti. Yalnızca biraz sabırlı ve sakin olacaksın, o kadar."

"Ben sabırlıyımdır," dedi Füsun güvenle.

73. FÜSUN'UN EHLİYETİ

1983 Nisan ayında Füsun ile ehliyet sınavı için çalışmaya başladık. Konuyu yarı şaka yarı ciddi ilk açıp tartışmamızdan sonra kararsızlıklar, nazlanmalar, sessizlikle beş hafta geçmişti. İkimiz de bunun ehliyet sınavını geçmenin ötesinde, aramızdaki yakınlığın da bir sınavdan geçmesi demek olduğunu biliyorduk. Üstelik bu ikinci sınavımız olacaktı ve Allah'ın bize bir üçüncü fırsatı vermeyeceğini tahmin ettiğim için gergindim.

Öte yandan bunun Füsun'a iyice yaklaşmak için büyük bir fırsat olduğunu anlıyordum ve bu fırsatı Füsun bana verdiği için çok sevinçliydim. Dikkat çekmek istediğim nokta, bütün bu süreçte benim gitgide daha rahat, neşeli ve iyimser olmamdır. Güneş, uzun ve karanlık bir kıştan sonra, yavaş yavaş bulutlar arasından çıkıyordu.

Böyle pırıl pırıl güneşli bir bahar günü (Divan'dan aldığım çikolatalı bir pastayla kutladığımız yirmi altıncı doğum gününden üç gün sonra 15 Nisan 1983 Cuma) ilk dersimize gitmek için Füsun'u Chevrolet ile Firuzağa Camii'nin önünden bir öğleüstü aldım. Arabayı ben kullanıyordum, Füsun yanıma oturmuştu. Onu Çukurcuma'dan evlerinin önünden değil, mahallelinin meraklı bakışlarından beş dakikalık bir uzaklıkta, yokuşun üstünde bir köşeden almamı istemişti.

Tam sekiz yıl sonra, ilk defa ikimiz baş başa bir yere gidiyorduk. Elbette çok mutluydum, ama mutluluğumu fark edemeyecek kadar heyecanlı ve gergindim. Sekiz yıldır uğruna çile çektiğim bir kızla, ortak bunca deneyimden ve acıdan sonra bir kere daha buluşuyormuş gibi değil, bana başkalarının bulup ayarladığı ve her şeyiyle çok uygun olduğu söylenen harika bir gelin adayıyla ilk buluşmamızdaymış gibi hissediyordum kendimi.

Füsun, ona çok yakışan beyaz üzerine turuncu güllü ve yeşil yapraklı bir elbise giymişti. Etekleri dizinin altına gelen V yakalı bu zarif elbiseyi, tıpkı antrenmanlarda hep aynı eşofmanı giyen bir sporcu gibi sürücülük derslerine her gidişimizde giyer, derslerin sonunda bir eşofman gibi, elbise terden sırılsıklam kesilirdi. Derslere başlamamızdan üç yıl sonra bu elbiseyi Füsun'un dolabında asılı görür görmez, o gerilimli ve başdöndürücü ders saatlerimizi, Yıldız Parkı'nda, Abdülhamit'in sarayından az ötede yaşadığımız mutluluğu istekle hatırlayacak, o anları yeniden yaşayabilmek için hemen içgüdüyle elbisenin kollarını, göğsünü, Füsun'un benzersiz kokusunu arayarak koklayacaktım.

Füsun'un elbisesinin önce koltuk altları ıslanır, ıslaklık yavaş yavaş göğüslere, kollara, karnına hoş bir şekilde yayılırdı. Bazan arabanın motoru parkın güneşli bir yerinde stop eder, üzerimize, tıpkı sekiz yıl önce Merhamet Apartmanı'nda sevişirken olduğu gibi tatlı bir bahar güneşi vurur, hafifçe terlerdik. Ama Füsun'u ve sonra beni terleten asıl şey, arabanın içindeki kendi havamız, utancımız, gerginliğimiz, telaşımızdı. Füsun bir hata yapınca, mesela arabanın sağ tekerleğini kaldırımın kenarına sürtünce, dişlilerin varlığını bize bir metal sesiyle hatırlatarak vitesi gıcırdatınca ya da motoru stop ettirince öfkelenir, kızarır, terlemeye başlardı. Ama asıl ter, debriyaja yanlış basınca fışkırırdı.

Füsun trafik kurallarını evde kitaplardan okumuş, neredeyse ezberlemişti, direksiyonu kötü değildi, ama debriyajı kullanmayı –pek çok şoför adayı gibi– öğrenemiyordu bir türlü. Dikkatle sürdüğü araba öğrenme parkurunda ağır ağır yol alırken kavşakta yavaşlar, kaldırıma dikkatli bir kaptanın ada iskelesine yanaştırdığı gemi gibi ihtiyatla yanaşır, ben tam "Aferin güzelim, çok yeteneklisin," derken, ayağını debriyajdan fazla hızla çeker ve araba boğularak öksüren bir ihtiyar gibi hamleler yaparak titremeye başlardı. Hıçkırıklı, öksürüklü bir hasta gibi kesik kesik sallanan arabanın içinde "Debriyaj, debriyaj, debriyaj!" diye bağırırdım. Ama Füsun debriyaj yerine telaşla ya gaza ya da frene basardı. Gaza basınca, arabanın öksürüklü hamleleri daha da büyüyerek tehlikeli bir hal alır, sonra da bir anda dururdu. Füsun'un kıpkırmızı suratından, alnından, burnunun ucundan, şakaklarından su gibi ter aktığını görürdüm.

"Tamam artık yeter," derdi Füsun utançla, terini silerken, "Ben bunu öğrenemeyeceğim, vazgeçiyorum! Ben zaten şoför olmak için yaratılmamışım." Hızla arabadan iner, uzaklaşırdı. Bazan da hiçbir şey demeden arabadan iner, bir mendille terini silerek uzaklaşır, kırk elli adım ötede tek başına hırsla sigara içerdi. (Bir keresinde onu parkta tek başına sanan iki erkek hemen başına üşüşmüştü.) Ya da arabadan inmeden hemen bir Samsun yakar, terle ıslanan izmaritini öfkeyle küllüğe bastırır, ehliyet almayacağını, zaten böyle bir isteğinin de olmadığını söylerdi.

O zaman yalnız onun ehliyeti değil, gelecekteki mutluluğumuz da suya düşüyormuş gibi telaşlanır, Füsun'a sabretmesi, sakin olması için neredeyse yalvarırdım.

Ter içindeki elbisesi omuzlarına yapışmış olurdu. Güzel kollarını, yüzündeki telaşlı ifadeyi, çatılan kaşlarını, telaşla gerilişini, seviştiğimiz bahar günlerindeki gibi ter içinde kalmış güzel vücudunu uzun uzun seyrederdim. Sürücü koltuğuna oturduktan az sonra telaştan, sinirden Füsun'un yüzü kızarır, ter artınca elbisesinin üst düğmelerini açar, ama daha da çok terlerdi. Terle nemlenmiş boynuna, şakaklarına, kulağının arkasına bakarken, sekiz yıl önce ağzıma aldığım harika göğüslerinin sarı bir armudu hatırlatan zarif biçimini çıkarmaya, görmeye, hatırlamaya çalışırdım. (Aynı gece evde, odamda birkaç kadeh rakıdan sonra güzel göğüslerinin çilek rengindeki uçlarını da gördüğümü hayal ederdim.) Bazan Füsun'un arabayı kullanırken, benim onu seyretme zevkiyle kendimden geçtiğimi fark ettiğini, ama aldırmadığını, hatta bundan hoşlandığını hissederek iyice kızışırdım. Vitesi zorlamadan yumuşak bir hareketle nasıl değiştireceğini göstermek için uzanınca, elim eline, güzel koluna, kalçasına değer; arabanın içinde gövdelerimizden önce ruhlarımızın birleştiğini düşünürdüm. Sonra Füsun ayağını debriyajdan gene erken çeker, 56 Chevrolet ateşler içindeki zavallı bir at gibi titreye titreye kendinden geçene kadar sarsılırdı. Derken arabanın motoru susar, bir an parkın, ilerideki köşkün, dünyanın derin sessizliğini fark ederdik. Bahardan önce erkenden uçmaya başlayan bir böceğin vızıltısını büyülenerek dinler; bahar günü parkta, İstanbul'da hayatta olmak ne kadar harikulade bir şey, farkına varırdık.

Bir zamanlar Abdülhamit'in bütün dünyadan saklanarak Osmanlı Devleti'ni yönettiği ve büyük havuzundaki minyatür gemiyle çocuk gibi oynadığı (Jöntürkler onu bu gemiyle birlikte havaya uçurmayı da planlamışlardı) büyük bahçe ve içindeki köşkler, Cumhuriyet'ten sonra zengin ailelerin arabayla gezdiği ve acemilerin araba kullanmayı öğrendiği bir parka çevrilmişti. Yer sıkıntısı içerisindeki cesur ve istekli çiftlerin, öpüşmek için parkın yüz yıllık çınar ve kestane ağaçlarının arkasındaki kuytu köşelere geldiğini, Piç Hilmi, Tayfun, hatta Zaim gibi dostlardan işitmiştim. Ağaçların arkasında birbirlerine sarılan bu cesur çiftleri görünce, Füsun ile uzun bir sessizliğe gömülürdük.

En fazla iki saat süren ve tıpkı Merhamet Apartmanı'ndaki sevişmelerimiz gibi bana saatler sürmüş gibi gelen dersimiz bitince, aramıza bir fırtınadan sonraki sessizlik çökerdi.

"Emirgân'a gidip bir çay içelim mi?" derdim parkın kapısından çıkarken.

"Olur, peki," diye utangaç bir genç kız gibi fısıldardı Füsun.

Başkalarının ayarladığı gelin adayıyla ilk buluşması çok başarılı geçen bir delikanlı gibi heyecanlanırdım. Arabayı Boğaz yollarında sürerken ve Emirgân'da beton rıhtıma park edip arabanın içinde çay içerken o kadar mutlu olurdum ki, konuşamazdım. Yaşadığımız şeyin yoğun maneviyatından yorgun olan Füsun da, ya susardı ya da araba kullanmaktan, derslerimizden söz ederdi.

Çay içerken, Chevrolet'nin buğulanan camlarının arkasında bir-iki kere ona dokunmaya, onu öpmeye kalkışmış, ama Füsun evlenmeden önce herhangi bir cinsel yakınlaşmayı hiç istemeyen ilkeli ve namuslu bir kız gibi beni kibarca itmişti. Bunu yaptıktan sonra Füsun'un neşesinden bir şey kaybetmediğini ve bana hiç kızmadığını görmek beni mutlu etmişti. Sevincimde, evlenmeyi düşündüğü genç kızın "ilkeli" olduğunu öğrenen taşralı damat adayının sevincinden birşeyler de vardı sanırım.

1983 Haziranı'nda ehliyet sınavına girebilmek için gerekli evrakları tamamlarken, Füsun ile İstanbul'u neredeyse baştan aşağı dolaştık. Bir gün, sürücü adaylarının o ara olağanüstü nedenlerle sevkedildiği Kasımpaşa Askerî Hastanesi'nin kaleminde evrak kuyruğunda ve asabi bir doktorun kapısında yarım gün sırada bekledikten sonra, Füsun'un sinir sisteminin sağlam ve reflekslerinin yerinde olduğunu gösteren bir raporu alıp arka mahallerde gezmeye çıktık ve ta Piyalepaşa Camii'ne kadar yürüdük. Bir başka gün Taksim'deki İlkyardım Hastanesi'nde kuyrukta dört saat bekledikten sonra, doktor evine gidince, biz de öfkemizi yatıştırmak için Gümüşsuyu'ndaki küçük Rus lokantasında erken bir akşam yemeği yedik. Bir başka sefer, kulak-burun-boğaz doktoru tatilde olduğu için bizi sevk ettikleri Haydarpaşa'daki hastaneye giderken, Kadıköy vapurunun arka güvertesinden martılara simit attık. Çapa Tıp Fakültesi Hastanesi'nde, evraklarımızı işleme konması için kaleme bıraktıktan sonra beklerken, sokaklara çıkıp uzun uzun yürüdüğümüzü, parke taşı kaplı yokuşlarda, dar sokaklarda ilerlerken Fatih Oteli'nin önünden geçtiğimizi hatırlıyorum. Yedi yıl önce bir odasında Füsun için o kadar acı çektiğim ve babamın ölüm haberini aldığım otel, o gün bana başka bir şehirdeymiş gibi gözüktü.

Yeni bir evrakı tamamlayıp yanımızda taşıdığımız üzeri çay, kahve, mürekkep ve yağ lekeleriyle kaplı dosyaya koyunca sevinçle hastaneden çıkar, başarımızı kutlama heyecanıyla bir mahalle lokantasına girer, gülüşüp konuşarak yemek yerdik. Füsun sigarasını hiç gerilmeden, kimseden saklamaya çalışmadan özgürce içer, bazan elini teklifsizce küllüğe uzatıp benim sigaramı alıp onunla –tıpkı bir askerlik arkadaşı gibi– kendi sigarasını yakar ve eğlenmek isteyen birinin iyimser bakışlarıyla dünyayı gözden geçirirdi. Evli ve kederli sevgilimin aslında gezip tozmaya, başkalarının hayatlarını ve mahallelerini seyretmeye, şehir hayatının cilvelerine şaşmaya, yeni insanlar tanıyıp özgürce dostluklar kurmaya ne kadar açık olduğunu görüp, ona daha da derinden âşık oluyordum.

"Adamı gördün mü, boyundan uzun bir ayna taşıyor," derdi Füsun. Mahalle arasındaki parke taşı kaplı sokakta futbol oynayan çocukları benimle birlikte ve benden daha içten bir neşeyle seyrettikten sonra, arkadaki Karadeniz Bakkaliyesi'nden iki şişe gazoz alırdı (Meltem gene yoktu!). Elinde iri demirler, pompalarla "Lağımcııı!" diye bağırarak eski ahşap evlerin kafesli pencerelerine, beton balkonlara, yukarı katlara doğru seslenen satıcıyla, Füsun çocuk merakıyla ilgilenir; Kadıköy vapurunda hem kabak soyacağı, hem limon sıkacağı, hem de et bıçağı işi gören yeni bir mutfak aletini tanıtan diğer satıcının elindeki teneke şeyi gözden geçirirdi. "Çocuğu gördün mü?" derdi sonra sokakta yürürken. "Küçük kardeşini düpedüz boğazlıyor!" Bir dörtyol ağzında, çamurlu çocuk parkının hemen önündeki meydanda bir kalabalık biriktiğinde, "Ne oluyor, ne satıyorlar?" diyerek hemen koşar, ayı oynatan Çingenelere, sokağın ortasında alt alta üst üste yuvarlanarak dövüşen siyah önlüklü okul çocuklarının kavgasına ve çiftleşirken birbirlerine kilitlenen köpeklerin (mahalleli alaycı çığlıklar ve mahcup bakışlar atarken) kederli gözlerine birlikte bakardık. İki arabanın tamponları çarpışıp şoförler araçlarından kavgaya hazır bir havada kızgınlıkla çıktıklarında; cami avlusundan kaçan portakal rengi plastik top yokuştan aşağı seke seke ne güzel inerken; ana caddede bir apartmanın temelini kazan gürültülü bir arabanın hareketlerine ve bir vitrinde açık duran televizyona herkesle birlikte biz de durup bakardık.

Birbirimizi yeniden tanır gibi, birlikte İstanbul'u keşfetmekten, şehrin ve Füsun'un her gün yeni bir halini görmekten derin hazlar alıyordum. Hastanelerin yoksulluğuna ve düzensizliğine tanık olduğumuzda, doktora bir görünebilmek için sabahın erken saatinde üniversite hastanelerinin kapılarında kuyruk olan ihtiyarların sefaletini gördüğümüzde, arka sokaklardaki boş arsalarda belediyeden gizli kaçak kesim yapan telaşlı kasaplarla karşılaştığımızda, hayatın karanlık yanlarının bizi birbirimize yaklaştırdığını hissederdim. Bizim hikâyemizin tuhaf, hatta itici yanı; şehrin ve insanların, sokaklarda yürüdükçe sezdiğimiz karanlık ve korkutucu yanlarıyla karşılaştırıldığında, o kadar da önemli değildi belki. Şehir bize hayatlarımızın sıradan yanını hissettiriyor ve herhangi bir suçluluk duygusuna kapılmadan alçakgönüllü olmayı öğretiyordu. Sokaklarda yürürken, dolmuşta, otobüste, şehrin kalabalığına karışmanın teselli edici gücünü içimde hisseder, vapurda yan koltukta kucağında uyuklayan torunuyla yolculuk eden başörtülü teyzeyle ahbaplığı ilerleten Füsun'a hayranlıkla bakardım.

Onun sayesinde, o günlerde İstanbul'da, başı açık güzel bir kadınla gezinmenin bütün zevklerini ve gerilimlerini harikulade bir eğlenceymiş gibi yaşadım. Bir hastanenin kalemine girdiğimizde, bir devlet dairesine adımımızı attığımızda, bütün başlar ona çevrilirdi. Yaşlı memurlar yoksul hastalara, yaşlı kadınlara layık gördükleri yukarıdan bakan küçümseyici tavır yerine, görevine ve kurallara bağlı, çalışkan memur havasına bürünür, yaşına hiç bakmadan ona "Hanımefendi!" diye hitap ederlerdi. Başka hastalara "Sen" derken, Füsun'a altını çize çize "Siz" diye hitap edenler olduğu gibi, yüzüne hiç bakamayanlar da çoktu. Avrupa filmlerinden çıkma kibar centilmen havasıyla yaklaşıp "Bir yardımım dokunabilir mi?" diyen genç doktorlar da vardı, beni fark etmediği için şakalar, kibarlıklar yaparak Füsun'a hafifçe asılan kaşarlanmış profesörler de... Bütün bunlar, örtülü olmayan güzel bir kadınla karşılaşınca devlet dairelerinde memurlar arasında yaşanan bir anlık telaş, hatta panik duygusu yüzündendi. Bazı memurlar Füsun'un karşısında asıl konuya hiç giremez, bazısı kekeler, bazısı onunla hiç konuşamaz, onun yerine iletişim kuracakları bir erkek ararlardı yanında. Beni görüp de onun kocası olduğuma karar verdiklerinde hissedilen rahatlığı, ben de onlarla çaresizlikle paylaşırdım.

"Füsun Hanım amatör sürücü ehliyeti müracaatı için kulak-burun-boğaz doktorundan rapor almak istiyor," derdim. "Beşiktaş'tan sevk edildik."

"Doktor bey daha gelmedi," derdi koridordaki kalabalığı denetleyen hademe. Elimizdeki dosyanın kapağını şöyle bir açar, sayfalarına bir bakış atardı. "Sevkinizi kaleme kaydettirin, bir de sıra numarası alın, bekleyin." Gözüyle işaret ettiği hasta kuyruğunun ne kadar uzun olduğunu fark ettiğimiz zaman da eklerdi: "Herkes sırada bekliyor. Beklemeden olmaz."

Bir gün, bir bahaneyle hademenin eline üç-beş kuruş tutuşturmayı denemiştim, ama Füsun "Olmaz, herkes gibi yapalım," diyerek karşı çıkmıştı.

Sırada beklerken, memurlarla ve hastalarla sohbet ederken, herkesin beni onun kocası sanması hoşuma giderdi. Bunu, bir kadının evli olmadığı bir erkekle hastaneye asla gitmeyeceğiyle değil, bizi birbirimize yakıştırmalarıyla açıklardım. Tıp Fakültesi Hastanesi'nde sıra beklerken gezindiğimiz Cerrahpaşa'nın arka sokaklarında bir an Füsun'u kaybedince, yıkıntı halindeki bir ahşap evin penceresi açılmış, başörtülü bir teyze "karımın" yan sokaktaki bakkala girdiğini söylemişti. Bu ücra mahallelerde ilgi çeksek bile kimseyi telaşlandırmazdık. Bazan çocuklar peşimize takılır, bazan da yolunu kaybetmiş birileri, hatta turist olduğumuz sanılırdı. Bazan Füsun'dan etkilenen bir delikanlı, onu uzaktan da olsa daha çok seyredebilmek için peşimize düşer, birkaç sokak sonra benimle göz göze gelince efendice uzaklaşır, peşimizi bırakırdı. Bir kapıdan, bir pencereden başlarını uzatan kadınlar Füsun'a, erkekler de bana, burada kimi aradığımızı, hangi adrese gitmek istediğimizi sık sık sorarlardı. Bir keresinde Füsun'un bir satıcıdan aldığı eriği yemek üzere olduğunu gören iyi niyetli bir teyze, "Dur kızım, yıkayayım da öyle ye!" deyip evinden fırlayıp elimizdeki kesekâğıdını almış, evinin alt katındaki taşlık mutfakta erikleri yıkamış, bize kahve pişirip kim olduğumuzu, burada ne aradığımızı sormuş, ben karıkoca olduğumuzu, bu mahallelerde oturacak güzel bir ahşap ev aradığımızı söyleyince, bütün komşulara haber salmıştı.

Arada Yıldız Parkı'ndaki yorucu ve yıldırıcı direksiyon derslerine kan ter içinde devam ediyor, yazılı imtihana da hazırlanıyorduk. Füsun *Kolay Şoför Kitabı* ve *Şoför Ehliyet İmtihanında Sorulan Sorular ve Cevapları* gibi yayınları bir çay bahçesinde vakit öldürürken çantasından bazan çıkarır, bana bir-iki soruyu ve cevabını gülerek okurdu.

"Karayolu nedir?"

"Neydi?"

"Trafik için umumun faydalanmasına açık olan arazi şeridi ve sahalardır," derdi Füsun cevabın yarısını ezberden, yarısını da soru-cevaplı kitaptan okuyarak. "Peki, trafik nedir?"

Daha önceden sık sık işittiğim cevabı ezberden kekelerdim: "Trafik, yayaların ve hayvanların..."

"Arada 've' yok," derdi Füsun. "Trafik, yayaların, hayvanların, taşıtlarla müteharrik makinelerin ve lastik tekerlekli traktörlerin karayolu üzerindeki hal ve hareketleridir."

Bu soru-cevap usulünü sever, ortaokul yıllarını, hepsi ezbere dayanan dersleri, üzerinde "hal ve gidiş" notu olan karnelerimizi hatırlamak hoşuma gider ve neşelenerek Füsun'a bir soru da ben sorardım.

"Aşk nedir?"

"Neymiş?"

"Aşk, Füsun karayolları, kaldırımlar, evler, bahçeler ve odalarda gezinirken ve çay bahçelerinde, lokantalarda ve akşam yemeği sofrasında otururken, ona bakan Kemal'in duyduğu bağlılık duygusuna verilen addır."

"Hmmm... güzel cevap," derdi Füsun. "Beni görmediğin zaman aşk olmuyor mu?"

"O zaman fena bir takıntı, bir hastalık oluyor."

"Bu da ehliyet sınavında ne kadar işe yarar, hiç bilemem!" derdi Füsun. Evlenmeden önce bu çeşit şakayı ve cilveleşmeyi daha fazla sürdüremeyeceğini hissettiren bir havaya bürünür, ben de bu türden bir şakayı o gün artık bir daha yapmazdım.

Yazılı sınav Beşiktaş'ta, bir zamanlar Abdülhamit'in deli şehzadelerinden Numan Efendi'nin ud çalan harem kızlarını dinleyip, empresyonist Boğaz manzaraları resmederek vakit öldürdüğü küçük bir sarayda yapıldı. Cumhuriyet'ten sonra bir türlü iyi ısıtılamayan bir devlet dairesine çevrilen binanın kapısında Füsun'u beklerken, sekiz yıl önce o üniversite giriş sınavında terlerken, Taşkışla'nın kapısında da beklemem gerektiğini bir kere daha pişmanlıkla düşündüm. Sibel ile Hilton'daki nişanı iptal edip, annemi yollayıp Füsun'u isteseydim, bu sekiz yılda üç tane çocuğumuz olurdu. Ama yakında evlendikten sonra da üç tane, hatta daha fazla çocuk yapacak kadar vaktimiz olacaktı. Bundan da o kadar emindim ki, Füsun "Hepsini yaptım!" diyerek sınavdan neşeyle çıkınca, ileride kaç çocuğumuz olacağını ona az daha söylüyordum, ama tuttum kendimi. Akşamları hâlâ çok fazla gülüp eğlenmeden hep birlikte aile sofrasında yemek yiyor, televizyona bakarak oturuyorduk.

Füsun yazılı sınavdan tam not alarak geçti, ama ilk direksiyon sınavında hiçbir varlık gösteremeden kaldı. Direksiyon imtihanına giren herkes, durumun ciddiyeti anlaşılsın diye ilk sınavda çaktırılıyordu, ama biz buna kendimizi yeterince hazırlamamıştık. Sınav çok çabuk bitmişti. Füsun sınav heyetinin üç erkek üyesiyle Chevrolet'ye binmiş, arabayı başarıyla çalıştırıp hareket ettirmiş, biraz ilerledikten sonra arkada oturan tok sesli jüri üyesi "Aynaya bakmadınız!" demiş, Füsun da ona dönüp "Efendim?" deyince, arabayı hemen durdurup inmesini söylemişlerdi. Sürücü, araba kullanırken arkasına dönüp bakmazdı. Heyet üyeleri, bu kadar kötü bir sürücünün aracında kendilerini tehlikeye atmak istemeyen kişilerin telaşıyla arabadan inmişler, Füsun da bu aşağılayıcı tavırdan huzursuz olmuştu.

Gelecek direksiyon sınavı için Füsun'a dört hafta sonrasına, Temmuz sonuna tarih vermişlerdi. Ehliyet bürokrasisini, rüşvet-sürücü kursu işlerini bilenler kederli ve aşağılanmış halimize bakıp gülmüşler, İstanbul'da sürücü sınavıyla ilgili herkesin doluşup çay içtiği gecekondudan bozma çayhanede (duvarlarında dört tane Atatürk resmi ve kocaman bir saat vardı) bize ehliyet almak için gerekli yolları arkadaşça bir havayla öğretmişlerdi. Emekli trafik polislerinin ders verdiği özel ve pahalı bir sürücü kursuna yazılırsak (derslere gitmemiz şart değildi) ehliyet sınavından geçerdik, çünkü sınav heyeti ve pek çok polis o şirkete ortaktı. Polislerin ortak olduğu bu kursa para verenler, direksiyon sınavına özel hazırlanmış eski bir Ford ile katılabiliyorlardı. Bu aracın şoför koltuğunun hemen yanında, yolu gösteren koskocaman bir delik açılmıştı. Arabayı dar bir yere park etmesi istenen sürücü adayı, bu delikten yola çizilmiş renkli işaretleri görüyor; aynanın arkasına asılmış ayrıntılı kılavuzu aynı anda okursa, hangi renkli işarette direksiyonu sonuna kadar sola çevirmesi, hangisinde vitesi geriye takması gerektiğini anlayarak aracı hatasızca dar yere park edebiliyordu. Herhangi bir kursa yazılmadan doğrudan yüklü bir para da verebilirdik. Bir işadamı olarak rüşvetin bazan ne kadar kaçınılmaz olduğunu biliyordum. Ama Füsun, kendisini çaktıran polislere zırnık koklatmayacağını iddialı bir şekilde söylediği için, Yıldız Parkı'nda derslere devam ettik.

İmtihan kitabı, araba sürerken yerine getirilmesi gereken yüzlerce küçük kural saptamıştı. Heyet önünde ehliyet adayının yalnızca arabayı düzgün bir şekilde kullanması yetmez, aynı zamanda bu kuralları uyguladığını abartılı hareketlerle kanıtlaması, mesela arka aynaya bakarken bir de aynayı tutup baktığını göstermesi gerekirdi. Bu durumu ehliyet kurslarında ve sınavlarında saçlarını ağartmış olan yaşlı ve babacan bir polis, son derece dostane bir havayla Füsun'a açıklamış, "Kızım, imtihanda hem araba süreceksin hem de araba sürüyormuş gibi yapacaksın," demişti. "Birincisi kendin için, ikincisi de devlet içindir."

Parktaki direksiyon dersimizden sonra, güneşin gücünü kaybetmeye başladığı saatlerde, onunla Emirgân'a gidip, kıyıya arabayı park edip kahve ve gazoz içmenin ya da Rumelihisarı'nda bir kahvede oturup semaver ile çay ısmarlamanın zevklerinin yanında, sınav sıkıntısı hiçbir şey diye düşünürdüm. Ama okurlar bizim cıvıl cıvıl mutlu âşıklar olduğumuzu da sanmamalı.

"Bu derslerde matematikten daha başarılıyız!" demiştim bir kere.

"Göreceğiz..." demişti Füsun ihtiyatla.

Bazan çay içerken yıllardır evli olan ve konuşulacak bütün konuları çoktan tüketmiş çiftler gibi masada sessizce oturur, önümüzden geçmekte olan Rus tankerlerine, Şehir Hatları gemilerinden Heybeliada'ya, hatta bir kere olduğu gibi Karadeniz turuna çıkan Samsun gemisine, başka hayatları, başka âlemleri düşleyen mutsuzlar gibi hayranlıkla bakardık.

Füsun ikinci sınavı da geçemedi. Bu sefer ondan çok zor bir şey istemişler, arabayı yokuş yukarı ve geri geri giderek hayali bir park yerine yanaştırmasını beklemişlerdi. Füsun Chevrolet'yi titreterek sarsınca, aynı aşağılayıcı havayla onu hemen sürücü koltuğundan indirmişlerdi.

Arzuhalcisinden çaycısına, emekli polisinden ehliyet adayına, Füsun'un imtihanını benimle birlikte uzaktan merakla seyreden erkek kalabalığından biri, dönüşte şoför koltuğunda gene gözlüklü jüri üyesinin oturduğunu görünce, "Karıyı çaktırdılar," demiş, bir-iki kişi de gülmüştü.

Eve dönerken, Füsun'un ağzını bıçak açmadı. Ona sormadan arabayı Ortaköy'de park ettim. Çarşı içinde küçük bir meyhaneye oturduk ve birer kadeh buzlu rakı istedim.

"Hayat kısa ve çok güzel aslında Füsun," dedim birkaç yudum rakıdan sonra. "Kendini artık bu zalimlere hırpalatma."

"Niye bu kadar iğrençler?"

"Para istiyorlar. Paralarını verelim."

"Sence kadınlar iyi araba kullanamaz mı?"

"Bu benim değil, onların fikri..."

"Herkesin fikri..."

"Canım, sakın bunu da inada bindirme."

Bu son sözümü, Füsun hiç fark etmesin isterdim.

"Benim hayatta inada bindirdiğim hiçbir şey yok Kemal," dedi. "Yalnızca onuru, gururu ayaklar altına alınırken, insanın başını eğmemesi lazım. Şimdi senden bir şey isteyeceğim, lütfen beni ciddiyetle dinle. Çünkü çok kararlıyım. Ben ehliyetimi rüşvet vermeden alacağım Kemal, sakın buna karışma. Arkamdan gizlice rüşvet de verme, torpil de yaptırma, anlarım, çok kırılırım."

"Peki," dedim önüme bakarak.

Çok konuşmadan birer kadeh rakı daha içtik. Akşamüstü çarşı içindeki meyhane boştu. Midye tavaların, kekikli kimyonlu küçük köftelerin üzerine, sabırsız ve kararsız sinekler konuyordu. Benim için hatırası çok değerli olan o salaş meyhaneyi yeniden görebilmek için yıllar sonra Ortaköy'e gittim; ama bütün bina yıkılmış, yerine ve çevresine hediyelik turistik eşyalar ve incik-boncuk satan dükkânlar açılmıştı...

O akşamüstü, lokantadan çıkıp arabaya binerken Füsun'un kolunu tuttum.

"Biliyor musun güzelim, sekiz yıldır ilk defa bir meyhanede baş başa yemek yedik."

"Evet," dedi. Bir an gözlerinde beliren ışık, beni inanılmayacak kadar mutlu etti. "Sana bir şey daha diyeceğim. Anahtarı ver, arabayı ben süreceğim."

"Tabii."

Beşiktaş ve Dolmabahçe kavşaklarında, yokuşlarda biraz terledi, ama içkili olmasına rağmen çok da fazla zorlanmadan Chevrolet'yi Firuzağa Camii'nin önüne kadar başarıyla getirdi. Üç gün sonra sınava hazırlanmak için aynı yerden onu alırken arabayı gene kullanmak istedi, ama şehir polis kaynıyordu, onu caydırdım. Dersimiz ise sıcak havaya rağmen harika geçti.

Dönüş yolunda ise rüzgârlı, çırpıntılı Boğaz sularına bakıp "Keşke mayolarımızı alsaydık!" dedik.

Ondan sonraki sefer, Füsun evden çıkarken çiçekli elbisesinin içine burada sergilediğim mavi bikiniyi giymişti. Dersten sonra gittiğimiz Tarabya Plajı'nda, elbisesini ancak rıhtımdan denize atlamadan hemen önce çıkardı. Sekiz yıl sonra güzelim gövdesine bir an çok utangaç bir bakış atabildim. Aynı anda Füsun benden kaçar gibi koşarak denize atladı. Denize dalarken arkasından çıkan su, köpükler, hoş bir ışık, Boğaz'ın laciverdi, bikinisi, bütün bunlar kafamda unutulmaz bir resim, bir duygu oluşturmuştu. Yıllar sonra bu harika duyguyu, mutlu rengi; eski fotoğraflarda, kartpostallarda, İstanbul'un dertli koleksiyoncuları arasında yıllarca aradım.

Füsun'un hemen arkasından ben de kendimi denize attım. Aklımın tuhaf bir yanı denizde ona canavarların, kötü yaratıkların saldırdığını söylüyordu. Ona yetişmeli, denizin karanlığında onu korumalıydım. Çırpıntılı sularda onu arayarak aşırı bir mutluluk çılgınlığıyla ve o mutluluğu kaybetme telaşıyla bütün gücümle yüzdüğümü, bir an telaştan boğulacak gibi olduğumu hatırlıyorum. Füsun, Boğaz akıntısına kapılıp gitmişti! O an ben de onunla ölmek, hemen ölmek istedim. Derken Boğaz'ın şakacı çırpıntıları bir anda açıldı ve Füsun'u karşımda gördüm. Nefes nefeseydik. Birbirimize mutlu âşıklar gibi gülümsedik. Ama ona dokunmak, onu öpmek için yaklaşmaya çalıştıkça ilkeli, namuslu kızlar gibi suratını asıyor, hiç cilve yapmadan soğuk bir havayla kurbağalama yüzerek uzaklaşıyordu. Ben de aynı hareketlerle yüzerek arkasından gidiyordum. Yüzerken suyun içinde güzel bacaklarının yaptığı hamleleri, kalçalarının tatlı yuvarlaklarını seyrediyordum. Çok sonra, iyice açıldığımızı hissettim.

"Yeter!" dedim. "Kaçma benden, buralarda akıntı başlar, bizi alır götürür, ikimiz de ölürüz."

Arkamı dönünce, ne kadar açıldığımızı görerek korktum. Şehrin ortasındaydık. Tarabya Koyu, bir zamanlar hep birlikte gittiğimiz Huzur Lokantası, diğer lokantalar, Tarabya Oteli, kıvrıla kıvrıla sahil yolunda ilerleyen arabalar, minibüsler, kırmızı otobüsler, arkalardaki tepeler, Büyükdere sırtlarındaki gecekondu mahalleleri, bütün şehir bizden uzaklaşmıştı.

Sanki yalnızca Boğaz'ı ve şehri değil, arkada bıraktığım hayatımı da, büyük bir minyatüre bakar gibi seyrediyordum. Şehirden ve kendi geçmişimden bu uzaklığımda rüyalardan çıkma bir yan vardı. Şehrin ortasında ve Boğaz'ın içinde, ama Füsun'la herkesten de bu kadar uzakta olmak, ölüm gibi ürpertici bir duyguydu. Çırpıntılı denizin içinden büyükçe bir dalga Füsun'u sallayarak şaşırtınca küçük bir çığlık attı, sonra bana tutunmak için kolunu boynuma, omzuma sardı. Ölene kadar ondan ayrılmayacağımı çok iyi biliyordum artık.

Bu ateş gibi dokunmadan –kucaklaşma da denebilir– hemen sonra, Füsun yaklaşmakta olan bir kömür şilebini bahane ederek uzaklaştı. Çok güzel ve hızlı yüzüyordu, ona yetişmekte zorlandım. Sahile çıkınca Füsun benden uzaklaşıp soyunma kabinine gitti. Birbirlerinin vücutlarından utanmayan sevgililer gibi değildik hiç. Tam tersi, ailelerinin evlensinler diye tanıştırdığı bir çift gibi utangaç, sessiz ve çekingendik ve birbirimizin vücutlarına bakamıyorduk.

Derslere gide gele ve bazan da şehir içinde kullanarak, Füsun araba kullanmayı iyice öğrendi. Ama Ağustos başındaki sınavı gene geçemedi.

"Çaktım, ama boş ver, unutalım bu kötü insanları," dedi Füsun. "Denize gidelim mi?"

"Gidelim."

Sınava, askere gider gibi arkadaşlarıyla gelen, fotoğraflar çektiren ve başarısızlığa uğrayan pek çok şoför adayı gibi, sınav yerinden Füsun'un sigara içerek ve kornasını kabadayıca kullandığı arabayla uzaklaştık. (Yıllar sonra gittiğimde, o kel, çöplü, berbat tepelerin, yüzme havuzlu lüks sitelerle kaplandığını gördüm.) Yaz sonuna kadar Yıldız Parkı'nda derslere devam ettik, ama sürücü ehliyeti, buluşup birlikte denize ya da bir meyhaneye gitmek için bir bahaneydi artık. Birkaç kere de Bebek İskelesi'nin yanından sandal kiralayıp, birlikte kürek çekip, denizanalarından ve mazot lekelerinden uzak bir yerde, akıntıyla boğuşarak denize girdik. Akıntıya kapılmamak için birimiz sandalı tutar, öbürü de onun elini tutardı. Bebek'ten sandal kiralamayı, Füsun'un elini tutma zevki için de çok severdim.

Sekiz yıl sonra çiçeklenen aşkımızı coşkulu bir şekilde değil, yorgun bir arkadaşlık gibi ihtiyatla yaşıyorduk. Bu sekiz yılda yaşadıklarımız, içimizdeki aşkı derinlere bir yere itmişti. Aşkın varlığını, onunla en az ilgilendiğimiz zamanlarda bile hissediyorduk, ama evlenmeden daha fazla yakınlaşmanın tehlikelerine Füsun'un hiç girmek istemediğini görüyor, içimden hiç eksik olmayan ona sarılma, onu öpme isteğine ben de direniyordum. Evlenmeden önce çiftlerin kendilerini kaybedip düşüncesizce sevişmelerinin daha sonra evliliğe mutluluk getirmeyeceğini, tam tersi bir hayal kırıklığı ve iç sıkıntısı yaratacağını düşünmeye başlamıştım. Hâlâ arada bir orada burada gördüğüm Piç Hilmi, Tayfun, Mehmet gibi randevuevlerine giden, zamparalıklarıyla övünen arkadaşlarımın da biraz ruhsuz olduklarını düşünüyordum artık. Füsun ile evlendikten sonra takıntılarımı unutacağımı, bütün arkadaşlarımı ve eski çevremi mutlulukla ve olgunlukla kucaklayacağımı da hayal ediyordum.

Yaz sonunda Füsun direksiyon imtihanına gene aynı heyetle girdi ve bir kere daha kaldı. Her zamanki gibi erkeklerin, İstanbul'da araba kullanan kadınlar hakkındaki bildik önyargılarına bir süre takıldı. Bu konu açıldığında, yüzünde çocukluğunda kendisini taciz eden, elleyen rezil amcalardan ta yıllar önce bana söz ederken beliren ifade belirirdi.

Bir akşamüstü direksiyon dersinden sonra gittiğimiz Sarıyer Plajı'nda bir kenarda oturmuş Meltem Gazozu içerken (demek ki Papatyalı reklam kampanyası biraz başarılı olmuştu), Mehmet'in arkadaşı Faruk ve nişanlısı ile karşılaşınca, bir an tuhaf bir utanç duydum. 1975 Eylülü'nde Faruk, Anadoluhisarı'ndaki yalıya çok geldiği, Sibel ile oradaki hayatımıza yakından tanık olduğu için değildi bu; Füsun ile hiç konuşmadan Meltem içerken, pek de fazla neşeli ve mutlu gözükmediğimiz için utanmıştım. O gün Füsun ile birlikte denize son kez gittiğimizi hissettiğimiz için de sessizdik. Nitekim o akşamüstü ilk leylek sürüsü üzerimizden geçip bize güzel yazın bitmekte olduğunu hatırlattı. Bir hafta sonra ilk yağmurlarla birlikte plajlar kapanınca, Yıldız Parkı'na gidip araba kullanmak ne Füsun'un ne de benim içimizden hiç gelmedi.

Üç kere daha çaktırıldıktan sonra, Füsun direksiyon sınavını 1984'ün başında geçti. Ondan bıkmışlar, rüşvet vermeyeceğini de anlamışlardı. Ehliyetini kutlamak için o gece onu, Nesibe Hala'yı ve Tarık Bey'i Bebek Maksim Gazinosu'na Müzeyyen Senar'ın eski şarkılarını dinlemeye götürdüm.

74. TARIK BEY

Hep birlikte Bebek Maksim'e gittiğimiz o akşam, hepimiz sarhoş olduk. Müzeyyen Senar'ın sahneye çıkmasından sonra, bütün masa hep birlikte bazı şarkılara katıldık. Nakaratlarda hep bir ağızdan şarkıları söylerken, herkes birbirinin gözünün içine bakıyor, gülümsüyordu. Bütün gecede bir veda töreni havası olduğunu da, şimdi yıllar sonra hayal ediyorum. Aslında Müzeyyen Senar'ı dinlemekten, Füsun'dan çok Tarık Bey hoşlanırdı. Ama Füsun'un da babasının içip şarkı söylemesini görmekten, *Benzemez Kimse Sana* gibi şarkıları Müzeyyen Senar'dan dinlemekten mutlu olacağını düşünmüştüm. O gecenin benim için unutulmaz bir başka yanı ise, artık Feridun'un yokluğunun yadırganmamasıydı. O gece Füsun, annesi ve babasıyla birlikte ne kadar çok zaman geçirdiğimizi mutlulukla düşündüm.

Bazan zamanın ne kadar çok akmış olduğunu yıkılan bir binadan, küçük bir kızın çocuklu, neşeli, iri göğüslü koca bir kadın olmasından ya da gözümün çoktan alıştığı bir dükkânın kapanmasından anlar, telaşlanırdım. O günlerde Şanzelize Butik'in kapandığını görmek, bana yalnızca hatıralarımı kaybettiğim için değil, bir an hayatı kaçırdığımı hissettiğim için de acı verdi. Dokuz yıl önce Jenny Colon çantayı gördüğüm vitrinde, şimdi İtalyan salamı kangalları, kaşar peyniri tekerlekleri, memlekete yıllardır ilk defa giren Avrupa markalarının salata sosları, makarnaları ve gazozlu içecekleri sergileniyordu.

Akşam yemeklerinde annemden dinlediğim en son evlilik, çocuk ve aile haberleri ve dedikoduları da, aslında bu tür hikâyelerden her zaman çok hoşlanmama rağmen, o günlerde beni huzursuz ederdi. Annem, çocukluk arkadaşım Fare Faruk'un kısa süre önce (üç yıl!) yaptığı evlilikten ikinci çocuğunun da olduğunu —hem de erkek— ballandırarak anlatırken, hayatı Füsun ile yaşayamadığımız düşüncesi neşemi kaçırır, ama annem beni hiç fark etmeden anlatır da anlatırdı.

Şaziment büyük kızını Karahanların oğluyla en sonunda ev-
lendirdiğinden beri, kayak için artık her Şubat Uludağ'a değil,
küçük kızını da alarak Karahanlarla birlikte bir aylığına İsviç-
re'ye gidiyordu. Küçük kızı orada otelde kendine çok zengin bir
Arap prensi bulmuş, Şaziment onu da başarıyla tam evlendire-
cekken, Arabın ülkesinde bir karısı, hatta bir haremi olduğu or-
taya çıkmıştı. Ayvalıklı Halislerin en büyük oğlunun –"Hani o
en uzun çeneli olanı," derken, annem küçük bir kahkaha atmış,
ben de ona katılmıştım– Alman dadıyla kış günü, Erenköy'deki
yazlıkta yakalandığını, annem Suadiye'deki evin komşusu Esat
Bey'den duymuştu. Bir zamanlar parklarda kova-küreklerle bir-
likte oynadığımız tütün tüccarı Maruf'un oğullarından küçüğü-
nün teröristlerce kaçırıldığını, aile fidye verince de bırakıldığını
hiç işitmememe ise annem şaşmıştı. Evet, olay gazetelere geç-
meden örtbas edilmişti, ama aile ilk başta pintilik edip parayı
vermek istemediği için, "herkes" bu olayı aylarca konuşmuştu,
nasıl bilmezdim?

Annemin bu sorusunun arkasında Füsunlara ziyaretlerime
bir iğneleme var mı diye dertlenir, yaz akşamları eve getirdiğim
ıslak mayoları nerede, kiminle giydiğimi soruşunu, sonra aynı
soruyu Fatma Hanım'a sorduruşunu hatırlar, "Çok çalışıyorum
anneciğim," diye konuyu geçiştirmeye çalışır (oysa annem Sat-
sat'ın perişan halini biliyor olmalıydı), dokuz yıl sonra Füsun'a
olan takıntımı annemle değil paylaşabilmek, üstü örtülü ola-
rak bile hâlâ konuşamadığım için mutsuz olur, dertlerimi unut-
mak için annemin daha eğlenceli yeni bir hikâye daha anlatma-
sını isterdim. Bir zamanlar Füsun ve Feridun ile yazlık Majestik
Bahçe Sineması'nda karşılaştığımız Cemile Hanım'ın, tıpkı an-
nemin bir diğer arkadaşı Mükerrem Hanım gibi, ailesinin bakı-
mı her geçen gün zorlaşan seksen yıllık ahşap konağını tarihî
film çekenlere kiraya verdiğini, ama film çekilirken bir elektrik
arızası sonucu "o koskoca cânım konağın" yandığını, herkesin
yerine apartman binası dikebilmek için aslında ailenin kona-

ğı bilerek yaktırdığını söylediğini, bir akşam annem uzun uzun ayrıntılara girerek öyle bir anlatmıştı ki, benim sinemacı çevrelerle ne kadar içli dışlı olduğumu annemin çok iyi bildiğini anlamıştım. Bu ayrıntıları, anneme Osman yetiştiriyor olmalıydı.

Gazetelerde okuduğum eski Dışişleri Bakanı Melikhan'ın bir baloda halıya takılıp düştükten iki gün sonra beyin kanamasından ölmesi gibi eğlenceli haberlerden, Sibel'i ve nişanı hatırlattığı için annem hiç söz etmezdi. Annemin duymamı istemediği haberlerin bazılarını da, Nişantaşı'ndaki berber Basri'den alırdım. Basri, babamın arkadaşı Fasih Fahir'in karısı Zarife ile Bodrum'da ev aldığını, Ayı Sabih'in aslında çok iyi kalpli bir çocuk olduğunu, şu ara altına yatırımın yanlış olduğunu, fiyatların düşeceğini, bu bahar at yarışlarında çok şike yapılacağını, ünlü zengin Turgay Bey'in kafasında tek tel saç kalmamasına rağmen bir beyefendi alışkanlığıyla kendisine hâlâ düzenli olarak geldiğini, iki yıl önce kendisine Hilton'un berberi olması için teklif yapıldığını ama "prensip sahibi" (bu prensibin ne olduğunu söylememişti) bir insan olduğu için bu teklifi reddettiğini anlatır, sonra beni sorar, ağzımdan laf almaya çalışırdı. Basri'nin ve onun Nişantaşlı zengin müşterilerinin Füsun'a olan takıntımdan haberdar olduklarını sinirlenerek hisseder, onlara dedikodu malzemesi vermemek için bazan Beyoğlu'na, babamın eski berberi Cevat'ın dükkânına gider, ondan da Beyoğlu'ndaki haydutların (artık onlara mafya denmeye başlamıştı) ve sinemacıların hikâyelerini dinlerdim. Papatya'nın ünlü prodüktör Muzaffer ile birlikte olduğu dedikodusunu mesela, bir de ondan işitmiştim. Bütün bu dedikodu ve haber kaynakları, bana Sibel'den, Zaim'den, Mehmet ve Nurcihan'ın düğünlerinden hiç söz etmezlerdi. Bundan, herkesin üzüntülerimi, acılarımı iyi bildiği sonucunu çıkarmam gerekirdi; ama çıkarmaz, dedikoducuların bu dikkatini, tıpkı sevdiğim banker iflasları konusunu beni sevindirmek için sık sık yeniden açmaları gibi doğal karşılardım.

İki yıl önce sağda solda, yazıhanede, arkadaşlardan işittiğim iflas eden bankerler ve onlara para kaptıranlar konusunu, İstanbul zenginlerinin ve onların köle gibi bağlı oldukları Ankara'nın ne kadar budala olduğunu gösterdiği için seviyordum. Annem de, "Rahmetli babanız 'Bu uydurma bankerlere güvenilmez,' diye hep söylerdi!" der, konuyu biz öteki budala zenginler gibi bankerlere para kaptırmadığımız için severdi. (Ben bazan Osman'ın yeni şirketlerden kazandığı paranın bir kısmını kaptırdığını, ama bunu herkesten sakladığını hissederdim.) Annem sevdiği ve arkadaşlığını sürdürdüğü bazı ailelerin –mesela güzel kızlarıyla bir zamanlar evlenmemi istediği Kova Kadri'nin ailesinin, Cüneyt Bey ile Feyzan Hanımların, Cevdet Beylerin ve Pamukların– bankerlere para kaptırmalarına üzülür, ama Lerzanların neredeyse bütün servetlerini emanet ettikleri "sözümona bankerin" kendi fabrikalarında muhasebecilik eden (eskiden de bekçiymiş) birinin oğlu olmasına, ailenin sırf "derme-çatma bir yazıhanesi var, televizyona reklam veriyor ve güvenilir bir bankanın çek defterini kullanıyor" diye çok kısa zaman önceye kadar gecekonduda yaşayan böyle birisine neredeyse bütün parasını emanet edebilmesine çok hayret etmiş gibi yapar (hayretten bayılacakmış gibi gözlerini kapayarak yarı şaka yarı ciddi başını sallar), sonra "Hiç olmazsa senin artistlerle arkadaşlık eden Kastelli gibi birisini seçselerdi," diyerek bir kahkaha atardı. "Senin artistler" sözünün üzerinde hiç durmaz; aralarında –okurun da bildiği gibi– Zaim'in de bulunduğu bu kadar "aklı başında, doğru dürüst" insanın, nasıl bu kadar "budala" olabildiğine annemle birlikte her seferinde aynı merak ve neşeyle şaşmaktan hoşlanırdım.

Annemin "budala" dediği bu insanlardan biri de Tarık Bey'di. Tarık Bey, reklam filmlerinde Pelür'den dostumuz olan ünlü oyuncuları oynatan Banker Kastelli'ye parasını yatırmıştı. İki yıl önce batan parasının çok az olduğunu zannediyordum, çünkü Tarık Bey kederini, acısını bana hiç yansıtmamıştı.

Füsun'un ehliyetini almasından iki ay sonra, 9 Mart 1984 Cuma günü Çetin beni Çukurcuma'daki eve akşam yemeği için bıraktığında, bütün pencerelerin ve perdelerin açık olduğunu gördüm. İki katta da lambalar yanıyordu. (Oysa Nesibe Hala yemek vakti yukarıdaki odalarda herhangi bir lambanın yanmasına israf diye çok sinirlenir, bir ışık görürse "Füsun, kızım, yatak odanızın lambası açık kalmış," der, Füsun hemen çıkar, lambayı söndürürdü.)

Kendimi Feridun ile Füsun arasında bir aile kavgasına hazırlayarak yukarı çıktım. Yıllardır oturup yemek yediğimiz masa boştu, sofra kurulmamıştı. Açık televizyonda, oyuncu dostumuz Ekrem Bey, Osmanlı veziriazamı kıyafeti içinde, kâfirler hakkında nutuk atıyor, komşu bir teyze ile kocası ne yapacağını bilmeden filmi göz ucuyla seyrediyorlardı.

"Kemal Bey," dedi komşu elektrikçi Efe. "Tarık Bey vefat etti. Başınız sağ olsun."

Koşa koşa yukarıya çıktım, içgüdüyle Tarık Bey ile Nesibe Hala'nın odasına değil, Füsun'un odasına, yıllardır hep düşlediğim bu küçük odaya girdim.

Güzelim yatağına uzanmış, iki büklüm olmuş, ağlıyordu. Beni görünce toparlandı, doğruldu. Yanına oturdum. Bir anda bütün gücümüzle birbirimize sarıldık. Başını, göğsüm ile boynumun arasına dayadı ve sarsılarak ağlamaya başladı.

Onu kollarımda tutmak ne büyük mutluluktu Allahım! Dünyanın derinliğini, güzelliğini, sınırsızlığını hissettim. Göğsü göğsüme, başı omzuma dayanmıştı; onu değil, bütün dünyayı kucaklamışım gibi geldi bana. Sarsılmaları beni üzüyor, derinden kederlendiriyordu, ama ne kadar da mutlu ediyordu! Saçlarını şefkatle, özenle, neredeyse tarar gibi okşadım. Elimin alnına, saçlarının başladığı yere yeniden her dokunuşunda, Füsun yeni bir gözyaşı sağanağı ile titreyerek ağlıyordu.

Acısını paylaşabilmek için, kendi babamın ölümünü düşündüm. Ama onu o kadar sevmeme rağmen, benimle babam arasında bir gerginlik, bir rekabet vardı. Füsun ise babasını hiç zorlanmadan, yorulmadan, çok derinden, insanın dünyayı, güneşi, sokakları, evini sevmesi gibi rahatça seviyordu. Gözyaşları da babası kadar sanki bütün dünyanın haline, hayatın biçimine akıtılıyormuş gibi geldi bana.

"Merak etme canım," diye kulağına fısıldadım. "Bundan sonra her şey çok iyi olacak. Bundan sonra her şey düzelecek. Çok mutlu olacağız."

"İstemiyorum hiçbir şey artık!" deyip daha da şiddetle ağlamaya başladı. Titreyişlerini kollarımın içinde hissederken, odanın içindeki eşyalara, dolabına, çekmeceye, küçük komodine, Feridun'un sinema kitaplarına, her şeye uzun uzun, dikkatle baktım. Füsun'un bütün eşyasının, elbiselerinin olduğu bu odaya girebilmeyi sekiz yıl boyunca ne kadar çok istemiştim.

Füsun'un hıçkırıkları daha da şiddetlenince, Nesibe Hala geldi: "Ah Kemal," dedi. "Ne yapacağız şimdi? Ben onsuz nasıl yaşarım?" Yatağın kenarına oturup ağlamaya başladı.

Bütün geceyi Çukurcuma'daki evde geçirdim. Bazan aşağı iniyor, başsağlığına gelen komşularla, tanıdıklarla oturuyordum. Bazan yukarı çıkıyor, odasında ağlayan Füsun'u teselli ediyor, saçını okşuyor, eline temiz bir mendil veriyordum. Yan odada babasının ölüsü yatarken ve aşağıda bir komşu ve tanıdık kalabalığı çay, sigara içip sessizce televizyon seyrederken, dokuz yıl sonra ilk defa Füsun ile bir yatakta uzanıp birbirimize bütün gücümüzle sarıldık. Boynunun, saçlarının, ağlamaktan terlemiş teninin kokusunu içime çektim. Daha sonra aşağı inip misafirlere çay verdim.

Durumdan habersiz olan Feridun, o akşam eve gelmedi. Komşuların benim varlığımı doğal karşılamaktan başka, Füsun'un kocası benmişim gibi davranmalarının da nasıl bir incelik olduğunu, şimdi yıllar sonra kavrıyorum. Her birini Çukurcuma'ya gide gele, yolda, bazan eve girip çıkarken tanıdığım bu insanlara çay-kahve hazırlayıp sunmak, küllükleri boşaltıp köşedeki börekçiden aceleyle getirtilen börekleri ikram etmek, beni, Füsun'u ve Nesibe Hala'yı oyalıyordu. Bir ara üç kişi, yokuşta bir dükkânı olan Laz marangoz, müzegezerlerin takma elinden hatırlayacakları Rahmi Efendi'nin büyük oğlu ve Tarık Bey'in öğleden sonraları buluşup kâğıt oynadığı eski bir dostu, arka odada bana tek tek sarılıp ölenle ölünmeyeceği sözünü tekrarladılar. Tarık Bey'e kederlenmeme rağmen, içimde sınırsız bir yaşama isteği olduğunu, yeni bir hayata yaklaştığım için aslında o gece çok mutlu olduğumu derinden derine sezip utandım.

Paralarını yatırdığı banker 1982 Haziranı'nda iflas edip yurtdışına kaçınca, Tarık Bey kendi gibi diğer "bankerzedeler"in (gazetelerin sevdiği bir kelimeydi bu) kurduğu bir derneğe gidip gelmeye başlamıştı. Bu derneğin amacı, batan bankerlere para kaptırmış emeklilerin, küçük memurların paralarını hukuk yoluyla geri almaktı, ama başarılı olamıyorlardı. Tarık Bey'in kimi akşamlar gülerek, neredeyse hiç önemsemeyen bir havayla anlattığı gibi, –dernekte toplanan "enayi kalabalığı" da derdi– bazan ortak bir karar alınamadığı gibi, bankerzedeler bir süre sonra kendi aralarında tartışmaya başlardı. İtiş kakışlara, yumruklaşmalara, kavgalara varırdı bu tartışmalar... Bazan da bağıra çağıra zorlukla kaleme aldıkları bir dilekçeyi, bakanlığa ya da olayları önemsemeyen bir gazeteye ya da bir bankanın kapısına bırakırlardı. O sırada bazıları bankayı taşlar, bağırır çağırır, dertlerini duyurmaya çalışır, bazan bir banka memuru tartaklanırdı. Kapıların kırılıp bankerlerin yazıhanelerinin, evlerinin yağmalandığı bu olaylardan sonra, Tarık Bey galiba bir kavgada da taraf olup dernekten uzaklaşmıştı; ama geçen yaz biz Füsun ile ehliyet için terleyip denize girerken, derneğe yeniden gitmeye başlamıştı. Bu öğleden sonra dernekte bir şeye sinirlenmiş, göğüs ağrılarıyla eve dönmüş, daha sonra gelen doktorun bir saniyede isabetle teşhis ettiği gibi kalp krizinden ölmüştü.

Füsun, babası ölürken evde olmadığı için de acı çekiyordu. Tarık Bey yatağa uzanıp kızını ve karısını uzun bir süre beklemiş olmalıydı. Nesibe Hala ile Füsun, o gün Moda'da bir eve, acele bir elbise yetiştirmeye gitmişlerdi. Benim aileye yaptığım bütün yardımlara rağmen, Nesibe Hala'nın arada bir resimli dikiş kutusunu alıp bazı evlere gündelikçi olarak dikişe gittiğini biliyordum. Başka bazı erkekler gibi Nesibe Hala'nın çalışmasını kendim için bir hakaret saymaz, hiç de ihtiyacı olmadığı halde, hâlâ terzilik etmesini takdir ederdim. Ama Füsun'un da onunla arada bir gittiğini her işittiğimde, huzursuzluk duyuyordum. Güzelim, birtanem, o yabancı evlerde ne yapıyor diye dertlenirdim bazan, ama Füsun nadiren gittiği ve daha da seyrek olarak anlattığı bu günlerden –tıpkı annesinin yıllar önce anneme Suadiye'ye gelmesi gibi– bir gezinti, bir eğlence gibi söz eder, Kadıköy vapurunda ayran içtiklerini, martılara simit attıklarını, havanın, Boğaz'ın çok güzel olduğunu öyle bir neşeyle anlatırdı ki, ona ileride evlenip zenginler arasında yaşayacağımızı, o zaman dikişe gittiği bu insanlardan biriyle karşılaşmaktan ikimizin de hoşlanmayacağını söyleyemezdim.

Herkes gittikten ve gece yarısından çok sonra, aşağıdaki arka odada divana kıvrılıp uyuyakaldım. Hayatımda ilk defa onunla aynı evde uyumak... Bu büyük bir mutluluktu. Uyuyakalmadan önce içeriden Limon'un kafesinde çıkardığı tıkırtıyı işittim, sonra vapur düdüklerini duydum.

Sabah ezanı okunurken Boğaz'dan gelen vapur düdükleri iyice yoğunlaşınca uyandım. Rüyamda Füsun'un dün Karaköy'den vapurla Kadıköy'e geçişi Tarık Bey'in vefatıyla birleşmişti.

Arada sis düdüklerini de işitiyordum. Sisli günlere özgü sedef rengi tuhaf ışık, bütün evi kaplamıştı. Beyaz bir rüyada hareket eder gibi merdivenlerden sessizce yukarı çıktım. Füsun ile Nesibe Hala, Füsun ile Feridun'un evliliklerinin ilk mutlu gecelerini geçirdikleri yatakta birbirlerine sarılmış, uyuyorlardı. Nesibe Hala'nın beni işittiğini hissettim. Kapıdan içeriye bir daha dikkatle baktım: Füsun gerçekten uyuyor, Nesibe Hala ise uyuyormuş gibi yapıyordu.

Öteki odaya girdim ve üzerindeki çarşafı hafifçe kaldırıp Tarık Bey'in yatakta uzanan ölüsüne ilk defa baktım. Bankerzede derneğine giderken giydiği ceket vardı üzerinde. Yüzü bembeyaz olmuş, kan ensesinde birikmişti. Yüzündeki lekeler, benler, kırışıklıklar, ölümle birlikte sanki bir anda artmış, büyümüştü. Ruhu çekip gittiği için miydi bu, yoksa gövdesi şimdiden çürümeye, değişmeye başladığı için mi? Ölünün varlığı, korkutuculuğu, Tarık Bey'e duyduğum sevgiden çok daha kuvvetliydi. Şimdi Tarık Bey'i anlamak, kendimi onun yerine koymak değil, ölümden kaçmak istiyordum. Gene de odadan çıkmadım.

Tarık Bey'i, Füsun'un babası olduğu ve birlikte yıllarca aynı masada oturup rakı içip televizyon seyrettiğimiz için sevmiştim. Ama bana karşı hiçbir zaman tamamen içten olmadığı için, onu tam da benimseyememiştim. İkimiz de birbirimizden tam anlamıyla hoşnut değildik, ama gene de iyi idare etmiştik.

Bunu düşünür düşünmez, aslında Tarık Bey'in ta baştan beri, tıpkı Nesibe Hala gibi benim Füsun'a olan aşkımı bildiğini anladım. Anladım değil, kendime itiraf ettim demeliyim. Kızıyla, daha on sekiz yaşındayken sorumsuzca yattığımı büyük ihtimal ta ilk aylardan beri biliyor, benim kalpsiz bir zengin, yoz bir çapkın olduğumu düşünüyordu. Kızını benim yüzümden parasız, değersiz bir damatla evlendirmiş, elbette benden nefret etmişti! Gene de benden nefret ettiğini hiç göstermemişti. Ya da ben görmek istememiştim. Hem nefret etmiş hem affetmişti. Tıpkı dostluklarını, karşılıklı kusurlarının, rezilliklerinin görülmemesine dayandıran haydutlar, hırsızlar gibi davranmıştık biz. Bu, Tarık bey ile beni, ilk birkaç yıldan sonra ev sahibiyle misafirden çok, suç ortağı haline getirmişti.

Tarık Bey'in donmuş yüzüne bakarken, ruhumun derinliklerinden gelen bir şey, bana ölümün yaklaşması karşısında babamın yüzünde donup kalan hayret ve korku ifadesini hatırlattı. Tarık Bey ise kalp krizini uzunca bir süre yaşamış, ölümle karşılaşmış, onunla biraz boğuşmuş olmalıydı, yüzünde hiç hayret yoktu. Dudağının bir kenarı acıyla aşağı kıvrılmış, bir kenarı da hafifçe sırıtır gibi açılmıştı. Sofrada ağzının o sırıtan kenarında bir sigara, önünde de bir kadeh rakı olurdu. Ama odada, birlikte yaşanmış şeylerin gücü değil, ölümün ve boşluğun sisi vardı.

Odaya beyaz ışık, cumbanın sol yanındaki pencereden geliyordu en çok. Dışarı bakınca daracık sokağı gördüm, bomboştu. Cumba sokağın ortasına kadar çıktığı için havada, sokağın ortasında gibi hissettim kendimi. Sokağın ileride Boğazkesen Caddesi'yle kesiştiği köşe, siste ancak seçiliyordu. Bütün mahalle sisin içinde uyuyor, bir kedi sokakta güvenle ağır ağır yürüyordu.

Tarık Bey başucuna, Kars Lisesi'nde öğretmenken şehrin Ruslardan kalma ünlü tiyatro salonunda oyun sergileyen öğrencileriyle çekilmiş bir resmini çerçeveletip asmıştı. Komodinin üstü ve yarı açık çekmecesi de tuhaf bir biçimde bana babamı hatırlattı. Çekmecenin içinden toz, ilaç, öksürük şurubu ve sararmış gazete kokusu karışımı tatlı bir koku geliyordu. Çekmecenin üzerinde bir bardak içinde takma dişler, Tarık Bey'in sevdiği Reşat Ekrem Koçu'nun bir kitabını gördüm. Çekmecenin içinde eski ilaç şişeleri, ağızlıklar, telgraflar, katlanmış doktor raporları, banker haberleri, havagazı ve elektrik faturaları, eski ilaç kutuları, tedavülden kalkmış eski bozuk paralar ve başka pek çok ıvır zıvır vardı.

Sabah Keskinlerde kalabalık birikmeden önce Nişantaşı'na gittim. Annem uyanmış; Fatma Hanım'ın yatağına, kucağındaki yastığın üzerine tepsi içinde getirip koyduğu kızarmış ekmekli, yumurtalı, reçelli, siyah zeytinli kahvaltıyı ediyordu. Beni görünce çok keyiflendi, mutlu oldu. Tarık Bey'in öldüğünü öğrenince, keyfinin kaçmasından başka, üzüldü. Nesibe'nin acısını içinde hissettiğini yüzünden, halinden anladım.

Ama üzülmekten de öte, daha derin bir duygu hissettim. Bir öfkesi vardı.

"Ben oraya gidiyorum gene," dedim. "Cenazeye seni Çetin getirsin."

"Ben cenazeye gelmeyeceğim oğlum."

"Niye?"

Önce saçmasapan iki bahane söyledi. "Gazetede niye ölüm ilanı yok, niye acele ediyorlar?" ve "Cenazeyi niye Teşvikiye Camii'nden kaldırmıyorlar, bu yanlış," dedi. Herkes cenazesini Teşvikiye Camii'nden kaldırırdı. Öte yandan bir zamanlar gülerek, şakalaşarak, arkadaşlık ederek elbise diktikleri Nesibe için de kederlendiğini, onu sevdiğini de görüyordum. Ama daha derinden kararlı olduğu başka bir şey vardı. Benim ısrarımı ve huzursuzluğumu görünce öfkelendi.

"Cenazeye niye gelmeyeceğim, biliyor musun?" dedi. "Çünkü gelirsem, sen o kızla evleneceksin."

"Nereden çıkarıyorsun? O evli."

"Biliyorum. Nesibe'nin kalbini kıracağım. Ama oğlum, ben yıllardır her şeyin farkındayım. Onunla evleneyim diye tutturursan, etrafa karşı hiç güzel olmayacak."

"Anneciğim, etrafın ne dediğinin ne önemi var?"

"Aman sakın beni yanlış anlama," dedi annem. Elindeki kızarmış ekmekle tereyağlı bıçağı ciddiyetle tepsinin kenarına bırakıp gözlerimin içine dikkatle baktı. "Başkalarının ne dediği elbette en sonunda önemli değildir. Önemli olan hissettiklerimizin hakikiliği, sahiciliğidir. Bunlara itirazım hiç yok, oğlum. Bir kadını sevmişsin... O da güzel. Ama o seni sevdi mi? Sekiz yılda ne oldu, niye hâlâ kocasını bırakmadı?"

"Bırakacak artık, biliyorum," diye attım utançla.

"Bak, rahmetli baban da kızı yaşında zavallı bir kadına heves etti, ona kapıldı... Hatta ona evler almış. Ama her şeyi gizli saklı tuttu, senin gibi kendini rezil etmedi. En yakın arkadaşı bile bilmezdi." Kapıdan giren Fatma Hanım'a döndü: "Fatma, biz biraz konuşuyoruz." Fatma hanım hemen çıktı, kapıyı da arkasından örttü. "Rahmetli babanız kuvvetli, akıllı, çok beyefendi bir adamdı, ama onun bile hevesleri, zayıflıkları vardı," dedi annem. "Yıllar önce Merhamet Apartmanı'ndaki dairenin anahtarını isteyince sana anahtarı verdim, ama babanın zayıflığı sende de vardır diye seni uyardım, 'Aman dikkat et,' dedim. Demedim mi? Oğlum beni hiç dinlemedin. Peki, bu senin kabahatin, Nesibe'nin ne günahı var diyeceksin. On yıl oldu, sana bu işkenceyi kızıyla birlikte yaptığı için Nesibe'yi hiç affedemem."

On değil, sekiz yıl, diye düzeltmedim. "Peki anne," dedim. "Ben onlara bir şey söylerim."

"Oğlum, o kızla mutlu olamazsın. Olabilseydin, şimdiye kadar olurdun. Ben senin bu cenazeye gitmene de karşıyım."

Annemin sözleri, hayatımı berbat ettiğimi kafama vurmuyor; tam tersi, bugünlerde hep hissettiğim gibi, yakında Füsun ile mutlu olacağımın müjdesini veriyordu bana. Bu yüzden ona hiç kızmıyor, hatta gülümseyerek dinliyor, bir an önce Füsun'un yanına dönmek istiyordum.

Annem ondan etkilenmediğimi görünce öfkelendi. "Kadınla erkeğin yan yana gelemediği, birbirleriyle görüşüp konuşamadığı memlekette aşk olmaz," dedi iddialı bir havayla. "Neden biliyor musun? Çünkü erkekler uygun bir kadın görür görmez, iyi-kötü, güzel-çirkin, hiç bakmaz, haftalardır aç kalmış hayvanlar gibi üzerine atlarlar. Hepsinin alışkanlığı budur. Sonra da bunu aşk zannederler. Böyle bir yerde aşk olur mu? Sakın kendini kandırma."

En sonunda annem beni kızdırmayı başarmıştı. "Peki anne," dedim. "Ben gidiyorum."

"Mahalle camiinde kılınan cenaze namazına kadınlar gitmezler," dedi asıl bahane buymuş gibi.

İki saat sonra Firuzağa Camii'nde kılınan namazın ardından cemaat dağılırken, cami önünde Nesibe Hala'ya sarılıp kucaklayanlar arasında kadınlar vardı, ama kalabalık değildiler. Kapanan Şanzelize Butik'in sahibesi Şenay Hanım'ı ve Ceyda'yı gördüğümü hatırlıyorum. Onları gördüğümde Feridun vardı yanımda, gösterişli kara gözlükler takmıştı. Ondan sonraki günlerde, her akşam erkenden Çukurcuma'ya gittim. Ama evde, sofrada derin bir huzursuzluk hissediyordum. Sanki Füsun ile durumumuzun ciddiyeti ve yapaylığı ortaya çıkmıştı. Olup bitenleri, her şeyi aramızda en iyi Tarık Bey görmezlikten geliyor, en iyi o "gibi yapıyor"du. Şimdi onun yokluğunda, bizler ne doğal olabiliyorduk ne de sekiz yıl boyunca akşam yemeklerinde takındığımız yarı samimi yarı sahte rahatlığımıza dönebiliyorduk.

75. İNCİ PASTANESİ

Nisan başında yağmurlu bir gün sabah evde annemle gevezelik ettikten sonra, öğleye doğru Satsat'a gittim. Kahvemi içip gazetemi okurken, Nesibe Hala telefon etti. Bir süre onlara gelmememi, mahallede tatsız dedikoduların çıktığını, şimdi telefonda her şeyi anlatamayacağını, ama benim için iyi haberleri olduğunu söyledi. Sekreterim Zeynep Hanım yan odadan bizi dinliyordu, Nesibe Hala'ya merakımı göstermek istemedim ve ne olduğunu sormadım.

Meraktan içim içimi yiyerek beklediğim iki günün sonunda, gene aynı sabah saatinde Nesibe Hala Satsat'a geldi. Sekiz yılda onunla o kadar çok vakit geçirmeme rağmen, onu yazıhanede görmeyi o kadar yadırgamıştım ki, İstanbul'un uzak mahallelerinden ya da taşradan kusurlu bir Satsat ürününü değiştirmek, bedava bir Satsat takvimi ya da küllüğü almak için gelmiş de yanlışlıkla yukarı çıkmış bir müşteriye bakar gibi bir an boş boş baktım ona.

Zeynep Hanım, gelenin benim için çok önemli biri olduğunu –belki benim halimden, belki zaten birşeyler bildiği için– çoktan kavramıştı. Bize Neskafemizi nasıl içmek istediğimizi sorunca, Nesibe Hala "Türk kahvesi varsa alayım kızım," dedi ona.

Aradaki kapıyı kapadım. Nesibe Hala masamın karşısına oturup gözlerimin içine dimdik baktı.

"Her şey halloldu," dedi, bir müjde vermekten çok, hayatın aslında ne kadar basit olduğunu ima eder bir havayla. "Füsun ile Feridun ayrılıyorlar. Limon Film'i ona, Feridun'a bırakırsan iş tatlıya bağlanacak. Bunu Füsun da istiyor. Ama önce ikiniz konuşacaksınız."

"Feridun ile ben mi?"

"Hayır, Füsun ile sen."

Benim ilk sevincimi yüzümde izledikten sonra sigarasını yaktı, koltuğunda bacak bacak üstüne attı ve hikâyeyi tadını çıkararak, ama uzatmadan anlattı. İki gün önce, akşam Feridun eve gelmiş, biraz sarhoşmuş, Papatya'dan ayrılmış, Füsun'a eve dönmek istiyormuş, ama tabii ki Füsun onu istememiş. Bir kavga çıkmış, ne yazık ki komşuların, mahallenin işittiği bağırışmalar olmuş, çok utanmışlar. Nesibe Hala benim akşamları gelmememi bu yüzden istemiş... Daha sonra Feridun telefon etmiş, Nesibe Hala ile Beyoğlu'nda buluşup görüşmüşler. Karıkoca ayrılmaya karar vermişler.

Bir sessizlik oldu. "Aşağı kapının kilidini değiştirdim," dedi Nesibe Hala. "Artık evimiz Feridun'un evi değil."

Yalnız Satsat'ın önünden geçen gürültücü otobüsler değil, bir an bütün dünya sessizliğe büründü sandım. Elimde sigara onu büyülenmiş gibi dinlediğimi görünce, Nesibe Hala bütün hikâyeyi biraz daha ayrıntıya girerek yeniden anlattı. "O oğlana zaten hiçbir gün kızmadım," dedi, bu sonucu zaten baştan tahmin etmiş iddialı birinin edasıyla. "Evet, çok iyi kalplidir, ama çok da zayıftır... Hangi anne kızını öyle bir damada vermek ister..." deyip bir an sustu. Ondan sonraki cümlenin, "Tabii mecbur kaldık" gibi bir şey olmasını bekliyordum, ama bambaşka bir şey dedi.

"Kendim de birazını yaşadım. Bu memlekette güzel kadın olmak çok zordur, güzel kız olmaktan da zor... Erkekler, sen de bilirsin Kemal, elde edemedikleri güzel kadınlara kötülük ederler, Feridun Füsun'u bütün bu kötülüklerden korudu..."

Bu kötülüklerden birinin de kendim olup olmadığımı düşündüm bir an.

"Tabii bütün bu iş bu kadar sürmemeliydi," deyiverdi sonra. Hayatımın aldığı tuhaf şekli ilk defa fark ediyormuş gibi yarı hayret yarı sükunetle susuyordum.

"Tabii ki Limon Film Feridun'un hakkı!" dedim sonra. "Ben onunla konuşurum. O bana hiç kızıyor mu?"

"Hayır," dedi Nesibe Hala. Kaşlarını çattı. "Ama Füsun seninle ciddi konuşmak istiyor. Tabii ki içinde kalan çok şey var. Konuşacaksınız."

Hemen orada Füsun ile benim üç gün sonra, öğleden sonra ikide Beyoğlu'nda İnci Pastanesi'nde buluşmamıza karar verdik. Nesibe Hala lafı daha fazla uzatmadan, bu yabancı ortamda huzursuz oluyormuş havasıyla, ama mutluluğunu da iyi bir insan gibi hiç gizlemeden gitti.

9 Nisan 1984 Pazartesi günü öğle üzeri Füsun ile buluşmak için Beyoğlu'na çıktığımda, aylardır hayallerini kurduğu liseli bir kızla buluşacak bir delikanlı gibi mutlu ve heyecanlıydım. Gece sabırsızlıktan iyi uyuyamamış, Satsat'ta öğleyi zor getirmiş, Çetin'e beni Taksim'e bırakmasını erkenden istemiştim. Taksim Meydanı güneşliydi, ama her zaman gölgeler içinde olan İstiklal Caddesi'nin serinliği, vitrinler, sinema girişleri, çocukluğumda annemle girdiğimiz pasajların nem ve toz kokusu bana iyi geldi. Hatıralar ve mutlu bir gelecek vaadi başımı döndürüyor; iyi birşeyler, yemek, bir film seyretmek ve alışveriş etmek isteyen kalabalığın iyimserliğini paylaşıyordum.

Füsun'a bir hediye almak için Vakko'ya, Beymen'e, başka biriki dükkâna girip baktım, ama ne alacağıma karar veremedim. Heyecanımı yatıştırmak için Tünel'e doğru yürüyordum ki, buluşma saatinden yarım saat önce Mısırlı Apartmanı'nın önünde Füsun'u gördüm. Üzerinde neşeli iri puanlar olan, baharlık, beyaz hoş bir elbise giymiş; kışkırtıcı bir kara gözlükle babamın küpelerini takmıştı. Bir vitrine baktığı için o beni fark etmemişti.

"Ne tesadüf değil mi?" diye girdim söze.

"Aaa... Merhaba Kemal! Nasılsın?"

"Çok güzel bir gün, işten kaçtım," dedim, sanki yarım saat sonra randevumuz yokmuş da, tam bir rastlantıyla karşılaşmışız gibi. "Birlikte yürüyelim mi?"

"Önce anneme düğme bulmam lazım," dedi Füsun. "Israr ettiler, çok acele bir elbise yetiştiriyor, senden sonra eve gidip ona yardım edeceğim. Aynalı Pasaj'da ona tahta düğme bakalım mı?"

Yalnız Aynalı Pasaj'da değil, diğer pasajlarda da pek çok dükkâna uğradık. Füsun tezgâhtarlarla konuşurken, renk renk düğme örneklerine bakarken, sorular sorup eski düğmeler arasında bir takım yapmaya çalışırken onu seyretmek ne güzeldi.

Eski bir takım tahta düğmede karar kıldı, bana gösterdi. "Ne diyorsun bunlara?"

"Güzeller."

"Peki."

Dokuz ay sonra, evdeki dolabında kâğıdından hiç çıkmamış olarak bulacağım düğmelerin parasını verdi.

"Hadi gel biraz yürüyelim," dedim. "Bir kere Beyoğlu'nda karşılaşır da birlikte yürürüz diye sekiz yıldır hayal kuruyorum."

"Gerçekten mi?"

"Sahiden..."

Hiç konuşmadan biraz yürüdük. Arada bir ben de onun gibi vitrinlere bakıyordum, ama gözüm sergilenen şeylerde değil, onun camekânlarda yansıyan güzelliğindeydi. Beyoğlu kalabalığında yalnız erkekler değil, kadınlar da ona dikkatle bakıyor, Füsun da bundan hoşlanıyordu.

"Bir yerde oturup pasta yiyelim istersen," dedim.

Füsun cevap vermeden, kalabalığın içinden çıkan bir kadın

bir sevinç çığlığı atıp ona sarıldı. Ceyda'ydı, yanında biri sekiz-dokuz yaşlarında, biri daha küçük iki oğlu vardı. Onlar konu-şurken, kısa pantalonlu, beyaz çoraplı ve Ceyda gibi kocaman gözlü, sağlıklı, hayat dolu iki çocuk beni süzdü.

"Ne güzel sizi birlikte görmek!" dedi Ceyda.

"Şimdi karşılaştık..." dedi Füsun.

"Çok yakışmışsınız birbirinize," dedi Ceyda. Aralarında alçak sesle konuştular.

"Anne sıkıldım, hadi gidelim artık, ne olur," dedi çocuklar-dan büyüğü.

Sekiz yıl önce bu çocuk karnındayken, Ceyda ile Taşlık Par-kı'ndan Dolmabahçe'ye bakarak oturup aşk acılarımı konuştu-ğumuzu hatırladım. Ama bu beni ne duygulandırdı, ne de ke-derlendirdi.

Ceyda gittikten sonra, Saray Sineması'nın önünde yavaşladık. İçeride Papatya'nın başrolde olduğu *Belalı Beste* filmi oynuyor-du. Papatya son on iki ayda, gazetelerin yazdığı doğruysa, tam on yedi filmde ve fotoromanda başrol oynayarak bir dünya re-koru kırmıştı. Magazin sayfaları ona Hollywood'dan başrol tek-lifleri geldiği yalanını atıyor, Papatya da elinde *Longman's* giriş kitabı İngilizce dersleri aldığını, Türkiye'yi temsil etmek için elinden gelen her şeyi yapacağı yalanıyla bu konuyu daha da köpürtüyordu. Füsun lobi fotoğraflarını incelerken, benim de yüzündeki ifadeye dikkatle baktığımı gördü.

"Hadi gidelim canım," dedim.

"Merak etme, Papatya'yı kıskanmıyorum," dedi bilgece.

Vitrinlere bakarak hiç konuşmadan yürüdük.

"Kara gözlük sana çok yakışıyor," dedim. "İçeri girip profite-rol yiyelim mi?"

Annesiyle belirlediğimiz randevunun tam vaktinde İnci Pas-tanesi'nin önündeydik. Hiç duraklamadan içeri girdik, arka-da üç gündür hayal ettiğim gibi boş bir masa vardı, oturduk ve pastanenin ünlü profiterolünden ısmarladık.

"Gözlükleri, yakışsın diye takmıyorum," dedi Füsun. "Arada bir babamı hatırlayınca gözlerim sulanıyor. Kimse görsün istemiyorum. Papatya'yı da kıskanmadığımı anladın değil mi?"

"Anladım."

"Ama onu takdir ediyorum," diye devam etti. "Kafasına bir şey koydu, filmlerdeki Amerikalılar gibi ısrar etti, başardı. Ben, Papatya gibi sinema oyuncusu olamadığım için değil, onun gibi hayatta ısrar etmediğim için üzülüyor, kendimi suçluyorum."

"Ben dokuz yıldır ısrar ediyorum, ama ısrar ile her şey olmuyor."

"Olabilir," diye soğukkanlılıkla cevap verdi. "Annemle konuşmuşsun. Şimdi biz konuşalım."

Sigarasını kararlı bir hareketle çıkardı. Çakmağımla sigarasını yakarken gözlerinin içine baktım ve onu ne kadar çok sevdiğimi, artık kötü günlerin bittiğini, kaybedilen bütün vakitlere rağmen önümüzde büyük bir mutluluk olduğunu, küçük pastanede kimse duymasın diye fısıldayarak bir kere daha söyledim.

"Ben de öyle düşünüyorum," dedi dikkatli, ölçülü bir havayla. Gergin hareketlerinden, yüzünün hiç de doğal olmayan ifadesinden içinde fırtınaların koptuğunu, ama bütün gücünü kullanarak onları bastırdığını sezdim. Her şey düzgün olsun diye iradesini kararlılıkla kullandığı için onu daha da çok seviyor, içindeki fırtınaların şiddetinden de korkuyordum.

"Feridun'dan resmen boşandıktan sonra bütün arkadaşlarınla, ailenle, herkesle görüşmek, ahbap olmak isterim," dedi, ileride ne yapacağını kararlılıkla anlatan sınıf birincisi bir öğrenci edasıyla. "Acelem yok. Yavaş yavaş... Feridun'dan boşandıktan sonra, tabii önce annenin bize gelip beni istemesi lazım. Annenle annem güzel anlaşırlar. Ama önce annenin anneme telefon edip babamın cenazesine gelemediği için bir gönlünü alması lazım."

"Çok rahatsızdı."

"Tabii, biliyorum."

Bir an susup profiterollerimizi kaşıkladık. İçi tatlı çikolata ve krema dolu güzel ağzına şehvetten çok, sevgiyle baktım.

"Şuna inanmanı ve ona göre de davranmanı beklerim. Evliliğim boyunca Feridun ile aramızda karı-koca ilişkisi olmadı. Buna inanman şart! Bu anlamda bakireyim. Hayatta da bir tek seninle birlikte olacağım. Dokuz sene önce geçirdiğimiz o iki aydan (aslı bir buçuk aydan iki gün azdı, sayın okurlar) kimseye söz etmemize gerek yok. Sanki seninle yeni tanışıyoruz. Yani filmlerde olduğu gibi birisiyle evlendim, ama hâlâ bakireyim."

Son iki cümleyi hafifçe gülümseyerek söylemişti, ama talep ettiği şeyin ciddiyetini gördüğüm için kaşlarımı çatarak "Anlıyorum," dedim.

"Böylesi bizi daha mutlu edecek," dedi makul bir ifadeyle. "Bir başka isteğim daha var. Bu zaten benim değil, senin fikrindi. Hep birlikte arabayla Avrupa yolculuğuna çıkmamızı istiyorum. Annem de Paris'e benimle gelecek. Müzelere gider, resimlere bakarız. Evlenmeden önce evimizin çeyizini de oradan almak istiyorum."

"Evimizin" kelimesine hafifçe gülümsedim. Füsun, sözlerinin buyurgan havasının tam tersi bir edayla, tıpkı zaferle biten uzun bir savaştan sonra haklı isteklerini şakaya getirerek dile getiren nazik bir komutan gibi hafifçe gülümseyerek konuşuyordu. Daha sonra "Hilton'da, herkesinki gibi güzel büyük bir düğün olsun!" derken kaşlarını ciddiyetle çattı. "Her şey doğru dürüst, düzgün ve özenli olacak," dedi. Dokuz yıl önce benim Hilton'daki nişandan iyi-kötü hiçbir hatırası yokmuş da, yalnızca düğünün iyisini istiyormuş gibi duygusuz bir havayla söylemişti bunu.

"Ben de öyle istiyorum," dedim.

Biraz sustuk.

Çocukluğumda annemle çıktığımız Beyoğlu gezilerimizin önemli noktası olan küçük İnci Pastanesi otuz yılda hiç değişmemişti. Ama daha kalabalıktı ve konuşmakta da zorlanıyorduk.

Bir an küçük dükkânda sihirli bir sessizlik olunca fısıldayarak Füsun'a onu çok sevdiğimi, her istediğini yapacağımı, hayatımın geri kalanını onunla geçirmekten başka bu dünyada hiçbir isteğim olmadığını söyledim.

"Gerçekten mi?" dedi matematik çalışırkenki çocuksu havasıyla.

Bu sözüne kendi de gülecek kadar kararlı, güvenliydi. Özenli bir hareketle bir sigara yaktı ve diğer isteklerini de saydı. Ondan gizli hiçbir şeyim olmayacaktı, bütün sırlarımı onunla paylaşacaktım, geçmişimle ilgili sorduğu her soruya dürüstçe cevap verecektim.

Bütün bu sözlerle birlikte gördüğüm her şey, Füsun'un kararlı, sert yüz ifadesi, pastanenin eski dondurma makinesi, Atatürk'ün çerçeveli fotoğrafındaki tıpkı Füsun'unkiler gibi çatık kaşları hafızama kazınıyordu. Nişanı Paris'e gitmeden önce, aile içinde yapmaya karar verdik. Feridun'dan saygıyla söz ettik.

Evlenmeden önce aramızda cinsel bir yakınlaşma olmayacağı gerçeğinin de üzerinden bir kere daha şöyle geçtik:

"Beni zorlama olur mu? Zaten bir sonuç alamazsın."

"Biliyorum," dedim. "Ben de aslında seninle görücü usulüyle evlenmek isterdim."

"Zaten öyle sayılır!" dedi kendine güvenen bir havayla.

Artık evde bir erkek olmadığı için her akşam (her akşam!) onlara gelmemin de mahallede yanlış anlaşılacağını söyledi. "Tabii mahalle bahane..." dedi sonra. "Babam olmayınca eskisi gibi tatlı sohbet de olmuyor. Çok da üzülüyorum."

Bir an ağlayacak sandım, ama kendini tuttu. Pastanenin bir itişte açılan yaylı kapıları, içerideki kalabalıktan kapanmıyordu. Lacivert ceketli, çarpık ince kravatlı ve çok gürültülü bir liseli öğrenci kalabalığı, içerisini tıkış tıkış doldurmuştu. Aralarında gülüşüyor, itişiyorlardı. Fazla uzatmadan kalktık. Füsun'un yanında Beyoğlu kalabalığında yürümenin zevklerini çıkararak, ta Çukurcuma Yokuşu'nun başına kadar hiç konuşmadan ona eşlik ettim.

76. BEYOĞLU SİNEMALARI

Füsun ile İnci Pastanesi'nde konuştuğumuz şeylerin ruhuna sadık kalmayı başardık. Nişantaşlı çevremden bambaşka bir dünyada, Fatih'te yaşayan bir askerlik arkadaşım hemen Füsun'un avukatı oldu. Karı-koca anlaşarak ayrılmaya karar verdikleri için iş zaten kolaydı. Füsun gülerek Feridun'un avukat bulmak için bir ara benden akıl almayı bile düşündüğünü söylemişti. Artık akşamları Çukurcuma'ya gidip onu göremiyordum, ama iki günde bir öğleden sonra Beyoğlu'nda buluşup sinemaya gidiyorduk.

Bahar aylarında cadde ısınınca, Beyoğlu sinemalarının serinliğini çocukluğumda da çok severdim. Füsun ile önce Galatasaray'da buluşup afişlere baka baka bir sinemayı seçer, bilet alıp karanlık, serin ve tenha sinemaya girer, perdeden yansıyan ışıkta arkalarda gözlerden uzak bir yere oturur, el ele tutuşur, perdedeki filmi sonsuz zamanı olan insanların rahatlığıyla seyrederdik.

Yaz başında sinemaların bir bilete iki, hatta üç film göstermeye başladığı günlerde, bir keresinde pantalonumu çekerek oturur, elimdeki gazeteyle dergiyi karanlıkta yandaki boş koltuğa yerleştirirken elim Füsun'un elini bulup tutmakta gecikince, Füsun'un güzel eli sabırsız bir serçe gibi kucağıma çıkmış, karnımın üzerinde, neredesin der gibi bir an açılmış, aynı anda elim ruhumdan da hızlı davranarak ona hasretle sarılmıştı.

Beyoğlu'nun yazları iki film (Emek, Fitaş, Atlas), hatta üç film (Rüya, Alkazar, Lâle) gösteren sinemalarında, kışları olduğu gibi filmin ortasında ara verilmediğinden, nasıl bir kalabalıkla birlikte film seyrettiğimizi iki film arasında ışıklar yanınca görürdük. Bu aralarda, soluk ışıklarla aydınlatılan küf kokulu büyük salonların koltuklarında kaykılarak, katlanarak, iyice arkaya yaslanarak oturan, ellerinde buruş buruş gazeteleri, buruş buruş elbiseli yalnız erkekleri, bir köşede uyuyakalmış ihtiyarları, filmin hayal dünyasından toz kokulu loş ışıklı sinemanın alelade dünyasına geçmekte zorlanan hülyalı seyircileri seyrederek, Füsun ile en son gelişmelerden, şundan bundan fısıldaşarak konuşurduk. (Aralarda el ele tutuşmazdık.) Sekiz yıldır olmasını istediğim şeyin resmen olduğunu, Feridun'dan resmen boşandığını Füsun bana Saray Sineması'nın locasında böyle bir film arasında fısıldayarak söyledi.

"Avukat karar kâğıdını almış," dedi. "Artık resmen dulum."

Tavanları yaldızlı, boyaları dökülmüş, eski şaşaasını kaybetmiş Saray Sineması'nın loş salonunun sahnesi, perdeleri, koltuklara dağılmış uykulu seyircileri, hayatımın sonuna kadar unutamayacağım bir görüntü olarak o anda hafızama kazındı. Atlas'ın, Saray gibi sinemaların locaları on yıl önceye kadar, tıpkı Yıldız Parkı gibi el ele tutuşup öpüşecek özel bir köşeyi bulamayan çiftlerin gittiği yerlerdi, ama Füsun locada kendini öptürmez, yalnızca elimi bacağının, dizinin üstüne koymama karşı çıkmazdı.

Feridun ile son görüşmemiz iyi geçti, ama umduğumun ve sandığımın aksine, benim için kötü bir hatıra oldu. Füsun'un, İnci Pastanesi'nde bu sekiz yılda onunla sevişmediğini iddia etmesi ve benim buna inanmamı istemesi beni sarsmıştı. Çünkü ben zaten bu fikre, evli bir kadına âşık olan pek çok erkek gibi kafamın bir köşesinde sekiz yıldır gizlice inanıyordum. Hikâyemin gizli bir püf noktası olan bu inanç sayesinde, Füsun'a olan aşkım o kadar uzun sürebilmişti.

Füsun ile Feridun'un mutlu bir cinsel hayatları olan bir karıkoca olduklarını açıkça ve kuvvetli bir şekilde uzun bir süre düşünebilseydim (bunu bir-iki kere acıyla denemiştim ve bir daha da denemek istememiştim) zaten Füsun'a olan aşkım o kadar uzun sürmezdi. Yıllardır kendimi kandırarak inandığım şeyi, Füsun bana bir iddia havasıyla ve buna kesinlikle inanmamı emrederek söyleyince, hemen bunun doğru olmadığını açıkça düşünmüş, hatta kendimi aldatılmış hissetmiştim. Ama evliliklerinin altıncı yılında Feridun onu zaten bıraktığı için artık gerçeği kabul edebilirdim. Ama bunu düşünür düşünmez de, Feridun'a karşı dayanılmaz bir kıskançlık, bir öfke duyuyor, onu aşağılamak istiyordum. Sekiz yıl ona karşı bu öfkeyi hiç duymamış olmam da, Feridun ile bu süreyi neredeyse hiçbir çatışma olmadan geçirmemizi sağlamıştı. Feridun'un, özellikle ilk yıllarda bana tahammül edebilmesinin nedeninin de, karısıyla arasındaki bu mutlu cinsel yaşam olduğunu, sekiz yıl sonra şimdi çok iyi anlıyordum. Karısıyla mutlu bir hayatı olan, ama cemaat hayatını ve kahveye gidip arkadaşlarla iş konuşup gevezelik etmeyi de seven her erkek gibi, Feridun akşamları çıkmak istemişti. Füsun'un evliliğinin ilk yıllarında kocasıyla yaşadığı mutluluğu sınırladığımı –kendimden sakladığım bir başka bilgiyi– Feridun'un gözlerinin içine bakarken aklımdan açıklıkla geçirdim, ama suçluluk duymadım.

İçimde okyanusun en derin ve sınırsız yeri gibi sekiz yıldır sessizce duran kıskançlık, Feridun ile bu son görüşmemizde kıpırdamaya başlamıştı; bazı eski arkadaşlarıma yaptığım gibi, Feridun'u da artık hayatımın sonuna kadar hiç görmemem gerektiğini anladım. Benden önce Füsun'a duyduğu aşk yüzünden yıllarca acı çekmiş Feridun'a karşı yıllarca bir kardeşlik, bir yoldaşlık hissettiğimi bilenler, şimdi tam işleri hallederken ona karşı duyduğum öfkeyi anlamayabilirler. Bana her zaman bir muamma olarak gözüken Feridun'u şimdi anlamaya başlıyordum, diyerek bu konuyu kapayayım.

Feridun'un gözlerinden ise, benim Füsun ile gelecekteki mutluluğumu biraz kıskandığını hissettim. Ama Divan Oteli'nde yediğimiz o uzun son öğle yemeğinde ikimiz de bol bol rakı içerek rahatlamış; Limon Film'in Feridun'a devir ayrıntılarından sonra bizi rahatlatan, sevindiren, gülümseten yeni bir konuya geçmiştik. Feridun, sanat filmi *Mavi Yağmur*'u en sonunda yakında çekmeye başlayacaktı.

Feridun ile o gün o kadar çok içmiştim ki, Satsat'a hiç uğramadan, ağır ağır yürüyerek eve dönüp sızdım. Merak edip yatağıma kadar gelen anneme, sızmadan önce, "Hayat çok güzel!" dediğimi hatırlıyorum. İki gün sonra, şimşeklerin çaktığı gök gürültülü bir akşamüstü, Çetin'in kullandığı arabayla annemi Çukurcuma'ya götürdük. Annem, Tarık Bey'in cenazesine gitmek istemediğini unutmuş gibi davranıyordu. Ama sakin değildi, gergin olduğu zamanlarda hep yaptığı gibi yol boyunca hiç susmadı. "Aa ne kadar güzel yapmışlar kaldırımları buralarda," dedi Füsunlara yaklaşırken. "Bu mahalleleri hep görmek isterdim, ne güzel bir yokuşmuş bu, ne güzel yerlermiş." Eve girerken, yağmur öncesi esen serin bir rüzgâr, parke taşlarının üzerindeki tozu bir an havalandırdı.

Annem daha önceden telefon edip Nesibe Hala'ya başsağlığı dilemiş, birkaç kere görüşmüşlerdi. Gene de bizim "kız isteme" ziyareti, ilk başta Tarık Bey için bir başsağlığı ziyaretine dönüştü. Ama başsağlığından daha derinlere giden bir şeyi hepimiz hissettik. İlk baştaki tatlı sözlerden, kibar ifadelerden, "Burası ne güzelmiş, ne kadar da özlemiştim, ne kadar üzüldük," laflarından sonra, Nesibe Hala ile annem birbirlerine sarılıp ağlamaya başladılar. Füsun odadan çıkıp yukarı kaçtı.

Yakınlara bir yere bir yıldırım düşünce, birbirlerine sarılmış duran iki kadın doğruldular. "Hayırdır!" dedi annem. Daha sonra başlayan sağanak yağmur sırasında gök hâlâ gürülderken, yirmi yedi yaşındaki dul Füsun, on sekiz yaşında görücüye çıkmış bir kız gibi kibar hareketlerle taşıdığı bir tepsinin içinde bize kahve getirdi.

"Nesibe, Füsun aynen sen olmuş!" dedi annem. "Senin gibi... Ne kadar da akıllı gülüyor, ne kadar da güzel olmuş!"

"Yok, o benden çok daha akıllıdır," dedi Nesibe Hala.

"Rahmetli Mümtaz da Osman ile Kemal'in kendisinden daha akıllı olduğunu hep söylerdi, ama bilmem dediğine inanır mıydı? Yeni kuşaklar sanki bizden daha mı akıllılar," dedi annem.

"Kızlar kesin daha akıllı," dedi Nesibe Hala. "Biliyor musun Vecihe —nedense bu sefer abla dememişti—, hayatta en pişman olduğum şey nedir..." Kendi diktiklerini satacağı, kendi adını duyuracağı bir dükkân açmayı bir dönem çok istediğini, ama cesaret edemediğini anlatırken, "Eli doğru dürüst makas bile tutamayan, bir teyel atamayanlar şimdi meşhur modaevi sahibi oldular," diye şikâyet etti sonra.

Hep birlikte pencereye gidip yağmuru, yokuştan akan suları seyrettik.

"Rahmetli Tarık Bey, Kemal'i çok severdi," dedi Nesibe Hala sofraya otururken. "Her akşam 'Biraz daha bekleyelim, belki Kemal Bey gelir,' derdi."

Annemin bu sözden hiç hoşlanmadığını hissettim.

"Kemal ne istediğini bilir," dedi annem.

"Füsun da çok kararlıdır," dedi Nesibe Hala.

"Onlar zaten karar vermişler," dedi annem.

Ama "kız isteme" sözleri bundan daha ileriye gitmedi.

Ben, Nesibe Hala, Füsun birer kadeh rakı almıştık; annem nadiren içerdi, ama o da istedi ve iki yudumdan sonra da babamın deyişiyle rakının kendinden çok kokusundan hemen neşelendi. Bir zamanlar Nesibe ile birlikte nasıl sabahlara kadar çalışıp kendisine gece elbisesi diktiklerini hatırladı. Bu konu ikisinin de hoşuna gitti, o zamanların düğünlerini, elbiselerini hatırladılar.

"Vecihe'nin plili elbisesi o kadar meşhur oldu ki, aynısını dikmemi sonra Nişantaşlı başka kadınlar da istedi, hatta Paris'ten aynı kumaşı bulmuşlar, getirip önüme koydular, ama ben dikmedim," dedi Nesibe Hala.

Füsun bir tören havasıyla sofradan kalkıp Limon'un kafesine gidince, ben de kalktım.

"Yemeğin ortasında kuş ile meşgul olmayın Allah aşkına!" diye sofradan seslendi annem. "Merak etmeyin, birbirinizi görmek için daha çok vaktiniz olacak... Durun, durun bakalım, ellerinizi yıkamadan katiyen sizi sofraya oturtmam."

Ellerimi yıkamak için yukarı çıktım. Füsun ellerini aşağıda, mutfakta da yıkayabilirdi, ama peşimden geliyordu. Yukarıda, merdivenlerin başında Füsun'u kollarından tuttum, gözlerinin içine baktım ve onu dudaklarından ihtirasla öptüm. On-on iki saniye süren derin, olgun, sarsıcı bir öpüştü. Dokuz yıl önce çocuk gibi öpüşürdük. Bu öpüş ise, bütün bu dokuz yılın ağırlığıyla, gücüyle, maneviyatıyla, çocukluktan çok uzaktı. Önce Füsun koşarak aşağı indi.

Daha fazla neşelenmeden, ağzımızdan çıkan her söze dikkat ederek yemeği bitirdik, yağmur dinince hiç gecikmeden kalktık.

"Anneciğim, kızı istemeyi unuttun," dedim dönüş yolunda, arabada.

"Sen bu yıllarda onlara ne kadar gittin?" diye sordu annem. Benim bir an suskun kaldığımı görünce kestirip attı. "Ne kadar gittiysen gittin... Nesibe bir şey dedi, içime oturdu. Yıllardır oturup annenle çok az akşam yemeği yediğin için belki biraz kalbim kırıldı –kolumu okşadı–, ama merak etme oğlum, aldırmadım. Ama liseli kız istiyormuşmuş gibi de yapamadım artık. O evlenmiş, boşanmış, koskocaman bir kadın. Aklı başında, ne yaptığını da çok iyi biliyor. Siz ikiniz aranızda her şeyi konuşmuş, her şeye karar vermişsiniz. Yapmacıklı sözlere, numara yapmaya ne gerek var. Bana kalırsa nişana da gerek yok... Bu işi uzatmadan, elâleme laf ettirmeden hemen evlenin... Avrupa'ya da gitmeyin. Nişantaşı'ndaki dükkânlarda her şey var artık, Paris'e neden gideceksiniz ki..."

Benim sustuğumu görünce konuyu kapadı.

Evde, odasına girip yatmadan önce, annem "Haklıymışsın," dedi bana. "Güzel, akıllı kadınmış. Sana iyi karı olur. Ama dikkat et, çok çekmiş gibi duruyor. Tabii ben bilmem, ama içindeki öfke, kin, neyse artık, hayatınızı zehirlemesin."

"Zehirlemez!"

Tam tersi, bizi hayata, İstanbul'a, sokaklara, insanlara, her şeye bağlayan bir duyguyla yavaş yavaş birbirimize derinden yaklaşıyorduk. Sinemada elini tutarken, bazan Füsun'un hafifçe ürperdiğini hissederdim. Bazan omzunu hatta başını hafifçe benim omzuma dayıyordu artık. Bana daha çok yaslanabilsin diye koltuklara iyice gömülerek oturur, elini iki elimle tutar, bazan da belli belirsiz bacağını okşardım. İlk haftalarda pek istemediği locada oturmaya da Füsun artık karşı çıkmıyordu. Elini elimin içinde tutarken, seyrettiğimiz filme Füsun'un gösterdiği çeşit çeşit duygusal tepkiyi de, tıpkı nabız tutan bir doktorun parmaklarının ucunda hastasının en mahrem iç sızılarını hissetmesi gibi hisseder, böylece filmi bir de onun duygusal yorumuyla izlemekten çok büyük hazlar alırdım.

Film aralarında, Avrupa yolculuğu hazırlıklarından, yavaş yavaş birlikte insanlar arasına çıkmaktan dikkatle söz ediyorduk, ama annemin nişan konusundaki sözlerini hiç açmadım. Nişanın güzel olmayacağını, çok dedikodu edileceğini, aile arasında bile huzursuzluk olacağını, kalabalık çağırırsak kalabalık yüzünden, çağırmazsak da kimseyi çağırmadığımız için dedikodu edileceğini anlıyor, yavaş yavaş Füsun'un da aynı görüşe geldiğini hissediyordum. O da sanırım aynı endişelerle nişan konusundan uzak duruyordu. Hiç nişanlanmamaya, Avrupa'dan dönünce doğrudan evlenmeye, böyle neredeyse hiç konuşmadan karar verdik. Film aralarında, daha sonra gitmeye başladığımız Beyoğlu pastanelerinde karşılıklı sigaralarımızı içerken, Avrupa yolculuğu hayallerinden söz etmekten ikimiz de daha çok hoşlanırdık. Füsun *Otomobille Avrupa* adlı Türkler için yazılmış bir kitap almıştı, sinemalara elinde onunla gelirdi. Sayfalarını çevirirken, güzergâhı konuştuğumuzu hatırlıyorum. İlk gece Edirne'de kaldıktan sonra, Yugoslavya ve Avusturya üzerinden gitmeye karar vermiştik. Füsun benim rehber kitaplarımdaki Paris manzaralarına bakmaktan da hoşlanır, "Viyana'ya da gidelim," derdi. Bazan da kitaptaki Avrupa manzaralarına bakarken, tuhaf ve kederli bir sessizliğe bürünüp hayallere dalardı.

"Ne oldu canım, ne düşünüyorsun?" diye sorardım ben.

"Bilmiyorum," derdi Füsun.

Nesibe Hala, Füsun ve Çetin, hayatlarında ilk defa Türkiye dışına çıkacakları için ilk pasaportlarını alıyorlardı. Onları devlet dairelerinin işkencesinden ve kuyruklarda beklemenin eziyetinden koruyabilmek için Satsat'ta bu işlere bakan komiser Selami'yi devreye sokmuştum. (Dikkatli okurlar, sekiz yıl önce emekli komiseri kayıp Füsun'un ve Keskin ailesinin izini bulsun diye görevlendirdiğimi hatırlayacaklardır.) Aşk yüzünden dokuz yıldır Türkiye'den dışarı hiç çıkmadığımı, böyle bir ihtiyacımın kalmadığını da böyle fark ettim. Oysa bir zamanlar, üç-dört ayda bir, bir bahaneyle yurtdışına çıkmazsam mutsuz olurdum.

Böylece pasaport işleri için imza vermeye sıcak bir yaz günü Babıali'deki Vilayet'e, Emniyet Pasaport Şubesi'ne gittik. Osmanlı Devleti'nin son yıllarında sadrazamların, vezir paşaların oturduğu, baskınlara, siyasi cinayetlere, lise tarih kitaplarında anlatılan nice dehşete sahne olmuş eski bina, Osmanlı'dan Cumhuriyet'e kalan pek çok büyük yapı gibi yaldızını ve tantanasını kaybetmiş, koridorlarında, merdivenlerinde evrak, damga ve imza kuyruğunda binlerce kişinin bezginlikle beklediği, birbiriyle kavga edip bağırıştığı bir mahşer yerine dönüşmüştü. Aşırı sıcak ve nemden ellerimizdeki evraklar hemen hamurlaşmıştı.

Akşama doğru bir başka evrak için Sirkeci'deki Sansaryan Hanı'na sevk edildik. Babıali Yokuşu'ndan aşağı inerken, eski Meserret Kahvehanesi'nin biraz yukarısında, Füsun hiçbirimizden izin almadan küçük bir çayhaneye girdi, bir masaya oturdu.

"Ne oluyor gene buna..." dedi Nesibe Hala.

Çetin Efendi'yle ikisi dışarıda beklerken, ben içeri girdim.

"Ne oldu canım, yor-uldun mu?" diye sordum.

"Ben vazgeçtim, Avrupa'ya filan gitmek istemiyorum," dedi Füsun. Bir sigara yakmıştı, dumanını iyice içine çekti. "Siz gidin, alın pasaportunuzu, benim halim kalmadı."

"Canım, sık dişini, yüzdük yüzdük sonuna geldik."

Biraz direndi, huysuzluk etti, ama sonra ister istemez bizimle geldi güzelim. Benzeri bir küçük buhranı, Avusturya Başkon-

515

solosluğu'nda vize almak isterken yaşadık. Vize kuyruklarında zorlanmasınlar, görüşmelerde aşağılanmasınlar diye Nesibe Hala ile Füsun'u, tıpkı Çetin Efendi gibi yüksek maaşlı, uzman Satsat çalışanı olarak gösteren belgeler düzenletmiştim. Hepimize vize verdiler, ama Füsun'un gençliğinden şüphelendiler ve vize için onu görüşmeye çağırdılar. Ben de onunla gittim.

Altı ay önce, vize başvuruları yıllardır geri çevrilen öfkeli biri, İsviçre Konsolosluğu'nda çalışan bir memuru kafasından dört kurşunla vurup öldürdüğü için, İstanbul'daki konsoloslukların vize kısımları aşırı sıkı önlemler almıştı. Artık vize adayları Avrupalı vize memurlarıyla yüz yüze değil, Amerikan filmlerindeki idamlıklar gibi kurşun geçirmez camlar ve teller arasından telefon ile görüşebiliyordu. Konsoloslukların önleri vize kısmına yaklaşabilmek, bahçeye, avluya girebilmek için birbirleriyle dirsekleşen kalabalıklarla kaynaşıyordu. Türk memurlar (özellikle Alman Konsolosluğu'nda bu memurlar için "İki günde Alman'dan daha çok Alman olmuş!" denirdi) bu kalabalıkları sıraya girmedikleri için azarlar, itip kakar, bazılarının kılık kıyafetine bakıp "Sen boşuna gelme!" diye tersleyerek ilk elemeyi yaparlardı. Görüşme için randevu alabilmek vize adaylarını çok mutlu eder, içeride kurşun ve ses geçirmez camlar arasında hepsi zor bir sınava giren öğrenciler gibi titrer ve kuzu gibi sessiz ve itaatkâr olurdu.

Torpilli olduğumuz için Füsun bu kuyruklarda hiç beklemeden ve gülümseyerek görüşmeye girdi, çok geçmeden de alı al moru mor içeriden çıktı ve bana bakmadan dosdoğru sokağa yürüdü. Dışarıda sigara yakmak için yavaşlayınca yetiştim ona. Ne olduğunu sordum, ama cevap vermedi. Vatan Meşrubat ve Sandviç Sarayı'na girip oturunca "Avrupa'ya filan gitmek istemiyorum, vazgeçtim," dedi.

"Ne oldu? Vermiyorlar mı?"

"Bütün hayatımı sordu. Neden boşandığımı bile sordu. İşsizsem ve dulsam ne ile geçiniyormuşum, onu bile sordu. Avrupa'ya da gitmiyorum. İstemiyorum kimsenin vizesini."

"Ben başka türlü hallederim," dedim. "Ya da gemiyle, İtalya üzerinden gideriz."

"Kemal, inan ben Avrupa yolculuğundan da vazgeçtim. Dil de bilmiyorum, utandım."

"Canım, biraz dünya görürüz... Dünyanın başka yerlerinde, başka türlü yaşayan, daha mutlu insanlar da var. El ele tutuşur, onların sokaklarında yürürüz. Dünya, yalnızca Türkiye değil."

"Biraz Avrupa görüp sana layık olmam lazım, değil mi? Ama ben seninle evlenmekten de vazgeçtim."

"Paris'te çok mutlu olacağız Füsun."

"Bilirsin ne kadar inatçı olduğumu. Israr etme Kemal. O zaman daha da inat ediyorum."

Gene de ısrar ettim ve yıllar sonra ısrarlarımdan acıyla pişmanlık duyduğumda, yolculukta bir otel odasında Füsun ile sevişmeyi gizliden gizliye sık sık hayal ettiğimi hatırladım. Avusturya'dan kâğıt ithal eden Snob Selim'in yardımıyla, Füsun'un vizesini bir hafta sonra aldık. Aynı günlerde arabanın "triptik" işlemleri de tamamlandı. Sayfaları Paris yolunda uğrayacağımız ülkelerin vizeleriyle rengârenk olmuş pasaportunu Saray Sineması'nda, locada Füsun'a verirken, tuhaf bir gurur, bir çeşit koca olma gururu duydum. Yıllar önce İstanbul'un çeşit çeşit köşelerinde Füsun'un hayaletlerini gördüğüm günlerde, bir hayalete de Saray Sineması'nda rastlamıştım. Füsun pasaportunu alınca, önce gülüverdi, sonra kaşlarını çatıp sayfaları çevirip bir bir vizeleri inceledi.

Bir seyahat şirketi üzerinden, Paris'teki Hôtel du Nord'da üç büyük oda ayırttım. Bana, Çetin Efendi'ye ve bir de Füsun ile annesine. Sorbonne'da –yani üniversitede demek istemiştim– okuduğu yıllarda Sibel'i görmeye Paris'e gittiğimde başka otellerde kalırdım, ama tıpkı ileride zengin olunca gideceği yerleri düşleyen öğrenciler gibi, filmlerden ve hatıralardan çıkma bu eski otelde bir gün kalıp mutlu saatler geçireceğimi düşlerdim.

"Hiç gerek yok, evlenin öyle gidin," diyordu annem. Hadi sen sevdiğin kızla seyahat etmenin keyfini çıkaracaksın... Ama Nesibe ile Çetin Efendi ne olacak?.. Onların ne işi var sizin yanınızda? Önce evlenin, sonra ikiniz yalnız başınıza balayına Paris'e uçakla gidersiniz. Beyaz Karanfil'e ben söylerim, iki sosyete sütunu bunu romantik bir hikâye gibi, herkesin seveceği bir dedikodu gibi yazar, her şey de iki günde unutulur. Zaten o eski dünya değişti artık. Taşralı zenginler doldurdu her yeri. Sonra ben Çetinsiz ne yaparım. Beni sağa sola kim götürecek?"

"Anneciğim, bütün yaz Suadiye'deki evden ve bahçeden dışarı iki kere çıktınız zaten. Merak etmeyin, Eylül'ü geçirmeden döneceğiz. Sizi Ekim başında Nişantaşı'na geriye, ben söz veriyorum, Çetin getirecek... Size de düğün için Nesibe Hala elbise seçecek."

77. BÜYÜK SEMİRAMİS OTELİ

27 Ağustos 1984 günü saat on ikiyi çeyrek geçe, Çetin'in kullandığı arabayla Avrupa yolculuğuna çıkmak için Çukurcuma'daki eve geldik. Füsun ile Şanzelize Butik'te karşılaşmamızın üzerinden tam dokuz yıl dört ay geçmişti, ama ne bunun ne de bu sürede hayatımın ve kişiliğimin nasıl değiştiğinin üzerinde durup düşünmedim bile. Annemin bitmeyen öğütleri ve gözyaşlarından ve trafik yüzünden geç kalmıştık. Hayatımın bu dönemini artık kapatmak ve bir an önce yola çıkmak istiyordum. Uzun bir bekleyişten sonra Çetin Efendi, Füsun'un ve Nesibe Hala'nın bavullarını bagaja yerleştirirken, arabamızın etrafını saran çocuklardan, gülümseyerek selamladığım mahallelinin bakışlarından hem sıkılıyordum hem de kendimden bile sakladığım bir gurur duyuyordum. Araba Tophane'ye inerken futboldan dönen Ali'yi görünce, Füsun ona el salladı. Yakında Füsun'dan Ali benzeri bir çocuğum olacağını aklımdan geçirdim.

Galata Köprüsü'nde arabanın pencerelerini açtık ve yosun, deniz, güvercin pisliği, kömür dumanı, araba egzosu ve ıhlamur çiçeklerinin kokusunun karışımı bir İstanbul kokusunu mutlulukla içimize çektik. Füsun ile Nesibe Hala arkaya oturmuşlardı. Ben günlerdir hayal ettiğim gibi önde Çetin'in yanındaydım ve araba Aksaray'dan, surların arasından, kenar mahallelerden çukurlara gire çıka, parke taşı kaplı caddelerde titreye titreye ilerlerken, kolumu arka koltuğa atıp arada bir mutlulukla Füsun'a bakıyordum.

Şehir dışında, Bakırköy'ün arkalarında bir yerde imalathaneler, depolar, yeni mahalleler ve moteller arasında yol alırken, dokuz yıl önce ziyaret ettiğim Turgay Bey'in tekstil fabrikası ilişti gözüme, ama o gün çektiğim kıskançlık acısını bile doğru dürüst hatırlayamadım. Araba İstanbul dışına çıkar çıkmaz, Füsun için yıllardır çektiğim bütün çile, bir solukta özetlenebilecek tatlı bir aşk hikâyesine dönüşmüştü. Sonu mutlu biten bütün aşk hikâyeleri, birkaç cümleden fazlasını hak etmez zaten! İstanbul'dan uzaklaştıkça sessizlik arabaya yavaş yavaş, belki de bu yüzden çöküyordu. İlk dakikalarda cıvıl cıvıl şakalar yapan, "Aman şunu unutmadık değil mi!" diye sorular soran ve pencereden gördüğü her şey hakkında –boş arsalarda otlamakta olan bir deri bir kemik ihtiyar atlar hakkında bile– hayranlıkla birkaç söz söyleyen Nesibe Hala, Büyükçekmece Köprüsü'ne gelmeden önce uyuyakalmıştı.

Çatalca çıkışında bir benzincide Çetin Efendi depoyu doldururken, Füsun ile annesi arabadan çıktılar. Kenardaki satıcı teyzeden yörenin fol peynirinden bir paket alıp yandaki çay bahçesinin masasına oturdular ve çay ve simitle keyfini çıkararak peynir yediler. Bu hızla Avrupa yolculuğumuzun haftalar değil, belki de aylar süreceğini düşünerek ben de onlarla oturdum. Bundan şikâyetçi miydim? Hayır! Füsun'un karşısında otururken, hiç konuşmadan ona bakıyordum ve ilk gençlik yıllarımın danslı partilerinde ya da yaz başlarında çok güzel bir kızla karşılaştığım zaman hissettiğim cinsten tatlı bir ağrı, hafif hafif karnıma, göğsüme yayılıyordu. Derin, yıkıcı aşk acısı değildi bu, tatlı bir aşk sabırsızlığıydı.

Saat yedi kırkta, güneş gözümüzün içine baka baka ayçiçeği tarlaları arasından battı. Çetin Efendi arabanın lambalarını yaktıktan az sonra, "Çocuklar, bu karanlıkta gitmeyelim Allah aşkına!" dedi Nesibe Hala.

Çift şeritli yolda, kamyon şoförleri uzak lambalarını hiç söndürmeden üzerimize üzerimize geliyorlardı. Babaeski'yi geçtikten az sonra, mor neon lambaları karanlığa göz kırpan Büyük Semiramis Oteli bana gece kalmak için uygun bir yermiş gibi gözüktü. Çetin'e yavaşlamasını söyledim, araba yandaki Türk Petrol'ün önünden kıvrılıp (bir köpek "Hav hav hav," dedi) otelin önünde durunca, sekiz yıldır hayalini kurduğum şeyin burada gerçekleşeceğine karar veren kalbim aşkla ve hızla atmaya başladı.

Üç katlı, adı hariç özentiden uzak temiz otelin resepsiyonuna bakan emekli astsubaydan (duvarda üniformalı, silahlı ve mutlu bir resmi asılıydı) Füsun ile Nesibe Hala'ya bir, Çetin Efendi'yle bana da birer oda istedik. Odamda yatağa uzanıp tavana bakarken, bu uzun yolculuk boyunca her gece yanımdaki odada Füsun uyurken tek başıma uyumanın, bana onu dokuz yıl beklemekten bile zor gelebileceğini sezdim.

Aşağıda, küçük yemek odasına girince, Füsun'un onun için hazırladığım sürprize uygun bir havaya büründüğünü gördüm. Otel sanki Avrupa'da zengin bir sahil kasabasındaki 19. yüzyıl sonundan kalma lüks bir yermiş ve oradaki kadife perdeli şık salona akşam yemeğine inermiş gibi, Füsun özenle makyajını tazelemiş, yıllar önce ona aldığım ve burada şişesini sergilediğim Le soleil noir kokusundan sürmüş ve dudaklarının boyasıyla aynı renk, kıpkırmızı bu elbiseyi giymişti. Elbisenin ışıltısı, güzelliğini, esmer saçlarının parlaklığını iyice ortaya çıkarmıştı. Almanya'dan dönen yorgun işçi ailelerinin oturduğu yan masalardan meraklı çocuklar ve şehvetli babalar arada bir dönüp ona bakıyorlardı.

"Çok yakıştı bu akşam sana bu kırmızı..." dedi Nesibe Hala. "Paris'te otelde, sokaklarda giyince, daha da iyi gözükür. Ama yolda, her akşam giyme canım."

Aynı fikirde olduğumu söylemem için Nesibe Hala bana bir bakış attı, ama hiçbir şey çıkmadı ağzımdan. Füsun'un, onu aşırı güzel gösteren elbiseyi aslında her akşam giymesini istediğim için değil yalnızca... Mutluluğun çok yakında olduğunu, ama onu elde etmenin de zor olacağını hisseden genç âşıklar gibi gerilmiştim; ağzımı açmak gelmiyordu içimden. Tam karşımda oturan Füsun'un da aynı durumda olduğunu hissediyordum. Bakışlarını benden kaçırıyor, sigarayı yeni başlamış liseli kız gibi acemice içiyor ve sigarasının dumanını kenara üflüyordu.

Otelin Babaeski Belediyesi'nden onaylı sade menüsüne bakarken, sanki geride bıraktığımız dokuz yılı gözden geçiriyormuşuz gibi uzun, tuhaf bir sessizlik oldu.

Çok sonra garson gelince, bir büyük şişe Yeni Rakı istedim.

"Bu akşam sen de iç de, kadeh tokuşturalım Çetin Efendi," dedim. "Nasıl olsa yemekten sonra beni eve götürmeyeceksin."

"Maşallah, çok beklediniz Çetin Bey," dedi Nesibe Hala içten bir takdir duygusuyla. Bana bir an göz attı. "Sabırla, tevekkülle insanın kazanamayacağı kalp, fethedemeyeceği kale yoktur, değil mi?"

Rakı gelince, herkes gibi Füsun'un kadehine de bolca koydum ve bunu yaparken gözlerinin içine baktım. Sinirli ve gergin olduğu zamanlarda yaptığı gibi sigarasını, ucuna bakarak içtiğini görmek hoşuma gidiyordu. Nesibe Hala dahil hepimiz buzlu rakıyı, istekle iksir içer gibi içmeye başladık. Biraz sonra rahatladım.

Dünya aslında güzeldi, sanki bunu yeni fark ediyordum. Füsun'un narin gövdesini, uzun kollarını, güzel göğüslerini hayatımın sonuna kadar okşayacağımı, başımı onun boynuna gömüp kokusunu içime çekerek yıllarca uyuyacağımı artık çok iyi biliyordum.

Çocukluğumda, mutluluk anlarımda yaptığım gibi, beni mutlu eden şeyi "mahsusçuktan" unutup, çevremdeki her şeyi güzel bularak dünyaya yeni bir gözle baktım: Duvarda Atatürk'ün fraklı, şık ve hoş bir fotoğrafı vardı. Onun yanına bir İsviçre manzarası, Boğaz Köprüsü'nü gösterir bir manzara resmi, ta dokuz yıl öncesinden hatıra, Meltem Gazozu içen Inge'nin tatlı bir pozu asılmıştı. Saat dokuzu yirmi geçeyi gösterir bir saati ve resepsiyon duvarında da "çiftlere evlilik cüzdanı sorulur" levhasını gördüm.

"Bugün *Rüzgârlı Yokuşlar* var," dedi Nesibe Hala. "Söyleyelim mi televizyonu ayarlasınlar..."

"Daha vakit var anne," dedi Füsun.

Yemek salonuna, otuzlarında yabancı bir çift girdi. Herkes dönüp baktı onlara; onlar da bizi kibarca selamladılar. Fransızdılar. O yıllarda Türkiye'ye Batı'dan çok turist gelmezdi, ama gelenlerin pek çoğu arabalarıyla gelirdi.

Vakti gelince otel sahibi, başörtülü karısı, başörtüsüz yetişkin iki kızı –birinin mutfakta çalıştığını görmüştüm– televizyonu ayarladılar ve müşterilere sırtlarını dönüp diziyi sessizce seyre koyuldular.

"Kemal Bey, oradan göremeyeceksiniz," dedi Nesibe Hala. "Yanımıza gelin."

Nesibe Hala ile Füsun'un arasındaki daracık yere sandalyemi çekip oturarak, İstanbul tepelerinde geçen *Rüzgârlı Yokuşlar*'ı seyretmeye başladım. Ama gördüğümü anladığımı söyleyemem. Füsun'un çıplak kolu benim çıplak koluma kuvvetlice yaslanmıştı! Onun koluna yapışmış olan benim sol kolumun özellikle sol üst yanı, alevler içinde yanıyordu. Gözüm ekrandaydı, ama ruhum sanki Füsun'un ruhunun içine girmişti.

İçimdeki bir başka göz Füsun'un boynunu, güzel göğüslerini, göğüslerinin ucundaki çilek memeleri, karnının beyazlığını görüyordu. Füsun da yavaş yavaş kolunu benimkine daha fazla güçle yaslıyordu. Ne Füsun'un sigarasını üzerinde "Batanay Ayçiçek Yağı" yazan bir küllükte ezip söndürmesiyle ne de uçları kıpkırmızı dudak boyalı sigara izmaritleriyle ilgilendim.

Dizi bitince televizyon kapatıldı. Otel sahibinin büyük kızı radyoyu açtı, Fransızların hoşuna giden tatlı, hafif bir müzik buldu. Sandalyemi eski yerine çekerken, az daha düşüyordum. Çok içmiştim. Füsun da üç kadeh rakı içmişti, göz ucuyla saymıştım.

"Kadeh tokuşturmayı unuttuk," dedi Çetin Efendi.

"Evet, tokuşturalım," dedim. "Aslında küçük bir tören yapma zamanı geldi artık. Çetin Efendi, şimdi bizim nişan yüzüklerimizi de sen takacaksın."

Kapalıçarşı'dan bir hafta önce aldığım yüzüklerin kutusunu bir sürpriz havasıyla çıkardım, kapağını açtım.

"Doğrusu budur efendim," dedi Çetin Efendi hemen duruma uyum göstererek. "Nişanlanmadan evlenilmez. Uzatın parmaklarınızı bakayım."

Füsun gülümseyerek, ama heyecanla parmağını uzatmıştı bile.

"Bundan dönüş yoktur," dedi Çetin Efendi. "Çok mutlu olacaksınız, biliyorum... Sen öbür elini uzatacaksın Kemal Bey."

Nişan yüzüklerimizi, hiç duraksamadan bir anda taktı. Bir alkış koptu. Yan masadan Fransızlar bizi seyrediyormuş, bir-iki başka uykulu müşteri de katıldı onlara. Füsun çok tatlı gülümsüyor, kuyumcuda yüzük seçen biri gibi parmağındaki yüzüğe bakıyordu.

"Parmağına uydu mu canım?" dedim.

"Uydu," dedi gülümsemesini hiç gizlemeden.

"Çok da yakıştı."

"Evet."

"Dans, dans," dedi Fransızlar.

"Ya, hadi bakalım!" dedi Nesibe Hala.

Radyodaki tatlı müzik dansa uygundu. Ayakta durabilecek miydim?

İkimiz de aynı anda sandalyeden kalktık. Belinden tutup Füsun'a sarıldım. Çok güzel kokuyordu; belini, kalçasını, belkemiğini parmaklarımın altında hissettim. Füsun benden daha ayıktı. Dansı da, ciddiye alıp bana duygulu bir şekilde sarılarak etti. Kulağına onu ne kadar sevdiğimi söylemek istedim, ama bir tutukluğa kapıldım.

İkimiz de çok sarhoştuk, ama gene de aklımızın bir yanı bizi kendimizi koyuvermekten alıkoyuyordu. Biraz sonra yerimize oturduk. Fransızlar bizi gene alkışladılar.

"Ben kalkayım," dedi Çetin Efendi. "Sabah motora bakacağım. Yola erken çıkıyoruz, değil mi?"

Çetin rap diye ayağa kalkmasaydı, belki Nesibe Hala daha da oturacaktı.

"Çetin Efendi, arabanın anahtarını versene," dedim.

"Kemal Bey, bu akşam hepimiz çok içtik, aman sakın direksiyona el sürmeyin."

"El çantam bagajda kalmış, kitabımı alacağım."

Uzattığı anahtarı aldım. Çetin Efendi bir an toparlandı, babama gösterdiği aşırı saygılı hareketlerden birini yapıp eğildi.

"Anne, sen odanın anahtarını bana nasıl vereceksin?" dedi Füsun.

"Kapıyı kilitlemem," dedi Nesibe Hala. "Açar, girersin."

"Şimdi ben arkandan gelir alırım."

"Acele etme. İçeride anahtar kapının üzerinde olacak," dedi Nesibe Hala. "Kilidin içine sokar, kilitlemem. İstediğin zaman gelirsin."

Nesibe Hala ile Çetin Efendi gidince, hem rahatladık hem de gerildik. Füsun bütün hayatını birlikte geçireceği damat ile ilk defa yalnız kalan gelin gibi, gözlerini benden kaçırıyordu. Ama bunun bilinen utangaçlıktan başka bir duygu olduğunu da seziyordum. Ona dokunmak istedim. Sigarasını yakmak için uzandım.

"Odana çıkıp kitap mı okuyacaktın?" dedi Füsun. Kalkmaya hazırlanıyormuş gibiydi.

"Yok canım, belki arabayla bir tur atarız diye düşünmüştüm."

"Çok içtik Kemal, olmaz."

"Birlikte gezeriz."

"Artık yukarı çık ve yat."

"Kaza yaparım diye mi korkuyorsun?"

"Korkmuyorum."

"O zaman arabayı alayım, yan yollara sapıp tepeler, ormanlar içinde kaybolalım."

"Olmaz, yukarı çık, yat. Ben kalkıyorum."

"Nişanlandığımız akşam beni masada yalnız bırakıp gidiyor musun?"

"Yok, daha oturuyorum," dedi. "Burada oturmak aslında çok hoşuma gidiyor."

Fransızlar masalarından bize bakıyorlardı. Orada hiç konuşmadan yarım saate yakın oturmuş olmalıyız. Arada bir göz göze geliyorduk, ama bakışlarımız içe dönmüştü. Aklımın sinemasında hatıralardan, korkulardan, istekten ve anlamını hiç çıkaramadığım başka pek çok resimden yapılmış eklemeli tuhaf bir film oynuyordu. Daha sonra masada bardaklarımız arasında hızlı hızlı yürüyen iri bir karasinek filme girdi. Kendi elim, Füsun'un sigaralı eli, bardaklar ve Fransızlar da filme girip çıkıyorlardı. Duyduğum yoğun sarhoşluk ve aşka rağmen, aklımın bir yanıyla kafamdaki filmin çok mantıklı olduğunu sanıyor ve bütün dünyanın Füsun ile aramızda aşk ve mutluluktan başka hiçbir şey olmadığını bilmesinin şu anda çok önemli olduğunu düşünüyordum. Bu sorunu sineğin tabaklar arasında yürüdüğü hızla çözmeliydim. Fransızlara mutlu olduğumuzu gösterir bir şekilde gülümsedim, onlar da aynı şekilde bize gülümsediler.

"Sen de gülsene onlara."

"Güldüm, tamam," dedi Füsun. "Ne yapayım başka, göbek mi atayım?"

Füsun'un çok sarhoş olduğunu unutuyor, her söylediğini ciddiye alarak bazan kederleniyordum. Ama mutluluğum kolay bozulacak gibi değildi. İçe içe insanın bütün dünyanın birliğini ve tekliğini hissettiği o derin ruh haline girmiştim. Kafamdaki sinekli, hatıralı filmin verdiği fikir de buydu işte. Füsun için yıllardır hissettiğim her şey, onun için çektiğim bütün acılar, dünyanın karmaşıklığı ve güzelliğiyle aklımda bir bütün olmuştu ve bu bütünlük ve tamamlanmışlık duygusu bana olağanüstü güzel geliyor ve derin bir huzur veriyordu. Derken kafam bir süre sineğin ayakları birbirine dolanmadan nasıl bu kadar hızla yürüyebildiğine takıldı. Sonra sinek yok oldu.

Füsun'un elini masanın üzerinde kendi elimin içinde tutuyordum ve hissettiğim huzur ve güzelliğin benim elimden ona, ondan bana geçtiğini anlıyordum. Füsun'un güzel sol eli, yorgun bir hayvan gibi alttaydı, benim sağ elim onu tersinden yakalamış, kabaca üstüne çıkmış, bastırmıştı sanki. Bütün dünya kafamın, kafalarımızın içinde dönüyordu.

"Dans edelim mi?" dedim.

"Hayır..."

"Niye?"

"Şimdi istemiyorum!" dedi Füsun. "Böyle oturmak bana yetiyor."

Ellerimizi kastettiğini anlayarak gülümsedim. Zaman durmuş gibiydi, hem orada saatlerdir el ele oturuyormuş gibi hissediyor hem de şimdi geldiğimizi zannediyordum. Bir an orada ne yaptığımızı unuttum. Sonra baktığımda lokantada bizden başka kimse olmadığını gördüm.

"Fransızlar gitmiş."

"Onlar Fransız değildi," dedi Füsun.

"Nereden anladın?"

"Arabalarının plakalarını gördüm. Atina'dan geliyorlar."

"Arabalarını nereden gördün?"

"Lokantayı kapatacaklar, biz de gidelim."

"Oturuyoruz işte!"

"Haklısın," dedi olgunlukla.

Bir süre daha el ele oturduk.

Sağ eliyle paketinden dikkatle bir sigara çıkarıp, tek eliyle hünerle yakıp, bana gülümseyerek ağır ağır içti. Bu, saatler sürmüş gibi geldi bana. Kafamda yeni bir film başlamıştı ki, Füsun elini elimden çekip ayağa kalktı. Ben de peşinden yürüyordum. Kırmızı elbisesinin arkasına bakarak merdivenleri çok dikkatle, hiç sendelemeden çıktım.

"Senin odan bu yanda," dedi Füsun.

"Önce seni odana, annene bırakayım."

"Hayır, sen git kendi odana," diye fısıldadı.

"Çok üzülüyorum, bana güvenmiyorsun. Bütün hayatını benle nasıl geçireceksin?"

"Bilmiyorum," dedi. "Git hadi odana."

"Çok güzel bir akşam," dedim. "Çok mutluyum. Hayatımızın sonuna kadar her an böyle mutlulukla geçecek, inan bana."

Öpmek için ona yaklaştığımı gördü ve benden önce ilk o sarıldı bana. Bütün gücümle, neredeyse zorla onu öptüm. Uzun uzun öpüştük. Bir ara gözümü açtım ve dar ve basık koridorda Atatürk'ün resmini gördüm. Odama gelmesi için öpüşler arasında Füsun'a yalvardığımı hatırlıyorum.

Odaların birinden bizi uyaran yapay bir öksürük sesi geldi. Bir kapı kilidi kurcalandı.

Füsun kollarımdan çıktı, koridoru dönüp kayboldu.

Arkasından umutsuzlukla baktım. Odama girdim, elbiselerimle kendimi yatağa atıverdim.

78. YAZ YAĞMURU

Oda kör karanlık değildi, Edirne yolunun ve benzincinin lambaları içeri vuruyordu. Uzakta bir orman mı vardı? Çok uzaktan bir şimşeğin çaktığını belli belirsiz fark ettim. Aklım bütün âleme, her şeye açılmıştı.

Çok vakit geçti. Kapı vuruldu, kalkıp açtım.

"Annem kapıyı kilitlemiş," dedi Füsun.

Karanlıkta beni görmeye çalışıyordu. Elinden tutup onu içeri çektim. Yatağa elbiselerimle uzandım, onu da yanıma yatırdım ve sarılarak kendime yasladım. Korunmak isteyen bir kedi gibi sokuldu bana. Başını göğsümle boynum arasında bir yere gömdü. Bana ne kadar sokulursa o kadar mutlu olacakmışız gibi beni kuvvetle kendine çekiyor, titriyordu. Masallardaki gibi sanki onu bir an önce öpmezsem ölecektik. Öpüştüğümüzü, iyice buruşan kırmızı elbisesini çekiştire çekiştire çıkardığımızı, uzun uzun ve kuvvetle öpüştüğümüzü, somya gıcırdadığı için ikide bir utanıp yavaşladığımızı, saçlarının göğsüme ve yüzüme dökülüşünün beni çok tahrik ettiğini hatırlıyorum; ama "yaptım-ettim" gibi kararlılık ifade eden bir dille konuşmam, yaşadığımız şeyi bilinçle yaşadığımızı, her anı tek tek hatırladığımı düşündürtmesin.

Aşırı içkiden, heyecan ve gerginlikten tek tek saniyeleri, anları, onları yaşadıktan çok sonra belli belirsiz ancak fark ediyordum. Yıllardır beklediğim şeyi, artık hiç vakit geçirmeden yaşama telaşı, bu dünyada mutluluğu bulmanın inanılmazlığı, sevişmekten almam gereken zevki, bir parlayıp bir anda yok olan tatlı anların hepsini birbirinin içine geçirip genel bir izlenime indirmişti. Sanki benim denetimim dışında başımdan birşeyler geçiyor, ama bir rüyada olacağı gibi ben bunları kendi isteğimle yaşayıp yönlendirdiğimi zannediyordum.

Çarşafların arasına girdiğimizi ve tenimin, onun tenine değdikçe alev gibi yandığını hatırlıyorum. Dokuz yıl önceki sevişmelerimizin unuttuğum ve unuttuğumu bile bilmediğim pek çok hatırasını, o mutlu günlerin diğer hayat ayrıntılarıyla birlikte yeniden yaşadığımı da büyülenerek hissettim. İçimde yıllardır bastırılmış mutluluk isteği, istediğimizi elde etmiş olmanın (memelerini ağzıma sonuna kadar almıştım bile) zafer ve sevinç duygusuyla birleşerek yaşadığım şeyi belirsizleştirmiş, anları, duyguları, hazzı birbirine karıştırmıştı. En sonunda onu elde ettiğimi aklımın bir yanından geçirirken, Füsun'un her şeyine, çıkardığı aşk inlemelerine, bana çocuk gibi sarılışına, kadife teninin bir an parlamasına hayranlık ve şefkat duyuyordum. Bir ara Füsun kucağıma oturmuştu, yoldan geçen gürültülü bir kamyonun (yorgun motorunun derin ve yoğun uğultusu bizi taklit ediyordu) lambalarının büyüyerek yaklaşan ışığında, birbirimizin gözlerinin içine neşeyle, mutlulukla baktığımız eşsiz bir anı çok iyi hatırlıyorum. Sonra beklenmedik kuvvetli bir rüzgâr esti, her şey bir an titredi, yakında bir yerde bir kapı çarptı, ağaçların yaprakları bizimle bir sırrı paylaşır gibi hışırdadı. Çok uzaklardan bir şimşeğin mor ışığı odayı bir an aydınlattı.

Gittikçe artan bir istekle sevişirken geçmişimiz, geleceğimiz, hatıralarımız ve o anın hızla yükselen mutlu zevki birbirine karışıyordu. Bağırışlarımızı kesmeye çalışarak ter içinde "sonuna kadar" gittik. Dünyadan, hayatımdan, her şeyden çok memnundum. Her şey güzel ve anlamlıydı. Füsun bana iyice sokulmuştu, başımı boynuna yaslayıp o güzel kokuyu koklayarak uyuyakaldım.

Çok sonra, rüyamda bazı mutluluk görüntüleri gördüm. Burada müzegezerlere bu rüyaların görüntülerini sunuyorum. Rüyamda gördüğüm deniz, çocukluğumdaki gibi çivit mavisiydi. Yaz başlarında Suadiye'deki eve giderken, sandal gezintilerinin, su kayağı yaptığım mutlu zamanların, keyif için balığa çıktığımız akşamüstlerinin hatıraları, içimi hoş bir sabırsızlıkla doldururdu. Rüyamdaki fırtınalı deniz, içimde sanki yaz başlarındaki o hoş mutluluğu uyandırıyordu. Derken üzerimden ağır ağır geçip giden yumuşacık bulutları gördüm, biri babama benziyordu; okyanusta, fırtınada, ağır ağır batıp kaybolan bir gemiyi, çocukluğumun resimli romanlarını hatırlatan bazı siyahbeyaz hayalleri, karanlık, belirsiz, ama korkutucu bazı resimleri ve hatıraları gördüm. Bunlarda unutulmuş ve yeniden bulunmuş hatıraların tadı vardı. Eski filmlerdeki İstanbul görüntüleri, şehrin karlı sokakları, siyah-beyaz kartpostalları geçti gözlerimin önünden.

Rüyamdaki bu görüntüler bana yaşama mutluluğunun, bu dünyayı görme zevkinden asla ayrılamayacağını öğretiyordu.

Sonra şiddetli bir rüzgâr, bütün bu görüntüleri canlandırarak üzerimden geçti ve terli sırtımı ürpertti. Akasya ağaçlarının yaprakları sağa sola ışıklar saçar gibi dönüyor, rüzgârda hoş bir hışırtı çıkarıyordu. Rüzgâr şiddetlenince, bu yaprak ve ağaç hışırtısı tehditkâr bir uğultuya dönüştü. Gök uzun uzun gürledi. O kadar şiddetli bir gürültüydü ki, uyandım.

"Ne güzel uyuyordun," dedi Füsun ve beni öptü.

"Ne kadar uyudum?"

"Bilmiyorum, ben de az önce gök gürültüsüyle uyandım."

"Korktun mu?" dedim, ona sarıldım, kendime çektim.

"Hayır, korkmadım."

"Birazdan yağmur başlar..."

Başını, göğsümle omzumun arasına bir yere yasladı. Karanlıkta yattığımız yerden, uzun bir süre hiç konuşmadan pencereden dışarısını seyrettik. Çok uzaklarda bir yerde, bulutlu gök, arada bir mor ve pembemsi bir ışıkla aydınlanıyordu. İstanbul-Edirne yolunun gürültülü kamyonları ve otobüsleriyle yolculuk edenler, uzaklardaki bu fırtınalı yeri sanki görmüyorlardı da, dünyanın o tuhaf köşesinin bir biz farkındaydık.

Yoldan geçen araçların gürültüsünden önce uzak lambalarının ışığı odaya giriyor, sağımızdaki duvarda sessizce büyüyerek odayı iyice aydınlatıyor ve aracın gürültüsünü işittiğimiz anda ışığı şekil değiştirip kayboluyordu.

Arada öpüşüyorduk. Sonra kaleydoskopla oyalanan çocuklar gibi, odaya vuran ışıkların duvarlarda oynadığı oyunlara gene bakıyorduk. Çarşafların içinde bacaklarımız, tıpkı karı-kocalar gibi yan yana uzanıyordu.

Önce birbirimizi hafifçe, dikkatle, yeniden keşfederek okşadık. İlk sarhoşluktan uzaklaştığımız için şimdi sevişmek çok daha güzel ve anlamlıydı. Göğüslerini, mis kokulu boynunu uzun uzun öptüm. Cinsel isteğin karşı durulması zor gücünü fark ettiğim ilk gençlik yıllarında, bir çeşit hayret ve büyülenmeyle şöyle düşündüğümü hatırlıyordum: İnsan güzel bir kadınla evliyse, onunla sabahtan akşama kadar sevişir, başka bir şey yapmaya vakit kalmaz. Aynı çocuksu düşünceyi geçirdim aklımdan. Önümüzde sınırsız bir zaman vardı. Dünya cennete yakın, ama yarı karanlık bir yerdi.

Bir otobüsün güçlü uzak ışıklarında, Füsun'un çekici ve tatlı dudaklarını, yüzündeki bu dünyadan çok uzaklara gittiğini gösteren ifadeyi gördüm. Otobüsün ışıkları kaybolduktan sonra, uzun bir süre bu duyguyu yaşadım. Sonra Füsun'un karnını öptüm. Arada bir yol sessizliğe bürünüyordu. O zaman çok yakında bir yerden bir ağustosböceğinin cırcırlarını duyuyorduk. Daha uzaktan kurbağa vraklamaları mı geliyordu, yoksa Füsun'a dokundukça dünyanın narin iç seslerini, otların ortasındaki hışırtıyı, toprağın içinden gelen derin ve sessiz uğultuyu, hayatın içinde hiç fark edemediğim doğanın belli belirsiz soluk alış verişlerinin sesini mi keşfediyordum, bilmiyorum. Karnını uzun uzun öptüm, kadifemsi teninin üzerinde aylakça dudaklarımı gezdirdim. Arada bir daldığı sudan keyifle başını çıkaran bir karabatak gibi başımı kaldırıyor ve sürekli değişen ışıkta, Füsun ile göz göze gelmeye çalışıyordum. Sırtıma konup beni ısıran ve arada vızıltısını işittiğimiz bir de sivrisinek vardı.

Birbirimizi yeniden keşfetmenin zevklerini tadarak uzun uzun seviştik. Sevişirken aynı hareketleri yaptıkça, onunla bu yeniden tanışmamızın heyecanları, kafamın bir köşesine gene hiç silinmemecesine kaydoluyor ve aynı zamanda da sınıflanıyordu:

1. İlk mutlu deneyim, dokuz yıl önce 1975'te Füsun ile kırk dört gün boyunca sevişirken keşfettiğim ona özgü belirgin bazı davranışlarını yeniden sevinçle yaşamaktı. Sevişirkenki inlemelerini, yüzünde beliren masum ve şefkatli bakışı –kaşları ilgiy-

le çatılırdı– ve beliyle kalçası arasından iki yandan onu kuvvetle tutarken, vücutlarımızın alt-üst yerleşmesi sırasında –tıpkı tek bir aletin birleştirilen parçaları gibi– gövdelerimizin çeşitli yanları arasında oluşan özel uyumu, öpüşürken dudaklarının dudaklarıma doğru çiçek gibi açılışını, bu dokuz yıl boyunca pek çok kere hayal etmiş, hatırlamış ve yeniden yaşamayı çok istemiştim.

2. Unuttuğum için hayal etmediğim ve bu yüzden de Füsun'da yeniden görüp yaşayınca hatırlayıp şaşırdığım pek çok küçük şey vardı: Parmaklarını bir an cımbız gibi yapıp benim bileklerimi tutuşunu; omzunun hemen arkasındaki beni (diğer pek çok ben zaten hatırladığım yerdeydiler), sevişmenin en zevkli yerinde bir an gözlerinin bulutlanışını ve bakışlarının çevredeki küçük şeylerden (masanın üzerine yerleştirilmiş saati ya da elektrik borusunun tavanda kıvrılışı) birine odaklanışı, bana sımsıkı sarılırken kollarının yavaş yavaş gevşemesi üzerine benden uzaklaştığını sanmamı, sonra da birden daha da kuvvetle beni kavramasını unutmuş, bir gecede hatırlamıştım. Unuttuğum bu küçük huylar ve hareketler, dokuz yıl boyunca kura kura hayallerimde gerçekdışı bir fantazi haline getirdiğim sevişmemizi, bu dünyaya ait gerçek bir faaliyete dönüştürmüştü hemen.

3. Füsun'un hiçbir şekilde hatırlamadığım bazı yeni hareketleri ise beni şaşırtıyor, endişelendiriyor, kıskandırıyordu. Tırnaklarını sırtıma sertçe geçirmesi, sevişmenin en şiddetli yerinde bir an durup aldığı hazzın, yaşadığı şeyin anlamını tartar gibi düşüncelere dalması ya da birden uyuyakalmış gibi hareketsiz kalıp öylece durması ya da canımı acıtmak ister gibi, kararlılıkla kolumu, omzumu ısırması, bana Füsun'un eski Füsun olmadığını hissettiriyordu. Dokuz yıl önceki o kırk dört günde, gece bende kalıp sevişmemişti; yaşadığımız şey yeni, belki de ondan diye düşündüm bir ara. Ama sert hareketlerinde, düşünceler içinde birden kendini geri çekivermesinde, beni tedirgin eden bir hırçınlık vardı.

4. Şimdi o artık başka biriydi. O yeni kişinin içinde on sekiz yaşındayken tanıyıp seviştiğim Füsun vardı, ama aradan ge-

çen yıllar, tıpkı bir ağacın dış kabukları gibi, içerideki fidanı arkalara bir yere itmişti sanki. Yıllar önce tanıdığım o genç kızdan çok, şimdi yanımda uzanan Füsun'u seviyordum. O yılların geçmesinden, ikimizin de daha akıllı, daha derin ve daha tecrübeli olmamızdan memnundum.

İri taneli yağmur damlaları pencerelerde, denizliklerde tıpırdadı. Gök gürlerken sağanak başladı. Güçlü yaz sağanağının uğultusunu dinlerken birbirimize sarıldık. Uyuyakalmışım.

Uyandığımda yağmur dinmişti, Füsun yanımda değildi. Ayaktaydı, kırmızı elbisesini giyiyordu.

"Odana mı gidiyorsun?" dedim. "Gitme lütfen."

"Şişe suyu arayacağım," dedi. "Çok içmişiz. Fena susadım."

"Ben de susadım," dedim. "Sen otur, ben aşağıda lokantanın dolabında gördüm."

Ama ben yataktan kalkana kadar, kapıyı açıp sessizce çıkıp gitti. Biraz sonra Füsun'un geleceğini düşünerek mutlulukla yatarken uyuyakalmışım.

79. BAŞKA BİR DÜNYAYA YOLCULUK

Uzun bir süre sonra uyandığımda, Füsun hâlâ odaya gelmemişti. Annesinin yanına döndüğünü düşünerek yataktan çıktım, pencereden dışarıya bakarak bir sigara yaktım. Daha güneş doğmamış, ortalık aydınlanmamıştı, belli belirsiz bir ışık vardı yalnızca. Açık pencereden içeri ıslak toprak kokusu geliyordu. İlerideki benzincinin neon lambaları, Büyük Semiramis Oteli'nin tabelasının ışığı, asfalt yolda betonun kenarlarındaki ıslak yerlerde ve ileride park edilmiş Chevroletmizin tamponunda yansıyordu.

Akşam yemeği yiyip nişanlandığımız lokantanın anayola bakan küçük bir bahçesi olduğunu gördüm. Oradaki sandalyeler, yastıklar ıslanmıştı. Az ötedeki incir ağacına sarılmış çıplak bir ampulün yapraklar arasından sızan ışığında bir bankta Füsun oturuyordu. Bana hafifçe yan dönmüş, sigara içerek güneşin doğmasını bekliyordu.

Hemen giyinip aşağı indim. "Günaydın güzelim," diye fısıldadım.

Hiçbir şey söylemedi, düşüncelere dalmış, aşırı dertli biri gibi başını salladı yalnızca. Bankın hemen yanındaki sandalyede bir bardak rakı gördüm.

"Su alırken baktım, bir de açık şişe vardı!" dedi. Yüzünde bir an rahmetli Tarık Bey'in kızı olduğunu hatırlatan bir ifade belirdi.

"Dünyanın en güzel sabahında içmeyeceğiz de ne yapacağız," dedim. "Yol sıcak olur, arabada bütün gün uyuruz. Şimdi yanınıza oturabilir miyim küçük hanım?"

"Küçük hanım değilim artık ben."

Cevap vermedim, yanına sessizce oturdum, karşımızdaki manzarayı seyrederken Saray Sineması'ndaymışız gibi elini tuttum.

Uzun bir süre hiç konuşmadan dünyanın yavaş yavaş aydınlanışını seyrettik. Uzakta hâlâ mor şimşekler çakıyor; turuncu bulutlar, Balkanlar'da bir yere yağmur yağdırıyordu. Şehirlerarası bir otobüs gürültüyle geçip gitti. Kaybolana kadar kırmızı arka ışıklarına uzun bir süre baktık.

Kara kulaklı bir köpek kuyruğunu dostça sallayarak benzinci yönünden ağır ağır bize doğru yaklaştı. Hiçbir özelliği, cinsi olmayan, sıradan bir sokak köpeğiydi. Önce beni, sonra Füsun'u kokladı, burnunu Füsun'un kucağına dayadı.

"Seni sevdi," dedim.

Ama Füsun cevap vermedi.

"Dün de biz buraya girerken üç kere havladı," dedim. "Farkında mısın... Bir zamanlar sizin televizyonun üzerinde aynen böyle bir köpek biblosu vardı."

"Onu da çalıp götürdün."

"Çalmak sayılmaz. Annen de, baban da, hepiniz, ilk yıldan sonra biliyordunuz."

"Evet."

"Ne diyorlardı?"

"Hiç. Babam üzülüyordu. Annem önemsizmiş gibi davranıyordu. Ben de film yıldızı olmak istiyordum."

"Olursun."

"Kemal, bu son sözün yalan, sen de inanmıyorsun," dedi ciddiyetle. "Buna gerçekten kızıyorum. Çok kolay yalan söyleyebiliyorsun."

"Niye?"

"Artık beni hiçbir zaman film yıldızı yapmayacağını biliyorsun. Buna gerek yok artık."

"Niye gerek yok? Sen gerçekten istiyorsan olur."

"Ben gerçekten, yıllarca istedim Kemal. Çok iyi biliyorsun."

Köpek, Füsun'a bir sevgi hamlesi yaptı.

"Aynen o biblo köpek gibi. Üstelik tıpkı onun gibi hafif sarı ve kara kulaklı," dedim.

"Ne yapıyordun bütün o köpekleri, tarakları, saatleri, sigaraları, her şeyi?.."

"Onlar bana iyi geliyordu," dedim biraz öfkelenerek. "Şimdi hepsi Merhamet Apartmanı'nda bir büyük koleksiyon olarak duruyor. Senden hiç utanmam güzelim. İstanbul'a dönünce sana göstermek isterim."

Bana bakarak gülümsedi. Hem şefkatle hem de bana kalırsa, hikâyemin ve takıntımın hak ettiği alaycılıkla.

"Beni gene garsoniyerine mi atmak istiyorsun?" dedi sonra.

"Buna gerek yok artık," dedim kızgınlıkla, onun sözünü tekrarlayarak.

"Haklısın. Dün gece kandırdın beni. Evlenmeden önce en kıymetli hazinemi aldın, sahip oldun bana. Artık evlenmez senin gibiler. Öyle birisin sen."

"Doğru," dedim yarı kızgınlık, yarı oyunculukla. "Dokuz yıl bunu bekledim, acısını çektim. Artık niye evleneyim ki!"

Ama hâlâ el eleydik. Oyunu daha fazla ciddileşmeden tatlıya

bağlamak için uzandım, bütün gücümle dudaklarından öptüm. Füsun önce öpüştü, sonra dudaklarını kaçırdı.

"Seni öldürmek isterdim aslında," deyip kalktı.

"Çünkü seni ne kadar çok sevdiğimi biliyorsun."

Bunu duyup duymadığını anlayamadım. Kızmış, küsmüş, topuklu ayakkabılarının üzerine sert sert basarak gidiyordu sarhoş güzelim.

Otele girmedi. Köpek de peşindeydi. Anayola çıktılar ve Edirne yönüne doğru Füsun önde, köpek arkada yürümeye başladılar. Füsun'un kadehinin dibinde kalan rakıyı içtim (Kimse bakmazken Çukurcuma'daki evde bazan bunu yapardım). Arkalarından uzun uzun baktım. Yol Edirne yönünde dümdüz, neredeyse sonsuza kadar uzadığı, gün ışıdıkça da Füsun'un üzerindeki kırmızı elbise daha görünür hale geldiği için, onu gözden kaybetmeme imkân yokmuş gibi geldi bana.

Ama bir süre sonra düz ovadan gelen ayak seslerini işitmez oldum. Yolda sonsuzluğa doğru, tıpkı Yeşilçam filmlerinin sonundaki gibi yürüyen Füsun'un kırmızı lekesi bir süre sonra görünmez olunca huzursuz oldum.

Az sonra kırmızı lekeyi yeniden gördüm. Hâlâ yürüyordu öfkeli güzelim. İçimde olağanüstü bir şefkat uyandı. Hayatımın geri kalanını onunla dün geceki gibi sevişerek ve az önceki gibi didişerek geçirecektik. Gene de onunla daha az kavga etmeyi, onun gönlünü almayı, onu mutlu etmeyi çok istiyordum.

Edirne-İstanbul yolunda trafik artıyordu. Yol kenarında tek başına yürüyen kırmızı elbiseli, güzel bacaklı güzel bir kadını rahat bırakmazlardı. Şakanın tadı kaçmadan 56 Chevroletmize bindim, peşinden yola çıktım.

Bir buçuk kilometre sonra, bir çınar ağacının altında köpeği gördüm. Oturmuş Füsun'u bekliyordu. İçim cız, kalbim küt küt etti. Yavaşlayarak hız kestim.

Bahçeler, ayçiçek tarlaları, küçük çiftlik evleri gördüm. "Altat Domates" dedi bana koskocaman bir reklam panosu. "O" harfinin ortası nişangâh olmuş, arabalardan sıkılan tabanca kurşunlarıyla delik deşik edilmişti. Delikler de paslanmıştı.

Bir dakika sonra kırmızı lekeyi ufukta görünce, mutluluktan bir kahkaha attım. Yaklaşırken hız kestim. Hâlâ kızgın ve küskün bir ifadeyle yolun sağından yürüyordu. Beni görünce durmadı. Uzanıp arabanın sağ penceresini açtım.

"Hadi canım, bin de dönelim, geç kalıyoruz."

Ama cevap vermedi.

"Füsun, inan bugün yolumuz çok uzun."

"Ben gelmiyorum, siz gidin," dedi çocuk gibi, yürüyüş hızını da hiç kesmeden.

Arabayı onun yürüyüş hızıyla sürüyor, sürücü koltuğundan ona sesleniyordum.

"Füsun, canım şu dünyanın, şu harikulade âlemin güzelliğine bak," dedim. "Öfkelerle, kavgalarla hayatı zehirlemenin hiçbir anlamı yok."

"Sen hiç anlamıyorsun."

"Neyi?"

"Senin yüzünden hayatımı yaşayamadım Kemal," dedi. "Gerçekten artist olmak istiyordum ben."

"Özür dilerim."

"Ne demek özür dilerim?" dedi aşırı bir öfkeyle.

Bazan arabanın ve onun hızı birbirini tutmuyor, birbirimizi anlayamıyorduk.

"Özür dilerim," diye yeniden bağırdım bu sefer, beni anlamadığını sanarak.

"Feridun ile sen benim filmlerde oynamama bile bile mani oldunuz. Bunun için mi özür diliyorsun?"

"Papatya gibi, Pelür'deki sarhoş kadınlar gibi olmak istiyor muydun gerçekten?"

"Zaten artık hep sarhoşuz," dedi. "Üstelik ben onlar gibi olmazdım hiç. Ama siz, meşhur olur, sizi bırakır giderim diye kıskançlıkla hep evde tuttunuz beni."

"Sen de yanında güçlü bir erkek olmadan o yollara tek başına çıkmaktan hep korktun, Füsun..."

"Ne?" dedi. Gerçekten çok kızmıştı, hissettim bunu.

"Hadi canım, atla arabaya, akşam içer, gene tartışırız," dedim.

"Seni çok, çok seviyorum. Önümüzde harika bir hayat var. Atla arabaya."

"Bir şartım var," dedi, ta yıllar önce çocukluk bisikletini eve geri getirmemi istediği zamanki çocuksu edayla.

"Evet?"

"Arabayı ben kullanacağım."

"Bulgaristan'da trafikçiler bizimkilerden de rüşvetçi. Çok çevirme varmış."

"Yok, yok..." dedi. "Şimdi, otele dönerken kullanmak istiyorum."

Arabayı hemen stop ettirdim, kapıyı açıp çıktım. Yer değiştirirken, arabanın burnunda Füsun'u tuttum ve bütün gücümle öptüm onu. O da bütün gücüyle iki kolunu boynuma dolayarak, güzel göğüslerini göğsüme bastırarak sarıldı bana, serseme döndüm.

Şoför koltuğuna geçti. Yıldız Parkı'ndaki ilk derslerimizi hatırlatır bir dikkatle motoru çalıştırdı ve güzelce el frenini indirip yola çıktı. Sol kolunun dirseğini, tıpkı Grace Kelly'nin *Hırsızı Yakalamak* filminde yaptığı gibi, açık pencereye yaslamıştı.

U dönüşü yapacak bir yer arayarak yavaş yavaş ilerledik. Çamurlu bir köy yolunun ana caddeyle kesiştiği yerde bir hamlede dönmek istedi, ama yapamadı, araba sarsılarak stop etti.

"Debriyaja dikkat et!" dedim.

"Küpemi bile fark etmedin," dedi.

"Hangi küpeni?"

Arabayı çalıştırmıştı, geri dönüyorduk.

"O kadar hızlanma!" dedim. "Hangi küpe?"

"Kulağımda..." diye inledi narkozdan çıkan birinin yarı baygın sesiyle.

Sağ kulağında kayıp küpesinin teki vardı. Sevişirken de kulağında mıydı? Bunu niye fark etmemiştim?

Araba çok hızlanmıştı.

"Biraz yavaşla!" diye bağırdım, ama gaza sonuna kadar basıyordu.

Çok uzakta, dost köpek sanki arabayı ve Füsun'u tanıyarak yolun ortasına çıkıyordu. Füsun'un vitesi büyüttüğünü, gaza sonuna kadar bastığını, kuçu fark etsin de kenara çekilsin istedim, ama çekilmedi.

Çok hızlanmıştık, daha da hızlanıyorduk. Köpeği uyarmak için Füsun arabanın kornasını çalmaya başladı.

Bir an sağa gittik, bir an sola gittik, ama köpek hâlâ uzaktaydı. Derken araba, tıpkı rüzgâr kesilince dalgalar arasında bir anda doğrulan bir yelkenli gibi hiç yalpalamadan dümdüz bir çizgi izlemeye başladı. Ama bu hafifçe yolun dışına çıkan bir çizgiydi. İlerideki otele doğru değil, az ötede yolun kenarındaki çınar ağacına doğru bütün hızımızla yaklaştığımızı, kazanın kaçınılmaz olduğunu anladım.

O zaman yaşadığım mutluluğun sonuna geldiğimizi, bunun bu güzel âlemden ayrılış zamanı olduğunu ruhumda derinden hissettim. Son hızla çınar ağacına doğru gidiyorduk. Bizi o hedefe Füsun kilitlemişti. Böyle hissettim, kendime onunkinden başka bir gelecek de görmüyordum artık. Nereye gidiyorsak onunla birlikte gidiyorduk ve bu dünyadaki mutluluğu kaçırmıştık. Çok yazık olmuştu, ama bu sanki kaçınılmaz bir şeydi.

Gene de bir içgüdüyle "Dikkaat," diye bağırdım, sanki olup bitene Füsun hiç dikkat etmiyormuş gibi. Aslında bir kâbustan, sıradan güzel bir hayata geçmek, uyanabilmek için bağıran biri gibi içgüdüyle bağırıyordum. Bana kalırsa Füsun biraz sarhoştu, ama benim dikkat uyarıma ihtiyacı yoktu hiç. Arabayı saatte yüz beş kilometre hızla, sanki ne yaptığını çok iyi bilerek yüz beş yıllık bir çınar ağacına teslim ediyordu. Bunun hayatımızın sonu olduğunu anladım.

Babamın çeyrek yüzyıllık 56 Chevroletsi bütün hızıyla ve gücüyle yolun sol tarafındaki çınar ağacına çarptı.

Çınar ağacının gerisindeki ayçiçeği tarlası ve ortasındaki ev, Keskinlerin sofrasında yıllarca kullanılan Batanay marka ayçiçek yağının üretildiği küçük fabrikacıktı. Kazadan az önce araba hızla yol alırken, bunu Füsun da ben de fark etmiştik.

Bir hurda halinde aylar sonra bulduğum Chevrolet'nin parçalarına tek tek dokunmak ve yıllar sonra gördüğüm bazı rüyalar da, bana kazadan hemen sonra Füsun ile göz göze geldiğimizi hatırlattı.

Ölmekte olduğunu anlayan Füsun, iki-üç saniye süren bu son bakışmamızda, bana asla ölmek istemediğini, hayata her saniyesine kadar bağlı olduğunu, onu kurtarmamı yalvaran gözlerle ifade ediyordu. Ben ise, kendimin de ölmekte olduğunu sandığım için, hayat dolu güzelim nişanlıma, hayatımın aşkına, birlikte başka bir dünyaya yolculuğa çıkmanın sevinciyle gülümsedim yalnızca.

Bundan sonra ne olduğunu, aslında ne aylarca hastanede yatarken ne de yıllar sonra hiç hatırlamadım da, başkalarının sözlerinden, raporlarından, aylar sonra kaza yerine gidip bulduğum tanıklardan toparladım.

Füsun, çarpışmadan altı-yedi saniye sonra, göğsüne giren direksiyon ile bir konserve kutusu gibi katlanan arabanın içine sıkışarak öldü. Başını ön cama bütün gücüyle vurmuştu. (Türkiye'de araçlarda kemer kullanma mecburiyetine daha on beş yıl vardı.) Burada sergilediğim kazadan sonraki rapora göre kafa kemikleri çökmüş, harikalarına hep şaştığım beyninin zarı yırtılmış, ağır bir boyun travması geçirmişti. Göğüs kemiklerindeki kırıklardan ve alnındaki cam kesiklerinden başka; güzel vücudunda, hüzünlü gözlerinde, harika dudaklarında, pembe büyük dilinde, kadife yanaklarında, sağlıklı omuzlarında, boynunun, göğsünün, ensesinin, karnının ipek teninde, uzun bacaklarında, her görüşümde bir an beni gülümseten ayaklarında, uzun, incecik, bal rengi kollarında, ipek teninin üzerindeki benlerde ve kumral küçük tüylerde, kalçalarının yuvarlaklığında ve her zaman yanında olmak istediğim ruhunda hiçbir hasar yoktu.

80. KAZADAN SONRA

Ondan sonra geçen yirmi küsur yılı, hiç uzatmadan anlatıp hikâyemi bitirmek isterim. Kazadan, Chevrolet'yi sürerken Füsun ile rahat konuşabilmek için pencereyi açtığım ve çarpışmadan önce kolumu içgüdüyle dışarı çıkardığım için kurtulmuşum. Çarpmanın etkisiyle beynimin içinde küçük kanamalar, dokusunda yırtılmalar olmuş, komaya girmişim. Bir ambulans beni İstanbul'a Çapa Tıp Fakültesi'nin solunum cihazına yetiştirmiş.

Hastanenin yoğun bakım kısmında, ilk ay hiç konuşamadan yattım. Kelimeler aklıma gelmiyordu, dünya donmuştu. Ağzımda boru yatarken, Berrin ile annemin yaşlı gözlerle beni ziyaret ettiklerini hiç unutamam. Osman bile şefkatliydi, ama gene de yüzünde, arada bir "ben dememiş miydim" anlamında bir ifade beliriyordu.

Zaim, Tayfun, Mehmet gibi diğer arkadaşlarımın da beni, tıpkı Osman gibi biraz ayıplayan, biraz da kederlenen ifadelerle süzmelerini, trafik polisinin tuttuğu raporda kaza nedeninin sürücünün alkollü olmasına bağlanmasına (köpeğin rolü fark edilmemişti), gazetelerin de bu habere biraz rezalet ekleyip süslemelerine borçluydum. Satsat çalışanları gene de çok saygılı, hatta duyguluydular.

Altı hafta sonra bana yürüyüş terapisi yaptırdılar. Yürümeyi yeniden öğrenmek, hayata yeniden başlamak gibi bir duyguydu. Bu yeni hayatımda Füsun'u her zaman düşünüyordum. Ama Füsun'u düşünmek, gelecekle, eskiden olduğu içimdeki istekle ilgili bir şey değildi; Füsun yavaş yavaş artık geçmişle ve hatıralarla ilgili bir hayal oluyordu. Bu çok üzücüydü ve artık onun için acı çekmek, onu istemek anlamına değil, kendime acımak anlamına geliyordu. Müze fikrine de; düşünmek ile hatırlamak, kaybetme acısı ile kaybetmenin anlamı arasındaki bu noktalarda vardım.

Teselli eder diye Proust, Montaigne gibi yazarlar okudum. Annemle aramızda sarı sürahi karşılıklı akşam yemeklerimizi yerken dalgın dalgın televizyona bakıyordum. Anneme göre Füsun'un ölümü, babamın ölümü gibi bir şeydi. İkimiz de sevdiklerimizi kaybettiğimize göre gönül rahatlığıyla surat asabilir, insanları cezalandırabilirdik. Üstelik her iki ölümün ardında da, dumanlı rakı bardakları ve insanın içinde gizli bir başka dünya taşıması, bunu da içinde tutamayıp dışa vurması vardı. Annem bu ikincisinden hoşlanmıyordu, ben ise her şeyi anlatmak istiyordum.

Hastaneden çıktıktan sonraki ilk aylarda, bu duygu Merhamet Apartmanı'na gidip Füsun ile seviştiğimiz yatağa oturup sigara içerek karşımdaki eşyalara baktığım zaman uyanıyordu içimde. Hikâyemi anlatabilirsem, acımı hafifletebileceğimi seziyordum. Bunun için koleksiyonumu ortaya çıkarmalıydım.

Zaim ile arkadaşlık edip konuşmayı çok isterdim. Ama Sibel ile çok mutlu olduklarını, bir çocuklarının doğmak üzere olduğunu, 1985'in Ocak ayında Piç Hilmi'den duymuştum. Piç Hilmi, sudan bir nedenden Nurcihan ile Sibel'in arasının bozulduğunu da anlatmıştı bana. Fuaye'ye, Garaj'a giden insanların devam ettiği yeni lokantalara ve kulüplere, hikâyemi önemsediğim, herkesin bakışlarında onu gördüğüm, kırık ve ezik bir insan olarak anılmayı hiç istemediğim için gitmiyordum. Yeni açılan ve herkesin gittiği Şamdan'a ilk ve son gidişimde, neşeli görünmek için işi abartmış, kahkahalar atmış, şakalar yapmış, Pelür'den oraya geçmiş olan yıllanmış garson Tayyar'a takılmış ve hakkımda "kızdan sonunda kurtuldu" gibi dedikoduların edilmesine yol açmıştım.

Bir gün Nişantaşı'nın köşesinde Mehmet ile karşılaşınca, onunla Boğaz'da bir akşam "erkek erkeğe" yemek yemek için anlaştık. Boğaz meyhaneleri artık törenle gidilen yerler olmaktan çıkmış, her akşam gidilebilecek yerlere dönüşmüştü. Mehmet merakımı sezerek, önce eski arkadaşların ne yaptıklarını anlattı. Nurcihan ile birlikte, Tayfun ve karısı Figen'le Uludağ'a gittiklerini, dolarla borçlanan Faruk'un (Füsun ile Sarıyer Plajı'nda karşılaştığımız Faruk) enflasyondan sonra aslında iflas ettiğini, ama bankalardan borç alarak iflası ertelediğini, aslında kendisinin Zaim'le hiçbir sorunu olmamasına rağmen Nurcihan ile Sibel'in arası bozulduğu için onları görmediğini anlattı. Ben sormadan, Sibel'in artık Nurcihan'ı fazla alaturka bulduğunu, gazinolarda alaturka şarkıcıları, Müzeyyen Senarları, Zeki Mürenleri dinliyor, oruç tutuyor ("Nurcihan oruç mu tutuyor?" diye sordum gülümseyerek) diye iğnelediğini söyledi. İki eski kız arkadaşın aralarındaki soğukluğun asıl nedeninin bu olmadığını hissettim hemen. Mehmet, benim eski dünyama geri dönmek isteyeceğime karar vermiş, beni kendi yanına çekmek istiyordu, ama bu yanlış bir gözlemdi. O dünyaya geri gidemeyeceğimi, Füsun'un ölümünden altı ay sonra kesin olarak kavramıştım.

Biraz rakıdan sonra Mehmet, onu o kadar çok sevmesine, saymasına (şimdi bu ikinci duygu daha önemli olmuştu) rağmen, çocuk doğurduktan sonra Nurcihan'ı eskisi gibi çekici bulamadığını itiraf etti. Onunla yoğun bir aşk yaşamış, evlenmiş, çocuk olunca da kısa sürede her şey eski haline, Mehmet de eski alışkanlıklarına dönmüştü. Bazan yeni eğlence yerlerine tek başına gidiyordu. Bazan da çocuğu babaannesine bırakıp Nurcihan ile birlikte çıkıyorlardı. Mehmet beni neşelendirmek, eğlendirmek için zenginlerin, reklamcıların gittiği yeni lokantaları, kulüpleri, barları bana göstermeye karar vererek, şehrin yeni mahallelerine götürdü beni.

Bir başka gece Nurcihan da bize katıldı, Etiler'in arkalarında bir yılda ortaya çıkan yeni ve büyük bir mahallede Amerikan yemeği diye sunulan karmakarışık birşeyler yedik. Nurcihan ne Sibel'den söz etti ne de Füsun'dan sonra hissettiklerimi sordu. Kalbime işleyen bir tek şey yaptı; yemeğin ortasında durup dururken bir gün çok mutlu olacağımı, bunu sezdiğini söyledi. Bu söz de, hayatın mutluluk ihtimalinin bana kapandığını daha çok hissettirdi. Mehmet eski Mehmet'ti, ama Nurcihan sanki yeni tanıdığım biri gibiydi; sanki ortak onca hatıramız yok olmuştu. Bunun gittiğimiz lokantanın havasıyla, şehrin hiç sevmediğim bu yeni sokaklarıyla da ilgili olduğunu aklımın bir yanıyla algılıyordum.

Bu yeni sokaklar, İstanbul'a her gün bir yenisi eklenen betondan tuhaf mahalleler, hastaneden çıktıktan sonra hemen hissettiğim şeyi, Füsun'un ölümünden sonra İstanbul'un bambaşka bir yere dönüştüğü duygusunu kuvvetlendiriyordu. Yıllar sürecek uzun yolculuklara beni hazırlayan en kuvvetli duygunun bu olduğunu şimdi söyleyebilirim.

Bir tek, Nesibe Hala'yı ziyaret ettiğim zamanlar, İstanbul'un eski, sevdiğim İstanbul olduğu duygusuna kapılıyordum. Birlikte gözyaşı döktüğümüz ilk ziyaretlerimden sonra, bir akşam Nesibe Hala lafı hiç uzatmadan yukarıya çıkıp Füsun'un odasına bakabileceğimi, istediğim her yeri istediğim gibi karıştırıp her istediğimi alabileceğimi söyledi bana.

Yukarıya çıkmadan önce, Füsun ile uzun bir süre tören haline getirdiğim şeyi yaptım: Kafesin başına gidip Limon'un suyuna ve yemine baktım. Akşam yemeklerinde yaptığımız şeyleri, televizyon seyrederken konuştuklarımızı, hep birlikte sekiz yıl sofrada paylaştıklarımızı, yaşadıklarımızı hatırlamak, Nesibe Hala'nın gözlerini sulandırıyordu.

Gözyaşları... Sessizlikler... Füsun'u hatırlamak ikimize de çok ağır geldiği için, yukarıya Füsun'un odasına çıkmadan önceki işleri elden geldiğince kısa kesmeye çalışıyordum. İki haftada bir Çukurcuma'daki eve Beyoğlu'ndan yürüyerek gider; akşam yemeğini, Füsun'dan hiç söz etmemeye çalışarak Nesibe

Hala ile sessizce televizyona bakarak yer, gittikçe yaşlanıp sessizleşen Limon ile ilgilenir, her seferinde Füsun'un kuş resimlerine tek tek bakar; ellerimi yıkamak bahanesiyle yukarı çıkar; sonra kalbim hızlanarak Füsun'un odasına girer, dolapları, çekmeceleri açar, karıştırırdım.

Yıllar boyunca akşamları ona hediye getirdiğim bütün tarakları, saç fırçalarını, küçük aynaları, kelebek biçimindeki broşları, küpeleri, her şeyi, Füsun, küçük odasındaki küçük dolapların gözlerinde saklamıştı. Ona hediye ettiğimi bile unuttuğum mendilleri, tombalalık çorapları, annesine aldığımızı sandığım tahta düğmeleri, saç tokalarını (ve Turgay Bey'in hediye ettiği oyuncak Mustang'ı), ona yazıp Ceyda ile yolladığım aşk mektuplarını çekmecelerde bulmak beni manevi bir yorgunluğa sürükler, orada Füsun'un yoğun kokusunu taşıyan dolapların, çekmecelerin önünde yarım saatten fazla kalamazdım. Bazan yatağın kenarına oturur, sigara içerek dinlenir, bazan da gözyaşı dökmemek için pencereden dışarı, kuşları resmettiği balkonlardan birinden dışarı bakar, bazan da çoraplardan, taraklardan birini-ikisini yanıma alıp götürürdüm.

Füsun ile ilgili bütün eşyaları, hem dokuz yılda, ta başta biriktirdiğimi bilmeden topladıklarımı hem de Füsun'un odasındakileri, hatta evdeki her şeyi bir yerde toplamam gerektiğini artık anlıyordum da, burasının neresi olacağını bilmiyordum. Sorumun cevabını, ancak seyahatlerde, dünyanın küçük müzelerini tek tek ziyaret etmeye başlayınca bütün derinliğiyle kavradım.

1986 kışında, karlı bir gece, akşam yemeğinden sonra, yıllar boyunca Füsun'a boş yere aldığım kelebekli broşları, küpeleri, takıları bir kere daha elden geçirirken; kaza sırasında Füsun'un taktığı ve yıllardır tekinin kayıp olduğunu söylediği, kelebekli F harfli iki küpeyi de kutunun içinde bir kenarda gördüm. Küpeleri aldım, aşağı indim.

"Nesibe Hala, bu küpeler Füsun'un mücevher kutusuna yeni konmuş," dedim.

"Kemalciğim, o gün Füsun'un üzerinde ne varsa, kırmızı elbisesi, ayakkabıları, her şeyi, üzülme diye sakladım onları senden. Artık yerlerine koyayım dedim, hemen de fark ettin."

"Küpelerin ikisi de mi üzerindeydi?"

"O akşam o otelde senin odana gitmeden önce bizim odada belki de yatıp uyuyacaktı evladım. Ama birden çantasından bunları çıkarıp taktı. Ben uyur gibi yaparak bakıyordum. Odadan çıkarken sesimi hiç çıkarmadım. Artık mutlu olun istedim."

Füsun'un, bana, annesinin kapıyı kilitlediğini söylediğini Nesibe Hala'ya hiç açmadım bile.

Sevişirken küpeleri nasıl fark etmemiştim? Bunun yerine başka bir şey sordum:

"Nesibe Hala, yıllar önce bu küpenin tekini, bu eve ilk gelişimde yukarıda banyoda, aynanın önünde unuttuğumu anlatmıştım. 'Sizin haberiniz var mı?' diye de sormuştum."

"Hiç bilmiyorum, oğlum. Bunları kurcalayıp beni gene ağlatma. Yalnız, Paris'te bir çift küpeyi takıp sana sürpriz yapmak istiyordu, böyle bir şey söylemişti, ama hangi küpe hiç bilmiyorum. Paris'e de gitmeyi çok istiyordu Füsuncuğum."

Nesibe Hala ağlamaya başladı. Sonra da ağladığı için özür diledi.

Ertesi gün Hôtel du Nord'da yer ayırttım. Akşam da anneme Paris'e gittiğimi, yolculuğun bana iyi geleceğini söyledim.

"Aman iyi," dedi annem. "Biraz da işlerle, Satsat ile uğraşırsın. Osman her şeye de sahip olmasın."

81. MASUMİYET MÜZESİ

Anneme "Paris'e iş için gitmiyorum," dememiştim. Çünkü ne için gittiğimi sorarsa, tam bir cevap veremeyecektim. Neden gittiğimi kendim de bilmek istemiyordum. Havaalanına giderken yolculuğumun Füsun'un küpesini ihmal etmemle, günahlarımın kefaretiyle ilgili bir takıntı olduğuna inanıyordum.

Ama uçağa biner binmez, hem unutmak hem de hayal etmek için yola çıktığımı anladım. İstanbul'un her köşesi bana onu hatırlatan işaretlerle kaynaşıyordu. Daha uçak havadayken bile, Füsun'u ve hikâyemi İstanbul'un dışında daha derin ve bir bütün olarak düşünebildiğimi fark ettim. İstanbul'dayken onu takıntımın içinden görürdüm; uçakta ise, takıntımı ve Füsun'u dışarıdan görüyordum.

Aynı derin anlayış ve teselliyi, müzelerde aylak aylak gezinirken de hissettim. Louvre, Beauborg gibi kalabalık, gösterişli yerlerden değil, Paris'te çok sık karşıma çıkan boş müzelerden, kimseciklerin gidip bakmadığı koleksiyonlardan söz ediyorum. Bir hayranının kurduğu ve randevuyla girebildiğim Edith Piaf Müzesi (saç fırçaları, taraklar, oyuncak ayıcıklar gördüm), bütün bir gün geçirdiğim Polis Müzesi ya da resimlerle eşyaların çok özel bir şekilde yan yana geldiği Jacquemart André Müzesi (boş sandalyeler, avizeler, ürpertici bomboş mekânlar gördüm) gibi yerlere gidip odalarda tek başıma gezinirken, kendimi çok iyi hissederdim. En arkadaki bir odada, beni ve ayak seslerimi izleyen müze bekçilerinin bakışlarından kurtulur; dışarıdan büyük şehrin uğultusu, trafik ve inşaat gürültüleri gelirken, şehrin ve kalabalıkların hemen yanı başında ama bambaşka bir âlemde olduğumu hisseder; bu yeni âlemin tuhaflığı, zamandışı havasıyla acımın hafiflediğini anlar, teselli olurdum.

Bazan bu teselli duygusuyla kendi koleksiyonumu da bir hikâye çevresinde toplayıp anlatabileceğimi sezer, başta annem, ağabeyim, herkesin boşa harcadığımı düşündüğü hayatımı, Füsun'dan kalanlarla ve hikâyemle herkese ders olacak bir müzede sergileyip anlatabileceğimi mutlulukla hayal ederdim.

İstanbul kökenli bir Levanten olduğunu bildiğim için gittiğim Nesim de Camondo Müzesi, benim de Keskinlerin tabak takımlarını, çatal bıçaklarını ya da yedi yılda yaptığım tuzluk kolek-

siyonumu gururla sergileyebileceğimi bana hatırlatarak beni öz-
gürleştirdi. Posta Müzesi'ndeyken, Füsun'un bana, benim ona
yazdığım mektupları, Küçük Kayıp Eşyalar Müzesi'ndeyken de,
aslında biriktirdiğim ve bana Füsun'u hatırlatan her şeyi, mesela
Tarık Bey'in takma dişlerini, boş ilaç kutularını, faturalarını ser-
gileyebileceğimi hissettim. Taksiyle bir saatte gittiğim şehir dı-
şındaki Maurice Ravel'in ev müzesinde ise, ünlü bestecinin diş
fırçasını, kahve fincanlarını, biblolarını, bebeklerini, oyuncak-
larını ve bana bir anda Limon'u hatırlatan demirden bir kafesi
ve içinde şarkı söyleyen demirden bir bülbülü görmek neredey-
se gözlerimi nemlendiriyordu. Paris'te bu müzelerde gezerken,
Merhamet Apartmanı'ndaki koleksiyonumdan utanmıyordum.
Biriktirdiği eşyalardan utanan bir toplayıcıdan, yavaş yavaş mağ-
rur bir koleksiyoncuya dönüşüyordum.

Ruhumdaki bu değişimleri bu kavramlarla düşünmez, yal-
nızca müzelere girince mutlu olduğumu hisseder ve hikâyemi
eşyalar aracılığıyla anlatabileceğimi hayal ederdim. Bir akşam
Hôtel du Nord'un barında kendi kendime içerek çevremdeki
yabancılara bakarken, yurtdışına çıkmış (ve biraz eğitim almış
ve biraz varlıklı) her Türk gibi bu Avrupalıların benim hakkım-
da, hatta bizler hakkında ne düşündüklerini, düşünebilecekle-
rini hayal ederken yakaladım kendimi.

Daha sonra İstanbul'u, Nişantaşı'nı ve Çukurcuma'yı bilme-
yen birisine Füsun'a duyduğum şeyleri nasıl anlatabilirim diye
düşündüm. Uzak ülkelere gitmiş, orada yıllar geçirmiş biri gi-
bi görüyordum kendimi: Sanki Yeni Zelanda'da yerliler arasın-
da yaşamış, onların çalışma, dinlenme, eğlenme (ve televizyon
seyrederken konuşma) alışkanlıklarını, törelerini gözlerken bir
kıza âşık olmuştum. Gözlemlerim ile yaşadığım aşk iç içe geç-
mişti.

Şimdi tıpkı bir antropolog gibi, topladığım eşyaları, kap ka-
cağı, incik boncuk ile elbiseleri ve resimleri sergilersem, yaşadı-
ğım yıllara bir anlam verebilirdim ancak.

Proust, bu ressamdan severek bahsettiği için Paris'teki son günlerimde Gustave Moreau Müzesi'ne gittim. Aklımda Füsun'un yaptığı kuş resimleri de vardı, vakit geçirmek de. Moreau'nun klasik usüllü, yapmacıklı tarihî resimlerini sevemedim, ama müze hoşuma gitti. Ressam Moreau, hayatının büyük kısmını geçirdiği aile evini, son yıllarında, ölümünden sonra binlerce resminin sergileneceği bir müzeye çevirmeye adamış, kendi büyük iki katlı atölyesiyle hemen bitişiğindeki evi müzeleştirilmişti. Ev müzeye dönüştürülünce, içindeki eşyaların her birinin anlamla ışıldadığı bir çeşit hatıralar evine, "duygusal müze"ye dönüşmüştü. Bütün bekçilerin uyukladığı müze evin boş odalarında parkeleri gıcırdatarak yürürken, neredeyse dinî diyebileceğim bir duyguya kapıldım. (Sonraki yirmi yılda bu müzeyi yedi kere daha gezdim ve her seferinde odalarda ağır ağır yürürken, aynı huşu duygusunu hissettim.)

İstanbul'a dönünce, hemen Nesibe Hala'ya gittim. Ona Paris'i, müzeleri kısaca anlattıktan ve akşam yemeğine oturduktan az sonra, aklımdaki konuyu hemen açtım.

"Yıllardır bu evden eşyalar alıp götürdüğümü biliyorsunuz Nesibe Hala," dedim, kurtulduğu eski hastalığına artık gülümseyebilen bir hastanın rahatlığıyla. "Şimdi artık evin kendisini, bütün binayı almak istiyorum."

"Yani nasıl?"

"Bütün bu evi, binayı eşyalarıyla birlikte bana satın."

"Ben ne olacağım?"

Yarı şaka yarı ciddi konuyu tartıştık. "Bu evde Füsun'un hatırası için birşeyler yapacağım," gibi süslü sözler söyledim. Nesibe Hala'nın artık bu evde tek başına sobayı yakarak mutsuz olacağı konusunu da işliyordum. İstiyorsa, Nesibe Hala'nın bu evden hiç çıkmayabileceğini de söyledim. "Tek başına" geçen hayatı için Nesibe Hala biraz ağladı. Ona Nişantaşı'nda, eskiden oturdukları Kuyulu Bostan Sokak'ta çok iyi bir apartman dairesi bulduğumu söyledim.

"Hangi binada?" dedi.

Bir ay sonra Kuyulu Bostan Sokak'ın en güzel yerinde, Füsunların eski evinin az ötesinde (tütüncü, gazeteci ve tacizci Sefil Amca'nın dükkânının tam karşısında) Nesibe Hala'ya büyük bir daire aldık. Nesibe Hala da, Çukurcuma'daki binayı alt katıyla ve evin içindeki bütün eşyalarıyla bana verdi. Füsun'un boşanma davasını alan avukat arkadaşım eşyalar için noterden bir kâğıt almamı da tavsiye etmişti, onu da yaptık.

Nesibe Hala, Nişantaşı'ndaki yeni evine taşınmak için hiç acele etmedi. Benim desteğimle, yavaş yavaş çeyizini düzen bir genç kız gibi yeni evine eşyalar alıyor, lambalar takıyor, ama Çukurcuma'daki evinden asla çıkamayacağını da, beni her görüşünde gülümseyerek söylüyordu.

"Kemal oğlum, ben bu evi, hatıralarımı bırakamam, ne yapacağız?" diyordu.

"O zaman evi hatıralarımızı sergilediğimiz bir yere çevireceğiz Nesibe Hala," diyordum ben de ona.

Gittikçe daha uzun süren yolculuklara çıktığım için onu daha az görüyordum. Ev ve eşyalarla ve Füsun'un bakmaya bile kıyamadığım bütün her şeyiyle ne yapacağımı daha tam da bilmiyordum çünkü.

Paris'e ilk ziyaretim, diğer yolculuklarım için örnek oldu. Yeni bir şehre gidince, önce ta İstanbul'dan yer ayırttığım merkezdeki eski ama rahat bir otele yerleşir, daha önce kitaplardan, rehberlerden edindiğim bilgiyle şehrin önde gelen bütün müzelerini hiç aceleye getirmeden, hiçbirini atlamadan, ev ödevini eksiksiz yapan çalışkan bir öğrenci gibi gezer, bitpazarlarını, ıvır zıvır ve biblo satan dükkânları, kimi antikacıları gözden geçirir ve Keskinlerin evinde tıpkısını gördüğüm tuzluğu, küllüğü, şişe açacağını ya da hoşuma giden bir şeyi satın alırdım. İster Rio de Janeiro'da, ister Hamburg, Bakü, Kyoto ya da Lizbon'da, dünyanın neresinde olursam olayım, akşam yemeği vakti uzak mahallelerde, arka sokaklarda uzun uzun yürür;

açık pencerelerden ev içlerini, televizyonun karşısındaki sofralarında oturan aileleri, tıpkı Füsunlarda olduğu gibi, yemek odasının bir parçası olan mutfaklarda anneler yemek pişirirken, çocukları, babaları, evli genç kadınları ve umut kırıcı kocalarını, hatta evin kızına âşık zengin uzak akrabaları görebilmeyi isterdim.

Sabahları, acele etmeden otelde kahvaltı eder, küçük müzelerin açılma saatine kadar caddelerde, kahvelerde vakit öldürür, anneme ve Nesibe Hala'ya birer kartpostal atar, yerel gazetelerden dünyada ve İstanbul'da neler olduğunu çıkarmaya çalışır, saat on bir olunca elimde defter, müze ziyaretlerine iyimserlikle başlardım.

Yağmurlu, soğuk bir sabah girdiğim Helsinki Şehir Müzesi'nin odalarında, Tarık Bey'in çekmecelerinde bulduğum eski ilaç şişeleriyle karşılaştım. Fransa'da Lyon yakınlarındaki küçük Cazelles şehrinde müzeye çevrilmiş eski bir şapka fabrikasının küf kokulu odalarında yürürken (içeride benden başka hiçbir ziyaretçi yoktu), annemin ve babamın şapkalarının aynısını gördüm. Stuttgart'ta, eski kalenin kulesine yerleşmiş Württemberg Eyalet Müzesi'ndeki iskambil kâğıtlarına, yüzüklere, gerdanlıklara, satranç takımlarına, yağlıboya resimlere bakarken, Keskinlerin eşyalarının ve Füsun'a duyduğum aşkın da bu tür şaşaalı, gösterişli bir sergilemeyi hak ettiğini ilhamla düşündüm. Güney Fransa'da, Akdeniz'in biraz uzağında, "dünya parfüm merkezi" Grasse şehrindeki Parfüm Müzesi'nde Füsun'un kokusunu hatırlamaya çalışarak tam bir gün geçirdim. Merdivenlerinin yükselişini daha sonra kendi müzeme örnek aldığım Münih'teki Alte Pinakhotek'te gördüğüm Rembrandt'ın "Hazreti İbrahim'in Kurban'ı" adlı tablosu, bana bu hikâyenin özünün çok değerli bir şeyimizi hiçbir karşılık beklemeden vermek olduğunu ve Füsun'a bu hikâyeyi yıllar önce anlatışımı hatırlattı. Paris'teki Romantik Hayat Müzesi'nde George Sand'ın çakmağına, mücevherlerine, küpelerine ve bir kâğıda zımbalanmış saçlarına uzun uzun baktım ve ürperdim. Göteborg şehrinin hikâyesini anlatan Tarih Müzesi'nde, Doğu Hindistan şirketinin getirdiği çiniler ve tabaklar karşısında sabırla oturdum. 1987 Martı'nda Oslo'daki Türk elçiliğinde çalışan bir okul arkadaşımın tavsiyesiyle gittiğim küçük Brevik Şehir Müzesi'nin kapalı olduğunu öğrenince, içerideki üç yüz yıllık postaneyi, fotoğraf stüdyosunu ve eski eczaneyi görebilmek için Oslo'ya dönüp geceledim ve ertesi gün şehre yeniden geldim. Trieste'deki bir zamanlar hapisane olarak kullanılan bir binaya yerleşmiş Deniz Müzesi, başka pek çok müzeden önce, bana Füsun'un hatıralarıyla kaynaşan Boğaz gemilerinden birinin modelini de (mesela Kalender), takıntımın diğer ürünleriyle birlikte sergileyebileceğimi hatırlattı. Vize alıp girebilmek için çok uğraştığım Honduras'ta, Karayip kıyısındaki La Ceiba şehrindeki Kelebek-Böcek Müzesi'nde şortlu turistler arasında yürürken, yıllarca Füsun'a aldığım takıları tıpkı gerçek bir kelebek koleksiyonu gibi sergileyebileceğimi, hatta aynı şeyi Keskinlerin evindeki sivrisineklere, karasineklere, atsineklerine ve diğer böceklere de uygulayabileceğimi düşledim. Çin'de, Hangzhou şehrinde, Çin Tıbbı Müzesi'nde, Tarık Bey'in ilaç kutularıyla karşılaşmış gibi hissettim kendimi. Paris'te yeni açılmış Tütün Müzesi'nin koleksiyonunun benim sekiz yılda yaptığım koleksiyondan çok daha zayıf olduğunu gururla gördüm. Aixen-Provence'ta hoş bir bahar sabahı, Paul Cézanne'ın Atölyesi Müzesi'nin aydınlık odalarındaki raflara, kap kacağa, eşyalara, her şeye sınırsız bir mutluluk ve hayranlıkla baktığımı hatırlıyorum. Geçmişin eşyaların içine ruh gibi sıkıştığı, sessiz ve küçük müze evlerde beni hayata bağlayan bir güzellik, bir teselli bulduğumu Antwerp'teki bakımlı, pırıl pırıl Rockox Ev Müzesi'nde bir kere daha anladım. Ama Merhamet Apartmanı'ndaki kendi koleksiyonumu kabul edip sevebilmek için, hatta başkalarına gururla gösterebilmek için Viyana'daki Freud Müzesi'ne gidip ünlü doktorun tıkış tıkış heykel, eski eşya koleksiyonunu görmem mi gerekiyordu? Londra Şehir Müzesi'ndeki eski berber dükkânını, bu ilk yolculuklarım sırasında Londra'ya her gidişimde ziyaret etmemin nedeni, İstanbul'daki berber Basri'yi ya da Geveze Cevat'ı özlemem miydi? Ünlü hemşirenin Kırım Savaşı'nda geldiği İstanbul'dan kalma bir resim, bir eşya görürüm diye gittiğim Londra'daki bir hastanenin içindeki Florence Nightingale Müzesi'nde, İstanbul'u hatırlatan herhangi bir şey değil, Füsun'da da aynısı olan bir saç tokası gördüm. Fransa'da Besançon şehrindeki eski bir saraya yerleşmiş Zaman Müzesi'nde, saatler arasında müzenin derin sessizliğini dinleyerek müzeler ve zaman hakkında düşündüm. Hollanda'da Haarlem şehrindeki Teyler Müzesi'nde eskimiş ahşaptan büyük vitrinler içindeki minerallere, fosillere, madalyalara, paralara, eski aletlere bakarak yürürken, müzelerin sessizliği içinde, yaşadığım hayatı anlamlı kılan ve bana derin bir teselli duygusu veren şeyin ne olduğunu bir an ilhamla söyleyivereceğimi sandım, ama beni bu mekânlara bağlayan şeyi, tıpkı aşk gibi ilk anda ifade edemedim. Aynı mutluluğu Madras'ta, İngilizlerin Hindistan'daki ilk kalesi olan Fort St. George Müzesi'nde, sıcak ve aşırı nemli bir havada tepemde kocaman bir pervane dönerken mektuplar, yağlıboya resimler, paralar ve günlük eşyalar arasında da hissettim. Verona'daki Castelvecchio Müzesi'nde gezinmek, merdivenleri çıkmak, mimar Carlo Scarpa'nın heykeller üzerine ipek gibi düşürdüğü ışığı görmek, bana müzelerin verdiği mutluluğun yalnız koleksiyonla değil, resimlerin, eşyaların yerleştirilmesindeki dengeyle de mümkün olduğunu aklıma ilk defa açıkça getirdi. Ama Berlin'de Martin Gropius binasında bir dönem ağırlanan ve sonra evsiz kalan Şeyler Müzesi bana tam tersinin de doğru olabileceğini, zekâyla ve mizahla her şeyin toplanabileceğini, sevdiğimiz her şeyi ve sevdiğimizle ilgili her şeyi toplamamız gerektiğini, bir evimiz ve müzemiz olmasa da, topladığımız koleksiyonun şiirinin eşyaların evi olacağını öğretti. Floransa'da, Uffizi Müzesi'nde gördüğüm Caravaggio'nun "İsmail'in Kurban Edilişi" adlı tablosu ise, önce bu resme Füsun'la bakamadığım için gözlerimi sulandırdı, sonra Hazreti İbrahim'in kurban hikâyesinden alınacak ibretin, sevdiğimiz şeyin yerine bir başkasını koyabilmek olduğunu, Füsun'un yıllarca topladığım şeylerine bu yüzden o kadar bağlı olduğumu bana gösterdi. Londra'ya her gidişimde karmakarışık ve tıkış tıkış haline bayıldığım ve resim sergileme yöntemlerine hayran olduğum Sir John Soane'in Evi Müzesi'nde, bir kenarda tek başıma şehrin uğultusunu dinleyerek saatlerce oturur, bir gün Füsun'un eşyalarını da böyle sergileyeceğimi, canım sevgilimin o zaman meleklerin katından bana gülümseyeceğini düşünerek mutlu olurdum. Ama Füsun'dan geri kalan eşyaları ne yapabileceğimi, bana en iyi Barcelona'daki Frederic Marès Müzesi'nin en üst katındaki tokalar, küpeler, oyun kâğıtları, anahtarlar, yelpazeler, parfüm şişeleri, mendiller, broşlar, gerdanlıklar, çantalar, bileziklerle dolu duygusal müze öğretmiştir. Beş aydan fazla süren ve iki yüz yetmiş üç müze gezdiğim birinci Amerika turumda, Manhattan'daki Eldiven Müzesi'nde de bu duygusal müzeyi hatırladım. Los Angeles'taki Jura Çağı Teknolojisi Müzesi'ndeyken, bazı özel müzelerde hissettiğim ürpertici duyguyu, bütün insanlığın bir başka zamanda yaşarken benim bir başka mekânda takılıp kaldığım duygusunu hatırladım. Ünlü yıldızı bir porselen yemek takımı reklamında gösteren sevimli bir sergi levhasını çaldığım North Carolina'nın Smithfield şehrindeki Ava Gardner Müzesi'nde, küçük Ava'nın okul yıllığındaki resmini, gece elbiselerini, eldiven ve çizmelerini görünce Füsun'u öyle acıyla özledim ki, yolculuğumu kısa kesip İstanbul'a dönmek istedim. Nashville yakınlarında, o günlerde yeni açılmış ama daha sonra kapanan İçecek Kutuları ve Reklamlar Müzesi'ndeki gazoz ve bira tenekeleri koleksiyonunu görebilmek için iki günümü verdikten sonra gene eve dönmek istediğimi hatırlıyorum, ama devam ettim. Beş hafta sonra, daha sonra kapanacak olan bir başka müzede,

Florida'daki St. Augustine kentindeki Amerikan Tarihinde Trajedi Müzesi'nde 1960'ların ünlü film yıldızı Jayne Mansfield'in bir trafik kazasında içinde sıkışarak öldüğü 1966 model Buick'in nikelajlı sayaçlarını ve paramparça olmuş ve paslanmaya başlamış enkazını görünce, İstanbul'a eve dönmeye sonunda karar verebildim. Hakiki bir koleksiyoncunun evinin, kendi müzesi olması gerektiğini kavrıyordum.

İstanbul'da çok kalmadım. Maslak yolunun arkalarında, Çetin Efendi'nin yol göstermesiyle bulduğum Chevrolet tamircisi Şevket Usta'nın atölyesinin arkasındaki boş bir arsada, bir incir ağacının altında bizim 1956 Chevrolet'yi görünce, bir an duygusallıktan serseme döndüm. Bagaj kapağı açıktı, paslı hurdanın içinde yandaki telli kümesten çıkan tavuklar geziniyor, etrafında çocuklar oynuyordu. Arabanın bazı yerleri, Şevket Usta'nın dediğine göre olduğu gibi kalmış, kazadan sağlam çıkan benzin deposu kapağı, vites kutusu, arka camın çevirme çubuğu gibi birkaç parça da sökülüp İstanbul'da çoğu taksi dolmuş olarak hâlâ çalışan başka 56'lara takılmıştı. Kafamı arabanın içine, ön koltuğun hurda olmuş ibreleri, düğmeleri ve direksiyonunun bir zamanlar sapasağlam durduğu yere sokup, güneşte hafifçe ısınmış koltuk kaplamalarının kokusunu duyunca, bir an sarsıldım. Bir içgüdüyle, çocukluğum kadar eski direksiyona dokundum. Eşyanın içine sıkışmış hatıraların yoğunluğundan sersemlemiş, yorgun düşmüştüm.

"Kemal Bey, ne oldu, oturun şuraya isterseniz," dedi Çetin Efendi anlayışla. "Bir bardak su getirebilir misiniz çocuklar?"

Füsun'un ölümünden sonra, başkalarının önünde ilk defa az daha gözlerimden yaşlar akacaktı. Hemen toparlandım. Üstü başı kömürcü gibi simsiyah ve yağ içinde, ama elleri tertemiz bir çocuk çırağın, üzerinde Kıbrıs Türk yazan bir tepside (alışkanlıktan yazıyorum, müzegezer Masumiyet Müzesi'nde boşuna aramasın) getirdiği çaylarımızı içerek kısa süren bir pazarlık yaptık ve babamın arabasını geri aldık.

"Nereye koyacağız Kemal Bey şimdi bunu?" diye sordu Çetin Efendi.

"Hayatımın sonuna kadar bu arabayla aynı çatı altında yaşamak isterim," dedim.

Bunu gülümseyerek söylemiştim, ama Çetin Efendi isteğimin içtenliğini anladı, başkaları gibi "Aman Kemal Bey, ölenle ölünmez," demedi. Deseydi, ona Masumiyet Müzesi'nin ölenle yaşamak için yapılmış bir yer olduğunu söyleyecektim. Hazırladığım bu cevap içimde kaldığı için, gururla bambaşka bir şey söyledim.

"Merhamet Apartmanı'nda da pek çok eşya var. Hepsini aynı çatı altında toplayıp onlarla yaşamak istiyorum."

Gustave Moreau gibi, hayatlarının son yıllarında, içinde koleksiyonlarıyla birlikte yaşadıkları evleri ölümlerinden sonra açılacak bir müzeye çeviren pek çok müze kahramanım vardı. Onların kurduğu müzeleri seviyordum. Sevdiğim yüzlerce ve hiç görmediğim ve merak ettiğim binlerce müzeyi ziyaret etmek için yolculuklarıma devam ettim.

82. KOLEKSİYONCULAR

Dünya seyahatlerinde ve İstanbul'daki deneyimlerimde yıllar boyunca şunu gördüm. İki türlü koleksiyoncu vardır:

1. Koleksiyonuyla gururlanıp onu teşhir etmek isteyen Mağrurlar (genellikle Batı medeniyetinden çıkar).

2. Toplayıp biriktirdiklerini bir kenarda gizleyen Utangaçlar (modernlik dışı bir durum).

Mağrurlara göre, müzeler kendi koleksiyonlarının doğal bir sonucudur. Onlara göre bir koleksiyon, başlangıç nedeni ne olursa olsun, en sonunda bir müzede gururla teşhir edilmek için yapılır. Küçük ve özel Amerikan müzelerinin resmî hikâyelerinde bunu çok gördüm: Mesela, İçecek Kutuları ve Reklamlar Müzesi'nin tanıtımında, çocukluğunda bir gün Tom'un okuldan eve dönerken, yerden ilk gazoz tenekesini aldığı yazılıydı. Sonra bir diğerini, bir üçüncüsünü almış ve biriktirmiş ve bir süre sonra amacı gazoz tenekelerinin "hepsini toplamak" ve bir müzede sergilemek olmuş.

Utangaçlar ise, toplamak için toplarlar. Mağrur toplayıcılar gibi, başlangıçta onlar için de eşyaları biriktirme, –okurun benim durumumdan da çıkaracağı gibi– hayattaki bir acıya, bir derde, karanlık bir dürtüye bir cevap, bir tesellidir, hatta bir ilaçtır. Ama Utangaç koleksiyoncuların yaşadıkları toplum, koleksiyonları ve müzeleri önemsemediği için, toplamak bilgiye, öğrenmeye katkısı olan itibarlı bir şey olarak değil, saklanması gereken bir utanç olarak yaşanır. Çünkü koleksiyonlar utangaçların ülkesinde faydalı bir bilgiye değil, yalnızca utangaç koleksiyoncunun yarasına işaret eder.

Masumiyet Müzesi'nde sergilemek için 1976 yazında gördüğümüz filmlerin afişlerini, lobi fotoğraflarını, biletlerini ararken, 1992'nin ilk aylarında ilişki kurduğum İstanbul'un sinema eşyası koleksiyoncuları, bana toplayıcı utancını, daha sonra şehirde başka pek çok yerde göreceğim o karanlık duyguyu hemen öğrettiler.

Aşkın Çilesi Ölünce Biter ve *İki Ateş Arasında* gibi filmlerin lobi fotoğraflarını, sıkı bir pazarlıktan sonra bana satan Hıfzı Bey, koleksiyonuna gösterdiğim ilgiden çok memnun olduğunu defalarca ifade ettikten sonra, özür diler bir havaya girmişti.

"Bu çok sevdiğim şeyleri size satıp onlardan ayrılırken çok üzülüyorum Kemal Bey," demişti. "Ama merakıma gülen, benimle alay eden, 'Bu pisliklerle evi niye dolduruyorsun,' diyenler, sizin gibi iyi bir aileden gelen kültürlü birinin benim topladıklarıma değer verdiğini görsünler. Benim ne içkim var, ne sigaram var, ne kumarım, ne de zamparalığım. Tek alışkanlığım artist ve film fotoğrafı toplamak... Papatya'nın çocukluğunda oynadığı *Duyun Annemin Feryadını* filminde Kalender gemisinde çekilmiş

fotoğraflarını ister misiniz? Elbisesi askılı, omuzları da çıplaktır...
Baş oyuncusu Tahir Tan intihar ettiği için yarıda kalan *Siyah Saray* filminde çekilmiş ve şimdiye kadar benden başka kimsenin görmediği fotoğraflara da bir bakmak için bu akşam fakirhaneye gelir misiniz? Ayrıca ilk meyveli, milli Türk gazozunun tanıtım kampanyasında oynayan Alman manken Inge'nin, ilk kuşak Türk-Alman filmlerinden *Merkez İstasyon*'da iyi kalpli, Türksever Alman teyzeyi oynadığı filmde rol gereği âşık olduğu Ekrem Güçlü ile dudak dudağa lobi fotoğrafları da var."

Aradığım film afişlerinin başka kimde olabileceğini sorunca, Hıfzı Bey pek çok koleksiyoncunun evinin tıkış tıkış kâğıt fotoğraf, film ve afişle dolu olduğunu anlattı bana. Odalara dolan film parçaları, foto ve kâğıt yığınlardan ve gazete ve dergilerden kendilerine yer kalmayınca, bu toplayıcıların yakınları (zaten çoğu hiç evlenmezmiş) evi terk eder, onlar da o zaman her şeyi toplamaya başlar, evlerini kısa zamanda içine girilmez bir çöp eve çevirirlermiş. Bazı ünlü koleksiyoncularda benim aradıklarım mutlaka varmış, ama insan bu çöp evlerin içinde aradığını hiç bulamaz, zaten içeri bile zor girermiş.

Gene de Hıfzı Bey benim ısrarlarıma dayanamadı ve beni 1990'ların İstanbul'unun, meraklılarca efsane gibi söz edilen bazı çöp evlerine sokmayı başardı.

Müzemde sergilediğim pek çok film lobisi fotoğrafını, İstanbul görüntülerini, pek çok kartpostalı, sinema biletini, zamanında saklamayı aklımdan geçirmediğim lokanta menülerini, paslı eski konserve kutularını, eski gazete sayfalarını, üzeri şirket amblemli kâğıt torbaları, ilaç kutularını, şişeleri, artist ve ünlü resimlerini ve Füsun ile yaşadığımız İstanbul'u her şeyden daha çok anlatan şehrin sıradan günlük hayat fotoğraflarını, çöp evlerden kendim buldum. Tarlabaşı'ndaki iki katlı eski bir evde, eşya ve kâğıt yığınları arasında bir plastik sandalyede oturan, görece normal görünümlü ev sahibi, bana gururla kırk iki bin yedi yüz kırk iki parçası olduğunu söylemişti.

O evde hissettiğim utancı, daha sonra Üsküdar'da zorlukla girebildiğim bir evin bir odasında yatalak annesiyle ve gaz sobasıyla yaşayan emekli bir havagazı tahsildarının "koleksiyonuna" bakarken de hissetmiştim. (Evin buz gibi soğuk diğer odalarına, tıkış tıkış eşya ile dolu olduğu için hiç girilemiyordu: Uzaktan eski lambalar, Vim kutuları ve çocukluğumun bazı oyuncaklarını görmüştüm.) Beni utandıran emekli havagazı tahsildarının annesinin yattığı yerden oğlunu sürekli aşağılayarak azarlaması değil, bir zamanlar İstanbul'un sokaklarında dolaşmış, evlerinde yaşamış ve şimdi çoğu ölmüş insanların hatıralarıyla kaynaşan bütün bu eşyaların hiçbir müzeye ulaşamadan, hiçbir sınıflamadan geçmeden bir vitrin, çerçeve içine hiç konmadan yok olacağını bilmemdi. O günlerde Beyoğlu'nda kırk yıl düğün, nişan, doğum günü, iş toplantısı, meyhane fotoğrafı çektikten sonra, yersizlikten ve talep olmadığı için bütün negatif koleksiyonunu bir apartman binasının kalorifer kazanında yakan Rum bir fotoğrafçının on yıllık dramını dinlemiştim. Bütün bir şehrin merkezinin düğünleri, eğlenceleri ve toplantılarının negatiflerini, fotoğraflarını kimse bedavaya bile istememişti. Çöp ev sahipleri apartman binasında, mahallede alay konusu olur, aksilikleri, yalnızlıkları ve çöp tenekelerini, eskici arabalarını karıştırmaları yüzünden onlardan korkulurdu. Bu yalnız adamların ölümlerinden sonra, evdeki eşya yığınının dinî bir havası da olan bir öfkeyle mahalledeki boş bir arsada (bayramda kurban kesilen arsa) ya yakıldığını, ya çöpçüye, eskiciye verildiğini Hıfzı Bey çok da fazla kederlenmeden, hayatın bir gerçeğini bildirir bir edayla bana anlatmıştı.

1996 Aralığı'nda Necdet Adsız adlı kimsesiz bir biriktirici (koleksiyoncu yanlış kelime) Tophane'de, Keskinlerin evinden yedi dakikalık bir yürüyüş mesafesindeki küçük evinde tıkış tıkış yığdığı kâğıt ve eski eşya kulelerinin altında ezilip ölmüş ve bu, ancak dört ay sonra yazın evden gelen dayanılmaz koku üzerine fark edilmişti. Eşyalar giriş kapısını da tıkayınca, itfaiye eve ancak pencereden girebilmişti. Olay gazetelere yarı alaycı, yarı korkutucu bir dille geçince de, İstanbullular bu her şey toplayıcılarından daha da korkar olmuştu. Okurun gereksiz bulmayacağını umduğum bir tuhaf ayrıntıyı da, o günlerde kafamda Füsun ile ilgili her şeyi aynı anda düşünebilmeye borçluyum. Eşyaları, kâğıtları arasında ezilerek ölen, cesedi de orada çürüyen Necdet Adsız, Hilton'daki nişanda gecenin sonuna doğru ruh çağırma konusu açılınca Füsun'un sözünü ettiği ve daha o zamanlar öldü sandığı Necdet'ti.

Saklanması gereken, gizli ve yüz kızartıcı bir iş yaptıkları duygusunu ve ondan daha derin bir utancı, müzeme ve Füsun'un hatırasına katkılarından dolayı burada şükranla adlarını anmak istediğim diğer koleksiyoncuların gözlerinde de görürdüm. 1995-1999 arasında bir dönem, Füsun ile İstanbul'da gittiğimiz her mahallenin, her sokağın bir kartpostalını edinmek gibi bir hırsa kapıldığım günlerde tanıştığım İstanbul'un en ünlü kartpostal koleksiyoncusu Hasta Halit Bey'den daha önce söz etmiştim. Kapı kulpları ve anahtar koleksiyonunu sevinçle sergilediğim ve kitabımızda adının anılmasını hiç istemeyen bir koleksiyoncu, her İstanbullunun (erkeğin demek istiyordu) hayatı boyunca aşağı yukarı yirmi bine yakın değişik kapı kulpu tuttuğunu söyleyerek "sevdiğim kişinin elinin" bu kulplardan pek çoğuna kesinlikle değdiğine beni inandırmıştı. Fotoğrafın icadından sonra İstanbul Boğazı'ndan geçmiş olan her geminin orada çekilmiş bir fotoğrafını elde etmeye hayatının son otuz yılını vermiş toplayıcı Siyami Bey'e, kendisinde çift olan resimleri benimle paylaştığı, Füsun'u düşünürken, onunla yürürken düdüklerini işittiğim gemilerin resimlerini müzeseverlere sergileme fırsatını bana verdiği ve topladıklarının halka teşhirinden bir Batılı gibi hiç utanmadığı için burada teşekkür ediyorum.

1975 ile 1980 arasında cenazelerde yakalara takılan resimli küçük kâğıt koleksiyonu için teşekkür borçlu olduğum ve adının açıklanmasını istemeyen bir başka koleksiyoncu, benimle her resim için pintice pazarlık ettikten sonra, pek çok kere bu insanlardan duyduğum ve küçümseyici bir edası olan asıl soruyu sormuş, ben de herkese verdiğim cevabı ona ezberden söylemiştim.

"Bir müze yapıyorum da..."

"Onu sormuyorum. Bunları niye istiyorsun, onu soruyorum."

Kendi kendine eşya toplayan, bunları bir köşede biriktiren her takıntılı kişinin arkasında bir kalp kırıklığı, derin bir dert, açıklanması zor bir ruhsal yara olduğu anlamına geliyordu bu soru. Benim derdim neydi? Sevdiğim biri ölmüştü de, cenazesinde yakama resmini takamadığım için mi dertliydim? Yoksa, tıpkı bu soruyu soranınki gibi derin derdim hiç ifade edilemeyecek, utanç verici bir şey miydi?

Kişisel müzelerin hiç gelişmediği, 1990'ların İstanbul'unda takıntılarından dolayı biriktiriciler kendilerini gizlice aşağıladıkları gibi, birbirlerini de açıkça ve her fırsatta küçümserlerdi. Bu aşağılamalar koleksiyoncu kıskançlığıyla da karışır, daha da kötü olurdu. Nesibe Hala'nın Nişantaşı'na taşınması, mimar İhsan'ın gayretleriyle Keskinlerin evini gerçek bir müze binasına çevirme çabam, yani "tıpkı Avrupa'daki gibi özel bir müze!" yaptığım ve zengin olduğum sağda solda duyulmuştu. Sırf bu yüzden İstanbullu biriktiriciler aşağılayıcı tavırlarını belki yumuşatırlar diye ummuştum. Çünkü gizli, derin bir ruhsal yaram olduğu, yani onlar gibi kafadan çatlak olduğum için değil, Batı'da olduğu gibi, sırf zengin olduğum ve şan olsun diye müze yaptığım için eşya biriktirdiğimi düşünebilirlerdi.

O günlerde yeni kurulan, Türkiye'nin türünde ilk "Biriktirilebilir Eşyaları Sevenler Derneği"nin toplantılarından birine, Hıfzı Bey'in ısrarlarıyla ve belki Füsun'u hatırlatan ve hikâyemde yeri olan bir iki eşya ile karşılaşırım diye gittim. Orada, derneğin bir sabahlığına kiraladığı bir küçük düğün salonunda, toplum dışına itilmiş cüzzamlılar arasındaymışım gibi hissettim kendimi. Koleksiyoncu olarak bazılarının adlarını önceden işittiğim dernek üyeleri (aralarında kibrit kutucusu Soğuk Suphi de olan ve okurun çoğunun tanıdığı yedi kişi) bana İstanbullu bir toplayıcıya ve birbirlerine yaptıklarından daha da aşağılayıcı davranmışlardı. Benimle çok az konuşmuşlar, bana şüpheli biri, bir casus, bir yabancı gibi davranarak o gün kalbimi kırmışlardı. Hıfzı Bey'in de sonra özür diler bir havayla açıkladığı gibi, zengin olmama rağmen derdime çareyi hâlâ eşyalarda aramam onlarda öfke, tiksinti ve hayata karşı umutsuzluk uyandıran bir şeydi. Çünkü onlar toplayıcılık hastalığının bir gün zengin olurlarsa biteceğini sanan masum insanlardı. Füsun'a olan aşkım, dedikodularla yavaş yavaş yayılınca, İstanbul'un bu ilk ciddi toplayıcıları daha sonra hem bana yardım ettiler, hem de yer altından yer üstüne çıkma mücadelelerini benimle paylaştılar.

Merhamet Apartmanı'ndaki eşyaları Çukurcuma'daki müze eve tek tek taşımadan önce, Füsun ile yirmi yıl önce seviştiğimiz odada biriken tıkış tıkış koleksiyonumun genel bir fotoğrafını çektim. (Artık arka bahçeden futbol oynayan çocukların bağrışmaları ve küfürleri yerine bir havalandırma aletinin gürültüsü geliyordu.) Bu eşyaları Çukurcuma'daki müze evde, diğerleriyle, yolculuklarda bulduklarım, Keskinlerin evindekiler, çöp evler, dernek üyeleri ve hikâyeme karışmış tanıdıklardan aldıklarımla birleştirince, yurtdışı yolculuklarında, özellikle bitpazarında aklıma gelen bir düşünceyi, sanki bir resim gibi karşımda gördüm:

Eşyalar, bütün o tuzluklar, biblo köpekler, yüksükler, kalemler, tokalar, küllükler, tıpkı her yıl İstanbul'un üzerinden iki kere geçen leylek sürüleri gibi sessizce göç ederek dünyaya dağılıyorlardı. Füsun'a aldığım bu çakmağın bir eşini Atina ve Roma'daki bitpazarlarında, çok benzerlerini Paris'te ve Beyrut'ta dükkânlarda görmüştüm. Keskinlerin masasında iki yıl duran bu tuzluk İstanbul imalathanelerinde üretilmişti, onu ücra İstanbul lokantalarında da görmüştüm, ama Yeni Delhi'de, bir Müslüman lokantasında, Kahire'nin eski mahallelerindeki bir aşevinde, Barcelona'da Pazar günleri eskicilerin kaldırımlara serdikleri branda bezleri üzerinde ve Roma'da mutfak eşyaları satan sıradan bir dükkânda da görmüştüm. Belli ki, bu tuzluğu birisi bir yerde üretmiş; başka ülkelerde kalıbı çıkarılarak, benzer malzemeden başka pek çokları piyasaya sürülmüş; Güney Akdeniz, Balkanlar merkez olmak üzere, tuzluğun milyonlarca kopyası uzun yıllar milyonlarca ailenin günlük hayatına katılmıştı. Tuzluğun dünyanın bu kadar uzak köşelerine nasıl dağıldığı, tıpkı göçmen kuşların aralarında nasıl iletişim kurdukları, her seferinde aynı yolu nasıl izledikleri gibi bir muammaydı. Sonra bir başka tuzluk dalgası geliyor, eski tuzlukların yerine, tıpkı sahile pek çok eşyayı vuran lodosun getirip bıraktığı eşyalar gibi yenilerini bırakıyor, insanların çoğu hayatlarının önemli bir zamanını birlikte geçirdikleri bu eşyalarla kurdukları duygusal ilişkileri bile fark edemeden onları unutuyorlardı.

Koleksiyonumu, Merhamet Apartmanı'nda, üzerinde Füsun ile seviştiğimiz somyayı, küf kokulu şilteyi ve mavi çarşafı da bir müze olarak yeniden düzenlediğimiz binanın çatı arasına götürmüştüm. Keskinler bu evde yaşarken farelerin, örümceklerin, hamamböceklerinin dolaştığı ve su deposunun durduğu karanlık, küflü çatı arası şimdi temiz, aydınlık ve yıldızlara bakan bir oda olmuştu. Oraya yatağı yerleştirdikten sonra üç kadeh rakı içtiğim gece bana Füsun'u hatırlatan bütün eşyalarla, onların duygusal havasıyla sarıp sarmalanarak uyumak istedim ve bir bahar akşamı artık iç düzeni değişecek bir müzeye dönüşen eve, Dalgıç Sokak'taki yeni kapıdan anahtarımla girdim, uzun ve dümdüz merdivenleri bir hayalet gibi ağır ağır çıktım ve çatı arasındaki yatağa kendimi atıp uyudum.

Bazıları yaşadıkları yeri eşyalarla doldurur, hayatlarının sonuna doğru da bu evlerini müzeye dönüştürürler. Ben ise, müzeye dönüştürülmüş bir evi yatağım, odam ve varlığımla şimdi tekrar eve dönüştürmeye çalışıyordum. İnsanın geceleri, derin, duygusal ilişkilerle ve hatıralarla bağlı olduğu eşyalarla aynı mekânda uyumasından güzel ne olabilir!

Özellikle bahar ve yaz günleri çatı arasındaki dairede daha çok gecelemeye başladım. Mimar İhsan'ın binanın ortasında açtığı büyük boşluk sayesinde yalnız koleksiyonumdaki tek tek eşyaları değil, bütün mekânın derinliğini geceleri içimde hissediyordum. Gerçek müzeler, Zaman'ın Mekân'a dönüştüğü yerlerdir.

Müzemin çatı arasında yaşamaya başlamam annemi huzursuz etmişti; ama öğle yemeklerini sık sık onunla yediğim, Sibel ve Zaim dışında eski arkadaşlarımdan bazılarıyla yeniden ahbaplığa başladığım, yazları Suadiye'ye, Adalar'a yat gezintilerine gittiğim ve Füsun'u kaybetme acısına ancak böyle dayandığımı düşündüğü için ses çıkarmıyor; Keskinlerin evinde, Füsun'a olan aşkımı anlatan ve bizim hayatımızın eşyalarıyla yapılmış bir müze kurmamı da bütün tanıdıkların aksine olağan karşılıyordu.

"Aman, tabii dolabımdaki eski eşyaları al, çekmecelerdekileri de... O şapkaları da hiç giyeceğim yok, çantaları, babanın eskilerini... Örgü takımımı, düğmeleri de al, yetmişimden sonra dikiş dikeceğim yok, masraf etmezsin," diyordu.

Yeni evinden ve çevresinden memnun gözüken Nesibe Hala'yı da, İstanbul'da olduğum zamanlarda ayda bir görüyordum. Berlin'de yeni ziyaret ettiğim Berggruen Müzesi'nde, bütün hayatı boyunca biriktirdiği koleksiyonu sergilenen Heinz Berggruen'ün Berlin Şehri'yle yaptığı anlaşma sonucunda, ölene kadar koleksiyonu için verilen müze binasının çatı katında yaşayacağını ona heyecanla anlatmıştım.

"İnsan, koleksiyonu yapan kişiyle, müzede gezerken, odaların birinde ya da merdivenlerde o ölmeden önce karşılaşabilir. Tuhaf değil mi Nesibe Hala?"

"Allah size en gecinden versin, Kemal Bey," demişti Nesibe Hala bir sigara daha yakarken. Sonra Füsun için biraz gözyaşı dökmüş, yanaklarından akan damlaları hiç silmeden, ağzında sigara, bana gülümsemişti.

83. MUTLULUK

Mehtaplı bir gece yarısı Çukurcuma'daki evde, çatı arasındaki küçük perdesiz odamda hoş bir ışığın içinde uyandım ve altımdaki büyük delikten müze boşluğuna, aşağıya baktım. Bazan hiç tamamlanmayacakmış gibi gelen küçük müzemin pencerelerinden, gümüş bir ay ışığı içeri vuruyor; boşluğu ve yapıyı, sanki sınırsız bir mekânmış gibi korkutucu gösteriyordu. Her biri birer balkon gibi boşluğa uzanan alt katlarda, otuz yıldır biriktirdiğim bütün koleksiyonum gölgeler içinde duruyordu. Füsun'un ve Keskin ailesinin bu evde kullandığı eşyaları, Chevrolet'nin paslı enkazını, sobadan buzdolabına, üzerinde sekiz yıl akşam yemeği yediğimiz masadan seyrettiğimiz televizyona, her şeyi görebiliyor ve eşyaların ruhlarını fark eden bir Şaman üstadı gibi, onların hikâyelerinin içimde kıpırdandıklarını hissediyordum.

Müzemin, içindeki bütün eşyaların hikâyelerinin tek tek ayrıntılı bir şekilde anlatıldığı bir kataloğu olması gerektiğini o gece anladım. Bu da, elbette benim Füsun'a olan aşkımın ve ona hayranlığımın hikâyesi olacaktı.

Ay ışığında gölgeler içinde ve sanki boşluktaymış gibi gözüken eşyaların her biri, tıpkı Aristo'nun bölünemez atomları gibi, bölünemez bir ana işaret ediyordu. Aristo'ya göre anları birleştiren çizginin Zaman olması gibi, eşyaları birleştiren çizginin de bir hikâye olacağını anlıyordum. Demek ki bir yazar, müzemin kataloğunu tıpkı bir roman yazar gibi kaleme alabilirdi. Böyle bir kitabı kendim yazmayı denemek bile istemiyordum. Bunu benim için kim yapabilirdi?

Bu kitabı, benim ağzımdan ve benim onayımla anlatan Orhan Pamuk beyefendiyi böyle aradım. Babası ve amcası, babamla, bizimkilerle bir zamanlar iş yapmışlardı. Servetlerini kaybetmiş eski Nişantaşlı bir ailedendi ve hikâyemin arka planını da iyi kavrar diye düşünmüştüm. Hikâye anlatmayı ciddi bir şekilde seven, işine bağlı bir adammış diye de duymuştum.

Orhan Bey'le ilk görüşmemize hazırlıklı gittim. Füsun'dan söz etmeden önce, ona son on beş yılda dünyada bin yedi yüz kırk üç müze gezdiğimi, biletlerini de biriktirdiğimi, ilgisini çeker diye sevdiği yazarların müzelerini anlattım: St. Petersburg'daki Dostoyevski Müzesi'ndeki tek hakiki parçanın, fanus içerisinde saklanan ve kenardaki notta "Gerçekten Dostoyevski'nindir," diye yazan bir şapka olduğunu öğrenince gülümserdi belki. Aynı şehirdeki Nabokov Müzesi'nin Stalin yıllarında yerel sansür kurulunun yazıhanesi olarak kullanılmasına ne diyordu? Illiers-Combray'daki Marcel Proust Müzesi'nde yazarın romanında kahramanlarına örnek aldığı kişiler diye sergilenen portreleri görmemin bana roman hakkında değil, yazarın yaşadığı dünya hakkında bir fikir verdiğini anlattım. Hayır, yazar müzelerini saçma bulmuyordum. Mesela Hollanda'nın küçük Rijnsburg kentindeki Spinoza'nın Evi'nde, yazarın ölümünden sonra tutulan tutanakta adı geçen bütün kitapların bir araya getirilip eksiksiz olarak ve 17. yüzyılda yapıldığı gibi büyüklükleri esas alınarak sergilenmesini çok yerinde bulmuştum. Tagore Müzesi'nde, yazarın yaptığı suluboya resimlere bakarak ve bizim erken dönem Atatürk müzelerinin toz ve nem kokusunu hatırlayarak, labirent benzeri odalarda yürürken, Kalküta'nın bitip tükenmez uğultusunu dinleyerek, bütün bir gün ne kadar da mutlu olmuştum! Sicilya'nın Agrigento şehrindeki Pirandello'nun Evi'nde gördüğüm ve bana kendi aileme aitmiş gibi gelen fotoğraflardan, Stockholm'deki Strindberg Müzesi'nin pencerelerinden görülen şehir manzarasından ve Baltimore'da Edgar Allan Poe'nun teyzesi ve daha sonra evleneceği on yaşındaki kuzeni Virginia ile paylaştığı dört katlı ve küçücük, kederli evin bana çok tanıdık geldiğinden söz ettim. (Baltimore'da bugün artık ücra ve yoksul bir mahallenin orta yerine düşen dört katlı bu Poe Evi Müzesi; küçüklüğü, kederli hali, odaları ve biçimiyle gördüğüm bütün müzeler içerisinde, Keskinlerin evine en çok benzeyen yerdi aslında.) Orhan Bey'e, hayatta gördüğüm en mükemmel yazar müzesinin Roma'da Giulia

Sokağı'ndaki Mario Praz Müzesi olduğunu da anlattım. Resimden ve edebiyattan aynı tutkuyla zevk alan Romantizm'in büyük tarihçisi Mario Praz'ın evine benim gibi randevu alıp girerse, büyük yazarın harika koleksiyonunun hikâyesini, oda oda, eşya eşya roman gibi anlattığı kitabı da mutlaka okumalıydı... Rouen'de Flaubert'in doğduğu ev babasının tıp kitaplarıyla doluydu ve Flaubert ve Tıp Tarihi Müzesi'ne gitmeye hiç gerek yoktu. Sonra yazarımızın gözlerinin içine dikkatle baktım:

"Flaubert'in *Madame Bovary*'yi yazarken kendisine ilham veren ve tıpkı romandaki gibi kasaba otellerinde, at arabalarında seviştiği sevgilisi Louise Colet'nin saçlarından bir tutamı, mendilini, terliğini bir çekmecede sakladığını, arada onları çıkarıp sevip okşadığını, terliklere bakıp nasıl yürüdüğünü düşlediğini mektuplarından mutlaka biliyorsunuzdur, Orhan Bey."

"Hayır, bilmiyordum," dedi. "Ama çok hoşuma gitti."

"Ben de bir kadını saçlarını, mendillerini, tokalarını, bütün eşyalarını saklayacak, onlarla yıllarca teselli arayacak kadar çok sevdim Orhan Bey. Hikâyemi size bütün içtenliğimle anlatabilir miyim?"

"Tabii, buyrun."

Kapanan Fuaye'nin yerine açılan Hünkâr'daki o ilk buluşmamızda, içimden geldiği gibi, ama düzensiz bir şekilde, daldan dala atlayarak bütün hikâyemi üç saatte ona anlattım. Aşırı bir heyecana kapılmış, üç duble rakı içmiş, sanırım başımdan geçenleri de coşkuyla sıradanlaştırmıştım.

"Ben Füsun'u tanıyordum," dedi Orhan Bey. "Hilton'daki nişandan da hatırlıyorum. Ölümüne çok üzüldüm. Şuradaki butikte çalışıyordu. Nişanınızda da onunla dans etmiştik."

"Hakikaten mi? Ne kadar olağanüstü bir insandı, değil mi... Güzelliğinden değil, ruhundan bahsediyorum Orhan Bey, dans ederken ne konuşmuştunuz?"

"Sizde gerçekten Füsun'un bütün eşyaları varsa, onları görmek isterim."

Önce Çukurcuma'ya geldi ve artık eski bir evden bir müzeye çevrilen binadaki koleksiyonuma, etkilendiğini hiç saklamadan içten bir ilgi gösterdi. Bazan bir eşyayı, mesela Şanzelize Butik'te onu ilk gördüğümde Füsun'un giydiği sarı ayakkabıyı eline alıyor, hikâyesini soruyor, ben de anlatıyordum.

Daha sonra düzenli bir şekilde çalışmaya başladık. İstanbul'da olduğum zamanlarda haftada bir çatı arasına gelir, benim hatırlayarak sıraya dizdiğim eşyaların ve fotoğrafların müzede neden aynı kutular ya da vitrinler ve romanda neden aynı bölümlerde yer alması gerektiğini sorar, ben de zevkle anlatırdım. Her sözümü dikkatle dinlediğini, notlar aldığını görmek hoşuma gider, beni gururlandırırdı.

"Bitirin artık şu romanı da, meraklılar ellerinde kitap müzeme gelsinler. Onlar Füsun'a olan aşkımı yakından hissetmek için vitrin vitrin müzeyi gezerlerken, ben çatıdaki odamdan pijamalarımla çıkıp aralarına karışacağım."

"Ama siz de bitiremiyorsunuz müzenizi Kemal Bey," diye cevap verirdi bana Orhan Bey.

"Dünyada daha görmediğim çok müze var," derdim gülümseyerek. Ve ona, kim bilir kaçıncı kere müzelerin sessizliğinin üzerimdeki ruhsal etkisini anlatmaya gayret eder, dünyanın uzak bir kentinde herhangi bir Salı günü, ücra bir mahalledeki unutulmuş bir müzede, bekçilerin bakışlarından kaçarak gezinmenin beni neden mutlu ettiğini ifade etmeye çalışırdım. Seyahatlerimden döner dönmez Orhan Bey'i artık hemen arıyor, ona gördüğüm müzeleri anlatıyor, biletlerini, tanıtma broşürlerini ve çok sevdiğim bazı müzelerden cebime indirdiğim ucuz bir eşyayı, müze içindeki yol levhalarını gösteriyordum.

Gene böyle bir seyahatten sonra, önce kendi hikâyem, sonra gördüğüm müzeleri anlatmış ve ona romanın ne aşamada olduğunu sormuştum.

"Kitabı birinci tekil şahısla yazıyorum," dedi Orhan Bey.

"Nasıl yani?"

"Hikâyenizi kitapta siz 'ben' diyerek anlatıyorsunuz, Kemal Bey. Ben sizin ağzınızdan konuşuyorum. Şu günlerde kendimi sizin yerinize koymak, siz olmak için çok uğraşıyorum."

"Anlıyorum," dedim. "Peki siz hiç böyle bir aşk yaşadınız mı Orhan Bey?"

"Hmmmmm... Konumuz ben değilim," dedi, sustu.

Uzun bir süre çalıştıktan sonra, müzenin çatı arasında rakı içtik. Ona Füsun'u ve yaşadıklarımı anlatmaktan yorgundum. O gittikten sonra bir zamanlar (çeyrek yüzyıldan çok) Füsun ile seviştiğimiz yatağa uzandım ve hikâyeyi benim ağzımdan anlatmasında, bana tuhaf gelen yanı düşündüm.

Hikâyemin benim hikâyem olacağından, ona saygı duyacağından şüphem yoktu da, benim sesimi onun çıkarmasını yadırgıyordum. Bir çeşit güçsüzlük, zayıflıktı bu. Kendi hikâyemi ziyaretçilere eşyaları göstere göstere kendim anlatmak artık bana olağan geliyordu, hatta sık sık müzemin bitip açılacağını ve bunu yaptığımı hayal ediyordum. Ama Orhan Bey'in kendini benim yerime koymasına, benim sesim yerine onun sesinin işitilmesine sinirleniyordum.

Bu duyguyla, iki gün sonra ona Füsun'u sordum. Gece gene müzemizin çatı arasında buluşmuş, birer kadeh rakıyı çoktan yuvarlamıştık.

"Orhan Bey, o gece benim nişanımda Füsun ile dans etmenizi bana anlatabilir misiniz lütfen."

Bir süre direndi, sanırım utanmıştı. Ama birer kadeh daha içince, Orhan Bey çeyrek yüzyıl önce Füsun ile nasıl dans ettiklerini öyle bir içtenlikle anlattı ki, ona hemen güvendim, hikâyemi benim ağzımdan müzeseverlere en iyi onun anlatabileceğini anladım.

Kendi sesimin çok çıktığını, hikâyemi bitirme işini artık ona bırakmamın daha yerinde olacağına da hemen o sırada karar verdim. Bundan sonraki paragraftan kitabın sonuna kadar, hikâyemi anlatan artık Orhan Bey'dir. Füsun'a o dans sırasında gösterdiği içten dikkati, bu son sayfalara da göstereceğinden eminim. Allahaısmarladık!

Merhaba, ben Orhan Pamuk! Kemal Bey'in izniyle Füsun ile dansımızla başlıyorum: Gecenin en güzel kızıydı ve pek çok erkek onunla dans etmek için sıradaydı. Onun ilgisini çekebilecek kadar yakışıklı, gösterişli, hatta ne bileyim –ondan beş yaş büyük olmama rağmen– yeterince olgun ya da kendine güvenen biri değildim o zamanlar. Aklımda o geceden zevk almama engel ahlakçı düşünceler, kitaplar, romanlar vardı. Onun ise kafasının bambaşka şeylerle meşgul olduğunu, siz zaten biliyorsunuz.

Gene de dans teklifimi kabul ettikten sonra, o önde ben arkada dans pistine yürürken, boyunun uzunluğuna, çıplak omuzlarına, harika sırtına ve bir an gülümsemesine bakıp hayallere kapıldım. Eli hafif ama sıcacıktı. Diğer elini omzuma koyunca sanki dans etmek için değil, bana özel samimiyetinden yapmış gibi bir an gurur duydum. Hafifçe sallanarak, yavaş yavaş dönerken teninin yakınlığı, dimdik gövdesinin, omuzlarının ve göğüslerinin canlılığı aklımı karıştırıyor, bu çekime direndikçe bastırmaya çalıştığım hayaller dur durak bilmeden gözümün önünden hızla geçiyordu. Danstan el ele ayrılıp yukarıya bara çıkıyormuşuz; birbirimize korkunç âşık oluyormuşuz; ilerdeki ağaçların altında öpüşüyormuşuz; evleniyormuşuz!

Sırf bir şey söylemiş olmak için söylediğim ilk laf ("Nişantaşı'nda kaldırımdan geçerken bazan sizi dükkânda görüyorum,") sıradandı ve ona çok güzel bir tezgâhtar kız olduğunu hatırlatıyordu yalnızca, ilgilenmedi bile. Zaten ilk parçanın yarısına gelmeden benden bir iş çıkmayacağını çoktan anlamış, omzumun üzerinden davetlileri izliyor, masalarda oturanlara, kimin kiminle dans ettiğine, kendisiyle ilgilenen pek çok erkeğin kimlerle konuşup gülüştüğüne, güzel ve hoş kadınlara dikkat ediyor, bundan sonra ne yapacağını çıkarmaya çalışıyordu.

Güzel kalçasının biraz yukarısına, saygıyla ve zevkle koyduğum sağ elimin orta ve işaret parmağının ucunda belkemiğinin

hareketlerini, en küçük kıpırtıya kadar bir nabız gibi hissedi-
yordum. Tuhaf, başdöndürücü, dimdik bir duruşu vardı. Yıl-
larca unutmadım. Bazı anlar kemiklerini, gövdesinde güçle ge-
zen kanı, canlılığını, bir an yeni bir şeyle ilgilenişini, iç organ-
larının kıpırtılarını, bütün iskeletinin zarafetini parmaklarımın
ucunda hissediyor ve ona bütün gücümle sarılmamak için ken-
dimi zor tutuyordum.

Dans pisti kalabalıklaşınca, arkadan bir çift bize çarptığı için
bir an gövdelerimiz birbirlerine yapıştı. O sarsıcı temastan son-
ra uzun bir süre sustum. Boynuna, saçlarına bakarken onun ba-
na verebileceği mutluluğa kapılıp kitapları, romancı olma iste-
ğimi unutabileceğimi seziyordum. Yirmi üç yaşındaydım ve ro-
mancı olmaya karar verdiğimi öğrenen Nişantaşlı burjuvalar ve
arkadaşlarım gülümseyerek bu yaşta bir kimsenin hayatı daha
tanıyamayacağını bana söylediklerinde çok öfkelenirdim. Tam
otuz yıl sonra, bu satırları düzeltirken, bu kişilerin çok haklı ol-
duklarını düşündüğümü şimdi eklemek isterim. Hayatı tanısay-
dım, o dans sırasında onun ilgisini çekmek için çırpınır, benim-
le ilgilenebileceğine inanır, kollarımdan kayıp gitmesine bu ka-
dar çaresizce bakmazdım. "Yoruldum," dedi. "İkinci parçadan
sonra oturabilir miyim?" Filmlerden öğrenilmiş bir kibarlıkla
masasına kadar yürüyüp ona eşlik ediyordum ki, bir an kendi-
mi tutamadım.

"Ne sıkıcı bir kalabalık," dedim ukalaca. "Yukarı çıkıp bir yer-
de rahat rahat konuşalım mı?" Gürültüden beni tam işitmemişti,
ama ne istediğimi yüzümden anladı hemen. "Annemlerle otur-
mam lazım," dedi ve benden kibarca uzaklaştı.

Hikâyemi burada kestiğimi görünce, Kemal Bey beni hemen
tebrik etti. "Evet, aynen Füsun'un davranışları, onu çok iyi an-
lamışsınız!" dedi. "Gurur kırıcı ayrıntıları da çekinmeden an-
lattığınız için çok teşekkür ederim. Evet, konu gururdur Or-
han Bey. Müzemle yalnız Türk milletine değil, dünyanın bü-
tün milletlerine yaşadığımız hayat ile gururlanmayı öğretmek

istiyorum. Gezdim, gördüm: Batılılar gururlanırken, dünyanın büyük çoğunluğu utanç içerisinde yaşıyor. Oysa hayatımızdaki utanç verici şeyler bir müzede sergilenirlerse, hemen gururlanılacak şeylere dönüşürler."

Gece yarıları, müzesinin çatı arasındaki küçük odasında, birkaç kadehten sonra Kemal Bey'in bana ders verir bir havada attığı nutukların ilkiydi bu. İstanbul'da karşısında bir romancı gören herkes ortak bir içgüdüyle eğitici nutuklar attığı için çok yadırgamadım, ama kitaba neyi nasıl koymam gerektiği konusunda benim de (Kemal Bey'in çok sık kullandığı deyişle) kafam karışıyordu.

"Müzelerin asıl konusunun gurur olduğunu bana en iyi kim öğretmiştir biliyor musunuz Orhan Bey?" dedi Kemal Bey gene bir başka gece yarısı, çatı arasındaki odasında buluştuğumuzda. "Müze bekçileri tabii... Dünyanın neresinde olursa olsun, müze bekçileri, her sorumu her zaman gururla ve tutkuyla cevaplamışlardır. Gürcistan'da Gori şehrindeki Stalin Müzesi'nde, yaşlı bir kadın bekçi, bana Stalin'in ne büyük adam olduğunu bir saate yakın anlatmıştı. Portekiz'de, Oporta şehrindeki Romantik Çağ Müzesi'nde, sürgündeki eski Sardunya Kralı Carlo Alberto'nun, 1849'da bu evde hayatının son üç ayını geçirmesinin Portekiz romantizmini ne kadar derinden etkilediğini de, sevimli bir müze bekçisinin bana gururla uzun uzun anlattıklarından öğrenmiştim. Orhan Bey, bizim müzemizde de bir soru soran olursa, bekçiler Kemal Basmacı koleksiyonunun tarihini, Füsun'a duyduğum aşkın ve onun eşyalarının anlamını, ziyaretçilere içten bir gururla anlatmalıdırlar. Bunu da koyun lütfen kitaba. Müze bekçilerinin görevi sanıldığı gibi eşyaları korumak (tabii ki Füsun ile ilgili her şey sonsuza kadar korunmalıdır!), gürültü edenleri susturmak, çiklet çiğneyenleri ve öpüşenleri uyarmak değil, müzegezere cami gibi alçakgönüllülük, saygı ve huşu duyması gereken bir tapınakta bulunduğunu hissettirmektir. Masumiyet Müzesi'nde bekçiler, koleksiyonun havasına ve Füsun'un zevkine uygun olarak koyu ahşap rengi kadife takım elbiseler, içine açık pembe renkli gömlekler giymeli, müzemize özel –Füsun'un küpeleri işlenmiş– kravatlar takmalı ve tabii çiklet çiğneyen ya da öpüşen ziyaretçilere de asla karışmamalı. Masumiyet Müzesi, İstanbul'da öpüşecek bir yer bulamayan âşıklara sonsuza kadar açık kalacaktır."

Kemal Bey'in iki kadehten sonra kullandığı ve 1970'lerin iddialı siyasi yazarlarını hatırlatan bu buyurgan üsluptan bazan sıkılır, not almayı bırakır, sonraki günlerde de onu hemen görmek istemezdim. Ama Füsun'un hikâyesinin kıvrımları, müzede eşyaların oluşturduğu o özel hava beni çeker, bir süre sonra çatı arasına gidip Füsun'u hatırladıkça için, içtikçe daha çok coşup anlatan bu yorgun adamın attığı nutukları gene dinlemek isterdim.

"Müzemin mantığının, sergi alanının her noktasından bütün koleksiyonun, diğer vitrinlerin, her şeyin gözükmesi olduğunu sakın unutmayın, Orhan Bey," derdi Kemal Bey. "Her yerden aynı anda bütün eşyalar, yani bütün hikâyem görülebildiği için, müzegezer Zaman duygusunu unutacaktır. Hayatta en büyük teselli budur. Kalpten gelen dürtülerle yapılmış ve iyi kurulmuş şiirsel müzelerde, sevdiğimiz eski eşyalarla karşılaştığımız için değil, Zaman kaybolduğu için teselli oluruz. Bunu da kitabınıza yazın lütfen. Bu kitabı size nasıl yazdırdığımı, sizin de onu nasıl yazdığınızı da saklamayalım... Kitabımızın müsveddelerini, defterlerinizi de lütfen işleri bitince verin, sergileyelim. Daha ne kadar sürer? Kitabı okuyanlar elbette Füsun'un saçlarını, elbiselerini, her şeyi görebilmek için buraya –sizin gibi– gelmek isteyeceklerdir. Romanın sonuna lütfen bir harita koyun ki, meraklılar müzemizin yolunu İstanbul sokaklarında yürüye yürüye kendileri bulabilsinler. Füsun ile hikâyemizi bilenler, sokaklarda yürürken, İstanbul'un manzaralarına baktıkça, benim her zaman yaptığım gibi elbette onu hatırlayacaklardır. Kitabımızı okuyanlara müzemize giriş bir seferlik bedava olsun. Bunun için kitaba bir de bilet koymak en iyisi. Kapıdaki görevli, elinde kitapla gelen meraklının biletini Masumiyet Müzesi'nin özel damgasıyla damgalayarak ziyaretçiyi içeri alsın."

"Bileti nereye koyalım?"

"Buraya koysunlar işte!"

MASUMİYET MÜZESİ

YALNIZ BİR GİRİŞ İÇİN GEÇERLİDİR

"Teşekkürler. Son sayfalara bir de kişi indeksi koyalım Orhan Bey. Hikâyemizi ne kadar çok kişinin bildiğini, ne kadar çok insanın bizlere tanık olduğunu da sizin sayenizde hatırladım. Ben bile adlarını zor tutuyorum aklımda."

Aslında hikâyede sözü geçen kişileri arayıp bulmam Kemal Bey'in hoşuna gitmiyordu, ama romancılığımı hoşgörüyordu. Bazan bulduğum kişilerin ne dediklerini, bugün ne yaptıklarını merak eder, bazan da onlarla hiç ilgilenmez, benim de neden ilgilendiğimi anlamazdı.

Mesela Satsat'ın Kayseri bayii Abdülkerim Bey'e bir mektup yazıp, İstanbul'a gelişlerinden birinde onunla neden buluştuğumu hiç anlamadı. Satsat'ı bırakıp Osman'ın Turgay Bey ile kurduğu Tekyay'ın Kayseri bayiliğine geçen Abdülkerim Bey ise, Kemal Bey'in hikâyesinden Satsat'ın batmasına neden olan bir aşk ve rezalet hikâyesi gibi söz etti bana.

Pelür'deki ilk aylara tanıklık etmiş olan bir zamanların kötü kadın oyuncusu Sühendan Yıldız'ı (Hain Sühendan) bulup onunla konuştum. Kemal Bey'in çaresiz bir yalnız olduğunu, herkes gibi kendisinin de onun Füsun'a ne kadar âşık olduğunu bildiğini, ama ona çok da acımadığını, çünkü güzel kızlarla birlikte olmak için sinemacılar arasına karışan zenginlere ısınamadığını söyledi. Hain Sühendan asıl, "filmlerde oynamak, yıldız olmak için telaşa yakın bir sabırsızlığı" olan Füsun'a acımıştı. Film yıldızı olsaydı da, o kurtlar arasında sonu gene kötü olacaktı. Füsun'un "o şişkoyla" (Feridun) niye evlendiğini de hiç anlayamamıştı. O günlerde Pelür'de otururken üç renkli bir kazak ördüğü torunu ise, şimdi tam otuz yaşındaydı ve anneannesinin bir zamanlar oynadığı filmleri televizyonda görünce çok gülüyor, ama İstanbul'un o zamanlar ne kadar yoksul olduğuna da şaşıyordu.

Berber Basri Nişantaşı'nda bir zamanlar benim de berberimdi. Berberliğe devam ediyor ve Kemal'den çok babası Mümtaz Bey'den sevgi ve saygıyla söz ediyordu. Şakacı, eğlenceli, eli açık, iyi kalpli biriydi rahmetli Mümtaz Bey. Tıpkı Piç Hilmi ve karısı Neslihan, Hayal Hayati, bir diğer Pelür sakini Salih Sarılı ve Kenan gibi, Berber Basri'den kayda değer yeni bir şey öğrenemedim. Füsun'un, Kemal'den sakladığı alt kat komşusu Ayla, şimdi mühendis kocası ve en büyüğü üniversiteye giden dört çocuğuyla Beşiktaş'ta bir ara sokakta oturuyordu. Füsun ile arkadaşlıktan çok hoşlandığını, onun hayatiyetini, şakacılığını, konuşmasının her şeyini çok sevdiğini, hatta taklit ettiğini, ama Füsun'un kendisiyle ne yazık ki istediği kadar arkadaşlık etmediğini anlattı bana. İki kız iyi kıyafetlerini giyer, birlikte Beyoğlu'na çıkar, sinemaya giderlermiş. Mahalleden bir arkadaşları orada yer göstericilik yaptığı için, Dormen Tiyatrosu'ndaki provalara onları sokarmış. Sonra bir yerde sandviç yer, ayran içer, sataşan erkeklere karşı birbirlerini korurlarmış. Bazan gerçekten bir şey alacakmış gibi Vakko'ya ya da başka bir şık dükkâna girerek elbiseler dener, aynaya bakar, eğlenirlermiş. Tam gülüşür, konuşurlarken ya da filmin ortasında, Füsun kafasını bir şeye takar, keyfi bir anda kaçar, ama içindeki şeyi de Ayla'ya asla açmazmış. Kemal Bey'in gidip geldiğini, çok zengin ve biraz da çatlak olduğunu bütün mahalle bilirmiş, ama kimse bir aşktan da söz etmezmiş. Ayla, Füsun ile Kemal arasında yıllar önce geçenlerden o yıllarda bütün Çukurcuma mahallesi gibi habersizdi ve artık o mahalleden "zaten" de kopmuştu.

Beyaz Karanfil, yirmi yılda dedikodu muhabirliğinden en büyük gazetelerimizden birinin günlük magazin ekinin başına yükselmişti. Ayrıca yerli film ve dizi artistlerinin skandalları ve aşk hayatlarına odaklanmış aylık bir magazin-dedikodu dergisinin editörüydü. Yalan yanlış haberleriyle insanları üzen, hatta hayatlarını karartan gazetecilerin çoğu gibi, Kemal hakkında yazdığı şeyleri içtenlikle unutmuştu ve ona selam söylüyor, yakın zamana kadar arada bir arayıp haber aldığı muhterem annesi Vecihe Hanım'a en derin hürmetlerini yolluyordu. Benim, artistler arasında geçecek ve bu yüzden çok satacak bir kitap için kendisini aradığımı zannetmiş, her türlü yardıma hazır olduğunu dostane bir havayla belirtmişti: Bir zamanların ünlü yıldızı Papatya'nın prodüktör Muzaffer ile başarısız evliliğinden olan çocuğunun, genç yaşta Almanya'daki en büyük turizm şirketlerinden birinin sahibi olduğunu biliyor muydum?

Feridun sinema çevresinden tamamen kopmuş, çok başarılı bir reklam şirketi kurmuştu. Bu yeni şirkete "Mavi Yağmur" adını verdiğini öğrenmek, gençlik hayallerinden vazgeçemediğini hatırlattı bana, ama çekilmeyen filmi hiç sormadım. Feridun bütün dünyanın; Türk bisküvilerinin, blucinlerinin, jiletlerinin ve kabadayılarının başarısından çok korktuğunu anlatan bayraklı, futbollu reklam filmleri çekiyordu. Kemal Bey'in müze tasarısını duymuştu, ama "Füsun'u anlatan" bir kitap yazdığımı benden öğrendi: Hayatta bir kere âşık olduğunu, o zaman da Füsun'un kendisine yüz vermediğini olağanüstü bir açıklıkla bana anlattı. Evlilikleri sırasında aynı acıyı yeniden yaşamamak için ona yeniden âşık olmamaya çok dikkat ettiğini de dikkatle söyledi. Çünkü zaten Füsun'un "mecbur kaldığı" için kendisiyle evlendiğini biliyordu. Dürüstlüğünü sevdim. Şık yazıhanesinden çıkarken, aynı dikkatli ve nazik bir edayla "Kemal Bey'e" selam söyledi ve kaşlarını çatarak beni uyardı: "Füsun hakkında kötü herhangi bir şey yazarsanız iki elim yakanızda olur Orhan Bey, bilesiniz," dedi bana. Sonra kendisine çok yakışan rahat, hafif bir hava takındı. Çok büyük bir gazoz şirketinin, yıllardır çalıştığı Meltemcilerin yeni ürünü Bora'nın kampanyasını almışlardı; benim *Yeni Hayat* kitabının ilk cümlesini reklamlarda kullanabilir miydi?

Çetin Efendi emeklilik ikramiyesiyle bir taksi almıştı, bir başka şoföre kiraya veriyor, bazan da ileri yaşına rağmen İstanbul sokaklarına kendisi çıkıyor, taksi şoförlüğü yapıyordu. Beşiktaş'taki bir taksi durağında buluştuğumuzda, bana Kemal'in çocukluğundan, gençliğinden bu yana aynı kaldığını söyledi: Aslında o, hayatın her anını seven, dünyaya ve insanlara açık, çocuk gibi iyimser biriydi. Bu bakımdan bütün hayatının bir kara sevdayla geçmesi tuhaftı belki. Ama Füsun'u tanısaydım, Kemal Bey'in hayatı çok sevdiği için bu kadına o kadar âşık olduğunu da anlardım. Onlar, Füsun ile Kemal, aslında ikisi de çok iyi, çok saf insanlardı ve birbirlerine çok uygunlardı, ama Allah onları birleştirmemişti ve bizler de bunu çok fazla sorgulayacak durumda değildik.

Uzun bir yolculuktan dönen Kemal Bey ile ilk buluşmamızda, gördüğü yeni müzelerin hikâyesini dinledikten sonra ona Çetin Efendi'nin sözlerini aktardım, Füsun hakkındaki sözlerini de kelime kelime tekrarladım.

"Müzemizi gezenler, bir gün bizim hikâyemizi öğrenecek ve Füsun'un nasıl biri olduğunu zaten hissedecekler Orhan Bey," dedi. Hemen içmeye başlamıştık ve onunla içmek artık çok hoşuma gidiyordu. "Vitrin vitrin, kutu kutu, bütün bu eşyalara bakarken, ziyaretçiler sekiz yıl boyunca akşam yemeklerinde Füsun'u nasıl seyrettiğimi, onun elini, kolunu, gülümseyişini, saçlarının kıvrımını, içtiği sigaranın izmaritini ezişine, kaşlarını çatışına, gülümseyişine, mendillerine, tokalarına, ayakkabılarına, elinde tuttuğu kaşığa, her şeyine ne kadar dikkat ettiğimi ('Ama küpelere dikkat etmemişsiniz, Kemal Bey,' demedim) görünce, aşkın büyük bir dikkat, büyük bir şefkat olduğunu hissedecekler... Artık lütfen kitabı bitirin ve müzede tek tek bütün eşyaların benim onlara duyduğum dikkate uygun bir şekilde vitrinin içinden gelen yumuşacık bir ışıkla aydınlatılması gerektiğini de yazın. Müzemizi gezenler eşyalara baktıkça, Füsun ile benim aşkıma saygı duyacaklar ve kendi hatıralarıyla bizim aşkımızı karşılaştıracaklar. İçerisi hiçbir zaman kalabalık olmasın ki, ziyaretçi Füsun'un tek tek eşyalarını, birlikte el ele gezdiğimiz İstanbul köşelerinin resimlerini, bütün koleksiyonu hissederek yaşasın. Masumiyet Müzesi'nde, aynı anda elli ziyaretçiden fazlasının bulunmasını yasaklıyorum. Gruplar, okullar, zaten müzeyi ziyaret etmeden önce randevu almalı. Batı'da müzeler gittikçe kalabalıklaşıyor, Orhan Bey. Bir zamanlar bizlerin Pazar günleri arabalara binip Boğaz gezintisine gitmemiz gibi, Avrupalı aileler Pazarları hep birlikte büyük müzelere gidiyorlar. Bizim Pazar günleri Boğaz meyhanesinde öğle yemeği yediğimiz gibi, onlar da müzenin lokantasında oturup gülüşüyorlar. Proust kitabında, ölümünden sonra teyzesinin evindeki eşyaların bir kerhaneye satıldığını, teyzesinin koltuklarını, masalarını bu kerhanede her görüşünde, eşyaların ağladığını hissettiğini yazmıştır. Pazar kalabalıkları müzelerde gezinirken, eşyalar ağlıyor Orhan Bey. Benim müzemde, eşyalar zaten hep kendi evlerinde kalacak. Batı'daki müze modasını gören bizim kültürsüz, güvensiz zenginlerimiz, korkarım onları taklitle, lokantalı modern sanat müzeleri açmaya heves ediyorlar. Oysa resim sanatında milletçe bir bilgimiz, zevkimiz ve hiçbir yeteneğimiz yoktur. Türk milleti kendi müzelerinde Batı resminin kötü taklitlerini değil, kendi hayatını seyretmeli. Bizim müzelerimiz zenginlerimizin kendilerini Batılı hissetme hayallerini değil, bizim hayatımızı göstermeli. Müzem, Füsun ile benim bütün hayatımız, yaşadığımız her şeydir ve size anlattıklarımın hepsi gerçektir Orhan Bey. Belki bazı şeyler, okurlara, müzegezerlere yeterince açık gelmeyebilir, çünkü hikâyemi ve hayatımı size bütün içtenliğimle anlattım, ama onu bütünüyle ne kadar anladım, ben kendim bile bilmiyorum. Onu da geleceğin bilim adamları, müzemizin dergisi *Masumiyet*'e yazacakları makalelerle açıklasınlar. Füsun'un saç tokaları ve fırçaları ile merhum kanarya Limon arasında ne gibi yapısal ilişkiler olduğunu onlardan öğrenelim. Yaşadıklarımı, çektiğim aşk acılarını, Füsun'un çilesini, akşam yemeklerinde göz göze gelip bununla oyalanmamızı, plajlarda, sinemalarda el ele tutuşup mutlu olabilmemizi abartılı bulan gelecek kuşakların müze ziyaretçilerine, bekçiler yaşadığımız her şeyin hakiki olduğunu anlatmalı. Ama merak etmeyin, aşkımızın gelecek kuşaklarca anlaşılacağından hiç şüphem yok. Bundan elli yıl sonra Kayseri'den otobüsle ziyarete gelen neşeli üniversite öğrencileri, kapıda kuyruk olan eli fotoğraf makineli Japon turistleri, yolunu şaşırdığı için, içeri giren yalnız kadınlar ve o zamanın mutlu İstanbul'unun mutlu âşıkları, Füsun'un elbiselerine, tuzluklara, saatlere, lokanta menülerine, eski İstanbul'un fotoğraflarına ve ortak çocukluk oyuncaklarımıza ve diğer eşyalara bakıp bakıp aşkımızı ve yaşadıklarımızı derinden hissedecekler, eminim. Masumiyet Müzesi'ne gelecek kalabalıklar, inşallah geçici sergilerimizi de gezecekler ve o zaman çöp evlerde, dernek toplantılarında tanıştığım İstanbullu gariban kardeşlerimin, gemi fotoğrafı, gazoz kapağı, kibrit kutusu, mandal, kartpostal, artist ve ünlü resmi ve küpe toplayan takıntılı koleksiyoncularımızın biriktirdiklerini görecekler. Bu sergilerin, koleksiyonların hikâyeleri de kataloglarda, romanlarda anlatılsın. O günlerde eşyaları seyrederek Füsun ile Kemal'in aşkını huşu ve saygı ile anan ziyaretçiler hikâyenin Leyla ile Mecnun gibi, Hüsn ile Aşk gibi, yalnızca âşıkların değil, bütün bir âlemin, yani İstanbul'un hikâyesi olduğunu da anlayacaklardır. Bir rakı daha ister misiniz Orhan Bey?"

Romanımızın kahramanı, müzemizin kurucusu Kemal Basmacı, 12 Nisan 2007 tarihinde, yani Füsun'un ellinci doğum gününde, kendisi altmış iki yaşındayken, Milano'da her zaman kaldığı Grand Hotel de Milan'ın Via Manzoni'ye bakan büyük bir odasında, sabaha doğru uykusunda geçirdiği kalp krizinden öldü. Kemal Bey, "Hayatımdaki en önemli beş müzeden biridir!" (ölene kadar tam 5723 müze gezmişti) dediği Bagatti Valsecchi Müzesi'ni kendi deyişiyle "yaşamak" için her fırsatta Milano'ya giderdi. ("Müzeler: 1. gezmek için değil, hissetmek ve yaşamak içindir, 2. hissedilecek şeyin ruhunu koleksiyon oluşturur, 3. koleksiyonsuz müze değil, sergi evi olur," not ettiğim son önemli görüşleridir.) 19. yüzyılda iki kardeş tarafından bir 16. yüzyıl Rönesans evi olarak düzenlenen ve 20. yüzyılda müzeye çevrilen ev ve tarihi, harika koleksiyonun Kemal Bey'i büyüleyen yanı, koleksiyonun (yani eski yatakların, lambaların, Rönesans aynalarının ve kapkacağın), kardeşlerin içinde yaşadıkları evin bütün sıradan günlük eşyalarını oluşturmasıydı.

Teşvikiye Camii'ndeki cenazeye, kitabımızın dizininde tek tek adlarıyla sıraladığım kalabalığın çoğu katıldı. Kemal'in annesi Vecihe Hanım ise, her zaman cenaze seyrettiği balkondaydı; bir başörtüsü takmıştı. Oğlunu hüngür hüngür ağlayarak uğurlayışını, biz avludakiler de yaşlı gözlerle seyrettik...

Kemal Bey'in daha önceden beni görmek istemeyen yakınları, cenazeden sonraki aylarda tuhaf ama mantıklı bir sırayla benimle bir bir görüşmek istediler. Bunu, Nişantaşı çevresinde geçen kitaplarımda herkesi acımasızca kötülediğim yolundaki yanlış inanca borçluyum. Yalnız annemi, ağabeyimi, amcamı ve bütün ailesini değil, başka pek çok saygın Nişantaşlıyı, mesela ünlü Cevdet Bey'i, oğullarını ve ailesini, şair dostum Ka'yı, hatta hayranı olduğum öldürülen ünlü köşe yazarımız Celâl Salik'i, ünlü dükkâncı Alaaddin'i ve pek çok devlet ve din büyüğünü, paşayı kötü gösterdiğim yolundaki dedikodular, suçlamalar, ne yazık ki çok yaygındı. Zaim ile Sibel, kitaplarımı okumadan benden korkmuşlardı. Gençlik günlerine göre Zaim çok daha zengindi. Meltem gazoz olarak piyasadan silinmişti, ama büyük bir şirket olarak ayaktaydı. Bebek sırtlarındaki Boğaz manzaralı şahane evlerinde, beni çok iyi ağırladılar. Kemal Bey'in hayat hikâyesini kaleme almamdan (Füsun'un yakınları da Füsun'un hikâyesini yazdığımı söylüyorlardı) gurur duyduklarını söylediler. Ama kitabımı tek taraflı değil, bir de onları dinleyerek yazmalıydım.

Ama önce şu büyük rastlantıyı, ölümünden yarım gün önce, 11 Nisan günü öğleden sonra Kemal Bey ile Milano'da sokakta karşılaşmalarını anlatacaklardı. (Beni bunun için çağırdıklarını hissettim hemen.) Zaim, Sibel ve akşam yemeğine bizimle sofraya oturan biri yirmi (Gül), bir diğeri on sekiz (Ebru) yaşındaki güzel ve akıllı kızları tatilde gezip eğlenmek için, üç günlüğüne Milano'ya gitmişlerdi. Ellerindeki külahlardan portakallı, çilekli, kavunlu, rengârenk dondurmaları yalayarak, vitrinlere bakarak, şakalaşıp gülüşerek yürüyen bu mutlu aileden, ilk olarak Kemal, önce yalnız Gül'ü görmüş ve annesine gerçekten çok benzeyen kıza şaşkınlıkla yaklaşmış, "Sibel! Sibel! Merhaba, ben Kemal," demişti.

"Gül, benim yirmilerimdeki halime çok benzer, o gün bir de o yıllarda giydiğim örgü etolü giymişti," dedi Sibel Hanım gururla gülümseyerek. "Kemal ise çok yorgundu, bakımsız, bitkin ve aşırı mutsuz gözüküyordu. Orhan Bey, onun haline çok çok üzüldüm. Yalnız ben değil, Zaim de çok üzüldü. Bir zamanlar Hilton'da nişanlandığım, hayatı o kadar seven, her zaman hoş, neşeli, şakacı insan gitmiş, onun yerine dünyadan, hayattan kopmuş, asık suratlı, ağzı sigaralı bir ihtiyar gelmiş. O Gül'ü tanımasa, biz de onu tanıyamazdık. Yaşlanmamış, ihtiyarlayıp çökmüş. Çok üzüldüm. Üstelik bu onu kim bilir kaç yıl sonra ilk görüşümdü."

"Fuaye Lokantası'ndaki son yemeğinizden ta otuz bir yıl sonra," dedim.

Ürpertici bir sessizlik oldu.

"Size her şeyi anlatmış!" dedi Sibel az sonra acıyla.

Sessizlik sürerken, bana anlatmak istedikleri asıl şeyin ne olduğunu anlamıştım: Zaim ile Sibel kendi hayatlarının çok daha mutlu olduğunu, güzel ve normal bir hayat yaşadıklarını okurun bilmesini istiyorlardı.

Ama kızlar odalarına çekildikten sonra konyak içerken, karıkocanın ifade etmekte zorlandığı bir başka konu daha olduğunu anladım. İkinci kadeh konyağı içerken Sibel, Zaim gibi lafı gevelemeden takdir ettiğim bir açıklıkla derdini anlattı:

"1975 yazı sonunda; Kemal, hastalığını, yani merhum Füsun Hanım'a çok kötü âşık olduğunu bana itiraf ettikten sonra, nişanlıma acıdım ve ona yardım etmek istedim. Bizim Anadoluhisarı'ndaki yalıda en iyi niyetlerle onu tedavi etmek için birlikte bir ay (doğrusu üç ay) geçirdik Orhan Bey. Aslında bu artık önemli değil... Günümüz gençleri artık bekâret gibi konulara hiç aldırmıyorlar (bu da doğru değildi), ama gene de kitabınızda benim için küçültücü olan o günlerden hiç bahsetmemenizi sizden bilhassa rica edeceğim... Bu konu önemsiz görülebilir, ama sırf bu konuda dedikodu yaptığı için en iyi arkadaşım Nurcihan ile bozuştum. Çocuklar da öğrendiklerinde önemsemezler, ama arkadaşları, dedikoducular... Lütfen siz bizi kırmayın..."

Zaim, her zaman Kemal'i çok sevdiğini, çok içten bir insan olduğunu, onun arkadaşlığını her zaman aradığını, özlediğini anlattı. "Gerçekten Kemal bu Füsun Hanım'ın her şeyini toplamış mı, gerçekten bir müze kuruluyor mu?" diye yarı hayret, yarı korkuyla sordu sonra.

"Evet," dedim. "Ben de kitabımla bu müzenin reklamcısı olacağım."

Çok geç bir saatte onlarla gülüşüp konuşarak evden ayrılırken, bir an kendimi Kemal'in yerine koydum. Sağ olsaydı ve Sibel ve Zaim ile arkadaşlığa devam etseydi (pekâlâ mümkündü bu), Kemal de gece oradan benim gibi yalnız bir hayat sürdüğü için hem mutluluk hem de suçluluk duyarak ayrılırdı.

"Orhan Bey," dedi kapıda Zaim. "Sibel'in ricasını dinleyin lütfen. Biz de Meltem Şirketi olarak müzeyi desteklemek istiyoruz."

O gece, başka tanıklarla konuşmanın boşluğunu da anladım: Ben Kemal Bey'in hikâyesini başkalarının gördüğü gibi değil, onun bana anlattığı gibi yazmak istiyordum.

Sırf bu inadımdan dolayı Milano'ya gittim ve Sibel, Zaim ve çocuklarla karşılaştığı gün Kemal'i o kadar üzmüş olan şeyin az önce gidip yeniden gördüğü Bagatti Valsecchi Müzesi'nin harap hali ve mekânın bir kısmının müzeye gelir getirmek için ünlü marka Jenny Colon'a kiralanması olduğunu öğrendim. Müzenin, hep kara elbiseler giyen hepsi kadın bekçilerinin gözleri yaşlıymış ve yöneticilere göre, birkaç yılda bir müzeye mutlaka gelen Türk beyefendiyi bu çok üzmüş.

Bu bilgi bile, kitabımı tamamlamak için artık kimsenin dedikodusunu dinlememem gerektiğini bana hatırlattı. Bir tek Füsun'u görmeyi, onu dinlemeyi çok isterdim. Ama onun yakınlarından önce, beni evlerine ısrarla davet eden ve kitabımdan korkan başka kişilerin davetlerini, sırf onlarla oturup yemek yeme zevki için kabul ettim.

Böylece kısa süren bir akşam yemeğinde, Osman'dan bu hikâyeyi hiç yazmamam öğüdünü aldım. Evet, Satsat rahmetli kardeşinin ihmali yüzünden batmıştı belki, ama rahmetli babası Mümtaz Bey'in kurucusu olduğu bütün şirketler, şimdi Türkiye'nin ihracat patlamasının yıldızlarıydılar. Çok düşmanları vardı ve pek çok dedikoduya yol açacak ve kalp kıracak böyle bir kitap, Basmacı Holding'in alay konusu olmasına ve tabii ki Avrupalıların bize gene gülüp kötülemelerine yol açacaktı. Gene de o geceden hoş bir hatırayla, Berrin Hanım'ın bana mutfakta, kocasına göstermeden verdiği Kemal'in bir çocukluk bilyasıyla ayrıldım.

Kemal'in zaten önceden beni tanıttığı Nesibe Hala ise, Kuyulu Bostan Sokak'taki dairesinde yeni hiçbir şey söylemedi. Şimdi yalnız Füsun için değil, "Tek damadım odur," dediği Kemal için de sürekli ağlıyordu. Müzeden ise, yalnızca bir kere söz etti. Eski bir ayva rendesi vardı, canı reçel yapmak istemişti, ama bir türlü bulamıyordu. Acaba müzede mi kalmıştı? Ben bilirdim, gelecek gelişimde getirebilir miydim? Beni kapıdan uğurlarken, "Orhan Bey, Kemal'i hatırlatıyorsunuz bana," diyerek ağladı.

Füsun'a en yakın olan, bütün sırlarını bilen ve bence Kemal'i de en iyi anlayan kişi olan Ceyda ile, beni ölümünden altı ay önce zaten Kemal tanıştırmıştı. Roman okumaktan hoşlanan Ceyda Hanım'ın beni tanıma isteğinin de etkisi vardı bunda. Otuz yaşlarındaki iki oğlu da evli ve mühendisti ve bize fotoğraflarını gösterdiği çok sevdiği gelinleri, şimdiden yedi torun vermişlerdi ona. Bana hafif sarhoş ve hafif bunak gibi gözüken ve Ceyda'dan çok yaşlı olan zengin kocası (Sedircilerin oğlu!) bizimle, hikâyelerimizle, hatta Kemal ile benim çok rakı içmemizle bile ilgili değildi.

Kemal'in Çukurcuma'ya ilk gelişinde akşam banyoda unuttuğu küpe tekini Füsun'un aynı akşam bulduğunu, o günlerde hemen bunu Ceyda'ya anlattığını ve Kemal'e ceza olsun diye Füsun'un "Küpe müpe yoktu," demesine birlikte karar verdiklerini, Ceyda gülerek anlattı. Füsun'un başka pek çok sırrı gibi, Kemal Bey bu hikâyeyi de yıllar önce Ceyda'dan zaten öğrenmişti. Ben dinlerken yalnızca acıyla gülümsedi ve birer kadeh daha rakı doldurdu bizlere.

"Ceyda," dedi sonra Kemal, "Füsun'dan haber almak için sizinle hep Maçka'da, Taşlık'ta buluşup konuştuk. Siz bana Füsun'u anlatırken ben hep Maçka'dan Dolmabahçe'nin görünüşünü seyrederdim. Geçende baktım da koleksiyonumda bu manzaranın pek çok resmi birikmiş bende."

Konu fotoğraftan açıldığı için ve sanırım biraz da benim şerefime, Ceyda Hanım, Füsun'un, Kemal Bey'in hiç görmediği bir fotoğrafını geçen gün bulduğunu söyledi. Bu hepimizi heyecanlandırdı. Fotoğraf 1973 Milliyet Güzellik Yarışması'nın final gecesinde, kuliste Hakan Serinkan, sahnede soracağı kültür sorularını Füsun'a fısıldarken çekilmişti. Şimdilerde İslamcı bir partiden milletvekili olan ünlü şarkıcı, Füsun'dan çok hoşlanmıştı.

"Ne yazık ki ikimiz de dereceye giremedik Orhan Bey, ama hakiki liseli kızlar gibi o gece Füsun ile gözlerimizden yaşlar akıncaya kadar güldük," dedi Ceyda. "Füsun'un bu fotoğrafı işte tam o sırada çekildi." Bir hamlede çıkarıp ahşap sehpanın üzerine koyduğu solgun fotoğrafa bakar bakmaz, Kemal Bey'in suratı kül gibi beyaz oldu ve uzun bir sessizliğe gömüldü.

Ceyda'nın kocası güzellik yarışması hikâyesinden hiç hoşlanmadığı için, Füsun'un eski fotoğrafına orada daha fazla bakamadık. Ama her zamanki gibi çok anlayışlı olan Ceyda, gecenin sonunda fotoğrafı Kemal Bey'e hediye etti.

Ceyda'nın Maçka'daki evinden çıkınca, Kemal Bey'le Nişantaşı'na doğru gecenin sessizliğinde yürüdük. "Sizi Pamuk Apartmanı'na kadar geçireyim," demişti bana. "Ben bu akşam müzede değil, annemle Teşvikiye'de kalacağım."

Ama Pamuk Apartmanı'ndan beş bina önce, Merhamet Apartmanı'nın önüne gelince durdu ve gülümsedi.

"Orhan Bey, *Kar* romanınızı sonuna kadar okudum," dedi. "Ben siyaseti sevmem. Bu yüzden, kusura bakmayın ama biraz zorlandım. Ama sonunu sevdim. Ben de oradaki kahraman gibi, romanın sonunda okuyucuyla doğrudan konuşmak isterim. Böyle bir hakkım var mı? Kitabınız ne zaman bitiyor?"

"Sizin müzeden sonra," dedim. Bu artık aramızda ortak bir şaka olmuştu. "Okura son sözünüz nedir?"

"Ben, o kahraman gibi, okurların bizleri uzaktan anlayamayacağını söylemeyeceğim. Tam tersi müzemizi gezenler, kitabınızı okuyanlar bizi anlayacaklardır. Ama başka bir sözüm var."

Bunu der demez, cebinden Füsun'un fotoğrafını çıkardı ve Merhamet Apartmanı'nın önündeki sokak lambasından gelen solgun ışığın altında, Füsun'a aşkla baktı. Ben de yanına geçtim.

"Güzel değil mi?" dedi tıpkı otuz küsur yıl önce babasının kendisine dediği gibi.

İki erkek, Füsun'un üzerine 9 numara işlenmiş siyah mayolu fotoğrafına, bal rengi kollarına, hiç de neşeli olmayan, tam tersi hüzünlü yüzüne, harika vücuduna ve fotoğrafın çekilişinden tam otuz dört yıl sonra bile bizi çarpan yüz ifadesindeki insani yoğunluğa, ruhsallığa hayretle, aşkla, saygıyla baktık.

"Bu fotoğrafı müzeye koyun Kemal Bey, lütfen," dedim.

"Kitaptaki son sözüm şudur Orhan Bey, lütfen unutmayın..."

"Unutmam."

Füsun'un fotoğrafını aşkla öptü ve ceketinin göğüs cebine dikkatle yerleştirdi. Sonra bana zaferle gülümsedi.

"Herkes bilsin, çok mutlu bir hayat yaşadım."

2001-02, 2003-08

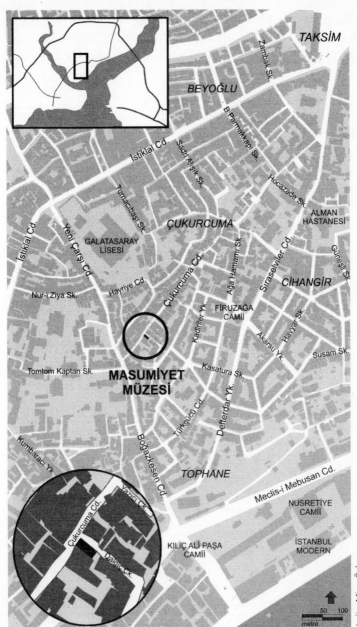

Harita: Miray Özkan

Orhan Pamuk'un 2006 Nobel Edebiyat Ödülü'nü kazanmasına dair...

"Yaşadığı kent İstanbul'un hüzünlü ruhunun izlerini sürerken, kültürlerin birbiriyle çatışması ve kaynaşmasının yeni simgelerini buldu."

İsveç Akademisi'nin 2006 Nobel Edebiyat Ödülü
resmî açıklaması

"Sayın Orhan Pamuk! Doğduğun kenti, Dostoyevski'nin St. Petersburg'u, James Joyce'un Dublin'i ve Proust'un Paris'i yaptığı gibi, vazgeçilmez edebiyat toprağı haline getirdin."

İsveç Akademisi Daimi Sekreteri ve Nobel Komitesi Üyesi
Horace Engdahl'in Nobel Ödül Töreni konuşmasından

"Pamuk, roman sanatını biz Batılıların elinden aldı ve bambaşka bir şey haline getirdi."

İsveç Akademisi Daimi Sekreteri ve Nobel Komitesi Üyesi
Horace Engdahl

"Neredeyse dayanılmayacak kadar büyüleyici büyük Türk romancısı..."

New York Times

"Pamuk'unki sarsıcı bir başarı..."

The Times Literary Supplement

Şeylerin Masumiyeti

Özenle seçilmiş resim ve fotoğraflarla dolu bu kitapta, Orhan Pamuk, Masumiyet Müzesi'ndeki eşyalar üzerinden İstanbul'u ve kendi hayatını anlatmaya devam ediyor...

Eski İstanbul taksilerinden kalabalık aile fotoğraflarına, ev ev gezen terzilerden gazino-sinema çevrelerine, Boğaz ve yalı kültüründen çay içmeye ve kahvede oturup kâğıt oynama alışkanlıklarına uzanan kitap, aynı zamanda Pamuk'un on beş yılda kurduğu ilginç müzenin hem hikâyesi hem de kataloğu. Pamuk, Masumiyet Müzesi'nden yola çıkarak hazırladığı bu yaratıcı kitapta, eşyaların, manzaraların, gündelik hayatımızın tuhaf, göz kamaştırıcı ve sıradan ayrıntılarında yeni anlamlar keşfediyor.

Saf ve Düşünceli Romancı

Pamuk, yazı yazmanın ve romancılığın otuz beş yıllık meslek sırlarını, Harvard Üniversitesi'nde verdiği Norton derslerinde açıklıyor. Daha önce T. S. Eliot, Borges, Calvino ve Umberto Eco gibi yazarların da verdiği bu derslerde, Pamuk edebiyat ve sanat anlayışını bir bütün olarak sunuyor.

Bir romanı okurken kafamızda ne gibi işlemler yaparız? Roman kahramanlarıyla gerçek insanlar arasındaki ilişki nedir? Roman sanatı ile şiirin, resmin ve siyasetin ilişkisi nedir? Yazarın kendi sesi, imzası, özel dünyası nasıl oluşur? Romancı nerede kendisini, nerede başkalarını anlatır? Romanı gerçek yapan "gizli merkez" nedir ve nasıl kurulur? Pamuk bütün hayatı boyunca meşgul olduğu bu soruları Türk ve dünya edebiyatından örneklerle cevaplıyor.

Pamuk, bu kitapta roman okurken ve yazarken karşılaştığı harikaları, kendi kişisel deneyimleri ve hatıralarından aldığı güçle, herkesin anlayacağı bir konuşma dili ve rahatlığıyla hikâye ediyor.

Manzaradan Parçalar

Orhan Pamuk bu yeni kitabında, çocukluğundan başlayarak hayatından, yaşadıklarından bütün içtenliğiyle söz ediyor. Yazarın babasının ölümü, siyasi dertleri, futbol oynarken ya da romanlarını yazarken hissettikleri, tıpkı annesinin sigara böreği yapışı, yaz gecesi bir sivrisineğin hareketleri ve Boğaz gemileri hakkındaki gözlemleri gibi büyük bir manzaranın parçası olarak dikkatle işleniyor. Pamuk İstanbul'dan, Adalar'dan, New York'tan, Venedik ya da Kalküta'dan söz ederken yaptığı gibi, kendi suçluluk duygularından, rüyalarından, eski berberlerden ya da çocukluğunda sokaklarda atıştırdığı şeylerden de bütün dikkatiyle hikâyeler çıkarıyor. Konu ister *Binbir Gece Masalları*, ister Dostoyevski'nin romanları, ister eski ressamlar, ister Selimiye Camii olsun, Pamuk gözlemlerini, duygularını sıralarken akılda sevdiğimiz bir hikâyecinin tanıdık ve unutulmaz sesi kalıyor.

Tıraş olmaktan asansöre binmeye, dünyayı çocuk gibi seyretmekten deprem endişelerimize, trafik ve dinden eski yangınlar ve yıkımlara uzanan bu kitap, Orhan Pamuk'un gözünden bakıldığında dünyanın ne kadar ilginç ve yeni olabileceğini bir kere daha kanıtlıyor.

Babamın Bavulu

Orhan Pamuk'un 2006 yılı Aralık ayında, Nobel Edebiyat Ödülü'nü alırken yaptığı ve otuz iki yıllık yazarlık çabasının ruhunu içtenlikle yansıtan duygulu konuşması "Babamın Bavulu" bütün dünyada derin yankılar uyandırmıştı. Yazmak ve yaşamak konusunda temel bir metin niteliğindeki bu konuşma, Pamuk'un başka iki ödül kabul konuşmasıyla birlikte, Babamın Bavulu'nda bir araya geliyor: Bunlardan ilki, Pamuk'un 2006 Nisanı'nda Amerika'da çıkan *World Literature* dergisince verilen Puterbaugh Ödülü'nü alırken yaptığı "İma Edilen Yazar" başlıklı konuşma; diğeri ise, yazarın 2005 Ekimi'nde Alman Kitapçılar Birliği'nce verilen Barış Ödülü'nü alırken yaptığı "Kars'ta ve Frankfurt'ta" adlı konuşması. Büyük bir yazarın oluşum sürecinin hikâyesi olarak da okunabilecek *Babamın Bavulu*, yazarlık nedir, niye yazar olunur, hayat ve yazmak, yazarlık sabrı ve roman sanatının sırları üzerine eşsiz değerde bir kitap.

İstanbul

Hatıralar ve Şehir

İstanbul'da, Orhan Pamuk hem yirmi iki yaşına kadarki kendi hayat hikâyesini hem de kendi bildiği İstanbul şehrinin ilginç hikâyesini bir roman tadıyla birleştirerek okura sunuyor. Pamuk'un kendini "ben" olarak ilk hissedişinden annesine, babasına, ailesine yönelen hikâye, bir hüzün ve mutluluk kaynağı olarak İstanbul sokaklarına açılıyor. Günümüzün büyük romancısının gözünden 1950'lerin İstanbul sokaklarını, parke taşı kaplı caddelerini, yanıp yıkılan ahşap konaklarını, eski bir kültürün yok oluşuyla, onun külleri ve yıkıntıları arasından bir yenisinin doğuşunun zorluklarını keşfederken, Pamuk'un ruhsal dünyasının oluşumunu bir dedektif romanı okur gibi hızla izliyoruz... İstanbul'un siyah beyaz hüznünü araştıran bu benzersiz eserde, okurken elden bırakamadığımız ve dönüp dönüp yeniden okuyacağımız kitaplara has o ruh ve duygu birliği var.

Kar

On iki yıldır Almanya'da sürgün olan şair Ka Türkiye'ye dönüşünden dört gün sonra, bir röportaj için Kars şehrinde bulur kendini. Ağır ağır ve hiç durmadan yağan karın altında sokak sokak, dükkân dükkân bu hüzünlü ve güzel şehri ve insanlarını tanımaya çalışır. Kars'ta ağzına kadar işsizlerle dolu çayhaneler, dışarıdan gelmiş ve kardan mahsur kalmış gezgin bir tiyatro kumpanyası, intihar eden ve türban direnişi yapan kızlar, çeşitli siyasal gruplar, dedikodular, söylentiler, Karpalas Oteli ve sahibi Turgut Bey ile kızları İpek ve Kadife ve Ka için aşk ve mutluluk vaadi vardır.

2006 PRIX MEDITERRANÉE ÉTRANGER (FRANSA)
2005 PRIX MÉDICIS ÉTRANGER (FRANSA)

Öteki Renkler

Pamuk kişisel ve edebi dünyasını içtenlikle açıyor...

Öteki Renkler Orhan Pamuk'un çocukluk anılarından mutluluk saatlerine, romanlarını nasıl yazdığından gezi notlarına, sevdiği yazarlar ve kitaplar hakkındaki eleştirilerinden kişisel itiraflarına, şikâyetlerine, siyasi öfkelerine, kültür ve gündelik hayat konusundaki heyecanlarına uzanıyor ve yazarın yalnız romanda değil, düzyazıda da ne kadar usta olduğunu kanıtlıyor. Kaleme aldığı makalelerinden, tuttuğu defterlerden, verdiği röportajlardan yapılan bu titiz seçmede, Pamuk kızı Rüya ile olan arkadaşlığını, sigarayı bırakışını, gençlik bunalımlarını, günlük hayatını, sinema zevkini, Boğaz yangınlarını, bildiği İstanbul'u, yalnızlık ve mutlulukla ilgili takıntılarını, toplumun ve kendisinin korkularını ve paranoyalarını anlatıyor. Yazar kitabında ayrıca Dostoyevski'den Tanpınar'a, Kemal Tahir'den Oğuz Atay'a pek çok yazarı ve kitaplarını tartışıyor; roman kuramı, Doğu ve Batı, milliyetçilik ve Avrupa üzerine düşüncelerini açıyor. Nişantaşı'nda geçen ve bir çocuğun gözünden anlatılan "Pencereden Bakmak" adlı uzun hikâye ile birlikte bu kitap, Orhan Pamuk'un Nobel Ödülü'ne uzanan başarılı yolculuğunda renkli dünyasına ışık tutuyor.

Benim Adım Kırmızı

Benim Adım Kırmızı, hem Orhan Pamuk'un en çok dile çevrilen ve en çok hayranlık duyulan eseri hem de modern edebiyat tarihimizin en çok okunan kitabı.

Orhan Pamuk'un "en renkli ve en iyimser romanım", dediği *Benim Adım Kırmızı*, 1591 yılında İstanbul'da karlı dokuz kış gününde geçiyor. İki küçük oğlu birbirleriyle sürekli çatışan güzel Şeküre, dört yıldır savaştan dönmeyen kocasının yerine kendine yeni bir koca, sevgili aramaya başlayınca, o sırada babasının tek tek eve çağırdığı saray nakkaşlarını saklandığı yerden seyreder. Eve gelen usta nakkaşlar, babasının denetimi altında Osmanlı Padişahı'nın gizlice yaptırttığı bir kitap için Frenk etkisi taşıyan tehlikeli resimler yapmaktadırlar. Aralarından biri öldürülünce, Şeküre'ye âşık, teyzesinin oğlu Kara devreye girer. İstanbul'da bir vaizin etrafında toplanmış, tekkelere karşı bir çevrenin baskıları, pahalılık ve korku hüküm sürerken, geceleri bir kahvede toplanan nakkaşlar ve hattatlar sivri dilli bir meddahın anlattığı hikâyelerle eğlenirler. Herkesin kendi sesiyle konuştuğu, ölülerin, eşyaların dillendiği, ölüm, sanat, aşk, evlilik ve mutluluk üzerine bu kitap, aynı zamanda eski resim sanatının unutulmuş güzelliklerine bir ağıt.

2002 PRIX DU MEILLEUR LIVRE ÉTRANGER (FRANSA)
2002 GRINZANE CAVOUR (İTALYA)
2003 INTERNATIONAL IMPAC-DUBLİN (İRLANDA)

Yeni Hayat

Orhan Pamuk'un tuhaf, şiirsel ve başdöndürücü bu romanı 1994 yılında yayımlandığında, tıpkı anlattığı sihirli kitap gibi esrarlı havasıyla kült roman olmuş, bir anda yüz binlerce okura ulaşmış, kırka aşkın dile çevrilmişti.

"Bir gün bir kitap okudum ve bütün hayatım değişti." Orhan Pamuk'un coşkulu, lirik ve sihirli romanı *Yeni Hayat* bu sözlerle başlıyor. Okuduğu bir kitaptan sarsılarak etkilenen, sayfalardan neredeyse fışkıran ışığa bütün hayatını veren ve kitabın vaat ettiği yeni hayatın peşinden koşan genç bir kahramanın olağanüstü hikâyesi bu. Kitabın etkisiyle âşık oluyor, üniversite öğrenciliğinden uzaklaşıyor, İstanbul'dan ayrılıyor, bitip tükenmeyen otobüs yolculuklarına çıkıyor, taşra şehirlerine doğru savruluyor. Onunla birlikte ve aynı hızla sürüklenen okuyucu, kahramanın okuduğu kitabı değil, başından geçenleri izleyerek bize özgü bir hüznün ve şiddetin ta kalbinde buluyor kendini. Siyah beyaz televizyonlu kahvelere, video seyredilen otobüslere, trafik kazalarına, siyasi kumpas ve cinayetlere, bayi örgütlerine, paranoyakça kuramlara, saat kadar dakik muhbirlere, kaybolan eski eşyaların şiirine ve taşranın öfkesine uzanan bu harikulade yolculuk, Orhan Pamuk'un, çağdaş dünya romanının en özgün yaratıcılarından biri olduğunu bir kere daha kanıtlıyor. Bir yandan Hayat'ın, Eşsiz Anlar'ın, Ölüm'ün, Yazı'nın, Kaza'nın sırlarına, bir yandan da çocukluğun resimli romanlarına, bir belirip bir kaybolan arzu meleğine ve Dante'nin, Rilke'nin şiirlerine açılan benzersiz bir roman.

Hayatla okumanın kesiştiği alanda seyreden ve her sayfada katman katman genişleyen sarsıcı bir yol hikâyesi.

Kara Kitap

Galip, çocukluk aşkı, arkadaşı, amcasının kızı, sevgilisi ve kayıp karısı Rüya'yı karlı bir kış günü İstanbul'da aramaya başlar. Çocukluğundan beri yazılarını hayranlıkla okuduğu yakın akrabası gazeteci Celâl'in köşe yazıları, bu arayışta ona işaretler yollayacak ve eşlik edecektir. Okuyucu, bir yandan her bacası, her sokağı, her insanı başka bir esrarlı âlemin işaretine dönüşen İstanbul'da Galip'in araştırmalarını ve karşılaştığı kişileri izlerken, bir yandan da bu araştırmaları değişik işaretler ve tuhaf hikâyelerle tamamlayan Celâl'in köşe yazılarıyla karşılaşır. Eski cellatların hikâyelerinden Boğaz'ın sularının çekileceği felaket günlerine, kılık değiştiren paşalardan kültür tarihimizden kalmış esrarlı cinayetlere, karlı gecenin aşk hikâyelerinden yüzlerimizin üzerindeki anlamın sırlarına, İstanbul'un ücra ve karanlık köşelerinden gülünç ve tuhaf kişilerine, yakın tarihimizden günlük hayatımızın unutulmuş ve şaşırtıcı ayrıntılarına kadar uzanan bu araştırma, Galip'i hem kayıp karısına hem de hayatımızın içine gömüldüğü kayıp esrara doğru çekecektir.

1995 PRIX CULTURE FRANCE (FRANSA)

Beyaz Kale

17. yüzyılda Türk korsanlarınca tutsak edilen bir Venedikli, İstanbul'a getirilir. Astronomiden, fizikten ve resimden anladığına inanan bu köle, aynı ilgileri paylaşan bir Türk tarafından satın alınır. Garip bir benzerlik vardır bu iki insan arasında. Köle sahibi, kölesinden, Venedik'i ve Batı bilimini öğrenmek ister. Bu iki kişi, efendi ile köle, birbirlerini tanımak, anlamak ve anlatmak için, Haliç'e bakan karanlık ve boş bir evde, aynı masanın iki ucuna oturur, konuşurlar. Hikâyeleri ve serüvenleri, onları veba salgınının kol gezdiği İstanbul sokaklarına, Çocuk Sultan'ın düşsel bahçelerine ve hayvanlarına, inanılmaz bir silahın yapımına, "Ben neden benim?" sorusuna götürecektir. Hikâyelerin günden geceye doğru ilerlemesiyle, gölgeler yavaş yavaş yer değiştirir.

Orhan Pamuk *Beyaz Kale*'de, Doğu ile Batı arasındaki benzerliklere ve farklılıklara bakarken, milli ve bireysel kimliklerimizin gerisinde yatan yapaylığı ortaya çıkartarak, iki kültürün ortak paydasını vurguluyor. Okur İstanbul manzarası eşliğinde izlediği bu yarı gerçek yarı hayal hikâyede, kendi varoluşunun özünü aramaya davet ediliyor.

Gizli Yüz (Senaryo)

Orhan Pamuk'un yazdığı, Ömer Kavur'un yönettiği *Gizli Yüz*, Türk sinemasının sıra dışı, unutulmaz filmleri arasındadır. Pamuk'un edebi dünyasıyla Kavur'un sinemasını çarpıcı bir şekilde buluşturan bu film, gösterime girdiği 1991 yılında Antalya Film Festivali'nde En İyi Film ve En İyi Senaryo, Montréal Yeni Sinema Festivali'nde ise En İyi Film Ödülleri'ni kazandı. *Gizli Yüz*'ün metnini, filmden seçilmiş fotoğraflarla birlikte, Orhan Pamuk'un senaryonun oluşumunu anlatan yazısıyla birlikte yayımlıyoruz.

"Ben yazdıkça, tıpkı bir romanı yazarken olduğu gibi, önceden hesapta olmayan bir yığın yan konucuk, kişi, eşya, yer, hikâyeme kendiliğinden giriverdiler: Unutulmuş kasabalar, ütüler, masalar, saat kuleleri, kasaplar, ortalıkçı kadınlar, Şeyh Galip'ten mısralar, çayhaneler, ağaçlar... Yazmak, o çok söylenen basmakalıp deyişle, bir yolculuğa çıkmaksa eğer, yazmak mutluluğu da, yolculuk boyunca karşınıza çıkıveren bu yol arkadaşlarını kendi dünyanıza kazanabilmenin sevinci olmalı."

1991 ANTALYA FİLM FESTİVALİ EN İYİ FİLM, EN İYİ SENARYO ÖDÜLÜ
1991 MONTRÉAL YENİ SİNEMA FESTİVALİ EN İYİ FİLM ÖDÜLÜ

Sessiz Ev

Sessiz Ev'de Orhan Pamuk, dağılmakta olan bir ailenin hikâyesi üzerinden Cumhuriyet ve modernleşme tarihimizin barındırdığı gizli çatışmaları ve şiddeti araştırıyor. Orhan Pamuk yayımlanışından otuz yıl sonra, bu yeni baskıda romana bölüm başlıkları koydu ve anlatıdaki bazı tekrarları ayıklayarak kitabı yeni okurlar için daha okunaklı hale getirdi.

Biri tarihçi, biri devrimci, biri de zengin olmayı aklına koymuş üç torun İstanbul yakınlarındaki Cennethisar kasabasındaki evinde babaannelerini ziyaret ederler. Dedelerinin yetmiş yıl önce siyasi sürgün olarak kasabaya geldiğinde yaptırdığı bu evde bir hafta kalırlar. Bu sürede, babaannelerinin doksan yıllık anılarla yüklü geçmişi ağır ağır aralanırken, dedenin Doğu ile Batı arasındaki uçurumu bir çırpıda kapatacağını sandığı büyük bir ansiklopediyi yazışı hatırlanır. Evde sessiz gözlemleriyle kuşaklar arasında köprü kuran tanıklar, bahçe duvarlarının ötesinde ise aile ile ilgilenen tutkulu gençlerin hareketleri vardır. Orhan Pamuk'un ikinci romanı olan *Sessiz Ev*, yayımlandığında büyük heyecanla karşılanmış, pek çok dile çevrilmiş ve ödüller almıştı.

1991 PRIX DE LA DÉCOUVERTE EUROPÉENNE (FRANSA)

Cevdet Bey ve Oğulları

Pamuk'a ilk ününü getiren bu büyük roman İstanbullu bir ailenin yetmiş yıllık serüvenini hikâye ediyor.

Nişantaşlı bir ailenin 20. yüzyılın başından itibaren üç kuşak boyunca serüvenlerini anlatan bu kitap ev içlerinin renklerini, zamanın akışını, günlük sıradan konuşmaları akılda yer eden kahramanlar aracılığıyla saptarken, okura geleneksel romandan alınacak hazları bütünüyle veriyor. Abdülhamit döneminin son yıllarında, İstanbul'un ilk Müslüman tüccarlarından küçük dükkân sahibi Cevdet Bey'in tutkusu, hem işlerini büyütmek, zenginleştirmektir hem de "Batılı anlamda" çağdaş, modern bir aile kurmak. Kökü taşraya uzanan geleneksel ailesini bir yana bırakarak bu isteklerini gerçekleştirmeye girişen Cevdet Bey'in ve oğullarının hikâyesi, bir anlamda modernleşme uğraşı içindeki Türkiye Cumhuriyeti'nin özel hayatının da hikâyesidir. Ev içlerinin, yeni apartman hayatının, Batılılaşan büyük ailelerin, Beyoğlu'na çıkıp alışveriş etmelerin, radyo dinlenen pazar öğleden sonralarının dikkat ve sevgiyle anlatıldığı bu panoramik roman, Orhan Pamuk'a hak ettiği ünü getiren olgun bir ilk kitaptır.

1983 ORHAN KEMAL ROMAN ARMAĞANI
1979 MİLLİYET YAYINLARI ROMAN ÖDÜLÜ